Dicionário
LAROUSSE

Francês/Português • Português/Francês
Míni

Dicionário LAROUSSE

Francês/Português • Português/Francês

Míni

LAROUSSE
Cultura para todos

Direção geral
Janice McNeillie

Direção Editorial
Soraia Luana Reis

Coordenação editorial
José A. Gálvez

Editora
Camila Werner

Redação
Eliane B. Freire Ushijima, Maria Alice Farah C. Antonio,
Eliane Gouvea Lousada (suplemento)

Revisão tipográfica
Célia Regina Rodrigues de Lima
Rosane Albert

Capa
Light Criação e Comunicação

Diagramação
APS - Chromostyle
LCT Tecnologia (suplemento e páginas iniciais)

Gerente de Produção
Fernando Borsetti

Dados Internacionais de Catalogação na Publicação (CIP)
(Câmara Brasileira do Livro, SP, Brasil)

Dicionário Larousse francês-português,
português-francês : míni / [coordenação editorial
José A. Galvez]. - 1. ed. - São Paulo :
Larousse do Brasil, 2005.

ISBN 85-7635-071-2

1. Francês - Dicionários - Português
2. Português - Dicionários - Francês I. Gálvez, José A.

CDD-443.69
05-4054 -469.43

Índices para catálogo sistemático:
1. Francês : Dicionários : Português 443.69
2. Português : Dicionários : Francês 469.43

1ª edição brasileira: 2005
2ª reimpressão: 2006

Direitos de edição para o Brasil:
Larousse do Brasil Participações Ltda.
Rua Afonso Brás 473, 16° andar – São Paulo/SP – Cep: 04511-011
Tel (11) 3044-1515 – Fax (11) 3044-3437
E-mail: info@larousse.com.br Site: www.larousse.com.br

Sumário

Apresentação vii

Abreviaturas ix

Transcrição fonética xi

Dicionário Francês - Português . . . . 1 a 361

Suplemento . . . . I a XXXVII

Dicionário Português - Francês . . . . 1 a 287

Apresentação

O *Dicionário Larousse Francês-Português/Português-Francês Míni* é a referência ideal para os estudantes brasileiros nos primeiros anos do aprendizado da língua francesa.

É uma obra prática que apresenta soluções rápidas e precisas para as dúvidas do dia-a-dia. Com mais de 40.000 palavras e expressões e mais de 55.000 traduções – incluindo siglas, abreviações e nomes próprios de uso freqüente –, o *Dicionário Larousse Míni* ajuda a compreender e desfrutar de vários tipos de textos, pois as palavras sempre são apresentadas em seu contexto. Este livro ainda ajuda a desenvolver a habilidade de escrever em francês com fluência, graças ao tratamento claro e detalhado dado ao vocabulário básico e às indicações do sentido das palavras, que auxiliam no momento de optar pela tradução mais adequada.

O *Dicionário Larousse Míni* traz ainda um suplemento prático e fácil de ser consultado que apresenta uma visão geral do cotidiano na França, com informações atualizadas sobre geografia, educação, comunicação e lazer. Além disso, uma tabela com 60 verbos conjugados em diversos tempos ajuda o estudante a falar ou escrever corretamente o francês.

O *Dicionário Larousse Francês-Português/Português-Francês* Míni é, enfim, um dicionário completo, prático e fácil de ser usado. É uma ferramenta fundamental para quem estuda e usa o francês, idioma indispensável à formação de qualquer cidadão.

A EDITORA

Abreviaturas

abreviatura	*abrev/abr*	abréviation
adjetivo	*adj*	adjectif
adjetivo feminino	*adj f*	adjectif féminin
adjetivo masculino	*adj m*	adjectif masculin
advérbio	*adv*	adverbe
anatomia	*ANAT*	anatomie
artigo	*art*	article
automóvel	*AUT*	automobile
auxiliar	*aux*	auxiliaire
termo belga	*Belg*	belgicisme
termo canadense	*Can*	canadianisme
comércio	*COM(M)*	commerce
comparativo	*comp(ar)*	comparatif
conjunção	*conj*	conjunction
culinária	*CULIN*	cuisine, art culinaire
educação, escola	*EDUC*	domaine scolaire
esporte	*ESP*	sport
interjeição	*excl*	exclamation
substantivo feminino	*f*	nom féminin
familiar	*fam*	familier
figurado	*fig*	figuré
finanças	*FIN*	finances
formal	*fml*	soutenu
geralmente	*ger/gén*	généralement
gramática	*GRAM(M)*	grammaire
termo suíço	*Helv*	helvétisme
informática	*INFORM*	informatique
interjeição	*interj*	exclamation
interrogativo	*interr*	interrogatif
invariável	*inv*	invariable
jurídico	*JUR*	juridique
substantivo masculino	*m*	nom masculin
matemática	*MAT(H)*	mathématiques
medicina	*MED/MÉD*	médecine
substantivo que tem a mesma forma para o masculino e para o feminino	*mf*	nom masculin et féminin

substantivo masculino que tem também uma forma para o feminino	*m, f*	nom masculin et féminin avec une désinence féminine
termos militares	*MIL*	domaine militaire
música	*MÚS/MUS*	musique
substantivo	*n*	nom
termos naúticos	*NÁUT/NAVIG*	navigation
substantivo feminino	*nf*	nom féminin
substantivo masculino	*nm*	nom masculin
substantivo que tem a mesma forma para o masculino e para o feminino	*nmf*	nom masculin et féminin
substantivo masculino que tem também uma forma para o feminino	*nm, f*	nom masculin et féminin avec une désinence féminine
numeral	*num*	numéral
pejorativo	*pej*	péjoratif
plural	*pl*	pluriel
política	*POL*	politique
particípio passado	*pp*	participe passé
gerúndio	*ppr*	participe présent
preposição	*prep/prép*	préposition
pronome	*pron*	pronom
algo	*qqch*	quelque chose
alguém	*qqn*	quelqu'un
marca registrada	®	nom déposé
religião	*RELIG*	religion
substantivo	*s*	nom
educação, escola	*SCOL*	domaine scolaire
formal	*sout*	soutenu
sujeito	*suj*	sujet
superlativo	*sup(erl)*	superlatif
termos técnicos	*TEC(H)*	technologie
televisão	*TV*	télévision
verbo	*v*	verbe
verbo intransitivo	*vi*	verbe intransitif
verbo impessoal	*v impess/ v impers*	verbe impersonnel
verbo pronominal	vp	verbe pronominal
verbo transitivo	vt	verbe transitif
vulgar	vulg	vulgaire
equivalente cultural	?	équivalent culturel

Transcrição fonética

Vogais portuguesas

[a]	p**á**, am**a**r
[E]	s**é**, s**e**ta, **he**ra
[e]	l**e**r, m**ê**s
[i]	**i**r, s**i**no, nav**e**
[ç]	n**o**ta, p**ó**
[o]	c**o**rvo, av**ô**
[u]	az**u**l, trib**o**

Vogais francesas

[a]	l**a**c, p**a**pillon, **â**me
[E]	b**e**c, **ai**me
[e]	p**a**ys, ann**ée**
[´]	**le**, **je**
[i]	f**i**lle, **î**le, s**y**stème
[o]	dr**ô**le, **au**be, **eau**
[O]	av**eu**, **jeu**
[ø]	p**eu**ple, b**oe**uf
[u]	**ou**til, g**oû**t
[y]	**u**sage, l**u**ne

Semivogais

[j]	el**ei**to, ma**i**o
[w]	luar, quadro, poema

Semi-voyelles

[j]	**y**eux, l**i**eu
[w]	**ou**est, **oui**
[Á]	**lui**, n**uit**

Ditongos

[aj]	f**ai**xa, m**ai**s
[ej]	l**ei**te, r**ei**
[Ej]	hot**éi**s, past**éi**s
[çj]	her**ói**, b**ói**a
[oj]	c**oi**sa, n**oi**te
[uj]	az**uis**, f**ui**
[aw]	n**au**, **jau**la
[Ew]	**céu**, **véu**
[ew]	d**eus**, s**eu**
[iw]	r**iu**, v**iu**

Vogais nasais

[ã]	maç**ã**, s**an**to
[?]	lençol, sempre
[?]	fim, patim
[õ]	**on**de, c**om**, **hon**ra
[?]	jej**um**, n**un**ca

[ã]	ch**amp**, **enn**ui
[¼]	t**im**bre, m**ain**
[¹]	**on**gle, m**on**
[¾]	parf**um**, br**un**

Ditongos nasais

[ãj]	c**ãi**bra, m**ãe**
[ãw]	camar**ão**, c**ão**
[?j]	b**em**, qu**em**
[õj]	cord**õe**s, le**õe**s

Consoantes

beijo, a**b**rir	[b]	**b**ateau, a**b**eille
casa, di**qu**e	[k]	co**q**, **qu**atre, **k**épi
dama, pren**d**a	[d]	**d**alle, ron**d**e
dia, bon**d**e	[dZ]	
faca, a**f**inal	[f]	**f**ort, **ph**ysique
grande, a**g**ora	[g]	**g**arder, di**gu**e
ci**s**ne, an**j**o, **g**elo	[Z]	rou**g**e, **j**eune
fe**l**iz, co**l**a, **l**ata	[l]	**l**it, ha**ll**e
fo**lh**a, i**lh**a	[¥]	
mel, a**m**igo	[m]	**m**ât, dra**m**e
novo, mi**n**a	[n]	**n**ager, trô**n**e
li**nh**a, so**nh**o	[˜]	a**gn**eau, pei**gn**er
a**n**ca, i**n**glês	[N]	parki**ng**
pão, gri**p**e	[p]	**p**rendre, gri**pp**e
cu**r**a, e**r**a	[r]	a**rr**acher, sab**r**e
rádio, te**rr**a	[{]	
cima, de**ss**e, ca**ç**a	[s]	**c**ela, **s**avant
no**z**, bi**s**, cai**x**a, **ch**á	[S]	**ch**arrue, **sch**éma
la**t**a, por**t**a	[t]	**th**éâtre, **t**emps
tio, infan**t**il	[tS]	
a**v**e, **v**ela	[v]	**v**oir, ri**v**e, **w**agon
bri**s**a, **z**elo	[z]	frai**s**e, **z**éro

O símbolo [´] representa o "h" aspirado francês, por exemplo, hacher [´aʃe].
O símbolo [´] indica a sílaba acentuada em português. Quando há duas sílabas tônicas, nomeadamente nos substantivos compostos como **curto-circuito** [,kurtusir´kwitu] ou nos advérbios como **raramente** [,rara´m?nte], o símbolo [,] indica a mais fraca das duas.
Todas as entradas, tanto francesas como portuguesas, são seguidas por uma fonética API.
As regras de pronúncia aplicadas ao português refletem a língua falada no Rio de Janeiro.

Marcas Registradas

O símbolo ® indica que a palavra em questão é uma marca registrada. Este símbolo, ou sua eventual ausência, não afeta, no entanto, a situação legal da marca.

FRANÇAIS-PORTUGAIS
FRANCÊS-PORTUGUÊS

A

a [a] ► **avoir**.

A (*abr de* **autoroute**) A.

à [a] *prép* **1.** [gén] a ; **penser à qqch** pensar em algo ; **donner qqch à qqn** dar algo a alguém ; **allons au théâtre** vamos ao teatro ; **il est parti à la pêche** ele foi à pesca ; **embarquement à 21h30** embarque às 21h30 ; **au mois d'août** no mês de agosto ; **le musée est à cinq minutes d'ici** o museu fica a cinco minutos daqui ; **à jeudi !** até quinta-feira! ; **à deux** a dois ; **à pied** a pé ; **écrire au crayon** escrever a lápis ; **à la française** à francesa ; **un billet d'entrée à 8 €** um ingresso a 8 euros ; **j'ai acheté une robe à 40 €** comprei um vestido por 40 euros ; **être payé à l'heure** ser pago por hora ; **100 km à l'heure** 100 km por hora ; **le courrier à poster** a carta para pôr no correio ; **maison à vendre** casa à venda ; **travail à faire** trabalho para fazer - **2.** [indique le lieu où l'on est] em ; **j'habite à Paris** moro em Paris ; **rester à la maison** ficar em casa ; **il y a une piscine à deux kilomètres du village** há uma piscina a dois quilômetros da aldeia - **3.** [indique un moyen de transport] de ; **une promenade à vélo** um passeio de bicicleta ; **un voyage à dos d'âne** uma viagem de burro - **4.** [indique l'appartenance] de ; **cet argent est à moi/à lui/à Isabelle** este dinheiro é meu/dele/da Isabelle ; **une amie à moi** uma amiga minha ; **à qui sont ces lunettes ?** de quem são estes óculos? - **5.** [indique une caractéristique] de ; **le garçon aux yeux bleus** o rapaz de olhos azuis ; **un bateau à vapeur** um barco a vapor ; **un tissu à fleurs** um tecido florido.

AB[1] (*abr de* **assez bien**) suficiente.

AB[2] (*abr de* **agriculture biologique**) [ab] agricultura *f* biológica.

abaisser [abese] *vt* [manette] abaixar.

abandon [abɑ̃dɔ̃] *nm* **: à l'abandon** ao abandono ; **laisser qqch à l'abandon** deixar algo ao abandono.

abandonné, e [abɑ̃dɔne] *adj* abandonado(da).

abandonner [abɑ̃dɔne] ◇ *vt* abandonar. ◇ *vi* desistir.

abasourdi, e [abazuʀdi] *adj* **1.** [stupéfait] embasbacado(da) - **2.** [étourdi] aturdido(da).

abat-jour [abaʒuʀ] *nm inv* abajur *m*.

abats [aba] *nmpl* miúdos *mpl*.

abattement [abatmɑ̃] *nm* abatimento *m* ; **abattement fiscal** abatimento fiscal.

abattoir [abatwaʀ] *nm* matadouro *m*.

abattre [abatʀ] *vt* abater.

abattu, e [abaty] *adj* [découragé] abatido(da).

abbaye [abei] *nf* abadia *f*.

abbé [abe] *nm* abade *m*.

abcès [apsɛ] *nm* abcesso *m*.

abdiquer [abdike] ◇ *vt* abdicar de. ◇ *vi* [roi] abdicar ; [abandonner] desistir.

abdomen [abdɔmɛn] *nm* abdome *m*.

abdominaux [abdɔmino] *nmpl* abdominais *mpl* ; **faire des abdominaux** fazer abdominais.

abdos [abdo] *fam abr de* **abdominaux**.

abeille [abɛj] *nf* abelha *f*.

aberrant, e [abɛʀɑ̃, ɑ̃t] *adj* aberrante.

abîme [abim] *nm* abismo *m*.

abîmer [abime] *vt* estragar. ◆ **s'abîmer** *vp* estragar-se ; **s'abîmer les yeux** estragar a vista.

abject, e [abʒɛkt] *adj* abjeto(ta).

aboiements [abwamɑ̃] *nmpl* latidos *mpl*.

abolir [abɔliʀ] *vt* abolir.

abominable [abɔminabl] *adj* abominável.

abondance [abɔ̃dɑ̃s] *nf* abundância *f* ; **en abondance** em abundância ; **vivre dans l'abondance** nadar em dinheiro.

abondant, e [abɔ̃dɑ̃, ɑ̃t] *adj* abundante.

abonné, e [abɔne] *adj* & *nm, f* assinante ; **être abonné à un journal** ser assinante de um jornal.

abonnement [abɔnmɑ̃] *nm* assinatura *f (subscrição)*.

abonner [abɔne] ◆ **s'abonner à** *vp + prép* [journal] assinar.

abord [abɔʀ] ◆ **d'abord** *adv* primeiro. ◆ **abords** *nmpl* arredores *mpl*.

abordable [abɔʀdabl] *adj* acessível.

abordage [abɔʀdaʒ] *nm* [assaut] abordagem *f* ; [collision] abalroamento *m* ; **à l'abordage !** ao ataque!

aborder [abɔʀde] *vt* & *vi* abordar.

aboutir [abutiʀ] *vi* dar resultado ; **aboutir à** levar a.

aboyer [abwaje] *vi* ladrar.

abrasif, ive [abʀazif, iv] *adj* abrasivo(va). ◆ **abrasif** *nm* abrasivo *m*.

abrégé [abʀeʒe] *nm* : **en abrégé** em resumo.

abréger [abʀeʒe] *vt* abreviar.

abreuvoir [abʀœvwaʀ] *nm* bebedouro *m*.

abréviation [abʀevjasjɔ̃] *nf* abreviatura *f*.

abri [abʀi] *nm* abrigo *m* ; **à l'abri de** ao abrigo de.

Abribus® [abribys] *nm* ponto *m* de ônibus, parada *f* de ônibus.

abricot [abʀiko] *nm* damasco *m*.

abricotier [abʀikɔtje] *nm* damasqueiro *m*.

abriter [abʀite] ◆ **s'abriter (de)** *vp + prép* abrigar-se (de).

abrupt, e [abʀypt] *adj* abrupto(ta).

abruti, e [abʀyti] ◇ *adj fam* [bête] parvo(va) ; [assommé] embrutecido(da). ◇ *nm, f fam* parvo *m*, -va *f*.

abrutir [abʀytiʀ] *vt* **1.** [abêtir] embrutecer - **2.** [accabler] : **abrutir qqn de** sobrecarregar alguém de ou com. ◆ **s'abrutir** *vp* **1.** [s'épuiser] desgastar-se - **2.** [s'abêtir] embrutecer-se.

abrutissant, e [abʀytisɑ̃, ɑ̃t] *adj* embrutecedor(ra).

absence [apsɑ̃s] *nf* [d'une personne] ausência *f* ; [manque] falta *f*.

absent, e [apsɑ̃, ɑ̃t] *adj* & *nm, f* ausente.

absenter [apsɑ̃te] ◆ **s'absenter** *vp* ausentar-se.

absolu, e [apsɔly] *adj* absoluto(ta).

absolument [apsɔlymɑ̃] *adv* [à tout prix] absolutamente ; [tout à fait] completamente.

absorbant, e [apsɔʀbɑ̃, ɑ̃t] *adj* absorvente.

absorber [apsɔʀbe] *vt* absorver.

abstenir [apstəniʀ] ◆ **s'abstenir** *vp* [de voter] abster-se ; **s'abstenir de faire qqch** abster-se de fazer algo.

abstention [apstɑ̃sjɔ̃] *nf* abstenção *f*.

abstenu, e [apstəny] *pp* ▶ **abstenir**.

abstinence [apstinɑ̃s] *nf* abstinência *f* ; **faire abstinence** fazer abstinência.

abstraction [apstʀaksjɔ̃] *nf* abstração *f* ; **faire abstraction de** abstrair-se de.

abstrait, e [apstʀɛ, ɛt] *adj* abstrato(ta).

absurde [apsyʀd] *adj* absurdo(da).

absurdité [apsyʀdite] *nf* [illogisme] absurdo *m* ; [stupidité] disparate *m*.

abus [aby] *nm* abuso *m*.

abuser [abyze] *vi* abusar ; **abuser de** abusar de.

abusif, ive [abyzif, iv] *adj* abusivo(va) ; **mère abusive** mãe possessiva.

acabit [akabi] *nm* : **de cet** OU **du même acabit** da mesma laia.

acacia [akasja] *nm* acácia *f*.

académicien, enne [akademisjɛ̃, ɛn] *nm, f membro da Academia Francesa de Letras*.

académie [akademi] *nf* [zone administrative] ≃ direção *f* regional de educação ; **l'Académie française** *a Academia Francesa de Letras*.

acajou [akaʒu] *nm* [bois] mogno *m*.

acariâtre [akaʀjatʀ] *adj* rabugento(ta).

accablant, e [akablɑ̃, ɑ̃t] *adj* [nouvelle] desanimador(ra) ; [soleil] abrasador(ra) ; [chaleur] sufocante ; [preuve, témoignage] decisivo(va).

accabler [akable] *vt* deitar abaixo ; **accabler qqn de** [travail] sobrecarregar alguém de OU com ; [reproches, injures] cobrir alguém de.

accalmie [akalmi] *nf* acalmia *f*.

accaparer [akapaʀe] *vt* [personne, conversation] monopolizar.

accéder [aksede] ◆ **accéder à** *vp+prép* [lieu] aceder a.

accélérateur [akseleʀatœʀ] *nm* acelerador *m*.

accélération [akseleʀasjɔ̃] *nf* aceleração *f*.

accélérer [akseleʀe] *vi* acelerar.

accent [aksɑ̃] *nm* [intonation] sotaque *m* ; [signe graphique] acento *m* ; **mettre l'accent sur** pôr a tônica em ; **accent aigu** acento agudo ; **accent circonflexe** acento circunflexo ; **accent grave** acento grave.

accentuation [aksɑ̃tɥasjɔ̃] *nf* acentuação *f*.

accentuer [aksɑ̃tɥe] *vt* [mot] acentuar. ◆ **s'accentuer** *vp* acentuar-se.

acceptable [aksɛptabl] *adj* aceitável.

accepter [aksɛpte] *vt* aceitar ; **accepter de faire qqch** aceitar fazer algo.

acception [aksɛpsjɔ̃] *nf* acepção *f*.

accès [aksɛ] *nm* acesso *m* ; **donner accès à** dar acesso a ; **'accès interdit'** 'acesso proibido' ; **'accès aux trains'** *acesso às plataformas de ferrovias*.

accessible [aksesibl] *adj* acessível.

accession [aksɛsjɔ̃] *nf* [au pouvoir] : **accession à** ascensão a ; [à la propriété] acesso a.

accessoire [akseswaʀ] *nm* acessório *m*.

accident [aksidɑ̃] *nm* acidente *m* ; **accident de la route** acidente de estrada ; **accident du travail** acidente de trabalho ; **accident de voiture** acidente de carro.

accidenté, **e** [aksidɑ̃te] *adj* acidentado(da).

accidentel, **elle** [aksidɑ̃tɛl] *adj* acidental.

acclamer [aklame] *vt* aclamar.

acclimatation [aklimatasjɔ̃] *nf* aclimatização *f* ; **acclimatation à** aclimatização a.

accolade [akɔlad] *nf* [signe graphique] chave *f*.

accommodant, **e** [akɔmɔdɑ̃, ɑ̃t] *adj* conciliatório(ria).

accompagnateur, **trice** [akɔ̃paɲatœʀ, tʀis] *nm, f* acompanhante *mf*.

accompagnement [akɔ̃paɲmɑ̃] *nm* MUS acompanhamento *m*.

accompagner [akɔ̃paɲe] *vt* acompanhar.

accompli, **e** [akɔ̃pli] *adj* [sportif, ménagère] perfeito(ta) ; [jeune fille] prendado(da).

accomplir [akɔ̃pliʀ] *vt* cumprir.

accord [akɔʀ] *nm* [consentement, pacte] acordo *m* ; MUS acorde *m* ; GRAMM concordância *f* ; **d'accord !** está bem! ; **se mettre d'accord** pôr-se de acordo ; **être d'accord avec** estar de acordo com ; **être d'accord pour faire qqch** estar de acordo para fazer algo.

accordéon [akɔʀdeɔ̃] *nm* acordeão *m*.

accorder [akɔʀde] *vt* MUS afinar ; **accorder qqch à qqn** conceder algo a alguém. ◆ **s'accorder** *vp* concordar ; **s'accorder bien** [couleurs, vêtements] combinar bem.

accoster [akɔste] ◇ *vt* [personne] abordar. ◇ *vi* acostar.

accotement [akɔtmɑ̃] *nm* acostamento *m*.

accouchement [akuʃmɑ̃] *nm* parto *m* ; **accouchement sous X** parto anônimo, parto de mãe incógnita.

accoucher [akuʃe] *vi* dar à luz ; **accoucher de jumeaux** dar à luz gêmeos.

accouder [akude] ◆ **s'accouder** *vp* apoiar os cotovelos.

accoudoir [akudwaʀ] *nm* braço *m (de cadeira)*.

accouplement [akupləmɑ̃] *nm* acasalamento *m*.

accoupler [akuple] *vt* [réunir] agrupar ; [animaux] acasalar. ◆ **s'accoupler** *vp* acasalar.

accourir [akuʀiʀ] *vi* acorrer.

accouru, **e** [akuʀy] *pp* ► **accourir**.

accoutumer [akutyme] ◆ **s'accoutumer à** *vp + prép* acostumar-se com.

accro *adj fam* viciado(da) ; **accro à** viciado em.

accroc [akʀo] *nm* [déchirure] rasgão *m*.

accrochage [akʀɔʃaʒ] *nm* [accident] colisão *f* ; *fam* [dispute] pega *f*.

accroche [akʀɔʃ] *nf* slogan *m*.

accrocher [akʀɔʃe] *vt* [remorque] prender ; [au mur, au porte-manteau] pendurar ; [à un clou] enganchar ; [heurter] colidir. ◆ **s'accrocher** *vp fam* [persévérer] agarrar-se ; **s'accrocher à** [se tenir à] agarrar-se a.

accroissement [akʀwasmɑ̃] *nm* aumento *m*.

accroître [akʀwatʀ] *vt* aumentar. ◆ **s'accroître** *vp* aumentar.

accroupir [akʀupiʀ] ◆ **s'accroupir** *vp* acocorar-se.

accu [aky] *nm fam* bateria *f*.

accueil [akœj] *nm* recepção *f*.

accueillant, **e** [akœjɑ̃, ɑ̃t] *adj* acolhedor(ra).

accueillir [akœjiʀ] *vt* [personne] acolher ; [nouvelle] receber.

accumulation [akymylasjɔ̃] *nf* acumulação *f*.

accumuler [akymyle] *vt* acumular. ◆ **s'accumuler** *vp* acumular-se.

accusation [akyzasjɔ̃] *nf* acusação *f*.

accusé, **e** [akyze] ◇ *nm, f* réu *m*, ré *f*. ◇ *nm* : **accusé de réception** aviso *m* de recebimento.

accuser [akyze] *vt* acusar ; **accuser qqn de qqch** acusar alguém de algo ; **accuser qqn de faire qqch** acusar alguém de fazer algo.

acerbe [asɛʀb] *adj* acerbo(ba).

acéré, **e** [aseʀe] *adj* afiado(da).

acharné, **e** [aʃaʀne] *adj* encarniçado(da).

acharnement [aʃaʀnəmɑ̃] *nm* obstinação *f* ; **avec acharnement** com afinco.

acharner [aʃaʀne] ◆ **s'acharner** *vp* : **s'acharner à faire qqch** obstinar-se em fazer algo ; **s'acharner sur qqn** andar sempre em cima de alguém.

achat [aʃa] *nm* compra *f* ; **faire des achats** fazer compras.

acheter [aʃte] *vt* comprar ; **acheter qqch à qqn** comprar algo para alguém.

acheteur, **euse** [aʃtœʀ, øz] *nm, f* comprador *m*, -ra *f*.

achèvement [aʃɛvmɑ̃] *nm* conclusão *f*.

achever [aʃve] *vt* [terminer] acabar ; [tuer] acabar com. ◆ **s'achever** *vp* chegar ao fim.

acide [asid] ◇ *adj* ácido(da). ◇ *nm* ácido *m*.

acier [asje] *nm* aço *m* ; **acier inoxydable** aço inoxidável.

acné [akne] *nf* acne *f*.

acolyte [akɔlit] *nm* acólito *m*.

acompte [akɔ̃t] *nm* sinal *m (entrada em dinheiro)*.

à-côté [akote] (*pl* **à-côtés**) *nm* [point accessoire] questão *f* secundária ; [gain d'appoint] extra *m*.

à-coup [aku] (*pl* **à-coups**) *nm* solavanco *m* ; **par à-coups** [travailler] irregularmente ; [avancer] aos trancos.

acoustique [akustik] *nf* acústica *f*.

acquéreur [akeʀœʀ] *nm* comprador *m*.

acquérir [akeʀiʀ] *vt* adquirir.

acquiescer [akjese] *vi* [approuver] aquiescer ; **acquiescer à qqch** concordar com algo ; **acquiescer d'un signe de tête** dizer sim com a cabeça.

acquis, **e** [aki, iz] *pp* ► **acquérir**.

acquisition [akizisjɔ̃] *nf* aquisição *f* ; **faire l'acquisition de** adquirir.

acquit [aki] *nm* recibo *m* ; **pour acquit** pago ; **par acquit de conscience** por desencargo de consciência.

acquitter [akite] *vt* absolver. ◆ **s'acquitter de** *vp* + *prép* [dette] saldar ; [travail] cumprir.

âcre [akʀ] *adj* [odeur] acre.

acrobate [akʀɔbat] *nmf* acrobata *mf*.

acrobatie [akʀɔbasi] *nf* acrobacia *f*.

acrylique [akʀilik] *nm* acrílico *m*.

acte [akt] *nm* ato *m* ; [de naissance] certidão *f* ; [de réunion] ata *f*.

acteur, **trice** [aktœʀ, tʀis] *nm, f* ator *m*, -triz *f*.

actif, **ive** [aktif, iv] *adj* ativo(va).

action [aksjɔ̃] *nf* ação *f*.

actionnaire [aksjɔnɛʀ] *nmf* acionista *mf*.

actionner [aksjɔne] *vt* acionar.

active ► **actif**.

activer [aktive] *vt* [feu] atiçar. ◆ **s'activer** *vp* [se dépêcher] apressar-se.

activité [aktivite] *nf* atividade *f*.

actrice ► **acteur**.

actualiser [aktɥalize] *vt* atualizar.

actualité [aktɥalite] *nf* : **l'actualité** a atualidade ; **d'actualité** atual. ◆ **actualités** *nfpl* notícias *fpl*.

actuel, elle [aktɥɛl] *adj* atual.

actuellement [aktɥɛlmɑ̃] *adv* atualmente.

acupuncture [akypɔ̃ktyʀ] *nf* acupuntura *f*.

adaptateur [adaptatœʀ] *nm* [pour prise de courant] adaptador *m*.

adaptation [adaptasjɔ̃] *nf* adaptação *f*.

adapter [adapte] *vt* [pour le cinéma, la télévision] adaptar ; **adapter qqch à** adaptar algo a. ◆ **s'adapter** *vp* adaptar-se ; **s'adapter à** adaptar-se a.

additif [aditif] *nm* aditivo *m* ; **'sans additif'** 'sem aditivo'.

addition [adisjɔ̃] *nf* [calcul] adição *f* ; [note] conta *f* ; **faire une addition** fazer uma adição ; **payer l'addition** pagar a conta ; **'l'addition, s'il vous plaît !'** 'a conta, por favor!'

additionner [adisjɔne] *vt* adicionar. ◆ **s'additionner** *vp* adicionar-se.

adepte [adɛpt] *nmf* adepto *m*, -ta *f*.

adéquat, e [adekwa, at] *adj* adequado(da).

adéquation [adekwasjɔ̃] *nf* adequação *f*.

adhérent, e [adeʀɑ̃, ɑ̃t] *nm, f* aderente *mf*.

adhérer [adeʀe] *vi* : **adhérer à** aderir a.

adhésif, ive [adezif, iv] *adj* adesivo(va).

adhésion [adezjɔ̃] *nf* adesão *f* ; **adhésion à** adesão a.

adieu, x [adjø] *nm* adeus *m* ; **adieu !** adeus! ; **faire ses adieux à qqn** despedir-se de alguém.

adjectif [adʒɛktif] *nm* adjetivo *m*.

adjoint, e [adʒwɛ̃, ɛ̃t] *nm, f* adjunto *m*, -ta *f*.

adjonction [adʒɔ̃ksjɔ̃] *nf* adição *f* ; **sans adjonction de sel /sucre/conservateurs** sem adição de sal/açúcar/conservantes.

adjudant [adʒydɑ̃] *nm* ≃ sargento-ajudante *m*.

adjuger [adʒyʒe] *vt* [aux enchères] adjudicar ; [décerner] : **adjuger qqch à qqn** atribuir algo a alguém ; **adjugé !** vendido ! ◆ **s'adjuger** *vp* [se réserver] atribuir-se.

admettre [admɛtʀ] *vt* admitir.

administrateur, trice [administʀatœʀ, tʀis] *nm, f* **1.** administrador *m*, -ra *f* ; **administrateur judiciaire** administrador judicial - **2.** INFORM gestor da Web.

administratif, ive [administʀatif, iv] *adj* administrativo(va).

administration [administʀasjɔ̃] *nf* administração *f* ; **l'Administration** a Administração.

administrer [administʀe] *vt* administrar.

admirable [admiʀabl] *adj* admirável.

admirateur, trice [admiʀatœʀ, tʀis] *nm, f* admirador *m*, -ra *f*.

admiratif, ive [admiʀatif, iv] *adj* admirativo(va).

admiration [admiʀasjɔ̃] *nf* admiração *f*.

admirer [admiʀe] *vt* admirar.

admis, e [admi, iz] *pp* ► **admettre**.

admissible [admisibl] *adj* SCOL admitido(da) para realizar a prova oral.

admission [admisjɔ̃] *nf* admissão *f*.

ADN (*abr de* **acide désoxyribonucléique**) *nm* DNA *m*.

ado [ado] (*abr de* **adolescent**) *fam nmf* adolescente *mf*.

adolescence [adɔlesɑ̃s] *nf* adolescência *f*.

adolescent, e [adɔlesɑ̃, ɑ̃t] *nm, f* adolescente *mf*.

adopter [adɔpte] *vt* adotar.

adoptif, ive [adɔptif, iv] *adj* adotivo(va).

adoption [adɔpsjɔ̃] *nf* [d'un enfant] adoção *f*.

adorable [adɔʀabl] *adj* adorável.

adorer [adɔʀe] *vt* adorar.

adosser [adose] ◆ **s'adosser** *vp* : **s'adosser à** OU **contre** encostar-se a OU contra.

adoucir [adusiʀ] *vt* [linge] amaciar ; [traits, caractère] suavizar.

adoucissant, e [adusisɑ̃, ɑ̃t] *adj* suavizante. ◆ **adoucissant** *nm* amaciante *m*.

adresse [adʀɛs] *nf* **1.** [domicile] endereço *m* ; [habileté] destreza *f* - **2.** INFORM : **adresse (électronique)** endereço eletrônico ; **adresse mail** OU **de courriel** endereço eletrônico ; **adresse Web** website *m*.

adresser [adʀese] *vt* dirigir. ◆ **s'adresser à** *vp + prép* [parler à] dirigir-se a ; [concerner] dizer respeito a.

adroit, e [adʀwa, at] *adj* hábil.

ADSL (*abr de* **asymmetric digital subscriber line**) *nm* ADSL, Internet de banda larga.

aduler [adyle] *vt* adular.

adulte [adylt] *nmf* adulto *m*, -ta *f*.

adultère [adyltɛʀ] ◇ *nm* adultério *m*. ◇ *adj* adúltero(ra).

advenir [advəniʀ] *v impers* : **qu'advient-il de... ?** que é feito de... ? ; **quoi qu'il advienne** aconteça o que acontecer ; **advienne que pourra** seja o que Deus quiser.

adverbe [advɛʀb] *nm* advérbio *m*.

adversaire [advɛʀsɛʀ] *nmf* adversário *m*, -ria *f*.

adverse [advɛʀs] *adj* oposto(ta).

adversité [advɛʀsite] *nf* adversidade *f*.

aération [aeʀasjɔ̃] *nf* arejamento *m*.

aérer [aeʀe] *vt* arejar.

aérien, enne [aeʀjɛ̃, ɛn] *adj* aéreo(rea).

aérobic [aeʀɔbik] *nm* aeróbica *f*.

aérodrome [aeʀɔdʀom] *nm* aeródromo *m*.

aérodynamique [aeʀɔdinamik] *adj* aerodinâmico(ca).

aérogare [aeʀɔgaʀ] *nf* terminal *m* aéreo.

aéroglisseur [aeʀɔglisœʀ] *nm* aerodeslizador *m*.

aérogramme [aeʀɔgʀam] *nm* aerograma *m*.

aéronautique [aeʀɔnotik] ◇ *nf* aeronáutica *f*. ◇ *adj* aeronáutico(ca).

aérophagie [aeʀɔfaʒi] *nf* aerofagia *f*.

aéroport [aeʀɔpɔʀ] *nm* aeroporto *m*.

aérosol [aeʀɔsɔl] *nm* aerossol *m*.

aérospatial, e, aux [aeʀɔspasjal, o] *adj* aeroespacial. ◆ **aérospatiale** *nf* indústria *f* aeroespacial.

affable [afabl] *adj* afável.

affaiblir [afebliʀ] *vt* [rendre faible] enfraquecer ; [diminuer] diminuir. ◆ **s'affaiblir** *vp* [personne] debilitar-se ; [vue, lumière] diminuir ; [son] abaixar.

affaire [afɛʀ] *nf* [entreprise, marché] negócio *m* ; [question] assunto *m* ; [scandale] caso *m* ; **avoir affaire à qqn** ter que tratar com alguém ; **faire l'affaire** servir perfeitamente. ◆ **affaires** *nfpl* [objets] coisas *fpl* ; **les affaires** FIN os negócios ; **occupe-toi de tes affaires** meta-se com a sua vida.

affairé, e [afeʀe] *adj* atarefado(da).

affaisser [afɛse] ◆ **s'affaisser** *vp* [personne] abater-se ; [sol] ceder.

affaler [afale] ◆ **s'affaler** *vp* deixar-se cair.

affamé, **e** [afame] *adj* esfomeado(da).

affecté, **e** [afɛkte] *adj* afetado(da).

affecter [afɛkte] *vt* afetar.

affectif, **ive** [afɛktif, iv] *adj* afetivo(va).

affection [afɛksjɔ̃] *nf* [sentiment] afeto *m*, afeição *f*.

affectueusement [afɛktɥøzmɑ̃] *adv* [tendrement] carinhosamente ; [dans une lettre] com carinho.

affectueux, **euse** [afɛktɥø, øz] *adj* carinhoso(osa).

affichage [afiʃaʒ] *nm* visualização *f* ; **'affichage interdit'** 'é proibido afixar cartazes'.

affiche [afiʃ] *nf* cartaz *m*.

afficher [afiʃe] *vt* [placarder] afixar.

affilée [afile] ◆ **d'affilée** *adv* de enfiada.

affinité [afinite] *nf* afinidade *f* ; **avoir des affinités (avec qqn)** ter afinidades (com alguém).

affirmatif, **ive** [afiʀmatif, iv] *adj* **1.** [positif] afirmativo(va) - **2.** [certain] certo(ta). ◆ **affirmatif** *adv* afirmativo. ◆ **affirmative** *nf* afirmativa *f* ; **dans l'affirmative** em caso afirmativo.

affirmation [afiʀmasjɔ̃] *nf* afirmação *f*.

affirmer [afiʀme] *vt* afirmar. ◆ **s'affirmer** *vp* afirmar-se.

affligé, **e** [afliʒe] *adj* [attristé] angustiado(da) ; [frappé] : **être affligé de** [maladie] sofrer de ; [défaut] ter.

affligeant, **e** [afliʒɑ̃, ɑ̃t] *adj* aflitivo(va).

affluence [aflyɑ̃s] *nf* afluência *f*.

affluent [aflyɑ̃] *nm* afluente *m*.

affolement [afɔlmɑ̃] *nm* afobação *f*.

affoler [afɔle] *vt* afobar. ◆ **s'affoler** *vp* afobar-se.

affranchir [afʀɑ̃ʃiʀ] *vt* [timbrer] franquear.

affranchissement [afʀɑ̃ʃismɑ̃] *nm* [timbre] franquia *f*.

affreusement [afʀøzmɑ̃] *adv* [extrêmement] horrivelmente.

affreux, **euse** [afʀø, øz] *adj* horroroso(osa).

affrontement [afʀɔ̃tmɑ̃] *nm* confronto *m*.

affronter [afʀɔ̃te] *vt* enfrentar. ◆ **s'affronter** *vp* enfrentar-se.

affût [afy] *nm* : **être à l'affût (de)** estar à espreita (de).

affûter [afyte] *vt* afiar.

afin [afɛ̃] ◆ **afin de** *prép* a fim de. ◆ **afin que** *conj* para que.

africain, **e** [afʀikɛ̃, ɛn] *adj* africano(na). ◆ **Africain**, **e** *nm, f* africano *m*, -na *f*.

Afrique [afʀik] *nf* : **l'Afrique** a África ; **l'Afrique du Sud** a África do Sul.

agaçant, **e** [agasɑ̃, ɑ̃t] *adj* irritante.

agacer [agase] *vt* irritar.

âge [aʒ] *nm* idade *f* ; **quel âge as-tu ?** que idade você tem? ; **une personne d'un certain âge** uma pessoa de uma certa idade.

âgé, **e** [aʒe] *adj* idoso(osa) ; **les enfants âgés de huit ans** as crianças de oito anos (de idade).

agence [aʒɑ̃s] *nf* agência *f* ; **agence de voyages** agência de viagens.

agencer [aʒɑ̃se] *vt* [combiner] montar ; [concevoir] aproveitar ; [organiser] compor. ◆ **s'agencer** *vp* [se combiner] montar-se.

agenda [aʒɛ̃da] *nm* agenda *f* ; **agenda électronique** agenda eletrônica.

agenouiller [aʒnuje] ◆ **s'agenouiller** *vp* ajoelhar-se.

agent [aʒɑ̃] *nm* : **agent (de police)** agente *mf* (de polícia) ; **agent de change** corretor *m*, -ra *f* da Bolsa.

agglomération [aglɔmeʀasjɔ̃] *nf* aglomeração *f* ; **l'agglomération parisienne** a aglomeração parisiense.

agglutiner [aglytine] ◆ **s'agglutiner** *vp* aglutinar-se.

aggraver [agʀave] *vt* agravar. ◆ **s'aggraver** *vp* agravar-se.

agile [aʒil] *adj* ágil.

agilité [aʒilite] *nf* agilidade *f*.

agir [aʒiʀ] *vi* agir. ◆ **s'agir** *v impers* : **il s'agit de** trata-se de.

agissements [aʒismɑ̃] *nmpl* estratagemas *mpl*.

agitation [aʒitasjɔ̃] *nf* agitação *f*.

agité, e [aʒite] *adj* [personne] irrequieto(ta) ; [sommeil, mer] agitado(da).

agiter [aʒite] *vt* agitar. ◆ **s'agiter** *vp* [mer] agitar-se ; [personne] estar irrequieto(ta).

agneau [aɲo] (*pl* -x) *nm* cordeiro *m*.

agonie [agɔni] *nf* agonia *f*.

agoniser [agɔnize] *vi* agonizar.

agrafe [agʀaf] *nf* [de bureau] grampo *m* ; [de vêtement] colchete *m*.

agrafer [agʀafe] *vt* grampear.

agrafeuse [agʀaføz] *nf* grampeador *m*.

agraire [agʀɛʀ] *adj* agrário(ria).

agrandir [agʀɑ̃diʀ] *vt* aumentar ; [photo] ampliar. ◆ **s'agrandir** *vp* aumentar.

agrandissement [agʀɑ̃dismɑ̃] *nm* [photo] ampliação *f*.

agréable [agʀeabl] *adj* agradável.

agréé, e *adj* autorizado(da).

agréer [agʀee] *vt sout* [accepter] aceitar ; [convenir] : **agréer à qqn** agradar a alguém ; **veuillez agréer mes salutations distinguées** OU **l'expression de mes sentiments distingués** com os nossos melhores cumprimentos.

agrégation [agʀegasjɔ̃] *nf concurso de admissão de professores do ensino secundário e universitário.*

agrès [agʀɛ] *nmpl* aparelhos *mpl* de ginástica.

agresser [agʀese] *vt* agredir.

agresseur [agʀɛsœʀ] *nm* agressor *m*, -ra *f*.

agressif, ive [agʀɛsif, iv] *adj* agressivo(va).

agression [agʀɛsjɔ̃] *nf* agressão *f*.

agressivité [agʀɛsivite] *nf* agressividade *f*.

agricole [agʀikɔl] *adj* agrícola.

agriculteur, trice [agʀikyltœʀ, tʀis] *nm, f* agricultor *m*, -ra *f*.

agriculture [agʀikyltyʀ] *nf* agricultura *f*.

agripper [agʀipe] *vt* agarrar. ◆ **s'agripper à** *vp + prép* agarrar-se a.

agronome [agʀɔnɔm] *nm* agrônomo *m*.

agrumes [agʀym] *nmpl* cítricos *mpl*.

aguets [agɛ] ◆ **aux aguets** *loc adv* : **être/rester aux aguets** estar/ficar à espreita.

aguicher [agiʃe] *vt* aliciar.

ah [a] *interj* ah ! ; **ah! ah!** ah ! ah !

ahuri, e [ayʀi] *adj* pasmado(da).

ahurissant, e [ayʀisɑ̃, ɑ̃t] *adj* surpreendente.

ai [ɛ] ► **avoir**.

aide [ɛd] *nf* ajuda *f* ; **appeler à l'aide** pedir ajuda ; **à l'aide !** acudam! ; **à l'aide de** com a ajuda de.

aide-éducateur, trice (*mpl* **aides-**

éducateurs, *fpl* **aides-éducatrices**) [ɛde-dykatœr, -tris] *nm, f* SCOL auxiliar educacional.

aider [ede] *vt* ajudar ; **aider qqn à faire qqch** ajudar alguém a fazer algo. ◆ **s'aider de** *vp + prép* servir-se de.

aide-soignant, **e** [ɛdswaɲɑ̃, ɑ̃t] (*mpl* **aides-soignants**) *nm, f* auxiliar *mf* de enfermagem.

aie [ɛ] ► **avoir**.

aïe [aj] *interj* ai!

aigle [ɛgl] *nm* águia *f*.

aigre [ɛgʀ] *adj* [goût] azedo(da) ; [remarque, ton] amargo(ga).

aigre-doux, **aigre-douce** [ɛgʀədu, ɛgʀədus] (*mpl* **aigres-doux**, *fpl* **aigres-douces**) *adj* agridoce.

aigri, **e** [egʀi] *adj* amargurado(da).

aigu, **uë** [egy] *adj* agudo(da) ; [pointu] pontudo(da).

aiguillage [egɥijaʒ] *nm* [manœuvre] agulhagem *f* ; [appareil] agulha *f*.

aiguille [egɥij] *nf* agulha *f* ; [de montre] ponteiro *m* ; **aiguille de pin** agulha de pinheiro ; **aiguille à tricoter** agulha de tricô.

aiguiller [egɥije] *vt* [un train] mudar de linha ; [personne, conversation] encaminhar.

aiguillette [egɥijɛt] *nf* : **aiguillettes de canard** *filés de carne de pato preparados na frigideira*.

aiguiser [egize] *vt* aguçar.

ail [aj] *nm* alho *m*.

aile [ɛl] *nf* [d'oiseau, d'avion] asa *f* ; [de bâtiment] ala *f*.

aileron [ɛlʀɔ̃] *nm* [de requin] barbatana *f* ; [d'avion] elerão *m*.

ailier [elje] *nm* ponta *m*.

aille [aj] ► **aller**.

ailleurs [ajœʀ] *adv* noutro local ; **d'ailleurs** aliás.

aimable [ɛmabl] *adj* amável.

aimablement [ɛmabləmɑ̃] *adv* amavelmente.

aimant [ɛmɑ̃] *nm* ímã *m*.

aimer [eme] *vt* [d'amour] amar ; [apprécier] gostar de ; **aimer (bien) qqch/faire qqch** gostar (muito) de algo/de fazer algo ; **j'aimerais prendre du café** gostaria de tomar café ; **j'aimerais qu'on m'offre des fleurs** gostaria que me oferecessem flores ; **aimer mieux** gostar mais de.

aine [ɛn] *nf* virilha *f*.

aîné, **e** [ene] *adj* & *nm, f* mais velho(lha).

ainsi [ɛ̃si] *adv* assim ; **ainsi que** assim como ; **et ainsi de suite** e assim por diante.

aïoli [ajɔli] *nm maionese com alho e azeite*.

air [ɛʀ] *nm* ar *m* ; [musique] melodia *f* ; **avoir l'air (d'être) malade** ter ar (de estar) doente ; **avoir l'air d'un clown** parecer um palhaço ; **il a l'air de faire beau** parece que está fazendo bom tempo ; **en l'air** [en haut] para cima ; **il a fichu sa carrière en l'air** *fam* a carreira dele foi pelos ares ; **prendre l'air** tomar ar ; **air conditionné** ar condicionado.

aire [ɛʀ] *nf* área *f* ; **aire de jeu** área de jogo ; **aire de repos** área de serviço ; **aire de stationnement** zona *f* de estacionamento.

airelle [ɛʀɛl] *nf Québec* mirtilo *m*.

aisance [ɛzɑ̃s] *nf* [facilité] desembaraço *m* ; [richesse] abastança *f*.

aise [ɛz] *nf* : **à l'aise** à vontade ; **être mal à l'aise** não estar à vontade.

aisé, **e** [eze] *adj* [riche] abastado(da).

aisément [ezemɑ̃] *adv* com facilidade.

aisselle [ɛsɛl] *nf* axila *f*.

ajourner [aʒuʀne] *vt* adiar.

ajout [aʒu] *nm* acréscimo *m*.

ajouter [aʒute] *vt* : **ajouter qqch (à)** acrescentar algo (a) ; **ajouter que** acrescentar que.

ajusté, **e** [aʒyste] *adj* justo(ta).

ajuster [aʒyste] *vt* ajustar.

alarmant, **e** [alaʀmɑ̃, ɑ̃t] *adj* alarmante.

alarme [alaʀm] *nf* alarme *m* ; **donner l'alarme** dar o alarme.

alarmer [alaʀme] *vt* [inquiéter] alarmar. ◆ **s'alarmer** *vp* alarmar-se.

albinos [albinos] *adj* & *nmf* albino(na).

album [albɔm] *nm* álbum *m* ; **album (de) photos** álbum de fotografias.

alcool [alkɔl] *nm* álcool *m* ; **sans alcool** sem álcool ; **alcool à 90°** álcool etílico ; **alcool à brûler** álcool metílico.

alcoolique [alkɔlik] *nmf* alcoólatra *mf*.

alcoolisé, **e** [alkɔlize] *adj* alcoólico(ca) ; **non alcoolisé** não alcoólico.

alcoolisme [alkɔlism] *nm* alcoolismo *m*.

Alcotest® [alkotɛst] *nm* bafômetro *m*.

aléatoire [aleatwaʀ] *adj* aleatório(ria).

alentours [alɑ̃tuʀ] *nmpl* arredores *mpl* ; **aux alentours** [près] nos arredores ; **aux alentours de** [environ] por volta de.

alerte [alɛʀt] ◇ *adj* alerta. ◇ *nf* alerta *m* ; **donner l'alerte** dar o alerta.

alerter [alɛʀte] *vt* alertar.

algèbre [alʒɛbʀ] *nf* álgebra *f*.

Alger [alʒe] *npr* Argel.

Algérie [alʒeʀi] *nf* : **l'Algérie** a Argélia.

algérien, **enne** [alʒeʀjɛ̃, ɛn] *adj* argelino(na). ◆ **Algérien**, **enne** *nm, f* argelino *m*, -na *f*.

algues [alg] *nfpl* algas *fpl*.

alibi [alibi] *nm* álibi *m*.

aliéné, **e** [aljene] *adj* & *nm, f* alienado(da).

alignement [aliɲmɑ̃] *nm* alinhamento *m*.

aligner [aliɲe] *vt* alinhar. ◆ **s'aligner** *vp* alinhar-se.

aliment [alimɑ̃] *nm* alimento *m*.

alimentaire [alimɑ̃tɛʀ] *adj* [produit, pension] alimentício(cia) ; [denrées, pâtes] alimentício(cia) ; [travail] de subsistência.

alimentation [alimɑ̃tasjɔ̃] *nf* [nourriture] alimentação *f* ; [épicerie] produtos *mpl* alimentícios.

alimenter [alimɑ̃te] *vt* [nourrir] alimentar ; [approvisionner] abastecer.

alinéa [alinea] *nm* alínea *f*.

Allah [ala] *nm* Alá *m*.

allaiter [alete] *vt* amamentar.

alléchant, **e** [aleʃɑ̃, ɑ̃t] *adj* aliciante.

allécher [aleʃe] *vt* aliciar.

allée [ale] *nf* alameda *f* ; **allées et venues** idas *fpl* e vindas.

allégé, **e** [aleʒe] *adj* [aliment] magro(gra).

allégorie [alegɔʀi] *nf* alegoria *f*.

allégresse [alegʀɛs] *nf* alegria *f*.

Allemagne [almaɲ] *nf* : **l'Allemagne** a Alemanha.

allemand, **e** [almɑ̃, ɑ̃d] ◇ *adj* alemão(ã). ◇ *nm* [langue] alemão *m*. ◆ **Allemand**, **e** *nm, f* alemão *m*, -ã *f*.

aller [ale] ◇ *nm* ida *f* ; **à l'aller** na ida ; **aller (simple)** ida (simples) ; **aller et retour** bilhete *m* de ida e volta. ◇ *vi* **1.** [gén] ir ; **aller au Portugal** ir a Portugal ; **pour aller à la cathédrale, s'il vous plaît ?** como faço para ir até a catedral, por favor? ; **aller en vacances** ir de férias ; **où va ce chemin ?** aonde vai dar este caminho? ; **l'autoroute va jusqu'à Mâcon** a auto-estrada vai até Mâcon ; **comment allez-vous ?** como vai? ; **(comment) ça va ? – ça va** tudo bem? – tudo bem ; **aller bien/mal** ir bem/mal ; **j'irai le chercher à la gare** irei buscá-lo na estação ; **aller voir** ir ver ; **aller faire qqch** ir fazer algo - **2.** [convenir] servir ; **ces chaussures ne me vont pas** estes sapatos não me servem ; **aller bien/mal à qqn** ficar bem/mal a alguém ; **le rouge ne lui va pas** o vermelho não lhe fica bem ; **aller avec qqch** combinar com algo - **3.** [dans des expressions] : **allez !** vamos! ; **allons, calmez-vous !** vamos, acalmem-se! ; **allons, allons, tu ne penses quand même pas ce que tu dis !** ora, ora, você não acredita realmente naquilo que está dizendo! ; **y aller** [partir] ir-se embora ; [se décider] ir lá. ◆ **s'en aller** *vp* [partir] ir-se embora ; [suj: tache] sair ; [suj: couleur] desbotar ; **allez-vous en !** vão-se embora!

allergie [alɛʀʒi] *nf* alergia *f*.

allergique [alɛʀʒik] *adj* : **être allergique à** ser alérgico(ca) a.

aller-retour [aleʀ(ə)tuʀ] (*pl* **allers-retours**) *nm* [billet] bilhete *m* de ida e volta.

alliage [aljaʒ] *nm* liga *f*.

alliance [aljɑ̃s] *nf* aliança *f*.

allié, e [alje] *nm, f* aliado *m*, -da *f*.

allier [alje] *vt* [métaux] ligar ; *fig* aliar. ◆ **s'allier** *vp* : **s'allier (à)** aliar-se (a).

allô [alo] *interj* alô?

allocation [alɔkasjɔ̃] *nf* subsídio *m* ; **allocations familiales** salário-família *m*.

allocs (*abr de* **allocations familiales**) [alɔk] *nfpl* salário-família *m*.

allocution [alɔkysjɔ̃] *nf* alocução *f*.

allonger [alɔ̃ʒe] *vt* [vêtement] encompridar ; [bras, jambes] esticar. ◆ **s'allonger** *vp* [devenir plus long] alongar-se ; [s'étendre] estender-se.

allumage [alymaʒ] *nm* AUTO ignição *f*.

allume-cigares [alymsigaʀ] *nm inv* isqueiro *m (de automóvel)*.

allume-gaz [alymgaz] *nm inv* acendedor *m (de fogão a gás)*.

allumer [alyme] *vt* [feu, lumière] acender ; [gaz, radio] ligar. ◆ **s'allumer** *vp* acender-se.

allumette [alymɛt] *nf* fósforo *m*.

allure [alyʀ] *nf* [apparence] aspecto *m* ; [vitesse] velocidade *f* ; **à toute allure** a toda velocidade.

allusion [alyzjɔ̃] *nf* alusão *f* ; **faire allusion à** fazer alusão a.

alors [alɔʀ] *adv* então ; **alors, tu viens ?** então, você vem ou não? ; **ça alors !** essa agora! ; **et alors ?** [et ensuite] e então? ; [pour défier] e depois? ; **alors que** [pendant que] enquanto ; [bien que] apesar de.

alouette [alwɛt] *nf* cotovia *f*.

alourdir [aluʀdiʀ] *vt* tornar pesado(da).

aloyau [alwajo] (*pl* -x) *nm* lombo *m* de vaca.

Alpes [alp] *nfpl* : **les Alpes** os Alpes.

alphabet [alfabɛ] *nm* alfabeto *m*.

alphabétique [alfabetik] *adj* alfabético(ca) ; **par ordre alphabétique** por ordem alfabética.

alphabétiser [alfabetize] *vt* alfabetizar.

alpin [alpɛ̃] *adj m* ➤ **ski**.

alpinisme [alpinism] *nm* alpinismo *m*.

alpiniste [alpinist] *nmf* alpinista *mf*.

Alsace [alzas] *nf* : **l'Alsace** a Alsácia.

alter ego [altɛʀego] *nm inv* alter ego *m*.

altérer [alteʀe] *vt* [détériorer] alterar ; [fausser] adulterar. ◆ **s'altérer** *vp* alterar-se.

alternance [altɛʀnɑ̃s] *nf* alternância *f* ; **en alternance** alternadamente.

alternatif [altɛʀnatif] *adj m* ➤ **courant**.

alternativement [altɛʀnativmɑ̃] *adv* alternadamente.

alterner [altɛʀne] *vi* alternar.

altier, **ère** [altje, ɛʀ] *adj* altivo(va).

altitude [altityd] *nf* altitude *f* ; **à 2 000 m d'altitude** a 2000 m de altitude.

aluminium [alyminjɔm] *nm* alumínio *m*.

alvéole [alveɔl] *nm* & *nf* alvéolo *m*.

amabilité [amabilite] *nf* amabilidade *f*.

amadouer [amadwe] *vt* lisonjear.

amaigrissant, **e** [amegʀisɑ̃, ɑ̃t] *adj* emagrecedor(ra).

amalgame [amalgam] *nm* amálgama *f* ; **il ne faut pas faire l'amalgame entre ces deux questions** estas duas questões não se podem misturar.

amande [amɑ̃d] *nf* amêndoa *f*.

amandier [amɑ̃dje] *nm* amendoeira *f*.

amant [amɑ̃] *nm* amante *m*.

amarrer [amaʀe] *vt* amarrar.

amas [ama] *nm* montão *m*.

amasser [amase] *vt* amontoar ; [argent] ajuntar.

amateur [amatœʀ] *adj* & *nm* amador(ra) ; **être amateur de** ser apreciador(ra) de.

Amazone [amazɔn] *nm* : **l'Amazone** o Amazonas.

Amazonie [amazɔni] *nf* : **l'Amazonie** a Amazônia.

ambassade [ɑ̃basad] *nf* embaixada *f*.

ambassadeur, **drice** [ɑ̃basadœʀ, dʀis] *nm, f* embaixador *m*, -ra *f*.

ambiance [ɑ̃bjɑ̃s] *nf* [atmosphère] ambiente *m* ; [entrain] animação *f* ; **d'ambiance** [musique, éclairage] ambiente.

ambiant, **e** [ɑ̃bjɑ̃, ɑ̃t] *adj* ambiente.

ambigu, **uë** [ɑ̃bigy] *adj* ambíguo(gua).

ambiguïté [ɑ̃bigɥite] *nf* ambigüidade *f* ; **sans ambiguïté** sem ambigüidade.

ambitieux, **euse** [ɑ̃bisjø, øz] *adj* ambicioso(osa).

ambition [ɑ̃bisjɔ̃] *nf* ambição *f*.

ambre [ɑ̃bʀ] *nm* : **ambre jaune** âmbar-amarelo *m* ; **ambre gris** âmbar-cinzento *m*.

ambulance [ɑ̃bylɑ̃s] *nf* ambulância *f*.

ambulant [ɑ̃bylɑ̃] *adj* ► **marchand**.

âme [am] *nf* alma *f*.

amélioration [ameljɔʀasjɔ̃] *nf* melhoramento *m*.

améliorer [ameljɔʀe] *vt* melhorar. ◆ **s'améliorer** *vp* melhorar.

amen [amɛn] *adv* RELIG amém ; **dire amen à qqch** *fam* dizer amém a algo.

aménagé, **e** [amenaʒe] *adj* equipado(da).

aménagement [amenaʒmɑ̃] *nm* [d'un lieu] arrumação *f* ; [programme] organização *f* ; **aménagement du territoire** ordenamento do território.

aménager [amenaʒe] *vt* instalar.

amende [amɑ̃d] *nf* multa *f*.

amendement [amɑ̃dmɑ̃] *nm* POLIT emenda *f* ; [de la terre] fertilização *f*.

amener [amne] *vt* trazer ; **amener qqn à faire qqch** levar alguém a fazer algo.

amer, **ère** [amɛʀ] *adj* amargo(ga).

américain, **e** [ameʀikɛ̃, ɛn] *adj* americano(na). ◆ **Américain**, **e** *nm, f* americano *m*, -na *f*.

Amérique [ameʀik] *nf* : **l'Amérique** a América ; **l'Amérique Centrale** a América Central ; **l'Amérique Latine** a América Latina ; **l'Amérique du Sud** a América do Sul.

amertume [amɛʀtym] *nf* [d'un aliment] azedume *m* ; [tristesse] amargura *f*.

ameublement [amœbləmɑ̃] *nm* mobília *f*.

ami, **e** [ami] *nm, f* [camarade] amigo *m*, -ga *f* ; [amant] namorado *m*, -da *f* ; **être (très) amis** ser (muito) amigos.

amiable [amjabl] *adj* amigável ; **à l'amiable** amigável.

amiante [amjɑ̃t] *nm* amianto *m*.

amical, **e**, **aux** [amikal, o] *adj* amistoso(osa).

amicalement [amikalmɑ̃] *adv* amigavelmente ; [dans une lettre] com amizade.

amidon [amidɔ̃] *nm* amido *m*.

amincir [amɛ̃siʀ] *vt* adelgaçar.

amincissant, **e** [amɛ̃sisɑ̃, ɑ̃t] *adj* adelgaçante.

amitié [amitje] *nf* amizade *f* ; **amitiés** [dans une lettre] cumprimentos.

ammoniac [amɔnjak] *nm* amoníaco *m*.

amnésie [amnezi] *nf* amnésia *f*.

amnésique [amnezik] *adj* amnésico(ca).

amnistie [amnisti] *nf* anistia *f*.

amoindrir [amwɛ̃dʀiʀ] *vt* [réduire] diminuir. ◆ **s'amoindrir** *vp* diminuir.

amonceler [amɔ̃sle] ◆ **s'amonceler** *vp* amontoar-se.

amont [amɔ̃] *nm* montante *m* ; **en amont (de)** a montante (de).

amoral, **e**, **aux** [amɔʀal, o] *adj* [qui ignore la morale] amoral ; [débauché] imoral.

amorcer [amɔʀse] *vt* dar início a.

amortir [amɔʀtiʀ] *vt* [choc, son] amortecer ; [rentabiliser] amortizar.

amortisseur [amɔʀtisœʀ] *nm* amortecedor *m*.

amour [amuʀ] *nm* amor *m* ; **faire l'amour** fazer amor.

amoureux, **euse** [amuʀø, øz] ◇ *adj* apaixonado(da). ◇ *nmpl* namorados *mpl* ; **être amoureux de qqn** estar apaixonado por alguém.

amour-propre [amuʀpʀɔpʀ] *nm* amor-próprio *m*.

amovible [amɔvibl] *adj* removível.

amphétamine [ɑ̃fetamin] *nf* anfetamina *f*.

amphi [ɑ̃fi] *nm fam* anfiteatro *m*.

amphithéâtre [ɑ̃fiteatʀ] *nm* anfiteatro *m*.

ample [ɑ̃pl] *adj* [jupe] largo(ga) ; [geste] amplo(pla).

amplement [ɑ̃pləmɑ̃] *adv* largamente.

ampleur [ɑ̃plœʀ] *nf* amplidão *f* ; [d'un vêtement] largueza *f* ; **prendre toute son ampleur** atingir o auge.

ampli [ɑ̃pli] *nm fam* amplificador *m*.

amplificateur [ɑ̃plifikatœʀ] *nm* [de chaîne hi-fi] amplificador *m*.

amplifier [ɑ̃plifje] *vt* [son] amplificar ; [phénomène] ampliar.

amplitude [ɑ̃plityd] *nf* amplitude *f*.

ampoule [ɑ̃pul] *nf* [de lampe] lâmpada *f* ; [de médicament] ampola *f*; [cloque] bolha *f*.

amputation [ɑ̃pytasjɔ̃] *nf* amputação *f*.

amputer [ɑ̃pyte] *vt* amputar ; [texte] cortar.

amulette [amylɛt] *nf* amuleto *m*.

amusant, **e** [amyzɑ̃, ɑ̃t] *adj* divertido(da).

amuse-gueule [amyzgœl] *nm inv* aperitivo *m*.

amusement [amyzmɑ̃] *nm* divertimento *m* ; **avec amusement** com um ar divertido.

amuser [amyze] *vt* divertir. ◆ **s'amuser** *vp* divertir-se ; **s'amuser à faire qqch** divertir-se a fazer algo.

amygdales [amidal] *nfpl* amígdalas *fpl*.

an [ɑ̃] *nm* ano *m* ; **il a neuf ans** ele tem nove anos (de idade) ; **en l'an 2000** no ano 2000.

anachronique [anakʀɔnik] *adj* anacrônico(ca).

anachronisme [anakʀɔnism] *nm* anacronismo *m*.

anagramme [anagʀam] *nf* anagrama *m*.

anal, **e**, **aux** [anal, o] *adj* anal.

analgésique [analʒezik] ◇ *nm* analgésico *m*. ◇ *adj* analgésico(ca).

analogie [analɔʒi] *nf* analogia *f*.

analogue [analɔg] *adj* análogo(ga).

analphabète [analfabɛt] *adj* analfabeto(ta).

analyse [analiz] *nf* análise *f* ; **analyse (de sang)** análise (de sangue).

analyser [analize] *vt* analisar.

analyste [analist] *nmf* analista *mf*.

analyste-programmeur, **euse** [analistpʀɔgʀamœʀ, øz] (*pl* **analystes-programmeurs**) *nmf* analista-programador *m*, -ra *f*.

ananas [anana(s)] *nm* abacaxi *m*.

anarchie [anaʀʃi] *nf* anarquia *f*.

anatomie [anatɔmi] *nf* anatomia *f*.

anatomique [anatɔmik] *adj* anatômico(ca).

ancestral, **e**, **aux** [ɑ̃sɛstʀal, o] *adj* ancestral.

ancêtre [ɑ̃sɛtʀ] *nmf* [parent] antepassado *m*, -da *f* ; [version précédente] predecessor *m*, -ra *f*.

anchois [ɑ̃ʃwa] *nm* anchova *f*.

ancien, **enne** [ɑ̃sjɛ̃, ɛn] *adj* antigo(ga).

ancienneté [ɑ̃sjɛnte] *nf* [dans une entreprise] antiguidade *f*.

ancre [ɑ̃kʀ] *nf* âncora *f* ; **jeter l'ancre** lançar âncora ; **lever l'ancre** levantar âncora.

Andorre [ɑ̃dɔʀ] *nf* : **l'Andorre** a Andorra.

andouille [ɑ̃duj] *nf* CULIN *lingüiça de tripas de porco que se come fria, cortada em rodelas* ; *fam* [imbécile] palerma *mf*.

andouillette [ɑ̃dujɛt] *nf lingüiça de tripas de porco que se come quente*.

âne [an] *nm* [animal] burro *m* ; [imbécile] burro *m*, -a *f*.

anéantir [aneɑ̃tiʀ] *vt* arrasar.

anecdote [anɛkdɔt] *nf* anedota *f*.

anecdotique [anɛkdɔtik] *adj* anedótico(ca).

anémie [anemi] *nf* anemia *f*.

anémique [anemik] *adj* anémico(ca).

anémone [anemɔn] *nf* anêmona *f*.

ânerie [anʀi] *nf* asneira *f*.

anesthésie [anɛstezi] *nf* anestesia *f* ; **être sous anesthésie** estar sob anestesia ; **anesthésie générale** anestesia geral ; **anesthésie locale** anestesia local.

anesthésier [anɛstezje] *vt* anestesiar.

anesthésiste [anɛstezist] *nmf* anestesista *mf*.

ange [ɑ̃ʒ] *nm* anjo *m*.

angélique [ɑ̃ʒelik] ◇ *adj* angélico(ca). ◇ *nf* angélica *f*.

angine [ɑ̃ʒin] *nf* anginas *fpl* ; **angine de poitrine** angina do peito.

anglais, **e** [ɑ̃glɛ, ɛz] ◇ *adj* inglês(esa). ◇ *nm* [langue] inglês *m*. ◆ **Anglais**, **e** *nm, f* inglês *m*, -esa *f*.

angle [ɑ̃gl] *nm* [coin] canto *m* ; [de rue] esquina *f* ; [géométrique] ângulo *m* ; **angle droit** ângulo reto.

Angleterre [ɑ̃glətɛʀ] *nf* : **l'Angleterre** a Inglaterra.

anglophone [ɑ̃glɔfɔn] *adj* & *nmf* anglófono(na).

anglo-saxon, onne [ɑ̃glɔsaksɔ̃, ɔn] *adj* anglo-saxônico(ca). ◆ **Anglo-Saxon, onne** *nm, f* anglo-saxão *m*, -ã *f*.

angoissant, e [ɑ̃gwasɑ̃, ɑ̃t] *adj* angustiante.

angoisse [ɑ̃gwas] *nf* angústia *f*.

angoissé, e [ɑ̃gwase] *adj* angustiado(da).

Angola [ɑ̃gɔla] *nm* : **l'Angola** Angola.

angora [ɑ̃gɔʀa] *nm* [laine] angorá *m*.

anguille [ɑ̃gij] *nf* enguia *f* ; **anguilles au vert** *Belgique enguias com vinho branco, espinafres e creme de leite.*

anguleux, euse [ɑ̃gylø, øz] *adj* anguloso(osa).

anicroche [anikʀɔʃ] *nf* incidente *m*.

animal [animal, o] (*pl* -aux) *nm* animal *m* ; **animal domestique** animal doméstico.

animateur, trice [animatœʀ, tʀis] *nm, f* [de club, de groupe] coordenador *m*, -ra *f* ; [à la radio, la télévision] animador *m*, -ra *f*.

animation [animasjɔ̃] *nf* animação *f*. ◆ **animations** *nfpl* atividades *fpl*.

animé, e [anime] *adj* animado(da).

animer [anime] *vt* animar. ◆ **s'animer** *vp* animar-se.

animosité [animozite] *nf* animosidade *f*.

anis [ani(s)] *nm* anis *m*.

ankyloser [ɑ̃kiloze] ◆ **s'ankyloser** *vp* : **mes mains se sont ankylosées** tenho as mãos ancilosadas OU endurecidas.

annales [anal] *nfpl* anais *mpl* ; **rester dans les annales** ficar nos anais.

anneau [ano] (*pl* -x) *nm* [bague] anel *m* ; [maillon] argola *f*. ◆ **anneaux** *nmpl* SPORT argolas *fpl*.

année [ane] *nf* ano *m* ; **année bissextile** ano bissexto ; **année scolaire** ano letivo.

année-lumière [anelymjɛʀ] *nf* ano-luz *m*.

annexe [anɛks] *nf* anexo *m*.

annexer [anɛkse] *vt* anexar ; **annexer qqch à** anexar algo a. ◆ **s'annexer** *vp* [s'attribuer] anexar ; [s'ajouter] : **s'annexer à** juntar-se a.

annihiler [aniile] *vt* aniquilar. ◆ **s'annihiler** *vp* aniquilar-se.

anniversaire [anivɛʀsɛʀ] *nm* aniversário *m* ; **anniversaire de mariage** aniversário de casamento.

annonce [anɔ̃s] *nf* anúncio *m* ; **(petites) annonces** anúncios classificados.

annoncer [anɔ̃se] *vt* anunciar. ◆ **s'annoncer** *vp* : **s'annoncer bien** apresentar-se bem.

annonceur [anɔ̃sœʀ] *nm* anunciante *mf*.

annoter [anɔte] *vt* anotar.

annuaire [anɥɛʀ] *nm* anuário *m* ; **annuaire (téléphonique)** lista *f* telefônica ; **annuaire électronique** lista *f* telefônica eletrônica.

annuel, elle [anɥɛl] *adj* anual.

annulaire [anylɛʀ] *nm* anular *m*.

annulation [anylasjɔ̃] *nf* anulação *f*.

annuler [anyle] *vt* **1.** anular - **2.** INFORM cancelar.

anodin, e [anɔdɛ̃, in] *adj* anódino(na).

anomalie [anɔmali] *nf* anomalia *f*.

anonymat [anɔnima] *nm* anonimato *m* ; **garder l'anonymat** manter o anonimato.

anonyme [anɔnim] *adj* anônimo(ma).

anorak [anɔʀak] *nm* anoraque *m*.

anorexie [anɔʀɛksi] *nf* anorexia *f*.

anormal, e, aux [anɔʀmal, o] *adj* anormal.

ANPE *nf* (*abr de* **Agence nationale pour l'emploi**) *agência nacional francesa do emprego.*

anse [ɑ̃s] *nf* [poignée] asa *f* ; [crique] enseada *f*.

Antarctique [ɑ̃taʀktik] *nm* : **l'(océan) Antarctique** o (oceano) Antártico.

antécédent [ɑ̃tesedɑ̃] *nm* antecedente *m*.

antenne [ɑ̃tɛn] *nf* antena *f* ; **antenne parabolique** antena parabólica.

antenne-relais (*pl* -s–relais) [ɑ̃tɛnʀəlɛ] *nf* TÉLÉCOM *antenas das estações de base dos telefones móveis.*

antérieur, e [ɑ̃teʀjœʀ] *adj* anterior.

anthologie [ɑ̃tɔlɔʒi] *nf* antologia *f*.

anthropologie [ɑ̃tʀɔpɔlɔʒi] *nf* antropologia *f*.

antiacarien [ɑ̃tiakarjɛ̃, -ɛ] *nm* antiácaro *m*.

anti-âge [ɑ̃tiaʒ] *adj* antienvelhecimento.

antibactérien, enne [ɑ̃tibakterjɛ̃, ɛn] *adj* antibacteriano, bactericida.

antibiotique [ɑ̃tibjɔtik] *nm* antibiótico *m*.

antibrouillard [ɑ̃tibʀujaʀ] *nm* farol *m* de neblina.

antibruit [ɑ̃tibʀɥi] *adj inv* anti-ruído.

anticipé, e [ɑ̃tisipe] *adj* antecipado(da).

anticiper [ɑ̃tisipe] *vt* antecipar.

anticorps [ɑ̃tikɔʀ] *nm* anticorpo *m*.

anticyclone [ɑ̃tisiklon] *nm* anticiclone *m*.

antidépresseur [ɑ̃tidepʀesœʀ] ◇ *nm* antidepressivo *m*. ◇ *adj* antidepressivo(va).

antidote [ɑ̃tidɔt] *nm* antídoto *m*.

antigel [ɑ̃tiʒɛl] *nm* anticongelante *m*.

antillais, e [ɑ̃tijɛ, ɛz] *adj* antilhano(na). ◆ **Antillais, e** *nm, f* antilhano *m*, -na *f*.

Antilles [ɑ̃tij] *nfpl* : **les Antilles** as Antilhas.

antilope [ɑ̃tilɔp] *nf* antílope *m*.

antimite [ɑ̃timit] *nm* antitraça *m*.

antimondialisation [ɑ̃timɔ̃djalizasjɔ̃] *adj inv* antiglobalização.

antimondialiste [ɑ̃timɔ̃djalist] *adj* antiglobalista.

Antiope [ɑ̃tjɔp] *npr sistema francês de videotexto televisivo.*

antipathie [ɑ̃tipati] *nf* antipatia *f*.

antipathique [ɑ̃tipatik] *adj* antipático(ca).

antipode [ɑ̃tipɔd] *nm* antípoda *m* ; **être aux antipodes de** estar na direção oposta de.

antiquaire [ɑ̃tikɛʀ] *nmf* antiquário *m*, -ria *f*.

antique [ɑ̃tik] *adj* antigo(ga).

antiquité [ɑ̃tikite] *nf* antiguidade *f* ; **l'Antiquité** a Antiguidade.

antirides [ɑ̃tiʀid] *adj inv* anti-rugas.

antirouille [ɑ̃tiʀuj] *adj inv* antiferrugem.

antisémite [ɑ̃tisemit] *adj* & *nmf* anti-semita.

antisémitisme [ɑ̃tisemitism] *nm* anti-semitismo *m*.

antiseptique [ɑ̃tisɛptik] *adj* antisséptico(ca).

antislash [ɑ̃tislaʃ] *nm* INFORM barra invertida.

antithèse [ɑ̃titɛz] *nf* antítese *f*.

antitranspirant, e [ɑ̃titʀɑ̃spiʀɑ̃, -ɑ̃t] *adj* antitranspirante.

antiviral [ɑ̃tiviʀal] *nm* medicamento *m* antiviral.

antivirus [ɑ̃tivirys] *m inv* INFORM antivírus *m inv*.

antivol [ɑ̃tivɔl] *nm* dispositivo *m* anti-roubo.

anus [anys] *nm* ânus *m*.

anxiété [ɑ̃ksjete] *nf* ansiedade *f*.

anxieux, **euse** [ɑ̃ksjø, øz] *adj* ansioso(osa).

AOC (*abr de* **appellation d'origine contrôlée**) *denominação de origem controlada.*

août [u(t)] *nm* agosto *m*, ► **septembre.**

apaiser [apɛze] *vt* [personne, colère] apaziguar ; [douleur] aliviar.

apartheid [apaʀtɛd] *nm* apartheid *m*.

apathique [apatik] *adj* apático(ca).

apatride [apatʀid] *adj & nmf* apátrida.

APEC (*abr de* **association pour l'emploi des cadres**) [apɛk] *nf agência de colocação de executivos.*

apercevoir [apɛʀsəvwaʀ] *vt* avistar. ◆ **s'apercevoir** *vp* : **s'apercevoir de** aperceber-se de ; **s'apercevoir que** aperceber-se de que.

aperçu, **e** [apɛʀsy] ◇ *pp* ► **apercevoir.** ◇ *nm* idéia *f* geral.

apéritif [apeʀitif] *nm* aperitivo *m*.

apesanteur [apəzɑ̃tœʀ] *nf* ausência *f* de gravidade.

apeuré, **e** [apøʀe] *adj* assustado(da).

aphone [afɔn] *adj* afônico(ca).

aphrodisiaque [afʀɔdizjak] ◇ *nm* afrodisíaco *m*. ◇ *adj* afrodisíaco(ca).

aphte [aft] *nm* afta *f*.

apiculteur, **trice** [apikyltœʀ, tʀis] *nm, f* apicultor *m*, -ra *f*.

apiculture [apikyltyʀ] *nf* apicultura *f*.

apitoyer [apitwaje] ◆ **s'apitoyer sur** *vp + prép* compadecer-se de.

ap. J.-C. (*abr de* **après Jésus-Christ**) d. C.

aplanir [aplaniʀ] *vt* aplanar.

aplatir [aplatiʀ] *vt* achatar.

aplomb [aplɔ̃] *nm* [culot] descaramento *m* ; **d'aplomb** [vertical] a prumo.

apocalypse [apɔkalips] *nf* RELIG : **l'Apocalypse** o Apocalipse ; *fig* [catastrophe] apocalipse *m*.

apogée [apɔʒe] *nm* apogeu *m*. ◆ **à l'apogée de** *loc prép* no apogeu de.

apolitique [apɔlitik] *adj & nmf* apolítico(ca).

apologie [apɔlɔʒi] *nf* apologia *f* ; **faire l'apologie de qqn/qqch** fazer a apologia de alguém/algo.

apostrophe [apɔstʀɔf] *nf* apóstrofo *m* ; **s apostrophe** s apóstrofo.

apothéose [apɔteoz] *nf* apoteose *f*.

apôtre [apotʀ] *nm* apóstolo *m*.

apparaître [apaʀɛtʀ] *vi* [se montrer] aparecer ; [sembler] parecer.

appareil [apaʀɛj] *nm* [dispositif] aparelho *m* ; [poste téléphonique] telefone *m* ; **qui est à l'appareil ?** quem é que está ao telefone? ; **appareil digestif** aparelho digestivo ; **appareil ménager** eletrodoméstico *m* ; **appareil photo** máquina *f* fotográfica.

appareillage [apaʀɛjaʒ] *nm* [équipement] aparelhagem *f* ; NAUT largada *f*.

apparemment [apaʀamɑ̃] *adv* aparentemente.

apparence [apaʀɑ̃s] *nf* aparência *f*.

apparent, **e** [apaʀɑ̃, ɑ̃t] *adj* aparente.

apparenter [apaʀɑ̃te] ◆ **s'apparenter** *vp* : **s'apparenter à qqn** aparentar-se com alguém ; **s'apparenter à qqch** assemelhar-se a algo.

apparition [apaʀisjɔ̃] *nf* [arrivée] aparecimento *m* ; [fantôme] aparição *f*.

appartement [apaʀtəmɑ̃] *nm* apartamento *m*.

appartenir [apaʀtəniʀ] *vi* : **appartenir à** pertencer a.

appartenu [apaʀtəny] *pp* ► **appartenir.**

apparu, **e** [apaʀy] *pp* ► **apparaître.**

appât [apa] *nm* isca *f*.

appauvrir [apovʀiʀ] *vt* empobrecer. ◆ **s'appauvrir** *vp* [personne] ficar pobre, empobrecer-se ; [sol, langue] empobrecer.

appel [apɛl] *nm* chamada *f* ; [cri] apelo *m* ; **faire l'appel** SCOL fazer a chamada ; **faire appel à** apelar a ; **appel de phares** sinal *m* de luzes.

appeler [aple] *vt* chamar ; [au téléphone] telefonar ; **appeler à l'aide** pedir ajuda. ◆ **s'appeler** *vp* chamar-se ; **comment t'appelles-tu ?** como você se chama? ; **je m'appelle...** (eu) me chamo... ; **on s'appelle ce soir ?** telefono para você esta noite?

appendicite [apɛ̃disit] *nf* apendicite *f*.

appesantir [apəzɑ̃tiʀ] ◆ **s'appesantir sur** *vp + prép* teimar em.

appétissant, **e** [apetisɑ̃, ɑ̃t] *adj* apetitoso(osa).

appétit [apeti] *nm* apetite *m* ; **avoir de l'appétit** ter apetite ; **bon appétit !** bom apetite!

applaudir [aplodiʀ] *vt* & *vi* aplaudir.

applaudissements [aplodismɑ̃] *nmpl* aplausos *mpl*.

application [aplikasjɔ̃] *nf* **1.** aplicação *f* - **2.** INFORM aplicativo *m*.

applique [aplik] *nf* [lampe] aplique *m*.

appliqué, **e** [aplike] *adj* aplicado(da).

appliquer [aplike] *vt* aplicar. ◆ **s'appliquer** *vp* aplicar-se.

appoint [apwɛ̃] *nm* **: faire l'appoint** *pagar a quantia exata* ; **d'appoint** [chauffage, lit] adicional.

apport [apɔʀ] *nm* DR bem *m* ; FIN [culturel] contribuição *f* ; [initial] entrada *f*.

apporter [apɔʀte] *vt* trazer.

apposer [apoze] *vt* [signature] apor.

appréciable [apʀesjabl] *adj* apreciável.

appréciation [apʀesjasjɔ̃] *nf* apreciação *f*.

apprécier [apʀesje] *vt* apreciar.

appréhender [apʀeɑ̃de] *vt* [craindre] recear ; [arrêter] prender ; **appréhender de faire qqch** ter receio de fazer algo.

appréhension [apʀeɑ̃sjɔ̃] *nf* apreensão *f*.

apprendre [apʀɑ̃dʀ] *vt* [étudier] aprender ; [nouvelle] saber de ; **apprendre qqch à qqn** [discipline] ensinar algo a alguém ; [nouvelle] informar alguém de algo ; **apprendre à faire qqch** aprender a fazer algo.

apprenti, **e** [apʀɑ̃ti] *nm, f* aprendiz *m*.

apprentissage [apʀɑ̃tisaʒ] *nm* aprendizagem *f*.

apprêter [apʀete] ◆ **s'apprêter à** *vp + prép* aprontar-se para.

appris, **e** [apʀi, iz] *pp* ► **apprendre**.

apprivoiser [apʀivwaze] *vt* domesticar.

approbation [apʀɔbasjɔ̃] *nf* aprovação *f*.

approche [apʀɔʃ] *nf* [arrivée] aproximação *f* ; [d'un sujet] abordagem *f* ; **à l'approche de** [d'un lieu] ao aproximar-se de ; [d'un événement] com a aproximação de. ◆ **approches** *nfpl* proximidades *fpl*.

approcher [apʀɔʃe] ◇ *vt* aproximar. ◇ *vi* aproximar-se ; **approcher qqch de** aproximar algo de ; **approcher de** aproximar-se de. ◆ **s'approcher** *vp* aproximar-se ; **s'approcher de** aproximar-se de.

approfondir [apʀɔfɔ̃diʀ] *vt* aprofundar.

approprié, **e** [apʀɔpʀije] *adj* apropriado(da).

approuver [apʀuve] *vt* aprovar.

approvisionnement [apʀɔvizjɔnmɑ̃] *nm* abastecimento *m*.

approvisionner [apʀɔvizjɔne] ◆ **s'approvisionner** *vp* : **s'approvisionner (en)** abastecer-se (de).

approximatif, **ive** [apʀɔksimatif, iv] *adj* aproximativo(va).

approximation [apʀɔksimasjɔ̃] *nf* aproximação *f*.

approximativement [apʀɔksimativmɑ̃] *adv* aproximadamente.

appt (*abr de* **appartement**) apto.

appui-tête [apɥitɛt] (*pl* **appuis-tête**) *nm* apoio *m* para a cabeça.

appuyer [apɥije] ◇ *vt* apoiar. ◇ *vi* : **appuyer sur** pressionar em. ◆ **s'appuyer** *vp* : **s'appuyer à** apoiar-se em.

âpre [apʀ] *adj* [goût] amargo(ga) ; [ton] ríspido(da) ; [conflit, concurrence] violento(ta).

après [apʀɛ] ◇ *prép* depois de. ◇ *adv* [dans le temps] depois ; [dans l'espace, dans un classement] a seguir ; **après avoir fait** depois de ter feito ; **après tout** afinal ; **l'année d'après** no ano seguinte ; **d'après moi** a meu ver.

après-demain [apʀɛdmɛ̃] *adv* depois de amanhã.

après-midi [apʀɛmidi] *nm inv* & *nf inv* tarde *f* ; **l'après-midi** [tous les jours] à tarde.

après-rasage [apʀɛʀazaʒ] (*pl* **après-rasages**) *nm* loção *f* pós-barba.

après-shampooing [apʀɛʃɑ̃pwɛ̃] *nm inv* condicionador *m*.

après-ski [apʀɛski] (*pl* **après-skis**) *nm calçado especial para caminhar na neve.*

a priori [apʀijɔʀi] ◇ *adv* a priori. ◇ *nm inv* a priori *m inv*.

à-propos [apʀɔpo] *nm inv* pertinência *f*.

apte [apt] *adj* : **apte à** apto(ta) a.

aptitudes [aptityd] *nfpl* aptidões *fpl*.

aquarelle [akwaʀɛl] *nf* aquarela *f*.

aquarium [akwaʀjɔm] *nm* aquário *m*.

aquatique [akwatik] *adj* aquático(ca).

aqueduc [akdyk] *nm* aqueduto *m*.

Aquitaine [akitɛn] *nf* : **l'Aquitaine** a Aquitânia.

AR *abrév* = **aller-retour** ; (*abr de* **accusé de réception**) AR.

arabe [aʀab] ◇ *adj* árabe. ◇ *nm* [langue] árabe *m*. ◆ **Arabe** *nmf* árabe *mf*.

arabesque [aʀabɛsk] *nf* arabesco *m*.

Arabie [aʀabi] *nf* : **l'Arabie** a Arábia ; **l'Arabie Saoudite** a Arábia Saudita.

arachide [aʀaʃid] *nf* amendoim *m*.

araignée [aʀeɲe] *nf* aranha *f*.

arbitrage [aʀbitʀaʒ] *nm* arbitragem *f*.

arbitraire [aʀbitʀɛʀ] *adj* arbitrário(ria).

arbitre [aʀbitʀ] *nm* árbitro *m*.

arbitrer [aʀbitʀe] *vt* arbitrar.

arboriculture [aʀbɔʀikyltyʀ] *nf* arboricultura *f*.

arbre [aʀbʀ] *nm* árvore *f* ; **arbre fruitier** árvore frutífera ; **arbre généalogique** árvore genealógica.

arbuste [aʀbyst] *nm* arbusto *m*.

arc [aʀk] *nm* arco *m*.

arcade [aʀkad] *nf* arcada *f*.

arc-bouter [aʀkbute] ◆ **s'arc-bouter** *vp* apoiar-se.

arc-en-ciel [aʀkɑ̃sjɛl] (*pl* **arcs-en-ciel**) *nm* arco-íris *m*.

archaïque [aʀkaik] *adj* arcaico(ca).

archange [aʀkɑ̃ʒ] *nm* arcanjo *m*.

arche [aʀʃ] *nf* [voûte] arco *m*.

archéologie [aʀkeɔlɔʒi] *nf* arqueologia *f*.

archéologue [aʀkeɔlɔg] *nmf* arqueólogo *m*, -ga *f*.

archet [aʀʃɛ] *nm* arco *m*.

archevêque [aʀʃəvɛk] *nm* arcebispo *m*.

archipel [aʀʃipɛl] *nm* arquipélago *m*.

architecte [aʀʃitɛkt] *nmf* arquiteto *m*, -ta *f*.

architecture [aʀʃitɛktyʀ] *nf* arquitetura *f*.

archiver [aʀʃive] *vt* arquivar.

archives [aʀʃiv] *nfpl* arquivo *m*.

Arctique [aʀktik] *nm* : **l'(océan) Arctique** o (oceano) Ártico.

ardemment [aʀdamɑ̃] *adv* ardentemente.

ardent, **e** [aʀdɑ̃, ɑ̃t] *adj* ardente.

ardeur [aʀdœʀ] *nf* ardor *m*.

ardoise [aʀdwaz] *nf* ardósia *f*.

ardu, **e** [aʀdy] *adj* árduo(dua).

arènes [aʀɛn] *nfpl* praça *f* de touros.

arête [aʀɛt] *nf* [de poisson] espinha *f* ; [angle] aresta *f*.

argent [aʀʒɑ̃] *nm* [métal] prata *f* ; [monnaie] dinheiro *m* ; **argent liquide** dinheiro vivo ; **argent de poche** dinheiro de bolso.

argenté, **e** [aʀʒɑ̃te] *adj* prateado(da).

argenterie [aʀʒɑ̃tʀi] *nf* prataria *f*.

argentin, **e** [aʀʒɑ̃tɛ̃, in] *adj* argentino(na). ◆ **Argentin**, **e** *nm*, *f* argentino *m*, -na *f*.

Argentine [aʀʒɑ̃tin] *nf* : **l'Argentine** a Argentina.

argile [aʀʒil] *nf* argila *f*.

argileux, **euse** [aʀʒilø, øz] *adj* argiloso(osa).

argot [aʀgo] *nm* gíria *f*.

argotique [aʀgɔtik] *adj* de gíria.

argument [aʀgymɑ̃] *nm* argumento *m*.

argumenter [aʀgymɑ̃te] *vt* & *vi* argumentar.

argus [aʀgys] *nm* : **l'argus** *publicação que contém os preços de artigos de segunda mão*.

aride [aʀid] *adj* árido(da).

aristocratie [aʀistɔkʀasi] *nf* aristocracia *f*.

arithmétique [aʀitmetik] *nf* aritmética *f*.

armateur [aʀmatœʀ] *nm* armador *m*.

armature [aʀmatyʀ] *nf* armação *f*.

arme [aʀm] *nf* arma *f* ; **arme à feu** arma de fogo.

armé, **e** [aʀme] *adj* armado(da) ; **être armé de** estar armado com.

armée [aʀme] *nf* exército *m*.

armement [aʀməmɑ̃] *nm* [armes] armamento *m*.

Arménie [aʀmeni] *nf* : **l'Arménie** a Armênia.

armer [aʀme] *vt* armar ; [appareil photo] carregar.

armistice [aʀmistis] *nm* armistício *m*.

armoire [aʀmwaʀ] *nf* armário *m* ; **armoire à pharmacie** armário de remédios.

armoiries [aʀmwaʀi] *nfpl* armas *fpl* de brasão.

armure [aʀmyʀ] *nf* armadura *f*.

arnaque [aʀnak] *nf fam* vigarice *f*.

arnaquer [aʀnake] *vt fam* enganar.

aromate [aʀɔmat] *nm* erva *f* aromática.

aromatique [aʀɔmatik] *adj* aromático(ca).

aromatisé, **e** [aʀɔmatize] *adj* aromatizado(da) ; **aromatisé à** [yaourt] aromatizado com.

arôme [aʀom] *nm* aroma *m*.

arpenter [aʀpɑ̃te] *vt* [marcher] percorrer (a passos largos) ; [mesurer] agrimensar.

arqué, **e** [aʀke] *adj* arqueado(da).

arracher [aʀaʃe] *vt* arrancar ; **arracher qqch à qqn** arrancar algo de alguém.

arrangeant, **e** [aʀɑ̃ʒɑ̃, ɑ̃t] *adj* conciliante.

arrangement [aʀɑ̃ʒmɑ̃] *nm* [disposition] arrumação *f* ; [accord] entendimento *m* ; MUS arranjo *m*.

arranger [aʀɑ̃ʒe] *vt* [organiser] organizar ; [résoudre, réparer] arranjar ; **ça m'arrange** seria conveniente para mim. ◆ **s'arranger** *vp* [se mettre d'accord] entender-se ; [s'améliorer] ficar bem ; **s'arranger pour faire qqch** dar um jeito de fazer algo.

arrestation [aʀɛstasjɔ̃] *nf* detenção *f*.

arrêt [aʀɛ] *nm* [interruption] fim *m* ; [immobilisation, station] parada *f* ; **'arrêt interdit'** 'estacionamento proibido' ; **arrêt d'autobus** ponto *m* de ônibus ; **arrêt de travail** [grève] paralisação *f* de trabalho ; [pour maladie] licença *f* de saúde ; **sans arrêt** [parler, travailler] sem parar.

arrêté [aʀete] *nm* liquidação *f* ; **arrêté ministériel** portaria *f*.

arrêter [aʀete] ◇ *vt* [interrompre, immobiliser] deter ; [suspect] prender. ◇ *vi* **1.** parar ; **arrêter de faire qqch** deixar de fazer algo ; **arrête de parler !** pare de falar! - **2.** INFORM encerrar. ◆ **s'arrêter** *vp* parar ; **s'arrêter de faire qqch** parar de fazer algo.

arrhes [aʀ] *nfpl* entrada *f (em dinheiro)*.

arrière [aʀjɛʀ] ◇ *adj inv* atrás. ◇ *nm* parte *f* de trás ; **à l'arrière de** na parte de trás de ; **en arrière** [regarder, tomber] para trás.

arriéré, **e** [aʀjeʀe] *adj péj* [démodé] atrasado(da).

arrière-boutique [aʀjɛʀbutik] (*pl* **arrière-boutiques**) *nf* armazém *m (de uma loja)*.

arrière-goût [aʀjɛʀgu] (*pl* **arrière-goûts**) *nm* ressaibo *m*.

arrière-grand-mère [aʀjɛʀgʀɑ̃mɛʀ] (*pl* **arrières-grands-mères**) *nf* bisavó *f*.

arrière-grand-père [aʀjɛʀgʀɑ̃pɛʀ] (*pl* **arrières-grands-pères**) *nm* bisavô *m*.

arrière-grands-parents [aʀjɛʀgʀɑ̃paʀɑ̃] *nmpl* bisavós *mpl*.

arrière-pensée [aʀjɛʀpɑ̃se] (*pl* **arrière-pensées**) *nf* segunda intenção *f*.

arrière-plan [aʀjɛʀplɑ̃] (*pl* **arrière-plans**) *nm* segundo plano *m* ; **à l'arrière-plan** em segundo plano.

arrière-saison [aʀjɛʀsɛzɔ̃] (*pl* **arrrière-saisons**) *nf* outono *m*.

arrimer [aʀime] *vt* estivar.

arrivage [aʀivaʒ] *nm* chegada *f (de mercadorias)*.

arrivée [aʀive] *nf* chegada *f* ; **'arrivées'** 'chegadas'.

arriver [aʀive] ◇ *vi* [train, personne] chegar ; [se produire] acontecer. ◇ *v impers* : **il arrive qu'il pleuve en été** pode acontecer que chova no verão ; **il m'arrive d'aller au cinéma** pode ser que vá ao cinema ; **que t'est-il arrivé ?** o que é que lhe aconteceu ? ; **arriver à (faire) qqch** chegar a (fazer) algo.

arrivisme [aʀivism] *nm péj* arrivismo *m*.

arriviste [aʀivist] *nmf* arrivista *mf*.

arrogance [aʀɔgɑ̃s] *nf* arrogância *f*.

arrogant, **e** [aʀɔgɑ̃, ɑ̃t] *adj* arrogante.

arrondir [aʀɔ̃diʀ] *vt* arredondar.

arrondissement [aʀɔ̃dismɑ̃] *nm* bairro *m*.

arrosage [aʀozaʒ] *nm* rega *f*.

arroser [aʀoze] *vt* regar.

arrosoir [aʀozwaʀ] *nm* regador *m*.

Arrt *abrév* = **arrondissement**.

arsenal [aʀsənal, o] (*pl* -aux) *nm* arsenal *m* ; *fam* [matériel] arsenal *m*.

arsenic [aʀsənik] *nm* arsênico *m*.

art [aʀ] *nm* : **l'art** a arte ; **arts plastiques** artes *fpl* plásticas ; **arts martiaux** artes marciais.
artère [aʀtɛʀ] *nf* artéria *f*.
arthrite [aʀtʀit] *nf* artrite *f*.
arthrose [aʀtʀoz] *nf* artrose *f*.
artichaut [aʀtiʃo] *nm* alcachofra *f*.
article [aʀtikl] *nm* artigo *m*.
articulation [aʀtikylasjɔ̃] *nf* articulação *f*.
articulé, e [aʀtikyle] *adj* articulado(da).
articuler [aʀtikyle] *vt* & *vi* articular.
artifice [aʀtifis] *nm* ► **feu**.
artificiel, elle [aʀtifisjɛl] *adj* artificial.
artillerie [aʀtijʀi] *nf* artilharia *f*.
artisan [aʀtizɑ̃] *nm* artesão *m*.
artisanal, e, aux [aʀtizanal, o] *adj* artesanal.
artisanat [aʀtizana] *nm* artesanato *m*.
artiste [aʀtist] *nmf* artista *mf*.
artistique [aʀtistik] *adj* artístico(ca).
as[1] [a] ► **avoir**.
as[2] [as] *nm* ás *m*.
AS (*abr de* **association sportive**) *nf* associação *f* esportiva.
asc. *abrév* = **ascenseur**.
ascendant [asɑ̃dɑ̃] *nm* ascendente *m*.
ascenseur [asɑ̃sœʀ] *nm* **1.** elevador *m* - **2.** INFORM scroll box.
ascension [asɑ̃sjɔ̃] *nf* ascensão *f* ; **l'Ascension** a Ascensão.
aseptiser [asɛptize] *vt* asseptizar.
asiatique [azjatik] *adj* asiático(ca). ◆ **Asiatique** *nmf* asiático *m*, -ca *f*.
Asie [azi] *nf* : **l'Asie** a Ásia.
asile [azil] *nm* asilo *m*.
asocial, e, aux [asɔsjal, o] ◇ *adj* anti-social. ◇ *nm, f* pessoa *f* anti-social.
aspect [aspɛ] *nm* aspecto *m*.
asperge [aspɛʀʒ] *nf* aspargo *m* ; **asperges à la flamande** *Belgique aspargos com ovos cozidos picados*.
asperger [aspɛʀʒe] *vt* borrifar.
aspérités [aspeʀite] *nfpl* asperezas *fpl*.
asphalte [asfalt] *nm* asfalto *m*.
asphyxier [asfiksje] *vt* asfixiar. ◆ **s'asphyxier** *vp* asfixiar-se.
aspirante [aspiʀɑ̃t] *adj f* ► **hotte**.
aspirateur [aspiʀatœʀ] *nm* aspirador *m*.
aspirer [aspiʀe] *vt* aspirar.
aspirine [aspiʀin] *nf* aspirina® *f*.
assagir [asaʒiʀ] *vt* [personne] fazer (com) que ganhe juízo ; [passion] dominar. ◆ **s'assagir** *vp* [se calmer] ganhar juízo, assentar.
assaillant, e [asajɑ̃, ɑ̃t] *nm, f* assaltante *mf*.
assaillir [asajiʀ] *vt* assaltar ; **assaillir qqn de questions** bombardear alguém com perguntas.
assainir [aseniʀ] *vt* [logement, situation] sanear ; [eau] purificar.
assaisonnement [asɛzɔnmɑ̃] *nm* tempero *m*.
assaisonner [asɛzɔne] *vt* temperar.
assassin [asasɛ̃] *nm* assassino *m*, -na *f*.
assassinat [asasina] *nm* assassínio *m*.
assassiner [asasine] *vt* assassinar.
assaut [aso] *nm* assalto *m*.
assécher [aseʃe] *vt* [terre] drenar ; [réserve d'eau] esvaziar. ◆ **s'assécher** *vp* secar.
ASSEDIC, Assedic [asedik] (*abr de* **Association pour l'emploi dans l'industrie et le commerce**) *nfpl organismo francês que atribui os seguros-desemprego* ; **toucher les ASSEDIC** receber o seguro-desemprego.
assemblage [asɑ̃blaʒ] *nm* [ensemble] ajuntamento *m*.

assemblée [asɑ̃ble] *nf* assembléia *f* ; **l'Assemblée (nationale)** *a Assembléia Nacional Francesa,* ≃ Câmara de Deputados.

assembler [asɑ̃ble] *vt* juntar.

assener [asene] *vt* desferir.

assentiment [asɑ̃timɑ̃] *nm* assentimento *m* ; **donner son assentiment à** dar o seu consentimento a.

asseoir [aswaʀ] ◆ **s'asseoir** *vp* sentar-se.

assermenté, e [asɛʀmɑ̃te] *adj* juramentado(da).

asservir [asɛʀviʀ] *vt* subjugar.

assez [ase] *adv* [suffisamment] muito ; [plutôt] bastante ; **il y a assez de pommes pour faire une tarte** [suffisamment de] há maçãs suficientes para fazer uma torta ; **en avoir assez (de)** estar farto (de).

assidu, e [asidy] *adj* assíduo(dua).

assiduité [asidɥite] *nf* assiduidade *f* ; **avec assiduité** com assiduidade. ◆ **assiduités** *nfpl* : **poursuivre qqn de ses assiduités** *péj* & *sout* insinuar-se junto de alguém.

assiéger [asjeʒe] *vt* sitiar.

assiette [asjɛt] *nf* prato *m* ; **assiette de crudités** *prato de legumes crus servido com molho vinagrete* ; **assiette creuse** prato de sopa ; **assiette à dessert** prato de sobremesa ; **assiette plate** prato raso ; **assiette valaisanne** *Suisse prato de carnes frias e de queijo típico da região de Valais.*

assigner [asiɲe] *vt* [fonds, tâche] : **assigner qqch à qqn** destinar algo para alguém ; [affecter] : **assigner qqn à** designar alguém para ; DR : **assigner qqn en justice** citar alguém para comparecer em juízo.

assimiler [asimile] *vt* [comprendre] assimilar ; [comparer] : **assimiler qqn/qqch à** associar alguém/algo a.

assis, e [asi, iz] ◇ *pp* ▶ **asseoir.** ◇ *adj* : **être assis** estar sentado.

assises [asiz] *nfpl* : **(cour d')assises** tribunal *m* criminal.

assistance [asistɑ̃s] *nf* assistência *f*.

assistant, e [asistɑ̃, ɑ̃t] *nm, f* assistente *mf* ; **assistante sociale** assistente social.

assister [asiste] *vt* assistir ; **assister à** [concert] assistir a ; [meurtre] presenciar.

association [asɔsjasjɔ̃] *nf* associação *f* ; **association humanitaire** associação humanitária.

associé, e [asɔsje] ◇ *adj* associado(da). ◇ *nm, f* sócio *m*, -cia *f*.

associer [asɔsje] *vt* associar. ◆ **s'associer** *vp* : **s'associer (à** OU **avec)** associar-se (a).

assombrir [asɔ̃bʀiʀ] *vt* escurecer. ◆ **s'assombrir** *vp* escurecer.

assommer [asɔme] *vt* dar uma pancada na cabeça de.

assorti, e [asɔʀti] *adj* [en harmonie] que combina bem ; [varié] sortido(da).

assortiment [asɔʀtimɑ̃] *nm* sortido *m*.

assortir [asɔʀtiʀ] *vt* [objets] : **assortir qqch à** combinar algo com ; [magasin] abastecer. ◆ **s'assortir** *vp* combinar ; **s'assortir de** vir acompanhado de.

assoupir [asupiʀ] ◆ **s'assoupir** *vp* adormecer.

assouplir [asupliʀ] *vt* tornar flexível.

assouplissant [asuplisɑ̃] *nm* amaciante *m* (de roupa).

assouplissement [asuplismɑ̃] *nm* exercícios *mpl* de flexibilidade.

assouplisseur [asuplisœʀ] = **assouplissant.**

assourdir [asuʀdiʀ] *vt* [rendre sourd] ensurdecer ; [abrutir] maçar ; [amortir] abafar.

assourdissant, **e** [asuʀdisɑ̃, ɑ̃t] *adj* ensurdecedor(ra).

assouvir [asuviʀ] *vt sout* [appétit, passions] saciar ; [curiosité] matar.

assumer [asyme] *vt* assumir.

assurance [asyʀɑ̃s] *nf* [contrat] seguro *m* ; [aisance] segurança *f* ; **assurance automobile** seguro de automóvel ; **assurance tous risques** seguro contra todos os riscos.

assurance-vie [asyʀɑ̃svi] (*pl* **assurances-vie**) *nf* seguro *m* de vida.

assuré, **e** [asyʀe] *adj* [garanti] assegurado(da) ; [résolu] seguro(ra).

assurer [asyʀe] *vt* [maison, voiture] pôr no seguro ; [fonction, tâche] estar encarregado(da) de ; **je t'assure que** eu lhe asseguro que. ◆ **s'assurer** *vp* fazer um seguro ; **s'assurer contre le vol** fazer um seguro contra roubo ; **s'assurer de** assegurar-se de ; **s'assurer que** assegurar-se de que.

astérisque [asteʀisk] *nm* asterisco *m*.

asthmatique [asmatik] *adj* asmático(ca).

asthme [asm] *nm* asma *f*.

asticot [astiko] *nm larva da mosca-da-carne, utilizada como isca*.

astiquer [astike] *vt* dar brilho a.

astre [astʀ] *nm* astro *m*.

astreignant, **e** [astʀɛɲɑ̃, ɑ̃t] *adj* exigente.

astreindre [astʀɛ̃dʀ] *vt* : **astreindre qqn à qqch** sujeitar alguém a algo ; **astreindre qqn à faire qqch** obrigar alguém a fazer algo. ◆ **s'astreindre** *vp* : **s'astreindre à qqch** sujeitar-se a algo ; **s'astreindre à faire qqch** obrigar-se a fazer algo.

astrologie [astʀɔlɔʒi] *nf* astrologia *f*.

astrologue [astʀɔlɔg] *nmf* astrólogo *m*, -ga *f*.

astronaute [astʀɔnot] *nm* astronauta *m*.

astronome [astʀɔnɔm] *nmf* astrônomo *m*, -ma *f*.

astronomie [astʀɔnɔmi] *nf* astronomia *f*.

astronomique [astʀɔnɔmik] *adj* astronômico(ca).

astuce [astys] *nf* astúcia *f*.

astucieux, **euse** [astysjø, øz] *adj* astuto(ta).

atelier [atəlje] *nm* [d'usine] oficina *f* ; [de peintre] ateliê *m* ; [groupe de travail] grupo *m* de trabalho.

athée [ate] *adj* ateu(atéia).

athénée [atene] *nm Belgique* ≃ escola *f* secundária de ensino público.

Athènes [atɛn] *npr* Atenas.

athlète [atlɛt] *nmf* atleta *mf*.

athlétisme [atletism] *nm* atletismo *m*.

Atlantique [atlɑ̃tik] *nm* : **l'(océan) Atlantique** o (oceano) Atlântico.

atlas [atlas] *nm* atlas *m inv*.

atmosphère [atmɔsfɛʀ] *nf* atmosfera *f*.

atmosphérique [atmɔsfeʀik] *adj* atmosférico(ca).

atome [atom] *nm* átomo *m*.

atomique [atɔmik] *adj* atômico(ca).

atomiseur [atɔmizœʀ] *nm* atomizador *m*.

atout [atu] *nm* trunfo *m* ; **atout pique** trunfo de espadas.

atroce [atʀɔs] *adj* atroz.

atrocité [atʀɔsite] *nf* atrocidade *f*.

atrophier [atʀɔfje] *vt* atrofiar. ◆ **s'atrophier** *vp* atrofiar-se.

attabler [atable] ◆ **s'attabler** *vp* sentar-se à mesa ; **s'attabler devant qqch** instalar-se perante algo.

attachant, **e** [ataʃɑ̃, ɑ̃t] *adj* cativante, apaixonante.

attache [ataʃ] *nf* [lien] atilho *m.* ◆ **attaches** *nfpl* [poignets, chevilles] pulsos *mpl* e tornozelos ; [parenté, relations] laços *mpl.*

attaché-case [ataʃekɛz] (*pl* **attachés-cases**) *nm* pasta *f* (de executivo).

attachement [ataʃmɑ̃] *nm* apego *m.*

attacher [ataʃe] ◇ *vt* prender. ◇ *vi* agarrar-se ; **attachez vos ceintures** apertem os cintos. ◆ **s'attacher** *vp* prender-se ; **s'attacher à qqn** apegar-se a alguém.

attaquant [atakɑ̃] *nm* atacante *m.*

attaque [atak] *nf* ataque *m.*

attaquer [atake] *vt* atacar. ◆ **s'attaquer à** *vp + prép* atirar-se a.

attarder [ataʀde] ◆ **s'attarder** *vp* demorar-se.

atteindre [atɛ̃dʀ] *vt* atingir.

atteint, e [atɛ̃, ɛ̃t] *pp* ► **atteindre.**

atteinte [atɛ̃] *nf* ► **hors.**

attelage [atlaʒ] *nm* [chevaux] parelha *f* ; [bœufs] junta *f* ; [arnachement] atrelagem *f.*

atteler [atle] *vt* atrelar.

attelle [atɛl] *nf* tala *f.*

attendre [atɑ̃dʀ] ◇ *vt* [personne, événement] esperar ; [espérer] estar à espera de. ◇ *vi* esperar ; **attendre un enfant** estar à espera de bebê ; **attendre que** estar à espera de que ; **attendre qqch de** esperar algo de. ◆ **s'attendre à** *vp + prép* estar à espera de.

attendrir [atɑ̃dʀiʀ] *vt* enternecer.

attendrissant, e [atɑ̃dʀisɑ̃, ɑ̃t] *adj* enternecedor(ra).

attentat [atɑ̃ta] *nm* atentado *m* ; **attentat à la bombe** atentado à bomba.

attentat-suicide (*pl* -s-s) [atɑ̃tasɥisid] *nm* atentado *m* suicida ; **impliqué dans l'organisation d'attentats-suicides au cours desquels plusieurs personnes ont été tuées** implicado na organização de atentados suicidas durante os quais morreram várias pessoas.

attente [atɑ̃t] *nf* espera *f* ; **en attente** em suspenso.

attenter [atɑ̃te] ◆ **attenter à** *vp + prép* atentar contra.

attentif, ive [atɑ̃tif, iv] *adj* atento(ta).

attention [atɑ̃sjɔ̃] *nf* atenção *f* ; **attention !** cuidado! ; **faire attention (à)** [se concentrer] prestar atenção (a OU em) ; [être prudent] ter cuidado (com).

attentionné, e [atɑ̃sjɔne] *adj* atencioso(osa).

attentivement [atɑ̃tivmɑ̃] *adv* com atenção.

atténuer [atenɥe] *vt* atenuar.

atterrir [atɛʀiʀ] *vi* aterrissar.

atterrissage [atɛʀisaʒ] *nm* aterrissagem *f* ; **à l'atterrissage** no momento da aterrissagem.

attestation [atɛstasjɔ̃] *nf* atestado *m.*

attester [atɛste] *vt* atestar ; **attester que** [certifier] atestar que.

attirail [atiʀaj] *nm* tralha *f.*

attirance [atiʀɑ̃s] *nf* atração *f* ; **avoir** OU **éprouver de l'attirance pour qqn/qqch** sentir-se atraído por alguém/algo.

attirant, e [atiʀɑ̃, ɑ̃t] *adj* atraente.

attirer [atiʀe] *vt* atrair ; **attirer l'attention de qqn** atrair a atenção de alguém. ◆ **s'attirer** *vp* : **s'attirer des ennuis** arranjar problemas.

attiser [atize] *vt* [feu] atiçar.

attitré, e [atitʀe] *adj* [agréé] titular ; [habituel] habitual.

attitude [atityd] *nf* atitude *f.*

attraction [atʀaksjɔ̃] *nf* atração *f.*

attrait [atʀɛ] *nm* atrativo *m.*

attrape-nigaud [atʀapnigo] (*pl* **attrape-nigauds**) *nm* armação *f.*

attraper [atʀape] *vt* apanhar.

attrayant, **e** [atʀɛjɑ̃, ɑ̃t] *adj* atraente.

attribuer [atʀibɥe] *vt* : **attribuer qqch à qqn** atribuir algo a alguém.

attrister [atʀiste] *vt* entristecer. ◆ **s'attrister** *vp* ficar triste.

attroupement [atʀupmɑ̃] *nm* aglomeração *f*.

attrouper [atʀupe] ◆ **s'attrouper** *vp* juntar-se.

au [o] = à + le, ► à.

aubaine [obɛn] *nf* sorte *f*.

aube [ob] *nf* madrugada *f* ; **à l'aube** de madrugada.

auberge [obɛʀʒ] *nf* pousada *f*, albergue *m* ; **auberge de jeunesse** albergue da juventude.

aubergine [obɛʀʒin] *nf* berinjela *f*.

aubergiste [obɛʀʒist] *nmf* estalajadeiro *m*, -ra *f*.

auburn [obœʀn] *adj inv* [cheveux] castanho-avermelhado.

aucun, **e** [okœ̃, yn] ◇ *adj* nenhum(ma). ◇ *pron* nenhum(ma) ; **sans aucun doute** sem dúvida alguma ; **aucune idée !** não faço idéia! ; **aucun des deux** nenhum dos dois ; **aucun d'entre nous** nenhum de nós.

audace [odas] *nf* audácia *f*.

audacieux, **euse** [odasjø, øz] *adj* audacioso(osa).

au-delà [odəla] *adv* mais além ; **au-delà de** para além de.

au-dessous [odsu] *adv* [dans l'espace] por baixo ; [dans une hiérarchie] abaixo ; **au-dessous de** [dans l'espace] por baixo de ; [dans une hiérarchie] abaixo de.

au-dessus [odəsy] *adv* [dans l'espace] por cima ; [dans une hiérarchie] acima ; **au-dessus de** [dans l'espace] por cima de ; [dans une hiérarchie] acima de ; **au-dessus de 1 000 €** acima de 1000 euros.

audience [odjɑ̃s] *nf* audiência *f*.

Audimat® [odimat] *nm* índice *m* de audiência.

audionumérique [odjɔnymeʀik] *adj* audiodigital.

audiovisuel, **elle** [odjɔvizɥɛl] *adj* audiovisual.

audit [odit] *nm* auditoria *f*.

auditeur, **trice** [oditœʀ, tʀis] *nm, f* ouvinte *mf*.

audition [odisjɔ̃] *nf* audição *f*.

auditoire [oditwaʀ] *nm* auditório *m*.

auditorium [oditɔʀjɔm] *nm* auditório *m (sala)*.

auge [oʒ] *nf* cocho *f*.

augmentation [ogmɑ̃tasjɔ̃] *nf* aumento *m* ; **augmentation (de salaire)** aumento (de salário) ; **en augmentation** em elevação.

augmenter [ogmɑ̃te] *vt* & *vi* aumentar.

augure [ogyʀ] *nm* augúrio *m* ; **c'est de bon/mauvais augure** é um bom/mau augúrio.

aujourd'hui [oʒuʀdɥi] *adv* hoje ; [à notre époque] hoje em dia ; **d'aujourd'hui** de hoje.

auparavant [opaʀavɑ̃] *adv* [d'abord] primeiramente ; [avant] antes.

auprès [opʀɛ] ◆ **auprès de** *prép* junto de.

auquel [okɛl] = **à + lequel**, ► **lequel**.

aura *etc.* ► **avoir**.

auréole [oʀeɔl] *nf* **1.** [couronne lumineuse] auréola *f* - **2.** [tache] mancha *f*.

auriculaire [oʀikylɛʀ] ◇ *adj* auricular. ◇ *nm* dedo *m* mínimo.

aurore [oʀɔʀ] *nf* aurora *f*.

ausculter [oskylte] *vt* auscultar.

aussi [osi] ◇ *adv* **1.** [également] também ; **j'ai faim! – moi aussi !** tenho fome! – eu também! - **2.** [introduit une comparaison] : **aussi... que** tanto OU tão... como ; **il fait aussi chaud qu'à Lisbonne** está tanto calor como em Lisboa ; **il est aussi intelligent que son frère** ele é tão inteligente como o irmão - **3.** [à ce point] tão ; **je n'ai jamais rien vu d'aussi beau** nunca vi nada tão bonito. ◇ *conj* [par conséquent] por isso.

aussitôt [osito] *adv* logo ; **aussitôt que** assim que.

austère [ostɛʀ] *adj* austero(ra).

austérité [osteʀite] *nf* austeridade *f*.

austral, e [ostʀal] (*pl* **australs** OU **austraux** [ostʀo]) *adj* austral.

Australie [ostʀali] *nf* : **l'Australie** a Austrália.

australien, enne [ostʀaljɛ̃, ɛn] *adj* australiano(na).

autant [otɑ̃] *adv* **1.** [exprime la comparaison] : **autant que** tanto quanto ; **l'aller simple coûte presque autant que l'aller et retour** a passagem de ida custa quase tanto quanto a de ida e volta ; **autant de... que** tanto... quanto ; **autant de femmes que d'hommes** tantas mulheres quanto homens - **2.** [exprime l'intensité] : **je ne savais pas qu'il pleuvait autant ici** não sabia que aqui chovia tanto ; **autant de...** tanto... ; **autant de choses** tantas coisas - **3.** [il vaut mieux] : **autant partir demain** é melhor partir amanhã - **4.** [dans des expressions] : **j'aime autant...** prefiro... ; **d'autant que** até porque ; **d'autant mieux que** tanto mais que ; **pour autant que je sache** que eu saiba.

autarcie [otaʀsi] *nf* autarcia *f*, autosuficiência *f*.

autel [otɛl] *nm* altar *m*.

auteur [otœʀ] *nm* autor *m*, -ra *f*.

authentique [otɑ̃tik] *adj* autêntico(ca).

autisme [otism] *nm* autismo *m*.

auto [oto] *nf* automóvel *m* ; **autos tamponneuses** carrinhos *mpl* de choque.

autobiographie [otɔbjɔgʀafi] *nf* autobiografia *f*.

autobronzant, e [otɔbʀɔ̃zɑ̃, ɑ̃t] *adj* autobronzeador(ra). ◆ **autobronzant** *nm* autobronzeador *m*.

autobus [otɔbys] *nm* ônibus *m*.

autocar [otɔkaʀ] *nm* ônibus *m*.

autochtone [otɔktɔn] *adj* & *nmf* autóctone.

autocollant [otɔkɔlɑ̃] *nm* autocolante *m*.

autocouchette(s) [otɔkuʃɛt] *adj inv* : **train autocouchette(s)** *trem noturno, com carro-leito, que transporta passageiros e seus carros.*

autocritique [otɔkʀitik] *nf* autocrítica *f*.

autocuiseur [otɔkɥizœʀ] *nm* panela *f* de pressão.

autodéfense [otɔdefɑ̃s] *nf* autodefesa *f*.

autodidacte [otɔdidakt] *adj* & *nmf* autodidata.

auto-école [otɔekɔl] (*pl* **auto-écoles**) *nf* auto-escola *f*.

autofocus [otɔfɔkys] *nm* foco *m* automático.

autographe [otɔgʀaf] *nm* autógrafo *m*.

automate [otɔmat] *nm* autômato *m*.

automatique [otɔmatik] *adj* automático(ca).

automatiser [otɔmatize] *vt* automatizar.

automatisme [otɔmatism] *nm* automatismo *m*.

automne [otɔn] *nm* outono *m* ; **en automne** no outono.

automobile [otɔmɔbil] *adj* automóvel.

automobiliste [otɔmɔbilist] *nmf* automobilista *mf*.

autonettoyant, e [otɔnɛtwajɑ̃, ɑ̃t] *adj* autolimpante.

autonome [otɔnɔm] *adj* autônomo(ma).

autonomie [otɔnɔmi] *nf* [indépendance] autonomia *f*.

autopsie [otɔpsi] *nf* autópsia *f*.

autoradio [otɔradjo] *nm* auto-rádio *m*.

autorisation [otɔrizasjɔ̃] *nf* autorização *f*.

autoriser [otɔrize] *vt* autorizar ; **autoriser qqn à faire qqch** autorizar alguém a fazer algo.

autoritaire [otɔritɛr] *adj* autoritário(ria).

autorité [otɔrite] *nf* autoridade *f* ; **les autorités** as autoridades.

autoroute [otɔrut] *nf* auto-estrada *f* ; **autoroute à péage** auto-estrada com pedágio.

auto-stop [otɔstɔp] *nm* carona *f* ; **faire de l'auto-stop** pedir carona.

autour [otur] *adv* em volta ; **tout autour** em toda a volta ; **autour de** [dans l'espace] à volta de, ao redor de ; [environ] por volta de, en torno de.

autre [otr] ◇ *adj* outro(outra) ; **j'aimerais essayer une autre couleur** gostaria de experimentar outra cor ; **une autre bouteille d'eau minérale, s'il vous plaît** outra garrafa de água mineral, por favor ; **il n'y a rien d'autre à voir ici** não há mais nada para ver aqui ; **veux-tu quelque chose d'autre ?** você quer mais alguma coisa? ; **les deux autres** os outros dois ; **les autres passagers sont priés de descendre de l'appareil** pede-se aos demais passageiros que desçam do avião ; **autre part** em outro lugar ; **d'autre part** por outro lado. ◇ *pron* outro(outra) ; **l'autre** o outro(a outra) ; **un autre** um outro ; **il ne se soucie pas des autres** ele não se preocupa com os outros ; **d'une minute à l'autre** de um minuto para o outro ; **entre autres** entre outras coisas ; **j'aime les bons vins, entre autres ceux de Bordeaux** gosto dos bons vinhos, entre outros os de Bordeaux ➤ **un**.

autrefois [otrəfwa] *adv* outrora.

autrement [otrəmɑ̃] *adv* [différemment] de outra maneira ; [sinon] senão ; **autrement dit** ou seja.

Autriche [otriʃ] *nf* : **l'Autriche** a Áustria.

autrichien, enne [otriʃjɛ̃, ɛn] *adj* austríaco(ca). ◆ **Autrichien, enne** *nm, f* austríaco *m*, -ca *f*.

autruche [otryʃ] *nf* avestruz *f*.

autrui [otrɥi] *pron* outrem.

auvent [ovɑ̃] *nm* alpendre *m*.

Auvergne [ovɛrɲ] *nf* ➤ **bleu**.

aux [o] = **à + les**, ➤ **à**.

auxiliaire [oksiljɛr] ◇ *nmf* auxiliar *mf*. ◇ *nm* GRAMM auxiliar *m*.

auxquelles [okɛl] = **à + lesquelles**, ➤ **lequel**.

auxquels [okɛl] = **à + lesquels**, ➤ **lequel**.

av. (*abr de* **avenue**) av.

avachi, e [avaʃi] *adj* [canapé, chaussures] deformado(da) ; [personne] abatido(da).

aval [aval] *nm* [d'un cours d'eau] jusante *f* ; **en aval (de)** a jusante (de).

avalanche [avalɑ̃ʃ] *nf* avalanche *f*.

avaler [avale] *vt* engolir.

avance [avɑ̃s] *nf* [progression] avanço *m* ; [prêt] adiantamento *m* ; **à l'avance, d'avance** desde já ; **en avance** adiantado(da).

avancement [avɑ̃smɑ̃] *nm* [développement] avanço *m* ; [promotion] promoção *f*.

avancer [avɑ̃se] ◇ *vt* [rapprocher] avançar ; [anticiper, prêter] adiantar. ◇ *vi* avançar ; [montre, pendule] adiantar ; **avancer de cinq minutes** adiantar cinco minutos. ◆ **s'avancer** *vp* [se rapprocher] avançar ; [partir devant] ir à frente.

avant [avɑ̃] ◇ *prép* antes de. ◇ *adv* antes. ◇ *nm* frente *f* ; SPORT centroavante *m*. ◇ *adj inv* da frente ; **avant de faire qqch** antes de fazer algo ; **avant que** antes que ; **avant tout** [surtout] acima de tudo ; [d'abord] primeiramente ; **l'année d'avant** no ano anterior ou passado ; **en avant** [tomber] para a frente ; [partir] à frente.

avantage [avɑ̃taʒ] *nm* vantagem *f*.

avantager [avɑ̃taʒe] *vt* beneficiar.

avantageux, **euse** [avɑ̃taʒø, øz] *adj* vantajoso(osa).

avant-bras [avɑ̃bʀa] *nm inv* antebraço *m*.

avant-centre [avɑ̃sɑ̃tʀ] (*pl* **avants-centres**) *nm* centroavante *m*.

avant-dernier, **ière**, **s** [avɑ̃dɛʀnje, ɛʀ] *adj* & *nm, f* penúltimo(ma).

avant-garde [avɑ̃gaʀd] (*pl* **avant-gardes**) *nf* vanguarda *f* ; **d'avant-garde** de vanguarda.

avant-goût [avɑ̃gu] (*pl* **avant-goûts**) *nm* antegosto *m*.

avant-hier [avɑ̃tjɛʀ] *adv* anteontem.

avant-première [avɑ̃pʀəmjɛʀ] (*pl* **avant-premières**) *nf* pré-estréia *f*.

avant-projet [avɑ̃pʀɔʒɛ] (*pl* **avant-projets**) *nm* anteprojeto *m*.

avant-propos [avɑ̃pʀɔpo] *nm inv* prefácio *m*.

avant-veille [avɑ̃vɛj] (*pl* **avant-veilles**) *nf* antevéspera *f*.

avare [avaʀ] *adj* & *nmf* avarento(ta).

avarice [avaʀis] *nf* avareza *f*.

avarie [avaʀi] *nf* avaria *f*.

avarié, **e** [avaʀje] *adj* estragado(da).

avatar INFORM avatar *m* (*pl* es).

avec [avɛk] *prép* com ; **avec élégance** com elegância ; **et avec ça ?** algo mais?

avenir [avniʀ] *nm* futuro *m* ; **à l'avenir** de hoje em diante ; **d'avenir** de futuro.

aventure [avɑ̃tyʀ] *nf* aventura *f* ; [amoureuse] caso *m*.

aventurer [avɑ̃tyʀe] ◆ **s'aventurer** *vp* aventurar-se.

aventureux, **euse** [avɑ̃tyʀø, øz] *adj* [personne, caractère] aventureiro(ra) ; [projet] arriscado(da).

aventurier, **ère** [avɑ̃tyʀje, ɛʀ] *nm, f* aventureiro *m*, -ra *f*.

avenue [avny] *nf* avenida *f*.

avérer [aveʀe] ◆ **s'avérer** *vp* revelar-se.

averse [avɛʀs] *nf* aguaceiro *m*.

aversion [avɛʀsjɔ̃] *nf* aversão *f* ; **avoir de l'aversion pour qqch /qqn** ter aversão a algo/alguém.

avertir [avɛʀtiʀ] *vt* avisar ; **avertir qqn de qqch** avisar alguém de algo.

avertissement [avɛʀtismɑ̃] *nm* aviso *m* ; SCOL *advertência escolar que precede a sanção.*

aveu [avø] (*pl* **aveux**) *nm* confissão *f*.

aveugle [avœgl] *adj* & *nmf* cego(ga).

aveuglément [avœglemɑ̃] *adv* cegamente.

aveugler [avœgle] *vt* cegar.

aveuglette [avœglɛt] ◆ **à l'aveuglette** *adv* às cegas.

aviateur [avjatœʀ] *nm* aviador *m*.

aviation [avjasjɔ̃] *nf* aviação *f*.

avide [avid] *adj* ávido(da) ; **avide de** ávido de.

avidité [avidite] *nf* avidez *f*.

avilir [aviliʀ] *vt* aviltar. ◆ **s'avilir** *vp* aviltar-se.

avion [avjɔ̃] *nm* avião *m* ; **avion à réaction** avião a jato ; **'par avion'** 'por avião'.

aviron [aviʀɔ̃] *nm* remo *m*.

avis [avi] *nm* [opinion] opinião *f* ; [information] aviso *m* ; **changer d'avis** mudar de opinião ; **à mon avis** na minha opinião ; **avis de réception** aviso de recebimento. ◆ **avis de recherche** *nm* mandado de busca.

avisé, e [avize] *adj* sensato(ta).

aviser [avize] ◇ *vt* : **aviser qqn de qqch** informar alguém de algo. ◇ *vi* decidir. ◆ **s'aviser** *vp* [s'apercevoir] : **s'aviser de** aperceber-se de ; [oser] : **s'aviser de faire qqch** ter a ousadia de fazer algo ; **s'aviser que** aperceber-se de que.

aviver [avive] *vt* avivar.

av. J-C (*abr de* **avant Jésus-Christ**) a. C.

avocat [avɔka] *nm* [homme de loi] advogado *m* ; [fruit] abacate *m*.

avoine [avwan] *nf* aveia *f*.

avoir [avwaʀ] ◇ *vt* **1.** [gén] ter ; **j'ai deux frères et une sœur** tenho dois irmãos e uma irmã ; **avoir les cheveux bruns** ter cabelo castanho ; **avoir de l'ambition** ser ambicioso ; **quel âge as-tu ?** quantos anos você tem? ; **j'ai 13 ans** tenho 13 anos ; **avoir des remords** ter remorsos ; **avoir à faire qqch** ter de fazer algo ; **vous n'avez qu'à remplir ce formulaire** só tem de preencher este formulário ; **j'ai à faire** tenho que fazer - **2.** [examen] : **ça y est, j'ai mon bac !** pronto, passei no exame! ; **il a eu son permis du premier coup** ele tirou a carta de motorista logo da primeira vez - **3.** *fam* [duper] enganar ; **je t'ai bien eu !** eu o enganei! ; **se faire avoir** ser enganado ; **30 € pour un repas, je me suis vraiment fait avoir !** 30 euros por uma refeição, enganaram-me bem! - **4.** [dans des expressions] : **vous en avez encore pour longtemps ?** ainda vai demorar muito? ; **nous en avons eu pour 30 €** nos saiu por 30 euros. ◇ *v aux* : **j'ai terminé** acabei ; **hier nous avons visité le château** ontem visitamos o castelo ; **j'aurai fini ce travail la semaine prochaine** na semana que vem terei terminado este trabalho. ◆ **il y a** *v impers* **1.** [présentatif] há ; **il y a un problème** há um problema ; **y a-t-il des toilettes ici ?** há toaletes por aqui? ; **qu'est-ce-qu'il y a ?** o que é que se passa? ; **il n'y a qu'à revenir demain** só há que voltar amanhã - **2.** [temporel] : **il y a trois ans** há três anos ; **il y a plusieurs années que nous venons ici** vimos aqui há vários anos.

avoisinant, e [avwazinɑ̃, ɑ̃t] *adj* vizinho(nha) ; **qqch d'avoisinant** algo do gênero.

avortement [avɔʀtəmɑ̃] *nm* aborto *m*.

avorter [avɔʀte] *vi* abortar.

avorton [avɔʀtɔ̃] *nm* aborto *m*.

avouer [avwe] *vt* confessar.

avril [avʀil] *nm* abril *m* ; **le premier avril** o dia primeiro de abril ► **septembre**.

axe [aks] *nm* [pivot] eixo *m* ; [routier, ferroviaire] *importante via de tráfego* ; **axe rouge** *via onde é especialmente proibido parar*.

axer [akse] *vt* : **axer qqch sur/autour de** centrar algo em /à volta de.

ayant [ejɑ̃] *p prés* ► **avoir**.

ayons [ejɔ̃] ► **avoir**.

azimut [azimyt] ◆ **tous azimuts** *loc adv* em todas as direções.

azote [azɔt] *nm* nitrogênio *m*.

Azur [azyʀ] *npr* ► **côte**.

B

B (*abr de* **bien**) bem.

BA (*abr de* **bonne action**) *nf fam* boa ação *f*.

baba [baba] *nm* : **baba au rhum** babá *m* ao rum.

babines [babin] *nfpl* beiços *mpl*.

babiole [babjɔl] *nf* bugiganga *f*.

bâbord [babɔʀ] *nm* bombordo *m* ; **à bâbord** a bombordo.

babouin [babwɛ̃] *nm* babuíno *m*.

baby-foot [babifut] *nm inv* pebolim *m*.

baby-sitter [bebisitœʀ] (*pl* **baby-sitters**) *nmf* babá *f*.

baby-sitting [bebisitiŋ] (*pl* **baby-sittings**) *nm* : **faire du baby-sitting** tomar conta de crianças.

bac [bak] *nm* **1.** [récipient] tina *f* - **2.** [bateau] barca *f* - **3.** *fam* (*abr de* **baccalauréat**) **bac + 2/3/4/5** ≃ prova de conclusão de curso do ensino médio - **4.** INFORM : **bac à papier** bandeja.

baccalauréat [bakalɔʀea] *nm exame final do ensino médio francês.*

bâche [baʃ] *nf* toldo *m*.

bachelier, **ère** [baʃəlje, ɛʀ] *nm, f detentor do certificado oficial de conclusão dos estudos secundários na França.*

bâcler [bakle] *vt fam* atabalhoar.

bacon [bekɔn] *nm* bacon *m*.

bactérie [bakteʀi] *nf* bactéria *f*.

badaud, **e** [bado, od] *nm, f* basbaque *mf*.

badge [badʒ] *nm* **1.** crachá *m* ; [d'identité] cartão *m* de identificação - **2.** INFORM crachá *m* magnético.

badgeuse [badʒøz] *nf* leitor óptico.

badigeonner [badiʒɔne] *vt* [mur] pincelar.

badiner [badine] *vi sout* brincar ; **ne pas badiner avec qqch** não brincar com algo.

badminton [badmintɔn] *nm* badminton *m*.

BAFA [bafa] (*abr de* **brevet d'aptitude aux fonctions d'animation**) *nm certificado atribuído a coordenadores de grupos de jovens.*

baffe [baf] *nf fam* tabefe *m*.

baffle [bafl] *nm* sonofletor *m*.

bafouiller [bafuje] *vi* balbuciar.

bagage [bagaʒ] *nm* bagagem *f* ; **bagages** bagagens ; **bagage à main** bagagem de mão.

bagarre [bagaʀ] *nf* arruaça *f*.

bagarrer [bagaʀe] ◆ **se bagarrer** *vp* brigar.

bagarreur, **euse** [bagaʀœʀ, øz] *adj* arruaceiro(ra).

bagatelle [bagatɛl] *nf* [gén] bagatela *f* ; [somme d'argent] : **la bagatelle de** a bagatela de ; *fam* [sexe] : **la bagatelle** sexo *m*.

bagnard [baɲaʀ] *nm* forçado *m*.

bagne [baɲ] *nm* [prison] campo *m* de trabalhos forçados ; [sentence] trabalhos *mpl* forçados ; *fig* [situation] tortura *f*.

bagnes [baɲ] *nm* Suisse *queijo de vaca utilizado sobretudo na fondue.*

bagnole [baɲɔl] *nf fam* carro *m*.

bague [bag] *nf* anel *m*.

baguette [bagɛt] *nf* [tige] vara *f* ; [de chef d'orchestre] batuta *f* ; [chinoise] pauzinho *m* ; [pain] baguete *f* ; **baguette magique** varinha *f* de condão.

bahut [bay] *nm* [buffet] aparador *m* ; [coffre] baú *m* ; *fam* [lycée] escola *f*.

baie [bɛ] *nf* [fruit] baga *f* ; [golfe] baía *f* ; [fenêtre] vão *m* ; **baie vitrée** vidraça *f*.

baignade [bɛɲad] *nf* banho *m* ; **'baignade interdite'** 'é proibido tomar banho'.

baigner [beɲe] ◇ *vt* [bébé] dar banho em ; [suj: sueur, larmes] banhar. ◇ *vi* : **baigner dans** estar embebido(da). ◆ **se baigner** *vp* banhar-se.

baigneur, **euse** [bɛɲœʀ, øz] *nm, f* banhista *mf*. ◆ **baigneur** *nm* boneca *f* (de plástico).

baignoire [bɛɲwaʀ] *nf* banheira *f*.

bail [baj] (*pl* **baux** [bo]) *nm* contrato *m* de arrendamento.

bâillement [bajmɑ̃] *nm* bocejo *m*.

bâiller [baje] *vi* [personne] bocejar ; [chaussure] estar com a sola despregada ; [vêtement] estar desconjuntado(da).

bâillon [bajɔ̃] *nm* mordaça *f*.

bâillonner [bajɔne] *vt* amordaçar.

bain [bɛ̃] *nm* banho *m* ; **prendre un bain** tomar um banho ; **prendre un bain de soleil** tomar banho de sol ; **grand bain** piscina *f* para adultos ; **petit bain** piscina *f* para crianças.

bain-marie [bɛ̃maʀi] *nm* banho-maria *m*.

baïonnette [bajɔnɛt] *nf* [arme] baioneta *f* ; [d'ampoule] rosca *f* de encaixar.

baiser [beze] *nm* beijo *m*.

baisse [bɛs] *nf* baixa *f* ; **en baisse** em baixa.

baisser [bese] *vt* & *vi* baixar. ◆ **se baisser** *vp* baixar-se.

bajoues *nfpl carne da face do gado bovino e suíno.*

bal [bal] *nm* baile *m*.

balade [balad] *nf* passeio *m*.

balader [balade] ◆ **se balader** *vp* passear.

baladeur [baladœʀ] *nm* walkman® *m*.

balafre [balafʀ] *nf* cicatriz *f (no rosto)*.

balai [balɛ] *nm* [pour nettoyer] vassoura *f* ; [d'essuie-glace] palheta *f*.

balai-brosse [balɛbʀɔs] (*pl* **balais-brosses**) *nm* escova *f* de chão.

balance [balɑ̃s] *nf* balança *f*. ◆ **Balance** *nf* Balança *f*.

balancer [balɑ̃se] *vt* balançar ; *fam* [jeter] jogar fora. ◆ **se balancer** *vp* balançar-se.

balancier [balɑ̃sje] *nm* [de pendule] pêndulo *m*.

balançoire [balɑ̃swaʀ] *nf* gangorra *f*.

balayer [baleje] *vt* varrer.

balayette [balɛjɛt] *nf* minivassoura *f*.

balayeur [balɛjœʀ] *nm* gari *m*.

balbutier [balbysje] *vi* balbuciar.

balcon [balkɔ̃] *nm* [terrasse] varanda *f* ; [au théâtre] balcão *m*.

baleine [balɛn] *nf* [animal] baleia *f* ; [de parapluie] vareta *f*.

balise [baliz] *nf* baliza *f*.

baliser [balize] ◇ *vt* balizar. ◇ *vi* ter medo.

balivernes [balivɛʀn] *nfpl* frivolidades *fpl*.

Balkans [balkɑ̃] *nmpl* : **les Balkans** os Bálcãs.

ballade [balad] *nf* balada *f*.

ballant, **e** [balɑ̃, ɑ̃t] *adj* : **les bras ballants** de braços pendentes.

balle [bal] *nf* SPORT bola *f* ; [d'arme à feu] bala *f* ; *fam* [franc] ≃ pau *m* ; **balle à blanc** tiro *m* de pólvora seca.

ballerine [balʀin] *nf* [chaussure] sapatilha *f* ; [danseuse] bailarina *f*.

ballet [balɛ] *nm* balé *m*.

ballon [balɔ̃] *nm* balão *m* ; SPORT bola *f*.

ballonné, **e** [balɔne] *adj* inchado(da).

ballotter [balɔte] *vi* chocalhar.

balnéaire [balneɛʀ] *adj* ► **station**.

balte [balt] *adj* báltico(ca) ; **les pays Baltes** os países bálticos.

baluchon [balyʃɔ̃] *nm* trouxa *f* ; **faire son baluchon** *fam fig* fazer a trouxa.

balustrade [balystʀad] *nf* balaustrada *f*.

bambin [bɑ̃bɛ̃] *nm* bambino *m*.

bambou [bɑ̃bu] *nm* bambu *m*.

banal, e [banal] *adj* banal.

banalisé, e [banalize] *adj* : **véhicule banalisé, voiture banalisée** *carro da polícia sem identificação*.

banalité [banalite] *nf* banalidade *f* ; **échanger des banalités** trocar trivialidades.

banane [banan] *nf* [fruit] banana *f* ; [porte-monnaie] *bolsa de cintura*.

bananier, ère [bananje, ɛʀ] *adj* bananeiro(ra). ◆ **bananier** *nm* [arbre] bananeira *f* ; [cargo] bananeiro *m*.

banc [bɑ̃] *nm* [siège] banco *m* ; [de poissons] cardume *m* ; **banc public** banco público ; **banc de sable** banco de areia.

bancaire [bɑ̃kɛʀ] *adj* bancário(ria).

bancal, e [bɑ̃kal] *adj* coxo(xa).

bandage [bɑ̃daʒ] *nm* atadura *f*.

bande [bɑ̃d] *nf* [de tissu, de papier] tira *f* ; [pansement] ligadura *f* ; [groupe] banda *f* ; **bande d'arrêt d'urgence** acostamento *m* ; **bande dessinée** história *f* em quadrinhos ; **bande magnétique** fita *f* magnética ; **bande originale** trilha *f* sonora original.

bande-annonce [bɑ̃danɔ̃s] (*pl* **bandes-annonces**) *nf* trailer *m*.

bandeau [bɑ̃do] (*pl* -x) *nm* [dans les cheveux] fita *f* ; [sur les yeux] venda *f*.

bander [bɑ̃de] *vt* [yeux] vendar ; [blessure] enfaixar.

banderole [bɑ̃dʀɔl] *nf* bandeirola *f*.

bande-son [bɑ̃dsɔ̃] *nf* trilha *f* sonora.

bandit [bɑ̃di] *nm* bandido *m*, -da *f*.

bandoulière [bɑ̃duljɛʀ] *nf* bandoleira *f* ; **en bandoulière** a tiracolo.

banjo [bɑ̃dʒo] *nm* banjo *m*.

banlieue [bɑ̃ljø] *nf* subúrbio *m* ; **les banlieues** os subúrbios.

banlieusard, e [bɑ̃ljøzaʀ, aʀd] *nm, f* habitante *mf* dos subúrbios.

bannir [baniʀ] *vt* banir ; **bannir qqch de** banir algo de.

banque [bɑ̃k] *nf* [agence] banco *m*.

banqueroute [bɑ̃kʀut] *nf* [faillite] bancarrota *f* ; *fig* [échec] fracasso *m*.

banquet [bɑ̃kɛ] *nm* banquete *m*.

banquette [bɑ̃kɛt] *nf* [de voiture] banco *m* ; [de restaurant] banqueta *f*.

banquier [bɑ̃kje] *nm* [directeur] banqueiro *m*.

banquise [bɑ̃kiz] *nf* banquisa *f*.

baptême [batɛm] *nm* [sacrement] batismo *m* ; [réception] batizado *m* ; **baptême de l'air** batismo do ar.

baptiser [batize] *vt* batizar.

bar [baʀ] *nm* [café] bar *m* ; [comptoir] balcão *m* ; **bar à café** *Suisse bar onde não são servidas bebidas alcoólicas*.

baraque [baʀak] *nf* [de jardin] casinha *f* ; [de fête foraine] barraca *f* ; *fam* [maison] casa *f*.

baraqué, e [baʀake] *adj fam* entroncado(da).

baratin [baʀatɛ̃] *nm fam* conversa *f* fiada.

baratiner [baʀatine] *fam* ◇ *vt* levar na conversa. ◇ *vi* ter lábia.

barbare [baʀbaʀ] *adj* bárbaro(ra).

barbarie [baʀbaʀi] *nf* barbárie *f*. ◆ **Barbarie** *npr* ➤ **orgue**.

barbe [baʀb] *nf* barba *f* ; **barbe à papa** algodão-doce *m*.

barbecue [baʀbəkju] *nm* [gril] churrasqueira *f* ; [repas] churrasco *m*.

barbelé [barbəle] *nm* : **(fil de fer) barbelé** arame *m* farpado.

barbiturique [barbityrik] *nm* barbitúrico *m*.

barboter [barbɔte] *vi* chafurdar.

barbouillé, e [barbuje] *adj* [malade] : **être barbouillé** estar enjoado.

barbouiller [barbuje] *vt* borrar.

barbu [barby] *adj m* barbudo.

barder [barde] ◇ *vt* CULIN lardear ; **être bardé de qqch** *fig* ter algo a dar com um pau. ◇ *vi fam* **ça va barder** a coisa vai ficar feia.

barème [barɛm] *nm* tabela *f*.

baril [baril] *nm* barril *m*.

bariolé, e [barjɔle] *adj* sarapintado(da).

barman [barman] *nm* barman *m*.

baromètre [barɔmɛtr] *nm* barômetro *m*.

baron, onne [barɔ̃, ɔn] *nm, f* barão *m*, -ronesa *f*.

baroque [barɔk] ◇ *adj* barroco(ca). ◇ *nm* : **le baroque** o barroco.

barque [bark] *nf* barca *f*.

barquette [barkɛt] *nf* [tartelette] *pequena torta em forma de barquinho* ; [récipient] embalagem *f*.

barrage [baraʒ] *nm* barragem *f* ; **barrage de police** barreira *f* policial.

barre [bar] *nf* **1.** barra *f* ; NAUT roda *f* do leme - **2.** INFORM : **barre de défilement** barra de rolagem ; **barre d'état** barra de status.

barreau [baro] (*pl* -x) *nm* [de prison] grade *f* ; [de chaise] travessa *f*.

barrer [bare] *vt* [rue, route] barrar ; [mot, phrase] riscar ; NAUT manobrar a roda do leme de.

barrette [barɛt] *nf* [à cheveux] travessa *f*.

barricade [barikad] *nf* barricada *f*.

barricader [barikade] *vt* [porte] trancar ; [rue] barricar. ◆ **se barricader** *vp* trancar-se.

barrière [barjɛr] *nf* barreira *f*.

bar-tabac [bartaba] (*pl* **bars-tabacs**) *nm bar onde também se vendem selos e tabaco*.

baryton [baritɔ̃] *nm* barítono *m*.

bas, basse [ba, bas] ◇ *adj* baixo(xa) ; MUS grave. ◇ *nm* [partie inférieure] parte *f* de baixo ; [vêtement] meia *f* ; **bas résille** meias de rede. ◇ *adv* baixo ; **en bas** embaixo ; **en bas de** embaixo de.

bas-côté [bakote] (*pl* **bas-côtés**) *nm* [de la route] acostamento *m*.

bascule [baskyl] *nf* [pour peser] balança *f* ; [jeu] balanço *m*.

basculer [baskyle] ◇ *vt* [appel] passar. ◇ *vi* tombar.

base [baz] *nf* base *f* ; **à base de** à base de ; **de base** de base ; **base de données** base de dados. ◆ **base de loisirs** *nf* complexo *m* poliesportivo.

baser [baze] *vt* : **baser qqch sur** basear algo em. ◆ **se baser sur** *vp + prép* basear-se em.

bas-fond [bafɔ̃] (*pl* **bas-fonds**) *nm* baixio *m*. ◆ **bas-fonds** *nmpl* [de la société] ralé *f* ; [quartiers pauvres] bairro *m* pobre.

basilic [bazilik] *nm* manjericão *m*.

basilique [bazilik] *nf* basílica *f*.

basket [baskɛt] *nm* & *nf* [chaussure] tênis *mpl*.

basket(-ball) [baskɛt(bol)] *nm* basquetebol *m*.

basquaise [baskɛz] *adj* ► **poulet**.

basque [bask] ◇ *adj* basco(ca). ◇ *nm* [langue] basco *m*. ◆ **Basque** *nmf* basco *m*, -ca *f*.

basse ► **bas**.

basse-cour [baskuʀ] (*pl* **basses-cours**) *nf* capoeira *f*.

bassement [basmɑ̃] *adv* [de façon mesquine] : **être bassement intéressé** ter interesses baixos ; [sans noblesse] : **il nous a dénoncés bassement** foi muito baixo da parte dele ter-nos denunciado.

bassin [basɛ̃] *nm* [plan d'eau] tanque *m* ; ANAT bacia *f* ; **le Bassin parisien** a Bacia parisiense ; **grand bassin** piscina *f* para adultos ; **petit bassin** piscina *f* para crianças.

bassine [basin] *nf* bacia *f*.

bassiste [basist] *nmf* baixista *mf*.

Bastille [bastij] *nf* : **l'opéra Bastille** a ópera da Bastilha.

bastion [bastjɔ̃] *nm* bastião *m*.

baston [bastɔ̃] *nf fam* pancadaria *f* da grossa.

bataille [bataj] *nf* batalha *f*.

batailleur, **euse** [batajœʀ, øz] *adj* batalhador(ra).

bataillon [batajɔ̃] *nm* batalhão *m*.

bâtard, **e** [bataʀ, aʀd] *nm, f* [chien] vira-lata *m*.

bateau [bato] (*pl* **bateaux**) *nm* barco *m* ; [sur le trottoir] guia *f* rebaixada ; **bateau de pêche** barco de pesca ; **bateau à voiles** barco à vela.

bateau-bus (*pl* -x–bus) [batobys] *nm* ferry *m*, ferryboat *m* ; **prendre le bateau-bus** apanhar o ferry.

bateau-mouche [batomuʃ] (*pl* **bateaux-mouches**) *nm barco que realiza passeios pelo rio Sena*.

batifoler [batifɔle] *vi* [jouer] brincar ; [flirter] flertar.

bâtiment [batimɑ̃] *nm* edifício *m* ; **le bâtiment** [activité] a construção civil.

bâtir [batiʀ] *vt* edificar.

bâtisse [batis] *nf* casarão *m*.

bâton [batɔ̃] *nm* pau *m* ; **bâton de craie** giz *m*.

bâtonnet [batɔnɛ] *nm* pauzinho *m* ; **bâtonnet de glace** picolé *m*.

batracien [batʀasjɛ̃] *nm* batráquio *m*.

battant [batɑ̃] *nm* [d'une porte] batente *m*.

battement [batmɑ̃] *nm* [coup] bater *m* ; [intervalle] intervalo *m* ; [de cœur] batida *f*.

batterie [batʀi] *nf* bateria *f* ; **batterie de cuisine** utensílios *mpl* de cozinha.

batteur, **euse** [batœʀ, øz] ◇ *nm, f* MUS baterista *mf*. ◇ *nm* [mélangeur] batedeira *f*.

battre [batʀ] ◇ *vt* [frapper] bater ; [vaincre] vencer. ◇ *vi* bater ; **battre des œufs en neige** bater as claras em neve ; **battre la mesure** marcar o compasso ; **battre des mains** bater palmas. ◆ **se battre** *vp* : **se battre (avec qqn)** lutar (com alguém).

baume [bom] *nm* bálsamo *m*.

baux [bo] ➤ **bail**.

bavard, **e** [bavaʀ, aʀd] *adj* & *nm, f* tagarela.

bavardage [bavaʀdaʒ] *nm* tagarelice *f*.

bavarder [bavaʀde] *vi* tagarelar.

bavarois [bavaʀwa] *nm* CULIN *sobremesa fria à base de gelatina, creme inglês e musse de frutas*.

bave [bav] *nf* baba *f*.

baver [bave] *vi* babar ; **en baver** *fam* suar.

bavette [bavɛt] *nf* CULIN *filé de lombo de vaca*.

baveux, **euse** [bavø, øz] *adj* [omelette] malpassado(da).

bavoir [bavwaʀ] *nm* babador *m*.

bavure [bavyʀ] *nf* [tache] borrão *m* ; [erreur] erro *m*.

bazar [bazaʀ] *nm* [magasin] bazar *m* ; *fam* [lieu en désordre] zona *f*.

bazarder [bazaʀde] *vt fam* jogar fora.

BCBG *adj* (*abr de* **bon chic bon genre**) mauricinho *m*, patricinha *f*.

Bd (*abr de* **boulevard**) Al.

BD *nf fam* gibi *m*, = **bande dessinée**.

beach-volley (*pl* -s) [bitʃvolɛ] *nm* vôlei *m* de praia ; **jouer au beach-volley** jogar vôlei de praia.

béant, e [beɑ̃, ɑ̃t] *adj* escancarado(da).

béat, e [bea, at] *adj* aparvalhado(da).

beau, belle [bo, bɛl] (*mpl* **beaux** [bo]) (**bel** [bɛl] *devant voyelle ou h muet*) ◇ *adj* lindo(da) ; *iron* [mauvais] belo(la). ◇ *adv* : **il fait beau** está fazendo bom tempo ; **j'ai beau essayer...** por mais que tente... ; **c'est du beau travail!** *iron* bonito serviço ! ; **un beau jour** um belo dia.

beaucoup [boku] *adv* [aimer, manger] muito ; **il a lu beaucoup de livres** ele leu muitos livros ; **beaucoup plus cher** muito mais caro ; **elle fait beaucoup plus de fautes qu'avant** ela faz muito mais erros do que antes.

beauf [bof] *nm fam péj pequeno-burguês, intolerante e limitado*.

beau-fils [bofis] (*pl* **beaux-fils**) *nm* [fils du conjoint] enteado *m* ; [gendre] genro *m*.

beau-frère [bofʀɛʀ] (*pl* **beaux-frères**) *nm* cunhado *m*.

beau-père [bopɛʀ] (*pl* **beaux-pères**) *nm* [père du conjoint] sogro *m* ; [conjoint de la mère] padrasto *m*.

beauté [bote] *nf* [qualité] beleza *f* ; [femme] beldade *f*.

beaux-arts [bozaʀ] *nmpl* belas-artes *fpl*. ◆ **Beaux-Arts** *nmpl* : **les Beaux-Arts** *escola de belas-artes em Paris*.

beaux-parents [bopaʀɑ̃] *nmpl* sogros *mpl*.

bébé [bebe] *nm* bebê *m*.

bébé-éprouvette [bebeepʀuvɛt] (*pl* **bébés-éprouvette**) *nm* bebê *m* de proveta.

bec [bɛk] *nm* bico *m* ; **bec verseur** bico para verter.

bec-de-lièvre [bɛkdəljɛvʀ] (*pl* **becs-de-lièvre**) *nm* lábio *m* leporino.

béchamel [beʃamɛl] *nf* : **(sauce) béchamel** (molho) bechamel *m*.

bêche [bɛʃ] *nf* enxada *f*.

bêcher [beʃe] *vt* cavar.

bedaine [bədɛn] *nf fam* pança *f*.

bée [be] *adj f* : **bouche bée** boquiaberto(ta).

bégayer [begeje] *vi* gaguejar.

bégonia [begɔnja] *nm* begônia *f*.

bègue [bɛg] *adj* & *nmf* gago(ga).

beige [bɛʒ] *adj* & *nm* bege.

beigne [bɛɲ] *nm Québec* ≃ sonho *m (bolo)*.

beignet [bɛɲɛ] *nm* [salé] bolinho *m* ; [sucré] ≃ filhó *f*.

bel ► **beau**.

bêler [bele] *vi* balir.

belette [bəlɛt] *nf* doninha *f*.

belge [bɛlʒ] *adj* belga. ◆ **Belge** *nmf* belga *mf*.

Belgique [bɛlʒik] *nf* : **la Belgique** a Bélgica.

bélier [belje] *nm* carneiro *m*. ◆ **Bélier** *nm* Carneiro *m*, Áries *m*.

belle-famille [bɛlfamij] (*pl* **belles-familles**) *nf* família *f* dos sogros.

belle-fille [bɛlfij] (*pl* **belles-filles**) *nf* [fille du conjoint] enteada *f* ; [conjointe du fils] nora *f*.

Belle-Hélène [bɛlelɛn] *adj* ► **poire**.

belle-mère [bɛlmɛʀ] (*pl* **belles-mères**) *nf* [mère du conjoint] sogra *f* ; [conjointe du père] madrasta *f*.

belle-sœur [bɛlsœʀ] (*pl* **belles-sœurs**) *nf* cunhada *f*.

belligérant, **e** [beliʒeʀɑ̃, ɑ̃t] *adj* & *nm, f* beligerante.

belliqueux, **euse** [belikø, øz] *adj* [guerrier] belicoso(osa) ; [peuple] guerreiro(ra) ; [humeur] agressivo(va).

belote [bəlɔt] *nf* bisca *f*.

bémol [bemɔl] *adj* & *nm* bemol.

bénédiction [benediksjɔ̃] *nf* bênção *f* ; **c'est une bénédiction!** louvado seja Deus! ; **donner sa bénédiction à** *fig* [une personne] dar a sua bênção a ; [un projet] aprovar.

bénéfice [benefis] *nm* FIN lucro *m* ; [avantage] benefício *m*.

bénéficiaire [benefisjɛʀ] ◇ *adj* [marge] de benefício. ◇ *nmf* beneficiário *m*, -ria *f*.

bénéficier [benefisje] ◆ **bénéficier de** *vp* + *prép* beneficiar de.

bénéfique [benefik] *adj* benéfico(ca).

Benelux [benelyks] *nm* : **le Benelux** o Benelux.

bénévole [benevɔl] *adj* benévolo(la).

bénin, **igne** [benɛ̃, iɲ] *adj* benigno(gna).

bénir [beniʀ] *vt* [foule] abençoar ; [pain] benzer.

bénite [benit] *adj f* ▶ **eau**.

bénitier [benitje] *nm* pia *f* de água benta.

benjamin, **e** [bɛ̃ʒamɛ̃, in] *nm, f* caçula *mf*.

benne [bɛn] *nf* contentor *m*.

BEP *nm* (*abr de* **brevet d'études professionnelles**) *certificado de estudos profissionais*.

béquille [bekij] *nf* MÉD muleta *f* ; [de vélo, de moto] descanso *m*.

berceau [bɛʀso] (*pl* **berceaux**) *nm* [d'enfant] berço *m*.

bercer [bɛʀse] *vt* [un enfant] embalar.

berceuse [bɛʀsøz] *nf* [chanson] canção *f* de embalar.

Bercy [bɛʀsi] *npr* : **(le palais omnisports de Paris-)Bercy** *ginásio poliesportivo e sala para concertos parisiense*.

béret [beʀɛ] *nm* boina *f*.

berge [bɛʀʒ] *nf* margem *f*.

berger, **ère** [bɛʀʒe, ɛʀ] *nm, f* pastor *m*, -ra *f* ; **berger allemand** pastor alemão.

bergerie [bɛʀʒəʀi] *nf* curral *m*.

berlingot [bɛʀlɛ̃go] *nm* [bonbon] *caramelo em forma de tetraedro* ; [de lait, de Javel] *embalagem de plástico flexível, para pequenas doses de líquido*.

berlue [bɛʀly] *nf* : **avoir la berlue** estar com visões.

bermuda [bɛʀmyda] *nm* bermuda *f*.

berner [bɛʀne] *vt* enganar.

besogne [bəzɔɲ] *nf* tarefa *f*.

besoin [bəzwɛ̃] *nm* necessidade *f* ; **avoir besoin de (faire) qqch** precisar de (fazer) algo ; **faire ses besoins** fazer as necessidades.

bestial, **e**, **aux** [bɛstjal, o] *adj* animalesco(ca).

bestiole [bɛstjɔl] *nf* bicho *m* pequeno.

best-seller [bɛstselœʀ] (*pl* **best-sellers**) *nm* best-seller *m*.

bétail [betaj] *nm* gado *m*.

bête [bɛt] ◇ *adj* parvo(va). ◇ *nf* bicho *m*.

bêtement [bɛtmɑ̃] *adv* estupidamente.

bêtise [betiz] *nf* [acte, parole] besteira *f*.

béton [betɔ̃] *nm* concreto *m*.

bette [bɛt] *nf* acelga *f*.

betterave [bɛtʀav] *nf* beterraba *f*.

beugler [bøgle] *vi* [bovin] mugir ; *fig* & *péj* [personne] berrar.

beur [bœʀ] *nmf jovem de origem magrebina nascido na França.*

beurre [bœʀ] *nm* manteiga *f*.

beurrer [bœʀe] *vt* [tartine] cobrir com manteiga ; [plat] untar.

beuverie [bœvʀi] *nf* farra *f*.

biais [bjɛ] *nm* : **en biais** em viés ; **par le biais de** por meio de.

biaiser [bjeze] *vi* estar com rodeios.

bibande [bibɑ̃d] *adj* dual band.

bibelot [biblo] *nm* bibelô *m*.

biberon [bibʀɔ̃] *nm* mamadeira *f* ; **donner le biberon à** dar a mamadeira a.

Bible [bibl] *nf* : **la Bible** a Bíblia.

bibliographie [biblijɔgʀafi] *nf* bibliografia *f*.

bibliothécaire [biblijɔtekɛʀ] *nmf* bibliotecário *m*, -ria *f*.

bibliothèque [biblijɔtɛk] *nf* biblioteca *f*.

bicarbonate [bikaʀbɔnat] *nm* bicarbonato *m* ; **bicarbonate de soude** bicarbonato de sódio.

biceps [bisɛps] *nm* bíceps *m inv*.

biche [biʃ] *nf* corça *f*.

bicyclette [bisiklɛt] *nf* bicicleta *f*.

bidet [bidɛ] *nm* bidê *m*.

bidon [bidɔ̃] ◇ *nm* botijão *m*. ◇ *adj inv fam* **c'est du bidon** isso é uma treta.

bidonville [bidɔ̃vil] *nm* favela *f*.

Biélorussie [bjelɔʀysi] *nf* : **la Biélorussie** a Bielo-Rússia.

bien [bjɛ̃] (**mieux** *est le comparatif et le superlatif de* **bien** [mjø]) ◇ *adv* **1.** [de façon satisfaisante] bem ; **as-tu bien dormi ?** dormiu bem? - **2.** [beaucoup, très] muito ; **une personne bien sympathique** uma pessoa muito simpática ; **je me suis bien amusé pendant ces vacances** diverti-me muito durante estas férias ; **j'espère bien que...** espero muito que... ; **c'est une bien triste histoire** é uma história bem triste ; **bien mieux/plus** bem melhor/mais - **3.** [au moins] : **cela fait bien deux mois qu'il n'a pas plu** já não chove há bem uns dois meses - **4.** [effectivement] bem ; **c'est bien ce qu'il me semblait** bem me parecia ; **c'est bien ce que je disais** é mesmo o que eu dizia ; **mais oui, c'est bien lui!** sim, sim, é ele mesmo! - **5.** [dans des expressions] : **bien des gens** muita gente ; **il a bien de la chance** ele tem muita sorte ; **(c'est) bien fait (pour toi) !** (foi) bem feito! ; **nous ferions bien de réserver à l'avance** faríamos bem em reservar com antecedência. ◇ *adj inv* **1.** [devoir, travail] bom(boa) - **2.** [beau] bonito(ta) - **3.** [moralement] : **c'est une fille bien** é uma rapariga honesta ; **c'est bien, ce que tu as fait pour lui** é admirável o que você fez por ele ; **j'ai trouvé son attitude très bien dans cette affaire** achei muito correta a sua atitude neste caso - **4.** [convenable] : **ça fait bien** fica bem ; **des gens bien** gente de boa posição social - **5.** [en bonne santé, à l'aise] bem ; **être/se sentir bien** andar/sentir-se bem. ◇ *interj* muito bem! ◇ *nm* bem *m* ; **c'est pour ton bien** é para o seu bem ; **dire du bien de** dizer bem de ; **faire du bien à qqn** fazer bem a alguém. ◆ **biens** *nmpl* [richesse] bens *mpl*.

bien-être [bjɛ̃nɛtʀ] *nm* bem-estar *m*.

bienfaisant, e [bjɛ̃fəzɑ̃, ɑ̃t] *adj* benéfico(ca).

bienfaiteur, trice [bjɛ̃fɛtœʀ, tʀis] *nm, f* benfeitor *m*, -ra *f*.

bien-fondé [bjɛ̃fɔ̃de] (*pl* **bien-fondés**) *nm* DR conformidade *f* ; [pertinence] fundamento *m*.

bienheureux, euse [bjɛ̃nøʀø, øz] *adj* & *nm, f* bem-aventurado(da).

bientôt [bjẽto] *adv* daqui a pouco tempo, logo ; **à bientôt!** até logo!

bienveillant, **e** [bjɛ̃vejɑ̃, ɑ̃t] *adj* benevolente.

bienvenu, **e** [bjɛ̃v(ə)ny] *adj* bem-vindo(da).

bienvenue [bjɛ̃v(ə)ny] *nf* : **bienvenue!** bem-vindo(da) ! ; **souhaiter la bienvenue à qqn** dar as boas-vindas a alguém.

bière [bjɛʀ] *nf* cerveja *f*.

bifteck [biftɛk] *nm* bife *m*.

bifurcation [bifyʀkasjɔ̃] *nf* bifurcação *f*.

bifurquer [bifyʀke] *vi* [route] bifurcar ; [voiture] virar.

bigamie [bigami] *nf* bigamia *f*.

Bige® [biʒ] *adj inv* : **billet Bige** *passagem de trem para estudantes que lhes permite circular pela Europa a um preço reduzido*.

bigorneau [bigɔʀno] (*pl* -x) *nm* caramujo *m*.

bigoudi [bigudi] *nm* rolo *m* para o cabelo.

bijou [biʒu] (*pl* -x) *nm* jóia *f* ; *fig* jóia *f*.

bijouterie [biʒutʀi] *nf* joalheria *f*.

bijoutier, **ère** [biʒutje, ɛʀ] *nm, f* joalheiro *m*, -ra *f*.

Bikini® [bikini] *nm* biquíni *m*.

bilan [bilɑ̃] *nm* balanço *m* ; **faire le bilan (de)** fazer o balanço (de).

bilatéral, **e**, **aux** [bilateʀal, o] *adj* bilateral.

bile [bil] *nf* bile *f* ; **déverser sa bile** *fig* despejar o seu mau humor ; **se faire de la bile** *fam fig* inquietar-se.

bilingue [bilɛ̃g] *adj* bilíngüe.

billard [bijaʀ] *nm* bilhar *m*.

bille [bij] *nf* [petite boule] esfera *f* ; [pour jouer] (bola de) gude *m*.

billet [bijɛ] *nm* [de transport] passagem *f* ; [de spectacle] ingresso *m* ; **billet (de banque)** nota *f* ; **billet aller et retour** passagem de ida e volta.

billetterie [bijɛtʀi] *nf* bilheteria *f* ; **billetterie automatique** [de billets de train] bilheteria automática ; [de billets de banque] caixa *m* automático.

bimensuel, **elle** [bimɑ̃sɥɛl] *adj* bimensal.

binaire [binɛʀ] *adj* binário(ria).

bio [bjo] *adj inv* biológico(ca).

biochimie [bjɔʃimi] *nf* bioquímica *f*.

biodégradable [bjɔdegʀadabl] *adj* biodegradável.

biographie [bjɔgʀafi] *nf* biografia *f*.

biologie [bjɔlɔʒi] *nf* biologia *f*.

biologique [bjɔlɔʒik] *adj* biológico(ca).

biorythme [bjɔʀitm] *nm* biorritmo *m*.

bioterrorisme [bjɔtɛrorism] *nm* bioterrorismo *m*.

bis [bis] ◇ *interj* bis! ◇ *adv* bis ; **6 bis** 6 b.

biscornu, **e** [biskɔʀny] *adj* [objet] de forma irregular ; [idée] estrambólico(ca).

biscotte [biskɔt] *nf* torrada *f*.

biscuit [biskɥi] *nm* biscoito *m* ; **biscuit salé** aperitivo *m*.

bise [biz] *nf* [baiser] beijo *m* ; [vent] vento *m* norte ; **faire une bise à qqn** dar um beijo em alguém ; **grosses bises** [dans une lettre] muitos beijos.

bison [bizɔ̃] *nm* bisão *m* ; **Bison Futé** *órgão de informação rodoviária*.

bisou [bizu] *nm fam* beijinho *m*.

bisque [bisk] *nf sopa espessa de crustáceos com creme de leite*.

bissextile [bisɛkstil] *adj* ► **année**.

bistouri [bistuʀi] *nm* bisturi *m*.

bistro(t) [bistʀo] *nm* bistrô *m*.

bit [bit] *nm* bit *m*.

bitume [bitym] *nm* betume *m*.

bivouac [bivwak] *nm* bivaque *m*.

bizarre [bizaʀ] *adj* bizarro(a).

bizutage [bizytaʒ] *nm* ≃ trote *m*.

blabla, **bla-bla** [blabla] *nm inv fam* blablablá *m*.

black-out [blakawt] *nm* [panne de courant] apagão *m*, blecaute *m* ; [censure] : **faire le black-out sur qqch** silenciar sobre algo.

blafard, **e** [blafaʀ, aʀd] *adj* [visage] lívido(da) ; [lumière] baço(ça).

blague [blag] *nf* [histoire drôle] anedota *f* ; [mensonge] peta *f* ; [farce] peça *f* ; **sans blague!** a sério?

blaguer [blage] *vi* troçar.

blagueur, **euse** [blagœʀ, øz] *fam adj* & *nm, f* brincalhão(lhona).

blaireau [blɛʀo] *nm* **1.** [animal] texugo *m* ; [de rasage] pincel *m* de barba - **2.** *fam* parvo *m*, palerma *mf*.

blâme [blam] *nm* [désapprobation] censura *f* ; [sanction] repreensão *f*.

blâmer [blame] *vt* censurar.

blanc, **blanche** [blɑ̃, blɑ̃ʃ] ◇ *adj* branco(ca) ; [vierge] em branco. ◇ *nm* [couleur] branco *m* ; [espace] espaço *m* em branco ; [vin] vinho *m* branco ; **à blanc** [chauffer] até ficar branco ; [tirer] com um tiro de pólvora seca ; **blanc cassé** branco sujo ; **blanc d'œuf** clara *f* do ovo ; **blanc de poulet** peito *m* de frango. ◆ **Blanc**, **Blanche** *nm, f* branco *m*, -ca *f*.

blancheur [blɑ̃ʃœʀ] *nf* brancura *f*.

blanchiment [blɑ̃ʃimɑ̃] *nm* : **blanchiment d'argent** lavagem de dinheiro.

blanchir [blɑ̃ʃiʀ] ◇ *vt* [mur] caiar ; [linge, argent] lavar. ◇ *vi* [cheveux] embranquecer.

blanchisserie [blɑ̃ʃisʀi] *nf* lavanderia *f*.

blanquette [blɑ̃kɛt] *nf* [plat] *ensopado de vitela, cordeiro ou frango com molho de vinho branco* ; [vin] *vinho branco espumante* ; **blanquette de veau** *ensopado de vitela com molho de vinho branco*.

blasé, **e** [blaze] *adj* entediado(da).

blason [blazɔ̃] *nm* brasão *m*.

blasphème [blasfɛm] *nm* blasfêmia *f*.

blasphémer [blasfeme] *vt* & *vi* blasfemar.

blatte [blat] *nf* barata *f*.

blazer [blazɛʀ] *nm* blazer *m*.

blé [ble] *nm* trigo *m* ; **blé d'Inde** *Québec* milho *m*.

blême [blɛm] *adj* macilento(ta).

blessant, **e** [blɛsɑ̃, ɑ̃t] *adj* que magoa.

blessé, **e** [blese] *nm, f* ferido *m*.

blesser [blese] *vt* [physiquement] ferir, machucar ; [vexer] magoar. ◆ **se blesser** *vp* magoar-se ; **se blesser à la main** machucar a mão.

blessure [blesyʀ] *nf* ferida *f*, machucado *m*.

blette [blɛt] = **bette**.

bleu, **e** [blø] ◇ *adj* azul ; [steak] mal-passado(da). ◇ *nm* [couleur] azul *m* ; [hématome] mancha *f* roxa ; **bleu (d'Auvergne)** *queijo da região de Auvergne que apresenta raias azuladas de mofo em sua massa* ; **bleu ciel** azul-celeste ; **bleu marine** azul-marinho ; **bleu de travail** macacão *m*.

bleuet [bløɛ] *nm* centáurea-azul *f* ; *Québec* murtinho *m*.

blindé, **e** [blɛ̃de] *adj* blindado(da).

blinder [blɛ̃de] *vt* [renforcer] blindar ; *fam fig* [endurcir] endurecer. ◆ **se blinder** *vp fam fig* [s'endurcir] ficar insensível.

blizzard [blizaʀ] *nm* blizar *m* *vento glacial acompanhado de tempestades de neve*.

bloc [blɔk] *nm* bloco *m* ; **à bloc** ao máximo ; **en bloc** [acheter] por atacado ; [nier] totalmente.

blocage [blɔkaʒ] *nm* [des prix, des salaires] congelamento *m* ; [psychologique] bloqueio *m*.

bloc-notes [blɔknɔt] (*pl* **blocs-notes**) *nm* bloco *m* de notas.

blocus [blɔkys] *nm* bloqueio *m*.

blond, e [blɔ̃, blɔ̃d] *adj* louro(ra).

blonde [blɔ̃d] *nf cigarro de tabaco claro* ; **(bière) blonde** cerveja *f* clara.

bloquer [blɔke] *vt* bloquear ; [prix, salaires] congelar.

blottir [blɔtiʀ] ◆ **se blottir** *vp* encolher-se.

blouse [bluz] *nf* [d'élève, de médecin] bata *f*.

blouson [bluzɔ̃] *nm* blusão *m*.

blues [bluz] *nm* blues *m inv*.

bluff [blœf] *nm* blefe *m*.

boat people [botpipɔl] *nmpl refugiados que escapam de seus país de barco*.

bob [bɔb] *nm* chapéu *m* de pano.

bobard [bɔbaʀ] *nm fam* [mensonge] balela *f*.

bobine [bɔbin] *nf* [de fil] carretel *m* ; [de film] bobina *f*.

bobo [bobo] *nmf langage enfantin* dodói *m*.

bobsleigh [bɔbslɛg] *nm* trenó *m* de esporte.

bocal [bɔkal, o] (*pl* -aux) *nm* [de conserves] frasco *m* ; [à poissons] aquário *m*.

body [bɔdi] *nm* body *m*.

body-building [bɔdibildiŋ] *nm* fisiculturismo *m*.

bœuf [bœf] (*pl* **bœufs** [bø]) *nm* [animal] boi *m* ; CULIN carne *f* de vaca ; **bœuf bourguignon** *cozido de carne de vaca preparado com vinho tinto e cebolas*.

bof [bɔf] *interj* hã!

bohème [bɔɛm] *adj* & *nmf* boêmio(mia).

bohémien, enne [bɔemjɛ̃, ɛn] *nm, f* cigano *m*, -na *f*.

boire [bwaʀ] ◇ *vt* [avaler] beber ; [absorber] absorver. ◇ *vi* beber ; **boire un coup** beber um copo.

bois [bwa] ◇ *nm* [matière] madeira *f* ; [de chauffage] lenha *f* ; [forêt] bosque *m*. ◇ *nmpl* [d'un cerf] galhada *f*.

boisé, e [bwaze] *adj* arborizado(da).

boiser [bwaze] *vt* arborizar.

boiseries [bwazʀi] *nfpl* revestimento *m* de madeira.

boisson [bwasɔ̃] *nf* bebida *f* ; **la boisson** [alcool] o álcool.

boîte [bwat] *nf* caixa *f* ; **boîte d'allumettes** caixa de fósforos ; **boîte de conserve** lata *f* de conserva ; **boîte aux lettres** caixa do correio ; **boîte (de nuit)** boate *f* ; **boîte à outils** caixa de ferramentas ; **boîte postale** caixa postal ; **boîte de vitesses** caixa de câmbio.

boiter [bwate] *vi* coxear.

boiteux, euse [bwatø, øz] *adj* coxo(xa).

boîtier [bwatje] *nm* [de montre, de cassette] caixa *f* ; [d'appareil photo] corpo *m*.

bol [bɔl] *nm* tigela *f*.

bolet [bɔlɛ] *nm* boleto *m (cogumelo)*.

bolide [bɔlid] *nm* bólido *m*.

Bolivie [bolivi] *nf* : **la Bolivie** a Bolívia.

bombardement [bɔ̃baʀdəmɑ̃] *nm* bombardeio *m*.

bombarder [bɔ̃baʀde] *vt* bombardear ; **bombarder qqn de questions** bombardear alguém com perguntas.

bombe [bɔ̃b] *nf* [arme] bomba *f* ; [vaporisateur] spray *m* ; **bombe atomique** bomba atômica.

bomber [bɔ̃bœʀ] *nm* casaco *m* de aviador.

bon, **bonne** [bɔ̃, bɔn] (**meilleur** *est le comparatif et le superlatif de* **bon** [mɛjœʀ]) ◇ *adj* **1.** [gén] bom(boa) ; **nous avons passé de très bonnes vacances** passamos umas férias muito boas ; **connais-tu un bon garagiste dans les environs ?** conhece um bom mecânico nos arredores? ; **être bon en qqch** ser bom em algo ; **c'est bon pour la santé** é bom para a saúde ; **il n'est bon à rien** ele não vale nada ; **c'est bon à savoir** é bom saber ; **ta carte d'autobus n'est plus bonne** o seu passe de ônibus já não é válido ; **bonne année !** bom ano! ; **bonnes vacances !** boas férias! - **2.** [correct] certo(certa) ; **est-ce le bon numéro ?** é o número certo? - **3.** [en intensif] e tanto ; **ça fait une bonne heure** faz uma hora e tanto ; **ça fait deux bons kilos** pesa dois quilos e tanto - **4.** [dans des expressions] : **bon !** [d'accord] está bem! ; [pour conclure] bem! ; **ah bon ?** ah é? ; **c'est bon !** [soit] está bem! ; **pour de bon** de vez. ◇ *adv* : **il fait bon** faz bom tempo ; **sentir bon** cheirar bem ; **tenir bon** resistir. ◇ *nm* [formulaire] cupom *m* ; [en cadeau] vale *m* ; **bon de commande** ordem *f* de encomenda ; **bon de livraison** nota *f* de entrega.

bonbon [bɔ̃bɔ̃] *nm* bala *f*.

bonbonne [bɔ̃bɔn] *nf* botijão *m*.

bond [bɔ̃] *nm* salto *m*.

bondé, **e** [bɔ̃de] *adj* abarrotado(da).

bondir [bɔ̃diʀ] *vi* [sauter] saltar ; *fig* [réagir] pular.

bonheur [bɔnœʀ] *nm* [état] felicidade *f* ; [chance, plaisir] alegria *f*.

bonhomme [bɔnɔm] (*pl* **bonshommes** [bɔ̃zɔm]) *nm fam* [homme] homenzinho *m* ; [silhouette] boneco *m* ; **bonhomme de neige** boneco de neve.

bonjour [bɔ̃ʒuʀ] *interj* bom-dia! ; **dire bonjour à qqn** dizer bom-dia a alguém.

bonne ◇ *adj* ► **bon**. ◇ *nf* criada *f*.

bonnet [bɔnɛ] *nm* gorro *m* ; **bonnet de bain** touca *f* de banho.

bonsoir [bɔ̃swaʀ] *interj* boa-noite! ; **dire bonsoir à qqn** dizer boa-noite a alguém.

bonté [bɔ̃te] *nf* bondade *f*.

bonus [bɔnys] *nm* bônus *m*.

booléen, **ne** [buleɛ̃, -ɛn] *adj* booleano (operador).

bord [bɔʀ] *nm* borda *f* ; **à bord (de)** a bordo (de) ; **au bord (de)** à beira (de) ; **au bord de la mer** à beira-mar.

bordeaux [bɔʀdo] ◇ *adj inv* [couleur] cor de vinho, bordô. ◇ *nm* [vin] bordeaux *m* ; [couleur] cor *f* de vinho, bordô *m*.

bordel [bɔʀdɛl] *nm vulg* [maison close] bordel *m* ; [désordre] bagunça *f*.

bordelaise [bɔʀdəlɛz] *adj f* ► **entrecôte**.

border [bɔʀde] *vt* [longer] ladear ; [enfant] ajeitar a roupa de ; **bordé de** ladeado de.

bordereau [bɔʀdəʀo] *nm* justificativa *f*.

bordure [bɔʀdyʀ] *nf* [bord] rebordo *m* ; [liséré] orla *f* ; **en bordure de** na orla de.

borgne [bɔʀɲ] *adj* zarolho(lha).

borne [bɔʀn] *nf* marco *m* ; **dépasser les bornes** *fig* passar dos limites.

borné, **e** [bɔʀne] *adj* tacanho(nha).

borner [bɔʀne] *vt* [limiter] demarcar ; [restreindre] moderar. ◆ **se borner à** *vp + prép* limitar-se a.

Bosnie [bɔsni] *nf* : **la Bosnie** a Bósnia.

bosquet [bɔskɛ] *nm* pequeno bosque *m*.

bosse [bɔs] *nf* [saillie] bossa *f* ; [au front] galo *m* ; [sur le dos] corcunda *f*.

bosser [bɔse] *vi fam* dar um duro.

bossu, **e** [bɔsy] *adj* corcunda.

botanique [bɔtanik] ◇ *adj* botânico(ca). ◇ *nf* botânica *f*.

botte [bɔt] *nf* [chaussure] bota *f* ; [de légumes, foin] feixe *m*.

Bottin® [bɔtɛ̃] *nm* lista *f* telefônica.

bottine [bɔtin] *nf* botina *f*.

bouc [buk] *nm* [animal] bode *m* ; [barbe] barbicha *f*.

boucan [bukɑ̃] *nm* *fam* balbúrdia *f*.

bouche [buʃ] *nf* boca *f* ; **bouche d'égout** boca de esgoto ; **bouche de métro** entrada *f* de metrô.

bouché, **e** [buʃe] *adj* [obstrué] entupido(da) ; [en bouteille] engarrafado(da) ; *fam* [obtus] burro(a).

bouchée [buʃe] *nf* [morceau] bocado *m* ; [au chocolat] *bombom de chocolate recheado* ; **bouchée à la reine** *vol-au-vent recheado com carne branca*.

boucher[1] [buʃe] *vt* tapar ; [évier] entupir ; [passage] bloquear.

boucher[2], **ère** [buʃe, ɛʀ] *nm, f* açougueiro *m*, -ra *f*.

boucherie [buʃʀi] *nf* açougue *m*.

bouchon [buʃɔ̃] *nm* [de bouteille] rolha *f* ; [embouteillage] engarrafamento *m* ; [de pêche] bóia *f*.

boucle [bukl] *nf* [de cheveux] caracol *m* ; [de fil] volta *f* ; [de ceinture] fivela *f* ; [circuit] curva *f* fechada ; **boucle d'oreille** brinco *m*.

bouclé, **e** [bukle] *adj* encaracolado(da).

boucler [bukle] ◇ *vt* [valise] fechar ; [ceinture] apertar ; *fam* [enfermer] trancar. ◇ *vi* [cheveux] encaracolar.

bouclier [buklije] *nm* escudo *m*.

bouddhiste [budist] *adj* & *nmf* budista.

bouder [bude] *vi* amuar.

boudin [budɛ̃] *nm* rolo *m* ; **boudin blanc** *morcela com carne branca, servida sobretudo no Natal* ; **boudin noir** morcela *f*.

boue [bu] *nf* lama *f*.

bouée [bwe] *nf* bóia *f* ; **bouée de sauvetage** bóia salva-vidas.

boueux, **euse** [buø, øz] *adj* enlameado(da), barrento(ta).

bouffant, **e** [bufɑ̃, ɑ̃t] *adj* [manches] bufante.

bouffe [buf] *nf* *fam* comida *f*.

bouffée [bufe] *nf* [d'air] lufada *f* ; [de tabac] baforada *f* ; **avoir des bouffées de chaleur** ter ondas de calor ; **avoir une bouffée d'angoisse** sentir angústia.

bouffer [bufe] ◇ *vi* ter muito volume ; **faire bouffer** [cheveux, chemise] dar volume a. ◇ *vt* *fam* comer.

bouffi, **e** [bufi] *adj* inchado(da).

bougeoir [buʒwaʀ] *nm* palmatória *f* *(castiçal)*.

bougeotte [buʒɔt] *nf* : **avoir la bougeotte** *fam* ter bicho-carpinteiro.

bouger [buʒe] ◇ *vt* mexer. ◇ *vi* [remuer, agir] mexer-se ; [changer] mudar.

bougie [buʒi] *nf* vela *f*.

bougonner [bugɔne] ◇ *vt* dizer por entre dentes. ◇ *vi* falar por entre dentes.

bouillabaisse [bujabɛs] *nf* ≃ caldeirada *f* de peixe.

bouillant, **e** [bujɑ̃, ɑ̃t] *adj* fervente.

bouillie [buji] *nf* [pour bébé] papa *f* ; [pâte] papa *f*.

bouillir [bujiʀ] *vi* [liquide] ferver ; [aliment] cozinhar ; *fig* [personne] estar fervendo.

bouilloire [bujwaʀ] *nf* chaleira *f*.

bouillon [bujɔ̃] *nm* caldo *m*.

bouillonner [bujɔne] *vi* borbulhar.

bouillotte [bujɔt] *nf* bolsa *f* de água quente.

boulanger, **ère** [bulɑ̃ʒe, ɛʀ] *nm, f* padeiro *m*, -ra *f*.

boulangerie [bulɑ̃ʒʀi] *nf* padaria *f*.

boule [bul] *nf* bola *f* ; **boule de Bâle** *Suisse salsichão servido com molho vinagrete* ; **jouer aux boules** ≃ jogar bocha. ◆ **boules** *nfpl* : **avoir les boules** *fam* estar irritado, enervado, estar farto.

bouleau [bulo] *nm* bétula *f*.

bouledogue [buldɔg] *nm* buldogue *m*.

boulet [bulɛ] *nm* bala *f*.

boulette [bulɛt] *nf* bolinha *f* ; **boulette de viande** almôndega *f*.

boulevard [bulvaʀ] *nm* alameda *f* ; **les grands boulevards** *alamedas parisienses que vão da praça da Madeleine à République*.

bouleversant, **e** [bulvɛʀsɑ̃, ɑ̃t] *adj* transtornador(ra).

bouleversement [bulvɛʀsəmɑ̃] *nm* reviravolta *f* ; [émotion] transtorno *m*.

bouleverser [bulvɛʀse] *vt* transtornar.

boulgour [bulgur] *nm* boulgour.

boulimie [bulimi] *nf* bulimia *f* ; **être pris d'une boulimie de qqch** *fig* não parar de fazer algo.

boulon [bulɔ̃] *nm* parafuso *m*.

boulot [bulo] *nm fam* trabalho *m*.

boum [bum] *nf fam* festa *f*.

bouquet [bukɛ] *nm* **1.** [de fleurs] ramo *m* ; [crevette] camarão *m* ; [d'un vin] aroma *f* - **2.** : **bouquet numérique** TV pacote digital.

bouquin [bukɛ̃] *nm fam* livro *m*.

bouquiner [bukine] *fam vt* & *vi* ler.

bouquiniste [bukinist] *nmf* alfarrabista *mf*.

bourbeux, **euse** [buʀbø, øz] *adj* pantanoso(osa).

bourbier [buʀbje] *nm* [lieu] lamaçal *m* ; *fig* [situation] embrulhada *f*.

bourde [buʀd] *nf* [baliverne] treta *f* ; [erreur] asneira *f*.

bourdon [buʀdɔ̃] *nm* zangão *m*.

bourdonnement [buʀdɔnmɑ̃] *nm* [d'insecte] zumbido *m* ; [de moteur] ruído *m* ; [de voix] burburinho *m* ; **avoir des bourdonnements d'oreilles** ter um zumbido nos ouvidos.

bourdonner [buʀdɔne] *vi* zumbir.

bourgeois, **e** [buʀʒwa, az] *adj* & *nm, f* burguês(esa).

bourgeoisie [buʀʒwazi] *nf* burguesia *f*.

bourgeon [buʀʒɔ̃] *nm* rebento *m*.

bourgeonner [buʀʒɔne] *vi* brotar.

Bourgogne [buʀgɔɲ] *nf* : **la Bourgogne** a Borgonha.

bourguignon, **onne** [buʀgiɲɔ̃, ɔn] *adj* ► **bœuf**, ► **fondue**.

bourrasque [buʀask] *nf* borrasca *f*.

bourratif, **ive** [buʀatif, iv] *adj* pesado(da).

bourré, **e** [buʀe] *adj* [plein] cheio(cheia) ; *vulg* [ivre] alto(ta) ; **bourré de** cheio de.

bourreau [buʀo] (*pl* -x) *nm* carrasco *m*.

bourrelet [buʀlɛ] *nm* [isolant] fita *f* adesiva isolante ; [de graisse] pneu *m*.

bourrer [buʀe] *vt* [gén] encher ; *fam* [caler l'estomac] empanturrar ; *fam* [gaver] : **bourrer qqn de** empanturrar alguém de OU com. ◆ **se bourrer** *vp fam* [se gaver] : **se bourrer de** empanturrar-se de OU com ; [se soûler] embriagar-se.

bourrique [buʀik] *nf* [ânesse] burra *f* ; *fam* [personne] cabeçudo *m*, -da *f* ; **faire tourner qqn en bourrique** *fig* derreter os miolos a alguém.

bourru, **e** [buʀy] *adj* carrancudo(da).

bourse [buʀs] *nf* bolsa *f* ; **la Bourse** a Bolsa.

boursier, **ère** [buʀsje, ɛʀ] *adj* [étudiant, transaction] bolsista.

boursouflé, **e** [buʀsufle] *adj* inchado(da).

bousculade [buskylad] *nf* empurrão *m*.

bousculer [buskyle] *vt* [heurter] empurrar ; *fig* [presser] apressar.

bouse [buz] *nf* : **bouse (de vache)** bosta *f* (de vaca).

bousiller [buzije] *vt fam* [bâcler] atabalhoar ; [abîmer] espatifar.

boussole [busɔl] *nf* bússola *f*.

bout [bu] *nm* [des doigts, d'un objet] ponta *f* ; [de la rue, du couloir] fim *m* ; [morceau] pedaço *m* ; **au bout de** [dans l'espace] no fundo de ; [à la fin de] ao fim de ; [après] depois de ; **être à bout** não agüentar mais.

boutade [butad] *nf* tirada *f* espirituosa.

boute-en-train [butɑ̃tʀɛ̃] *nm inv* animador *m*, -ra *f*.

bouteille [butɛj] *nf* garrafa *f* ; **bouteille de gaz** botijão de gás ; **bouteille d'oxygène** cilindro de oxigênio.

boutique [butik] *nf* loja *f* ; **boutique franche** OU **hors taxes** free shop *m*.

bouton [butɔ̃] *nm* botão *m* ; [sur la peau] espinha *f*.

bouton-d'or [butɔ̃dɔʀ] (*pl* **boutons-d'or**) *nm* botão-de-ouro *m*.

boutonner [butɔne] *vt* abotoar.

boutonnière [butɔnjɛʀ] *nf* casa *f* do botão.

bouture [butyʀ] *nf* estaca *f* (de planta).

bovin, **e** [bɔvɛ̃, in] *adj* bovino(na). ◆ **bovin** *nm* bovino *m*.

bowling [buliŋ] *nm* bowling *m*.

box [bɔks] *nm inv* [garage] boxe *m* privado ; [d'écurie] coxia *f*.

boxe [bɔks] *nf* boxe *m*, pugilismo *m*.

boxer [bɔksɛʀ] *nm* boxer *m*.

boxeur [bɔksœʀ] *nm* pugilista *m*, boxeador *m*.

boyau [bwajo] (*pl* -x) *nm* [de roue] câmara-de-ar *f*. ◆ **boyaux** *nmpl* ANAT tripas *fpl*.

boycotter [bɔjkɔte] *vt* boicotar.

BP (*abr de* **boîte postale**) caixa *f* postal.

bracelet [bʀaslɛ] *nm* [bijou] pulseira *f* ; [de montre] pulseira *f*.

bracelet-montre [bʀaslɛmɔ̃tʀ] (*pl* **bracelets-montres**) *nm* relógio *m* de pulso.

braconner [bʀakɔne] *vi* **1.** caçar ilegalmente - **2.** pescar ilegalmente.

braconnier [bʀakɔnje] *nm* **1.** caçador *m* furtivo - **2.** pescador *m* furtivo.

brader [bʀade] *vt* liquidar ; **'on brade'** 'liquidação total'.

braderie [bʀadʀi] *nf* liquidação *f*.

braguette [bʀagɛt] *nf* braguilha *f*.

braille [bʀaj] *nm* braille *m*.

braillement [bʀajmɑ̃] *nm péj* berro *m*.

brailler [bʀaje] *vi fam* berrar.

braire [bʀɛʀ] *vi* [âne] zurrar ; *fam* [brailler] berrar.

braise [bʀɛz] *nf* brasa *f*.

bramer [bʀame] *vi* bramar.

brancard [bʀɑ̃kaʀ] *nm* maca *f*.

brancardier, **ère** [bʀɑ̃kaʀdje, ɛʀ] *nm, f* maqueiro *m*, -ra *f*.

branchages [bʀɑ̃ʃaʒ] *nmpl* ramagem *f*.

branche [bʀɑ̃ʃ] *nf* ramo *m* ; [de lunettes] haste *f*.

branché, **e** [bʀɑ̃ʃe] *adj* **1.** [à une prise] ligado(da) (à corrente) ; [à un réseau] ligado(da) - **2.** *fam* [à la mode] in.

branchement [bʀɑ̃ʃmɑ̃] *nm* conexão *f*.

brancher [bʀɑ̃ʃe] *vt* ligar *(à corrente)*.

branchies [bʀɑ̃ʃi] *nfpl* guelras *fpl*.

brandade [bʀɑ̃dad] *nf* : **brandade (de morue)** *bacalhau desfiado, com alho, creme de leite ou leite.*

brandir [bʀɑ̃diʀ] *vt* agitar.

branlant, e [bʀɑ̃lɑ̃, ɑ̃t] *adj* oscilante.

braquage [bʀakaʒ] *nm* AUTO : **le braquage est difficile** a manobra é difícil ; [attaque] assalto *m* à mão armada.

braquer [bʀake] ◇ *vi* [automobiliste] virar tudo. ◇ *vt* [diriger] apontar ; **braquer qqch sur** apontar algo a. ◆ **se braquer** *vp* obstinar-se.

bras [bʀa] *nm* braço *m* ; **bras de mer** braço de mar.

brasier [bʀazje] *nm* braseiro *m*, incêndio *m*.

bras-le-corps [bʀalkɔʀ] ◆ **à bras-le-corps** *loc adv* : **saisir à bras-le-corps** pegar pela cintura.

brassard [bʀasaʀ] *nm* braçadeira *f*.

brasse [bʀas] *nf* bruços *mpl*.

brasser [bʀase] *vt* [remuer] misturar ; [bière] fabricar ; [affaires, argent] lidar com.

brasserie [bʀasʀi] *nf* cervejaria *f*.

brassière [bʀasjɛʀ] *nf* [pour bébé] *camisinha de mangas longas para bebê* ; *Québec* [soutien-gorge] sutiã *m*.

bravade [bʀavad] *nf* bravata *f*.

brave [bʀav] *adj* valente ; **il est brave** é boa pessoa.

braver [bʀave] *vt* [défier] desafiar ; [mépriser] desprezar ; [ignorer] desrespeitar.

bravo [bʀavo] *interj* bravo!

bravoure [bʀavuʀ] *nf* valentia *f*.

break [bʀɛk] *nm* **1.** break *m (automóvel)* - **2.** *fam* pausa *f* - **3.** SPORT break *m*.

brebis [bʀəbi] *nf* ovelha *f*.

brèche [bʀɛʃ] *nf* brecha *f*.

bredouille [bʀəduj] *adj* : **être** OU **rentrer bredouille** ficar ou voltar com as mãos abanando.

bredouiller [bʀəduje] *vi* gaguejar.

bref, brève [bʀɛf, bʀɛv] ◇ *adj* breve. ◇ *adv* enfim.

Brésil [bʀezil] *nm* : **le Brésil** o Brasil.

brésilien, enne [bʀeziljɛ̃, ɛn] *adj* brasileiro(ra). ◆ **Brésilien, enne** *nm, f* brasileiro *m*, -ra *f*.

Bretagne [bʀətaɲ] *nf* : **la Bretagne** a Bretanha.

bretelle [bʀətɛl] *nf* [de vêtement] alça *f* ; [d'autoroute] ramal *m* de acesso. ◆ **bretelles** *nfpl* suspensórios *mpl*.

breton, onne [bʀətɔ̃, ɔn] ◇ *adj* bretão(ã). ◇ *nm* [langue] bretão *m*. ◆ **Breton, onne** *nm, f* bretão *m*, -ã *f*.

brève ► **bref**.

brevet [bʀəvɛ] *nm* [diplôme] diploma *m* ; [de pilote] brevê *m* ; [d'invention] patente *f* ; **brevet (des collèges)** *certificado de conclusão do ensino fundamental.*

breveter [bʀəvte] *vt* registrar a patente de ; **faire breveter qqch** registrar a patente de algo.

bribes [bʀib] *nfpl* [de conversation] fragmentos *mpl*.

bric-à-brac [bʀikabʀak] *nm inv* bricabraque *m*.

bricolage [bʀikɔlaʒ] *nm* bricolagem *f* ; **faire du bricolage** fazer bricolagem.

bricole [bʀikɔl] *nf* coisinha *f*.

bricoler [bʀikɔle] ◇ *vt* reparar. ◇ *vi* fazer pequenos consertos.

bricoleur, euse [bʀikɔlœʀ, øz] *nm, f* amador *m*, -ra *f* de bricolagem.

bride [bʀid] *nf* rédea *f*.

bridé, e [bʀide] *adj* : **avoir les yeux bridés** ter os olhos puxados.

bridge [bʀidʒ] *nm* [jeu] bridge *m* ; [appareil dentaire] ponte *f* fixa.

brie [bʀi] *nm* queijo *m* Brie.

brièvement [bʀijɛvmɑ̃] *adv* sucintamente, em poucas palavras.

brigade [bʀigad] *nf* brigada *f*.

brigand [bʀigɑ̃] *nm* bandido *m*, -da *f*.

briguer [bʀige] *vt sout* ambicionar.

brillamment [bʀijamɑ̃] *adv* brilhantemente.

brillant, e [bʀijɑ̃, ɑ̃t] ◇ *adj* brilhante. ◇ *nm* [diamant] brilhante *m*.

briller [bʀije] *vi* brilhar.

brimer [bʀime] *vt* [personne] reprimir.

brin [bʀɛ̃] *nm* [de laine] fio *m* ; **brin d'herbe** folha *f* de grama ; **brin de muguet** raminho *m* de lírios-do-vale.

brindille [bʀɛ̃dij] *nf* graveto *m*.

brio [bʀijo] *nm* brio *m* ; **avec brio** brilhantemente.

brioche [bʀijɔʃ] *nf* brioche *m*.

brique [bʀik] *nf* [d'argile] tijolo *m* ; [de lait, de jus de fruit] pacote *m*.

briquer [bʀike] *vt fam* esfregar.

briquet [bʀikɛ] *nm* isqueiro *m*.

brise [bʀiz] *nf* brisa *f*.

brise-glace [bʀizglas] *nm inv* quebra-gelo *m*.

brise-lames [bʀizlam] *nm inv* quebra-mar *m*.

briser [bʀize] *vt* quebrar.

bristol [bʀistɔl] *nm* cartolina *f*.

britannique [bʀitanik] *adj* britânico(ca). ◆ **Britannique** *nmf* britânico *m*, -ca *f*.

brocante [bʀɔkɑ̃t] *nf* loja *f* de antiguidades.

brocanteur [bʀɔkɑ̃tœʀ] *nm* antiquário *m*.

broche [bʀɔʃ] *nf* [bijou] broche *m*; CULIN espeto *m*.

brochet [bʀɔʃɛ] *nm* lúcio *m*.

brochette [bʀɔʃɛt] *nf* [plat] espetinho *m*.

brochure [bʀɔʃyʀ] *nf* brochura *f*.

brocoli [bʀɔkɔli] *nm* brócolis *mpl*.

broder [bʀɔde] *vt* bordar.

broderie [bʀɔdʀi] *nf* bordado *m*.

bronches [bʀɔ̃ʃ] *nfpl* brônquios *mpl*.

bronchite [bʀɔ̃ʃit] *nf* bronquite *f*.

bronzage [bʀɔ̃zaʒ] *nm* bronzeamento *m*, bronzeado *m*.

bronze [bʀɔ̃z] *nm* bronze *m*.

bronzé, e [bʀɔ̃ze] *adj* bronzeado(da).

bronzer [bʀɔ̃ze] *vi* bronzear ; **se faire bronzer** bronzear.

brosse [bʀɔs] *nf* [pour nettoyer] escova *f* ; **en brosse** à escovinha ; **brosse à cheveux** escova para o cabelo ; **brosse à dents** escova de dentes.

brosser [bʀɔse] *vt* escovar ; **se brosser les dents** escovar os dentes.

brouette [bʀuɛt] *nf* carro *m* de mão.

brouhaha [bʀuaa] *nm* zunzum *m*.

brouillard [bʀujaʀ] *nm* nevoeiro *m*.

brouille [bʀuj] *nf* zanga *f*.

brouillé [bʀuje] *adj m* ► **œuf**.

brouiller [bʀuje] *vt* [idées] embaralhar ; [liquide, vue] turvar. ◆ **se brouiller** *vp* [se fâcher] zangar-se ; [idées] ficar embaralhado(da) ; [vue] turvar-se.

brouillon [bʀujɔ̃] *nm* rascunho *m*.

broussailles [bʀusaj] *nfpl* mato *m*.

brousse [bʀus] *nf* mato *m*.

brouter [bʀute] *vt* pastar.

broutille [bʀutij] *nf* ninharia *f*.

broyer [bʀwaje] *vt* moer.

bru [bʀy] *nf sout* nora *f*.

brucelles [bʀysɛl] *nfpl Suisse* pinça *f*.

brugnon [bʀyɲɔ̃] *nm* nectarina *f*.

bruine [bʀɥin] *nf* garoa *f*.

bruit [bʀɥi] *nm* [son] ruído *m* ; [vacarme] barulho *m* ; **faire du bruit** fazer barulho.

bruitage [bʀɥitaʒ] *nm* efeitos *mpl* sonoros.

brûlant, e [bʀylɑ̃, ɑ̃t] *adj* [liquide] escaldante ; [aliment] fervente ; [soleil] escaldante.

brûlé [bʀyle] *nm* : **ça sent le brûlé** cheira a queimado.

brûle-pourpoint [bʀylpuʀpwɛ̃] *adv* de chofre, à queima-roupa.

brûler [bʀyle] ◇ *vt* [carboniser] queimar ; [irriter] queimar. ◇ *vi* [flamber] arder ; [chauffer] queimar ; **brûler un feu rouge** passar com o sinal vermelho. ◆ **se brûler** *vp* queimar-se ; **se brûler la main** queimar a mão.

brûlure [bʀylyʀ] *nf* [blessure] queimadura *f* ; [sensation] ardor *m* ; **brûlures d'estomac** azia *f*.

brume [bʀym] *nf* bruma *f*.

brumeux, euse [bʀymø, øz] *adj* nebuloso(osa).

brun, e [bʀœ̃, bʀyn] *adj* [personne] moreno(na) ; [cheveux] castanho(nha) ; [tabac] escuro(ra).

brune [bʀyn] *nf* cigarro *m* de tabaco escuro ; **(bière) brune** cerveja *f* preta.

brunir [bʀyniʀ] ◇ *vt* [peau] queimar ; [cheveux, bois] escurecer ; [métal] brunir. ◇ *vi* [peau] queimar-se ; [cheveux, bois] escurecer.

Brushing® [bʀœʃiŋ] *nm* brushing *m*.

brusque [bʀysk] *adj* brusco(ca).

brusquement [bʀyskəmɑ̃] *adv* bruscamente.

brusquer [bʀyske] *vt* [événement] precipitar ; [personne] tratar de maneira brusca.

brut, e [bʀyt] *adj* bruto(ta) ; [cidre, champagne] seco(ca).

brutal, e, aux [bʀytal, o] *adj* brutal ; [personne] bruto(ta).

brutaliser [bʀytalize] *vt* brutalizar.

brutalité [bʀytalite] *nf* [violence] brutalidade *f* ; [soudaineté] brusquidão *f*.

brute [bʀyt] *nf* bruto *m*, -ta *f*.

Bruxelles [bʀy(k)sɛl] *npr* Bruxelas.

bruyant, e [bʀɥijɑ̃, ɑ̃t] *adj* barulhento(ta) ; [moteur] ruidoso(osa).

bruyère [bʀyjɛʀ] *nf* urze *f*.

BTS *nm* (*abr de* **brevet de technicien supérieur**) *diploma de técnico superior*.

bu, e [by] *pp* ➤ **boire**.

buanderie [byɑ̃dʀi] *nf Québec* lavanderia *f*.

Bucarest [bykaʀɛst] *npr* Bucareste.

buccal, e, aux [bykal, o] *adj* bucal ; [voie] oral.

bûche [byʃ] *nf* cavaca *f* ; **bûche de Noël** tronco *m* de Natal.

bûcher[1] [byʃe] *nm* [supplice] fogueira *f* ; [funéraire] pira *f*.

bûcher[2] [byʃe] *vt* & *vi fam* queimar as pestanas, ralar.

bûcheron [byʃʀɔ̃] *nm* lenhador *m*.

bucolique [bykɔlik] *adj* bucólico(ca).

Budapest [bydapɛst] *npr* Budapeste.

budget [bydʒɛ] *nm* orçamento *m*.

budgétaire [bydʒetɛʀ] *adj* orçamentário(ria).

buée [bɥe] *nf* vapor *m* de água.

buffet [byfɛ] *nm* [meuble] aparador *m* ; [repas] bufê *m* ; [de gare] cafeteria *f* ; **buffet froid** bufê de pratos frios.

buffle [byfl] *nm* búfalo *m*.

building [bildiŋ] *nm* arranha-céu *m inv*.

buisson [bɥisɔ̃] *nm* arvoredo *m*.

buissonnière [bɥisɔnjɛʀ] *adj f* ➤ **école**.

bulbe [bylb] *nm* bulbo *m*.

Bulgarie [bylgaʀi] *nf*: **la Bulgarie** a Bulgária.

bulldozer [byldozɛʀ] *nm* bulldozer *m*.

bulle [byl] *nf* **1.** [de gaz] bolha *f* ; [de savon] bola *f* ; **faire des bulles** [avec un chewing-gum] fazer bolas ; [de savon] fazer bolas de sabão - **2.** INFORM : **bulle d'aide** caixa *f* de ajuda.

bulletin [byltɛ̃] *nm* [papier] impresso *m* ; [d'informations] boletim *m* ; SCOL caderneta *f* escolar ; **bulletin météorologique** boletim meteorológico ; **bulletin de salaire** contracheque *m*, holerite *m* ; **bulletin de vote** cédula *f*.

bulletin-réponse [byltɛ̃ʀepɔ̃s] (*pl* **bulletins-réponse**) *nm* cupom *m* de resposta.

bungalow [bœ̃galo] *nm* bangalô *m*.

bureau [byʀo] *nm* escritório *m* ; [meuble] escrivaninha *f* ; **bureau de change** casa *f* de câmbio ; **bureau de poste** agência *f* de correios ; **bureau de tabac** tabacaria *f*.

bureaucrate [byʀokʀat] *nmf péj* burocrata *mf*.

bureaucratie [byʀokʀasi] *nf péj* [pouvoir] burocracia *f* ; [fonctionnaires] funcionalismo *m* (público).

bureautique [byʀotik] *nf* burótica *f*.

buriné, e [byʀine] *adj* burilado(da) ; *fig* [visage, traits] marcado(da).

burlesque [byʀlɛsk] *adj* burlesco(ca).

bus [bys] *nm* ônibus *m (em cidade)*.

buste [byst] *nm* [partie du corps] tronco *m* ; [statue] busto *m*.

bustier [bystje] *nm* top *m*.

but [byt] *nm* [intention] objetivo *m* ; [destination] fim *m* ; SPORT [point] gol *m* ; **les buts** SPORT [zone] as balizas ; **dans le but de** com o objetivo de.

butane [bytan] *nm* gás *m* butano.

buté, e [byte] *adj* obstinado(da).

buter [byte] *vi* : **buter sur** OU **contre** [objet] tropeçar em ; [difficulté] deparar com. ◆ **se buter** *vp* obstinar-se.

butin [bytɛ̃] *nm* espólio *m*.

butiner [bytine] *vi* andar de flor em flor.

butte [byt] *nf* outeiro *m*.

buvard [byvaʀ] *nm* mata-borrão *m*.

buvette [byvɛt] *nf* bar *m*.

C

c' ► **ce.**

ça [sa] *pron* [pour désigner] isto ; [objet lointain] isso ; **ça n'est pas facile** isso não é fácil ; **ça va? – ça va!** tudo bem? – tudo bem! ; **comment ça ?** como assim? ; **c'est ça** é isso mesmo.

cabane [kaban] *nf* cabana *f*.

cabaret [kabaʀɛ] *nm* cabaré *m*.

cabillaud [kabijo] *nm* bacalhau *m* fresco.

cabine [kabin] *nf* [de bateau] camarote *m* ; [de téléphérique] cabine *f* ; [sur la plage] barraca *f* ; **cabine de douche** boxe *m* ; **cabine d'essayage** cabine de provas ; **cabine (de pilotage)** cabine (de pilotagem) ; **cabine (téléphonique)** cabine (telefônica).

cabinet [kabinɛ] *nm* [d'avocat] escritório *m* ; [de médecin] consultório *m* ; **cabinet de toilette** banheiro *m*. ◆ **cabinets** *nmpl* privada *f*.

câble [kabl] *nm* cabo *m* ; **(télévision par) câble** televisão a cabo.

câblé, e [kable] *adj* que tem televisão a cabo.

cabosser [kabɔse] *vt* deformar.

cabotage [kabɔtaʒ] *nm* cabotagem *f*.

cabrer [kabʀe] ◆ **se cabrer** *vp* [cheval, avion] empinar-se ; *fig* [personne] ofender-se.

cabri [kabʀi] *nm* cabrito *m*.

cabriole [kabʀijɔl] *nf* cambalhota *f*.

caca [kaka] *nm* : **faire caca** *fam* fazer cocô.

cacah(o)uète [kakawɛt] *nf* amendoim *m*.

cacao [kakao] *nm* cacau *m*.

cachalot [kaʃalo] *nm* cachalote *m*.

cache-cache [kaʃkaʃ] *nm inv* : **jouer à cache-cache** jogar esconde-esconde.

cachemire [kaʃmiʀ] *nm* caxemira *f*.

cache-nez [kaʃne] *nm inv* écharpe *f*.

cache-pot [kaʃpo] *nm inv* cachepô *m*.

cacher [kaʃe] *vt* esconder ; [vue, soleil] tapar. ◆ **se cacher** *vp* esconder-se.

cachet [kaʃɛ] *nm* [comprimé] comprimido *m* ; [tampon] carimbo *m* ; [allure] estilo *m*.

cacheter [kaʃte] *vt* [lettre, enveloppe] fechar ; [bouteille] lacrar.

cachette [kaʃɛt] *nf* esconderijo *m* ; **en cachette** às escondidas.

cachot [kaʃo] *nm* masmorra *f*.

cachotterie [kaʃɔtʀi] *nf* segredinhos *mpl* ; **faire des cachotteries (à qqn)** andar com segredinhos (com alguém).

cachottier, ère [kaʃɔtje, ɛʀ] *adj* que anda com segredinhos.

cacophonie [kakɔfɔni] *nf* cacofonia *f*.

cactus [kaktys] *nm* cacto *m*.

cadastre [kadastʀ] *nm* cadastro *m*.

cadavre [kadavʀ] *nm* cadáver *m* ; **un cadavre d'animal** um animal morto.

Caddie® [kadi] *nm* carrinho *m* (de supermercado).

cadeau [kado] (*pl* -x) *nm* presente *m* ; **faire un cadeau à qqn** dar um presente a alguém ; **faire cadeau de qqch à qqn** presentear alguém com algo.

cadenas [kadna] *nm* cadeado *m*.

cadenasser [kadnase] *vt* fechar com cadeado. ◆ **se cadenasser** *vp* trancar-se.

cadence [kadɑ̃s] *nf* cadência *f* ; **en cadence** cadenciadamente.

cadet, ette [kadɛ, ɛt] ◇ *adj* mais novo(mais nova). ◇ *nm, f* caçula *mf*.

cadran [kadʀɑ̃] *nm* [de montre, de tableau de bord] mostrador *m* ; **cadran solaire** relógio *m* de sol.

cadre [kadʀ] *nm* [bordure] moldura *f*, caixilho *m* ; [tableau] quadro *m* ; [décor] ambiente *m* ; [d'une entreprise] executivo *m*, -va *f* ; [de vélo] quadro *m (de bicicleta)* ; **dans le cadre de** *fig* no âmbito de.

cadrer [kadʀe] ◇ *vi* condizer ; **ne pas cadrer avec qqch** não condizer com algo. ◇ *vt* [une photo] enquadrar.

caduc [kadyk] *adj* caduco(ca).

cafard [kafaʀ] *nm* barata *f* ; **avoir le cafard** *fam* estar na fossa.

café [kafe] *nm* café *m* ; [au café] cafezinho *m* ; **café crème** OU **au lait** café com leite ; **café épicé** *Suisse café com cravo e canela* ; **café liégeois** *sorvete de café com chantilly (ou chantili)* ; **café noir** café simples.

caféine [kafein] *nf* cafeína *f* ; **sans caféine** sem cafeína.

cafétéria [kafeteʀja] *nf* cafeteria *f*.

café-théâtre [kafeteatʀ] (*pl* **cafés-théâtres**) *nm* café-teatro *m*.

cafetière [kaftjɛʀ] *nf* cafeteira *f*.

cafouiller [kafuje] *vi fam* [personne] meter os pés pelas mãos ; [moteur] falhar.

cage [kaʒ] *nf* [à oiseau] gaiola *f* ; [aux fauves] jaula *f* ; SPORT baliza *f* ; **cage d'escalier** vão *m* da escada.

cageot [kaʒo] *nm* [caisse] caixote *m* (de fruta, legumes) ; *péj* [femme] baranga *f*.

cagibi [kaʒibi] *nm* cubículo *m*.

cagnotte [kaɲɔt] *nf* [caisse commune] fundo *m* comum ; [aux cartes] bolo *m* ; [économies] pé-de-meia *m*.

cagoule [kagul] *nf* [d'enfant] gorro *m* ; [de gangster] : **porter une cagoule** estar embuçado(da).

cahier [kaje] *nm* caderno *m* ; **cahier de brouillon** caderno de rascunho ; **cahier de textes** *caderno onde os alunos da escola primária anotam os trabalhos de casa*.

cahute [kayt] *nf* choça *f*.

caille [kaj] *nf* codorniz *f*.

cailler [kaje] *vi* [lait] coalhar ; [sang] coagular.

caillot [kajo] *nm* coágulo *m*.

caillou [kaju] (*pl* -x) *nm* pedra *f*.

caïman [kaimɑ̃] *nm* caimão *m*.

caisse [kɛs] *nf* caixa *f* ; **caisse (enregistreuse)** caixa (registradora) ; **caisse d'épargne** caderneta *f* de poupança ; **caisse rapide** caixa *m* rápido.

caissier, **ère** [kesje, ɛʀ] *nm, f* caixa *mf*.

cajoler [kaʒɔle] *vt* mimar.

cajou [kaʒu] *nm* ► **noix**.

cake [kɛk] *nm* bolo *m* inglês.

calamars *nmpl* lulas *fpl*.

calamité [kalamite] *nf* calamidade *f* ; **calamité naturelle** catástrofe *f* natural.

calanque [kalɑ̃k] *nf* cala *f*.

calcaire [kalkɛʀ] ◇ *nm* calcário *m*. ◇ *adj* calcário(ria).

calciné, **e** [kalsine] *adj* calcinado(da).

calciner [kalsine] *vt* calcinar.

calcium [kalsjɔm] *nm* cálcio *m*.

calcul [kalkyl] *nm* cálculo *m* ; MÉD cálculo *m* ; **calcul mental** cálculo mental.

calculateur, **trice** [kalkylatœʀ, tʀis] *adj* & *nm, f* [péj] calculista *mf*. ◆ **calculatrice** *nf* calculadora *f*.

calculer [kalkyle] *vt* calcular.

calculette [kalkylɛt] *nf* calculadora *f* de bolso.

cale [kal] *nf* calço *m*.

calé, **e** [kale] *adj fam* [doué] bom(boa) ; **il est très calé** é um sabichão.

caleçon [kalsɔ̃] *nm* [sous-vêtement] cueca *f* samba-canção ; [pantalon] legging *m*.

calembour [kalɑ̃buʀ] *nm* trocadilho *m*.

calendrier [kalɑ̃dʀije] *nm* calendário *m*.

cale-pied [kalpje] (*pl* **cale-pieds**) *nm* presilha *f* do pé.

calepin [kalpɛ̃] *nm* bloco *m* de notas.

caler [kale] ◇ *vt* [stabiliser] calçar. ◇ *vi* [voiture, moteur] parar ; *fam* [à table] estar cheio(cheia).

calfeutrer [kalføtʀe] *vt* calafetar. ◆ **se calfeutrer** *vp* : **se calfeutrer chez soi** meter-se em casa.

calibre [kalibʀ] *nm* calibre *m* ; **de gros calibre** de grande calibre.

califourchon [kalifuʀʃɔ̃] *prép* a cavalo.

câlin [kalɛ̃] *nm* carinho *m* ; **faire un câlin à qqn** fazer carinho em alguém.

calmant [kalmɑ̃] *nm* calmante *m*.

calmars [kalmaʀ] = **calamars**.

calme [kalm] ◇ *adj* calmo(ma). ◇ *nm* calma *f* ; **du calme!** calma!

calmer [kalme] *vt* [douleur] aliviar ; [personne] acalmar. ◆ **se calmer** *vp* [personne] acalmar-se ; [tempête] amainar ; [douleur] aliviar.

calomnie [kalɔmni] *nf* calúnia *f*.

calorie [kalɔʀi] *nf* caloria *f*.

calorique [kalɔʀik] *adj* calórico(ca).

calotte [kalɔt] *nf* **1.** [bonnet] solidéu *m* - **2.** *fam* [gifle] tabefe *m.* ◆ **calotte crânienne** *nf* calota *f* craniana. ◆ **calotte glaciaire** *nf* calota *f* polar.

calque [kalk] *nm* : **(papier-)calque** papel *m* vegetal.

calquer [kalke] *vt* [reproduire] decalcar ; [imiter] copiar ; [traduire littéralement] : **calquer de** OU **sur** ser um decalque de ; **calquer qqch sur** imitar algo.

calvados [kalvados] *nm aguardente de maçã.*

calvaire [kalvɛʀ] *nm* calvário *m.*

calvitie [kalvisi] *nf* calvície *f.*

camarade [kamaʀad] *nmf* colega *mf* ; **camarade de classe** colega de turma.

Cambodge [kɑ̃bɔdʒ] *nm* : **le Cambodge** o Camboja.

cambouis [kɑ̃bwi] *nm óleo escurecido pelo uso prolongado em máquinas e motores.*

cambré, e [kɑ̃bʀe] *adj* arqueado(da).

cambriolage [kɑ̃bʀijɔlaʒ] *nm* assalto *m.*

cambrioler [kɑ̃bʀijɔle] *vt* assaltar.

cambrioleur [kɑ̃bʀijɔlœʀ] *nm* assaltante *m.*

caméléon [kameleɔ̃] *nm* camaleão *m.*

camélia [kamelja] *nm* camélia *f.*

camelote [kamlɔt] *nf péj* porcaria *f.*

camembert [kamɑ̃bɛʀ] *nm* camembert *m.*

caméra [kameʀa] *nf* câmera *f.*

cameraman [kameʀaman] (*pl* **cameramen** [kameʀamɛn] OU **cameramans**) *nm* operador *m,* -ra *f* de câmera.

Caméscope® [kameskɔp] *nm* câmera *f* de vídeo, filmadora *f.*

camion [kamjɔ̃] *nm* caminhão *m.*

camion-citerne [kamjɔ̃sitɛʀn] (*pl* **camions-citernes**) *nm* caminhão-tanque *m.*

camion-poubelle (*pl* -s-s) [kamjɔ̃pubɛl] *nm* caminhão *m* de lixo ; **le camion-poubelle vient ramasser les déchets dans les villages** o caminhão de lixo vem recolher o lixo nas cidades.

camionnette [kamjɔnɛt] *nf* caminhonete *f.*

camionneur [kamjɔnœʀ] *nm* [chauffeur] caminhoneiro *m.*

camisole [kamizɔl] ◆ **camisole de force** *nf* camisa-de-força *f.*

camomille [kamɔmij] *nf* [plante] camomila *f* ; [tisane] chá *m* de camomila.

camouflage [kamuflaʒ] *nm* camuflagem *f.*

camp [kɑ̃] *nm* [tentes] acampamento *m* ; [de joueurs, de sportifs] campo *m* ; **camp de vacances** acampamento de férias ; **faire un camp (de vacances)** ir para um acampamento de férias.

campagnard, e [kɑ̃paɲaʀ, aʀd] ◇ *adj* [de la campagne] rural ; [rustique] rústico(ca). ◇ *nm, f* camponês *m,* -esa *f.*

campagne [kɑ̃paɲ] *nf* [champs] campo *m* ; [électorale, publicitaire] campanha *f.*

campement [kɑ̃pmɑ̃] *nm* acampamento *m.*

camper [kɑ̃pe] *vi* acampar.

campeur, euse [kɑ̃pœʀ, øz] *nm, f* campista *mf.*

camping [kɑ̃piŋ] *nm* [terrain] área *f* de camping ; [activité] camping *m* ; **faire du camping** fazer camping ; **camping sauvage** camping selvagem.

camping-car [kɑ̃piŋkaʀ] (*pl* **camping-cars**) *nm* trailer *m.*

Camping-Gaz® [kɑ̃piŋgaz] *nm inv* fogareiro *m* a gás.

Canada [kanada] *nm* : **le Canada** o Canadá.

canadien, **enne** [kanadjɛ̃, ɛn] *adj* canadense. ◆ **Canadien**, **enne** *nm, f* canadense *mf*.

canadienne [kanadjɛn] *nf* [veste] *casaco forrado com pele de carneiro* ; [tente] barraca *f* canadense.

canaille [kanaj] ◇ *adj* malandro(dra). ◇ *nf* canalha *f*.

canal (*pl* -aux) [kanal, o] *nm* canal *m* ; Canal + *canal de televisão privado, por assinatura*.

canalisation [kanalizasjɔ̃] *nf* canalização *f*.

canaliser [kanalize] *vt* canalizar.

canapé [kanape] *nm* canapé *m* ; **canapé convertible** sofá-cama *m*.

canapé-lit [kanapeli] (*pl* **canapés-lits**) *nm* sofá-cama *m*.

canard [kanaʀ] *nm* [animal] pato *m* ; [sucre] *torrão de açúcar que se molha no café* ; **canard laqué** *prato chinês à base de pato macerado em mel e assado* ; **canard à l'orange** *pato com laranja*.

canari [kanaʀi] *nm* canário *m*.

cancer [kɑ̃sɛʀ] *nm* câncer *m* ; **Cancer** Câncer *m*.

cancéreux, **euse** [kɑ̃seʀø, øz] *adj* canceroso(osa).

cancérigène [kɑ̃seʀiʒɛn] *adj* cancerígeno(na).

cancérologue [kɑ̃seʀɔlɔg] *nmf* oncologista *mf*.

cancre [kɑ̃kʀ] *nm fam* gazeteiro *m*, -ra *f*.

candidat, **e** [kɑ̃dida, at] *nm, f* candidato *m*, -ta *f*.

candidature [kɑ̃didatyʀ] *nf* candidatura *f* ; **poser sa candidature (à)** lançar a sua candidatura (a).

candide [kɑ̃did] *adj* cândido(da).

caneton [kantɔ̃] *nm* patinho *m*.

canette [kanɛt] *nf* [bouteille] *pequena garrafa de cerveja* ; [boîte] lata *f*.

canevas [kanva] *nm* [en couture] talagarça *f* ; [plan] esboço *m*.

caniche [kaniʃ] *nm* caniche *m*.

canicule [kanikyl] *nf* canícula *f*.

canif [kanif] *nm* canivete *m*.

canine [kanin] *nf* dente *m* canino.

caniveau [kanivo] (*pl* -x) *nm* valeta *f*.

canne [kan] *nf* bengala *f* ; **canne à pêche** vara *f* de pescar.

canneberge [kanəbɛʀʒ] *nm Québec* mirtilo *m*.

cannelle [kanɛl] *nf* canela *f*.

cannelloni(s) [kanelɔni] *nmpl* canelones *mpl*.

cannette [kanɛt] = **canette**.

cannibale [kanibal] *adj* & *nmf* canibal.

canoë [kanɔe] *nm* canoa *f* ; **faire du canoë** fazer canoagem.

canoë-kayak [kanɔekajak] (*pl* **canoës-kayaks**) *nm modalidade esportiva com provas com canoa e caiaque*.

canon [kanɔ̃] *nm* [arme] canhão *m* ; [d'une arme à feu] cano *m* ; **chanter en canon** cantar em cânone.

canoniser [kanɔnize] *vt* canonizar.

canot [kano] *nm* bote *m* ; **canot pneumatique** bote pneumático ou inflável ; **canot de sauvetage** bote salva-vidas.

cantal [kɑ̃tal] *nm* queijo *m* de Cantal.

cantatrice [kɑ̃tatʀis] *nf* cantora *f* de ópera.

cantine [kɑ̃tin] *nf* [restaurant] cantina *f*.

cantique [kɑ̃tik] *nm* cântico *m*.

canton [kɑ̃tɔ̃] *nm* cantão *m*.

cantonais [kɑ̃tɔnɛ] *adj m* ► **riz**.

canular [kanylaʀ] *nm* logro *m*.

caoutchouc [kautʃu] *nm* borracha *f*.

cap [kap] *nm* [pointe de terre] cabo *m* ; NAUT rumo *m* ; **mettre le cap sur** tomar o rumo de, rumar a.

CAP *nm* (*abr de* **Certificat d'aptitude professionnelle**) *diploma concedido aos alunos que optam pela via profissional.*

capable [kapabl] *adj* capaz ; **être capable de faire qqch** ser capaz de fazer algo.

capacité [kapasite] *nf* capacidade *f.*

cape [kap] *nf* capa *f.*

CAPES, **Capes** [kapɛs] (*abr de* **Certificat d'aptitude au professorat de l'enseignement du second degré**) *nm certificado de aptidão pedagógica para o ensino secundário.*

capillaire [kapilɛʀ] ◇ *adj* capilar. ◇ *nm* [fougère] avenca *f* ; [vaisseau] vaso *m* capilar.

capitaine [kapitɛn] *nm* capitão *m*, -ã *f.*

capital, **e**, **aux** [kapital, o] *adj* & *nm* capital.

capitale [kapital] *nf* [ville] capital *f* ; [lettre] maiúscula *f.*

capitaliser ◆ **capitaliser sur** *v* + *prép* investir.

capitalisme [kapitalism] *nm* capitalismo *m.*

capitonné, **e** [kapitɔne] *adj* acolchoado(da).

capituler [kapityle] *vi* capitular ; **capituler devant qqn/qqch** capitular perante alguém/algo.

caporal [kapɔʀal, o] (*pl* -aux) *nm* cabo *m.*

capot [kapo] *nm* capô *m.*

capote [kapɔt] *nf* AUTO capota *f.*

capoter [kapɔte] *vi Québec fam* perder a cabeça.

câpre [kapʀ] *nf* alcaparra *f.*

caprice [kapʀis] *nm* [colère] birra *f* ; [envie] capricho *m* ; **faire un caprice** ter um capricho.

capricieux, **euse** [kapʀisjø, øz] *adj* caprichoso(sa).

Capricorne [kapʀikɔʀn] *nm* Capricórnio *m.*

capsule [kapsyl] *nf* [de bouteille] cápsula *f* ; **capsule spatiale** cápsula espacial.

capter [kapte] *vt* [station de radio] captar.

captivant, **e** [kaptivɑ̃, ɑ̃t] *adj* cativante.

captiver [kaptive] *vt* cativar.

captivité [kaptivite] *nf* cativeiro *m* ; **en captivité** [animal] em cativeiro.

capture [kaptyʀ] *nf* : **capture d'écran** INFORM captura *f* de tela.

capturer [kaptyʀe] *vt* capturar.

capuche [kapyʃ] *nf* capuz *m.*

capuchon [kapyʃɔ̃] *nm* [d'une veste] capuz *m* ; [d'un stylo] tampa *f.*

Cap-vert *nm* : **les îles du Cap-vert** as ilhas de Cabo Verde.

caquelon [kaklɔ̃] *nm Suisse recipiente de barro ou metal no qual se prepara a fondue.*

car[1] [kaʀ] *conj* pois.

car[2] [kaʀ] *nm* ônibus *m (entre cidades).*

carabine [kaʀabin] *nf* carabina *f.*

caractère [kaʀaktɛʀ] *nm* caráter *m* ; [tempérament] temperamento *m* ; **avoir du caractère** [personne] ter personalidade ; [maison] ter estilo ; **avoir bon caractère** ter bom temperamento ; **avoir mauvais caractère** ter mau gênio ; **caractères d'imprimerie** letras *fpl* de forma.

caractériser [kaʀakteʀize] *vt* caracterizar. ◆ **se caractériser** *vp* : **se caractériser par** caracterizar-se por.

caractéristique [kaʀakteʀistik] ◇ *nf* característica *f.* ◇ *adj* : **caractéristique de** característico(ca) de.

carafe [kaʀaf] *nf* garrafa *f.*

Caraïbes [kaʀaib] *nfpl* : **les Caraïbes** as Caraíbas.

carambolage [kaʀɑ̃bɔlaʒ] *nm fam* engavetamento *m.*

caramel [kaʀamɛl] *nm* caramelo *m.*

carapace [kaʀapas] *nf* carapaça *f.*

carat [kaʀa] *nm* quilate *m* ; **18 carats** 18 quilates.

caravane [kaʀavan] *nf* caravana *f.*

caravelle [kaʀavɛl] *nf* caravela *f.*

carbonade [kaʀbɔnad] *nf* : **carbonades flamandes** *Suisse ensopado de carne de vaca cozida com cerveja.*

carbone [kaʀbɔn] *nm* carbono *m* ; **(papier) carbone** papel-carbono *m.*

carboniser [kaʀbɔnize] *vt* [consumer] carbonizar ; [laisser brûler] estorricar.

carburant [kaʀbyʀɑ̃] *nm* carburante *m.*

carburateur [kaʀbyʀatœʀ] *nm* carburador *m.*

carcasse [kaʀkas] *nf* [d'animal] carcaça *f* ; [de voiture] carroçaria *f.*

cardiaque [kaʀdjak] *adj* cardíaco(ca).

cardigan [kaʀdigɑ̃] *nm* cardigã *m.*

cardinal, **e**, **aux** [kaʀdinal, o] *adj* [nombre] cardinal ; [point] cardeal ; [principal] principal. ◆ **cardinal** *nm* RELIG cardeal *m* ; [nombre] numeral *m* cardinal.

cardinaux [kaʀdino] *adj m pl* ► **point**.

cardiologue [kaʀdjolɔg] *nmf* cardiologista *mf.*

carême [kaʀɛm] *nm* RELIG Quaresma *f* ; [jeûne] abstinência *f.*

carence [kaʀɑ̃s] *nf* carência *f* ; **carence en** carência de.

caresse [kaʀɛs] *nf* carícia *f.*

caresser [kaʀese] *vt* acariciar.

cargaison [kaʀgɛzɔ̃] *nf* carregamento *m.*

cargo [kaʀgo] *nm* cargueiro *m.*

caricature [kaʀikatyʀ] *nf* [dessin] caricatura *f.*

carie [kaʀi] *nf* cárie *f.*

carillon [kaʀijɔ̃] *nm* carrilhão *m.*

carlingue [kaʀlɛ̃g] *nf* carlinga *f.*

carnage [kaʀnaʒ] *nm* carnificina *f.*

carnaval [kaʀnaval] *nm* Carnaval *m.*

carnet [kaʀnɛ] *nm* [cahier] caderno *m* ; [de tickets] talão *m* ; [de timbres] cartela *f* ; **carnet de timbres** cartela de (quantidad) selos ; **carnet d'adresses** caderno *m* de endereços ; **carnet de chèques** talão *m* de cheques ; **carnet de notes** ≃ caderneta *f* escolar.

carnivore [kaʀnivɔʀ] *adj* & *nm* carnívoro(ra).

carnotzet [kaʀnɔtze] *nm Suisse local onde se servem pratos à base de queijo, como a raclette.*

carotte [kaʀɔt] *nf* cenoura *f.*

carpe [kaʀp] *nf* carpa *f.*

carpette [kaʀpɛt] *nf* tapete *m* pequeno.

carré, **e** [kaʀe] ◇ *adj* quadrado(da). ◇ *nm* [forme géométrique] quadrado *m* ; [de chocolat] quadradinho *m* ; [d'agneau, de porc] carré *m* ; **deux mètres carrés** dois metros quadrados ; **deux au carré** dois ao quadrado.

carreau [kaʀo] (*pl* -x) *nm* [vitre] vidraça *f* ; [sur le sol] ladrilho *m* ; [sur les murs] azulejo *m* ; [carré] quadrado *m* ; [aux cartes] ouros *mpl* ; **à carreaux** xadrez ; [tissu] xadrez.

carrefour [kaʀfuʀ] *nm* cruzamento *m.*

carrelage [kaʀlaʒ] *nm* [au mur] azulejos *mpl* ; [au sol] ladrilhos *mpl.*

carrément [kaʀemɑ̃] *adv* [franchement] francamente ; [très] mesmo.

carrière [kaʀjɛʀ] *nf* [de pierre] pedreira *f* ; [profession] carreira *f* ; **faire carrière dans qqch** fazer carreira em algo.

carriole [kaʀjɔl] *nf* charrete *f.*

carrossable [kaʀɔsabl] *adj* transitável.

carrosse [kaʀɔs] *nm* coche *m*.

carrosserie [kaʀɔsʀi] *nf* carroceria *f*.

carrure [kaʀyʀ] *nf* largura *f* dos ombros.

cartable [kaʀtabl] *nm* mala *f* escolar, mochila *f*.

carte [kaʀt] *nf* [à jouer] carta *f* ; [document officiel] cartão *m* ; [plan] mapa *m* ; [de restaurant] cardápio *m* ; **à la carte** à la carte ; **carte d'anniversaire** cartão de aniversário ; **carte bancaire** cartão bancário ; **Carte Bleue**® ≃ cartão multibanco ; **carte de crédit** cartão de crédito ; **carte d'électeur** título de eleitor ; **carte d'embarquement** cartão de embarque ; **carte grise** certificado *m* de registro de veículo ; **carte (nationale) d'identité** carteira *f* de identidade ; **Carte Orange** *cartão de assinatura que permite utilizar livremente os transportes urbanos e suburbanos em Paris* ; **carte postale** cartão-postal ; **carte téléphonique** ou **de téléphone** cartão telefônico ; **carte de visite** cartão de visita ; **carte de vœux** cartão/postal de Boas Festas.

cartilage [kaʀtilaʒ] *nm* cartilagem *f*.

cartomancien, enne [kaʀtɔmɑ̃sjɛ̃, ɛn] *nm, f* cartomante *mf*.

carton [kaʀtɔ̃] *nm* **1.** cartão *m* ; [boîte] caixote *m* de papelão - **2.** *fig* & SPORT : **carton jaune/rouge** cartão amarelo/vermelho.

cartonné, e [kaʀtɔne] *adj* de cartão ; [livre] encadernado(da).

carton-pâte [kaʀtɔ̃pat] (*pl* **cartons-pâtes**) *nm* cartão-pedra *m*.

cartouche [kaʀtuʃ] *nf* [munition] cartucho *m* ; [d'encre] recarga *f* ; [de cigarettes] pacote *m*.

cas [ka] *nm* caso *m* ; **au cas où** no caso de ; **dans ce cas** nesse caso ; **en cas de** em caso de ; **en tout cas** em todo caso.

cascade [kaskad] *nf* [chute d'eau] cascata *f* ; [au cinéma] cena *f* perigosa.

cascadeur, euse [kaskadœʀ, øz] *nm, f* dublê *mf*.

case [kaz] *nf* [de damier, de mots croisés] casa *f* ; [de meuble] divisória *f* ; [hutte] cubata *f*.

caser [kaze] *vt* [placer] enfiar ; *fam* [trouver un emploi pour] conseguir um emprego para ; *fam* [marier] arrumar. ◆ **se caser** *vp fam* [trouver un emploi] arranjar emprego ; [se marier] arrumar-se.

caserne [kazɛʀn] *nf* caserna *f* ; **caserne des pompiers** quartel *m* dos bombeiros.

cash [kaʃ] *nm* dinheiro *m* ; **payer cash** pagar em dinheiro.

casier [kazje] *nm* escaninho *m* ; **casier à bouteilles** móvel *m* para garrafas ; **casier judiciaire** atestado *m* de antecedentes criminais.

casino [kazino] *nm* cassino *m*.

casque [kask] *nm* [de moto, d'ouvrier, de soldat] capacete *m* ; [écouteurs] fones *mpl* de ouvido. ◆ **casques bleus** *nmpl* : **les casques bleus** os capacetes azuis.

casquette [kaskɛt] *nf* boné *m*.

casse [kas] ◇ *nm fam* assalto *m*. ◇ *nf* [action de casser] cacos *mpl* ; *fam* [violence] barulho *m* ; [de voitures] ferro-velho *m* ; [en typographie] caixa *f* ; **haut/bas de casse** caixa-alta/caixa-baixa.

casse-cou [kasku] *nmf inv* temerário *m*, -ria *f*.

casse-croûte [kaskʀut] *nm inv* lanche *m*.

casse-noix [kasnwa] *nm inv* quebra-nozes *m inv*.

casse-pieds [kaspje] *fam adj inv* & *nmf inv* chato(ta).

casser [kase] *vt* partir ; **casser les oreilles à qqn** *fam* furar os ouvidos de alguém ; **casser les pieds à qqn** *fam* encher alguém. ◆ **se casser** *vp* quebrar-se ; **se casser le bras** quebrar o braço ; **se casser la figure** *fam* cair.

casserole [kasʀɔl] *nf* panela *f*.

casse-tête [kastɛt] *nm inv* quebra-cabeças *m inv*.

cassette [kasɛt] *nf* fita *f* ; **cassette vidéo** fita *f* (de vídeo).

cassis [kasis] *nm* cassis *m*.

cassoulet [kasulɛ] *nm* cassoulet *m* *guisado de feijão-branco, com carne de pato, ganso, carneiro ou porco, servido em panela de barro*.

cassure [kasyʀ] *nf* [brisure] fenda *f* ; *fig* [rupture] ruptura *f*.

casting [kastiŋ] *nm* [gén] audição *f* ; [d'un film] distribuição *f* de papéis ; **aller à un casting** ir a uma audição.

castor [kastɔʀ] *nm* castor *m*.

cataclysme [kataklism] *nm* cataclismo *m*.

catalogue [katalɔg] *nm* catálogo *m*.

cataloguer [katalɔge] *vt* catalogar ; **cataloguer qqn comme** *péj* catalogar alguém como.

catalytique [katalitik] *adj* catalítico(ca).

catamaran [katamaʀɑ̃] *nm* catamarã *m*.

cataracte [kataʀakt] *nf* catarata *f*.

catastrophe [katastʀɔf] *nf* catástrofe *f* ; **catastrophe naturelle** catástrofe natural.

catastrophé, **e** [katastʀɔfe] *adj* consternado(da).

catastrophique [katastʀɔfik] *adj* catastrófico(ca).

catch [katʃ] *nm* luta *f* livre.

catéchisme [kateʃism] *nm* catecismo *m*.

catégorie [kategɔʀi] *nf* categoria *f*.

catégorique [kategɔʀik] *adj* categórico(ca).

cathédrale [katedʀal] *nf* catedral *f*.

catholicisme [katɔlisism] *nm* catolicismo *m*.

catholique [katɔlik] *adj* & *nmf* católico(ca).

catimini [katimini] ◆ **en catimini** *loc adv* às escondidas, sorrateiramente.

cauchemar [koʃmaʀ] *nm* pesadelo *m*.

cause [koz] *nf* causa *f* ; **'fermé pour cause de...'** 'fechado para...' ; **à cause de** por causa de.

causer [koze] ◇ *vt* [provoquer] causar. ◇ *vi* [parler] conversar.

cautériser [koteʀize] *vt* cauterizar.

caution [kosjɔ̃] *nf* [paiement] caução *f* ; [personne] fiador *m*, -ra *f*.

cautionner [kosjɔne] *vt* DR [se porter garant] caucionar ; *fig* [appuyer] apoiar.

cavalerie [kavalʀi] *nf* cavalaria *f*.

cavalier, **ère** [kavalje, ɛʀ] ◇ *nm, f* [à cheval] cavaleiro *m*, -ra *f* ; [partenaire] par *m*. ◇ *nm* [aux échecs] cavalo *m*.

cave [kav] *nf* porão *m*, adega *f*.

caverne [kavɛʀn] *nf* caverna *f*.

caviar [kavjaʀ] *nm* caviar *m*.

cavité [kavite] *nf* cavidade *f*.

CB *abrév* = **Carte Bleue**®.

CCP (*abr de* **compte chèque postal**) *nm* *conta corrente aberta nos Correios na França*.

CD *nm* (*abr de* **Compact Disc**®) CD *m*.

CDD (*abr de* **contrat à durée déterminée**) *nm* : **elle est CDD** ela tem um contrato por tempo determinado.

CDI *nm* (*abr de* **centre de documentation et d'information**) *biblioteca de uma escola secundária*.

CD-I *nm* (*abr de* **Compact Disc interactif**®) CD-i *m*.

CD-ROM [sederɔm] *nm* CD-ROM *m*.

ce, **cette** [sɛt] (*pl* **ces** [sɛ]) <> *adj* **1.** [proche dans l'espace ou dans le temps] este(esta) ; **cette nuit** esta noite ; **c'est ce lundi ou celui d'après ?** é nesta segunda-feira ou na outra? - **2.** [éloigné dans l'espace ou dans le temps] esse(essa) ; **donne-moi ce livre** dê-me esse livro - **3.** [très éloigné dans l'espace ou dans le temps] aquele(aquela) ; **cette année-là** naquele ano. <> *pron* **1.** [pour mettre en valeur] : **c'est mon frère** é o meu irmão ; **c'est moi!** sou eu! ; **ce sont mes chausssettes** são as minhas meias ; **c'est ton collègue qui m'a renseigné** foi o seu colega que me informou - **2.** [dans des interrogations] : **est-ce bien là ?** é mesmo aqui? ; **qui est-ce ?** quem é? - **3.** [avec un relatif] : **ce que tu voudras** o que você quiser ; **ce qui nous intéresse, ce sont les paysages** o que nos interessa, são as paisagens ; **ce dont vous aurez besoin en camping** aquilo de que tiver necessidade no camping - **4.** [en intensif] : **ce qu'il fait chaud!** mas que calor!

CE *nm* (*abr de* **cours élémentaire**) **CE1** ≃ primeira série *f* (do ensino fundamental) ; **CE2** ≃ segunda série *f* (do ensino fundamental).

ceci [səsi] *pron* isto ; **ceci veut dire que** isto quer dizer que.

cécité [sesite] *nf* cegueira *f*.

céder [sede] <> *vt* [laisser] ceder. <> *vi* ceder ; **'cédez le passage'** 'ceda a passagem' ; **céder à** ceder a.

cédérom (*pl* -s) [sederɔm] *nm* INFORM CD-ROM.

CEDEX [sedɛks] *nm sistema de distribuição do correio que permite às grandes empresas receber de manhã cedo sua correspondência, ficando por sua conta a retirada da mesma.*

cédille [sedij] *nf* cedilha *f*; **c cédille** cê cedilha.

cèdre [sɛdʀ] *nm* cedro *m*.

CEE *nf* (*abr de* **Communauté économique européenne**) CEE *f*.

CEI *nf* (*abr de* **Communauté d'États indépendants**) CEI *f*.

ceinture [sɛ̃tyʀ] *nf* cintura *f* ; [accessoire] cinto *m* ; **ceinture de sécurité** cinto de segurança.

ceinturon [sɛ̃tyʀɔ̃] *nm* cinturão *m*.

cela [səla] *pron* isso ; **cela ne fait rien** não faz mal ; **comment cela ?** como assim? ; **c'est cela** [c'est exact] é isso.

célèbre [selɛbʀ] *adj* célebre.

célébrer [selebʀe] *vt* celebrar.

célébrité [selebʀite] *nf* celebridade *f*.

céleri [sɛlʀi] *nm* aipo *m* ; **céleri rémoulade** *aipo ralado servido frio com maionese.*

céleste [selɛst] *adj* celeste.

célibataire [selibatɛʀ] *adj* & *nmf* solteiro(ra).

celle ► **celui**.

celle-ci ► **celui-ci**.

celle-là ► **celui-là**.

Cellophane® [selɔfan] *nf* celofane *m* ; **sous Cellophane** envolvido em celofane.

cellulaire [selylɛʀ] *adj* celular.

cellule [selyl] *nf* célula *f* ; [cachot] cela *f*.

cellulite [selylit] *nf* celulite *f*.

celui, **celle** [səlɥi, sɛl] (*mpl* **ceux** [sø]) *pron* aquele(ela) ; **celui de devant** o da frente ; **celui de Pierre** o do Pedro ; **celui qui part à 13h 30** aquele que parte às 13h30 ; **ceux dont je t'ai parlé** aqueles de que lhe falei.

celui-ci, **celle-ci** [səlɥisi, sɛlsi] (*mpl* **ceux-ci** [søsi]) *pron* [dans l'espace] este(esta) ; [dont on vient de parler] esse(essa).

celui-là, **celle-là** [səlɥila, sɛlla] (*mpl* **ceux-là** [søla]) *pron* aquele(ela).

cendre [sɑ̃dʀ] *nf* cinza *f*.

cendrier [sɑ̃dʀije] *nm* cinzeiro *m*.

censé, **e** [sɑ̃se] *adj* : **il est censé être à Paris** supõe-se que ele esteja em Paris ; **elle n'est pas censée le savoir** ela não é obrigada a saber isso.

censure [sɑ̃syʀ] *nf* censura *f*.

censurer [sɑ̃syʀe] *vt* censurar.

cent [sɑ̃] *num* cem ; **pour cent** por cento ► **six**.

centaine [sɑ̃tɛn] *nf* : **une centaine (de)** uma centena (de).

centenaire [sɑ̃tnɛʀ] ◇ *adj* & *nmf* centenário(ria). ◇ *nm* centenário *m*.

centième [sɑ̃tjɛm] *num* centésimo, ► **sixième**.

centilitre [sɑ̃tilitʀ] *nm* centilitro *m*.

centime [sɑ̃tim] *nm* cêntimo *m*, ≃ centavo *m*.

centimètre [sɑ̃timɛtʀ] *nm* centímetro *m*.

central, **e**, **aux** [sɑ̃tʀal, o] *adj* central.

centrale [sɑ̃tʀal] *nf* central *f* ; **centrale nucléaire** usina *f* nuclear.

centraliser [sɑ̃tʀalize] *vt* centralizar.

centre [sɑ̃tʀ] *nm* centro *m* ; [point essentiel] cerne *m* ; **centre aéré** *centro de atividades ao ar livre para crianças durante as férias* ; **centre commercial** centro comercial.

centrer [sɑ̃tʀe] *vt* centrar.

centre-ville [sɑ̃tʀəvil] (*pl* **centres-villes**) *nm* centro *m* da cidade.

centrifugeuse [sɑ̃tʀifyʒøz] *nf* centrifugadora *f*.

centuple [sɑ̃typl] *nm* cêntuplo *m* ; **au centuple** cem vezes mais.

cèpe [sɛp] *nm* boleto *m (cogumelo)*.

cependant [səpɑ̃dɑ̃] *conj* no entanto.

céramique [seʀamik] *nf* cerâmica *f*.

cercle [sɛʀkl] *nm* círculo *m*.

cercueil [sɛʀkœj] *nm* caixão *m*.

céréale [seʀeal] *nf* cereal *m* ; **des céréales** cereais *mpl*.

cérémonie [seʀemɔni] *nf* cerimônia *f*.

cerf [sɛʀ] *nm* cervo *m*.

cerfeuil [sɛʀfœj] *nm* cerefólio *m*.

cerf-volant [sɛʀvɔlɑ̃] (*pl* **cerfs-volants**) *nm* papagaio *m*, pipa *f*.

cerise [səʀiz] *nf* cereja *f*.

cerisier [səʀisje] *nm* cerejeira *f*.

cerner [sɛʀne] *vt* [ville, ennemi] cercar ; *fig* [problème] delimitar.

cernes [sɛʀn] *nmpl* olheiras *fpl*.

certain, **e** [sɛʀtɛ̃, ɛn] *adj* & *pron* certo(ta) ; **être certain de (faire) qqch** estar certo de (fazer) algo ; **être certain que** estar certo de que ; **un certain temps** um certo tempo ; **un certain Jean** um certo Jean. ◆ **certains**, **certaines** *adj* & *pron* alguns(mas) ; **certains pensent que...** certas pessoas pensam que...

certainement [sɛʀtɛnmɑ̃] *adv* [probablement] certamente ; [bien sûr] com certeza.

certes [sɛʀt] *adv* [bien sûr] decerto ; [il est vrai que] é verdade que.

certificat [sɛʀtifika] *nm* certificado *m* ; **certificat médical** atestado *m* médico ; **certificat de scolarité** certificado *m* de escolaridade.

certifier [sɛʀtifje] *vt* certificar ; **certifié conforme à l'original** autenticado conforme o original.

certitude [sɛʀtityd] *nf* certeza *f*.

cerveau [sɛʀvo] (*pl* -x) *nm* cérebro *m*.

cervelas [sɛʀvəla] *nm espécie de salsichão de carne picada, bem condimentado*.

cervelle [sɛʀvɛl] *nf* miolos *mpl*.

cervical, **e**, **aux** [sɛʀvikal, o] *adj* cervical ; **(vertèbre)cervicale** vértebra cervical.

ces ► **ce.**

CES *nm* (*abr de* **collège d'enseignement secondaire**) *antigo nome dado às escolas preparatórias.*

césarienne [sezaʀjɛn] *nf* cesariana *f.*

César [sezaʀ] *nm prêmio cinematográfico francês.*

cesse [sɛs] *adv* sem cessar.

cesser [sese] *vi* cessar ; **cesser de faire qqch** cessar de fazer algo.

cessez-le-feu [seselfø] *nm inv* cessar-fogo *m.*

cession [sɛsjɔ̃] *nf* cessão *f.*

c'est-à-dire [setadiʀ] *adv* quer dizer.

cet ► **ce.**

cétacé [setase] *nm* cetáceo *m.*

cette ► **ce.**

ceux ► **celui.**

ceux-ci ► **celui-ci.**

ceux-là ► **celui-là.**

Cf. (*abr de* **confer**) Cf.

chacun, e [ʃakœ̃, yn] *pron* [chaque personne] cada um(cada uma) ; [tout le monde] cada qual ; **chacun pour soi** cada um por si.

chagrin [ʃagʀɛ̃] *nm* desgosto *m* ; **avoir du chagrin** estar triste.

chahut [ʃay] *nm* algazarra *f* ; **faire du chahut** fazer algazarra.

chahuter [ʃayte] *vt* gozar de.

chaîne [ʃɛn] *nf* [suite de maillons] corrente *f* ; [bijou] corrente *f* ; [suite] série *f* ; [de télévision] canal *m* ; **chaîne cablée/cryptée** canal a cabo, canal codificado ; [d'hôtels, de restaurants] cadeia *f* ; **à la chaîne** em cadeia ; **chaîne (hi-fi)** aparelho *f* (de som) ; **chaîne de montagnes** cordilheira *f.* ◆ **chaînes** *nfpl* [de voiture] correntes *fpl.*

chaînon [ʃɛnɔ̃] *nm* elo *m* ; **chaînon manquant** elo perdido.

chair [ʃɛʀ] ◇ *nf* [d'animal] carne *f.* ◇ *adj* [couleur] da pele ; **chair à saucisse** carne picada ; **en chair et en os** em carne e osso ; **avoir la chair de poule** ficar com a pele arrepiada.

chaise [ʃɛz] *nf* cadeira *f* ; **chaise longue** espreguiçadeira *f.*

châle [ʃal] *nm* xale *m.*

chalet [ʃalɛ] *nm* [de bois] chalé *m* ; *Québec* [maison de campagne] casa *f* de campo.

chaleur [ʃalœʀ] *nf* calor *m.*

chaleureux, euse [ʃalœʀø, øz] *adj* caloroso(osa).

chaloupe [ʃalup] *nf Québec* barca *f.*

chalumeau [ʃalymo] (*pl* -x) *nm* maçarico *m.*

chalutier [ʃalytje] *nm barco equipado para a pesca de arrasto.*

chamailler [ʃamaje] ◆ **se chamailler** *vp fam* brigar.

chambre [ʃɑ̃bʀ] *nf* : **chambre (à coucher)** quarto *m* (de dormir) ; **chambre à air** câmara-de-ar *f* ; **chambre d'amis** quarto de hóspedes ; **Chambre des députés** Câmara *f* dos deputados ; **chambre double** quarto duplo ; **chambre simple** quarto individual.

chameau [ʃamo] (*pl* -x) *nm* camelo *m.*

chamois [ʃamwa] *nm* ► **peau.**

champ [ʃɑ̃] *nm* campo *m Port* ; **champ de bataille** campo de batalha ; **champ de courses** hipódromo *m.*

champagne [ʃɑ̃paɲ] *nm* champanhe *m.*

champêtre [ʃɑ̃pɛtʀ] *adj* campestre.

champignon [ʃɑ̃piɲɔ̃] *nm* cogumelo *m* ; **champignons à la grecque** cogumelos à grega ; **champignon de Paris** champignon *m* de Paris.

champion, onne [ʃɑ̃pjɔ̃, ɔn] *nm, f* campeão *m*, -peã *f.*

championnat [ʃɑ̃pjɔna] *nm* campeonato *m.*

chance [ʃɑ̃s] *nf* [sort favorable] sorte *f*; [probabilité] hipótese *f* ; **avoir de la chance** ter sorte ; **avoir des chances de faire qqch** ter chance de fazer algo ; **bonne chance!** boa sorte!

chanceler [ʃɑ̃sle] *vi* cambalear.

chancelier [ʃɑ̃səlje] *nm* chanceler *m*.

chanceux, **euse** [ʃɑ̃sø, øz] *adj* sortudo(da).

chandail [ʃɑ̃daj] *nm* pulôver *m* de lã.

Chandeleur [ʃɑ̃dlœʀ] *nf* : **la Chandeleur** a Candelária.

chandelier [ʃɑ̃dəlje] *nm* castiçal *m*.

chandelle [ʃɑ̃dɛl] *nf* vela *f*.

change [ʃɑ̃ʒ] *nm* [taux] câmbio *m*.

changement [ʃɑ̃ʒmɑ̃] *nm* mudança *f*; **changement de vitesse** alavanca *f* de câmbio.

changer [ʃɑ̃ʒe] ◇ *vt* mudar ; [argent] trocar ; [bébé] mudar a fralda de. ◇ *vi* mudar ; **changer des euros en dollars** trocar euros em dólares ; **changer de** mudar de. ◆ **se changer** *vp* [s'habiller] trocar de roupa ; **se changer en** transformar-se em.

chanson [ʃɑ̃sɔ̃] *nf* canção *f*.

chansonnier, **ère** [ʃɑ̃sɔnje, ɛʀ] *nm, f* *compositor de esquetes e de canções satíricas*.

chant [ʃɑ̃] *nm* canto *m*.

chantage [ʃɑ̃taʒ] *nm* chantagem *f*.

chanter [ʃɑ̃te] *vt* & *vi* cantar.

chanteur, **euse** [ʃɑ̃tœʀ, øz] *nm, f* cantor *m*, -ra *f*.

chantier [ʃɑ̃tje] *nm* obra *f*.

chantilly [ʃɑ̃tiji] *nf* : **(crème) chantilly** chantili *m*.

chantonner [ʃɑ̃tɔne] *vi* cantarolar.

chaos [kao] *nm* caos *m*.

chaotique [kaɔtik] *adj* caótico(ca).

chapeau [ʃapo] (*pl* -x) *nm* chapéu *m* ; **chapeau de paille** chapéu de palha.

chapelet [ʃaplɛ] *nm* RELIG rosário *m* ; [succession] enfiada *f*.

chapelle [ʃapɛl] *nf* capela *f*.

chapelure [ʃaplyʀ] *nf* farinha *f* de rosca.

chapiteau [ʃapito] (*pl* -x) *nm* [de cirque] tenda *f*.

chapitre [ʃapitʀ] *nm* capítulo *m*.

chapon [ʃapɔ̃] *nm* capão *m*.

chaque [ʃak] *adj* cada ; **chaque mercredi** todas as quartas-feiras.

char [ʃaʀ] *nm* [de carnaval] carro *m* alegórico ; *Québec* [voiture] carro *m* ; **char (d'assaut)** tanque *m* ; **char à voile** *prancha com rodas propulsada por uma vela*.

charabia [ʃaʀabja] *nm fam* algaravia *f*.

charade [ʃaʀad] *nf* charada *f*.

charbon [ʃaʀbɔ̃] *nm* carvão *m*.

charcuterie [ʃaʀkytʀi] *nf* [aliments] frios *mpl* ; [magasin] casa *f* de frios.

charcutier, **ère** [ʃaʀkytje, ɛʀ] *nm, f* salsicheiro *m*, -ra *f*.

chardon [ʃaʀdɔ̃] *nm* cardo *m*.

charge [ʃaʀʒ] *nf* [cargaison] carga *f* ; *fig* [gêne] fardo *m* ; [responsabilité] cargo *m* ; **prendre qqch en charge** [frais] assumir algo ; [dossier] encarregar-se de algo. ◆ **charges** *nfpl* [d'un appartement] condomínio *m*.

chargé, **e** [ʃaʀʒe] ◇ *adj* pesado(da) ; [encombré, couvert] carregado(da) ; [occupé] cheio(cheia). ◇ *nm, f* encarregado *m*, -da *f* ; **(être)chargé de** [encombré] (estar) carregado com OU de ; [responsable] (estar) encarregado de.

chargement [ʃaʀʒəmɑ̃] *nm* carregamento *m*.

charger [ʃaʀʒe] *vt* [gén] carregar ; [appareil photo] carregar ; **charger qqn**

de faire qqch encarregar alguém de fazer algo. ◆ **se charger de** *vp + prép* encarregar-se de.

chargeur [ʃaʀʒœʀ] *nm* carregador *m*.

chariot [ʃaʀjo] *nm* [charrette] carrinho *m* ; [au supermarché] carrinho *m* (de supermercado) ; [de machine à écrire] carro *m*.

charisme [kaʀism] *nm* carisma *m*.

charitable [ʃaʀitabl] *adj* caridoso(osa).

charité [ʃaʀite] *nf* caridade *f* ; **demander la charité** pedir esmola.

charlatan [ʃaʀlatɑ̃] *nm péj* charlatão *m*.

charlotte [ʃaʀlɔt] *nf* charlote *f*.

charmant, e [ʃaʀmɑ̃, ɑ̃t] *adj* encantador(ra).

charme [ʃaʀm] *nm* charme *m*.

charmer [ʃaʀme] *vt* encantar.

charmeur, euse [ʃaʀmœʀ, øz] ◇ *adj* encantador(ra), charmoso(sa). ◇ *nm, f* sedutor *m*, -ra *f*. ◆ **charmeur de serpents** *nm* encantador *m* de serpentes.

charnel, elle [ʃaʀnɛl] *adj* carnal.

charnier [ʃaʀnje] *nm* vala *f* comum.

charnière [ʃaʀnjɛʀ] *nf* dobradiça *f*.

charnu, e [ʃaʀny] *adj* carnudo(da).

charogne [ʃaʀɔɲ] *nf* carniça *f*.

charpente [ʃaʀpɑ̃t] *nf* vigamento *m*.

charpentier [ʃaʀpɑ̃tje] *nm* carpinteiro *m*.

charrette [ʃaʀɛt] *nf* carroça *f*.

charrue [ʃaʀy] *nf* arado *m*.

charte [ʃaʀt] *nf* carta *f*.

charter [ʃaʀtɛʀ] *nm* : **(vol) charter** (vôo) charter *m*.

chas [ʃa] *nm* buraco *m* da agulha.

chasse [ʃas] *nf* caça *f* ; **aller à la chasse** ir à caça ; **tirer la chasse (d'eau)** puxar a descarga. ◆ **chasse au trésor** *nf* caça ao tesouro.

chassé-croisé [ʃasekʀwaze] (*pl* **chassés-croisés**) *nm* vaivém *m* ; **le chassé-croisé des vacanciers** os veranistas que se cruzam na estrada.

chasselas [ʃasla] *nm Suisse casta de vinhos brancos*.

chasse-neige [ʃasnɛʒ] *nm inv* [véhicule] limpa-neves *m inv* ; [au ski] *posição de esquiador na qual os esquis convergem*.

chasser [ʃase] ◇ *vt* [animal] caçar ; [personne] mandar embora. ◇ *vi* caçar ; **chasser qqn de** mandar alguém embora de.

chasseur [ʃasœʀ] *nm* caçador *m*.

châssis [ʃasi] *nm* [de voiture] chassi *m inv* ; [de fenêtre] caixilho *m*.

chaste [ʃast] *adj* casto(ta).

chat, chatte [ʃa, ʃat] *nm, f* **1.** gato *m*, -ta *f* ; **avoir un chat dans la gorge** estar rouco - **2.** INFORM conversa on-line, chat.

châtaigne [ʃatɛɲ] *nf* castanha *f*.

châtaignier [ʃateɲe] *nm* castanheiro *m*.

châtain [ʃatɛ̃] *adj* castanho(nha).

château [ʃato] (*pl* **châteaux**) *nm* castelo *m* ; **château d'eau** castelo de água ; **château fort** castelo ; **château gonflable** castelo inflável.

châtiment [ʃatimɑ̃] *nm* castigo *m* ; **châtiment corporel** castigo corporal.

chaton [ʃatɔ̃] *nm* gatinho *m*, -nha *f*.

chatouiller [ʃatuje] *vt* fazer cócegas.

chatouilleux, euse [ʃatujø, øz] *adj* coceguento(ta).

chatte ► **chat**.

chaud, e [ʃo, ʃod] ◇ *adj* quente. ◇ *nm* : **rester au chaud** ficar no quentinho ; **il fait chaud** está calor ; **avoir chaud** ter calor ; **tenir chaud** aquecer(se).

chaudière [ʃodjɛʀ] *nf* caldeira *f*.

chaudron [ʃodʀɔ̃] *nm* caldeirão *m*.

chaudronnée [ʃodʀɔne] *nf Québec caldo com diversos frutos do mar*, ≃ caldeirada *f* de peixe.

chauffage [ʃofaʒ] *nm* aquecimento *m* ; **chauffage central** aquecimento central.

chauffant, e [ʃofɑ̃, ɑ̃t] *adj* que aquece ; [plaque, couverture] elétrico(ca).

chauffante [ʃofɑ̃t] *adj f* ➤ **plaque.**

chauffard [ʃofaʀ] *nm* : **c'est un chauffard** é um barbeiro.

chauffe-eau [ʃofo] *nm inv* aquecedor *m*.

chauffer [ʃofe] *vt* & *vi* aquecer.

chauffeur [ʃofœʀ] *nm* motorista *mf* ; **chauffeur de taxi** motorista de táxi.

chaumière [ʃomjɛʀ] *nf casa com telhado de colmo*.

chaussée [ʃose] *nf* via *f* pública ; **'chaussée déformée'** 'pista com defeito'.

chausse-pied [ʃospje] (*pl* **chausse-pieds**) *nm* calçadeira *f*.

chausser [ʃose] *vi* : **chausser du 38** calçar 38. ◆ **se chausser** *vp* calçar-se.

chaussette [ʃosɛt] *nf* meia *f*.

chausson [ʃosɔ̃] *nm* [pantoufle] pantufa *f* ; CULIN empada *f* ; **chausson aux pommes** *espécie de pastel de massa folhada de maçã* ; **chaussons de danse** sapatilhas *fpl* de balé.

chaussure [ʃosyʀ] *nf* sapato *m* ; **chaussures à talons** sapatos de salto alto ; **chaussures de marche** botas *fpl (de caminhada)*.

chauve [ʃov] *adj* careca.

chauve-souris [ʃovsuʀi] (*pl* **chauves-souris**) *nf* morcego *m*.

chauvin, e [ʃovɛ̃, in] *adj* chauvinista.

chaux [ʃo] *nf* cal *f* ; **blanchi à la chaux** caiado.

chavirer [ʃaviʀe] *vi* virar-se.

chef [ʃɛf] *nm* [directeur] chefe *m* ; [cuisinier] chefe *m* de cozinha ; **chef d'entreprise** empresário *m*, -ria *f* ; **chef d'État** chefe de Estado ; **chef de gare** chefe *m* de estação ; **chef d'orchestre** maestro *m*.

chef-d'œuvre [ʃɛdœvʀ] (*pl* **chefs-d'œuvre**) *nm* obra-prima *f*.

chef-lieu [ʃɛfljø] (*pl* **chefs-lieux**) *nm* capital de uma divisão administrativa.

chemin [ʃəmɛ̃] *nm* caminho *m* ; **en chemin** a caminho ; **chemin (d'accès)** INFORM caminho de acesso.

chemin de fer [ʃ(ə)mɛ̃dfɛʀ] (*pl* **chemins de fer**) *nm* estrada *f* de ferro, ferrovia *f*.

cheminée [ʃəmine] *nf* chaminé *f*.

cheminement [ʃəminmɑ̃] *nm* [de marcheurs] avanço *m* ; [des eaux] progressão *f* ; *fig* [d'une idée, de la pensée] desenvolvimento *m*.

cheminer [ʃəmine] *vi* [marcher] caminhar ; *fig* [évoluer] progredir.

cheminot [ʃəmino] *nm* ferroviário *m*.

chemise [ʃəmiz] *nf* [vêtement] camisa *f* ; [en carton] pasta *f* ; **chemise de nuit** camisola *f*.

chemisette [ʃəmizɛt] *nf* [d'homme, d'enfant] camiseta *f* ; [de femme] blusa *f* de manga curta.

chemisier [ʃəmizje] *nm* chemisier *m*.

chêne [ʃɛn] *nm* carvalho *m*.

chenil [ʃənil] *nm* [pour chiens] canil *m* ; *Suisse* [objets sans valeur] bugiganga *f*.

chenille [ʃənij] *nf* lagarta *f*.

chèque [ʃɛk] *nm* cheque *m* ; **chèque barré** cheque cruzado ; **chèque en blanc** cheque em branco ; **chèque sans provision** cheque sem fundo ; **chèque de voyage** cheque de viagem.

Chèque-Restaurant® [ʃɛkʀɛstɔʀɑ̃] (*pl* **Chèques-Restaurant**) *nm* tíquete-restaurante *m*.

chèque-vacances [sɛkvakɑ̃s] (*pl* -s-vacances) *nm tíquete concedido aos funcionários que permite o financiamento das férias, bem como o desconto em vários locais, sendo que a empresa paga uma parte dos custos.*

chéquier [ʃekje] *nm* talão *m* de cheques.

cher, **chère** [ʃɛʀ] *adj* caro(ra) ; **cher Monsieur/Laurent** caro senhor/Laurent ; **coûter cher** custar caro.

chercher [ʃɛʀʃe] ◇ *vt* [objet, personne] procurar ; [provoquer] provocar ; **aller chercher qqch/qqn** ir buscar algo/alguém. ◇ *vi* : **chercher à faire qqch** tentar fazer algo.

chercheur, **euse** [ʃɛʀʃœʀ, øz] *nm, f* pesquisador *m*, -ra *f*.

chéri, **e** [ʃeʀi] ◇ *adj* querido(da). ◇ *nm, f* : **mon chéri, ma chérie** meu querido, minha querida.

chétif, **ive** [ʃetif, iv] *adj* franzino(na).

cheval [ʃəval, o] (*pl* -aux) *nm* cavalo *m* ; **monter à cheval** montar a cavalo ; **faire du cheval** andar a cavalo ; **à cheval sur** [chaise, branche] a cavalo sobre, escarranchado(da) em ; [lieux, périodes] entre.

chevalet [ʃəvalɛ] *nm* cavalete *m*.

chevalier [ʃəvalje] *nm* cavaleiro *m*.

chevaucher [ʃevoʃe] *vt* montar (em). ◆ **se chevaucher** *vp* sobrepor-se.

chevelu, **e** [ʃəvly] *adj* cabeludo(da).

chevelure [ʃəvlyʀ] *nf* cabeleira *f*.

chevet [ʃəvɛ] *nm* ► **lampe, table.**

cheveu [ʃəvø] (*pl* -x) *nm* cabelo *m*. ◆ **cheveux** *nmpl* cabelo *m*.

cheville [ʃəvij] *nf* ANAT tornozelo *m* ; [en plastique] cavilha *f*.

chèvre [ʃɛvʀ] *nf* cabra *f*.

chevreau [ʃəvʀo] (*pl* **chevreaux**) *nm* [animal] cabrito *m* ; [peau] pele *f* de cabrito.

chèvrefeuille [ʃɛvʀəfœj] *nm* madressilva *f*.

chevreuil [ʃəvʀœj] *nm* veado *m*.

chevronné, **e** [ʃəvʀɔne] *adj* experiente.

chewing-gum, **s** [ʃwiŋgɔm] *nm* chiclete *m*.

chez [ʃe] *prép* em casa de ; [dans le caractère de] em ; **chez moi** em minha casa ; **aller chez le dentiste** ir ao dentista.

chic [ʃik] *adj* chique.

chiche [ʃiʃ] *adj m* ► **pois.**

chicon [ʃikɔ̃] *nm Belgique* endívia *f*.

chicorée [ʃikɔʀe] *nf* chicória *f*.

chien, **chienne** [ʃjɛ̃, ʃjɛn] *nm, f* cão *m*, cadela *f*.

chiffon [ʃifɔ̃] *nm* trapo *m* ; **chiffon (à poussière)** pano *m* (de pó).

chiffonné, **e** [ʃifɔne] *adj* [tissu] amarrotado(da) ; [contrarié] aborrecido(da) ; [fatigué] abatido(da).

chiffonner [ʃifɔne] *vt* amarrotar.

chiffre [ʃifʀ] *nm* MATH número *m* ; [montant] valor *m*.

chiffrer [ʃifʀe] ◇ *vt* [évaluer] calcular ; [numéroter] numerar ; [message] codificar. ◇ *vi* sair caro. ◆ **se chiffrer** *vp* : **se chiffrer à x euros** elevar-se a x euros.

chignon [ʃiɲɔ̃] *nm* coque *m*.

Chili [ʃili] *nm* : **le Chili** o Chile.

chimère [ʃimɛʀ] *nf* quimera *f*.

chimie [ʃimi] *nf* química *f*.

chimiothérapie [ʃimjɔteʀapi] *nf* quimioterapia *f*.

chimique [ʃimik] *adj* químico(ca).

chimiste [ʃimist] *nmf* químico *m*, -ca *f*.

chimpanzé [ʃɛ̃pɑ̃ze] *nm* chimpanzé *m*.

Chine [ʃin] *nf* : **la Chine** a China.

chinois, **e** [ʃinwa, az] ◇ *adj* chinês(esa). ◇ *nm* [langue] chinês *m*. ◆ **Chinois**, **e** *nm, f* chinês *m*, -esa *f*.

chiot [ʃjo] *nm* cachorrinho *m*, -nha *f*.

chipie [ʃipi] *nf fam* megera *f*.

chipolata [ʃipɔlata] *nf* salsicha *f* fresca.

chips [ʃips] *nfpl* batatas *fpl* chips.

chirurgie [ʃiʀyʀʒi] *nf* cirurgia *f* ; **chirurgie esthétique** cirurgia estética.

chirurgien, **enne** [ʃiʀyʀʒjɛ̃, ɛn] *nm, f* cirurgião *m*, -ã *f*.

chlore [klɔʀ] *nm* cloro *m*.

chloroforme [klɔʀɔfɔʀm] *nm* clorofórmio *m*.

chlorophylle [klɔʀɔfil] *nf* clorofila *f*.

choc [ʃɔk] *nm* choque *m*.

chocolat [ʃɔkɔla] *nm* [friandise] chocolate *m* ; [boisson] leite *m* com chocolate ; **chocolat blanc** chocolate branco ; **chocolat au lait** chocolate ao leite ; **chocolat liégeois** *sorvete de chocolate com creme chantilly (ou chantili)* ; **chocolat noir** chocolate preto.

chocolatier [ʃɔkɔlatje] *nm* chocolateiro *m*.

chœsels [tʃuzœl] *nmpl* **Belgique** *ensopado de carnes e miúdos cozidos com cerveja*.

chœur [kœʀ] *nm* coro *m* ; **en chœur** em coro.

choisir [ʃwaziʀ] *vt* escolher.

choix [ʃwa] *nm* escolha *f* ; **avoir le choix** ter liberdade de escolha ; **au choix** à escolha ; **de premier/second choix** de primeira/segunda categoria.

choléra [kɔleʀa] *nm* cólera *f (doença)*.

cholestérol [kɔlɛsteʀɔl] *nm* colesterol *m*.

chômage [ʃomaʒ] *nm* desemprego *m* ; **être au chômage** estar desempregado(da).

chômer [ʃome] ◇ *vt* não trabalhar. ◇ *vi* estar desempregado(da) ; **ne pas chômer** *fam* não parar de trabalhar.

chômeur, **euse** [ʃomœʀ, øz] *nm, f* desempregado *m*, -da *f*.

chope [ʃɔp] *nf* caneca *f*.

choquant, **e** [ʃɔkɑ̃, ɑ̃t] *adj* chocante.

choquer [ʃɔke] *vt* chocar.

chorale [kɔʀal] *nf* coral *m*.

chorégraphie [kɔʀegʀafi] *nf* coreografia *f*.

choriste [kɔʀist] *nmf* corista *mf*.

chose [ʃoz] *nf* coisa *f*.

chou [ʃu] (*pl* -x) *nm* couve *f* ; **chou de Bruxelles** couve-de-bruxelas *f* ; **chou à la crème** *carolina recheada com creme* ; **chou rouge** repolho roxo.

chouchou, **oute** [ʃuʃu, ut] ◇ *nm, f fam* queridinho *m*, -nha *f*. ◇ *nm elástico revestido de pano para o cabelo*.

choucroute [ʃukʀut] *nf* : **choucroute (garnie)** *chucrute acompanhado de carne de porco e batatas cozidas*.

chouette [ʃwɛt] ◇ *nf* coruja *f*. ◇ *adj fam* legal.

chou-fleur [ʃuflœʀ] (*pl* **choux-fleurs**) *nm* couve-flor *f*.

choyer [ʃwaje] *vt sout* acarinhar.

chrétien, **enne** [kʀetjɛ̃, ɛn] *adj* & *nm, f* cristão(ã).

christianisme [kʀistjanism] *nm* cristianismo *m*.

chromé, **e** [kʀome] *adj* cromado(da).

chromes [kʀom] *nmpl* acessórios *mpl* cromados *(de um veículo)*.

chromosome [kʀɔmɔzom] *nm* cromossomo *m*.

chronique [kʀɔnik] ◇ *adj* crônico(ca). ◇ *nf* crônica *f*.

chronologie [kʀɔnɔlɔʒi] *nf* cronologia *f*.

chronologique [kʀɔnɔlɔʒik] *adj* cronológico(ca).

chronomètre [kʀɔnɔmɛtʀ] *nm* cronômetro *m*.

chronométrer [kʀɔnɔmetʀe] *vt* cronometrar.

chrysalide [kʀizalid] *nf* crisálida *f*.

chrysanthème [kʀizɑ̃tɛm] *nm* crisântemo *m*.

CHU *nm* (*abr de* **centre hospitalo-universitaire**) hospital *m* universitário.

chuchotement [ʃyʃɔtmɑ̃] *nm* cochicho *m*.

chuchoter [ʃyʃɔte] *vt* & *vi* cochichar.

chut [ʃyt] *interj* psiu!

chute [ʃyt] *nf* queda *f* ; **chute d'eau** queda-d'água *f* ; **chute de neige** queda de neve.

ci [si] *adv* : **ce livre-ci** este livro aqui ; **ces jours-ci** estes últimos dias.

cible [sibl] *nf* alvo *m*.

ciboulette [sibulɛt] *nf* cebolinha *f*.

cicatrice [sikatʀis] *nf* cicatriz *f*.

cicatriser [sikatʀize] *vi* cicatrizar.

ci-dessous [sidəsu] *loc adv* abaixo.

ci-dessus [sidəsy] *loc adv* acima, supra.

cidre [sidʀ] *nm* sidra *f*.

Cie (*abr de* **compagnie**) Cia.

ciel [sjɛl] *nm* céu *m* ; *(pl cieux)* [paradis] céu *m*.

cierge [sjɛʀʒ] *nm* círio *m*.

cieux [sjø] ► **ciel**.

cigale [sigal] *nf* cigarra *f*.

cigare [sigaʀ] *nm* charuto *m*.

cigarette [sigaʀɛt] *nf* cigarro *m* ; **cigarette filtre** cigarro com filtro ; **cigarette russe** palito *m* de champanhe.

cigogne [sigɔɲ] *nf* cegonha *f*.

ci-joint, e [siʒwɛ̃, ɛ̃t] *adj* anexo(xa).

cil [sil] *nm* cílio *m*.

cime [sim] *nf* cimo *m*.

ciment [simɑ̃] *nm* cimento *m*.

cimenter [simɑ̃te] *vt* cimentar.

cimetière [simtjɛʀ] *nm* cemitério *m*.

cinéaste [sineast] *nmf* cineasta *mf*.

ciné-club [sineklœb] (*pl* **ciné-clubs**) *nm* cine-clube *m*.

cinéma [sinema] *nm* cinema *m*.

cinémathèque [sinematɛk] *nf* cinemateca *f*.

cinématographique [sinematɔgʀafik] *adj* cinematográfico(ca).

cinéphile [sinefil] *nmf* cinéfilo *m*, -la *f*.

cinglé, e [sɛ̃gle] *adj* & *nm, f fam* doido(da).

cinq [sɛ̃k] *num* cinco, ► **six**.

cinquantaine [sɛ̃kɑ̃tɛn] *nf* : **une cinquantaine (de)** cerca de cinqüenta ; **avoir la cinquantaine** ter cerca de cinqüenta anos.

cinquante [sɛ̃kɑ̃t] *num* cinqüenta, ► **six**.

cinquantième [sɛ̃kɑ̃tjɛm] *num* qüinquagésimo(ma), ► **sixième**.

cinquième [sɛ̃kjɛm] ◇ *num* quinto(ta). ◇ *nf* SCOL ≃ sexta série *f* do ensino fundamental ; [vitesse] quinta *f*, ► **sixième**.

cintre [sɛ̃tʀ] *nm* cabide *m*.

cintré, e [sɛ̃tʀe] *adj* acinturado(da).

cipâte [sipat] *nm Québec torta com camadas de batata e de carne*.

cirage [siʀaʒ] *nm* graxa *f*.

circoncision [siʀkɔ̃sizjɔ̃] *nf* circuncisão *f*.

circonférence [siʀkɔ̃feʀɑ̃s] *nf* circunferência *f*.

circonflexe [siʀkɔ̃flɛks] *adj* ► **accent**.

circonstance [siʀkɔ̃stɑ̃s] *nf* [gén] circunstância *f* ; [occasion] ocasião *f* ; **de circonstance** adequado(da) às circunstâncias ; **circonstances atténuantes** circunstâncias atenuantes.

circuit [siʀkɥi] *nm* [piste automobile] autódromo *m* ; [trajet] percurso *m* ; [électrique] circuito *m* ; **circuit touristique** circuito turístico.

circulaire [siʀkylɛʀ] *adj* & *nf* circular.

circulation [siʀkylasjɔ̃] *nf* circulação *f*.

circuler [siʀkyle] *vi* circular ; [électricité] passar.

cire [siʀ] *nf* cera *f*.

ciré [siʀe] *nm* impermeável *m*.

cirer [siʀe] *vt* [parquet] encerar ; [chaussure] engraxar.

cirque [siʀk] *nm* circo *m*.

cirrhose [siʀoz] *nf* cirrose *f*.

ciseaux [sizo] *nmpl* : **(une paire de) ciseaux** uma tesoura.

ciseler [sizle] *vt* cinzelar.

citadelle [sitadɛl] *nf* cidadela *f*.

citadin, e [sitadɛ̃, in] *nm, f* citadino *m*, -na *f*.

citation [sitasjɔ̃] *nf* citação *f*.

cité [site] *nf* [ville] cidade *f* ; [groupe d'immeubles] bairro *m* ; **cité universitaire** cidade universitária.

citer [site] *vt* citar.

citerne [sitɛʀn] *nf* cisterna *f*.

citoyen, enne [sitwajɛ̃, ɛn] *nm, f* cidadão *m*, -ã *f*.

citron [sitʀɔ̃] *nm* limão *m* siciliano ; **citron vert** limão-galego *m*.

citronnade [sitʀɔnad] *nf* limonada *f*.

citronnier [sitʀɔnje] *nm* limoeiro *m*.

citrouille [sitʀuj] *nf* abóbora *f*.

civet [sivɛ] *nm guisado de coelho, lebre ou outra caça, cozido com vinho tinto e cebolas.*

civière [sivjɛʀ] *nf* maca *f*.

civil, e [sivil] ◇ *adj* civil. ◇ *nm* civil *m* ; **en civil** à paisana.

civilisation [sivilizasjɔ̃] *nf* civilização *f*.

civilisé, e [sivilize] *adj* civilizado(da).

civique [sivik] *adj* cívico(ca).

cl (*abr de* **centilitre**) cl.

clafoutis [klafuti] *nm espécie de bolo assado, à base de farinha, leite, ovos e frutas.*

clair, e [klɛʀ] ◇ *adj* claro(ra) ; [pur] límpido(da). ◇ *adv* claro. ◇ *nm* : **clair de lune** luar *m*.

clairement [klɛʀmɑ̃] *adv* claramente.

clairière [klɛʀjɛʀ] *nf* clareira *f*.

clairon [klɛʀɔ̃] *nm* clarim *m*.

clairsemé, e [klɛʀsəme] *adj* ralo(la).

clairvoyant, e [klɛʀvwajɑ̃, ɑ̃t] *adj* clarividente.

clameur [klamœʀ] *nf* clamor *m*.

clan [klɑ̃] *nm* clã *m*.

clandestin, e [klɑ̃dɛstɛ̃, in] *adj* clandestino(na).

clandestinité [klɑ̃dɛstinite] *nf* clandestinidade *f* ; **dans la clandestinité** na clandestinidade.

clapier [klapje] *nm* coelheira *f*.

claquage [klakaʒ] *nm* distensão *f* muscular.

claque [klak] *nf* bofetada *f*.

claquement [klakmɑ̃] *nm* estalo *m*.

claquer [klake] ◇ *vt* [porte] bater (com). ◇ *vi* [volet, porte] bater ; **claquer des dents** bater os dentes ; **claquer des doigts** estalar os dedos. ◆ **se claquer** *vp* : **se claquer un muscle** ter uma distensão muscular.

claquettes [klakɛt] *nfpl* [chaussures] sapatos *mpl* de sapateado ; [danse] sapateado *m*.

clarifier [klaʀifje] *vt* esclarecer.

clarinette [klaʀinɛt] *nf* clarinete *m.*

clarté [klaʀte] *nf* [lumière] claridade *f*; [d'un raisonnement] clareza *f.*

classe [klas] *nf* [groupe d'élèves] turma *f* ; [salle] sala *f* (de aula) ; [en train, élégance] classe *f*; **aller en classe** ir para as aulas ; **première classe** primeira classe ; **classe affaires** classe executiva ; **classe de mer** *colônia escolar na praia* ; **classe de neige** *colônia escolar na montanha* ; **classe touriste** classe econômica ; **classe verte** *colônia escolar no campo.*

classement [klasmɑ̃] *nm* [rangement] arrumação *f*; [sportif] classificação *f.*

classer [klase] *vt* [dossiers] arrumar ; [grouper] classificar. ◆ **se classer** *vp* : **se classer premier** classificar-se em primeiro lugar.

classeur [klasœʀ] *nm* arquivo *m.*

classification [klasifikasjɔ̃] *nf* classificação *f.*

classique [klasik] *adj* clássico(ca).

clause [kloz] *nf* cláusula *f.*

claustrophobie [klostʀɔfɔbi] *nf* claustrofobia *f.*

clavecin [klavsɛ̃] *nm* cravo *m (instrumento).*

clavicule [klavikyl] *nf* clavícula *f.*

clavier [klavje] *nm* teclado *m.*

clé [kle] *nf* [de porte, de voiture] chave *f*; [outil] chave *f* de fenda ; **fermer qqch à clé** fechar algo à chave ; **clé anglaise** ou **à molette** chave *f* inglesa ; **clé de contact** chave *f* de contato.

clef [kle] = **clé**.

clément, e [klemɑ̃, ɑ̃t] *adj* clemente.

clémentine [klemɑ̃tin] *nf* mexerica *f.*

clergé [klɛʀʒe] *nm* clero *m.*

cliché [kliʃe] *nm* [négatif, photo, idée banale] clichê *m.*

client, e [klijɑ̃, ɑ̃t] *nm, f* cliente *mf.*

clientèle [klijɑ̃tɛl] *nf* clientela *f.*

cligner [kliɲe] *vi* : **cligner des yeux** piscar os olhos.

clignotant [kliɲɔtɑ̃] *nm* pisca-pisca *m.*

clignoter [kliɲɔte] *vi* piscar.

climat [klima] *nm* clima *m.*

climatisation [klimatizasjɔ̃] *nf* climatização *f.*

climatisé, e [klimatize] *adj* climatizado(da).

clin d'œil [klɛ̃dœj] *nm* : **faire un clin d'œil à qqn** piscar o olho para alguém ; **en un clin d'œil** num piscar de olhos.

clinique [klinik] *nf* clínica *f.*

clip [klip] *nm* [boucle d'oreille] brinco *m* de pressão ; [film] clipe *m.*

cliquable [klikabl] *adj* clicável.

cliquer [klike] *vi* clicar.

clitoris [klitɔʀis] *nm* clitóris *m.*

clivage [klivaʒ] *nm* clivagem *f.*

clochard, e [klɔʃaʀ, aʀd] *nm, f* vagabundo *m*, -da *f.*

cloche [klɔʃ] *nf* sino *m* ; **cloche à fromage** queijeira *f.*

cloche-pied [klɔʃpje] ◆ **à cloche-pied** *adv* com uma perna só.

clocher [klɔʃe] *nm* campanário *m.*

clochette [klɔʃɛt] *nf* campainha *f.*

cloison [klwazɔ̃] *nf* divisória *f.*

cloisonner [klwazɔne] *vt* [pièce, maison] dividir com divisórias ; *fig* [fonctions, services] compartimentar.

cloître [klwatʀ] *nm* claustro *m.*

clonage [klɔnaʒ] *nm* clonagem ; **clonage thérapeutique** clonagem terapêutica.

cloporte [klɔpɔʀt] *nm* tatuzinho *m.*

cloque [klɔk] *nf* bolha *f.*

clore [klɔʀ] *vt sout* [porte, yeux] fechar ; [terrain] vedar ; [compte, débat] encerrar.

clos, e [klo, kloz] *adj* [fermé] fechado(da) ; [terminé] encerrado(da). ◆ **clos** *nm* [terrain] cercado *m* ; [vignoble] vinhedo *m*.

clôture [klotyʀ] *nf* [barrière] cerca *f*.

clôturer [klotyʀe] *vt* [champ, jardin] cercar.

clou [klu] *nm* prego *m* ; **clou de girofle** cravo-da-índia *m*. ◆ **clous** *nmpl* [passage piétons] faixa *f* de pedestres.

clouer [klue] *vt* pregar.

clouté [klute] *adj m* ► **passage**.

clown [klun] *nm* palhaço *m*.

club [klœb] *nm* clube *m*.

cm (*abr de* **centimètre**) cm.

CM *nm* (*abr de* **cours moyen**) **CM1** ≃ terceira série *f* (do ensino fundamental) ; **CM2** ≃ quarta série *f* (do ensino fundamental).

coaguler [kɔagyle] *vi* coagular.

coalition [kɔalisjɔ̃] *nf* coligação *f*.

cobaye [kɔbaj] *nm* cobaia *f*.

cobra [kɔbʀa] *nm* naja *f*.

Coca(-Cola)® [kɔka(kɔla)] *nm inv* Coca-Cola® *f*.

cocaïne [kɔkain] *nf* cocaína *f*.

cocasse [kɔkas] *adj* cômico(ca).

coccinelle [kɔksinɛl] *nf* joaninha *f*.

coccyx [kɔksis] *nm* cóccix *m inv*.

cocher [kɔʃe] *vt* marcar com uma cruz.

cochon, onne [kɔʃɔ̃, ɔn] ◇ *nm, f fam péj* [personne sale] porco *m*, -ca *f*. ◇ *nm* porco *m* ; **cochon d'Inde** porquinho-da-índia *m*, cobaia *f*.

cochonnerie [kɔʃɔnʀi] *nf fam* porcaria *f* ; *fig* [obscénité] indecência *f*.

cocktail [kɔktɛl] *nm* coquetel *m*.

coco [kɔko] *nm* ► **noix**.

cocon [kɔkɔ̃] *nm* casulo *m*.

cocorico [kɔkɔʀiko] *nm* cocorocó *m*.

cocotier [kɔkɔtje] *nm* coqueiro *m*.

cocotte [kɔkɔt] *nf* panela *f* ; **cocotte en papier** galinha *f* de papel.

Cocotte-Minute® [kɔkɔtminyt] (*pl* Cocottes-Minute) *nf* panela *f* de pressão.

cocu, e [kɔky] *fam* ◇ *nm, f* corno *m*. ◇ *adj* cornudo(da).

code [kɔd] *nm* código *m* ; **code confidentiel** código de acesso ; **code postal** código postal ; **code de la route** código de trânsito. ◆ **codes** *nmpl* AUTO farol *m* baixo.

codé, e [kɔde] *adj* codificado(da).

code-barres [kɔdbaʀ] (*pl* **codes-barres**) *nm* código *m* de barras.

coefficient [kɔefisjɑ̃] *nm* coeficiente *m*.

cœur [kœʀ] *nm* ANAT [gentillesse] coração *m* ; [centre] centro *m* ; [aux cartes] copas *fpl* ; **avoir bon cœur** ter bom coração ; **de bon cœur** de boa vontade ; **par cœur** de cor ; **cœur d'artichaut** coração de alcachofra ; **cœur de palmier** palmito *m*.

coffre [kɔfʀ] *nm* [de voiture] porta-malas *m inv* ; [malle] mala *f*.

coffre-fort [kɔfʀəfɔʀ] (*pl* **coffres-forts**) *nm* cofre-forte *m*.

coffret [kɔfʀɛ] *nm* estojo *m*.

cognac [kɔɲak] *nm* conhaque *m*.

cogner [kɔɲe] *vi* bater. ◆ **se cogner** *vp* bater ; **se cogner la tête** bater com a cabeça.

cohabiter [kɔabite] *vi* coabitar.

cohérence [kɔeʀɑ̃s] *nf* coerência *f*.

cohérent, e [kɔeʀɑ̃, ɑ̃t] *adj* coerente.

cohésion [kɔezjɔ̃] *nf* coesão *f*.

cohue [kɔy] *nf* barafunda *f*.

coiffer [kwafe] *vt* pentear ; **être coiffé de** usar (na cabeça). ◆ **se coiffer** *vp* pentear-se.

coiffeur, euse [kwafœʀ, øz] *nm, f* cabeleireiro *m*, -ra *f*.

coiffure [kwafyʀ] *nf* penteado *m.*

coin [kwɛ̃] *nm* canto *m* ; **au coin de** no canto de ; **dans le coin** [dans les environs] por aqui.

coincer [kwɛ̃se] *vt* entalar. ◆ **se coincer** *vp* ficar entalado(da) ; **se coincer le doigt** entalar o dedo.

coïncidence [kɔɛ̃sidɑ̃s] *nf* coincidência *f.*

coïncider [kɔɛ̃side] *vi* coincidir.

coing [kwɛ̃] *nm* marmelo *m.*

col [kɔl] *nm* [de vêtement] gola *f* ; [en montagne] colo *m* ; **col roulé** gola alta ; **col en pointe** OU **en V** decote *m* em vê.

colère [kɔlɛʀ] *nf* raiva *f* ; **être en colère (contre qqn)** estar com raiva (contra alguém) ; **se mettre en colère** irritar-se.

coléreux, **euse** [kɔleʀø, øz] *adj* colérico(ca).

colimaçon [kɔlimasɔ̃] ◆ **en colimaçon** *loc adv* : **escalier en colimaçon** escada de caracol.

colin [kɔlɛ̃] *nm* pescada *f.*

colique [kɔlik] *nf* cólica *f.*

colis [kɔli] *nm* : **colis (postal)** encomenda *f* (postal).

collaborateur, **trice** [kɔlabɔʀatœʀ, tʀis] *nm, f* [employé] colaborador *m*, -ra *f* ; *péj* [avec l'ennemi] colaboracionista *mf.*

collaboration [kɔlabɔʀasjɔ̃] *nf* colaboração *f.*

collaborer [kɔlabɔʀe] *vi* colaborar ; **collaborer à qqch** colaborar em algo.

collant, **e** [kɔlɑ̃, ɑ̃t] ◇ *adj* [adhésif] colante ; [étroit] justo(ta). ◇ *nm* meia-calça *f.*

colle [kɔl] *nf* [pâte] cola *f* ; [devinette] adivinha *f* ; SCOL [retenue] castigo *m.*

collecte [kɔlɛkt] *nf* coleta *f.*

collectif, **ive** [kɔlɛktif, iv] *adj* coletivo(va).

collection [kɔlɛksjɔ̃] *nf* coleção *f.*

collectionner [kɔlɛksjɔne] *vt* colecionar.

collectionneur, **euse** [kɔlɛksjɔnœʀ, øz] *nm, f* colecionador *m*, -ra *f.*

collectivité [kɔlɛktivite] *nf* coletividade *f* ; **collectivité territoriale** administração territorial ; **les collectivités locales** as administrações locais e regionais.

collège [kɔlɛʒ] *nm* escola *f* preparatória.

collégien, **enne** [kɔleʒjɛ̃, ɛn] *nm, f* aluno *m*, -na *f.*

collègue [kɔlɛg] *nmf* colega *mf.*

coller [kɔle] *vt* [faire adhérer] colar ; *fam* [donner] pregar ; SCOL [punir] castigar.

collier [kɔlje] *nm* [bijou] colar *m* ; [de chien] coleira *f.*

colline [kɔlin] *nf* colina *f.*

collision [kɔlizjɔ̃] *nf* colisão *f.*

colloque [kɔlɔk] *nm* colóquio *m.*

colmater [kɔlmate] *vt* colmatar.

colocataire [kɔlɔkatɛʀ] *nmf* co-inquilino *m*, -na *f.*

Cologne [kɔlɔɲ] *npr* ► **eau**.

colombe [kɔlɔ̃b] *nf* pomba *f.*

Colombie [kɔlɔ̃bi] *nf* : **la Colombie** a Colômbia.

colonel [kɔlɔnɛl] *nm* coronel *m.*

colonial, **e**, **aux** [kɔlɔnjal, o] *adj* colonial.

colonialisme [kɔlɔnjalism] *nm* colonialismo *m.*

colonie [kɔlɔni] *nf* colônia *f* ; **colonie de vacances** colônia de férias.

colonne [kɔlɔn] *nf* coluna *f* ; **colonne vertébrale** coluna vertebral.

colorant [kɔlɔʀɑ̃] *nm* corante *m* ; **'sans colorants'** 'sem corantes'.

colorer [kɔlɔʀe] *vt* colorir ; **coloré de**

qqch *fig* marcado por algo. ◆ **se colorer** *vp* : **se colorer de** *fig* marcar-se por.

colorier [kɔlɔʀje] *vt* colorir.

coloris [kɔlɔʀi] *nm* colorido *m*.

colossal, **e**, **aux** [kɔlɔsal, o] *adj* colossal.

colporter [kɔlpɔʀte] *vt* [une marchandise] vender pelas ruas ; [une information] espalhar. ◆ **se colporter** *vp* espalhar-se.

coma [kɔma] *nm* coma *m* ; **être dans le coma** estar em coma.

comateux, **euse** [kɔmatø, øz] *adj* comatoso(osa).

combat [kɔ̃ba] *nm* combate *m*.

combattant [kɔ̃batɑ̃] *nm* combatente *m* ; **ancien combattant** antigo combatente.

combattre [kɔ̃batʀ] ◇ *vt* [ennemi, maladie, idées] combater. ◇ *vi* [contre un ennemi, la maladie, des idées] combater.

combien [kɔ̃bjɛ̃] *adv* : **combien de** quanto(ta) ; **combien ça coûte ?** quanto custa?

combinaison [kɔ̃binɛzɔ̃] *nf* combinação *f* ; [de motard, skieur] roupa *f* ; **combinaison de plongée** roupa de mergulho.

combine [kɔ̃bin] *nf fam* truque *m*.

combiné [kɔ̃bine] *nm* : **combiné (téléphonique)** auscultador *m*.

combiner [kɔ̃bine] *vt* combinar.

comble [kɔ̃bl] *nm* : **c'est un comble!** é o cúmulo! ; **le comble de** o cúmulo de.

combler [kɔ̃ble] *vt* [boucher] tapar ; [satisfaire] satisfazer.

combustible [kɔ̃bystibl] *nm* combustível *m*.

comédie [kɔmedi] *nf* [film, pièce de théâtre] comédia *f* ; *fam* [caprice] fita *f* ; **jouer la comédie** fazer fita ; **comédie musicale** comédia musical.

comédien, **enne** [kɔmedjɛ̃, ɛn] *nm, f* comediante *mf*.

comestible [kɔmɛstibl] *adj* comestível.

comète [kɔmɛt] *nf* cometa *m* ; **tirer des plans sur la comète** *fig* construir castelos no ar.

comique [kɔmik] *adj* cômico(ca).

comité [kɔmite] *nm* comitê *m* ; **comité d'entreprise** *conselho formado por representantes eleitos pelos funcionários e presidido pelo presidente da empresa, tendo um papel de consultoria e controle sobre o andamento da empresa.*

commandant [kɔmɑ̃dɑ̃] *nm* comandante *m*.

commande [kɔmɑ̃d] *nf* comando *m* ; COMM [achat] encomenda *f* ; **les commandes** [d'un avion] os comandos.

commander [kɔmɑ̃de] *vt* [diriger] comandar ; [dans un bar] pedir ; [acheter] encomendar ; TECHNOL acionar ; **commander à qqn de faire qqch** mandar alguém fazer algo.

commanditaire [kɔmɑ̃ditɛʀ] ◇ *nm* [bailleur de fonds] patrocinador *m*, -ra *f* ; [associé] comanditário *m*, -ria *f*. ◇ *adj* comanditário(ria).

commando [kɔmɑ̃do] *nm* comando *m (forças especiais)*.

comme [kɔm] ◇ *conj* **1.** [gén] como ; **elle est blonde, comme sa mère** ela é loura como a mãe ; **comme si rien ne s'était passé** como se nada tivesse acontecido ; **comme vous voudrez** como queira ; **comme il faut** [correctement] como deve ser ; [convenable] respeitável ; **les villes fortifiées comme Carcassonne** as cidades fortificadas como Carcassonne ; **qu'est-ce que vous avez comme desserts ?** o que é que há como sobremesa? ; **comme vous n'arri-**

viez pas, nous sommes passés à table como vocês não chegavam, começamos a comer - **2.** [dans des expressions] : **comme ça** assim ; **comme ci comme ça** *fam* assim assim ; **comme tout** *fam* [très] extremamente. ◇ *adv* [marque l'intensité] como ; **vous savez comme il est difficile de se loger ici** sabem como é difícil hospedar-se aqui ; **comme c'est grand !** que grande!

commémorer [kɔmemɔʀe] *vt* comemorar.

commencement [kɔmɑ̃smɑ̃] *nm* começo *m*.

commencer [kɔmɑ̃se] *vt* & *vi* começar ; **commencer à faire qqch** começar a fazer algo ; **commencer par qqch** começar por algo ; **commencer par faire qqch** começar por fazer algo.

comment [kɔmɑ̃] *adv* como ; **comment ?** [pour faire répéter] como? ; **comment tu t'appelles ?** como você se chama? ; **comment allez-vous ?** como vão?

commentaire [kɔmɑ̃tɛʀ] *nm* comentário *m* ; [d'un match] relato *m* ; **commentaire de texte** comentário de texto.

commentateur, **trice** [kɔmɑ̃tatœʀ, tʀis] *nm, f* comentador *m*, -ra *f* ; **commentateur sportif** comentador esportivo.

commenter [kɔmɑ̃te] *vt* comentar.

commérage [kɔmeʀaʒ] *nm* fofoca *f*.

commerçant, **e** [kɔmɛʀsɑ̃, ɑ̃t] ◇ *adj* comercial. ◇ *nm, f* comerciante *mf*.

commerce [kɔmɛʀs] *nm* [activité] comércio *m* ; [boutique] loja *f* ; **commerce équitable** comércio eqüitativo ; **commerce en ligne** INFORM comércio eletrônico ; **dans le commerce** no comércio.

commercial, **e**, **aux** [kɔmɛʀsjal, o] *adj* comercial.

commercialiser [kɔmɛʀsjalize] *vt* comercializar.

commettre [kɔmɛtʀ] *vt* cometer.

commis, **e** [kɔmi, iz] *pp* ► **commettre**.

commissaire [kɔmisɛʀ] *nm* : **commissaire (de police)** delegado *m* (de polícia).

commissaire-priseur [kɔmisɛʀpʀizœʀ] (*pl* **commissaires-priseurs**) *nm* avaliador *m*, -ra *f* oficial.

commissariat [kɔmisaʀja] *nm* : **commissariat (de police)** delegacia *f* (de polícia).

commission [kɔmisjɔ̃] *nf* comissão *f* ; [message] recado *m*. ◆ **commissions** *nfpl* [courses] compras *fpl* ; **faire les commissions** fazer as compras.

commode [kɔmɔd] ◇ *adj* cômodo(da). ◇ *nf* [meuble] cômoda *f*.

commun, **e** [kɔmœ̃, yn] *adj* comum ; **mettre qqch en commun** reunir algo.

communal, **e**, **aux** [kɔmynal, o] *adj* comunal.

communauté [kɔmynote] *nf* comunidade *f* ; **la Communauté économique européenne** a Comunidade Econômica Européia.

commune [kɔmyn] *nf* comuna f.

communication [kɔmynikasjɔ̃] *nf* comunicação *f* ; **communication (téléphonique)** ligação *f* (telefônica).

communier [kɔmynje] *vi* comungar.

communion [kɔmynjɔ̃] *nf* comunhão *f*.

communiqué [kɔmynike] *nm* comunicado *m*.

communiquer [kɔmynike] *vt* & *vi* comunicar.

communisme [kɔmynism] *nm* comunismo *m*.

communiste [kɔmynist] *adj* & *nmf* comunista.

compact, **e** [kɔ̃pakt] ◇ *adj* compacto(ta). ◇ *nm* : **(disque) compact** compacto *m*.

Compact Disc® [kɔ̃paktdisk] (*pl* **Compact Discs**) *nm* CD *m*.

compagne [kɔ̃paɲ] *nf* [camarade] colega *f* ; [dans un couple] companheira *f*.

compagnie [kɔ̃paɲi] *nf* companhia *f* ; **en compagnie de** em companhia de ; **tenir compagnie à** fazer companhia a ; **compagnie aérienne** companhia aérea.

compagnon [kɔ̃paɲɔ̃] *nm* companheiro *m*.

comparable [kɔ̃paʀabl] *adj* comparável ; **comparable à** comparável a.

comparaison [kɔ̃paʀɛzɔ̃] *nf* comparação *f*.

comparaître [kɔ̃paʀɛtʀ] *vi* comparecer.

comparer [kɔ̃paʀe] *vt* comparar ; **comparer qqch à** OU **avec** comparar algo a OU com.

compartiment [kɔ̃paʀtimɑ̃] *nm* compartimento *m* ; **compartiment fumeurs** compartimento para fumantes ; **compartiment non-fumeurs** compartimento para não-fumantes.

compas [kɔ̃pa] *nm* MATH compasso *m* ; [boussole] bússola *f*.

compatible [kɔ̃patibl] *adj* compatível.

compatir [kɔ̃patiʀ] *vi* compadecer.

compatriote [kɔ̃patʀijɔt] *nmf* compatriota *mf*.

compensation [kɔ̃pɑ̃sasjɔ̃] *nf* compensação *f*.

compensé, **e** [kɔ̃pɑ̃se] *adj* compensado(da).

compenser [kɔ̃pɑ̃se] *vt* compensar.

compère [kɔ̃pɛʀ] *nm* compadre *m*.

compétence [kɔ̃petɑ̃s] *nf* competência *f*.

compétent, **e** [kɔ̃petɑ̃, ɑ̃t] *adj* competente.

compétitif, **ive** [kɔ̃petitif, iv] *adj* competitivo(va).

compétition [kɔ̃petisjɔ̃] *nf* competição *f*.

complainte [kɔ̃plɛ̃t] *nf* lamento *m*.

complément [kɔ̃plemɑ̃] *nm* complemento *m*.

complémentaire [kɔ̃plemɑ̃tɛʀ] *adj* complementar.

complet, **ète** [kɔ̃plɛ, ɛt] *adj* [entier] completo(ta) ; [plein] cheio(cheia) ; [aliment] integral ; **'complet'** [parking] 'lotado' ; [théâtre] 'esgotado'.

complètement [kɔ̃plɛtmɑ̃] *adv* completamente.

compléter [kɔ̃plete] *vt* completar. ◆ **se compléter** *vp* completar-se.

complexe [kɔ̃plɛks] ◇ *adj* complexo(xa). ◇ *nm* complexo *m*.

complexé, **e** [kɔ̃plɛkse] *adj* complexado(da).

complication [kɔ̃plikasjɔ̃] *nf* complicação *f*. ◆ **complications** *nfpl* MÉD complicações *fpl*.

complice [kɔ̃plis] *adj* & *nmf* cúmplice.

complicité [kɔ̃plisite] *nf* cumplicidade *f*.

compliment [kɔ̃plimɑ̃] *nm* cumprimento *m* ; **faire un compliment à qqn** cumprimentar alguém.

complimenter [kɔ̃plimɑ̃te] *vt* cumprimentar.

compliqué, **e** [kɔ̃plike] *adj* complicado(da).

compliquer [kɔ̃plike] *vt* complicar. ◆ **se compliquer** *vp* complicar-se.

complot [kɔ̃plo] *nm* conspiração *f*.

comploter [kɔ̃plɔte] *vt* & *vi* conspirar.

comportement [kɔ̃pɔʀtəmɑ̃] *nm* comportamento *m*.

comporter [kɔ̃pɔʀte] *vt* comportar. ◆ **se comporter** *vp* comportar-se.

composant, **e** [kɔ̃pozɑ̃, ɑ̃t] *adj* componente. ◆ **composant** *nm* componente *m*. ◆ **composante** *nf* componente *f*.

composer [kɔ̃poze] *vt* compor ; [bouquet] fazer ; [code, numéro] discar ; **composé de** composto de OU por. ◆ **se composer de** *vp* + *prép* compor-se de.

compositeur, **trice** [kɔ̃pozitœʀ, tʀis] *nm, f* compositor *m*, -ra *f*.

composition [kɔ̃pozisjɔ̃] *nf* composição *f*.

composter [kɔ̃pɔste] *vt* validar ; **'compostez votre billet'** 'valide o seu bilhete'.

compote [kɔ̃pɔt] *nf* compota *f* ; **compote de pommes** compota de maçã.

compréhensible [kɔ̃pʀeɑ̃sibl] *adj* compreensível.

compréhensif, **ive** [kɔ̃pʀeɑ̃sif, iv] *adj* compreensivo(va).

compréhension [kɔ̃pʀeɑ̃sjɔ̃] *nf* compreensão *f*.

comprendre [kɔ̃pʀɑ̃dʀ] *vt* compreender. ◆ **se comprendre** *vp* [personnes] compreender-se ; **ça se comprend** é compreensível.

compresse [kɔ̃pʀɛs] *nf* compressa *f*.

compresser [kɔ̃pʀɛse] *vt* **1.** comprimir - **2.** INFORM comprimir.

comprimé [kɔ̃pʀime] *nm* comprimido *m*.

comprimer [kɔ̃pʀime] *vt* comprimir.

compris, **e** [kɔ̃pʀi, iz] ◇ *pp* ► **comprendre**. ◇ *adj* [inclus] incluído(da) ; **non compris** não incluído ; **tout compris** ao todo ; **y compris** inclusive.

compromettre [kɔ̃pʀɔmɛtʀ] *vt* comprometer.

compromis, **e** [kɔ̃pʀɔmi, iz] ◇ *pp* ► **compromettre**. ◇ *nm* compromisso *m*.

comptabilité [kɔ̃tabilite] *nf* contabilidade *f*.

comptable [kɔ̃tabl] *nmf* contador *m*, -ra *f*.

comptant [kɔ̃tɑ̃] *adv* : **payer comptant** pagar à vista.

compte [kɔ̃t] *nm* conta *f* ; **se rendre compte de** dar-se conta de ; **se rendre compte que** dar-se conta de que ; **compte joint** conta conjunta ; **compte postal** *conta bancária aberta nos Correios na França* ; **en fin de compte** afinal de contas ; **tout compte fait** feitas as contas. ◆ **comptes** *nmpl* contas *fpl* ; **faire ses comptes** fazer as contas.

compte-chèques [kɔ̃tʃɛk] (*pl* **comptes-chèques**) *nm* conta *f* corrente.

compte-gouttes [kɔ̃tgut] *nm inv* conta-gotas *m inv*.

compter [kɔ̃te] ◇ *vt* [calculer] contar ; [inclure] contar com. ◇ *vi* contar ; **compter faire qqch** contar fazer algo. ◆ **compter sur** *vp* + *prép* contar com.

compte-rendu [kɔ̃tʀɑ̃dy] (*pl* **comptes-rendus**) *nm* relatório *m*.

compteur [kɔ̃tœʀ] *nm* contador *m* ; **compteur (kilométrique)** hodômetro *m* ; **compteur (de vitesse)** velocímetro *m*.

comptine [kɔ̃tin] *nf* canção *f* infantil.

comptoir [kɔ̃twaʀ] *nm* balcão *m*.

comte, **comtesse** [kɔ̃t, kɔ̃tɛs] *nm, f* conde *m*, -dessa *f*.

con, **conne** [kɔ̃, kɔn] *adj vulg* besta.

concave [kɔ̃kav] *adj* côncavo(va).

concéder [kɔ̃sede] *vt* conceder ; **concéder qqch à qqn** conceder algo a alguém ; **concéder que** admitir que.

concentration [kɔ̃sɑ̃tʀasjɔ̃] *nf* concentração *f*.

concentré, **e** [kɔ̃sɑ̃tʀe] <> *adj* concentrado(da). <> *nm*: **concentré de tomate** polpa *f* de tomate.

concentrer [kɔ̃sɑ̃tʀe] *vt* concentrar. ◆ **se concentrer (sur)** *vp* + *prép* concentrar-se em.

concept [kɔ̃sɛpt] *nm* conceito *m*.

conception [kɔ̃sɛpsjɔ̃] *nf* concepção *f*.

concerner [kɔ̃sɛʀne] *vt* dizer respeito a.

concert [kɔ̃sɛʀ] *nm* concerto *m*.

concertation [kɔ̃sɛʀtasjɔ̃] *nf* concerto *m*.

concerter [kɔ̃sɛʀte] *vt* preparar. ◆ **se concerter** *vp* pôr-se de acordo.

concessionnaire [kɔ̃sesjɔnɛʀ] *nm* concessionária *f*.

concevoir [kɔ̃səvwaʀ] *vt* conceber.

concierge [kɔ̃sjɛʀʒ] *nmf* zelador *m*, -ra *f*.

concilier [kɔ̃silje] *vt* conciliar ; **son honnêteté lui a concilié l'opinion publique** a sua honestidade valeu-lhe o apoio da opinião pública ; **concilier qqch et** OU **avec qqch** conciliar algo com algo. ◆ **se concilier** *vp* : **se concilier qqn** cair nas boas graças de alguém ; **se concilier qqch** conseguir algo.

concis, **e** [kɔ̃si, iz] *adj* conciso(sa).

concision [kɔ̃sizjɔ̃] *nf* concisão *f*.

concluant, **e** [kɔ̃klyɑ̃, ɑ̃t] *adj* concludente.

conclure [kɔ̃klyʀ] *vt* concluir.

conclusion [kɔ̃klyzjɔ̃] *nf* conclusão *f*.

concombre [kɔ̃kɔ̃bʀ] *nm* pepino *m*.

concordance [kɔ̃kɔʀdɑ̃s] *nf* concordância *f* ; **concordance des temps** concordância modo-temporal.

concorder [kɔ̃kɔʀde] *vi* coincidir.

concourir [kɔ̃kuʀiʀ] *vi* concorrer. ◆ **concourir à** *vp* + *prép* contribuir para.

concours [kɔ̃kuʀ] *nm* concurso *m* ; **concours de circonstances** concurso de circunstâncias.

concret, **ète** [kɔ̃kʀɛ, ɛt] *adj* concreto(ta).

concrétiser [kɔ̃kʀetize] *vt* concretizar. ◆ **se concrétiser** *vp* concretizar-se.

concubinage [kɔ̃kybinaʒ] *nm* concubinato *m*.

concurrence [kɔ̃kyʀɑ̃s] *nf* concorrência *f*.

concurrent, **e** [kɔ̃kyʀɑ̃, ɑ̃t] *nm, f* concorrente *mf*.

condamnation [kɔ̃danasjɔ̃] *nf* condenação *f*.

condamné, **e** [kɔ̃dane] *adj* & *nm, f* condenado(da).

condamner [kɔ̃dane] *vt* [accusé] condenar ; [porte, fenêtre] interditar ; **condamner qqn à** condenar alguém a.

condensateur [kɔ̃dɑ̃satœʀ] *nm* condensador *m*.

condensation [kɔ̃dɑ̃sasjɔ̃] *nf* condensação *f*.

condensé, **e** [kɔ̃dɑ̃se] *adj* condensado(da).

condenser [kɔ̃dɑ̃se] *vt* condensar. ◆ **se condenser** *vp* condensar-se.

condiment [kɔ̃dimɑ̃] *nm* condimento *m*.

condition [kɔ̃disjɔ̃] *nf* condição *f* ; **à condition de** com a condição de ; **à condition que** desde que.

conditionné [kɔ̃disjɔne] *adj m* ► **air**.

conditionnel [kɔ̃disjɔnɛl] *nm* condicional *m*.

condoléances [kɔ̃dɔleɑ̃s] *nfpl* pêsames *mpl* ; **présenter ses condoléances à qqn** dar os pêsames a alguém.

conducteur, **trice** [kɔ̃dyktœʀ, tʀis] *nm, f* condutor *m*, -ra *f*.

conduire [kɔ̃dɥiʀ] ◇ *vt* [véhicule] conduzir ; [accompagner] acompanhar ; [guider] levar. ◇ *vi* [automobiliste] conduzir ; [chemin, couloir] ir dar a. ◆ **se conduire** *vp* conduzir-se.

conduit, **e** [kɔ̃dɥi, it] *pp* ► **conduire.**

conduite [kɔ̃dɥit] *nf* [attitude] conduta *f* ; [tuyau] conduto *m* ; **conduite à gauche** direção *f* do lado esquerdo.

cône [kon] *nm* [figure géométrique] cone *m* ; [glace] sorvete *m* de casquinha.

confection [kɔ̃fɛksjɔ̃] *nf* confecção *f*.

confectionner [kɔ̃fɛksjɔne] *vt* confeccionar.

confédération [kɔ̃fedeʀasjɔ̃] *nf* confederação *f*.

conférence [kɔ̃feʀɑ̃s] *nf* conferência *f*.

conférencier, **ère** [kɔ̃feʀɑ̃sje, ɛʀ] *nm, f* conferencista *mf*.

confesser [kɔ̃fese] *vt* confessar. ◆ **se confesser** *vp* confessar-se.

confession [kɔ̃fesjɔ̃] *nf* confissão *f*.

confettis [kɔ̃feti] *nmpl* confetes *mpl* (de Carnaval).

confiance [kɔ̃fjɑ̃s] *nf* confiança *f* ; **avoir confiance en** ter confiança em ; **faire confiance à** confiar em.

confiant, **e** [kɔ̃fjɑ̃, ɑ̃t] *adj* confiante.

confidence [kɔ̃fidɑ̃s] *nf* confidência *f* ; **faire des confidences à qqn** fazer confidências a alguém.

confident, **e** [kɔ̃fidɑ̃, ɑ̃t] *nm, f* confidente *mf*.

confidentiel, **elle** [kɔ̃fidɑ̃sjɛl] *adj* confidencial.

confier [kɔ̃fje] *vt* confiar ; **confier qqch à qqn** confiar algo a alguém. ◆ **se confier (à)** *vp + prép* abrir-se (com).

confins [kɔ̃fɛ̃] ◆ **aux confins de** *loc prép* nos confins de.

confirmation [kɔ̃fiʀmasjɔ̃] *nf* confirmação *f*.

confirmer [kɔ̃fiʀme] *vt* confirmar. ◆ **se confirmer** *vp* confirmar-se.

confiserie [kɔ̃fizʀi] *nf* [sucreries] doce *m* ; [magasin] confeitaria *f*.

confiseur, **euse** [kɔ̃fizœʀ, øz] *nm, f* confeiteiro *m*, -ra *f*.

confisquer [kɔ̃fiske] *vt* tirar.

confit [kɔ̃fi] ◇ *adj m* ► **fruit.** ◇ *nm* : **confit de canard/d'oie** *conservas de pato ou de ganso cozidos na própria gordura.*

confiture [kɔ̃fityʀ] *nf* geléia *f*.

conflit [kɔ̃fli] *nm* conflito *m*.

confondre [kɔ̃fɔ̃dʀ] *vt* confundir.

conforme [kɔ̃fɔʀm] *adj* conforme ; **conforme à** em conformidade com.

conformément [kɔ̃fɔʀmemɑ̃] ◆ **conformément à** *prép* de acordo com.

conformiste [kɔ̃fɔʀmist] *adj* & *nmf* conformista.

confort [kɔ̃fɔʀ] *nm* conforto *m* ; **'tout confort'** 'com toda a comodidade'.

confortable [kɔ̃fɔʀtabl] *adj* confortável.

confrère [kɔ̃fʀɛʀ] *nm* colega *m*.

confrontation [kɔ̃fʀɔ̃tasjɔ̃] *nf* confrontação *f*.

confronter [kɔ̃fʀɔ̃te] *vt* confrontar.

confus, **e** [kɔ̃fy, yz] *adj* [compliqué] confuso(sa) ; [embarrassé] embaraçado(da).

confusion [kɔ̃fyzjɔ̃] *nf* confusão *f* ; [honte] embaraço *m*.

congé [kɔ̃ʒe] *nm* férias *fpl* ; **être en congé** estar de férias ; **congé (de) maladie** licença *f* médica ; **congés payés** férias pagas.

congélateur [kɔ̃ʒelatœʀ] *nm* congelador *m*.

congeler [kɔ̃ʒle] *vt* congelar.

congénital, **e**, **aux** [kɔ̃ʒenital, o] *adj* congênito(ta).

congère [kɔ̃ʒɛʀ] *nf monte de neve acumulada pelo vento.*

congestion [kɔ̃ʒɛstjɔ̃] *nf* MÉD congestão *f*.

congolais [kɔ̃gɔlɛ] *nm* bolo *m* de coco.

congrégation [kɔ̃gʀegasjɔ̃] *nf* congregação *f*.

congrès [kɔ̃gʀɛ] *nm* congresso *m*.

conifère [kɔnifɛʀ] *nm* conífera *f*.

conjecture [kɔ̃ʒɛktyʀ] *nf* conjectura *f* ; **se perdre en conjectures** perder-se em conjecturas.

conjoint [kɔ̃ʒwɛ̃] *nm* cônjuge *mf*.

conjonction [kɔ̃ʒɔ̃ksjɔ̃] *nf* conjunção *f*.

conjonctivite [kɔ̃ʒɔ̃ktivit] *nf* conjuntivite *f*.

conjoncture [kɔ̃ʒɔ̃ktyʀ] *nf* conjuntura *f*.

conjugaison [kɔ̃ʒygezɔ̃] *nf* conjugação *f*.

conjugal, **e**, **aux** [kɔ̃ʒygal, o] *adj* conjugal.

conjuguer [kɔ̃ʒyge] *vt* [verbe] conjugar.

connaissance [kɔnɛsɑ̃s] *nf* [savoir] conhecimento *m* ; [relation] conhecido *m*, -da *f* ; **avoir des connaissances en qqch** ter conhecimentos de algo ; **faire la connaissance de qqn** travar conhecimento com alguém ; **perdre connaissance** perder os sentidos.

connaisseur, **euse** [kɔnɛsœʀ, øz] *nm, f* conhecedor *m*, -ra *f*.

connaître [kɔnɛtʀ] *vt* conhecer ; [leçon, adresse] saber. ◆ **s'y connaître (en)** *vp* + *prép* ser entendido(da) em.

conne ► **con.**

connecter [kɔnɛkte] *vt* conectar.

connexion [kɔnɛksjɔ̃] *nf* conexão *f*.

connu, **e** [kɔny] ◇ *pp* ► **connaître.** ◇ *adj* conhecido(da).

conquérant, **e** [kɔ̃keʀɑ̃, ɑ̃t] *adj* & *nm, f* conquistador(ra).

conquérir [kɔ̃keʀiʀ] *vt* conquistar.

conquête [kɔ̃kɛt] *nf* conquista *f*.

conquis, **e** [kɔ̃ki, iz] *pp* ► **conquérir.**

consacrer [kɔ̃sakʀe] *vt* consagrar ; **consacrer qqch à** consagrar algo a. ◆ **se consacrer à** *vp* + *prép* consagrar-se a.

consciemment [kɔ̃sjamɑ̃] *adv* conscientemente.

conscience [kɔ̃sjɑ̃s] *nf* consciência *f* ; **avoir conscience de qqch** ter consciência de algo ; **prendre conscience de qqch** tomar consciência de algo ; **avoir mauvaise conscience** ter a consciência pesada.

consciencieux, **euse** [kɔ̃sjɑ̃sjø, øz] *adj* consciencioso(osa).

conscient, **e** [kɔ̃sjɑ̃, ɑ̃t] *adj* consciente ; **être conscient de qqch** ter consciência de algo.

consécration [kɔ̃sekʀasjɔ̃] *nf* consagração *f*.

consécutif, **ive** [kɔ̃sekytif, iv] *adj* consecutivo(va) ; **consécutif à** consecutivo a.

conseil [kɔ̃sɛj] *nm* conselho *m* ; **demander conseil à qqn** pedir conselho a alguém.

conseiller[1] [kɔ̃seje] *vt* aconselhar ; **conseiller qqch à qqn** aconselhar algo a alguém ; **conseiller à qqn de faire qqch** aconselhar alguém a fazer algo.

conseiller[2], **ère** [kɔ̃seje, ɛʀ] *nm, f* conselheiro *m*, -ra *f* ; **conseiller d'orientation** orientador *m* vocacional.

consentir [kɔ̃sɑ̃tiʀ] ◇ *vt* [accorder] : **consentir qqch à qqn** conceder algo a alguém ; *sout* [accepter] : **consentir que**

qqn fasse qqch consentir que alguém faça algo. ◇ *vi* [accepter] **: consentir (à)** consentir (em que).

conséquence [kɔ̃sekɑ̃s] *nf* conseqüência *f*.

conséquent [kɔ̃sekɑ̃] ◆ **par conséquent** *adv* por conseguinte.

conservateur [kɔ̃sɛʀvatœʀ] *nm* conservante *m*.

conservation [kɔ̃sɛʀvasjɔ̃] *nf* conservação *f*.

conservatoire [kɔ̃sɛʀvatwaʀ] *nm* conservatório *m*.

conserve [kɔ̃sɛʀv] *nf* [boîte] lata *f* de conserva.

conserver [kɔ̃sɛʀve] *vt* conservar.

considérable [kɔ̃sideʀabl] *adj* considerável.

considération [kɔ̃sideʀasjɔ̃] *nf* consideração *f* ; **prendre qqn/qqch en considération** levar alguém/algo em consideração.

considérer [kɔ̃sideʀe] *vt* considerar ; **considérer que** considerar que ; **il le considère comme un ami** ele o considera um amigo ; **je considère ce roman comme un chef-d'œuvre** considero este romance uma obra-prima.

consigne [kɔ̃siɲ] *nf* [de gare] depósito *m* de bagagem ; [instructions] instruções *fpl* ; **consigne automatique** *armário metálico que se abre com a inserção de uma moeda e que fornece uma chave ou um código.*

consigné, e [kɔ̃siɲe] *adj* com depósito.

consistance [kɔ̃sistɑ̃s] *nf* consistência *f*.

consistant, e [kɔ̃sistɑ̃, ɑ̃t] *adj* consistente.

consister [kɔ̃siste] *vi* consistir ; **consister à faire qqch** consistir em fazer algo ; **consister en** consistir em.

consœur [kɔ̃sœʀ] *nf* colega *f*.

consolation [kɔ̃sɔlasjɔ̃] *nf* consolação *f*.

console [kɔ̃sɔl] *nf* console *f* ; **console de jeux** console de jogos.

consoler [kɔ̃sɔle] *vt* consolar.

consolider [kɔ̃sɔlide] *vt* consolidar.

consommateur, trice [kɔ̃sɔmatœʀ, tʀis] *nm, f* [acheteur] consumidor *m*, -ra *f* ; [dans un bar] cliente *mf*.

consommation [kɔ̃sɔmasjɔ̃] *nf* consumo *m*.

consommé [kɔ̃sɔme] *nm* consomê *m*.

consommer [kɔ̃sɔme] *vt* consumir ; **'à consommer avant le...'** 'consumir de preferência antes de...'

consonne [kɔ̃sɔn] *nf* consoante *f*.

conspiration [kɔ̃spiʀasjɔ̃] *nf* conspiração *f* ; **conspiration contre qqn/qqch** conspiração contra alguém/algo.

constamment [kɔ̃stamɑ̃] *adv* constantemente.

constant, e [kɔ̃stɑ̃, ɑ̃t] *adj* constante.

constat [kɔ̃sta] *nm* [d'accident] : **constat (à l'amiable)** *boletim de ocorrência de acidente de automóvel.*

constatation [kɔ̃statasjɔ̃] *nf* constatação *f*.

constater [kɔ̃state] *vt* constatar.

constellation [kɔ̃stelasjɔ̃] *nf* constelação *f*.

consterné, e [kɔ̃stɛʀne] *adj* consternado(da).

consterner [kɔ̃stɛʀne] *vt* consternar.

constipé, e [kɔ̃stipe] *adj* : **être constipé** estar com prisão de ventre.

constituer [kɔ̃stitɥe] *vt* constituir ; **constitué de** constituído por.

constitution [kɔ̃stitysjɔ̃] *nf* constituição *f*.

constitutionnel, elle [kɔ̃stitysjɔnɛl] *adj* constitucional.

constructeur, trice [kɔ̃stʀyktœʀ,

tʀis] ◇ *adj* construtor(ra). ◇ *nm, f* [gén] construtor *m* ; [de pièces détachées] fabricante *m*.

construction [kɔ̃stʀyksjɔ̃] *nf* [d'une maison, d'un bateau] construção *f* ; [bâtiment] construção *f* civil.

construire [kɔ̃stʀɥiʀ] *vt* construir.

construit, **e** [kɔ̃stʀɥi, it] *pp* ► construire.

consul [kɔ̃syl] *nm* cônsul *m*.

consulat [kɔ̃syla] *nm* consulado *m*.

consultation [kɔ̃syltasjɔ̃] *nf* consulta *f*.

consulter [kɔ̃sylte] *vt* consultar.

contact [kɔ̃takt] *nm* contato *m* ; [d'un moteur] ignição *f* ; **couper le contact** desligar a ignição ; **entrer en contact avec** [heurter] ir contra ; [entrer en relation] entrar em contato com ; **mettre le contact** ligar a ignição.

contacter [kɔ̃takte] *vt* contatar.

contagieux, **euse** [kɔ̃taʒjø, øz] *adj* [maladie] contagioso(osa) ; [rire] contagiante.

contaminer [kɔ̃tamine] *vt* contaminar.

conte [kɔ̃t] *nm* conto *m* ; **conte de fées** conto de fadas.

contemplation [kɔ̃tɑ̃plasjɔ̃] *nf* contemplação *f* ; **rester en contemplation devant qqch/qqn** ficar contemplando algo/alguém.

contempler [kɔ̃tɑ̃ple] *vt* contemplar.

contemporain, **e** [kɔ̃tɑ̃pɔʀɛ̃, ɛn] *adj* contemporâneo(nea).

contenance [kɔ̃tnɑ̃s] *nf* [capacité] capacidade *f* ; [attitude] postura *f* ; **perdre contenance** perder a compostura.

contenir [kɔ̃tniʀ] *vt* conter.

content, **e** [kɔ̃tɑ̃, ɑ̃t] *adj* contente ; **être content de qqch** estar contente com algo ; **être content de faire qqch** estar contente por fazer algo.

contenter [kɔ̃tɑ̃te] *vt* contentar. ◆ **se contenter de** *vp* + *prép* contentar-se com ; **se contenter de qqch** contentar-se com algo ; **se contenter de faire qqch** contentar-se em fazer algo.

contentieux [kɔ̃tɑ̃sjø] *nm* contencioso *m*.

contenu, **e** [kɔ̃tny] ◇ *pp* ► contenir. ◇ *nm* conteúdo *m*.

contestation [kɔ̃tɛstasjɔ̃] *nf* contestação *f*.

contester [kɔ̃tɛste] *vt* contestar.

contexte [kɔ̃tɛkst] *nm* contexto *m*.

contigu, **uë** [kɔ̃tigy] *adj* contíguo(gua) ; **(être)contigu à** (ser) contíguo a.

continent [kɔ̃tinɑ̃] *nm* continente *m*.

continental, **e**, **aux** [kɔ̃tinɑ̃tal, o] *adj* continental.

continu, **e** [kɔ̃tiny] *adj* contínuo(nua).

continuel, **elle** [kɔ̃tinɥɛl] *adj* contínuo(nua).

continuellement [kɔ̃tinɥɛlmɑ̃] *adv* continuamente.

continuer [kɔ̃tinɥe] *vt* & *vi* continuar ; **continuer à** OU **de faire qqch** continuar a fazer algo.

continuité [kɔ̃tinɥite] *nf* continuidade *f*.

contorsionner [kɔ̃tɔʀsjɔne] ◆ **se contorsionner** *vp* contorcer-se.

contour [kɔ̃tuʀ] *nm* contorno *m*.

contourner [kɔ̃tuʀne] *vt* contornar.

contraceptif, **ive** [kɔ̃tʀasɛptif, iv] ◇ *adj* contraceptivo(va). ◇ *nm* contraceptivo *m*.

contraception [kɔ̃tʀasɛpsjɔ̃] *nf* contracepção *f*.

contracter [kɔ̃tʀakte] *vt* contrair ; [assurance] fazer.

contradiction [kɔ̃tʀadiksjɔ̃] *nf* contradição *f*.

contradictoire [kɔ̃tʀadiktwaʀ] *adj* contraditório(ria).

contraignant, e [kɔ̃tʀɛɲɑ̃, ɑ̃t] *adj* constrangedor(ra).

contraindre [kɔ̃tʀɛ̃dʀ] *vt* obrigar ; **contraindre qqn à faire qqch** obrigar alguém a fazer algo.

contrainte [kɔ̃tʀɛ̃t] *nf* **1.** [obligation] limitação *f* - **2.** [embarras] constrangimento *m* - **3.** TECHNOL pressão *f*.

contraire [kɔ̃tʀɛʀ] ◇ *nm* contrário *m*. ◇ *adj* contrário(ria) ; **contraire à** contrário a ; **au contraire** pelo contrário.

contrairement [kɔ̃tʀɛʀmɑ̃] ◆ **contrairement à** *prép* contrariamente a.

contrarier [kɔ̃tʀaʀje] *vt* contrariar.

contrariété [kɔ̃tʀaʀjete] *nf* contrariedade *f*.

contraste [kɔ̃tʀast] *nm* contraste *m*.

contrat [kɔ̃tʀa] *nm* contrato *m*.

contravention [kɔ̃tʀavɑ̃sjɔ̃] *nf* multa *f*.

contre [kɔ̃tʀ] *prép* contra ; **un sirop contre la toux** um xarope para a tosse ; **par contre** pelo contrário.

contre-attaque [kɔ̃tʀatak] (*pl* **contre-attaques**) *nf* contra-ataque *m*.

contrebande [kɔ̃tʀəbɑ̃d] *nf* contrabando *m* ; **passer qqch en contrebande** contrabandear algo.

contrebas [kɔ̃tʀəba] ◆ **en contrebas** *loc adv* embaixo. ◆ **en contrebas de** *loc prép* : **en contrebas de qqch** na parte de baixo de algo.

contrebasse [kɔ̃tʀəbas] *nf* contrabaixo *m*.

contrecarrer [kɔ̃tʀəkaʀe] *vt* opor-se a.

contrecœur [kɔ̃tʀ əkœʀ] ◆ **à contrecœur** *adv* a contragosto.

contrecoup [kɔ̃tʀəku] *nm* conseqüência *f*.

contre-courant [kɔ̃tʀəkuʀɑ̃] ◆ **à contre-courant** *loc adv* contra a corrente. ◆ **à contre-courant de** *loc prép* : **aller à contre-courant de qqch** ir à contracorrente de algo.

contredire [kɔ̃tʀədiʀ] *vt* contradizer.

contre-exemple [kɔ̃tʀɛgzɑ̃pl] (*pl* **contre-exemples**) *nm* contra-exemplo *m*.

contrefaçon [kɔ̃tʀəfasɔ̃] *nf* falsificação *f*.

contre-indication, s [kɔ̃tʀɛ̃dikasjɔ̃] *nf* contra-indicação *f*.

contre-jour [kɔ̃tʀəʒuʀ] ◆ **à contre-jour** *adv* na contraluz.

contrepartie [kɔ̃tʀəpaʀti] *nf* contrapartida *f* ; **en contrepartie** em contrapartida.

contre-pied [kɔ̃tʀəpje] *nm inv* : **prendre le contre-pied de qqch** fazer exatamente o contrário de algo.

contreplaqué [kɔ̃tʀəplake] *nm* compensado *m*.

contrepoids [kɔ̃tʀəpwa] *nm* contrapeso *m*.

contrepoison [kɔ̃tʀəpwazɔ̃] *nm* contraveneno *m*.

contrer [kɔ̃tʀe] *vt* opor-se a ; [délinquance] tentar acabar com.

contresens [kɔ̃tʀəsɑ̃s] *nm* contrasenso *m* ; **à contresens** na contramão.

contretemps [kɔ̃tʀətɑ̃] *nm* contratempo *m*.

contribuable [kɔ̃tʀibɥabl] *nmf* contribuinte *mf*.

contribuer [kɔ̃tʀibɥe] ◆ **contribuer à** *vp* + *prép* contribuir para.

contribution [kɔ̃tʀibysjɔ̃] *nf* contribuição *f* ; **contribution à** contribuição para ; **mettre qqn à contribution** utilizar os serviços de alguém. ◆ **contribu-**

tions *nfpl* impostos *mpl* ; **contributions directes/indirectes** impostos diretos /indiretos.

contrôle [kɔ̃tʀol] *nm* controle *m* ; SCOL teste *m* ; **contrôle aérien** controle aéreo ; **contrôle d'identité** controle de identidade ; **contrôle parental** INFORM controle de acesso.

contrôler [kɔ̃tʀole] *vt* controlar.

contrôleur [kɔ̃tʀolœʀ] *nm* fiscal *m* ; **contrôleur aérien** controlador *m* aéreo.

contrordre [kɔ̃tʀɔʀdʀ] *nm* contraordem *f*.

controverse [kɔ̃tʀɔvɛʀs] *nf* controvérsia *f*.

controversé, e [kɔ̃tʀɔvɛʀse] *adj* controverso(sa).

contumace [kɔ̃tymas] *nf* : **être condamné par contumace** ser condenado à revelia.

contusion [kɔ̃tyzjɔ̃] *nf* contusão *f*.

convaincant, e [kɔ̃vɛ̃kɑ̃, ɑ̃t] *adj* convincente.

convaincre [kɔ̃vɛ̃kʀ] *vt* convencer ; **convaincre qqn de qqch** convencer alguém de algo ; **convaincre qqn de faire qqch** convencer alguém a fazer algo.

convalescence [kɔ̃valesɑ̃s] *nf* convalescência *f*.

convenable [kɔ̃vnabl] *adj* conveniente.

convenance [kɔ̃vnɑ̃s] *nf* **1.** [disponibilité] conveniência *f* - **2.** [affinité] afinidade *f*. ◆ **convenances** *nfpl* conveniências *fpl* ; **à ma/sa convenance** à minha/sua conveniência.

convenir [kɔ̃vniʀ] ◆ **convenir à** *vp + prép* convir a.

convention [kɔ̃vɑ̃sjɔ̃] *nf* convenção *f* ; **convention collective** convenção coletiva.

conventionné, e [kɔ̃vɑ̃sjɔne] *adj que segue as tarifas estabelecidas pela Seguridade Social.*

convenu, e [kɔ̃vny] *pp* ➤ **convenir**.

converger [kɔ̃vɛʀʒe] *vi* convergir.

conversation [kɔ̃vɛʀsasjɔ̃] *nf* conversa *f*.

convertible [kɔ̃vɛʀtibl] *adj* ➤ **canapé**.

convertir [kɔ̃vɛʀtiʀ] *vt* converter ; **convertir qqn à** converter alguém a ; **convertir en** converter em. ◆ **se convertir** *vp* : **se convertir à** converter-se a.

convexe [kɔ̃vɛks] *adj* convexo(xa).

conviction [kɔ̃viksjɔ̃] *nf* convicção *f* ; **avoir la conviction que** ter a convicção de que. ◆ **convictions** *nfpl* convicções *fpl*.

convier [kɔ̃vje] *vt* : **convier qqn à** convidar alguém para.

convive [kɔ̃viv] *nmf* conviva *mf*.

convivial, e, aux [kɔ̃vivjal, o] *adj* [réunion, assemblée] convivial ; INFORM de fácil utilização.

convocation [kɔ̃vɔkasjɔ̃] *nf* convocação *f*.

convoi [kɔ̃vwa] *nm* comboio *m*.

convoiter [kɔ̃vwate] *vt* cobiçar.

convoquer [kɔ̃vɔke] *vt* convocar.

convulsion [kɔ̃vylsjɔ̃] *nf* convulsão *f*.

cookie [kuki] *nm* **1.** [petit gâteau] cookie *m* - **2.** INFORM cookie *m*.

coopération [kɔɔpeʀasjɔ̃] *nf* cooperação *f*.

coopérer [kɔɔpeʀe] *vi* cooperar ; **coopérer à qqch** cooperar em algo.

coordonné, e [kɔɔʀdɔne] *adj* coordenado(da).

coordonnées [kɔɔʀdɔne] *nfpl* : **laissez-moi vos coordonnées** deixe-me o seu endereço e o seu número de telefone.

coordonner [kɔɔʀdɔne] *vt* coordenar.

copain, **copine** [kɔpɛ̃, kɔpin] *nm, f fam* [ami] amigo *m*, -ga *f* ; [petit ami] namorado *m*, -da *f*.

copie [kɔpi] *nf* **1.** [reproduction] cópia *f* ; [devoir] lição *f* de casa ; [feuille] folha *f* - **2.** INFORM : **copie d'écran** captura *f* de tela.

copier [kɔpje] *vt* copiar ; **copier (qqch) sur qqn** copiar (algo) de alguém.

copier-coller [kɔpjekɔle] *vt* INFORM *copiar-colar*.

copieux, **euse** [kɔpjø, øz] *adj* copioso(osa).

copilote [kɔpilɔt] *nm* co-piloto *m*.

copine ► **copain**.

coproduction [kɔpʀɔdyksjɔ̃] *nf* coprodução *f*.

copropriété [kɔpʀɔpʀijete] *nf* copropriedade *f*.

coq [kɔk] *nm* galo *m* ; **coq au vin** *frango com vinho tinto*.

coque [kɔk] *nf* [de bateau] casco *m* ; [coquillage] berbigão *m*.

coquelet [kɔklɛ] *nm* galeto *m*.

coquelicot [kɔkliko] *nm* papoula *f*.

coqueluche [kɔklyʃ] *nf* MÉD coqueluche *f*.

coquet, **ette** [kɔkɛ, ɛt] *adj* charmoso(sa).

coquetier [kɔktje] *nm* porta-ovo *m*.

coquetterie [kɔkɛtʀi] *nf* coquetismo *m*.

coquillage [kɔkijaʒ] *nm* [crustacé] marisco *m* ; [coquille] concha *f*.

coquille [kɔkij] *nf* [d'œuf, de noix] casca *f* ; [de mollusque] concha *f* ; **coquille Saint-Jacques** vieira *f*.

coquillettes [kɔkijɛt] *nfpl massa alimentícia em forma de cilindro curvo*.

coquin, **e** [kɔkɛ̃, in] *adj* [enfant] maroto(ta).

cor [kɔʀ] *nm* [instrument] trompa *f* ; MÉD calo *m*.

corail [kɔʀaj, o] (*pl* -aux) *nm* coral *m* ; **(train) Corail** *vagão de trem sem compartimentos, com corredor central*.

Coran [kɔʀɑ̃] *nm* Alcorão *m*.

corbeau [kɔʀbo] (*pl* -x) *nm* corvo *m*.

corbeille [kɔʀbɛj] *nf* **1.** cesto *m* ; **corbeille à papiers** cesto de papéis - **2.** INFORM lixeira *f*.

corbillard [kɔʀbijaʀ] *nm* carro *m* fúnebre.

corde [kɔʀd] *nf* corda *f* ; **corde à linge** varal *m* ; **corde à sauter** corda de pular ; **cordes vocales** cordas vocais.

cordial, **e**, **aux** [kɔʀdjal, o] *adj* cordial.

cordon [kɔʀdɔ̃] *nm* [petite corde] cordão *m* ; [électrique] fio *m*.

cordon-bleu [kɔʀdɔ̃blø] (*pl* **cordons-bleus**) *nm* cordon-bleu *m*.

cordonnerie [kɔʀdɔnʀi] *nf* : **aller à la cordonnerie** ir à sapataria.

cordonnier [kɔʀdɔnje] *nm* sapateiro *m*.

Corée [kɔʀe] *nf* Coréia *f*.

coriace [kɔʀjas] *adj* duro(ra).

coriandre [kɔʀjɑ̃dʀ] *nf* coentro *m*.

cormoran [kɔʀmɔʀɑ̃] *nm* alcatraz *m*.

corne [kɔʀn] *nf* [d'animal] corno *m* ; [matière] osso *m*.

corneille [kɔʀnɛj] *nf* gralha *f*.

cornet [kɔʀnɛ] *nm* [de glace] casquinha *f* ; [de frites] cartucho *m*.

corniche [kɔʀniʃ] *nf* [falaise] saliência *f* ; [route] estrada *f* à beira de precipícios ; [moulure] cornija *f*.

cornichon [kɔʀniʃɔ̃] *nm* pepino *m* em conserva.

corporel, **elle** [kɔʀpɔʀɛl] *adj* [besoins, exercice] físico(ca) ; [odeur] corporal ; DR corpóreo(rea).

corps [kɔʀ] *nm* corpo *m*.

corpulent, **e** [kɔʀpylɑ̃, ɑ̃t] *adj* corpulento(ta).

correct, **e** [kɔʀɛkt] *adj* correto(ta).

correcteur, **trice** [kɔʀɛktœʀ, tʀis] ◇ *adj* corretor(ra). ◇ *nm, f* [d'examen] corretor *m*, -ra *f* ; [dans l'édition] revisor *m*, -ra *f*.

correction [kɔʀɛksjɔ̃] *nf* correção *f* ; [punition] castigo *m*.

correspondance [kɔʀɛspɔ̃dɑ̃s] *nf* correspondência *f* ; [train, métro] baldeação *f* ; **par correspondance** por correspondência.

correspondant, **e** [kɔʀɛspɔ̃dɑ̃, ɑ̃t] ◇ *adj* correspondente. ◇ *nm, f* [à qui on écrit] correspondente *mf* ; [au téléphone] interlocutor *m*, -ra *f*.

correspondre [kɔʀɛspɔ̃dʀ] *vi* [coïncider] corresponder ; [écrire] corresponder-se ; **correspondre à** corresponder a.

corrida [kɔʀida] *nf* tourada *f*.

corridor [kɔʀidɔʀ] *nm* corredor *m*.

corrigé [kɔʀiʒe] *nm* solução *f*.

corriger [kɔʀiʒe] *vt* [erreur, examen] corrigir ; [défaut] emendar. ◆ **se corriger** *vp* corrigir-se.

corroborer [kɔʀɔbɔʀe] *vt* corroborar.

corrompre [kɔʀɔ̃pʀ] *vt* [soudoyer] subornar ; [dépraver] corromper ; [gâter] estragar.

corrosif, **ive** [kɔʀozif, iv] *adj* corrosivo(va).

corrosion [kɔʀozjɔ̃] *nf* corrosão *f*.

corruption [kɔʀypsjɔ̃] *nf* corrupção *f* ; **corruption de fonctionnaire** corrupção de funcionários.

corsage [kɔʀsaʒ] *nm* corpete *m*.

corse [kɔʀs] *adj* corso(sa). ◆ **Corse** ◇ *nmf* corso *m*, -sa *f*. ◇ *nf* : **la Corse** a Córsega.

corsé, **e** [kɔʀse] *adj* forte ; [vin] encorpado(da).

cortège [kɔʀtɛʒ] *nm* cortejo *m*.

corvée [kɔʀve] *nf* chatice *f*.

cosmétique [kɔsmetik] ◇ *nm* cosmético *m*. ◇ *adj* cosmético(ca).

cosmique [kɔsmik] *adj* cósmico(ca).

cosmonaute [kɔsmɔnot] *nmf* cosmonauta *mf*.

cosmopolite [kɔsmɔpɔlit] *adj* cosmopolita.

cossu, **e** [kɔsy] *adj* opulento(ta).

Costa Rica [kɔstaʀika] *nm* : **le Costa Rica** a Costa Rica.

costaud, **e** [kɔsto, od] *adj fam* [musclé] robusto(ta) ; [solide] sólido(da).

costume [kɔstym] *nm* [d'homme] terno *m* ; [de théâtre, de déguisement] figurino *m*.

cotation [kɔtasjɔ̃] *nf* cotação *f* ; **cotation en Bourse** cotação na Bolsa.

côte [kot] *nf* [pente] encosta *f* ; ANAT costela *f* ; [d'agneau, de porc *etc.*] costeleta *f* ; [bord de mer] costa *f* ; **côte à côte** lado a lado ; **la Côte d'Azur** a Costa Azul *(francesa)*.

côté [kote] *nm* lado *m* ; **de quel côté dois-je aller ?** para que lado devo ir? ; **à côté** ao lado ; **à côté de** ao lado de ; **de l'autre côté (de)** do outro lado (de) ; **de côté** de lado ; **mettre qqch de côté** pôr algo de lado.

Côte-d'Ivoire [cotdivwaʀ] *nf* : **la Côte-d'Ivoire** a Costa do Marfim.

côtelé [kotle] *adj m* ► **velours**.

côtelette [kotlɛt] *nf* costeleta *f*.

côtier, **ère** [kotje, ɛʀ] *adj* costeiro(ra).

cotisation [kɔtizasjɔ̃] *nf* cota *f*. ◆ **cotisations** *nfpl* descontos *mpl*.

cotiser [kɔtize] *vi* [à un club, un parti]

pagar uma cota ; [à la Sécurité sociale] contribuir ; [participer] contribuir. ◆ **se cotiser** *vp* cotizar-se.

coton [kɔtɔ̃] *nm* algodão *m* ; **coton (hydrophile)** algodão (hidrófilo).

Coton-Tige® [kɔtɔ̃tiʒ] (*pl* **Cotons-Tiges**) *nm* cotonete *m*.

côtoyer [kɔtwaje] *vt* [fréquenter] dar-se com ; [longer] costear.

cou [ku] *nm* pescoço *m*.

couchage [kuʃaʒ] *nm* ► **sac**.

couchant [kuʃɑ̃] *adj m* ► **soleil**.

couche [kuʃ] *nf* [épaisseur] camada *f* ; [de bébé] fralda *f*.

couche-culotte [kuʃkylɔt] (*pl* **couches-culottes**) *nf* fralda *f* descartável.

coucher [kuʃe] ◇ *vt* deitar. ◇ *vi* [dormir] dormir ; **être couché** estar deitado ; **coucher avec qqn** *fam* dormir com alguém. ◆ **se coucher** *vp* [personne] deitar-se ; [soleil] pôr-se.

couchette [kuʃɛt] *nf* cama *f*, couchette *f*.

coucou [kuku] ◇ *nm* [oiseau] cuco *m* ; [horloge] relógio *m* de cuco. ◇ *interj* olá!

coude [kud] *nm* ANAT cotovelo *m* ; [courbe] curva *f*.

cou-de-pied [kudpje] (*pl* **cous-de-pied**) *nm* peito *m* do pé.

coudre [kudʀ] *vt* & *vi* costurar.

couette [kwɛt] *nf* [édredon] edredom *m*. ◆ **couettes** *nfpl* [coiffure] rabo-de-cavalo *m*.

couffin [kufɛ̃] *nm* [cabas] seira *f* ; [berceau] moisés *m*.

cougnou [kuɲu] *nm Belgique brioche com a forma do Menino Jesus que se come no Natal.*

couler [kule] ◇ *vi* [liquide, rivière] correr ; [bateau] afundar-se. ◇ *vt* [bateau] afundar.

couleur [kulœʀ] *nf* [teinte] cor *f* ; [de cartes] naipe *m* ; **de quelle couleur est... ?** de que cor é...?

couleuvre [kulœvʀ] *nf* cobra *f*.

coulis [kuli] *nm purê de legumes, de fruta ou de mariscos.*

coulisser [kulise] *vi* deslizar.

coulisses [kulis] *nfpl* bastidores *mpl*.

couloir [kulwaʀ] *nm* [d'appartement] corredor *m* ; [de bus] corredor *m* de circulação.

coup [ku] *nm* **1.** [choc physique] pancada *f* ; **donner un coup à qqn** dar uma pancada em alguém ; **donner un coup de coude à qqn** dar uma cotovelada em alguém ; **coup de couteau** facada *f* ; **coup de feu** tiro *m* ; **coup de pied** pontapé *m* ; **coup de poing** murro *m* - **2.** [avec un instrument] : **passer un coup de balai** varrer ; **coup de marteau** martelada *f* ; **coup de peigne** penteadela *f* ; **coup de crayon** traço *m* - **3.** [choc moral, action malhonnête] golpe *m* ; **coup dur** *fam* golpe duro ; **ça m'a fait un coup au cœur** aquilo foi um choque para mim ; **faire un coup à qqn** dar um golpe baixo em alguém - **4.** [bruit] : **il y a eu un coup sec** houve um estampido ; **coup de sonnette** toque *m* (de campainha) ; **les douze coups de minuit** as doze badaladas da meia-noite - **5.** [à la porte] pancada *f* - **6.** [aux échecs] jogada *f* - **7.** [en sport] lance *m* ; **coup franc** [au football] tiro *m* livre ; [au rugby] lance *m* livre - **8.** *fam* [fois] vez *f* ; **du premier coup** de primeira ; **d'un (seul) coup** [en une fois] de uma só vez ; [soudainement] de repente ; **j'ai tout bu d'un (seul) coup** bebi tudo de um (só) gole ; **ça marche à tous les coups** funciona sempre - **9.** [dans des expressions] : **avoir un coup de barre/de pompe** *fam* fadiga, cansaço, canseira ; **coup de chance** golpe de sorte ; **coup de fil** OU **de téléphone** telefonema *m* ; **donner un coup de main à qqn** dar uma mão a alguém ; **jeter un coup d'œil (à)** dar uma olhada (em) ; **coup de soleil** queimadura *f* (solar) ; **coup de foudre** amor *m* à primeira vista ; **coup de vent** rajada *f* de vento ; **passer en coup de vent** fazer uma visita rápida ; **boire un coup** *fam* beber um copo ; **du coup,...** resultado,... ; **tenir le coup** agüentar ; **valoir le coup** *fam* valer a pena. ◆ **sur le coup** *loc prép* no instante, no momento.

coupable [kupabl] *adj* & *nmf* culpado(da) ; **coupable de qqch** culpado de algo.

coupant, e [kupɑ̃, ɑ̃t] *adj* cortante.

coupe [kup] *nf* taça *f* ; [de cheveux, de vêtements] corte *m* ; **à la coupe** [fromage *etc.*] em fatia.

coupe-ongles [kupɔ̃gl] *nm inv* cortador *m* de unhas.

coupe-papier [kuppapje] *nm inv* espátula *f* (*de cortar papel*).

couper [kupe] *vt* & *vi* cortar ; **couper la route à qqn** cortar a frente de alguém. ◆ **se couper** *vp* cortar-se ; **se couper le doigt** cortar-se no dedo.

couple [kupl] *nm* casal *m*.

couplet [kuplɛ] *nm* estrofe *f*.

coupole [kupɔl] *nf* cúpula *f*.

coupon [kupɔ̃] *nm* [reste de tissu] retalho *m* ; [rouleau d'étoffe] peça *f* ; FIN cupom *m* ; [billet] senha *f*.

coupure [kupyʀ] *nf* corte *m* ; **coupure de courant** corte de eletricidade ; **coupure de journal** recorte *m* de jornal.

couque [kuk] *nf* *Belgique* [biscuit] bolacha *f* ; [pain d'épices] pão-de-mel *m* ; [brioche] brioche *m*.

cour [kuʀ] *nf* [d'immeuble, de ferme] pátio *m* ; [tribunal] tribunal *m* ; [d'un roi] corte *f* ; **cour (de récréation)** recreio *m*.

courage [kuʀaʒ] *nm* coragem *f* ; **bon courage!** coragem !

courageux, euse [kuʀaʒø, øz] *adj* corajoso(osa).

couramment [kuʀamɑ̃] *adv* [fréquemment] freqüentemente ; [parler] fluentemente.

courant, e [kuʀɑ̃, ɑ̃t] ◇ *adj* [fréquent] comum. ◇ *nm* corrente *f* ; **être au courant (de)** estar ao corrente (de) ; **courant d'air** corrente de ar ; **courant alternatif** corrente alternada ; **courant continu** corrente contínua.

courbaturé, e [kuʀbatyʀe] *adj* com dores musculares.

courbatures [kuʀbatyʀ] *nfpl* dores *fpl* musculares.

courbe [kuʀb] ◇ *adj* curvo(va). ◇ *nf* [ligne arrondie] curva *f*.

courber [kuʀbe] *vt* [plier] curvar ; [pencher] dobrar.

coureur, euse [kuʀœʀ, øz] *nm, f* corredor *m*, -ra *f* ; **coureur automobile** piloto *m* (*de provas automobilísticas*) ; **coureur cycliste** ciclista *mf* ; **coureur à pied** corredor.

courge [kuʀʒ] *nf* abóbora *f*.

courgette [kuʀʒɛt] *nf* abobrinha *f*.

courir [kuʀiʀ] *vt* & *vi* correr.

couronne [kuʀɔn] *nf* coroa *f* ; [de fleurs] coroa *f* de flores.

couronner [kuʀɔne] *vt* [roi] coroar ; *fig* [récompenser] laurear ; **être couronné de succès** ser coroado de sucesso.

courriel [kurjɛl] *nm* INFORM correio *m* eletrônico.

courrier [kuʀje] *nm* correio *m*.

courroie [kuʀwa] *nf* correia *f*.

cours [kuʀ] *nm* [leçon] aula *f* ; **cours particuliers** aulas particulares, explicações ; [d'une monnaie, d'une marchandise] cotação *f* ; **au cours de** ao longo de ; **en cours** em curso ; **cours d'eau** curso *m* de água.

course [kuʀs] *nf* corrida *f* ; [démarche]

volta *f*. ◆ **courses** *nfpl* [achats] compras *fpl* ; **faire les courses** fazer compras.

coursier, **ère** [kuʀsje, ɛʀ] *nm, f* office boy *m*.

court, **e** [kuʀ, kuʀt] ◇ *adj* curto(ta). ◇ *nm* [de tennis] quadra *f* de tênis. ◇ *adv* : **des cheveux coupés court** cabelo cortado curto ; **s'habiller court** vestir saias curtas ; **être à court de** estar com falta de.

court-bouillon [kuʀbujɔ̃] (*pl* **courts-bouillons**) *nm caldo composto de água, vinho branco e condimentos, no qual se cozinha o peixe.*

court-circuit [kuʀsiʀkɥi] (*pl* **courts-circuits**) *nm* curto-circuito *m*.

courtier, **ère** [kuʀtje, ɛʀ] *nm, f* corretor *m*, -ra *f*.

court-métrage [kuʀmetʀaʒ] (*pl* **courts-métrages**) *nm* curta-metragem *f*.

courtois, **e** [kuʀtwa, az] *adj* cortês.

courtoisie [kuʀtwazi] *nf* cortesia *f*.

couru, **e** [kuʀy] *pp* ► **courir**.

couscous [kuskus] *nm* cuscuz *m*.

cousin, **e** [kuzɛ̃, in] *nm, f* primo *m*, -ma *f* ; **cousin germain** primo-irmão *m*.

coussin [kusɛ̃] *nm* almofada *f*.

cousu, **e** [kuzy] *pp* ► **coudre**.

coût [ku] *nm* custo *m*.

couteau [kuto] (*pl* -x) *nm* faca *f*.

coûter [kute] *vt* & *vi* custar ; **combien ça coûte ?** quanto custa?

coûteux, **euse** [kutø, øz] *adj* dispendioso(osa).

coutume [kutym] *nf* costume *m*.

couture [kutyʀ] *nf* costura *f*.

couturier, **ère** [kutyʀje, ɛʀ] *nm, f* costureiro *m*, -ra *f* ; **grand couturier** grande costureiro.

couvée [kuve] *nf* ninhada *f*.

couvent [kuvɑ̃] *nm* convento *m*.

couver [kuve] *vt* & *vi* chocar.

couvercle [kuvɛʀkl] *nm* [de casserole, bocal] tampa *f*.

couvert, **e** [kuvɛʀ, ɛʀt] ◇ *pp* ► **couvrir**. ◇ *nm* talher *m*. ◇ *adj* [ciel] encoberto(ta) ; [marché, parking] coberto(ta) ; [vêtu] agasalhado(da) ; **bien couvert** bem agasalhado ; **couvert de** coberto de ; **mettre le couvert** pôr a mesa.

couverture [kuvɛʀtyʀ] *nf* [de lit] cobertor *m* ; [de livre] capa *f*.

couveuse [kuvøz] *nf* **1.** [pour bébés] incubadora *f* - **2.** [poule] galinha *f* choca - **3.** [pour œufs] chocadeira *f*.

couvre-feu [kuvʀəfø] (*pl* **couvre-feux**) *nm* toque *m* de recolher.

couvrir [kuvʀiʀ] *vt* [mettre un couvercle sur] tapar ; [livre, cahier] forrar ; **couvrir qqch de** encher algo de. ◆ **se couvrir** *vp* [ciel] encobrir-se ; [s'habiller] agasalhar-se ; **se couvrir de** cobrir-se de.

covoiturage [kovwatyʀaʒ] *nm modo de transporte que consiste em compartilhar o carro particular para um deslocamento, particularmente do tipo casa-trabalho.*

cow-boy [kobɔj] (*pl* **cow-boys**) *nm* caubói *m*.

CP *nm* (*abr de* **cours préparatoire**) ≃ educação *f* infantil pré-escolar.

crabe [kʀab] *nm* caranguejo *m*.

crachat [kʀaʃa] *nm* escarro *m*.

cracher [kʀaʃe] ◇ *vi* cuspir. ◇ *vt* jogar fora.

crachin [kʀaʃɛ̃] *nm* chuvisco *m*.

craie [kʀɛ] *nf* [matière] greda *f* branca ; [pour écrire au tableau] giz *m*.

craindre [kʀɛ̃dʀ] *vt* [redouter] temer ; [être sensible à] **ser sensível a** ; **je crains de ne pouvoir venir** receio não poder vir.

craint, **e** [kʀɛ̃, ɛ̃t] *pp* ► **craindre**.

crainte [kʀɛ̃t] *nf* receio *m* ; **de crainte que** com receio de que.

craintif, **ive** [kʀɛ̃tif, iv] *adj* receoso(osa).

cramique [kʀamik] *nm Belgique brioche com passas.*

crampe [kʀɑ̃p] *nf* cãibra *f*.

cramponner [kʀɑ̃pɔne] ◆ **se cramponner (à)** *vp + prép* agarrar-se (a).

crampons [kʀɑ̃pɔ̃] *nmpl* [de foot, de rugby] pinos *mpl*.

cran [kʀɑ̃] *nm* [de ceinture] furo *m* ; [entaille] corte *m* ; *fam* [courage] peito *m* ; **(couteau à) cran d'arrêt** navalha *f* de ponta em mola.

crâne [kʀan] *nm* crânio *m*.

crâner [kʀane] *vi fam* gabar-se.

crânien, **enne** [kʀanjɛ̃, ɛn] *adj* craniano(na).

crapaud [kʀapo] *nm* sapo *m*.

crapule [kʀapyl] *nf* crápula *m*.

craquement [kʀakmɑ̃] *nm* estalido *m*.

craquer [kʀake] ◇ *vi* [faire un bruit] estalar ; [casser] rachar ; [nerveusement] estourar. ◇ *vt* [allumette] acender.

crasse [kʀas] *nf* sujidade *f*.

crasseux, **euse** [kʀasø, øz] *adj* sebento(ta).

cratère [kʀatɛʀ] *nm* cratera *f*.

cravache [kʀavaʃ] *nf* chicote *m*.

cravate [kʀavat] *nf* gravata *f*.

crawl [kʀol] *nm* crawl *m*.

crayon [kʀɛjɔ̃] *nm* lápis *m* ; **crayon de couleur** lápis de cor.

créancier, **ère** [kʀeɑ̃sje, ɛʀ] *nm, f* credor *m*, -ra *f*.

créateur, **trice** [kʀeatœʀ, tʀis] *adj* & *nm, f* criador(ra).

créatif, **ive** [kʀeatif, iv] *adj* criativo(va).

création [kʀeasjɔ̃] *nf* criação *f*.

créature [kʀeatyʀ] *nf* criatura *f*.

crèche [kʀɛʃ] *nf* [garderie] creche *f* ; RELIG presépio *m*.

crédible [kʀedibl] *adj* crível.

crédit [kʀedi] *nm* crédito *m* ; **acheter qqch à crédit** comprar algo a prazo.

créditer [kʀedite] *vt* creditar.

créditeur, **trice** [kʀeditœʀ, tʀis] *adj* & *nm, f* credor(ra).

crédule [kʀedyl] *adj* crédulo(la).

créer [kʀee] *vt* criar.

crémaillère [kʀemajɛʀ] *nf* : **pendre la crémaillère** *festejar a instalação em casa nova.*

crème [kʀɛm] *nf* creme *m* ; **crème anglaise** *creme à base de leite e ovos* ; **crème caramel** pudim *m* de leite ; **crème fraîche** creme de leite fresco ; **crème glacée** sorvete *m* ; **crème pâtissière** creme de pasteleiro.

crémerie [kʀɛmʀi] *nf* leiteria *f*.

crémeux, **euse** [kʀemø, øz] *adj* cremoso(osa).

créneau [kʀeno] (*pl* -x) *nm* : **faire un créneau** estacionar entre dois veículos. ◆ **créneaux** *nmpl* [de château] ameias *fpl*.

créole [kʀeɔl] ◇ *nm* [langue] crioulo *m*. ◇ *adj* crioulo(la). ◆ **créoles** *nfpl* argolas *fpl (brincos)*.

crêpe [kʀɛp] *nf* crepe *m* ; **crêpe bretonne** *crepe que, quando é salgado, é freqüentemente feito com farinha de trigo sarraceno.*

crêperie [kʀɛpʀi] *nf* creperia *f*.

crépi [kʀepi] *nm* reboco *m*.

crépiter [kʀepite] *vi* crepitar.

crépu, **e** [kʀepy] *adj* crespo(pa).

crépuscule [kʀepyskyl] *nm* crepúsculo *m* ; **au crépuscule** ao crepúsculo.

cresson [kʀesɔ̃] *nm* agrião *m*.

Crète [kʀɛt] *nf* : **la Crète** Creta.

crête [kʀɛt] *nf* [de montagne] cume *m* ; [de coq] crista *f*.

crétin, **e** [kʀetɛ̃, in] *fam adj* & *nm, f* cretino(na).

cretons [kʀətɔ̃] *nmpl Québec patê de porco*.

creuser [kʀøze] *vt* escavar ; **ça creuse!** isto dá fome! ◆ **se creuser** *vp* : **se creuser la tête** OU **la cervelle** fundir os miolos.

creux, **creuse** [kʀø, kʀøz] ◇ *adj* oco(oca). ◇ *nm* cavidade *f*.

crevaison [kʀəvɛzɔ̃] *nf* furo *m*.

crevant, **e** [kʀəvɑ̃, ɑ̃t] *adj fam* estafante.

crevasse [kʀəvas] *nf* fenda *f*.

crevé, **e** [kʀəve] *adj fam* morto(ta).

crever [kʀəve] ◇ *vt* [percer] furar ; *fam* [fatiguer] esfalfar. ◇ *vi* [exploser] rebentar ; [avoir une crevaison] ter um furo ; *fam* [mourir] bater as botas.

crevette [kʀəvɛt] *nf* camarão *m* ; **crevette grise** camarão negro ; **crevette rose** camarão-rosa *m*.

cri [kʀi] *nm* grito *m* ; **pousser un cri** dar um grito.

criard, **e** [kʀijaʀ, aʀd] *adj* [voix] esganiçado(da) ; [couleur] berrante.

criblé, **e** [kʀible] *adj* : **criblé de** [troué de] crivado de ; [parsemé de] cheio de ; **être criblé de dettes** estar crivado de dívidas.

cric [kʀik] *nm* macaco *m (ferramenta)*.

cricket [kʀikɛt] *nm* críquete *m*.

crier [kʀije] *vt* & *vi* gritar.

crime [kʀim] *nm* crime *m*.

criminel, **elle** [kʀiminɛl] *nm, f* criminoso *m*, -osa *f*.

crinière [kʀinjɛʀ] *nf* [de lion] juba *f*.

crique [kʀik] *nf* enseada *f*.

criquet [kʀikɛ] *nm* gafanhoto *m*.

crise [kʀiz] *nf* crise *f* ; [de rire] ataque *m* ; **crise cardiaque** ataque cardíaco ; **crise de foie** crise de fígado ; **crise de nerfs** crise de nervos.

crispé, **e** [kʀispe] *adj* [personne, sourire] crispado(da) ; [poing] fechado(da).

crisper [kʀispe] *vt* [contracter] crispar ; [agacer] irritar. ◆ **se crisper** *vp* [se contracter] crispar-se ; [s'irriter] irritar-se.

crisser [kʀise] *vi* chiar.

cristal [kʀistal, o] (*pl* -aux) *nm* cristal *m*.

cristallin, **e** [kʀistalɛ̃, in] *adj* cristalino(na). ◆ **cristallin** *nm* cristalino *m*.

critère [kʀitɛʀ] *nm* critério *m*.

critique [kʀitik] ◇ *adj* & *nmf* crítico(ca). ◇ *nf* crítica *f*.

critiquer [kʀitike] *vt* criticar.

croasser [kʀɔase] *vi* crocitar.

Croatie [kʀɔasi] *nf* : **la Croatie** a Croácia.

croc [kʀo] *nm* presa *f (dente)*.

croche [kʀɔʃ] *nf* colcheia *f*.

croche-pied [kʀɔʃpje] (*pl* **croche-pieds**) *nm* : **faire un croche-pied à qqn** passar uma rasteira em alguém.

crochet [kʀɔʃɛ] *nm* [pour accrocher] gancho *m* ; [tricot] crochê *m* ; *fig* [détour] desvio *m*.

crochu, **e** [kʀɔʃy] *adj* adunco(ca).

crocodile [kʀɔkɔdil] *nm* crocodilo *m*.

croire [kʀwaʀ] ◇ *vt* [personne, histoire] acreditar em ; [penser] achar. ◇ *vi* : **croire à** acreditar em ; **croire en** acreditar em. ◆ **se croire** *vp* : **il se croit intelligent** ele julga-se inteligente ; **on se croirait au Moyen Âge** até parece que estamos na Idade Média.

croisade [kʀwazad] *nf* cruzada *f*.

croisement [kʀwazmɑ̃] *nm* cruzamento *m*.

croiser [kRwaze] *vt* cruzar ; [personne] cruzar-se com. ◆ **se croiser** *vp* cruzar-se ; **j'ai croisé son regard** os nossos olhares cruzaram-se.

croisière [kRwazjɛR] *nf* cruzeiro *m*.

croissance [kRwasɑ̃s] *nf* crescimento *m*.

croissant [kRwasɑ̃] *nm* [pâtisserie] croissant *m* ; [de lune] meia-lua *f*.

croître [kRwatR] *vi* crescer.

croix [kRwa] *nf* cruz *f* ; **en croix** em forma de cruz.

Croix-Rouge [kRwaRuʒ] *nf* : **la Croix-Rouge** a Cruz Vermelha.

croque-madame [kRɔkmadam] *nm inv espécie de misto-quente com ovo estrelado.*

croque-monsieur [kRɔkməsjø] *nm inv misto-quente.*

croque-mort [kRɔkmɔR] (*pl* **croque-morts**) *nm fam* agente *m* funerário.

croquer [kRɔke] ◇ *vt* [manger] trincar. ◇ *vi* [craquer] estalar.

croquette [kRɔkɛt] *nf* croquete *m* ; **croquettes pour chiens** biscoitos *mpl* para cães.

croquis [kRɔki] *nm* croqui *m* ; **faire un croquis** fazer um croqui.

cross [kRɔs] *nm inv* [à pied] corrida *f* ; [à moto] motocross *m* ; [discipline] cross–country *m*.

crotte [kRɔt] *nf* excremento *m*.

crottin [kRɔtɛ̃] *nm* [d'animal] esterco *m* ; [fromage] *pequeno queijo de cabra que pode ser servido quente.*

crouler [kRule] *vi* [être surchargé] : **crouler sous le poids** abater com o peso ; [s'effondrer] ruir ; **crouler sous le travail** *fig* estar com trabalho até o pescoço.

croupir [kRupiR] *vi* estagnar.

croustade [kRustad] *nf espécie de torta de massa folhada.*

croustillant, e [kRustijɑ̃, ɑ̃t] *adj* crocante.

croûte [kRut] *nf* crosta *f* ; [de pain] casca *f* ; **croûte au fromage** *Suisse fatia de pão com queijo gratinado e vinho branco.*

croûton [kRutɔ̃] *nm* [pain frit] pedacinho *m* de pão frito ; [extrémité du pain] bico *m* do pão.

croyance [kRwajɑ̃s] *nf* crença *f*.

croyant, e [kRwajɑ̃, ɑ̃t] *adj* crente.

CRS *nm* (*abr de* **Compagnies républicaines de sécurité**) ≃ tropa *f* de choque.

cru, e [kRy] ◇ *pp* ➤ **croire**. ◇ *adj* cru(crua). ◇ *nm* [vin] colheita *f*.

cruauté [kRyote] *nf* crueldade *f*.

crucial, e, aux [kRysjal, o] *adj* crucial.

crudités [kRydite] *nfpl* legumes *mpl* crus.

crue [kRy] *nf* cheia *f* ; **être en crue** estar inundando.

cruel, elle [kRyɛl] *adj* cruel.

crustacés [kRystase] *nmpl* crustáceos *mpl*.

Cuba [kyba] *npr* Cuba.

cube [kyb] *nm* cubo *m* ; **mètre cube** metro *m* cúbico.

cueillette [kœjɛt] *nf* colheita *f*.

cueillir [kœjiR] *vt* colher.

cuiller [kɥijɛR] = **cuillère**.

cuillère [kɥijɛR] *nf* colher *f* ; **cuillère à café, petite cuillère** colher de café, colherzinha *f* ; **cuillère à soupe** colher de sopa.

cuillerée [kɥijeRe] *nf* colherada *f*.

cuir [kɥiR] *nm* couro *m*.

cuire [kɥiR] *vt* & *vi* cozer ; **faire cuire** cozer.

cuisine [kɥizin] *nf* cozinha *f* ; **faire la cuisine** cozinhar.

cuisiner [kɥizine] *vt* & *vi* cozinhar.

cuisinier, **ère** [kɥizinje, ɛʀ] *nm, f* cozinheiro *m*, -ra *f*.

cuisinière [kɥizinjɛʀ] *nf* [fourneau] fogão *m*, ➤ **cuisinier**.

cuisse [kɥis] *nf* ANAT coxa *f* ; [de volaille] coxa *f* ; **cuisses de grenouille** coxas de rã.

cuisson [kɥisɔ̃] *nf* cozimento *m*.

cuit, **e** [kɥi, kɥit] *adj* cozido(da) ; **bien cuit** bem cozido.

cuivre [kɥivʀ] *nm* [métal] cobre *m*.

cul [ky] *nm vulg* cu *m*.

culasse [kylas] *nf* ➤ **joint**.

cul-de-sac [kydsak] (*pl* **culs-de-sac**) *nm* [voie] rua *f* sem saída ; *fam fig* [projet] beco *m* sem saída.

culinaire [kylinɛʀ] *adj* culinário(ria).

culminer [kylmine] *vi* [surplomber] elevar-se ; **culminer à** [s'élever à] elevar-se a ; *fig* ascender a.

culot [kylo] *nm fam* [toupet] topete *m* ; [fond] fundo *m* metálico ; [dépôt] sarro *m* ; **avoir le culot de faire qqch** *fam* ter o topete de fazer algo ; **avoir du culot** *fam* ter topete.

culotte [kylɔt] *nf* calcinha *f* (*de senhora*) ; **culotte de cheval** [vêtement] culote *m*.

culpabilité [kylpabilite] *nf* culpa *f*.

culte [kylt] *nm* culto *m*.

cultivateur, **trice** [kyltivatœʀ, tʀis] *nm, f* cultivador *m*, -ra *f*.

cultivé, **e** [kyltive] *adj* [plante, terre] cultivado(da) ; *fig* [personne] culto(ta).

cultiver [kyltive] *vt* cultivar. ◆ **se cultiver** *vp* cultivar-se.

culture [kyltyʀ] *nf* cultura *f*. ◆ **cultures** *nfpl* terras *fpl* de cultivo.

culturel, **elle** [kyltyʀɛl] *adj* cultural.

cumin [kymɛ̃] *nm* cominho *m*.

cumul [kymyl] *nm* acumulação *f*.

cumuler [kymyle] *vt* acumular.

cupide [kypid] *adj* cúpido(da).

cure [kyʀ] *nf* tratamento *m* ; [du curé] curato *m* ; **cure d'amaigrissement** tratamento de emagrecimento ; **cure de désintoxication** tratamento de desintoxicação ; **cure de sommeil** sonoterapia ; **cure thermale** tratamento termal.

curé [kyʀe] *nm* pároco *m*.

cure-dents [kyʀdɑ̃] *nm inv* palito *m*.

curieux, **euse** [kyʀjø, øz] ◇ *adj* curioso(osa). ◇ *nmpl* [spectateurs] curiosos *mpl*.

curiosité [kyʀjozite] *nf* curiosidade *f*.

curry [kyʀi] *nm* curry *m*.

cutanée [kytane] *adj f* ➤ **éruption**.

cuve [kyv] *nf* cuba *f*.

cuvette [kyvɛt] *nf* bacia *f*.

CV *nm* (*abr de* **curriculum vitae**) c.v. *m* ; AUTO (*abr de* **cheval**) cv.

cyanure [sjanyʀ] *nm* cianeto *m*.

cybercrime [sibɛrkrim] *nm* INFORM cybercrime.

cyclable [siklabl] *adj* ➤ **piste**.

cycle [sikl] *nm* ciclo *m*.

cyclique [siklik] *adj* cíclico(ca).

cyclisme [siklism] *nm* ciclismo *m*.

cycliste [siklist] ◇ *adj* ciclístico(ca). ◇ *nmf* ciclista *mf*. ◇ *nm* [short] bermuda *f* de ciclista.

cyclone [siklon] *nm* ciclone *m*.

cygne [siɲ] *nm* cisne *m*.

cylindre [silɛ̃dʀ] *nm* cilindro *m*.

cymbale [sɛ̃bal] *nf* címbalo *m*.

cynique [sinik] *adj* cínico(ca).

cyprès [sipʀɛ] *nm* cipreste *m*.

D

DAB [dab] *nm* (*abr de* **distributeur automatique de billets**) caixa *m* eletrônico.

dactylo [daktilo] *nf* [secrétaire] datilógrafa *f*.

daigner [deɲe] *vi* : **daigner faire qqch** dignar-se a fazer algo ; **ne pas daigner faire qqch** não se dignar a fazer algo.

daim [dɛ̃] *nm* [animal] gamo *m* ; [peau] camurça *f*.

dalle [dal] *nf* laje *f*.

daltonien, **enne** [daltɔnjɛ̃, ɛn] *adj* & *nm, f* daltônico(ca).

dame [dam] *nf* [femme] senhora *f* ; [aux cartes] dama *f*. ◆ **dames** *nfpl* [jeu] damas *fpl*.

damier [damje] *nm* [de dames] tabuleiro *m* de damas.

dandiner [dɑ̃dine] ◆ **se dandiner** *vp* bambolear-se.

Danemark [danmaʀk] *nm* : **le Danemark** a Dinamarca.

danger [dɑ̃ʒe] *nm* perigo *m* ; **être en danger** estar em perigo.

dangereux, **euse** [dɑ̃ʒʀø, øz] *adj* perigoso(osa).

danois, **e** [danwa, az] ◇ *adj* dinamarquês(esa). ◇ *nm* [langue] dinamarquês *m*. ◆ **Danois**, **e** *nm, f* dinamarquês *m*, -esa *f*.

dans [dɑ̃] *prép* **1.** [gén] em ; **je vis dans le sud de la France** vivo no sul da França ; **nous allons en vacances dans les Alpes** vamos de férias para os Alpes ; **vous allez dans la mauvaise direction** está indo na direção errada ; **lancer le ballon dans les buts** lançar a bola no gol ; **dans ma jeunesse** na minha juventude - **2.** [indique la provenance] de ; **choisissez un dessert dans notre sélection du jour** escolha uma sobremesa da nossa seleção do dia - **3.** [indique le moment à venir] dentro de ; **dans combien de temps arrivons-nous ?** chegamos dentro de quanto tempo? ; **le spectacle commence dans cinq minutes** o espetáculo começa dentro de cinco minutos - **4.** [indique une approximation] **: ça doit coûter dans les 50 €** isto deve custar cerca de 50 euros.

danse [dɑ̃s] *nf* : **la danse** a dança ; **une danse** uma dança ; **danse classique/moderne** dança clássica/moderna.

danser [dɑ̃se] *vt* & *vi* dançar.

danseur, **euse** [dɑ̃sœʀ, øz] *nm, f* [de salon] dançarino *m*, -na *f* ; [classique] bailarino *m*, -na *f*.

dard [daʀ] *nm* ferrão *m*.

darne [daʀn] *nf* posta *f* (de peixe).

date [dat] *nf* data *f* ; **date limite** data limite ; **'date limite de consommation'** 'data limite de consumo' ; **'date limite de vente'** data limite de venda ; **date de naissance** data de nascimento.

dater [date] *vt* & *vi* datar ; **dater de** datar de.

datte [dat] *nf* tâmara *f*.

dattier [datje] *nm* tamareira *f*.

daube [dob] *nf* : **(bœuf en) daube** carne *m* de vaca estufada.

dauphin [dofɛ̃] *nm* [animal] golfinho *m*.

dauphine [dofin] *nf* ► **pomme**.

dauphinois [dofinwa] *adj m* ► **gratin**.

daurade [dɔʀad] *nf* dourada *f*.

davantage [davɑ̃taʒ] *adv* mais ; **davantage de** mais.

de [də] ◇ *prép* **1.** [gén] de ; **la porte du salon** a porta da sala ; **le frère de**

Pierre o irmão do Pierre ; **d'où êtes-vous? – de Bordeaux** de onde são? – de Bordeaux ; **de Paris à Tokyo** de Paris a Tóquio ; **de la mi-août à début septembre** de meados de agosto ao início de setembro ; **une statue de pierre** uma estátua de pedra ; **des billets de 100 F** notas de 100 francos ; **l'avion de 7h 20** o avião das 7h20 ; **un jeune homme de 25 ans** um rapaz de 25 anos ; **parler de qqch** falar de algo ; **arrêter de faire qqch** parar de fazer algo ; **une bouteille d'eau minérale** uma garrafa de água mineral ; **plusieurs de ces œuvres sont des copies** muitas destas obras são cópias ; **la moitié du temps/de nos clients** a metade do tempo/dos nossos clientes ; **le meilleur de nous tous** o melhor de nós todos ; **je meurs de faim!** estou morrendo de fome! - **2.** [indique le moyen, la manière] com ; **saluer qqn d'un mouvement de tête** cumprimentar alguém com um aceno de cabeça ; **regarder qqn du coin de l'œil** olhar para alguém pelo canto do olho ; **d'un air distrait** com um ar distraído. ◇ *art partitif* : **je voudrais du vin/du lait** queria vinho/leite ; **ils n'ont pas d'enfants** eles não têm filhos.

dé [de] *nm* dado *m* ; **dé (à coudre)** dedal *m*.

dealer[1] [dilœʀ] *nm* traficante *m*.

dealer[2] [dile] *vt fam* traficar.

déballer [debale] *vt* [affaires] desempacotar ; [cadeau] desembrulhar.

débandade [debɑ̃dad] *nf* debandada *f*.

débarbouiller [debaʀbuje] ◆ **se débarbouiller** *vp* lavar (o rosto).

débardeur [debaʀdœʀ] *nm* camiseta *f* sem manga.

débarquement [debaʀkəmɑ̃] *nm* desembarque *m*.

débarquer [debaʀke] *vt* & *vi* desembarcar.

débarras [debaʀa] *nm* quarto *m* de despejo ; **bon débarras!** bons ventos o levem!

débarrasser [debaʀase] *vt* [désencombrer] desimpedir ; [table] tirar ; **débarrasser qqn de qqch** [vêtement, paquets] desembaraçar alguém de algo. ◆ **se débarrasser de** *vp* + *prép* [vêtement, paquets] desembaraçar ; [travail] ver-se livre de ; [personne] desembaraçar-se de.

débat [deba] *nm* debate *m*.

débattre [debatʀ] *vt* & *vi* debater ; **débattre (de) qqch** debater algo. ◆ **se débattre** *vp* debater-se.

débauche [deboʃ] *nf* deboche *m* ; **une débauche de qqch** um festival de algo.

débaucher [deboʃe] *vt* **1.** [corrompre] perverter - **2.** [licencier] despedir - **3.** [déconcentrer] distrair.

débile [debil] ◇ *nmf* débil *mf* mental. ◇ *adj fam* [idiot] estúpido(da).

débit [debi] *nm* débito *m*.

débiter [debite] *vt* [compte] debitar ; [arbre] cortar ; *péj* [banalité] despejar.

débiteur, **trice** [debitœʀ, tʀis] *adj* devedor(ra).

déblayer [debleje] *vt* desobstruir.

débloquer [deblɔke] *vt* desbloquear.

déboires [debwaʀ] *nmpl* dissabor *m*.

déboiser [debwaze] *vt* desflorestar. ◆ **se déboiser** *vp* ficar desarborizado(da).

déboîter [debwate] ◇ *vt* desencaixar. ◇ *vi* sair da fila. ◆ **se déboîter** *vp* : **se déboîter l'épaule** deslocar o ombro.

débordé, **e** [debɔʀde] *adj* : **être débordé (de travail)** estar sobrecarregado (de trabalho).

déborder [debɔʀde] *vi* transbordar.

débouché [debuʃe] *nm* saída *f*.

déboucher [debuʃe] *vt* [bouteille] desenrolhar ; [nez, tuyau] desentupir. ◆ **déboucher sur** *vp + prép* [rue] ir dar em ; [négociations] levar a.

débourser [debuʀse] *vt* desembolsar.

debout [dəbu] *adv* [sur ses pieds] em pé ; [verticalement, réveillé] de pé ; **se mettre debout** pôr-se de pé ; **tenir debout** manter-se em pé.

déboutonner [debutɔne] *vt* desabotoar.

débraillé, e [debʀaje] *adj* desleixado(da).

débrancher [debʀɑ̃ʃe] *vt* desligar.

débrayer [debʀeje] *vi* desengatar.

débris [debʀi] *nmpl* cacos *mpl*.

débrouillard, e [debʀujaʀ, aʀd] *adj & nm, f fam* despachado(da).

débrouiller [debʀuje] ◆ **se débrouiller** *vp* virar-se ; **se débrouiller pour faire qqch** virar-se para fazer algo.

débroussailler [debʀusaje] *vt* desbravar.

début [deby] *nm* início *m* ; **au début (de)** no início (de).

débutant, e [debytɑ̃, ɑ̃t] *nm, f* principiante *mf*.

débuter [debyte] *vi* iniciar ; [acteur] estrear(-se).

décacheter [dekaʃte] *vt* abrir.

décadence [dekadɑ̃s] *nf* decadência *f*.

décaféiné, e [dekafeine] *adj* descafeinado(da).

décalage [dekalaʒ] *nm* diferença *f* ; **décalage horaire** diferença horária.

décalcomanie [dekalkɔmani] *nf* decalcomania *f*.

décaler [dekale] *vt* [dans l'espace] deslocar ; [avancer] antecipar ; [retarder] adiar.

décalquer [dekalke] *vt* decalcar.

décamper [dekɑ̃pe] *vi* partir apressadamente.

décapant [dekapɑ̃] *nm* decapante *m*.

décaper [dekape] *vt* decapar.

décapiter [dekapite] *vt* decapitar.

décapotable [dekapɔtabl] *nf* : **(voiture) décapotable** (carro) conversível *m*.

décapsuler [dekapsyle] *vt* abrir.

décapsuleur [dekapsylœʀ] *nm* abridor *m* de garrafas.

décédé, e [desede] *adj* falecido(da).

décéder [desede] *vi sout* falecer.

déceler [desle] *vt* [repérer] detectar ; [révéler] revelar.

décembre [desɑ̃bʀ] *nm* dezembro *m*, ▶ **septembre**.

décemment [desamɑ̃] *adv* [convenablement] decentemente ; [raisonnablement] : **je ne peux décemment pas l'accuser** não é decente da minha parte acusá-lo.

décence [desɑ̃s] *nf* decência *f*.

décennie [deseni] *nf* década *f*.

décent, e [desɑ̃, ɑ̃t] *adj* decente.

décentralisation [desɑ̃tʀalizasjɔ̃] *nf* descentralização *f*.

déception [desɛpsjɔ̃] *nf* decepção *f*.

décerner [desɛʀne] *vt* [prix] outorgar.

décès [desɛ] *nm* falecimento *m*.

décevant, e [desvɑ̃, ɑ̃t] *adj* decepcionante.

décevoir [desəvwaʀ] *vt* decepcionar.

déchaîné, e [deʃene] *adj* [mer] revolto(ta) ; [vent] forte ; [passions] desenfreado(da) ; [personne] excitado(da).

déchaîner [deʃene] *vt* desencadear. ◆ **se déchaîner** *vp* [personne] enfurecer-se ; [colère, tempête] desencadear-se.

déchanter [deʃɑ̃te] *vi* desencantar-se.

décharge [deʃaʀʒ] *nf* [d'ordures] depósito *m* de lixo ; [électrique] descarga *f*.

décharger [deʃaʀʒe] *vt* descarregar.

déchausser [deʃose] *vt* descalçar. ◆ **se déchausser** *vp* [personne] descalçar-se ; [dent] descarnar.

déchausser [deʃose] ◆ **se déchausser** *vp* [enlever ses chaussures] descalçar-se.

déchéance [deʃeɑ̃s] *nf* [déclin] decadência *f* ; [d'un souverain] deposição *f* ; [d'un droit] prescrição *f*.

déchets [deʃɛ] *nmpl* resíduos *mpl*.

déchiffrer [deʃifʀe] *vt* decifrar.

déchiqueter [deʃikte] *vt* estraçalhar.

déchirant, **e** [deʃiʀɑ̃, ɑ̃t] *adj* dilacerante.

déchirer [deʃiʀe] *vt* rasgar. ◆ **se déchirer** *vp* rasgar-se.

déchirure [deʃiʀyʀ] *nf* rasgão *m* ; **déchirure musculaire** distensão *f* muscular.

déci [desi] *nm Suisse copo de vinho de 10 cl.*

décibel [desibɛl] *nm* decibel *m*.

décidé, **e** [deside] *adj* decidido(da) ; **c'est décidé** está decidido.

décidément [desidemɑ̃] *adv* decididamente.

décider [deside] *vt* decidir ; **décider qqn (à faire qqch)** convencer alguém (a fazer algo) ; **décider de faire qqch** decidir fazer algo. ◆ **se décider** *vp* decidir-se ; **se décider à faire qqch** decidir-se a fazer algo.

décimal, **e**, **aux** [desimal, o] *adj* decimal.

décimer [desime] *vt* dizimar.

décisif, **ive** [desizif, iv] *adj* decisivo(va).

décision [desizjɔ̃] *nf* decisão *f*.

déclamer [deklame] *vt* declamar.

déclaration [deklaʀasjɔ̃] *nf* declaração *f* ; **déclaration d'impôts** declaração de impostos ; **déclaration sur l'honneur** pacto *m* de honra.

déclarer [deklaʀe] *vt* declarar ; **rien à déclarer** nada a declarar. ◆ **se déclarer** *vp* [se déclencher] declarar-se.

déclencher [deklɑ̃ʃe] *vt* acionar.

déclic [deklik] *nm* [bruit] clique *m* ; *fig* [illumination] tomada *f* de consciência súbita.

déclin [deklɛ̃] *nm* [diminution] decréscimo *m* ; [de popularité, civilisation] declínio *m* ; [du jour] crepúsculo *m*.

décliner [dekline] ◇ *vi* [santé, jour] declinar ; [quantité] decrescer. ◇ *vt* GRAMM declinar ; [énoncer] enumerar ; *sout* [refuser] declinar ; **décliner une invitation** declinar um convite ; **décliner toute responsabilité** declinar toda e qualquer responsabilidade. ◆ **se décliner** *vp* declinar-se.

déco [dekɔ] (*abr de* **décoration**) *fam nf* decoração *m*.

décoction [dekɔksjɔ̃] *nf* decocção *f*.

décoder [dekɔde] *vt* decodificar.

décoiffer [dekwafe] *vt* despentear.

décollage [dekɔlaʒ] *nm* decolagem *f*.

décollé, **e** [dekɔle] *adj* descolado(da) ; **oreilles décollées** orelhas de abano.

décoller [dekɔle] *vt* & *vi* descolar. ◆ **se décoller** *vp* descolar-se.

décolleté, **e** [dekɔlte] ◇ *adj* decotado(da). ◇ *nm* decote *m*.

décolorer [dekɔlɔʀe] *vt* descolorir.

décombres [dekɔ̃bʀ] *nmpl* escombros *mpl*.

décommander [dekɔmɑ̃de] *vt* desmarcar. ◆ **se décommander** *vp* desistir.

décomposé, **e** [dekɔ̃poze] *adj* [pourri] decomposto(osta) ; [personne] desfigurado(da).

décomposer [dekɔ̃poze] *vt* : **décomposer qqch en** decompor algo em. ◆ **se décomposer** *vp* [pourrir] decompor-se.

décompresser [dekɔ̃prese] ◇ *vt* descomprimir. ◇ *vi fam* relaxar.

décompte [dekɔ̃t] *nm* desconto *m* ; **faire le décompte de qqch** calcular algo.

déconcentrer [dekɔ̃sɑ̃tre] ◆ **se déconcentrer** *vp* desconcentrar-se.

déconcerter [dekɔ̃sɛrte] *vt* desconcertar.

décongeler [dekɔ̃ʒle] *vt* descongelar.

déconnecter [dekɔnɛkte] *vt* desligar ; **être déconnecté** *fam* viver por fora de tudo. ◆ **se déconnecter** *vp* desconectar-se.

déconseiller [dekɔ̃seje] *vt* : **déconseiller qqch à qqn** desaconselhar algo a alguém ; **déconseiller à qqn de faire qqch** desaconselhar alguém a fazer algo.

décontenancer [dekɔ̃tnɑ̃se] *vt* desconcertar. ◆ **se décontenancer** *vp* desmontar-se.

décontracté, e [dekɔ̃trakte] *adj* descontraído(da).

décor [dekɔr] *nm* [paysage] paisagem *f* ; [de théâtre] cenário *m* ; [d'une pièce] decoração *f*.

décorateur, trice [dekɔratœr, tris] *nm, f* decorador *m*, -ra *f*.

décoratif, ive [dekɔratif, iv] *adj* decorativo(va).

décoration [dekɔrasjɔ̃] *nf* [d'une pièce] decoração *f* ; [médaille] condecoração *f*.

décorer [dekɔre] *vt* [pièce, objet] decorar ; [soldat] condecorar.

décortiquer [dekɔrtike] *vt* [noix, crabe] descascar ; *fig* [texte] esmiuçar.

découcher [dekuʃe] *vi* dormir fora de casa.

découdre [dekudr] *vt* descosturar. ◆ **se découdre** *vp* descosturar-se.

découler [dekule] ◆ **découler de** *vp + prép* resultar de.

découpage [dekupaʒ] *nm* [action, jeu] recorte *m* ; [administratif] divisão *f* ; [d'un film] decupagem *f* ; [d'un texte] divisão *f* em partes.

découper [dekupe] *vt* [gâteau] cortar ; [viande] trinchar ; [images, photos] recortar.

découragé, e [dekuraʒe] *adj* desanimado(da).

découragement [dekuraʒmɑ̃] *nm* desânimo *m*.

décourager [dekuraʒe] *vt* desencorajar. ◆ **se décourager** *vp* desencorajar-se.

décousu, e [dekuzy] *adj* [vêtement, ourlet] descosturado(da) ; [raisonnement, conversation] desconexo(xa).

découvert, e [dekuvɛr, ɛrt] ◇ *pp* ▶ **découvrir**. ◇ *nm* saldo *m* negativo.

découverte [dekuvɛrt] *nf* descoberta *f*.

découvrir [dekuvrir] *vt* descobrir. ◆ **se découvrir** *vp* descobrir-se.

décret [dekrɛ] *nm* decreto *m*.

décréter [dekrete] *vt* : **décréter (que)** decretar (que).

décrire [dekrir] *vt* descrever.

décrocher [dekrɔʃe] *vt* desprender ; **décrocher (le téléphone)** levantar (o auricular). ◆ **se décrocher** *vp* cair.

décrue [dekry] *nf* descida *f (do nível das águas)*.

décrypter [dekripte] *vt* decifrar.

déçu, e [desy] ◇ *pp* ▶ **décevoir**. ◇ *adj* decepcionado(da).

décupler [dekyple] *vt* & *vi* decuplicar.

dédaigner [dedeɲe] *vt* [mépriser] desdenhar.

dédaigneux, **euse** [dedɛɲø, øz] *adj* desdenhoso(osa).

dédain [dedɛ̃] *nm* desdém *m*.

dédale [dedal] *nm* [labyrinthe] dédalo *m* ; *fig* [confusion] labirinto *m*.

dedans [dədɑ̃] ◇ *adv* dentro. ◇ *nm* interior *m* ; **en dedans** no interior.

dédicace [dedikas] *nf* dedicatória *f*.

dédicacer [dedikase] *vt* : **dédicacer qqch à qqn** dedicar algo a alguém.

dédier [dedje] *vt* : **dédier qqch à qqn** dedicar algo a alguém.

dédommagement [dedɔmaʒmɑ̃] *nm* [indemnité] indenização *f* ; [compensation] compensação *f*.

dédommager [dedɔmaʒe] *vt* indenizar.

déduction [dedyksjɔ̃] *nf* dedução *f*.

déduire [dedɥiʀ] *vt* : **déduire qqch (de)** deduzir algo (de).

déduit, **e** [dedɥi, it] *pp* ► **déduire**.

déesse [deɛs] *nf* deusa *f*.

défaillance [defajɑ̃s] *nf* [incapacité] falha *f* ; [malaise] desfalecimento *m* ; **défaillance cardiaque** insuficiência *f* cardíaca.

défaillant, **e** [defajɑ̃, ɑ̃t] *adj* enfraquecido(da).

défaillir [defajiʀ] *vi* [s'évanouir] desfalecer ; *sout* [mémoire] falhar.

défaire [defɛʀ] *vt* desfazer. ◆ **se défaire** *vp* desfazer-se.

défait, **e** [defɛ, ɛt] *pp* ► **défaire**.

défaite [defɛt] *nf* derrota *f*.

défaitiste [defetist] *adj* & *nmf* derrotista *mf*.

défaut [defo] *nm* defeito *m* ; **à défaut de** na falta de.

défavorable [defavɔʀabl] *adj* desfavorável.

défavoriser [defavɔʀize] *vt* desfavorecer.

défection [defɛksjɔ̃] *nf* [absence] ausência *f* ; [abandon] deserção *f*.

défectueux, **euse** [defɛktɥø, øz] *adj* defeituoso(osa).

défendre [defɑ̃dʀ] *vt* defender ; **défendre qqch à qqn** proibir algo a alguém ; **défendre à qqn de faire qqch** proibir alguém de fazer algo. ◆ **se défendre** *vp* defender-se.

défense [defɑ̃s] *nf* defesa *f* ; **prendre la défense de qqn** tomar a defesa de alguém ; **'défense de déposer des ordures'** 'proibido jogar lixo' ; **'défense d'entrer'** 'proibida a entrada'.

défenseur [defɑ̃sœʀ] *nm* defensor *m*, -ra *f* ; **le défenseur des droits des enfants** defensor dos direitos das crianças.

défensif, **ive** [defɑ̃sif, iv] *adj* defensivo(va). ◆ **défensive** *nf* : **être sur la défensive** estar na defensiva.

déferlement [defɛʀləmɑ̃] *nm* [de vagues] rebentação *f* ; *fig* [d'enthousiasme] explosão *f* ; [de gens] invasão *f*.

défi [defi] *nm* desafio *m* ; **lancer un défi à qqn** lançar um desafio a alguém.

défiance [defjɑ̃s] *nf* desconfiança *f*.

déficit [defisit] *nm* deficit *m*.

déficitaire [defisitɛʀ] *adj* deficitário(ria).

défier [defje] *vt* desafiar ; **défier qqn de faire qqch** desafiar alguém a fazer algo.

défigurer [defigyʀe] *vt* desfigurar.

défilé [defile] *nm* [de mode, du 14 Juillet] desfile *m* ; [gorges] desfiladeiro *m*.

défiler [defile] *vi* desfilar.

défini, **e** [defini] *adj* definido(da).

définir [definiʀ] *vt* definir.

définitif, **ive** [definitif, iv] *adj* definitivo(va) ; **en définitive** en definitivo.

définition [definisjɔ̃] *nf* definição *f*.

définitivement [definitivmɑ̃] *adv* definitivamente.

défiscaliser [defiskalize] *vt* isentar de impostos.

déflation [deflasjɔ̃] *nf* deflação *f*.

défoncer [defɔ̃se] *vt* [porte, voiture] arrombar ; [route] deteriorar ; [terrain] cavar fundo.

déformation [defɔʀmasjɔ̃] *nf* deformação *f* ; **déformation professionnelle** deformação profissional.

déformé, e [defɔʀme] *adj* [vêtement] deformado(da) ; [route] em mau estado.

déformer [defɔʀme] *vt* deformar.

défouler [defule] ◆ **se défouler** *vp* descarregar.

défraîchi, e [defʀɛʃi] *adj* desbotado(da).

défrayer [defʀeje] *vt* custear ; **défrayer la chronique** ser notícia.

défricher [defʀiʃe] *vt* desbravar.

défunt, e [defœ̃, œ̃t] ◇ *adj* [décédé] finado(da) ; *sout* & *fig* [disparu] passado(da). ◇ *nm, f* defunto *m*, -ta *f*.

dégager [degaʒe] *vt* [déblayer] desobstruir ; [odeur] exalar ; [fumée] expelir ; **dégager qqn/qqch de** tirar alguém/algo de. ◆ **se dégager** *vp* [se libérer] liberar-se ; [ciel] desanuviar-se ; **se dégager de** [se libérer de] desembaraçar-se de ; [odeur] exalar ; [fumée] desprender-se.

dégainer [degene] ◇ *vt* desembainhar. ◇ *vi* sacar da pistola.

dégât [dega] *nm* estrago *m* ; **dégâts matériels** danos materiais ; **faire des dégâts** fazer estragos.

dégel [deʒɛl] *nm* degelo *m*.

dégeler [deʒle] ◇ *vt* [atmosphère] descontrair. ◇ *vi* [lac] degelar ; [surgelé] descongelar.

dégénérer [deʒeneʀe] *vi* degenerar.

dégivrage [deʒivʀaʒ] *nm* descongelamento *m*.

dégivrer [deʒivʀe] *vt* [pare-brise] limpar o gelo de ; [réfrigérateur] descongelar.

dégivreur [deʒivʀœʀ] *nm* desembaçador *m*.

dégonfler [degɔ̃fle] *vt* esvaziar. ◆ **se dégonfler** *vp* esvaziar-se ; *fam* amarelar.

dégouliner [deguline] *vi* pingar.

dégourdi, e [deguʀdi] *adj* desembaraçado(da).

dégourdir [deguʀdiʀ] ◆ **se dégourdir** *vp* : **se dégourdir les jambes** desentorpecer as pernas.

dégoût [degu] *nm* nojo *m*.

dégoûtant, e [degutɑ̃, ɑ̃t] *adj* nojento(ta).

dégoûter [degute] *vt* meter nojo a ; **dégoûter qqn de** fazer com que alguém perca a vontade de ; **être dégoûté de** ficar com aversão a.

dégrader [degʀade] *vt* degradar ; [avilir] rebaixar. ◆ **se dégrader** *vp* [se détériorer, empirer] degradar-se ; [s'avilir] rebaixar-se.

dégrafer [degʀafe] *vt* [papiers] tirar os grampos de ; [vêtement] desacolchetar.

degré [dəgʀe] *nm* grau *m*.

dégressif, ive [degʀesif, iv] *adj* degressivo(va).

dégringoler [degʀɛ̃gɔle] *vi* desabar.

déguerpir [degɛʀpiʀ] *vi* sair correndo.

dégueulasse [degœlas] *adj fam* nojento(ta).

dégueuler [degœle] *vi fam* vomitar.

déguisement [degizmɑ̃] *nm* disfarce *m*.

déguiser [degize] *vt* disfarçar. ◆ **se déguiser** *vp* disfarçar-se ; **se déguiser en** disfarçar-se de.

dégustation [degystasjɔ̃] *nf* degustação *f*.

déguster [degyste] *vt* [goûter] degustar.

dehors [dəɔʀ] ◇ *adv* fora. ◇ *nm* exterior *m* ; **jeter** OU **mettre qqn dehors** pôr alguém na rua ; **en dehors** para fora ; **en dehors de** [à l'extérieur de] fora de ; [sauf] fora.

déjà [deʒa] *adv* já.

déjeuner [deʒœne] ◇ *nm* [à midi] almoço *m* ; [petit déjeuner] café-da-manhã *m*. ◇ *vi* [à midi] almoçar ; [le matin] tomar o café-da-manhã.

déjouer [deʒwe] *vt* fazer fracassar.

délabré, e [delabʀe] *adj* degradado(da).

délacer [delase] *vt* desatar.

délai [delɛ] *nm* prazo *m*.

délaisser [delese] *vt* [abandonner] abandonar ; [négliger] desleixar.

délasser [delase] *vt* descansar.

délation [delasjɔ̃] *nf* delação *f*.

délavé, e [delave] *adj* desbotado(da).

délayer [deleje] *vt* diluir.

Delco® [dɛlko] *nm* distribuidor *m*.

délecter [delɛkte] ◆ **se délecter** *vp* : **se délecter de qqch** deleitar-se com algo.

délégation [delegasjɔ̃] *nf* delegação *f*.

délégué, e [delege] *nm, f* delegado *m*, -da *f*.

délibération [delibeʀasjɔ̃] *nf* deliberação *f*. ◆ **délibérations** *nfpl* deliberações *fpl*.

délibéré, e [delibeʀe] *adj* deliberado(da).

délibérément [delibeʀemɑ̃] *adv* deliberadamente.

délicat, e [delika, at] *adj* delicado(da) ; [exigeant] difícil.

délicatement [delikatmɑ̃] *adv* delicadamente.

délicatesse [delikatɛs] *nf* delicadeza *f*.

délice [delis] *nm* [régal] delícia *f* ; [plaisir] deleite *m*. ◆ **délices** *nfpl* delícias *fpl*.

délicieux, euse [delisjø, øz] *adj* delicioso(osa).

délimiter [delimite] *vt* delimitar.

délinquance [delɛ̃kɑ̃s] *nf* delinqüência *f* ; **délinquance juvénile** delinqüência juvenil.

délinquant, e [delɛ̃kɑ̃, ɑ̃t] *nm, f* delinqüente *mf*.

délire [deliʀ] *nm* delírio *m* ; **en délire** em delírio.

délirer [deliʀe] *vi* delirar.

délit [deli] *nm* delito *m*.

délivrance [delivʀɑ̃s] *nf* [libération] libertação *f* ; [soulagement] alívio *m*.

délivrer [delivʀe] *vt* [prisonnier] soltar ; [autorisation, reçu] entregar.

déloger [delɔʒe] *vt* desalojar.

déloyal, e, aux [delwajal, o] *adj* desleal.

delta [dɛlta] *nm* [de rivière] delta *m*.

deltaplane [dɛltaplan] *nm* asa-delta *f*.

déluge [delyʒ] *nm* dilúvio *m*.

déluré, e [delyʀe] *adj* [malin] esperto(ta) ; *péj* [dévergondé] atrevido(da).

démagogie [demagɔʒi] *nf* demagogia *f*.

demain [dəmɛ̃] *adv* amanhã ; **à demain!** até amanhã ! ; **demain matin/soir** amanhã de manhã/à noite.

demande [dəmɑ̃d] *nf* [réclamation]

reivindicação *f* ; [formulaire] requerimento *m* ; **'demandes d'emploi'** pedidos de emprego.

demandé, e [dəmɑ̃de] *adj* procurado(da) ; **être très demandé** [article] ter muita procura ; [personne] ser muito solicitado.

demander [dəmɑ̃de] *vt* [interroger sur] perguntar ; [exiger] pedir ; [nécessiter] precisar ; **demander qqch à qqn** [interroger] perguntar algo a alguém ; [exiger] exigir algo de alguém ; **demander à qqn de faire qqch** pedir a alguém para fazer algo. ◆ **se demander** *vp* perguntar-se.

demandeur, euse [dəmɑ̃dœʀ, øz] *nm, f* : **demandeur d'emploi** desempregado *m*.

démangeaison [demɑ̃ʒezɔ̃] *nf* comichão *f* ; **avoir des démangeaisons** ter comichão.

démanger [demɑ̃ʒe] *vt* sentir comichão.

démaquillant [demakijɑ̃] *nm* [pour les yeux] desmaquilante *m* ; [pour le visage] leite *m* de limpeza.

démaquiller [demakije] *vt* desmaquiar. ◆ **se démaquiller** *vp* desmaquiar-se.

démarche [demaʀʃ] *nf* [allure] andar *m* ; [administrative] trâmites *mpl* ; **faire des démarches pour...** empregar esforços para...

démarrage [demaʀaʒ] *nm* arranque *m*.

démarrer [demaʀe] *vi* [partir] arrancar ; [commencer] começar.

démarreur [demaʀœʀ] *nm* motor *m* de arranque.

démasquer [demaske] *vt* desmascarar.

démêlant, e [demɛlɑ̃, ɑ̃t] *adj* desembaraçador(ra). ◆ **démêlant** *nm* creme *m* desembaraçador.

démêlé [demele] *nm* altercação *f* ; **avoir des démêlés avec la justice** ter problemas com a Justiça.

démêler [demele] *vt* desembaraçar.

déménagement [demenaʒmɑ̃] *nm* mudança *f* de casa.

déménager [demenaʒe] ◇ *vi* mudar de casa. ◇ *vt* mudar de local.

déménageur [demenaʒœʀ] *nm* [patron] empresa *f* de mudanças ; [employé] empregado *m*, -da *f* da empresa de mudanças.

démence [demɑ̃s] *nf* demência *f*.

démener [demne] ◆ **se démener** *vp* [bouger] agitar-se ; [faire des efforts] esforçar-se.

dément, e [demɑ̃, ɑ̃t] *adj* demente ; *fam* incrível.

démenti [demɑ̃ti] *nm* desmentido *m* ; **apporter un démenti à qqch** desmentir algo.

démentir [demɑ̃tiʀ] *vt* desmentir.

démesuré, e [deməzyʀe] *adj* desmedido(da).

démettre [demɛtʀ] *vt* MÉD deslocar ; [destituer] : **démettre qqn de ses fonctions** demitir alguém das suas funções. ◆ **se démettre** *vp* : **se démettre qqch** deslocar algo.

demeurant [dəmœʀɑ̃] ◆ **au demeurant** *adv* além disso.

demeure [dəmœʀ] *nf* mansão *f*.

demeurer [dəmœʀe] *vi* *sout* [habiter] residir ; [rester] ficar.

demi, e [dəmi] ◇ *adj* meio(meia). ◇ *nm* tulipa *f* ; **cinq heures et demie** cinco (horas) e meia ; **un demi-kilo de** meio quilo de ; **à demi fermé** entreaberto.

demi-cercle [dəmisɛʀkl] (*pl* **demi-cercles**) *nm* semicírculo *m* ; **en demi-cercle** em semicírculo.

demi-finale [dəmifinal] (*pl* **demi-finales**) *nf* semifinal *f*.

demi-frère [dəmifʀɛʀ] (*pl* **demi-frères**) *nm* meio-irmão *m*.

demi-heure [dəmijœʀ] (*pl* **demi-heures**) *nf* meia hora *f*.

démilitariser [demilitaʀize] *vt* desmilitarizar.

demi-litre [dəmilitʀ] (*pl* **demi-litres**) *nm* meio litro *m*.

déminer [demine] *vt* desminar.

demi-pension [dəmipɑ̃sjɔ̃] (*pl* **demi-pensions**) *nf* [à l'hôtel] meia-pensão *f* ; [à l'école] semi-internato *m*.

demi-pensionnaire [dəmipɑ̃sjɔnɛʀ] (*pl* **demi-pensionnaires**) *nmf* semi-interno *m*, -na *f*.

démis, **e** [demi, iz] *pp* ➤ **démettre**.

demi-saison [dəmisɛzɔ̃] (*pl* **demi-saisons**) *nf* : **de demi-saison** de meia-estação.

demi-sœur [dəmisœʀ] (*pl* **demi-soeurs**) *nf* meia-irmã *f*.

démission [demisjɔ̃] *nf* demissão *f* ; **donner sa démission** apresentar sua demissão.

démissionner [demisjɔne] *vi* demitir-se.

demi-tarif [dəmitaʀif] (*pl* **demi-tarifs**) *nm* meia-entrada *f*, meia passagem *f*.

demi-tour [dəmituʀ] (*pl* **demi-tours**) *nm* meia-volta *f* ; **faire demi-tour** dar meia-volta.

démocratie [demɔkʀasi] *nf* democracia *f*.

démocratique [demɔkʀatik] *adj* democrático(ca).

démodé, **e** [demɔde] *adj* fora de moda.

démographie [demɔgʀafi] *nf* demografia *f*.

demoiselle [dəmwazɛl] *nf* senhorita *f* ; **demoiselle d'honneur** dama *f* de honra.

démolir [demɔliʀ] *vt* demolir.

démolition [demɔlisjɔ̃] *nf* demolição *f*; **en démolition** em demolição.

démon [demɔ̃] *nm* RELIG demônio *m* ; [enfant] diabinho *m*.

démonstratif, **ive** [demɔ̃stʀatif, iv] *adj* demonstrativo(va).

démonstration [demɔ̃stʀasjɔ̃] *nf* demonstração *f*.

démonter [demɔ̃te] *vt* desmontar.

démontrer [demɔ̃tʀe] *vt* demonstrar.

démoralisant, **e** [demɔʀalizɑ̃, ɑ̃t] *adj* desmoralizante.

démoraliser [demɔʀalize] *vt* desmoralizar.

démordre [demɔʀdʀ] *vi* : **ne pas en démordre** não dar o braço a torcer.

démouler [demule] *vt* [gâteau] desenformar.

démuni, **e** [demyni] *adj* [pauvre] desprovido(da).

dénaturer [denatyʀe] *vt* **1.** [propos, faits] deturpar - **2.** [goût] alterar.

dénicher [deniʃe] *vt* [trouver] desencantar.

dénigrer [denigʀe] *vt* denegrir.

dénivellation [denivɛlasjɔ̃] *nf* desnível *m*.

dénombrer [denɔ̃bʀe] *vt* contar ; [habitants] recensear.

dénoncer [denɔ̃se] *vt* [coupable] denunciar.

dénoter [denɔte] *vt* denotar.

dénouement [denumɑ̃] *nm* desenlace *m*.

dénouer [denwe] *vt* desfazer.

dénoyauter [denwajote] *vt* descaroçar.

denrée [dãʀe] *nf* gênero *m* (alimentício).

dense [dãs] *adj* denso(sa).

densité [dãsite] *nf* densidade *f* ; **densité de population** densidade populacional ; **double/haute densité** dupla/alta densidade.

dent [dã] *nf* dente *m* ; **dent de lait** dente de leite ; **dent de sagesse** dente do siso.

dentaire [dãtɛʀ] *adj* dentário(ria).

dentelle [dãtɛl] *nf* renda *f*.

dentier [dãtje] *nm* dentadura *f* postiça.

dentifrice [dãtifʀis] *nm* dentifrício *m*.

dentiste [dãtist] *nmf* dentista *mf*.

dentition [dãtisjõ] *nf* dentição *f*.

dénuder [denyde] *vt* [dos, épaules] descobrir ; [fil, os] descarnar. ◆ **se dénuder** *vp* desnudar-se.

dénuement [denymã] *nm* : **vivre dans le dénuement** viver na escassez.

Denver [dãvɛʀ] *npr* ► **sabot.**

déodorant [deɔdɔʀã] *nm* desodorante *m*.

déontologie [deõtɔlɔʒi] *nf* deontologia *f*.

dépannage [depanaʒ] *nm* conserto *m* ; **service de dépannage** socorro mecânico.

dépanner [depane] *vt* [voiture, appareil ménager] consertar ; *fig* [aider] tirar alguém de apuros.

dépanneur [depanœʀ] *nm* mecânico *m* ; *Québec* [épicerie] *mercearia aberta além do horário comercial.*

dépanneuse [depanøz] *nf* reboque *m*.

dépareillé, e [depaʀeje] *adj* [service] incompleto(ta) ; [gant, chaussette] desaparelhado(da).

départ [depaʀ] *nm* partida *f* ; **au départ** no início ; **'départs'** 'embarque'.

départager [depaʀtaʒe] *vt* desempatar.

département [depaʀtəmã] *nm* [division administrative] *divisão administrativa do território francês* ; [service] repartição *f*, departamento *m*.

départementale [depaʀtəmãtal] *nf* : **(route) départementale** ≃ rodovia *f* estadual.

dépassé, e [depase] *adj* ultrapassado(da).

dépassement [depasmã] *nm* [sur la route] ultrapassagem *f*.

dépasser [depase] ◇ *vt* ultrapassar ; [passer devant] passar diante de. ◇ *vi* ultrapassar.

dépaysement [depeizmã] *nm* mudança *f* (de ares).

dépayser [depeize] *vt* [changer de cadre] proporcionar uma mudança de ares ; [désorienter] desorientar. ◆ **se dépayser** *vp* mudar de ares.

dépêche [depɛʃ] *nf* despacho *m* ; **dépêche diplomatique** despacho diplomático.

dépêcher [depeʃe] ◆ **se dépêcher** *vp* apressar-se ; **se dépêcher de faire qqch** apressar-se em fazer algo.

dépénaliser [depenalize] *vt* DR isentar de pena.

dépendance [depãdãs] *nf* dependência *f*. ◆ **dépendances** *nfpl* dependências *fpl*.

dépendre [depãdʀ] *vi* : **dépendre de** depender de ; **ça dépend** depende.

dépens [depã] ◆ **aux dépens de** *prép* às custas de.

dépense [depãs] *nf* despesa *f*.

dépenser [depãse] *vt* gastar. ◆ **se dépenser** *vp* [physiquement] desgastar-se.

dépensier, ère [depãsje, ɛʀ] *adj* gastador(ra).

dépérir [depeʀiʀ] *vi* definhar ; [affaire] decair.

dépêtrer [depetʀe] ◆ **se dépêtrer de** *vp* + *prép* livrar-se de.

déphasé, **e** [defaze] *adj* defasado(da).

dépistage [depistaʒ] *nm* rastreamento *m*.

dépit [depi] *nm* despeito *m* ; **en dépit de** apesar de.

dépité, **e** [depite] *adj* despeitado(da).

déplacement [deplasmɑ̃] *nm* deslocamento *m* ; **en déplacement** em viagem.

déplacer [deplase] *vt* [objet] deslocar ; [rendez-vous] adiar. ◆ **se déplacer** *vp* deslocar-se.

déplaire [deplɛʀ] ◆ **déplaire à** *vp* + *prép* : **ça me déplaît** isto me desagrada.

déplaisant, **e** [deplɛzɑ̃, ɑ̃t] *adj* desagradável.

dépliant [deplijɑ̃] *nm* folheto *m*.

déplier [deplije] *vt* [papier] desdobrar ; [chaise] abrir. ◆ **se déplier** *vp* abrir-se.

déploiement [deplwamɑ̃] *nm* desdobramento *m* ; [d'une aile] abertura *f* ; **faire un grand déploiement de...** dar uma grande demonstração de...

déplorable [deplɔʀabl] *adj* deplorável.

déployer [deplwaje] *vt* [ailes, carte] abrir.

déportation [depɔʀtasjɔ̃] *nf* deportação *f* ; **en déportation** durante a sua deportação.

déporter [depɔʀte] *vt* [prisonnier] deportar ; [dévier] desviar.

déposer [depoze] *vt* [poser] pôr ; [un paquet, en voiture] deixar ; [argent] depositar. ◆ **se déposer** *vp* depositar-se.

dépositaire [depozitɛʀ] *nm* depositário *m*.

déposition [depozisjɔ̃] *nf* depoimento *m*.

dépôt [depo] *nm* depósito *m* ; [de bus] garagem *f*.

dépotoir [depɔtwaʀ] *nm* depósito *m* de lixo.

dépouille [depuj] *nf* [peau] pele *f* ; [corps humain] despojos *mpl* ; **dépouille mortelle** despojos ou restos mortais.

dépouiller [depuje] *vt* despojar.

dépourvu, **e** [depuʀvy] *adj* : **dépourvu de** desprovido de ; **prendre qqn au dépourvu** apanhar alguém de surpresa.

dépoussiérer [depusjeʀe] *vt* [nettoyer] limpar o pó de ; *fig* [rajeunir] tirar as teias de aranha de.

dépressif, **ive** [depʀesif, iv] *adj* depressivo(va).

dépression [depʀesjɔ̃] *nf* depressão *f* ; **dépression (nerveuse)** depressão nervosa.

déprimant, **e** [depʀimɑ̃, ɑ̃t] *adj* deprimente.

déprimé, **e** [depʀime] *adj* deprimido(da).

déprimer [depʀime] ◇ *vt* deprimir. ◇ *vi* andar deprimido(da).

depuis [dəpɥi] ◇ *prép* desde. ◇ *adv* desde então ; **je travaille ici depuis trois ans** trabalho aqui há três anos ; **depuis quand est-il marié ?** desde quando ele está casado? ; **depuis que** desde que.

député [depyte] *nm* deputado *m*.

déraciner [deʀasine] *vt* arrancar pela raiz.

dérailler [deʀaje] *vi* [train] descarrilar.

dérailleur [deʀajœʀ] *nm* carreto *m*.

dérangement [deʀɑ̃ʒmɑ̃] *nm* [gêne] incômodo *m* ; **en dérangement** avariado(da).

déranger [deʀɑ̃ʒe] *vt* [gêner] incomodar ; [objets, affaires] desordenar ; **ça vous dérange si... ?** incomoda-o se...? ◆ **se déranger** *vp* incomodar-se.

dérapage [deʀapaʒ] *nm* derrapagem *f*.

déraper [deʀape] *vi* [voiture] derrapar ; [personne, lame] escorregar.

dérégler [deʀegle] *vt* desregular. ◆ **se dérégler** *vp* desregular-se.

dérision [deʀizjɔ̃] *nf* escárnio *m* ; **tourner qqch en dérision** meter algo a ridículo.

dérisoire [deʀizwaʀ] *adj* irrisório(ria).

dérive [deʀiv] *nf* deriva *f* ; **aller à la dérive** andar à deriva.

dériver [deʀive] *vi* andar à deriva.

dermatologue [dɛʀmatɔlɔg] *nmf* dermatologista *mf*.

dernier, **ère** [dɛʀnje, ɛʀ] *adj* & *nm, f* último(ma) ; **la semaine dernière** a semana passada ; **en dernier** por último ; **arriver en dernier** chegar em último lugar.

dernièrement [dɛʀnjɛʀmɑ̃] *adv* ultimamente.

dérober [deʀɔbe] *vt sout* furtar. ◆ **se dérober** *vp* [personne] : **se dérober à qqch** esquivar-se a algo ; [sol] fugir debaixo dos pés.

dérogation [deʀɔgasjɔ̃] *nf* derrogação *f*.

déroulement [deʀulmɑ̃] *nm* [bobine] desenrolamento *m* ; *fig* [d'événement] encadeamento *m*.

dérouler [deʀule] *vt* desenrolar. ◆ **se dérouler** *vp* desenrolar-se.

dérouter [deʀute] *vt* [surprendre] desconcertar ; [dévier] desviar.

derrière [dɛʀjɛʀ] ◇ *prép* & *adv* atrás. ◇ *nm* [partie arrière] traseira *f* ; [fesses] traseiro *m* ; **de derrière** de trás.

des [de] = **de** + **les**, ► **de, un.**

dès [dɛ] *prép* desde ; **dès que** logo que.

désabusé, **e** [dezabyze] *adj* desiludido(da).

désaccord [dezakɔʀ] *nm* desacordo *m* ; **être en désaccord avec** estar em desacordo com.

désaccordé, **e** [dezakɔʀde] *adj* desafinado(da).

désaffecté, **e** [dezafɛkte] *adj* abandonado(da).

désagréable [dezagʀeabl] *adj* desagradável.

désaltérer [dezalteʀe] ◆ **se désaltérer** *vp* beber.

désamorcer [dezamɔʀse] *vt* [une arme] desativar ; *fig* [un complot] desmantelar.

désappointé, **e** [dezapw˜ɛte] *adj* desapontado(da).

désapprouver [desapʀuve] *vt* desaprovar.

désarçonner [dezaʀsɔne] *vt* atirar ao chão ; *fig* desconcertar.

désarmant, **e** [dezaʀmɑ̃, ɑ̃t] *adj* que desarma.

désarmement [dezaʀməmɑ̃] *nm* desarmamento *m*.

désarmer [dezaʀme] *vt* [malfaiteur] desarmar.

désarroi [dezaʀwa] *nm* aflição *f*.

désastre [dezastʀ] *nm* desastre *m*.

désastreux, **euse** [dezastʀø, øz] *adj* desastroso(osa).

désavantage [dezavɑ̃taʒ] *nm* desvantagem *f*.

désavantager [dezavɑ̃taʒe] *vt* prejudicar.

désavantageux, **euse** [dezavɑ̃taʒø, øz] *adj* desvantajoso(osa).

descendant, **e** [desɑ̃dɑ̃, ɑ̃t] *nm, f* descendente *mf*.

descendre [desɑ̃dʀ] ◇ *vt (aux avoir)*

descer. ◇ *vi (aux être)* descer ; **descendre de** [voiture, vélo] descer de ; [ancêtres] descender de.

descente [desɑ̃t] *nf* descida *f* ; **descente de lit** tapete *m* de quarto.

descriptif, **ive** [dɛskʀiptif, iv] *adj* descritivo(va). ◆ **descriptif** *nm* descrição *f* detalhada.

description [dɛskʀipsjɔ̃] *nf* descrição *f*.

désemparé, **e** [dezɑ̃paʀe] *adj* desamparado(da).

désenfler [dezɑ̃fle] *vi* desinchar.

déséquilibre [dezekilibʀ] *nm* desequilíbrio *m* ; **en déséquilibre** em desequilíbrio.

déséquilibré, **e** [dezekilibʀe] *nm, f* desequilibrado *m*, -da *f*.

déséquilibrer [dezekilibʀe] *vt* desequilibrar.

désert, **e** [dezɛʀ, ɛʀt] ◇ *adj* deserto(ta). ◇ *nm* deserto *m*.

déserter [dezɛʀte] *vi* desertar.

déserteur [dezɛʀtœʀ] *nm* desertor *m*.

désertique [dezɛʀtik] *adj* desértico(ca).

désespéré, **e** [dezɛspeʀe] *adj* desesperado(da).

désespérer [dezɛspeʀe] ◇ *vt* [décourager] desesperar ; [perdre espoir] : **désespérer que qqch arrive** perder a esperança de que algo aconteça. ◇ *vi* desesperar ; **désespérer de qqn /qqch** *sout* perder a esperança em alguém/algo ; **désespérer de faire qqch** perder a esperança de fazer algo. ◆ **se désespérer** *vp* desesperar-se.

désespoir [dezɛspwaʀ] *nm* desespero *m*.

déshabiller [dezabije] *vt* despir. ◆ **se déshabiller** *vp* despir-se.

désherbant [dezɛʀbɑ̃] *nm* herbicida *m*.

désherber [dezɛʀbe] *vt arrancar as ervas daninhas de*.

déshérité, **e** [dezeʀite] ◇ *adj* [privé d'héritage] deserdado(da) ; [pauvre] desfavorecido(da). ◇ *nm, f* [pauvre] desfavorecido *m*, -da *f*.

déshériter [dezeʀite] *vt* deserdar.

déshonneur [dezɔnœʀ] *nm* desonra *f*.

déshonorer [dezɔnɔʀe] *vt* desonrar.

déshydraté, **e** [dezidʀate] *adj* [aliment] desidratado(da) ; *fig* [assoiffé] desidratado(da).

déshydrater [dezidʀate] *vt* desidratar. ◆ **se déshydrater** *vp* desidratar-se.

désigner [deziɲe] *vt* designar.

désillusion [dezilyzjɔ̃] *nf* desilusão *f*.

désinfectant [dezɛ̃fɛktɑ̃] *nm* desinfetante *m*.

désinfecter [dezɛ̃fɛkte] *vt* desinfetar.

désinstaller [dezɛ̃stale] *vt* INFORM desinstalar.

désintégrer [dezɛ̃tegʀe] *vt* desintegrar. ◆ **se désintégrer** *vp* desintegrar-se.

désintéressé, **e** [dezɛ̃teʀese] *adj* desinteressado(da).

désintéresser [dezɛ̃teʀese] ◆ **se désintéresser de** *vp + prép* desinteressar-se de.

désintoxication [dezɛ̃tɔksikasjɔ̃] *nf* desintoxicação *f*.

désinvolte [dezɛ̃vɔlt] *adj* desenvolto(olta).

désinvolture [dezɛ̃vɔltyʀ] *nf* desenvoltura *f* ; **avec désinvolture** com desenvoltura.

désir [deziʀ] *nm* desejo *m*.

désirer [deziʀe] *vt* desejar ; **vous désirez ?** o que deseja? ; **laisser à désirer** deixar a desejar.

désister [deziste] ◆ **se désister** *vp* desistir.

désobéir [dezɔbeiʀ] *vi* desobedecer ; **désobéir à** desobedecer a.

désobéissant, e [dezɔbeisɑ̃, ɑ̃t] *adj* desobediente.

désobligeant, e [dezɔbliʒɑ̃, ɑ̃t] *adj* indelicado(da).

désodorisant [dezɔdɔʀizɑ̃] *nm* purificador *m* de ar.

désœuvré, e [dezœvʀe] *adj* : **se sentir désœuvré** sentir-se um inútil.

désolant, e [dezɔlɑ̃, ɑ̃t] *adj* desolador(ra).

désolé, e [dezɔle] *adj* [personne, sourire] desolado(da) ; [paysage] desolador(ra) ; **je suis désolé de ne pas pouvoir venir** lamento não poder vir.

désopilant, e [dezɔpilɑ̃, ɑ̃t] *adj* hilariante.

désordonné, e [dezɔʀdɔne] *adj* desordenado(da).

désordre [dezɔʀdʀ] *nm* desordem *f* ; **être en désordre** estar em desordem.

désorienté, e [dezɔʀjɑ̃te] *adj* [déconcerté] desorientado(da).

désormais [dezɔʀmɛ] *adv* daqui em diante.

désosser [dezɔse] *vt* [viande] desossar ; *fig* [voiture, mécanisme] desmontar.

despote [dɛspɔt] ◇ *nm* déspota *m*. ◇ *adj* déspota.

desquelles [dekɛl] = **de + lesquelles,** ➤ **lequel.**

desquels [dekɛl] = **de + lesquels,** ➤ **lequel.**

DESS (*abr de* **diplôme d'études supérieures spécialisées**) *nm diploma de estudos superiores especializados.*

dessaler [desale] ◇ *vt* : **faire dessaler** dessalgar. ◇ *vi fam* NAUT [chavirer] virar-se.

dessécher [deseʃe] *vt* secar. ◆ **se dessécher** *vp* tornar-se seco(ca).

desserrer [deseʀe] *vt* [vis, ceinture] desapertar ; [dents] descerrar ; [poing] abrir ; [frein] destravar.

dessert [desɛʀ] *nm* sobremesa *f*.

desservir [desɛʀviʀ] *vt* [ville, gare] servir ; [table] tirar ; [nuire à] prejudicar.

dessin [desɛ̃] *nm* desenho *m* ; **dessin animé** desenho animado.

dessinateur, trice [desinatœʀ, tʀis] *nm, f* desenhista *mf*.

dessiner [desine] *vt* desenhar.

dessous [dəsu] ◇ *adv* por baixo. ◇ *nm* parte *f* de baixo ; **les voisins du dessous** os vizinhos de baixo ; **en dessous** embaixo ; **en dessous de** abaixo de.

dessous-de-plat [dəsudpla] *nm inv* descanso *m*.

dessus [dəsy] ◇ *adv* em cima. ◇ *nm* parte *f* de cima ; **les voisins du dessus** os vizinhos de cima ; **avoir le dessus** ficar por cima.

dessus-de-lit [dəsydli] *nm inv* colcha *f*.

destin [dɛstɛ̃] *nm* destino *m* ; **le destin** o destino.

destinataire [dɛstinatɛʀ] *nmf* destinatário *m*, -ria *f*.

destination [dɛstinasjɔ̃] *nf* destino *m* ; **arriver à destination** chegar ao destino ; **à destination de** com destino a.

destiné, e [dɛstine] *adj* : **être destiné à qqn** estar dirigido a alguém ; **être destiné à qqn/qqch** ser destinado a alguém/algo ; **être destiné à faire qqch** estar destinado para fazer algo.

destinée [dɛstine] *nf* destino *m*.

destiner [dɛstine] *vt* [consacrer] : **destiner qqch à qqn/qqch** destinar algo para alguém/algo ; [vouer] : **destiner qqn à qqch** destinar alguém para algo. ◆ **se destiner** *vp* : **se destiner à** destinar-se a.

destituer [destitɥe] *vt* destituir.

destruction [dɛstʀyksjɔ̃] *nf* destruição *f*.

désuet, **ète** [dezɥɛ, ɛt] *adj* que está em desuso.

détachable [detaʃabl] *adj* destacável.

détachant [detaʃɑ̃] *nm* tira-manchas *m inv*.

détacher [detaʃe] *vt* soltar ; [ceinture] desapertar ; [découper] recortar ; [nettoyer] tirar as manchas de. ◆ **se détacher** *vp* desprender-se ; **se détacher de qqn** separar-se de alguém.

détail [detaj] *nm* pormenor *m* ; **au détail** no varejo ; **en détail** em pormenor.

détaillant [detajɑ̃] *nm* varejista *mf*.

détaillé, **e** [detaje] *adj* pormenorizado(da).

détaler [detale] *vi* fugir.

détartrant [detaʀtʀɑ̃] *nm* antitártaro *m*.

détaxe [detaks] *nf* [suppression] supressão *f* de uma taxa ; [ristourne] redução *f* de uma taxa.

détaxé, **e** [detakse] *adj* isento(ta) de imposto.

détecter [detɛkte] *vt* detectar.

détecteur, **trice** [detɛktœʀ, tʀis] *adj* detector(ra). ◆ **détecteur** *nm* detector *m* ; **détecteur de fumée** detector de fumaça.

détective [detɛktiv] *nm* detetive *mf*.

déteindre [detɛ̃dʀ] *vi* desbotar ; **déteindre sur** tingir.

déteint, **e** [detɛ̃, ɛ̃t] *pp* ► **déteindre**.

détendre [detɑ̃dʀ] *vt* [corde, élastique] esticar ; [personne, atmosphère] descontrair. ◆ **se détendre** *vp* [corde, élastique] esticar-se ; [se décontracter] descontrair-se.

détendu, **e** [detɑ̃dy] *adj* [décontracté] descontraído(da).

détenir [detniʀ] *vt* [fortune, secret, record] possuir ; [poder] deter.

détente [detɑ̃t] *nf* distensão *f* ; [repos] descanso *m* ; **être dur à la détente** *fig* ser de compreensão lenta.

détention [detɑ̃sjɔ̃] *nf* detenção *f* ; **détention préventive** prisão *f* preventiva.

détenu, **e** [detny] ◇ *pp* ► **détenir**. ◇ *nm, f* detido *m*, -da *f*.

détergent [detɛʀʒɑ̃] *nm* detergente *m*.

détérioration [deteʀjɔʀasjɔ̃] *nf* deterioração *f*.

détériorer [deteʀjɔʀe] *vt* deteriorar. ◆ **se détériorer** *vp* deteriorar-se.

détermination [detɛʀminasjɔ̃] *nf* determinação *f*.

déterminé, **e** [detɛʀmine] *adj* determinado(da).

déterminer [detɛʀmine] *vt* determinar ; **déterminer qqn à faire qqch** incitar alguém a fazer algo.

déterrer [deteʀe] *vt* desenterrar.

détestable [detɛstabl] *adj* detestável.

détester [detɛste] *vt* detestar.

détonateur [detɔnatœʀ] *nm* detonador *m*.

détonation [detɔnasjɔ̃] *nf* detonação *f*.

détour [detuʀ] *nm* : **faire un détour** fazer um desvio.

détournement [detuʀnəmɑ̃] *nm* desvio *m* ; **détournement d'avion** desvio de um avião ; **détournement de mineur** desvio de menores.

détourner [detuʀne] *vt* desviar ; **détourner qqn de** desviar alguém de. ◆ **se détourner** *vp* desviar-se ; **se détourner de** desinteressar-se de.

détraqué, **e** [detʀake] *adj* escangalhado(da) ; *fam* doido(da).

détresse [detʀɛs] *nf* [sentiment] aflição *f* ; [situation] miséria *f* ; **en détresse** [bateau, avion] em perigo.

détriment [detʀimɑ̃] ◆ **au détriment de** *loc prép* em detrimento de.

détritus [detʀity(s)] *nmpl* detritos *mpl*.

détroit [detʀwa] *nm* estreito *m*.

détromper [detʀɔ̃pe] *vt* desenganar. ◆ **se détromper** *vp* desenganar-se ; **détrompez-vous** aí é que vocês se enganam.

détrôner [detʀone] *vt* destronar.

détruire [detʀɥiʀ] *vt* destruir.

détruit, **e** [detʀɥi, it] *pp* ▶ **détruire**.

dette [dɛt] *nf* dívida *f*.

DEUG [dœg] *nm diploma que se obtém depois de dois anos de estudos universitários*.

deuil [dœj] *nm* luto *m* ; **être en deuil** estar de luto.

deux [dø] *num* dois(duas) ; **à deux** a dois ; **deux points** dois pontos ▶ **six**.

deuxième [døzjɛm] *num* segundo(da), ▶ **sixième**.

deux-pièces [døpjɛs] *nm* [maillot de bain] biquíni *m* ; [appartement] quarto-e-sala *m*.

deux-roues [døʀu] *nm* veículo *m* de duas rodas.

dévaler [devale] ◇ *vt* descer rapidamente. ◇ *vi* resvalar.

dévaliser [devalize] *vt* roubar.

dévaloriser [devalɔʀize] *vt* desvalorizar. ◆ **se dévaloriser** *vp* desvalorizar-se.

dévaluer [devalɥe] *vt* & *vi* desvalorizar. ◆ **se dévaluer** *vp* desvalorizar-se.

devancer [dəvɑ̃se] *vt* preceder.

devant [dəvɑ̃] ◇ *prép* diante de. ◇ *adv* à frente. ◇ *nm* frente *f* ; **de devant** da frente ; **(sens) devant derrière** ao contrário.

devanture [dəvɑ̃tyʀ] *nf* vitrine *f*.

dévaster [devaste] *vt* devastar.

développement [devlɔpmɑ̃] *nm* [physique, économique] desenvolvimento *m* ; **développement durable** desenvolvimento sustentável ; [de photos] revelação *f*.

développer [devlɔpe] *vt* desenvolver ; [photo] revelar ; **faire développer des photos** mandar revelar fotografias. ◆ **se développer** *vp* desenvolver-se.

développeur [devlɔpœʀ] *nm* INFORM desenvolvedor.

devenir [dəvniʀ] *vi* tornar-se.

devenu, **e** [dəvny] *pp* ▶ **devenir**.

dévergondé, **e** [devɛʀgɔ̃de] *adj* & *nm, f* desavergonhado(da).

déverser [devɛʀse] *vt* despejar. ◆ **se déverser** *vp* [couler] desaguar ; [tomber] entornar-se.

déviation [devjasjɔ̃] *nf* desvio *m*.

dévier [devje] *vt* desviar.

deviner [dəvine] *vt* [imaginer] adivinhar ; [apercevoir] entrever.

devinette [dəvinɛt] *nf* adivinha *f* ; **jouer aux devinettes** fazer adivinhas.

devis [dəvi] *nm* orçamento *m*.

dévisager [devizaʒe] *vt* encarar *(olhar)*.

devise [dəviz] *nf* divisa *f*.

deviser [dəvize] *vt Suisse* orçar.

dévisser [devise] *vt* [vis] desaparafusar ; [couvercle] desenroscar.

dévitaliser [devitalize] *vt* desvitalizar.

dévoiler [devwale] *vt* [secret, intentions] desvendar.

devoir [dəvwaʀ] ◇ *vt* **1.** [gén] dever ;

devoir qqch à qqn dever algo a alguém ; **tu devrais essayer le ski nautique** deveria experimentar o esqui aquático ; **j'aurais dû/je n'aurais pas dû l'écouter** eu deveria tê-lo/eu não deveria tê-lo escutado ; **ça doit coûter cher** isso deve custar muito dinheiro ; **le temps devrait s'améliorer cette semaine** o tempo deveria melhorar nesta semana ; **nous devions partir hier, mais...** deveríamos ter partido ontem, mas... - **2.** [exprime l'obligation] : **devoir faire qqch** ter de fazer algo. ◇ *nm* dever *m* ; **devoir sur table** exame *m*. ◆ **devoirs** *nmpl* SCOL deveres *mpl* ; **faire ses devoirs** fazer os deveres ; **devoirs de vacances** trabalhos *mpl* de casa para as férias.

dévolu [devɔly] *nm* : **jeter son dévolu sur qqn/qqch** estar de olho em alguém/algo.

dévorer [devɔʀe] *vt* devorar.

dévoué, **e** [devwe] *adj* dedicado(da).

dévouement [devumɑ̃] *nm* dedicação *f*.

dévouer [devwe] ◆ **se dévouer** *vp* dedicar-se ; **se dévouer pour faire qqch** oferecer-se para fazer algo.

devra *etc.* ► **devoir.**

dextérité [dɛksteʀite] *nf* destreza *f* ; **avec dextérité** com destreza.

dézipper [dezipe] *vt* INFORM descomprimir.

diabète [djabɛt] *nm* diabetes *m*.

diabétique [djabetik] *adj* diabético(ca).

diable [djabl] *nm* diabo *m*.

diabolique [djabɔlik] *adj* diabólico(ca).

diabolo [djabɔlo] *nm* [boisson] *refrigerante à base de limonada e xarope* ; **diabolo menthe** *refrigerante à base de limonada e xarope de menta*.

diadème [djadɛm] *nm* diadema *f*.

diagnostic [djagnɔstik] *nm* diagnóstico *m*.

diagnostiquer [djagnɔstike] *vt* diagnosticar.

diagonal, **e**, **aux** [djagɔnal, o] *adj* diagonal. ◆ **diagonale** *nf* diagonal *f* ; **en diagonale** em diagonal ; **lire en diagonale** ler na diagonal.

dialecte [djalɛkt] *nm* dialeto *m*.

dialogue [djalɔg] *nm* diálogo *m*.

dialoguer [djalɔge] *vi* dialogar.

diamant [djamɑ̃] *nm* [pierre] diamante *m* ; [d'un électrophone] agulha *f*.

diamètre [djamɛtʀ] *nm* diâmetro *m*.

diapositive [djapozitiv] *nf* diapositivo *m*.

diarrhée [djaʀe] *nf* diarréia *f*.

dictateur [diktatœʀ] *nm* ditador *m*, -ra *f*.

dictature [diktatyʀ] *nf* ditadura *f*.

dictée [dikte] *nf* ditado *m*.

dicter [dikte] *vt* ditar.

dictionnaire [diksjɔnɛʀ] *nm* dicionário *m*.

dicton [diktɔ̃] *nm* ditado *m*.

diesel [djezɛl] ◇ *nm* [moteur] motor *m* a diesel ; [voiture] carro *m* a diesel. ◇ *adj* a diesel.

diététique [djetetik] *adj* dietético(ca).

dieu [djø] (*pl* -x) *nm* deus *m*. ◆ **Dieu** *nm* Deus *m* ; **mon Dieu!** meu Deus!

diffamation [difamasjɔ̃] *nf* difamação *f*.

différé, **e** [difeʀe] ◇ *adj* diferido(da). ◇ *nm* programa *m* gravado ; **en différé** gravado.

différence [difeʀɑ̃s] *nf* diferença *f*.

différencier [difeʀɑ̃sje] *vt* : **différencier qqch de** diferenciar algo de. ◆ **se différencier** *vp* : **se différencier de** diferenciar-se.

différent, **e** [diferɑ̃, ɑ̃t] *adj* diferente ; **différent de** diferente de. ◆ **différents**, **es** *adj* vários(rias).

différer [difere] *vt* & *vi* diferir ; **différer de** diferir de.

difficile [difisil] *adj* difícil.

difficilement [difisilmɑ̃] *adv* dificilmente.

difficulté [difikylte] *nf* dificuldade *f* ; **avoir des difficultés à faire qqch** ter dificuldades em fazer algo ; **en difficulté** em dificuldade.

difforme [difɔrm] *adj* disforme.

diffuser [difyze] *vt* difundir.

diffusion [difyzjɔ̃] *nf* difusão *f*.

digérer [diʒere] *vt* digerir.

digeste [diʒɛst] *adj* fácil de digerir.

digestif, **ive** [diʒɛstif, iv] ◇ *adj* digestivo(va). ◇ *nm* digestivo *m*.

digestion [diʒɛstjɔ̃] *nf* digestão *f*.

Digicode® [diʒikɔd] *nm código numérico que permite acessar um prédio.*

digital, **e**, **aux** [diʒital, o] *adj* digital.

digne [diɲ] *adj* digno(gna) ; **digne de** digno de.

dignité [diɲite] *nf* dignidade *f* ; **se draper dans sa dignité** *fig* refugiar-se na sua dignidade.

digue [dig] *nf* dique *m*.

dilapider [dilapide] *vt* delapidar.

dilater [dilate] *vt* dilatar. ◆ **se dilater** *vp* dilatar-se.

dilemme [dilɛm] *nm* dilema *m*.

diluer [dilɥe] *vt* diluir.

dimanche [dimɑ̃ʃ] *nm* domingo *m*, ► **samedi**.

dimension [dimɑ̃sjɔ̃] *nf* dimensão *f* ; **à** OU **en trois dimensions** em três dimensões.

diminuer [diminɥe] *vt* & *vi* diminuir.

diminutif [diminytif] *nm* diminutivo *m*.

diminution [diminysjɔ̃] *nf* diminuição *f*.

dinde [dɛ̃d] *nf* perua *f* ; **dinde aux marrons** peru *m* com castanhas.

dindon [dɛ̃dɔ̃] *nm* peru *m* ; **être le dindon de la farce** *fig* ser o bobo da festa.

dîner [dine] ◇ *nm* [repas du soir] jantar *m* ; [repas du midi] almoço *m*. ◇ *vi* [le soir] jantar ; [le midi] almoçar.

dingue [dɛ̃g] *fam* ◇ *adj* [fou] doido(da) ; [incroyable] incrível. ◇ *nmf* doido *m*, -da *f*.

diplomate [diplɔmat] ◇ *adj* & *nmf* diplomata. ◇ *nm pudim de biscoito com licor, frutas cristalizadas e creme inglês.*

diplomatie [diplɔmasi] *nf* diplomacia *f*.

diplôme [diplom] *nm* diploma *m*.

dire [dir] *vt* **1.** [gén] dizer ; **dire la vérité** dizer a verdade ; **dire à qqn que/pourquoi** dizer a alguém que/por que é que ; **comment dit-on 'de rien' en anglais ?** como se diz 'de nada' em inglês? ; **on ne dit pas..., on dit...** não se diz..., diz-se... ; **on dit que...** diz-se que... ; **dire à qqn de faire qqch** dizer a alguém que faça algo ; **qu'est-ce que vous en dites ?** o que é que me diz? ; **que dirais-tu de... ?** o que me diria de...? ; **on dirait un champ de bataille** parece um campo de batalha ; **dire que j'étais à 2 mètres du président** quando penso que estava a 2 metros do presidente - **2.** [dans des expressions] : **à vrai dire,...** para dizer a verdade,... ; **ça ne me dit rien** não me diz nada ; **cela dit,...** mesmo assim,... ; **dis donc!** caramba! ; [au fait] olha lá... ; **disons...** digamos... ◆ **se dire** *vp* dizer para si mesmo ; **je me suis dit...** disse para mim mesmo...

direct, **e** [dirɛkt] ◇ *adj* direto(ta). ◇ *nm* : **en direct (de)** ao vivo(de).

directement [diʀɛktəmɑ̃] *adv* diretamente.

directeur, **trice** [diʀɛktœʀ, tʀis] *nm, f* diretor *m*, -ra *f*.

direction [diʀɛksjɔ̃] *nf* direção *f* ; **en direction de** na direção de ; **'toutes directions'** 'outras direções'.

directive [diʀɛktiv] *nf* diretiva *f*.

dirigeant, **e** [diʀiʒɑ̃, ɑ̃t] *nm, f* dirigente *mf*.

diriger [diʀiʒe] *vt* dirigir ; **diriger qqch sur** dirigir algo a. ◆ **se diriger vers** *vp + prép* dirigir-se para.

dis [di] ► **dire**.

discerner [disɛʀne] *vt* discernir.

disciple [disipl] *nm* discípulo *m*.

discipline [disiplin] *nf* disciplina *f*.

discipliné, **e** [disipline] *adj* disciplinado(da).

disc-jockey [diskʒɔkɛ] (*pl* **disc-jockeys**) *nm* disc-jóquei *mf*.

disco [disko] *nf fam local onde se podem requisitar discos.*

discorde [diskɔʀd] *nf* discórdia *f*.

discothèque [diskɔtɛk] *nf* discoteca *f*.

discours [diskuʀ] *nm* discurso *m*.

discréditer [diskʀedite] *vt* desacreditar. ◆ **se discréditer** *vp* desacreditar-se.

discret, **ète** [diskʀɛ, ɛt] *adj* discreto(ta).

discrètement [diskʀɛtmɑ̃] *adv* discretamente.

discrétion [diskʀesjɔ̃] *nf* discrição *f*.

discrimination [diskʀiminasjɔ̃] *nf* discriminação *f*.

discriminatoire [diskʀiminatwaʀ] *adj* discriminatório(ria).

discussion [diskysjɔ̃] *nf* conversa *f*.

discutable [diskytabl] *adj* discutível.

discuter [diskyte] *vi* [parler] conversar ; [protester] discutir ; **discuter de qqch (avec qqn)** conversar sobre algo (com alguém).

dise [diz] ► **dire**.

disgrâce [disgʀas] *nf* desgraça *f (desfavor)* ; **tomber en disgrâce** cair em desgraça.

disjoncteur [disʒɔ̃ktœʀ] *nm* disjuntor *m*.

disloquer [dislɔke] *vt* [membre] deslocar ; [machine] desarticular ; *fig* [démembrer] desagregar. ◆ **se disloquer** *vp* deslocar-se ; *fig* [empirer] desagregar-se.

disons [dizɔ̃] ► **dire**.

disparaître [dispaʀɛtʀ] *vi* desaparecer.

disparité [dispaʀite] *nf* disparidade *f*.

disparition [dispaʀisjɔ̃] *nf* desaparecimento *m* ; [d'une espèce] extinção *f*.

disparu, **e** [dispaʀy] ◇ *pp* ► **disparaître**. ◇ *nm, f* desaparecido *m*, -da *f*.

dispatcher [dispatʃe] *vt* repartir ; [courrier] distribuir.

dispensaire [dispɑ̃sɛʀ] *nm* dispensário *m*.

dispense [dispɑ̃s] *nf* dispensa *f*.

dispenser [dispɑ̃se] *vt* : **dispenser qqn de qqch** dispensar alguém de algo.

disperser [dispɛʀse] *vt* dispersar.

disponible [dispɔnibl] *adj* disponível.

disposé, **e** [dispoze] *adj* : **être disposé à faire qqch** estar disposto a fazer algo.

disposer [dispoze] *vt* dispor. ◆ **disposer de** *vp + prép* dispor de. ◆ **se disposer à** *vp + prép* dispor-se a.

dispositif [dispozitif] *nm* dispositivo *m*.

disposition [dispozisjɔ̃] *nf* disposição *f* ; **prendre ses dispositions** tomar providências ; **à la disposition de qqn** à disposição de alguém.

disproportionné, **e** [dispʀɔpɔʀsjɔne] *adj* desproporcionado(da).

dispute [dispyt] *nf* disputa *f*.

disputer [dispyte] *vt* disputar. ◆ **se disputer** *vp* discutir ; [enfants] brigar.

disquaire [diskɛʀ] *nmf* vendedor *m*, -ra *f* de discos.

disqualification [diskalifikasjɔ̃] *nf* desclassificação *f*.

disqualifier [diskalifje] *vt* desclassificar.

disque [disk] *nm* disco *m* ; **disque laser** disco a laser ; **disque dur** disco rígido.

disquette [diskɛt] *nf* disquete *m*.

dissemblable [disɑ̃blabl] *adj* dissemelhante.

disséminer [disemine] *vt* disseminar.

disséquer [diseke] *vt* dissecar.

dissertation [disɛʀtasjɔ̃] *nf* dissertação *f*.

dissident, **e** [disidɑ̃, ɑ̃t] *adj* & *nm, f* dissidente.

dissimuler [disimyle] *vt* dissimular.

dissipé, **e** [disipe] *adj* distraído(da).

dissiper [disipe] ◆ **se dissiper** *vp* [brouillard] dissipar-se ; [élève] distrair-se.

dissocier [disɔsje] *vt* dissociar.

dissolvant [disɔlvɑ̃] *nm* [à peinture] solvente *m* ; [à ongles] removedor *m* de esmalte.

dissoudre [disudʀ] *vt* dissolver.

dissous, **oute** [disu, ut] *pp* ► **dissoudre**.

dissuader [disɥade] *vt* : **dissuader qqn de faire qqch** dissuadir alguém de fazer algo.

dissuasion [disɥazjɔ̃] *nf* dissuasão *f*.

distance [distɑ̃s] *nf* distância *f* ; **à une distance de 20 km, à 20 km de distance** a uma distância de 20 km, a 20 km de distância ; **à distance** à distância.

distancer [distɑ̃se] *vt* distanciar.

distant, **e** [distɑ̃, ɑ̃t] *adj* [éloigné] : **distant de 10 km** que fica a 10 km ; [froid] distante.

distiller [distile] *vt* & *vi* destilar.

distinct, **e** [distɛ̃, ɛ̃kt] *adj* distinto(ta).

distinctement [distɛ̃ktəmɑ̃] *adv* distintamente.

distinction [distɛ̃ksjɔ̃] *nf* : **faire une distinction entre** fazer uma distinção entre.

distingué, **e** [distɛ̃ge] *adj* distinto(ta).

distinguer [distɛ̃ge] *vt* distinguir. ◆ **se distinguer de** *vp* + *prép* distinguir-se de.

distraction [distʀaksjɔ̃] *nf* distração *f*.

distraire [distʀɛʀ] *vt* distrair. ◆ **se distraire** *vp* distrair-se.

distrait, **e** [distʀɛ, ɛt] ◇ *pp* ► **distraire**. ◇ *adj* distraído(da).

distribuer [distʀibɥe] *vt* distribuir.

distributeur [distʀibytœʀ] *nm* [de boissons] máquina *f* de bebidas ; [de billets de train] máquina *f* de passagens de trem ; [de cigarettes] máquina *f* de cigarros ; **distributeur (automatique) de billets** caixa *m* automático.

distribution [distʀibysjɔ̃] *nf* [de prix] entrega *f* ; [de rôles, du courrier] distribuição *f*.

dit, **e** [di, dit] *pp* ► **dire**.

dites [dit] ► **dire**.

DIU [deiy] (*abr de* **dispositif intra-utérin**) *nm* MÉD dispositivo *m* intra-uterino.

divaguer [divage] *vi* divagar.

divan [divɑ̃] *nm* divã *m*.

diverger [divɛʀʒe] *vi* divergir.

divers, **es** [divɛʀ, ɛʀs] *adj* [variés] diversos(sas) ; [plusieurs] vários(rias) ; **les divers droite/gauche** POLIT *conjunto de* *candidatos representando vários pequenos partidos com a mesma orientação política (de direita ou de esquerda).*

diversifier [divɛʀsifje] *vt* diversificar. ◆ **se diversifier** *vp* diversificar-se.

diversion [divɛʀsjɔ̃] *nf* diversão *f* ; **créer une** OU **faire diversion** desviar a atenção de.

diversité [divɛʀsite] *nf* diversidade *f.*

divertir [divɛʀtiʀ] *vt* divertir. ◆ **se divertir** *vp* divertir-se.

divertissement [divɛʀtismɑ̃] *nm* divertimento *m.*

divin, **e** [divɛ̃, in] *adj* divino(na).

divinité [divinite] *nf* divindade *f.*

diviser [divize] *vt* dividir.

division [divizjɔ̃] *nf* divisão *f.*

divorce [divɔʀs] *nm* divórcio *m.*

divorcé, **e** [divɔʀse] *adj* & *nm, f* divorciado(da).

divorcer [divɔʀse] *vi* divorciar-se.

divulguer [divylge] *vt* divulgar.

dix [dis] *num* dez, ► **six**.

dix-huit [dizɥit] *num* dezoito, ► **six**.

dix-huitième [dizɥitjɛm] *num* décimo oitavo(décima oitava), ► **sixième**.

dixième [dizjɛm] *num* décimo(décima), ► **sixième**.

dix-neuf [diznœf] *num* dezenove, ► **six**.

dix-neuvième [diznœvjɛm] *num* décimo nono(décima nona), ► **sixième**.

dix-sept [disɛt] *num* dezessete, ► **six**.

dix-septième [disɛtjɛm] *num* décimo sétimo(décima sétima), ► **sixième**.

dizaine [dizɛn] *nf* : **une dizaine (de)** uma dezena (de).

DJ [didʒi] *nm* (*abr de* **disc-jockey**) DJ *mf.*

docile [dɔsil] *adj* dócil.

docks [dɔk] *nmpl* docas *fpl.*

docteur [dɔktœʀ] *nm* doutor *m*, -ra *f.*

doctrine [dɔktʀin] *nf* doutrina *f.*

document [dɔkymɑ̃] *nm* documento *m.*

documentaire [dɔkymɑ̃tɛʀ] *nm* documentário *m.*

documentaliste [dɔkymɑ̃talist] *nmf* documentalista *mf.*

documentation [dɔkymɑ̃tasjɔ̃] *nf* documentação *f.*

documenter [dɔkymɑ̃te] *vt* [un exposé] documentar ; [une personne] fornecer documentação a. ◆ **se documenter** *vp* documentar-se.

dodo [dɔdo] *nm* naná *m* ; **faire dodo** fazer naná.

dodu, **e** [dɔdy] *adj* [gras] gordo(da) ; *fam* [grassouillet] gorducho(cha).

dogme [dɔgm] *nm* dogma *m.*

doigt [dwa] *nm* dedo *m* ; **doigt de pied** dedo do pé ; **à deux doigts de** a um passo de.

dois [dwa] ► **devoir**.

doive etc. [dwav] ► **devoir**.

dollar [dɔlaʀ] *nm* dólar *m.*

domaine [dɔmɛn] *nm* [propriété] domínio *m* ; [secteur] área *f.*

dôme [dom] *nm* [toit] cúpula *f.*

domestique [dɔmɛstik] ◇ *adj* doméstico(ca). ◇ *nmf* criado *m*, -da *f.*

domicile [dɔmisil] *nm* domicílio *m* ; **à domicile** em domicílio.

domicilié, **e** [dɔmisilje] *adj* domiciliado(da).

domination [dɔminasjɔ̃] *nf* [autorité] dominação *f* ; [influence] domínio *m.*

dominer [dɔmine] *vt* & *vi* dominar.

dominos [dɔmino] *nmpl* dominó *m.*

dommage [dɔmaʒ] *nm* : **(quel) dommage!** (que) pena! ; **c'est dommage**

de... é pena... ; **c'est dommage que** é pena que. ◆ **dommages** *nmpl* danos *mpl*.

dompter [dɔ̃te] *vt* domar.

dompteur, euse [dɔ̃tœʀ, øz] *nm, f* domador *m*, -ra *f*.

DOM-TOM [dɔmtɔm] *nmpl departamentos e territórios ultramarinos franceses*.

don [dɔ̃] *nm* dom *m*.

donation [dɔnasjɔ̃] *nf* doação *f*.

donc [dɔ̃k] *conj* [par conséquent] por isso ; [pour reprendre] pois ; **viens donc!** então venha!

donjon [dɔ̃ʒɔ̃] *nm* torreão *m*.

donné, e [dɔne] *adj* dado(da) ; **c'est pas donné** *fam* não é nada barato. ◆ **étant donné que** *loc conj* dado que.

données [dɔne] *nfpl* dados *mpl*.

donner [dɔne] *vt* dar ; **donner qqch à qqn** dar algo a alguém ; **donner à manger à qqn** dar de comer a alguém ; **donner chaud** dar calor ; **donner soif** dar sede. ◆ **donner sur** *vp + prép* dar para.

dont [dɔ̃] *pron rel* **1.** [complément du verbe] : **la région dont je parle est très montagneuse** a região da qual falo é bastante montanhosa ; **c'est le camping dont on nous a parlé** é o camping de que nos falaram ; **je n'aime pas la façon dont il nous regarde** não gosto da maneira como ele nos olha ; **ce n'est pas l'endroit dont j'avais rêvé** não é o lugar com que tinha sonhado - **2.** [complément de l'adjectif] com que ; **le travail dont je suis le plus satisfait...** o trabalho com que estou mais satisfeito... ; **l'établissement dont ils sont responsables** o estabelecimento pelo qual eles são responsáveis - **3.** [complément d'un nom de personne] do qual(da qual) ; **un homme dont on m'a parlé** um homem do qual me falaram - **4.** [complément du nom, exprime l'appartenance] cujo(cuja) ; **c'est un pays dont la principale industrie est le tourisme** é um país cuja principal indústria é o turismo - **5.** [parmi lesquels] dos quais(das quais) ; **nous avons passé plusieurs jours au Portugal, dont trois à la plage** passamos vários dias em Portugal, três dos quais na praia ; **certaines personnes, dont moi, pensent que...** algumas pessoas, dentre as quais eu, pensam que...

dopage [dɔpaʒ] *nm* doping *m*.

doper [dɔpe] *vt* dopar. ◆ **se doper** *vp* dopar-se.

doré, e [dɔʀe] ◇ *adj* dourado(da). ◇ *nm Québec* lúcio *m*.

dorénavant [dɔʀenavɑ̃] *adv* doravante.

dorin [dɔʀɛ̃] *nm Suisse nome genérico dos vinhos brancos do cantão de Vaud*.

dorloter [dɔʀlɔte] *vt* mimar.

dormir [dɔʀmiʀ] *vi* dormir.

dortoir [dɔʀtwaʀ] *nm* dormitório *m*.

dorure [dɔʀyʀ] *nf* [ornement] dourado *m* ; [processus] douramento *m*.

dos [do] *nm* costas *fpl* ; [d'une feuille] verso *m* ; **au dos (de)** no verso (de) ; **de dos (à)** de costas (para) ; **dos crawlé** [natation] nado de costas.

dosage [dozaʒ] *nm* dosagem *f*.

dos-d'âne [dodan] *nm* lomba *f*, lombada *f*.

dose [doz] *nf* dose *f*.

doser [doze] *vt* dosar.

dossard [dosaʀ] *nm* número *m (na camiseta do esportista)*.

dossier [dosje] *nm* **1.** [d'un siège] encosto *m* - **2.** [documents] dossiê *m* ; **dossier d'inscription** ficha *f* de inscrição - **3.** INFORM pasta *f*.

doté, e [dɔte] *adj* : **doté de** dotado de.

douane [dwan] *nf* alfândega *f*.

douanier [dwanje] *nm* agente *m* alfandegário.

doublage [dublaʒ] *nm* dublagem *f*.

double [dubl] ◇ *adj* dobro. ◇ *nm* [copie] cópia *f* ; [partie de tennis] dupla *f*. ◇ *adv* em dobro ; **le double (de)** o dobro (de) ; **avoir qqch en double** ter dois exemplares de algo ; **mettre qqch en double** pôr dois exemplares de algo.

double-clic [dublklik] *nm* INFORM clique *m* duplo.

double-cliquer [dublklike] *vt* INFORM dar um clique duplo em.

doublé, e [duble] *adj* [vêtement] forrado(da) ; [film] dublado(da).

doubler [duble] ◇ *vt* [multiplier] duplicar ; [vêtement] forrar ; AUTO ultrapassar ; [film] dublar. ◇ *vi* [augmenter] duplicar ; AUTO ultrapassar.

doublure [dublyʀ] *nf* [d'un vêtement] forro *m*.

douce ➤ **doux.**

doucement [dusmɑ̃] *adv* [bas] baixinho ; [lentement] devagar.

douceur [dusœʀ] *nf* suavidade *f* ; [gentillesse] doçura *f* ; **en douceur** devagar.

douche [duʃ] *nf* ducha *f* ; **prendre une douche** tomar uma ducha OU um banho ; *fig* tomar um banho de água fria.

doucher [duʃe] ◆ **se doucher** *vp* tomar um banho ou uma ducha.

douchette [duʃɛt] *nf* leitor de código de barras manual.

doudoune [dudun] *nf* casaco *m* forrado com penas.

doué, e [dwe] *adj* dotado(da) ; **être doué pour** OU **en qqch** ter jeito para algo.

douille [duj] *nf* [d'une ampoule] rosca *f* ; [d'une cartouche] cartucho *m (invólucro)* ; [d'un cylindre] encaixe *m*.

douillet, ette [dujɛ, ɛt] *adj* [personne] covarde ; [lit] fofo(fa).

douleur [dulœʀ] *nf* dor *f*.

douloureux, euse [duluʀø, øz] *adj* [opération, souvenir] doloroso(osa) ; [partie du corps] dolorido(da).

doute [dut] *nm* dúvida *f* ; **avoir un doute (sur)** ter uma dúvida (sobre) ; **sans doute** provavelmente.

douter [dute] *vt* : **douter que** duvidar que. ◆ **douter de** *vp* + *prép* duvidar de. ◆ **se douter** *vp* : **se douter de** suspeitar de ; **se douter que** supor que.

douteux, euse [dutø, øz] *adj* duvidoso(osa).

doux, douce [du, dus] *adj* doce ; [au toucher] macio(cia) ; [temps] ameno(na).

douzaine [duzɛn] *nf* : **une douzaine (de)** [douze] uma dúzia (de) ; [environ douze] umas doze.

douze [duz] *num* doze, ➤ **six.**

douzième [duzjɛm] *num* décimo segundo(décima segunda), ➤ **sixième.**

doyen, enne [dwajɛ̃, ɛn] *nm, f* decano *m*, -na *f*.

draconien, enne [dʀakɔnjɛ̃, ɛn] *adj* draconiano(na).

dragée [dʀaʒe] *nf* amêndoa *f* com cobertura de açúcar.

dragon [dʀagɔ̃] *nm* [animal] dragão *m*.

draguer [dʀage] *vt fam* [personne] paquerar.

dragueur, euse [dʀagœʀ, øz] *nm, f fam* paquerador *m*, -ra *f*. ◆ **dragueur de mines** *nm* navio-varredor *m*.

drainer [dʀene] *vt* [terrain, plaie] drenar ; *fig* [capitaux, main-d'œuvre] atrair.

dramatique [dʀamatik] ◇ *adj* dramático(ca). ◇ *nf obra dramática transmitida por televisão ou rádio.*

dramatiser [dʀamatize] *vt* dramatizar.

dramaturge [dʀamatyʀʒ] *nmf* dramaturgo *m*, -ga *f*.

drame [dʀam] *nm* drama *m*.

drap [dʀa] *nm* lençol *m* ; **drap-housse** lençol com elástico.

drapeau [dʀapo] (*pl* -x) *nm* bandeira *f*.

dresser [dʀese] *vt* [mettre debout] erguer ; [animal] adestrar ; [plan, procès-verbal] elaborar. ◆ **se dresser** *vp* erguer-se.

dribbler [dʀible] *vi* & *vt* driblar.

drogue [dʀɔg] *nf* droga *f*.

drogué, **e** [dʀɔge] *nm, f* drogado *m*, -da *f*.

droguer [dʀɔge] ◆ **se droguer** *vp* drogar-se.

droguerie [dʀɔgʀi] *nf* drogaria *f*.

droit, **e** [dʀwa, dʀwat] ◇ *adj* direito(ta) ; [sans détour] reto(ta). ◇ *adv* direto. ◇ *nm* direito *m* ; **droit sur lui** direito sobre ele ; **tout droit** em frente ; **droits d'inscription** taxas de inscrição ; **le droit** o direito ; **avoir le droit de faire qqch** ter o direito de fazer algo ; **avoir droit à qqch** ter direito a algo.

droite [dʀwat] *nf* : **la droite** a direita ; **à droite (de)** à direita (de) ; **de droite** de direita.

droitier, **ère** [dʀwatje, ɛʀ] *adj* destro(tra).

drôle [dʀol] *adj* [amusant] engraçado(da) ; [bizarre] esquisito(ta) ; **un drôle de bonhomme** um homem esquisito.

drôlement [dʀolmɑ̃] *adv fam* extremamente.

dromadaire [dʀɔmadɛʀ] *nm* dromedário *m*.

drugstore [dʀœgstɔʀ] *nm centro comercial formado por bar, café-restaurante, lojas diversas, uma pequena farmácia, e às vezes, uma sala de espetáculos.*

du [dy] = **de** + **le**, ➤ **de**.

dû, **due** [dy] *pp* ➤ **devoir**.

duc, **duchesse** [dyk, dyʃɛs] *nm, f* duque *m*, -quesa *f*.

duel [dɥɛl] *nm* duelo *m*.

duffle-coat [dœfəlkot] (*pl* **duffle-coats**) *nm* parca *f*.

dûment [dymɑ̃] *adv* devidamente.

dune [dyn] *nf* duna *f*.

duo [dɥo] *nm* duo *m*.

dupe [dyp] ◇ *adj* trouxa. ◇ *nf* trouxa *mf* ; **être/ne pas être dupe** ser /não ser trouxa.

duplex [dyplɛks] *nm* dúplex *m inv*.

duplicata [dyplikata] *nm* cópia *f*.

dupliquer [dyplike] *vt* duplicar.

duquel [dykɛl] = **de** + **lequel**, ➤ **lequel**.

dur, **e** [dyʀ] ◇ *adj* duro(ra) ; [difficile] difícil. ◇ *adv* [travailler] arduamente ; [frapper] com força.

durant [dyʀɑ̃] *prép* durante.

durcir [dyʀsiʀ] *vi* endurecer. ◆ **se durcir** *vp* endurecer-se.

durée [dyʀe] *nf* duração *f*.

durement [dyʀmɑ̃] *adv* [violemment] violentamente ; [péniblement, sévèrement] duramente.

durer [dyʀe] *vi* durar.

dureté [dyʀte] *nf* dureza *f*.

duvet [dyvɛ] *nm* [plumes] penugem *f* ; [sac de couchage] saco *m* de dormir.

dynamique [dinamik] *adj* dinâmico(ca).

dynamisme [dinamism] *nm* dinamismo *m*.

dynamite [dinamit] *nf* dinamite *f*.

dynamo [dinamo] *nf* dínamo *m*.

dynastie [dinasti] *nf* dinastia *f*.

dyslexique [dislɛksik] *adj* disléxico(ca).

E

E (*abr de* **est**) E.

eau [o] (*pl* **eaux**) *nf* água *f* ; **eau bénite** água benta ; **eau de Cologne** água-de-colônia *f* ; **eau gazeuse** água com gás ; **eau minérale** água mineral ; **eau oxygénée** água oxigenada ; **eau potable/non potable** água potável/não potável ; **eau plate** água sem gás ; **eau du robinet** água da torneira.

eau-de-vie [odvi] (*pl* **eaux-de-vie**) *nf* aguardente *f*.

ébahi, e [ebai] *adj* atônito(ta).

ébats [eba] *nmpl sout* folia *f* ; **ébats amoureux** jogos *mpl* amorosos.

ébauche [eboʃ] *nf* esboço *m*.

ébaucher [eboʃe] *vt* esboçar.

ébène [ebɛn] *nf* ébano *m*.

ébéniste [ebenist] *nm* marceneiro *m*.

éberlué, e [ebɛʀlɥe] *adj* pasmado(da).

éblouir [ebluiʀ] *vt* [aveugler] ofuscar ; [charmer] deslumbrar.

éblouissant, e [ebluisɑ̃, ɑ̃t] *adj* [aveuglant] ofuscante ; [admirable] deslumbrante.

éborgner [ebɔʀɲe] *vt* : **éborgner qqn** deixar alguém zarolho(lha).

éboueur [ebwœʀ] *nm* lixeiro *m*.

ébouillanter [ebujɑ̃te] *vt* [brûler] escaldar.

éboulement [ebulmɑ̃] *nm* desmoronamento *m*.

éboulis [ebuli] *nm* [rochers] monte *m* de pedras ; [terre] monte *m* de terra.

ébouriffé, e [ebuʀife] *adj* desgrenhado(da).

ébrécher [ebʀeʃe] *vt* rachar.

ébriété [ebʀijete] *nf* embriaguez *f*.

ébrouer [ebʀue] ◆ **s'ébrouer** *vp* [se secouer] sacudir-se.

ébruiter [ebʀɥite] *vt* divulgar.

ébullition [ebylisjɔ̃] *nf* ebulição *f* ; **porter qqch à ébullition** levar algo à ebulição.

écaille [ekaj] *nf* [de poisson] escama *f* ; [d'huître] concha *f* ; [matière] tartaruga *f* ; **peigne d'écaille** pente de tartaruga.

écailler [ekaje] *vt* escamar. ◆ **s'écailler** *vp* descascar.

écarlate [ekaʀlat] *adj* [tissu] escarlate ; [visage] vermelho(lha).

écarquiller [ekaʀkije] *vt* : **écarquiller les yeux** arregalar os olhos.

écart [ekaʀ] *nm* [distance] distância *f* ; [différence] diferença *f* ; **faire un écart** desviar-se ; **à l'écart (de)** afastado (de) ; **grand écart** *posição em que as pernas formam um ângulo de 180°*.

écarter [ekaʀte] *vt* afastar ; [ouvrir] abrir.

ecchymose [ekimoz] *nf* equimose *f*.

écervelé, e [esɛʀvəle] *adj & nm, f* estouvado(da).

échafaud [eʃafo] *nm* cadafalso *m*.

échafaudage [eʃafodaʒ] *nm* andaime *m*.

échalote [eʃalɔt] *nf* chalota *f*.

échancré, e [eʃɑ̃kʀe] *adj* decotado(da).

échange [eʃɑ̃ʒ] *nm* [troc] troca *f* ; SCOL intercâmbio *m* ; [au tennis] troca *f* de bolas ; **en échange (de)** em troca (de).

échanger [eʃɑ̃ʒe] *vt* trocar ; **échanger qqch contre** trocar algo por.

échangeur [eʃɑ̃ʒœʀ] *nm* trevo *m (em auto-estrada)*.

échantillon [eʃɑ̃tijɔ̃] *nm* amostra *f*.

échappatoire [eʃapatwaʀ] *nf* escapatória *f*.

échappement [eʃapmɑ̃] *nm* ► pot.

échapper [eʃape] ◆ **échapper à** *vp + prép* escapar a ; **ça m'a échappé** escapou-me ; **ça m'a échappé des mains** escapou-me das mãos. ◆ **s'échapper** *vp* escapar-se ; **s'échapper de** escapar-se de.

écharde [eʃaʀd] *nf* farpa *f*.

écharpe [eʃaʀp] *nf* [cache-nez] echarpe *f* ; **en écharpe** a tiracolo.

échasse [eʃas] *nf* [de berger] perna *f* de pau ; [oiseau] alcaravão *m* ; *fam* [jambe] perna *f* muito comprida.

échassier [eʃasje] *nm* pernalta *f*.

échauffement [eʃofmɑ̃] *nm* [sportif] aquecimento *m*.

échauffer [eʃofe] ◆ **s'échauffer** *vp* [sportif] fazer o aquecimento.

échéance [eʃeɑ̃s] *nf* vencimento *m* ; **à longue échéance** a longo prazo ; **à courte** OU **brève échéance** a curto prazo.

échéant [eʃeɑ̃] *adj* : **le cas échéant** se for esse o caso.

échec [eʃɛk] *nm* fracasso *m* ; **échec!** xeque! ; **échec et mat!** xeque-mate! ◆ **échecs** *nmpl* xadrez *m*.

échelle [eʃɛl] *nf* [pour grimper] escada *f* ; [sur une carte] escala *f* ; **faire la courte échelle à qqn** ajudar alguém a subir com as mãos. ◆ **échelle de Richter** *nf* GÉOGR Escala de Richter.

échelon [eʃlɔ̃] *nm* [d'échelle] degrau *m* ; [grade] escalão *m*.

échelonner [eʃlɔne] *vt* escalonar. ◆ **s'échelonner** *vp* escalonar-se.

échevelé, e [eʃəvle] *adj* desgrenhado(da).

échine [eʃin] *nf* **1.** [colonne vertébrale] coluna *f* vertebral - **2.** [de porc] lombo *m* de porco.

échiquier [eʃikje] *nm* tabuleiro *m* de xadrez.

écho [eko] *nm* eco *m*.

échographie [ekogʀafi] *nf* ecografia *f*.

échouer [eʃwe] *vi* falhar. ◆ **s'échouer** *vp* encalhar.

éclabousser [eklabuse] *vt* salpicar.

éclaboussure [eklabusyʀ] *nf* salpico *m*.

éclair [eklɛʀ] *nm* [d'orage] relâmpago *m* ; [gâteau] bomba *f*.

éclairage [eklɛʀaʒ] *nm* iluminação *f*.

éclaircie [eklɛʀsi] *nf nesga do céu entre nuvens*.

éclaircir [eklɛʀsiʀ] *vt* clarear. ◆ **s'éclaircir** *vp* [ciel] clarear ; *fig* [mystère] esclarecer-se.

éclaircissement [eklɛʀsismɑ̃] *nm* [explication] esclarecimento *m*.

éclairer [ekleʀe] *vt* [pièce] iluminar ; [à la bougie] alumiar ; *fig* [personne] esclarecer. ◆ **s'éclairer** *vp* [visage] iluminar-se ; *fig* [mystère] esclarecer-se.

éclaireur, euse [eklɛʀœʀ, øz] *nm, f* [scout] batedor *m*, -ra *f* ; **partir en éclaireur** *fig* abrir o caminho.

éclat [ekla] *nm* [de verre] estilhaço *m* ; [d'une lumière] clarão *m* ; **éclats de rire** gargalhadas *fpl* ; **éclats de voix** gritaria *f*.

éclatant, e [eklatɑ̃, ɑ̃t] *adj* deslumbrante.

éclater [eklate] *vi* rebentar ; **éclater de rire** desatar a rir ; **éclater en sanglots** desatar a chorar.

éclectique [eklɛktik] *adj* eclético(ca).

éclipse [eklips] *nf* eclipse *m*.

éclipser [eklipse] *vt* eclipsar. ◆ **s'éclipser** *vp* *fam* [s'esquiver] eclipsar-se.

éclore [eklɔʀ] *vi* [fleur] desabrochar ; [œuf] eclodir.

éclosion [eklozjɔ̃] *nf* eclosão *f*.

écluse [eklyz] *nf* comporta *f*.

écœurant, **e** [ekœʀɑ̃, ɑ̃t] *adj* [aliment] enjoativo(va) ; [spectacle, comportement] chocante.

écœurer [ekœʀe] *vt* enjoar.

école [ekɔl] *nf* escola *f* ; **aller à l'école** ir à escola ; **faire l'école buissonnière** matar aula ; **l'école publique** escola pública.

écolier, **ère** [ekɔlje, ɛʀ] *nm, f* aluno *m*, -na *f*.

écologie [ekɔlɔʒi] *nf* ecologia *f*.

écologique [ekɔlɔʒik] *adj* ecológico(ca).

écologiste [ekɔlɔʒist] *nmf* ecologista *mf*.

économie [ekɔnɔmi] *nf* economia *f*. ◆ **économies** *nfpl* economias *fpl* ; **faire des économies** fazer economias.

économique [ekɔnɔmik] *adj* econômico(ca).

économiser [ekɔnɔmize] *vt* economizar.

économiste [ekɔnɔmist] *nmf* economista *mf*.

écoper [ekɔpe] ◇ *vt* NAUT despejar a água de ; *fam* [d'une sanction] ; **écoper de** ser punido com. ◇ *vi fam* pagar o pato.

écorce [ekɔʀs] *nf* casca *f*.

écorcher [ekɔʀʃe] ◆ **s'écorcher** *vp* esfolar-se ; **s'écorcher le genou** esfolar o joelho.

écorchure [ekɔʀʃyʀ] *nf* esfoladela *f*.

écossais, **e** [ekɔsɛ, ɛz] *adj* escocês(esa). ◆ **Écossais**, **e** *nm, f* escocês *m*, -esa *f*.

Écosse [ekɔs] *nf* : **l'Écosse** a Escócia.

écosser [ekɔse] *vt* descascar.

écosystème [ekɔsistɛm] *nm* ecossistema *m*.

écouler [ekule] ◆ **s'écouler** *vp* [temps] passar ; [liquide] escorrer.

écouter [ekute] *vt* ouvir.

écouteur [ekutœʀ] *nm* auscultador *m* ; **écouteurs** auscultadores *mpl*.

écran [ekʀɑ̃] *nm* [de cinéma, de télévision] tela *f* ; [de fumée, d'arbres] cortina *f* ; **(crème) écran total** proteção *f* total ; **le grand écran** a telona ; **le petit écran** a telinha.

écrasant, **e** [ekʀazɑ̃, ɑ̃t] *adj* esmagador(ra).

écraser [ekʀaze] *vt* [aplatir] esmagar ; [une personne] atropelar ; [un animal] esborrachar ; [vaincre] derrotar ; **se faire écraser** ser atropelado(da). ◆ **s'écraser** *vp* submeter-se.

écrémé, **e** [ekʀeme] *adj* desnatado(da) ; **demi-écrémé** semidesnatado(da).

écrevisse [ekʀəvis] *nf* lagostim *m*.

écrier [ekʀije] ◆ **s'écrier** *vp* exclamar.

écrin [ekʀɛ̃] *nm* porta-jóias *m inv*.

écrire [ekʀiʀ] *vt* & *vi* escrever ; **écrire à qqn** escrever a alguém. ◆ **s'écrire** *vp* [correspondre] corresponder-se ; [s'épeler] escrever-se.

écrit, **e** [ekʀi, it] ◇ *pp* ► **écrire**. ◇ *nm* : **par écrit** por escrito.

écriteau [ekʀito] (*pl* -x) *nm* letreiro *m*.

écriture [ekʀityʀ] *nf* escrita *f*.

écrivain [ekʀivɛ̃] *nm* escritor *m*, -ra *f*.

écrou [ekʀu] *nm* porca *f (peça)*.

écrouer [ekʀue] *vt* encarcerar.

écrouler [ekʀule] ◆ **s'écrouler** *vp* [mur] desabar ; [coureur] sucumbir.

écru, **e** [ekʀy] *adj* [couleur] cru.

ecsta [ɛksta] *fam nm* (*abr de* **ecstasy**) ecstasy.

écueil [ekœj] *nm* recife *m*.

écuelle [ekɥɛl] *nf* gamela *f*.

écume [ekym] *nf* espuma *f*.

écumoire [ekymwaʀ] *nf* escumadeira *f*.

écureuil [ekyʀœj] *nm* esquilo *m*.

écurie [ekyʀi] *nf* cavalariça *f*.

écusson [ekysɔ̃] *nm* emblema *m*.

eczéma [ɛgzema] *nm* eczema *m*.

édenté, e [edɑ̃te] *adj* desdentado(da).

EDF (*abr de* **Electricité de France**) *nf empresa de eletricidade francesa*.

édifice [edifis] *nm* edifício *m*.

édifier [edifje] *vt* [bâtir] edificar ; [une théorie] elaborar ; *sout* [renseigner] elucidar.

Édimbourg [edɛ̃buʀ] *npr* Edimburgo.

éditer [edite] *vt* editar.

éditeur, trice [editœʀ, tʀis] *nmf* editor *m*, -ra *f*.

édition [edisjɔ̃] *nf* edição *f*.

éditorial [editɔʀjal] (*pl* -aux [o]) *nm* editorial *m*.

édredon [edʀədɔ̃] *nm* edredom *m*.

éducateur, trice [edykatœʀ, tʀis] *adj* & *nm, f* educador(ra) ; **éducateur spécialisé** educador especializado.

éducatif, ive [edykatif, iv] *adj* educativo(va).

éducation [edykasjɔ̃] *nf* educação *f* ; **éducation physique** educação física.

édulcorant [edylkɔʀɑ̃] *nm* : **édulcorant (de synthèse)** adoçante *m*.

éduquer [edyke] *vt* educar.

effacé, e [efase] *adj* apagado(da).

effacer [efase] *vt* [tableau, mot] apagar ; [bande magnétique, chanson] desgravar. ◆ **s'effacer** *vp* apagar-se.

effaceur [efasœʀ] *nm caneta com ponta de feltro que apaga tinta*.

effarant, e [efaʀɑ̃, ɑ̃t] *adj* assombroso(osa).

effaroucher [efaʀuʃe] *vt* [effrayer] espantar ; [intimider] amedrontar.

effectif [efɛktif] *nm* efetivo *m*.

effectivement [efɛktivmɑ̃] *adv* [réellement] realmente ; [en effet] efetivamente.

effectuer [efɛktɥe] *vt* efetuar.

efféminé, e [efemine] *adj* efeminado(da).

effervescent, e [efɛʀvesɑ̃, ɑ̃t] *adj* efervescente.

effet [efɛ] *nm* efeito *m* ; **faire de l'effet** causar uma forte impressão ; **en effet** com efeito ; **effet secondaire** efeito colateral ; **effets spéciaux** efeitos especiais.

efficace [efikas] *adj* [médicament, mesure] eficaz ; [personne, travail] eficiente.

efficacité [efikasite] *nf* [d'une mesure] eficácia *f* ; [d'une personne] eficiência *f*.

effigie [efiʒi] *nf* efígie *f*.

effilé, e [efile] *adj* [frange] desfiado(da) ; [doigts] esguio(guia).

effilocher [efilɔʃe] ◆ **s'effilocher** *vp* desfiar-se.

effleurer [eflœʀe] *vt* roçar.

effluve [eflyv] *nm* eflúvio *m*.

effondrement [efɔ̃dʀəmɑ̃] *nm* [écroulement] desabamento *m* ; [abattement] desfalecimento *m* ; *fig* [chute] queda *f*.

effondrer [efɔ̃dʀe] ◆ **s'effondrer** *vp* [mur] desmoronar-se ; [personne] definhar ; *fig* [moralement] abater-se.

efforcer [efɔʀse] ◆ **s'efforcer de** *vp + prép* esforçar-se por.

effort [efɔʀ] *nm* esforço *m* ; **faire des efforts (pour faire qqch)** fazer um esforço (para fazer algo).

effraction [efʀaksjɔ̃] *nf* arrombamento *m*.

effrayant, e [efʀɛjɑ̃, ɑ̃t] *adj* assustador(ra).

effrayer [efʀeje] *vt* assustar.

effréné, e [efʀene] *adj* desenfreado(da).

effriter [efʀite] ◆ **s'effriter** *vp* desmoronar-se.

effroi [efʀwa] *nm* pavor *m*.

effronté, e [efʀɔ̃te] *adj* & *nm, f* descarado(da).

effroyable [efʀwajabl] *adj* pavoroso(osa).

effusion [efyzjɔ̃] *nf* efusão *f* ; **sans effusion de sang** sem derramamento de sangue.

égal, e, aux [egal, o] *adj* [identique] igual ; [régulier] uniforme ; **ça m'est égal** tanto faz ; **égal à** igual a.

également [egalmɑ̃] *adv* [aussi] igualmente.

égaler [egale] *vt* MATH ser ; [être à la hauteur de] igualar.

égaliser [egalize] ◇ *vt* [cheveux] aparar ; [sol] nivelar. ◇ *vi* SPORT empatar.

égalité [egalite] *nf* [des citoyens] igualdade *f* ; [au tennis] empate *m* ; **être à égalité** estar empatado(da).

égard [egaʀ] *nm* : **à l'égard de** com respeito a.

égarer [egaʀe] *vt* extraviar. ◆ **s'égarer** *vp* [se perdre] extraviar-se ; [sortir du sujet] desviar-se do assunto.

égayer [egeje] *vt* alegrar.

égide [eʒid] *nf* égide *f* ; **sous l'égide de** sob a égide de.

église [egliz] *nf* igreja *f* ; **l'Église** a Igreja.

égocentrique [egɔsɑ̃tʀik] *adj* & *nmf* egocêntrico(ca).

égoïsme [egɔism] *nm* egoísmo *m*.

égoïste [egɔist] *adj* & *nmf* egoísta.

égorger [egɔʀʒe] *vt* degolar.

égosiller [egɔzije] ◆ **s'égosiller** *vp* esganiçar-se.

égout [egu] *nm* esgoto *m*.

égoutter [egute] *vt* escorrer.

égouttoir [egutwaʀ] *nm* [à légumes] escorredor *m* (de legumes) ; [à vaisselle] escorredor *m* (de pratos).

égratigner [egʀatiɲe] *vt* arranhar. ◆ **s'égratigner** *vp* arranhar-se ; **s'égratigner le genou** arranhar o joelho.

égratignure [egʀatiɲyʀ] *nf* arranhão *m*.

égrener [egʀəne] *vt* [maïs, raisin] debulhar.

Égypte [eʒipt] *nf* : **l'Égypte** o Egipto.

égyptien, enne [eʒipsjɛ̃, ɛn] *adj* egípcio(cia).

eh [e] *interj* ei! ; **eh bien** pois bem.

éjaculation [eʒakylasjɔ̃] *nf* ejaculação *f* ; **éjaculation précoce** ejaculação precoce.

éjectable [eʒɛktabl] *adj* ejetável.

élaboré, e [elabɔʀe] *adj* elaborado(da).

élaguer [elage] *vt* [arbre] podar ; *fig* [texte] enxugar.

élan [elɑ̃] *nm* impulso *m* ; **prendre de l'élan** ganhar impulso.

élancé, e [elɑ̃se] *adj* esguio(guia).

élancer [elɑ̃se] ◆ **s'élancer** *vp* lançar-se.

élargir [elaʀʒiʀ] *vt* alargar ; [connaissances] ampliar. ◆ **s'élargir** *vp* [route, vêtement] alargar-se ; [connaissances] ampliar-se.

élastique [elastik] ◇ *adj* elástico(ca). ◇ *nm* elástico *m*.

électeur, trice [elɛktœʀ, tʀis] *nm, f* eleitor *m*, -ra *f*.

élections [elɛksjɔ̃] *nfpl* eleições *fpl*.

électoral, e, aux [elɛktɔʀal, o] *adj* eleitoral.

électricien [elɛktʀisjɛ̃] *nm* eletricista *m*.

électricité [elɛktʀisite] *nf* eletricidade *f* ; **électricité statique** eletricidade estática.

électrique [elɛktʀik] *adj* elétrico(ca).

électrocardiogramme [elɛktʀɔkaʀdjɔgʀam] *nm* eletrocardiograma *m.*

électrochoc [elɛktʀɔʃɔk] *nm* eletrochoque *m.*

électrocuter [elɛktʀɔkyte] ◆ **s'électrocuter** *vp* eletrocutar-se.

électrode [elɛktʀɔd] *nf* eletrodo *m.*

électroencéphalogramme [elɛktʀɔɑ̃sefalɔgʀam] *nm* eletroencefalograma *m.*

électrogène [elɛktʀɔʒɛn] *adj* eletrogêneo(nea).

électroménager [elɛktʀɔmenaʒe] *nm* eletrodoméstico *m.*

électron [elɛktʀɔ̃] *nm* elétron *m.*

électronicien, **enne** [elɛktʀɔnisjɛ̃, ɛn] *nm, f* especialista *mf* em eletrônica.

électronique [elɛktʀɔnik] ◇ *adj* eletrônico(ca). ◇ *nf* eletrônica *f.*

électrophone [elɛktʀɔfɔn] *nm* toca-discos *m inv.*

électuaire [elɛktuɛʀ] *nm Suisse* eletuário *m.*

élégance [elegɑ̃s] *nf* elegância *f.*

élégant, **e** [elegɑ̃, ɑ̃t] *adj* elegante.

élément [elemɑ̃] *nm* elemento *m* ; [de cuisine] móvel *m.*

élémentaire [elemɑ̃tɛʀ] *adj* elementar.

éléphant [elefɑ̃] *nm* elefante *m.*

élevage [ɛlvaʒ] *nm* criação *f.*

élevé, **e** [ɛlve] *adj* elevado(da) ; **bien élevé** bem-educado ; **mal élevé** mal-educado.

élève [elɛv] *nmf* aluno *m*, -na *f.*

élever [ɛlve] *vt* criar ; [niveau, voix] levantar. ◆ **s'élever** *vp* elevar-se ; **s'élever à** elevar-se a.

éleveur, **euse** [ɛlvœʀ, øz] *nm, f* criador *m*, -ra *f.*

éligible [eliʒibl] *adj* elegível.

élimination [eliminasjɔ̃] *nf* eliminação *f* ; **procéder par élimination** proceder por eliminação de hipóteses.

éliminatoire [eliminatwaʀ] ◇ *adj* eliminatório(ria). ◇ *nf* eliminatória *f.*

éliminer [elimine] *vt* & *vi* eliminar.

élire [eliʀ] *vt* eleger.

élite [elit] *nf* elite *f* ; **d'élite** de elite.

élitiste [elitist] *adj* elitista.

elle [ɛl] *pron* ela ; **elle-même** ela própria. ◆ **elles** *pron* elas ; **elles-mêmes** elas próprias.

ellipse [elips] *nf* elipse *f.*

élocution [elɔkysjɔ̃] *nf* elocução *f.*

éloge [elɔʒ] *nm* elogio *m* ; **faire l'éloge de qqn/qqch** elogiar alguém/algo ; **couvrir qqn d'éloges** cobrir alguém de elogios.

éloigné, **e** [elwaɲe] *adj* afastado(da) ; **éloigné de** [loin de] afastado de ; [différent de] distante de.

éloigner [elwaɲe] *vt* afastar. ◆ **s'éloigner (de)** *vp* + *prép* afastar-se (de).

élongation [elɔ̃gasjɔ̃] *nf* distensão *f.*

éloquent, **e** [elɔkɑ̃, ɑ̃t] *adj* eloqüente.

élu, **e** [ely] ◇ *pp* ► **élire.** ◇ *nm, f* eleito *m*, -ta *f.*

élucider [elyside] *vt* elucidar.

élucubration [elykybʀaj˜ə] *nf (gén pl) péj* lucubração *f.*

éluder [elyde] *vt* eludir.

Élysée [elize] *nm* : **(le palais de) l'Élysée** (o palácio do) Eliseu, *residência do presidente da República francesa.*

émail [emaj, o] *nm* esmalte *m.* ◆ **émaux** *nmpl* objetos *mpl* de arte esmaltados.

émanation [emanasjɔ̃] *nf* emanação *f*.

émanciper [emɑ̃sipe] *vt* emancipar. ◆ **s'émanciper** *vp* [se libérer] emancipar-se ; *fam* [se dévergonder] botar as manguinhas de fora.

émaner [emane] *vi* emanar.

emballage [ɑ̃balaʒ] *nm* embalagem *f*.

emballer [ɑ̃bale] *vt* [paquet] embalar ; [cadeau] embrulhar ; *fam* [enthousiasmer] entusiasmar.

embarcadère [ɑ̃barkadɛr] *nm* embarcadouro *m*.

embarcation [ɑ̃barkasjɔ̃] *nf* embarcação *f*.

embardée [ɑ̃barde] *nf* guinada *f* ; **faire une embardée** dar uma guinada.

embargo [ɑ̃bargo] *nm* embargo *m*.

embarquement [ɑ̃barkəmɑ̃] *nm* embarque *m* ; **'embarquement immédiat'** 'embarque imediato'.

embarquer [ɑ̃barke] ◇ *vt* embarcar ; *fam* ficar com. ◇ *vi* embarcar. ◆ **s'embarquer** *vp* embarcar ; **s'embarquer dans** meter-se em.

embarras [ɑ̃bara] *nm* embaraço *m* ; **mettre qqn dans l'embarras** embaraçar alguém.

embarrassant, e [ɑ̃barasɑ̃, ɑ̃t] *adj* embaraçoso(osa).

embarrasser [ɑ̃barase] *vt* [encombrer] atravancar ; [gêner] embaraçar. ◆ **s'embarrasser de** *vp + prép* atravancar-se de.

embaucher [ɑ̃boʃe] *vt* contratar.

embaumer [ɑ̃bome] ◇ *vt* [un cadavre] embalsamar ; [parfumer] perfumar. ◇ *vi* [sentir] exalar um perfume.

embellir [ɑ̃belir] ◇ *vt* embelezar. ◇ *vi* ficar mais bonito(ta).

embêtant, e [ɑ̃bɛtɑ̃, ɑ̃t] *adj* aborrecido(da).

embêtement [ɑ̃bɛtmɑ̃] *nm fam* chatice *f*.

embêter [ɑ̃bɛte] *vt* aborrecer. ◆ **s'embêter** *vp* aborrecer-se.

emblée [ɑ̃ble] ◆ **d'emblée** *loc adv* de imediato.

emblème [ɑ̃blɛm] *nm* emblema *m*.

emboîter [ɑ̃bwate] *vt* encaixar. ◆ **s'emboîter** *vp* encaixar-se.

embonpoint [ɑ̃bɔ̃pwɛ̃] *nm* gordura *f* ; **prendre de l'embonpoint** engordar.

embouché, e [ɑ̃buʃe] *adj fam* : **mal embouché** grosseiro(ra).

embouchure [ɑ̃buʃyr] *nf* foz *f*.

embourber [ɑ̃burbe] ◆ **s'embourber** *vp* atolar-se.

embout [ɑ̃bu] *nm* ponteira *f*.

embouteillage [ɑ̃butɛjaʒ] *nm* engarrafamento *m*.

emboutir [ɑ̃butir] *vt* [voiture] chocar com ; TECHNOL estampar.

embranchement [ɑ̃brɑ̃ʃmɑ̃] *nm* [carrefour] entroncamento *m* ; [d'autoroute] ramal *m*.

embraser [ɑ̃braze] *vt* [incendier] incendiar ; *sout* [éclairer] iluminar ; *fig* & *sout* [d'amour] inflamar. ◆ **s'embraser** *vp* [prendre feu] incendiar-se ; *sout* [s'éclairer] iluminar-se ; *fig* & *sout* [d'amour] inflamar-se.

embrasser [ɑ̃brase] *vt* beijar. ◆ **s'embrasser** *vp* beijar-se.

embrasure [ɑ̃brazyr] *nf* vão *m*.

embrayage [ɑ̃brɛjaʒ] *nm* embreagem *f*.

embrayer [ɑ̃breje] *vi* embrear.

embrouiller [ɑ̃bruje] *vt* [fil, cheveux] emaranhar ; [histoire, idées, personne] embaralhar. ◆ **s'embrouiller** *vp* embaralhar-se.

embruns [ɑ̃brœ̃] *nmpl* salpicos *mpl* *(das ondas)*.

embryon [ɑ̃brijɔ̃] *nm* embrião *m*.

embûche [ɑ̃byʃ] *nf* armadilha *f*.

embuer [ɑ̃bɥe] *vt* [vitre] embaciar ; **yeux embués de larmes** com os olhos rasos d'água.

embuscade [ɑ̃byskad] *nf* emboscada *f*.

éméché, e [emeʃe] *adj* tocado(da).

émeraude [emʀod] ◇ *nf* esmeralda *f*. ◇ *adj inv* verde-esmeralda.

émerger [emɛʀʒe] *vi* emergir.

émérite [emeʀit] *adj* emérito(ta).

émerveillé, e [emɛʀveje] *adj* maravilhado(da).

émerveiller [emɛʀveje] *vt* maravilhar. ◆ **s'émerveiller** *vp* maravilhar-se ; **s'émerveiller de** maravilhar-se com.

émetteur [emetœʀ] *nm* emissor *m*.

émettre [emɛtʀ] *vt* emitir.

émeute [emøt] *nf* motim *m*.

émietter [emjete] *vt* esmigalhar.

émigrer [emigʀe] *vi* emigrar.

émincé [emɛ̃se] *nm fatias finas* ; **émincé de veau à la zurichoise** *Suisse cozido de vitela com creme de leite e vinho branco*.

éminent, e [eminɑ̃, ɑ̃t] *adj* eminente.

émir [emiʀ] *nm* emir *m*.

émis, e [emi, iz] *pp* ▶ **émettre**.

émissaire [emisɛʀ] ◇ *nm* emissário *m*. ◇ *adj* : **bouc émissaire** bode expiatório.

émission [emisjɔ̃] *nf* [de télévision] programa *m*.

emmagasiner [ɑ̃magazine] *vt* armazenar.

emmailloter [ɑ̃majɔte] *vt* [bébé] pôr a fralda em ; [membre blessé] enfaixar.

emmanchure [ɑ̃mɑ̃ʃyʀ] *nf* cava *f (de manga)*.

emmêler [ɑ̃mele] *vt* emaranhar. ◆ **s'emmêler** *vp* [fil, cheveux] emaranhar-se ; [souvenirs, dates] misturar-se.

emménager [ɑ̃menaʒe] *vi* instalar-se (numa nova habitação).

emmener [ɑ̃mne] *vt* levar.

emmental [em˜ɛtal] *nm* queijo *m* emmental.

emmerder [ɑ̃mɛʀde] *vt fam* azucrinar. ◆ **s'emmerder** *vp fam* chatear-se.

emmitoufler [ɑ̃mitufle] ◆ **s'emmitoufler** *vp* agasalhar-se.

emoticon [emɔtikɔ] *nm* INFORM emoticon *m*.

émotif, ive [emɔtif, iv] *adj* emotivo(va).

émotion [emosjɔ̃] *nf* emoção *f*.

émouvant, e [emuvɑ̃, ɑ̃t] *adj* comovente.

émouvoir [emuvwaʀ] *vt* comover.

empaillé, e [ɑ̃paje] *adj* empalhado(da).

empailler [ɑ̃paje] *vt* empalhar.

empaler [ɑ̃pale] *vt* : **empaler qqn sur qqch** empalar alguém em algo. ◆ **s'empaler** *vp* : **s'empaler sur qqch** ficar empalado(da) em algo.

empaqueter [ɑ̃pakte] *vt* empacotar.

emparer [ɑ̃paʀe] ◆ **s'emparer de** *vp + prép* apoderar-se de.

empêchement [ɑ̃pɛʃmɑ̃] *nm* impedimento *m* ; **avoir un empêchement** ter um impedimento.

empêcher [ɑ̃peʃe] *vt* impedir ; **empêcher qqn/qqch de faire qqch** impedir alguém/algo de fazer algo ; **(il) n'empêche que** no entanto. ◆ **s'empêcher de** *vp + prép* deixar de.

empereur [ɑ̃pʀœʀ] *nm* imperador *m*.

empester [ɑ̃pɛste] ◇ *vt* empestar. ◇ *vi* feder.

empêtrer [ɑ̃petʀe] ◆ **s'empêtrer dans** *vp + prép* envolver-se em.

emphase [ɑ̃faz] *nf péj* ênfase *f*.

empiéter [ɑ̃pjete] *vi* : **empiéter sur qqch** [territoire] invadir algo ; [ligne] pisar algo ; *fig* [liberté] usurpar parte de algo.

empiffrer [ɑ̃pifʀe] ◆ **s'empiffrer (de)** *vp + prép fam* empanturrar-se (de).

empiler [ɑ̃pile] *vt* empilhar. ◆ **s'empiler** *vp* amontoar-se.

empire [ɑ̃piʀ] *nm* império *m*.

empirer [ɑ̃piʀe] *vi* piorar.

emplacement [ɑ̃plasmɑ̃] *nm* [endroit] local *m* ; [de parking] vaga *f* ; **'emplacement réservé'** 'reservado'.

emplette [ɑ̃plɛt] *nf (gén pl)* compra *f* ; **faire des emplettes** fazer umas comprinhas.

emploi [ɑ̃plwa] *nm* emprego *m* ; **l'emploi** o emprego ; **emploi du temps** horário *m*.

employé, **e** [ɑ̃plwaje] *nm, f* empregado *m*, -da *f* ; **employé de bureau** empregado de escritório.

employer [ɑ̃plwaje] *vt* empregar.

employeur, **euse** [ɑ̃plwajœʀ, øz] *nm, f* patrão *m*, -troa *f*.

empocher [ɑ̃pɔʃe] *vt fam* embolsar.

empoigner [ɑ̃pwaɲe] *vt* empunhar.

empoisonnement [ɑ̃pwazɔnmɑ̃] *nm* envenenamento *m*.

empoisonner [ɑ̃pwazɔne] *vt* envenenar.

emporté, **e** [ɑ̃pɔʀte] *adj* arrebatado(da).

emporter [ɑ̃pɔʀte] *vt* levar ; **à emporter** para levar ; **l'emporter sur** levar vantagem sobre. ◆ **s'emporter** *vp* descontrolar-se.

empoté, **e** [ɑ̃pɔte] *fam adj* & *nm, f* atado(da).

empreinte [ɑ̃pʀɛ̃t] *nf* [de pas] pegada *f* ; [de pneu] marca *f* ; **empreintes digitales** impressões *fpl* digitais.

empresser [ɑ̃pʀese] ◆ **s'empresser** *vp* : **s'empresser de faire qqch** apressar-se a fazer algo.

emprise [ɑ̃pʀiz] *nf* influência *f* ; **sous l'emprise de** sob a influência de.

emprisonner [ɑ̃pʀizɔne] *vt* aprisionar.

emprunt [ɑ̃pʀœ̃] *nm* empréstimo *m*.

emprunter [ɑ̃pʀœ̃te] *vt* [argent, objet] pedir emprestado(da) ; [itinéraire] ir por ; **emprunter qqch à qqn** pedir algo emprestado a alguém.

ému, **e** [emy] ◇ *pp* ▶ **émouvoir**. ◇ *adj* comovido(da).

émulsion [emylsjɔ̃] *nf* emulsão *f*.

en [ɑ̃] ◇ *prép* **1.** [gén] em ; **en été/2005** no verão/em 2005 ; **être en classe** estar na sala de aula ; **habiter en Angleterre** morar na Inglaterra ; **en dix minutes** em dez minutos - **2.** [indique le lieu où l'on va] a ; **aller en ville/en Dordogne** ir à cidade/à Dordonha ; **aller en Irlande/en France** ir à Irlanda/à França - **3.** [désigne la matière] de ; **un pull en laine** um pulôver de lã - **4.** [indique l'état] : **être en vacances** estar de férias ; **s'habiller en noir** vestir-se de preto ; **combien ça fait en euros ?** quanto custa em euros? ; **ça se dit 'custard' en anglais** diz-se 'custard' em inglês ; **'en réparation'** 'em conserto' - **5.** [indique le moyen] de ; **voyager en avion/voiture** viajar de avião/de carro - **6.** [pour désigner la taille] : **auriez-vous celles-ci en 38/en plus petit ?** teria o número 38 destas?/um número menor? ; **nous avons ce modèle en taille S** temos este modelo no tamanho S - **7.** [devant un participe présent] : **en arrivant à Paris** ao chegar a Paris ; **partir en courant** partir a correr ; **on ne parle pas en mangeant!** não se fala quando se come! ◇ *pron* **1.** [object indirect] : **n'en parlons plus** não falemos mais nisso ; **je vous en remercie** agradeço-lhe por isso ; **j'en rêve la nuit** sonho com isso à noite - **2.** [avec un indéfini] : **en reprendrez-vous ?** quer mais? - **3.** [indique la provenance] : **j'en viens** venho de lá - **4.** [complément du nom] : **je suis parti en vacances et j'en garde un excellent souvenir** estive de férias e tenho uma excelente lembrança delas - **5.** [complément de l'adjectif] : **les escargots? il en est fou** os escargots? ele é doido por eles ; **elle est bien ta maison! – ma foi, j'en suis assez fier** a sua casa é bonita! – realmente, estou muito contente com ela.

encadrement [ɑ̃kadʀəmɑ̃] *nm* **1.** [de tableau] moldura *f* - **2.** [de porte] guarnição *f* - **3.** [de personnes] enquadramento *m* - **4.** [du crédit, des prix] controle *m*.

encadrer [ɑ̃kadʀe] *vt* emoldurar.

encaisser [ɑ̃kese] *vt* [argent] receber ; **encaisser un chèque** receber um cheque ; *fam* [coups] apanhar ; *fam* [critique, insulte] engolir ; **ne pas pouvoir encaisser qqn** *fam fig* não ir com a cara de alguém ; [mettre en caisse] encaixotar.

encart [ɑ̃kaʀ] *nm* encarte *m* ; **encart publicitaire** encarte publicitário.

encastrer [ɑ̃kastʀe] *vt* embutir.

enceinte [ɑ̃sɛ̃t] ◇ *adj f* grávida. ◇ *nf* [haut-parleur] caixa *f* de som ; [d'une ville] muralha *f*.

encens [ɑ̃sɑ̃] *nm* incenso *m*.

encenser [ɑ̃sɑ̃se] *vt fig* [flatter] enaltecer ; [brûler de l'encens dans] queimar incenso em.

encercler [ɑ̃sɛʀkle] *vt* [personne, ville] cercar ; [mot] rodear.

enchaînement [ɑ̃ʃɛnmɑ̃] *nm* encadeamento *m*.

enchaîner [ɑ̃ʃene] *vt* [attacher] acorrentar ; [idées, phrases] encadear. ◆ **s'enchaîner** *vp* encadear-se.

enchanté, e [ɑ̃ʃɑ̃te] *adj* encantado(da) ; **enchanté (de faire votre connaissance)!** prazer em conhecê-lo!

enchanter [ɑ̃ʃɑ̃te] *vt* encantar.

enchères [ɑ̃ʃɛʀ] *nfpl* leilão *m* ; **vendre qqch aux enchères** leiloar algo.

enclave [ɑ̃klav] *nf* enclave *m*.

enclencher [ɑ̃klɑ̃ʃe] *vt* desencadear.

enclin, e [ɑ̃klɛ̃, in] *adj* : **(être) enclin à qqch/à faire qqch** (ser) propenso a algo/a fazer algo.

enclos [ɑ̃klo] *nm* recinto *m*.

enclume [ɑ̃klym] *nf* bigorna *f*.

encoche [ɑ̃kɔʃ] *nf* corte *m*.

encoignure [ɑ̃kɔɲyʀ, ɑ̃kwaɲyʀ] *nf* [coin] canto *m* ; [meuble] cantoneira *f*.

encolure [ɑ̃kɔlyʀ] *nf* [de vêtement] colarinho *m*.

encombrant, e [ɑ̃kɔ̃bʀɑ̃, ɑ̃t] *adj* que ocupa muito espaço.

encombrements [ɑ̃kɔ̃bʀəmɑ̃] *nmpl* engarrafamentos *mpl*.

encombrer [ɑ̃kɔ̃bʀe] *vt* [gêner] estorvar ; **encombré de** atravancado de.

encontre [ɑ̃kɔ̃tʀ] ◆ **à l'encontre de** *loc prép* contra ; **aller à l'encontre de** ir contra.

encore [ɑ̃kɔʀ] *adv* **1.** [gén] ainda ; **il reste encore une centaine de kilomètres** ainda faltam uns cem quilômetros ; **pas encore** ainda não ; **c'est encore plus cher ici** aqui é ainda mais caro - **2.** [de nouveau] outra vez ; **j'ai encore oublié mes clefs!** esqueci-me outra vez das chaves! ; **encore une fois** outra vez - **3.** [en plus] mais ; **encore un peu de légumes ?** um pouco mais de legumes? ; **reste encore un peu** fique mais um pouco.

encouragement [ɑ̃kuʀaʒmɑ̃] *nm* encorajamento *m*.

encourager [ɑ̃kuʀaʒe] *vt* encorajar ; **encourager qqn à faire qqch** encorajar alguém a fazer algo.

encourir [ɑ̃kuʀiʀ] *vt sout* incorrer em.

encrasser [ɑ̃kʀase] *vt* sujar.

encre [ɑ̃kʀ] *nf* tinta *f* ; **encre de Chine** tinta da China.

encyclopédie [ɑ̃siklɔpedi] *nf* enciclopédia *f*.

encyclopédique [ɑ̃siklɔpedik] *adj* enciclopédico(ca).

endetter [ɑ̃dete] ◆ **s'endetter** *vp* endividar-se.

endiablé, **e** [ɑ̃djable] *adj* endiabrado(da).

endiguer [ɑ̃dige] *vt* [un fleuve] represar ; *fig* [réprimer] refrear.

endive [ɑ̃div] *nf* endívia *f*.

endoctriner [ɑ̃dɔktʀine] *vt* doutrinar.

endolori, **e** [ɑ̃dɔlɔʀi] *adj* dolorido(da).

endommager [ɑ̃dɔmaʒe] *vt* danificar.

endormi, **e** [ɑ̃dɔʀmi] *adj* adormecido(da).

endormir [ɑ̃dɔʀmiʀ] *vt* adormecer. ◆ **s'endormir** *vp* adormecer.

endosser [ɑ̃dose] *vt* [vêtement] vestir ; DR & FIN endossar ; *fig* [responsabilité] tomar.

endroit [ɑ̃dʀwa] *nm* [lieu] sítio *m* ; [côté] direito *m* ; **à l'endroit** do direito.

enduire [ɑ̃dɥiʀ] *vt* [couvrir] : **enduire qqch de** untar algo com. ◆ **s'enduire** *vp* : **s'enduire de** untar-se com.

enduit [ɑ̃dɥi] *nm* reboco *m*.

endurance [ɑ̃dyʀɑ̃s] *nf* resistência *f*.

endurant, **e** [ɑ̃dyʀɑ̃, ɑ̃t] *adj* resistente.

endurcir [ɑ̃dyʀsiʀ] ◆ **s'endurcir** *vp* endurecer-se.

endurer [ɑ̃dyʀe] *vt* agüentar.

énergie [enɛʀʒi] *nf* energia *f*.

énergique [enɛʀʒik] *adj* enérgico(ca).

énergumène [enɛʀgymɛn] *nmf* energúmeno *m*.

énerver [enɛʀve] *vt* enervar. ◆ **s'énerver** *vp* enervar-se.

enfance [ɑ̃fɑ̃s] *nf* infância *f*.

enfant [ɑ̃fɑ̃] *nmf* [jeune] criança *f* ; [descendant] filho *m*, -lha *f* ; **enfant de chœur** menino *m* de coro.

enfantin, **e** [ɑ̃fɑ̃tɛ̃, in] *adj* infantil.

enfer [ɑ̃fɛʀ] *nm* inferno *m*.

enfermer [ɑ̃fɛʀme] *vt* encerrar.

enfiler [ɑ̃file] *vt* enfiar.

enfin [ɑ̃fɛ̃] *adv* [finalement] enfim ; [en dernier] por fim.

enflammer [ɑ̃flame] ◆ **s'enflammer** *vp* inflamar-se.

enfler [ɑ̃fle] *vi* inchar.

enfoncer [ɑ̃fɔ̃se] *vt* [clou] pregar ; [porte] arrombar ; [aile de voiture] amassar. ◆ **s'enfoncer** *vp* : **s'enfoncer dans** [bateau] afundar-se em ; [forêt, ville] adentrar-se por.

enfouir [ɑ̃fwiʀ] *vt* enterrar.

enfourcher [ɑ̃fuʀʃe] *vt* montar em.

enfourner [ɑ̃fuʀne] *vt* enfornar.

enfreindre [ɑ̃fʀɛ̃dʀ] *vt* infringir.

enfreint, **e** [ɑ̃fʀɛ̃, ɛ̃t] *pp* ➤ **enfreindre**.

enfuir [ɑ̃fɥiʀ] ◆ **s'enfuir** *vp* fugir.

enfumé, **e** [ɑ̃fyme] *adj* enfumaçado(da).

enfumer [ɑ̃fyme] *vt* enfumaçar.

engagement [ɑ̃gaʒmɑ̃] *nm* [promesse] compromisso *m* ; SPORT arremesso *m*.

engager [ɑ̃gaʒe] *vt* [salarié, domestique] contratar ; [conversation, négociations] entabular. ◆ **s'engager** *vp* alistar-se ; **s'engager à faire qqch** comprometer-se a fazer algo ; **s'engager dans** entrar em.

engelure [ɑ̃ʒlyʀ] *nf* frieira *f*.

engendrer [ɑ̃ʒɑ̃dʀe] *vt sout* [procréer] engendrar ; *fig* [produire] dar origem a.

engin [ɑ̃ʒɛ̃] *nm* engenho *m*.

englober [ɑ̃glɔbe] *vt* englobar.

engloutir [ɑ̃glutiʀ] *vt* [nourriture] tragar ; [submerger] submergir.

engouement [ɑ̃gumɑ̃] *nm* entusiasmo *m*.

engouffrer [ɑ̃gufʀe] ◆ **s'engouffrer dans** *vp + prép* [personne] enfiar-se em ; [vent, eau] meter-se por.

engourdi, **e** [ɑ̃guʀdi] *adj* entorpecido(da).

engrais [ɑ̃gʀɛ] *nm* adubo *m*.

engraisser [ɑ̃gʀese] *vt* & *vi* engordar.

engrenage [ɑ̃gʀənaʒ] *nm* engrenagem *f*.

engueuler [ɑ̃gœle] *vt fam* dar uma bronca ; **se faire engueuler** levar uma bronca. ◆ **s'engueuler** *vp fam* berrar um com o outro.

énième [ɛnjɛm] *adj fam* enésimo(ma).

énigmatique [enigmatik] *adj* enigmático(ca).

énigme [enigm] *nf* enigma *m*.

enivrer [ɑ̃nivʀe] *vt* embriagar. ◆ **s'enivrer** *vp* : **s'enivrer de (qqch)** embriagar-se (com).

enjambée [ɑ̃ʒɑ̃be] *nf* passada *f* ; **à grandes enjambées** a passos largos.

enjamber [ɑ̃ʒɑ̃be] *vt* [flaque, fossé] passar por cima de ; [suj: pont] atravessar.

enjeu [ɑ̃ʒø] *nm* o que está em jogo.

enjoindre [ɑ̃ʒwɛ̃dʀ] *vt sout* : **enjoindre à qqn de faire qqch** ordenar a alguém que faça algo.

enjoliver [ɑ̃ʒɔlive] *vt* embelezar.

enjoliveur [ɑ̃ʒɔlivœʀ] *nm* calota *f*.

enjoué, **e** [ɑ̃ʒwe] *adj* jovial.

enlacer [ɑ̃lase] *vt* [personne] abraçar ; [entourer] enlaçar. ◆ **s'enlacer** *vp* abraçar-se.

enlaidir [ɑ̃lediʀ] *vt* enfear.

enlèvement [ɑ̃lɛvmɑ̃] *nm* rapto *m*.

enlever [ɑ̃lve] *vt* tirar ; [kidnapper] raptar. ◆ **s'enlever** *vp* sair.

enliser [ɑ̃lize] ◆ **s'enliser** *vp* atolar-se.

enneigé, **e** [ɑ̃neʒe] *adj* coberto(ta) de neve.

ennemi, **e** [ɛnmi] *nm, f* inimigo *m*, -ga *f*.

ennui [ɑ̃nɥi] *nm* [lassitude] tédio *m* ; [problème] aborrecimento *m* ; **avoir des ennuis** ter aborrecimentos.

ennuyé, **e** [ɑ̃nɥije] *adj* aborrecido(da).

ennuyer [ɑ̃nɥije] *vt* aborrecer. ◆ **s'ennuyer** *vp* aborrecer-se.

ennuyeux, **euse** [ɑ̃nɥijø, øz] *adj* [lassant] maçante ; [contrariant] aborrecido(da).

énorme [enɔʀm] *adj* enorme.

énormément [enɔʀmemɑ̃] *adv* muito ; **énormément d'argent** muito dinheiro ; **énormément de monde** muita gente.

enquête [ɑ̃kɛt] *nf* [policière] investigação *f* ; [sondage] pesquisa *f*.

enquêter [ɑ̃kete] *vi* : **enquêter (sur)** investigar.

enragé, **e** [ɑ̃ʀaʒe] *adj* raivoso(osa) ; **il est enragé de football** ele é doido por futebol.

enrager [ɑ̃ʀaʒe] *vi* enraivecer ; **faire enrager qqn** enraivecer alguém.

enrayer [ɑ̃ʀɛje] *vt* deter. ◆ **s'enrayer** *vp* [arme] bloquear-se.

enregistrement [ɑ̃ʀəʒistʀəmɑ̃] *nm* gravação *f* ; **enregistrement des bagages** check-in *m*.

enregistrer [ɑ̃ʀəʒistʀe] *vt* [disque, cassette, données] gravar ; [par écrit] registrar ; [bagages] fazer o check-in.

enrhumé, e [ɑ̃ʀyme] *adj* resfriado(da).

enrhumer [ɑ̃ʀyme] ◆ **s'enrhumer** *vp* resfriar-se.

enrichir [ɑ̃ʀiʃiʀ] *vt* enriquecer. ◆ **s'enrichir** *vp* enriquecer.

enrobé, e [ɑ̃ʀɔbe] *adj* : **enrobé de** coberto de.

enrôler [ɑ̃ʀole] *vt* recrutar. ◆ **s'enrôler** *vp* alistar-se.

enroué, e [ɑ̃ʀwe] *adj* rouco(ca).

enrouler [ɑ̃ʀule] *vt* enrolar. ◆ **s'enrouler** *vp* enrolar-se ; **s'enrouler autour de** enrolar-se à volta de.

ensabler [ɑ̃sable] *vt* [un bateau] encalhar ; [terrain] cobrir de areia. ◆ **s'ensabler** *vp* cobrir-se de areia ; [véhicule] atolar-se (na areia) ; [bateau] encalhar.

enseignant, e [ɑ̃sɛɲɑ̃, ɑ̃t] *nm, f* professor *m*, -ra *f*.

enseigne [ɑ̃sɛɲ] *nf* letreiro *m* ; **enseigne lumineuse** letreiro luminoso.

enseignement [ɑ̃sɛɲmɑ̃] *nm* ensino *m* ; **enseignement privé** ensino privado.

enseigner [ɑ̃seɲe] *vt* & *vi* ensinar ; **enseigner qqch à qqn** ensinar algo a alguém.

ensemble [ɑ̃sɑ̃bl] ◇ *adv* : **ils travaillent ensemble** eles trabalham juntos ; **elles jouent ensemble** elas brincam juntas. ◇ *nm* conjunto *m* ; **l'ensemble de** o conjunto de ; **dans l'ensemble** no conjunto.

ensevelir [ɑ̃səvliʀ] *vt* sepultar.

ensoleillé, e [ɑ̃sɔleje] *adj* ensolarado(da).

ensoleillement [ɑ̃sɔlɛjmɑ̃] *nm* : **heures/jours d'ensoleillement** horas/dias de sol.

ensorceler [ɑ̃sɔʀsəle] *vt* enfeitiçar.

ensuite [ɑ̃sɥit] *adv* [plus tard] em seguida ; [plus loin] depois.

ensuivre [ɑ̃sɥivʀ] ◆ **s'ensuivre** *vp* : **il s'en est suivit...** daí resultou... ; **et tout ce qui s'ensuit** e tudo o mais. ◆ **il s'ensuit que** *v impers* daí que.

entaille [ɑ̃taj] *nf* [fente] entalhe *m* ; [blessure] golpe *m*.

entailler [ɑ̃taje] *vt* fazer um golpe profundo em. ◆ **s'entailler** *vp* : **s'entailler le doigt/la main** fazer um golpe profundo no dedo/na mão.

entamer [ɑ̃tame] *vt* [pain, bouteille] começar a consumir ; [discussion] entabular.

entartrer [ɑ̃taʀtʀe] *vt* cobrir de tártaro. ◆ **s'entartrer** *vp* cobrir-se de tártaro.

entasser [ɑ̃tase] *vt* [mettre en tas] amontoar ; [serrer] apertar. ◆ **s'entasser** *vp* apertar.

entendre [ɑ̃tɑ̃dʀ] *vt* ouvir ; **entendre dire que** ouvir dizer que ; **entendre parler de** ouvir falar de. ◆ **s'entendre** *vp* entender-se ; **s'entendre bien avec qqn** entender-se bem com alguém.

entendu, e [ɑ̃tɑ̃dy] *adj* combinado(da) ; **(c'est) entendu!** (está) combinado! ; **bien entendu** com certeza.

entente [ɑ̃tɑ̃t] *nf* entendimento *m*.

entériner [ɑ̃teʀine] *vt* ratificar.

enterrement [ɑ̃tɛʀmɑ̃] *nm* enterro *m*.

enterrer [ɑ̃teʀe] *vt* enterrar.

en-tête [ɑ̃tɛt] (*pl* **en-têtes**) *nm* cabeçalho *m* ; **papier à en-tête** papel timbrado.

entêté, e [ɑ̃tete] ◇ *adj* cabeçudo(da). ◇ *nm, f* cabeça-dura *mf*.

entêter [ɑ̃tete] ◆ **s'entêter** *vp* obstinar-se ; **s'entêter à faire qqch** obstinar-se a fazer algo.

enthousiasme [ɑ̃tuzjasm] *nm* entusiasmo *m*.

enthousiasmer [ɑ̃tuzjasme] *vt* entusiasmar. ◆ **s'enthousiasmer pour** *vp + prép* entusiasmar-se por.

enthousiaste [ɑ̃tuzjast] *adj* entusiasta.

enticher [ɑ̃tiʃe] ◆ **s'enticher** *vp* : **s'enticher de qqch/qqn** ficar obcecado(da) com algo /alguém.

entier, **ère** [ɑ̃tje, ɛʀ] *adj* inteiro(ra) ; [lait] integral ; **dans le monde entier** no mundo inteiro ; **pendant des journées entières** durante dias a fio ; **en entier** por inteiro.

entièrement [ɑ̃tjɛʀmɑ̃] *adv* inteiramente.

entité [ɑ̃tite] *nf* entidade *f*.

entonner [ɑ̃tɔne] *vt* entoar.

entonnoir [ɑ̃tɔnwaʀ] *nm* funil *m*.

entorse [ɑ̃tɔʀs] *nf* entorse *f* ; **se faire une entorse** sofrer um entorse.

entortiller [ɑ̃tɔʀtije] *vt* torcer.

entourage [ɑ̃tuʀaʒ] *nm* meio *m*.

entourer [ɑ̃tuʀe] *vt* cercar ; **entouré de** cercado por.

entracte [ɑ̃tʀakt] *nm* entreato *m*.

entraide [ɑ̃tʀɛd] *nf* ajuda *f* mútua.

entraider [ɑ̃tʀede] ◆ **s'entraider** *vp* ajudar-se mutuamente.

entrailles [ɑ̃tʀaj] *nfpl* entranhas *fpl*.

entrain [ɑ̃tʀɛ̃] *nm* : **avec entrain** com vigor ; **plein d'entrain** cheio de vigor.

entraînant, **e** [ɑ̃tʀɛnɑ̃, ɑ̃t] *adj* empolgante.

entraînement [ɑ̃tʀɛnmɑ̃] *nm* treino *m*.

entraîner [ɑ̃tʀene] *vt* [emporter, emmener] arrastar ; [provoquer] provocar ; SPORT treinar. ◆ **s'entraîner** *vp* treinar-se ; **s'entraîner à faire qqch** treinar-se para fazer algo.

entraîneur, **euse** [ɑ̃tʀɛnœʀ, øz] *nm, f* treinador *m*, -ra *f*.

entrave [ɑ̃tʀav] *nf* entrave *m*.

entraver [ɑ̃tʀave] *vt* entravar.

entre [ɑ̃tʀ] *prép* entre ; **entre amis** entre amigos ; **l'un d'entre nous** um de nós.

entrebâiller [ɑ̃tʀəbaje] *vt* entreabrir.

entrechoquer [ɑ̃tʀəʃɔke] ◆ **s'entrechoquer** *vp* entrechocar-se.

entrecôte [ɑ̃tʀəkot] *nf* entrecosto *m* ; **entrecôte à la bordelaise** *entrecosto com molho de vinho tinto.*

entrée [ɑ̃tʀe] *nf* entrada *f* ; **'entrée gratuite'** 'entrada gratuita' ; **'entrée interdite'** 'entrada proibida' ; **'entrée libre'** 'entrada livre'.

entrefaites [ɑ̃tʀəfɛt] *nfpl* : **sur ces entrefaites** e nisto.

entrejambe [ɑ̃tʀəʒɑ̃b] *nm* entrepernas *m inv*.

entremets [ɑ̃tʀəmɛ] *nm* sobremesa *f*.

entreposer [ɑ̃tʀəpoze] *vt* armazenar.

entrepôt [ɑ̃tʀəpo] *nm* entreposto *m*.

entreprendre [ɑ̃tʀəpʀɑ̃dʀ] *vt* empreender.

entrepreneur [ɑ̃tʀəpʀənœʀ] *nm* empreiteiro *m*, empresário *m*.

entrepris, **e** [ɑ̃tʀəpʀi, iz] *pp* ► **entreprendre**.

entreprise [ɑ̃tʀəpʀiz] *nf* empresa *f*.

entrer [ɑ̃tʀe] ◇ *vi* [aux être] entrar. ◇ *vt* [aux avoir] entrar ; **entrez!** entre! ; **entrer dans** [pièce] entrar em ; [foncer dans] chocar com.

entre-temps [ɑ̃tʀətɑ̃] *adv* entretanto.

entretenir [ɑ̃tʀətniʀ] *vt* [maison] manter ; [plante] cuidar de. ◆ **s'entretenir** *vp* : **s'entretenir (de qqch) avec qqn** tratar (de algo) com alguém.

entretenu, **e** [ɑ̃tʀətny] *pp* ► **entretenir**.

entretien [ɑ̃tʀətjɛ̃] *nm* [d'un vêtement] conservação *f* ; [d'une machine] manutenção *f* ; [conversation] conversa *f*.

entre-tuer [ɑ̃tʀətɥe] ◆ **s'entretuer** *vp* matar-se um ao outro.

entrevoir [ɑ̃tʀəvwaʀ] *vt* entrever. ◆ **s'entrevoir** *vp* entrever-se.

entrevue [ɑ̃tʀəvy] *nf* entrevista *f*.

entrouvert, **e** [ɑ̃tʀuvɛʀ, ɛʀt] *adj* entreaberto(ta).

entrouvrir [ɑ̃tʀuvʀiʀ] *vt* entreabrir. ◆ **s'entrouvrir** *vp* entreabrir-se.

énumération [enymeʀasjɔ̃] *nf* [liste] enumeração *f*.

énumérer [enymeʀe] *vt* enumerar.

envahir [ɑ̃vaiʀ] *vt* invadir.

envahissant, **e** [ɑ̃vaisɑ̃, ɑ̃t] *adj* invasor(ra).

envahisseur [ɑ̃vaisœʀ] *nm* invasor *m*.

enveloppe [ɑ̃vlɔp] *nf* envelope *m*.

envelopper [ɑ̃vlɔpe] *vt* envolver.

envenimer [ɑ̃vnime] *vt* [blessure] infectar ; *fig* [querelle] envenenar. ◆ **s'envenimer** *vp* [s'infecter] infectar-se ; *fig* [se détériorer] ficar envenenado(da).

envergure [ɑ̃vɛʀgyʀ] *nf* envergadura *f*.

envers [ɑ̃vɛʀ] ◇ *prép* para com. ◇ *nm* verso *m* ; **à l'envers** ao contrário.

envie [ɑ̃vi] *nf* [désir] vontade *f* ; [jalousie] inveja *f* ; **avoir envie de qqch** ter vontade de algo ; **avoir envie de faire qqch** ter vontade de fazer algo.

envier [ɑ̃vje] *vt* invejar.

envieux, **euse** [ɑ̃vjø, øz] *adj* & *nm, f* invejoso(osa).

environ [ɑ̃viʀɔ̃] *adv* cerca de. ◆ **environs** *nmpl* arredores *mpl* ; **aux environs de** [heure, nombre] por volta de ; [lieu] nos arredores de ; **dans les environs** nos arredores.

environnant, **e** [ɑ̃viʀɔnɑ̃, ɑ̃t] *adj* circunvizinho(nha).

environnement [ɑ̃viʀɔnmɑ̃] *nm* [gén & INFORM] ambiente *m*.

envisager [ɑ̃vizaʒe] *vt* [considérer] considerar ; [prévoir] contar ; **envisager de faire qqch** contar fazer algo.

envoi [ɑ̃vwa] *nm* [colis] envio *m*.

envol [ɑ̃vɔl] *nm* [d'un oiseau] vôo *m* ; [d'un avion] decolagem *f* ; **prendre son envol** levantar vôo.

envoler [ɑ̃vɔle] ◆ **s'envoler** *vp* [oiseau, avion] levantar vôo ; [feuilles] voar.

envoûter [ɑ̃vute] *vt* enfeitiçar.

envoyé, **e** [ɑ̃vwaje] *nm, f* enviado *m*, -da *f* ; **envoyé spécial** enviado especial.

envoyer [ɑ̃vwaje] *vt* enviar ; [balle, objet] atirar.

épagneul [epaɲœl] *nm* spaniel *m*.

épais, **aisse** [epɛ, ɛs] *adj* [large] grosso(ossa) ; [dense] espesso(a).

épaisseur [epɛsœʀ] *nf* espessura *f*.

épaissir [epesiʀ] *vi* engrossar. ◆ **s'épaissir** *vp* [brouillard] adensar-se.

épancher [epɑ̃ʃe] ◆ **s'épancher** *vp* desabafar.

épanoui, **e** [epanwi] *adj* [expression] radiante ; [fleur] viçoso(osa) ; [corps] desenvolvido(da).

épanouir [epanwiʀ] ◆ **s'épanouir** *vp* [fleur] desabrochar ; [visage] alegrar-se.

épargne [epaʀɲ] *nf* poupança *f*.

épargner [epaʀɲe] *vt* poupar ; **épargner qqch à qqn** poupar algo a alguém.

éparpiller [epaʀpije] *vt* espalhar. ◆ **s'éparpiller** *vp* espalhar-se.

épars, **e** [epaʀ, aʀs] *adj sout* disperso(sa).

épatant, **e** [epatɑ̃, ɑ̃t] *adj* surpreendente.

épater [epate] *vt* surpreender.

épaule [epol] *nf* ombro *m* ; **épaule d'agneau** espádua *f* de cordeiro.

épauler [epole] *vt* [une personne] apoiar ; [un fusil] apoiar no ombro.

épaulette [epolɛt] *nf* [décoration] dragona *f* ; [rembourrage] ombreira *f (de vestido)*.

épave [epav] *nf* destroços *mpl*.

épée [epe] *nf* espada *f*.

épeler [eple] *vt* soletrar.

éperon [epʀɔ̃] *nm* espora *f*.

éphémère [efemɛʀ] ◇ *adj* efêmero(ra). ◇ *nm* efemérida *f*.

épi [epi] *nm* [de blé, de maïs] espiga *f* ; [de cheveux] redemoinho *m*.

épice [epis] *nf* especiaria *f*.

épicé, e [epise] *adj* picante.

épicer [epise] *vt* [plat] temperar ; [récit] apimentar.

épicerie [episʀi] *nf* [denrées] produtos *mpl* alimentícios ; [magasin] mercearia *f* ; **épicerie fine** *loja de produtos alimentícios de qualidade superior*.

épicier, ère [episje, ɛʀ] *nm, f* merceeiro *m*, -ra *f*.

épidémie [epidemi] *nf* epidemia *f*.

épiderme [epidɛʀm] *nm* epiderme *f*.

épier [epje] *vt* espiar.

épilepsie [epilɛpsi] *nf* epilepsia *f*.

épiler [epile] *vt* depilar.

épiloguer [epilɔge] *vi* : **épiloguer sur** continuar a discutir sobre.

épinards [epinaʀ] *nmpl* espinafres *mpl*.

épine [epin] *nf* espinho *m*.

épineux, euse [epinø, øz] *adj* espinhoso(osa).

épingle [epɛ̃gl] *nf* alfinete *m* ; **épingle à cheveux** grampo *m* de cabelo ; **épingle à nourrice** alfinete *m* de segurança.

épingler [epɛ̃gle] *vt* prender com alfinete.

épique [epik] *adj* épico(ca).

épisode [epizɔd] *nm* episódio *m*.

épisodique [epizɔdik] *adj* episódico(ca).

épithète [epitɛt] ◇ *adj* adjunto adnominal. ◇ *nf* epíteto *m*.

éploré, e [eplɔʀe] *adj* choroso(osa).

épluche-légumes [eplyʃlegym] *nm inv* descascador *m* de legumes.

éplucher [eplyʃe] *vt* descascar.

épluchures [eplyʃyʀ] *nfpl* cascas *fpl*.

éponge [epɔ̃ʒ] *nf* esponja *f*.

éponger [epɔ̃ʒe] *vt* enxugar.

épopée [epɔpe] *nf* epopéia *f*.

époque [epɔk] *nf* época *f*.

épouse ► **époux**.

épouser [epuze] *vt* esposar.

épousseter [epuste] *vt* limpar o pó de.

époustouflant, e [epustuflɑ̃, ɑ̃t] *adj fam* espantoso(osa).

épouvantable [epuvɑ̃tabl] *adj* pavoroso(osa).

épouvantail [epuvɑ̃taj] *nm* espantalho *m*.

épouvante [epuvɑ̃t] *nf* ► **film**.

épouvanter [epuvɑ̃te] *vt* apavorar.

époux, épouse [epu, epuz] *nm, f* esposo *m*, -sa *f*.

éprendre [epʀɑ̃dʀ] ◆ **s'éprendre** *vp* : **s'éprendre de qqn** enamorar-se de alguém.

épreuve [epʀœv] *nf* prova *f*.

éprouvant, e [epʀuvɑ̃, ɑ̃t] *adj* penoso(osa).

éprouver [epʀuve] *vt* [ressentir] sentir ; [faire souffrir] afetar.

éprouvette [epʀuvɛt] *nf* proveta *f*.

EPS *nf* (*abr de* **éducation physique et sportive**) educação *f* física.

épuisant, **e** [epɥizɑ̃, ɑ̃t] *adj* esgotante.

épuisé, **e** [epɥize] *adj* [fatigué] exausto(ta) ; [livre] esgotado(da).

épuisement [epɥizmɑ̃] *nm* esgotamento *m* ; **jusqu'à épuisement des stocks** até o fim dos estoques.

épuiser [epɥize] *vt* [fatiguer] extenuar ; [ressources] esgotar.

épuisette [epɥizɛt] *nf* [filet] rede-fole *f* ; [à crevettes] camaroeiro *m*.

équateur [ekwatœʀ] *nm* equador *m*.

équation [ekwasjɔ̃] *nf* equação *f*.

équatorial, **e**, **aux** [ekwatɔʀjal, o] *adj* equatorial.

équerre [ekɛʀ] *nf* esquadro *m*.

équestre [ekɛstʀ] *adj* eqüestre.

équilatéral, **e**, **aux** [ekɥilateʀal, o] *adj* eqüilateral.

équilibre [ekilibʀ] *nm* equilíbrio *m* ; **en équilibre** em equilíbrio ; **perdre l'équilibre** perder o equilíbrio.

équilibré, **e** [ekilibʀe] *adj* equilibrado(da).

équilibrer [ekilibʀe] *vt* equilibrar. ◆ **s'équilibrer** *vp* equilibrar-se.

équilibriste [ekilibʀist] *nmf* equilibrista *mf*.

équipage [ekipaʒ] *nm* tripulação *f*.

équipe [ekip] *nf* [sportive] time *m* ; [de travail] equipe *f*.

équipement [ekipmɑ̃] *nm* equipamento *m*.

équiper [ekipe] *vt* equipar. ◆ **s'équiper (de)** *vp* + *prép* equipar-se (com).

équipier, **ère** [ekipje, ɛʀ] *nm, f* SPORT membro *m* de uma equipe ; NAUT tripulante *mf*.

équitable [ekitabl] *adj* eqüitativo(va).

équitation [ekitasjɔ̃] *nf* equitação *f* ; **faire de l'équitation** praticar equitação.

équité [ekite] *nf* eqüidade *f*.

équivalent, **e** [ekivalɑ̃, ɑ̃t] ◇ *adj* equivalente. ◇ *nm* equivalente *m*.

équivaloir [ekivalwaʀ] *vi* : **ça équivaut à (faire)...** equivale a (fazer)...

équivalu [ekivaly] *pp* ► **équivaloir**.

équivoque [ekivɔk] ◇ *adj* equívoco(ca). ◇ *nf* equívoco *m* ; **sans équivoque** inequívoco(ca).

érable [eʀabl] *nm* bordo *m*.

éradiquer [eʀadike] *vt* erradicar.

érafler [eʀafle] *vt* arranhar.

éraflure [eʀaflyʀ] *nf* arranhadela *f*.

éraillé, **e** [eʀaje] *adj* rouco(ca).

ère [ɛʀ] *nf* era *f*.

érection [eʀɛksjɔ̃] *nf* ereção *f* ; **en érection** em ereção.

éreintant, **e** [eʀɛ̃tɑ̃, ɑ̃t] *adj* extenuante.

éreinté, **e** [eʀɛ̃te] *adj* extenuado(da).

ériger [eʀiʒe] *vt* erigir ; **ériger qqn en qqch** *fig* fazer passar alguém por algo. ◆ **s'ériger** *vp* : **s'ériger en** arvorar-se em.

ermite [ɛʀmit] *nm* eremita *mf*.

érogène [eʀɔʒɛn] *adj* erógeno(na).

érosion [eʀozjɔ̃] *nf* erosão *f*.

érotique [eʀɔtik] *adj* erótico(ca).

erreur [ɛʀœʀ] *nf* erro *m* ; **faire une erreur** cometer um erro.

ersatz [ɛʀzats] *nm* sucedâneo *m*.

érudit, **e** [eʀydi, it] *adj* & *nm, f* erudito(ta).

éruption [eʀypsjɔ̃] *nf* erupção *f* ; **éruption cutanée** erupção cutânea.

es [ɛ] ► **être**.

ESB (*abr de* **Encéphalopathie Spongiforme Bovine**) *nf* EEB *f* (*Encefalopatia Espongiforme Bovina*).

escabeau [ɛskabo] (*pl* -x) *nm escada doméstica, com poucos degraus.*

escalade [ɛskalad] *nf* escalada *f.*

escalader [ɛskalade] *vt* [mur] trepar ; [montagne] escalar.

Escalator® [ɛskalatɔʀ] *nm* escada *f* rolante.

escale [ɛskal] *nf* escala *f* ; **faire escale (à)** fazer escala (em) ; **vol sans escale** vôo sem escala.

escalier [ɛskalje] *nm* escada *f* ; **les escaliers** as escadas ; **escalier roulant** escada rolante.

escalope [ɛskalɔp] *nf* escalope *m.*

escamotable [ɛskamɔtabl] *adj* retrátil.

escapade [ɛskapad] *nf* escapadela *f.*

escargot [ɛskaʀgo] *nm* caracol *m.*

escarpé, e [ɛskaʀpe] *adj* escarpado(da).

escarpin [ɛskaʀpɛ̃] *nm* escarpim *m.*

escavèche [ɛskavɛʃ] *nm Belgique peixe frito com molho escabeche.*

escient [esjɑ̃] *nm* : **parler à bon/mauvais escient** dizer algo com discernimento/sem discernimento.

esclaffer [ɛsklafe] ◆ **s'esclaffer** *vp* rir às gargalhadas.

esclandre [ɛsklɑ̃dʀ] *nm sout* escândalo *m* ; **faire un esclandre** fazer um escândalo.

esclavage [ɛsklavaʒ] *nm* [système] escravatura *f* ; [obligation] escravidão *f.*

esclave [ɛsklav] *nmf* escravo *m*, -va *f.*

escompte [ɛskɔ̃t] *nm* desconto *m.*

escorte [ɛskɔʀt] *nf* escolta *f.*

escorter [ɛskɔʀte] *vt* escoltar.

escrime [ɛskʀim] *nf* esgrima *f.*

escroc [ɛskʀo] *nm* vigarista *mf.*

escroquer [ɛskʀɔke] *vt* burlar ; **escroquer qqch à qqn** extorquir algo de alguém.

escroquerie [ɛskʀɔkʀi] *nf* [vol] burla *f* ; *fig* [abus] vigarice *f.*

espace [ɛspas] *nm* espaço *m* ; **en l'espace de** no espaço de ; **espaces verts** espaços verdes ; **espace fumeurs/non-fumeurs** área para fumantes/para não-fumantes.

espacer [ɛspase] *vt* espaçar.

espadon [ɛspadɔ̃] *nm* espadarte *m.*

espadrille [ɛspadʀij] *nf* alpargata *f.*

Espagne [ɛspaɲ] *nf* : **l'Espagne** a Espanha.

espagnol, e [ɛspaɲɔl] ◇ *adj* espanhol(la). ◇ *nm* [langue] espanhol *m.* ◆ **Espagnol, e** *nm, f* espanhol *m*, -la *f.*

espèce [ɛspɛs] *nf* espécie *f* ; **une espèce de** uma espécie de ; **espèce d'imbécile!** seu imbecil! ; **espèce en voie de disparition** espécie em vias de extinção. ◆ **espèces** *nfpl* espécies *mpl* ; **en espèces** em espécie.

espérer [ɛspeʀe] *vt* esperar ; **espérer faire (qqch)** esperar fazer (algo) ; **j'espère (bien)!** espero (muito) que sim!

espiègle [ɛspjɛgl] *adj* travesso(a).

espion, ionne [ɛspjɔ̃, ɔn] *nm, f* espião *m*, -ã *f.*

espionnage [ɛspjɔnaʒ] *nm* espionagem *f* ; **film/roman d'espionnage** filme/romance de espionagem.

espionner [ɛspjɔne] *vt* espionar.

esplanade [ɛsplanad] *nf* esplanada *f.*

espoir [ɛspwaʀ] *nm* esperança *f.*

esprit [ɛspʀi] *nm* [pensée, fantôme] espírito *m* ; [humour] graça *f* ; [caractère] gênio *m.*

Esquimau, aude, x [ɛskimo, od] *nm, f* esquimó *mf* ; **Esquimau**® esquimó *m.*

esquinter [ɛskɛ̃te] *vt fam* [abîmer] arruinar ; [blesser] esmurrar.

esquisse [ɛskis] *nf* esboço *m.*

esquisser [ɛskise] *vt* esboçar.

esquiver [ɛskive] *vt* esquivar. ◆ **s'esquiver** *vp* esquivar-se.

essai [esɛ] *nm* ensaio *m* ; [tentative] tentativa *f*.

essaim [esɛ̃] *nm* enxame *m*.

essayage [esɛjaʒ] *nm* ► **cabine**.

essayer [eseje] *vt* experimentar ; [tenter] tentar ; **essayer de faire qqch** tentar fazer algo.

essence [esɑ̃s] *nf* gasolina *f* ; **essence sans plomb** gasolina sem chumbo.

essentiel, **elle** [esɑ̃sjɛl] ◇ *adj* essencial. ◇ *nm* : **l'essentiel** o essencial.

esseulé, **e** [esœle] *adj sout* só.

essieu [esjø] (*pl* -x) *nm* eixo *m*.

essor [esɔʀ] *nm* [développement] desenvolvimento *m* ; [envol] vôo *m* ; **en plein essor** em pleno desenvolvimento ; **prendre son essor** levantar vôo.

essorage [esɔʀaʒ] *nm* secagem *f*.

essorer [esɔʀe] *vt* enxugar.

essoufflé, **e** [esufle] *adj* sem fôlego.

essuie-glace [esɥiglas] (*pl* **essuie-glaces**) *nm* limpador *m* de pára-brisa.

essuie-mains [esɥimɛ̃] *nm inv* toalha *f* de mão.

essuie-tout [esɥitu] *nm inv* papel *m* absorvente.

essuyer [esɥije] *vt* limpar. ◆ **s'essuyer** *vp* limpar-se ; **s'essuyer les mains** limpar as mãos.

est[1] [ɛ] ► **être**.

est[2] [ɛst] *adj inv* & *nm inv* este ; **à l'est (de)** a leste (de) ; **l'Est** [les pays de l'Est] o Leste ; [l'Est de la France] o Leste da França.

estampe [ɛstɑ̃p] *nf* estampa *f*.

est-ce que [ɛskə] *adv* : **est-ce qu'il est là ?** ele está? ; **est-ce qu'il sera là ?** será que ele estará lá? ; **est-ce que tu as mangé ?** você já comeu? ; **comment est-ce que ça s'est passé ?** como é que aconteceu?

esthète [ɛstɛt] *adj* & *nmf* esteta.

esthéticienne [ɛstetisjɛn] *nf* esteticista *f*.

esthétique [ɛstetik] *adj* estético(ca).

estimation [ɛstimasjɔ̃] *nf* estimativa *f*.

estime [ɛstim] *nf* estima *f* ; **avoir de l'estime pour qqn** ter estima por alguém.

estimer [ɛstime] *vt* estimar ; **estimer que** estimar que.

estivant, **e** [ɛstivɑ̃, ɑ̃t] *nm, f* veranista *mf*.

estomac [ɛstɔma] *nm* estômago *m*.

estomper [ɛstɔ̃pe] *vt* [contour] esbater ; [douleur] atenuar. ◆ **s'estomper** *vp* [contour] esbater-se ; [douleur] atenuar-se.

estrade [ɛstʀad] *nf* estrado *m*.

estragon [ɛstʀagɔ̃] *nm* estragão *m*.

estropié, **e** [ɛstʀɔpje] *adj* & *nm, f* estropiado(da).

estuaire [ɛstɥɛʀ] *nm* estuário *m*.

esturgeon [ɛstyʀʒɔ̃] *nm* esturjão *m*.

et [e] *conj* e ; **et après ?** e depois? ; **je l'aime bien, et toi ?** eu gosto dele, e você? ; **vingt et un** vinte e um.

étable [etabl] *nf* estábulo *m*.

établi [etabli] *nm* bancada *f* de trabalho.

établir [etabliʀ] *vt* estabelecer. ◆ **s'établir** *vp* estabelecer-se ; [emménager] instalar-se.

établissement [etablismɑ̃] *nm* [organisme] estabelecimento *m* ; **établissement scolaire** estabelecimento escolar.

étage [etaʒ] *nm* [d'un bâtiment] andar *m* ; [couche] camada *f* ; **au premier étage** no primeiro andar ; **à l'étage** no andar de cima.

étagère [etaʒɛʀ] *nf* [planche] prateleira *f* ; [meuble] estante *f*.

étain [etɛ̃] *nm* estanho *m*.

étais [etɛ] ► **être**.

étal [etal] *nm* [sur les marchés] banca *f*.

étalage [etalaʒ] *nm* [vitrine] vitrine *f*.

étalagiste [etalaʒist] *nmf* decorador *m*, -ra *f* de vitrines.

étaler [etale] *vt* [nappe, carte] estender ; [beurre, confiture] passar ; [paiements] repartir ; [connaissances, richesse] ostentar. ◆ **s'étaler** *vp* [se répartir] estender-se.

étalon [etalɔ̃] *nm* [cheval] garanhão *m* ; [mesure] padrão *m*.

étanche [etɑ̃ʃ] *adj* estanque.

étang [etɑ̃] *nm* lago *m*.

étant [etɑ̃] *p prés* ► **être**.

étape [etap] *nf* [période] etapa *f* ; [lieu] parada *f* ; **faire étape à** parar em.

état [eta] *nm* estado *m* ; **en état (de marche)** em estado (de funcionamento) ; **en bon état** em bom estado ; **en mauvais état** em mau estado ; **état civil** [d'une personne] estado civil ; **état d'esprit** estado de espírito. ◆ **État** *nm* Estado *m*.

état-major [etamaʒɔʀ] (*pl* **états-majors**) *nm* estado-maior *m*.

États-Unis [etazyni] *nmpl* : **les États-Unis** os Estados Unidos.

étau [eto] (*pl* -x) *nm* torno *m*.

étayer [eteje] *vt* [mur, plafond] escorar ; *fig* [démonstration] apoiar.

etc. (*abr de* **et cetera**) etc.

et cetera [ɛtseteʀa] *adv* et cetera.

été[1] [ete] *pp* ► **être**.

été[2] [ete] *nm* verão *m* ; **en été** no verão.

éteindre [etɛ̃dʀ] *vt* apagar ; [ordinateur] desligar. ◆ **s'éteindre** *vp* apagar-se.

éteint, e [etɛ̃, ɛ̃t] *pp* ► **éteindre**.

étendard [etɑ̃daʀ] *nm* estandarte *m*.

étendre [etɑ̃dʀ] *vt* estender. ◆ **s'étendre** *vp* estender-se.

étendu, e [etɑ̃dy] *adj* [grand] extenso(sa).

étendue [etɑ̃dy] *nf* [surface] extensão *f* ; *fig* [importance] alcance *m*.

éternel, elle [etɛʀnɛl] *adj* eterno(na).

éterniser [etɛʀnize] *vt* eternizar. ◆ **s'éterniser** *vp* [se prolonger] eternizar-se ; *fam* [rester] demorar-se em demasia.

éternité [etɛʀnite] *nf* eternidade *f* ; **cela fait une éternité que...** faz uma eternidade que...

éternuement [etɛʀnymɑ̃] *nm* espirro *m*.

éternuer [etɛʀnɥe] *vi* espirrar.

êtes [ɛt] ► **être**.

éther [etɛʀ] *nm* éter *m*.

éthique [etik] ◇ *nf* ética *f*. ◇ *adj* ético(ca).

ethnie [ɛtni] *nf* etnia *f*.

ethnologie [ɛtnɔlɔʒi] *nf* etnologia *f*.

étinceler [etɛ̃sle] *vi* cintilar.

étincelle [etɛ̃sɛl] *nf* faísca *f*.

étiqueter [etikte] *vt* [produit] etiquetar ; *fig* & *péj* [personne] rotular.

étiquette [etikɛt] *nf* etiqueta *f*.

étirer [etiʀe] *vt* esticar. ◆ **s'étirer** *vp* [personne] espreguiçar-se.

étoffe [etɔf] *nf* tecido *m*.

étoffer [etɔfe] *vt* dar corpo a. ◆ **s'étoffer** *vp* ganhar corpo.

étoile [etwal] *nf* estrela *f* ; **hôtel deux/trois étoiles** hotel de duas/três estrelas ; **dormir à la belle étoile** dormir ao relento ; **étoile de mer** estrela-do-mar *f*.

étoilé, e [etwale] *adj* estrelado(da).

étonnant, e [etɔnɑ̃, ɑ̃t] *adj* espantoso(osa).

étonné, e [etɔne] *adj* admirado(da).

étonnement [etɔnmɑ̃] *nm* admiração *f*; **au grand étonnement de** para grande admiração de.

étonner [etɔne] *vt* admirar ; **ça m'étonnerait (que)** seria de admirar (que) ; **tu m'étonnes!** *fam* eu não acredito! ◆ **s'étonner** *vp* : **s'étonner que** admirar-se de que.

étouffant, e [etufɑ̃, ɑ̃t] *adj* sufocante.

étouffée [etufe] ◆ **à l'étouffée** *loc adv* : **faire cuire à l'étouffée** *cozinhar ou assar o alimento em baixa temperatura em recipiente bem fechado.*

étouffer [etufe] ◇ *vt* [personne, animal] sufocar ; [bruit] abafar. ◇ *vi* sufocar. ◆ **s'étouffer** *vp* sufocar.

étourderie [eturdəri] *nf* descuido *m* ; **faire une étourderie** descuidar-se.

étourdi, e [eturdi] *adj* [distrait] descuidado(da).

étourdir [eturdir] *vt* [assommer] aturdir ; [donner le vertige à] estontear.

étourdissement [eturdismɑ̃] *nm* tontura *f*.

étrange [etrɑ̃ʒ] *adj* estranho(nha).

étranger, ère [etrɑ̃ʒe, ɛr] ◇ *adj* [ville, coutume] estrangeiro(ra) ; [inconnu] estranho(nha). ◇ *nm, f* [d'un autre pays] estrangeiro *m*, -ra *f* ; [inconnu] estranho *m*, -nha *f*. ◇ *nm* : **à l'étranger** no estrangeiro.

étrangler [etrɑ̃gle] *vt* estrangular. ◆ **s'étrangler** *vp* engasgar-se.

être [ɛtr] ◇ *vi* **1.** [pour décrire, indiquer l'origine] ser ; **il est très sympa** ele é muito simpático ; **je suis architecte** eu sou arquiteto ; **d'où êtes-vous ?** de onde são vocês? - **2.** [pour désigner une situation, un état] estar ; **nous serons à Naples/à la maison à partir de demain** estaremos em Nápoles/em casa a partir de amanhã ; **être content/en forme** estar contente/em forma - **3.** [pour donner la date] : **quel jour sommes-nous ?** que dia é hoje? ; **c'est jeudi** é quinta-feira ; **nous sommes le 26 août 1995** estamos no dia 26 de agosto de 1995 - **4.** [aller] : **j'ai été trois fois en Écosse** estive três vezes na Escócia - **5.** [pour exprimer l'appartenance] : **être à qqn** ser de alguém ; **cette voiture est à toi ?** este carro é seu? ; **c'est à Daniel** é do Daniel. ◇ *v impers* **1.** [pour désigner le moment] : **il est 8h** são oito horas ; **il est tard** é tarde - **2.** [avec un adjectif ou un participe passé] : **il est difficile de savoir si...** é difícil saber se... ; **il est recommandé de réserver à l'avance** é recomendável reservar com antecedência. ◇ *v aux* **1.** [pour former le passé composé] : **nous sommes partis hier** partimos ontem ; **je suis née en 1976** nasci em 1976 ; **tu t'es coiffé ?** você se penteou? - **2.** [pour former le passif] ser ; **le train a été retardé** o trem foi retardado. ◇ *nm* [créature] ser *m* ; **être humain** ser humano.

étreindre [etrɛ̃dr] *vt* [serrer, embrasser] abraçar ; *fig* [tenailler] apertar. ◆ **s'étreindre** *vp* abraçar-se.

étreinte [etrɛ̃t] *nf* [enlacement] abraço *m* ; [pression] aperto *m*.

étrenner [etrene] *vt* estrear.

étrennes [etrɛn] *nfpl* [pour les enfants] prenda *f* ; [pour la concierge] *presente (comida, dinheiro etc.) oferecido por ocasião do primeiro dia do ano.*

étrier [etrije] *nm* estribo *m*.

étriper [etripe] *vt* [animal] estripar ; *fam* [tuer] apertar o pescoço de. ◆ **s'étriper** *vp fam* matar-se.

étriqué, e [etrike] *adj* [veste] apertado(da) ; [appartement] exíguo(gua) ; [mesquin] limitado(da).

étroit, e [etrwa, at] *adj* [rue, siège] estreito(ta) ; [vêtement] apertado(da) ; **être étroit d'esprit** ter visão limitada ; **être à l'étroit** estar apertado.

étude [etyd] *nf* estudo *m* ; [salle

d'école] sala *f* de estudo ; [de notaire] cartório *m*. ◆ **études** *nfpl* estudos *mpl* ; **faire des études (de)** fazer um curso (de).

étudiant, **e** [etydjɑ̃, ɑ̃t] *adj* & *nm, f* estudante.

étudier [etydje] *vt* & *vi* estudar.

étui [etɥi] *nm* estojo *m*.

étuve [etyv] *nf* estufa *f*.

étymologie [etimɔlɔʒi] *nf* etimologia *f*.

eu, **e** [y] *pp* ► **avoir**.

eucalyptus [økaliptys] *nm* eucalipto *m*.

euh [ø] *interj* hum!

euphémisme [øfemism] *nm* eufemismo *m* ; **par euphémisme** eufemisticamente.

euphorie [øfɔʀi] *nf* euforia *f*.

eurochèque [øʀɔʃɛk] *nm* Eurocheque® *m*.

eurodevise [øʀɔdəviz] *nf* eurodivisa *f*.

Europe [øʀɔp] *nf* : **l'Europe** a Europa ; **l'Europe de l'Est** a Europa do Leste.

européen, **enne** [øʀɔpeɛ̃, ɛn] *adj* europeu(péia). ◆ **européennes** [øʀɔpeɛn] *nfpl* POLIT européias. ◆ **Européen**, **enne** *nm, f* europeu *m*, -péia *f*.

euthanasie [øtanazi] *nf* eutanásia *f*.

euthanasier [øtanazje] *vt* provocar a morte por eutanásia.

eux [ø] *pron* eles ; **eux-mêmes** eles próprios.

évacuer [evakɥe] *vt* evacuar.

évader [evade] ◆ **s'évader** *vp* : **s'évader (de)** evadir-se (de).

évaluation [evalɥasjɔ̃] *nf* avaliação *f*.

évaluer [evalɥe] *vt* avaliar.

évangéliser [evɑ̃ʒelize] *vt* evangelizar.

évangile [evɑ̃ʒil] *nm* RELIG Evangelho *m* ; *fig* [référence] Bíblia *f*. ◆ **Évangile** *nm* [livre] Evangelho *m* ; **l'Évangile selon Saint Jean** o Evangelho segundo São João.

évanouir [evanwiʀ] ◆ **s'évanouir** *vp* [avoir un malaise] desmaiar ; [disparaître] esvanecer.

évaporer [evapɔʀe] ◆ **s'évaporer** *vp* evaporar-se.

évasé, **e** [evaze] *adj* evasê.

évasif, **ive** [evazif, iv] *adj* evasivo(va).

évasion [evazjɔ̃] *nf* evasão *f*.

éveil [evɛj] *nm* [du dormeur, l'intelligence, de l'amour] despertar *m* ; **en éveil** alerta.

éveillé, **e** [eveje] *adj* [vif] esperto(ta).

éveiller [eveje] *vt* despertar. ◆ **s'éveiller** *vp* [sensibilité, curiosité] despertar.

événement [evɛnmɑ̃] *nm* acontecimento *m*.

éventail [evɑ̃taj] *nm* leque *m*.

éventrer [evɑ̃tʀe] *vt* [personne, animal] desventrar ; [mur] abrir um buraco em ; [sac] rasgar.

éventualité [evɑ̃tɥalite] *nf* eventualidade *f* ; **parer à toute éventualité** estar preparado para qualquer eventualidade.

éventuel, **elle** [evɑ̃tɥɛl] *adj* eventual.

éventuellement [evɑ̃tɥɛlmɑ̃] *adv* eventualmente.

évêque [evɛk] *nm* bispo *m*.

évertuer [evɛʀtɥe] ◆ **s'évertuer** *vp* : **s'évertuer à faire qqch** esforçar-se por fazer algo.

évidemment [evidamɑ̃] *adv* evidentemente.

évidence [evidɑ̃s] *nf* evidência *f* ; **à l'évidence** como é óbvio ; **mettre en évidence** pôr em local bem visível ; *fig* [souligner] evidenciar ; **se rendre à l'évidence** render-se à evidência.

évident, e [evidɑ̃, ɑ̃t] *adj* evidente ; **c'est pas évident!** [pas facile] não é nada fácil!

évider [evide] *vt* retirar o interior de.

évier [evje] *nm* pia *f*.

évincer [evɛ̃se] *vt* : **évincer qqn (de)** excluir alguém (de).

évitement [evitmɑ̃] *nm Belgique* desvio *m*.

éviter [evite] *vt* evitar ; **éviter qqch à qqn** evitar algo a alguém ; **éviter de faire qqch** evitar fazer algo.

évocateur, trice [evɔkatœʀ, tʀis] *adj* [suggestif] evocativo(va) ; [geste, regard] significativo(va) ; **évocateur de qqch** que evoca algo.

évolué, e [evɔlɥe] *adj* evoluído(da).

évoluer [evɔlɥe] *vi* evoluir.

évolution [evɔlysjɔ̃] *nf* evolução *f*.

évoquer [evɔke] *vt* evocar.

ex- [ɛks] *préf* ex-.

exacerber [ɛgzasɛʀbe] *vt* exacerbar.

exact, e [ɛgzakt] *adj* exato(ta) ; [heure] certo(ta) ; [ponctuel] pontual ; **c'est exact** está certo.

exactement [ɛgzaktəmɑ̃] *adv* exatamente.

exactitude [ɛgzaktityd] *nf* [précision] exatidão *f* ; [ponctualité] pontualidade *f*.

ex aequo [ɛgzeko] *adj inv* ex aequo.

exagération [ɛgzaʒeʀasjɔ̃] *nf* exagero *m*.

exagéré, e [ɛgzaʒeʀe] *adj* exagerado(da).

exagérer [ɛgzaʒeʀe] *vt & vi* exagerar.

exalté, e [ɛgzalte] *adj* exaltado(da).

examen [ɛgzamɛ̃] *nm* exame *m* ; **examen blanc** *exame simulado*.

examinateur, trice [ɛgzaminatœʀ, tʀis] *nm, f* examinador *m*, -ra *f*.

examiner [ɛgzamine] *vt* examinar.

exaspérer [ɛgzaspeʀe] *vt* exasperar.

exaucer [ɛgzose] *vt* atender a, ouvir.

excédent [ɛksedɑ̃] *nm* excedente *m* ; **excédent de bagages** excesso *m* de bagagens.

excéder [ɛksede] *vt* [dépasser] exceder ; [énerver] exasperar.

excellence [ɛkselɑ̃s] *nf* excelência *f* ; **par excellence** por excelência. ◆ **Excellence** *nf* : **son Excellence** Sua Excelência.

excellent, e [ɛkselɑ̃, ɑ̃t] *adj* excelente.

excentré [ɛksɑ̃tʀe] *adj* : **c'est très excentré** fica muito afastado do centro.

excentrique [ɛksɑ̃tʀik] *adj* excêntrico(ca).

excepté [ɛksɛpte] *prép* exceto.

exception [ɛksɛpsjɔ̃] *nf* exceção *f* ; **faire une exception** fazer uma exceção ; **à l'exception de** com exceção de ; **sans exception** sem exceção.

exceptionnel, elle [ɛksɛpsjɔnɛl] *adj* excepcional.

excès [ɛksɛ] ◇ *nm* excesso *m*. ◇ *nmpl* : **faire des excès** cometer excessos ; **excès de vitesse** excesso de velocidade.

excessif, ive [ɛksesif, iv] *adj* excessivo(va).

excitant, e [ɛksitɑ̃, ɑ̃t] ◇ *adj* [projet, idée] excitante. ◇ *nm* excitante *m*.

excitation [ɛksitasjɔ̃] *nf* excitação *f*.

exciter [ɛksite] *vt* excitar.

exclamation [ɛksklamasjɔ̃] *nf* exclamação *f*.

exclamer [ɛksklame] ◆ **s'exclamer** *vp* exclamar.

exclure [ɛksklyʀ] *vt* excluir.

exclusif, ive [ɛksklyzif, iv] *adj* exclusivo(va).

exclusion [ɛksklyzjɔ̃] *nf* exclusão *f* ; **à l'exclusion de** excluindo.

exclusivement [ɛksklyzivmɑ̃] *adv* [uniquement] exclusivamente ; [non inclus] exclusive.

exclusivité [ɛksklyzivite] *nf* exclusividade *f* ; **en exclusivité** com exclusividade.

excommunier [ɛkskɔmynje] *vt* excomungar.

excrément [ɛkskʀemɑ̃] *nm (gén pl)* excremento *m*.

excroissance [ɛkskʀwasɑ̃s] *nf* excrescência *f*.

excursion [ɛkskyʀsjɔ̃] *nf* excursão *f*.

excuse [ɛkskyz] *nf* [prétexte] desculpa *f*. ◆ **excuses** *nfpl* : **faire des excuses à qqn** pedir desculpas a alguém.

excuser [ɛkskyze] *vt* desculpar ; **excusez-moi** desculpe-me. ◆ **s'excuser** *vp* desculpar-se ; **s'excuser de faire qqch** pedir desculpa por fazer algo ; **il s'est excusé de son retard** ele pediu desculpa por chegar atrasado.

exécrable [ɛgzekʀabl] *adj* execrável.

exécuter [ɛgzekyte] *vt* executar.

exécutif, ive [ɛgzekytif, iv] *adj* executivo(va). ◆ **exécutif** *nm* executivo *m*.

exécution [ɛgzekysjɔ̃] *nf* [meurtre] execução *f*.

exemplaire [ɛgzɑ̃plɛʀ] *nm* exemplar *m*.

exemple [ɛgzɑ̃pl] *nm* exemplo *m* ; **par exemple** por exemplo.

exempté, e [ɛgzɑ̃te] *adj* dispensado(da) ; **être exempté de** ser dispensado de.

exercer [ɛgzɛʀse] *vt* exercer ; [voix, mémoire] exercitar. ◆ **s'exercer** *vp* exercitar-se ; **s'exercer à faire qqch** exercitar-se para fazer algo.

exercice [ɛgzɛʀsis] *nm* exercício *m* ; **faire de l'exercice** fazer exercício.

exhaustif, ive [ɛgzostif, iv] *adj* exaustivo(va).

exhiber [ɛgzibe] *vt péj* exibir. ◆ **s'exhiber** *vp péj* exibir-se.

exhibitionniste [ɛgzibisjɔnist] *nmf* exibicionista *mf*.

exhorter [ɛgzɔʀte] *vt* : **exhorter qqn à qqch /à faire qqch** exortar alguém a algo /a fazer algo.

exhumer [ɛgzyme] *vt* [cadavre] exumar ; [trésor] desenterrar ; *fig* [passé] desenterrar.

exigeant, e [ɛgziʒɑ̃, ɑ̃t] *adj* exigente.

exigence [ɛgziʒɑ̃s] *nf* exigência *f*.

exiger [ɛgziʒe] *vt* exigir.

exigu, ë [ɛgzigy] *adj* exíguo(gua).

exil [ɛgzil] *nm* exílio *m* ; **en exil** no exílio.

exiler [ɛgzile] ◆ **s'exiler** *vp* exilar-se.

existence [ɛgzistɑ̃s] *nf* existência *f*.

exister [ɛgziste] *vi* existir ; **il existe plusieurs possibilités** [il y a] existem várias possibilidades.

exode [ɛgzɔd] *nm* êxodo *m* ; **exode rural** êxodo rural.

exonération [ɛgzɔneʀasjɔ̃] *nf* isenção *f*.

exorbitant, e [ɛgzɔʀbitɑ̃, ɑ̃t] *adj* exorbitante.

exorciser [ɛgzɔʀsize] *vt* exorcizar.

exotique [ɛgzɔtik] *adj* exótico(ca).

expansif, ive [ɛkspɑ̃sif, iv] *adj* expansivo(va).

expansion [ɛkspɑ̃sjɔ̃] *nf* expansão *f*.

expatrier [ɛkspatʀije] ◆ **s'expatrier** *vp* expatriar-se.

expédier [ɛkspedje] *vt* [envoyer] expedir ; *péj* [bâcler] despachar.

expéditeur, trice [ɛkspeditœʀ, tʀis] *nm, f* remetente *mf*.

expéditif, ive [ɛkspeditif, iv] *adj* expedito(ta).

expédition [ɛkspedisjɔ̃] *nf* expedição *f*.

expérience [ɛkspeʀjɑ̃s] *nf* experiência *f* ; **expérience (professionnelle)** experiência (profissional).

expérimental, e, aux [ɛkspeʀimɑ̃tal, o] *adj* experimental.

expérimenté, e [ɛkspeʀimɑ̃te] *adj* experiente.

expert [ɛkspɛʀ] *nm* perito *m*, -ta *f* ; **expert en** perito(ta) em.

expert-comptable [ɛkspɛʀkɔ̃tabl] (*pl* **experts-comptables**) *nm* contabilista *m*.

expertise [ɛkspɛʀtiz] *nf* perícia *f*.

expertiser [ɛkspɛʀtize] *vt* avaliar.

expiration [ɛkspiʀasjɔ̃] *nf* expiração *f* ; **date d'expiration** data de expiração ; **arriver à expiration** chegar ao término.

expirer [ɛkspiʀe] *vi* expirar.

explicatif, ive [ɛksplikatif, iv] *adj* explicativo(va).

explication [ɛksplikasjɔ̃] *nf* explicação *f* ; **explication de texte** explicação de texto.

explicite [ɛksplisit] *adj* explícito(ta).

expliquer [ɛksplike] *vt* explicar ; **expliquer qqch à qqn** explicar algo a alguém. ◆ **s'expliquer** *vp* explicar-se ; [se disputer] ter uma altercação.

exploit [ɛksplwa] *nm* façanha *f*.

exploitant, e [ɛksplwatɑ̃, ɑ̃t] *nm, f* explorador *m*, -ra *f* ; **exploitant agricole** agricultor *m*, -ra *f*, fazendeiro *m*, -ra *f*.

exploitation [ɛksplwatasjɔ̃] *nf* exploração *f* ; **exploitation (agricole)** fazenda *f*.

exploiter [ɛksplwate] *vt* explorar.

explorateur, trice [ɛksplɔʀatœʀ, tʀis] *nm, f* explorador *m*, -ra *f*.

exploration [ɛksplɔʀasjɔ̃] *nf* [découverte] exploração *f*.

explorer [ɛksplɔʀe] *vt* explorar.

exploser [ɛksploze] *vi* explodir.

explosif, ive [ɛksplozif, iv] ◇ *adj* [situation] explosivo(va). ◇ *nm* explosivo *m*.

explosion [ɛksplozjɔ̃] *nf* explosão *f*.

exportateur, trice [ɛkspɔʀtatœʀ, tʀis] *adj* & *nm, f* exportador(ra).

exportation [ɛkspɔʀtasjɔ̃] *nf* exportação *f*.

exporter [ɛkspɔʀte] *vt* exportar.

exposant, e [ɛkspozɑ̃, ɑ̃t] *nm, f* expositor *m*, -ra *f*. ◆ **exposant** *nm* expoente *m*.

exposé, e [ɛkspoze] ◇ *adj* exposto(ta). ◇ *nm* exposição *f* oral ; **exposé au sud** orientado para o sul ; **bien exposé** bem orientado.

exposer [ɛkspoze] *vt* expor ; **exposer qqn/qqch à qqch** expor alguém/algo a algo. ◆ **s'exposer à** *vp* + *prép* expor-se a.

exposition [ɛkspozisjɔ̃] *nf* exposição *f*.

exprès[1] [ɛkspʀɛs] ◇ *adj inv* urgente. ◇ *nm* : **par exprès** ≃ por correio expresso.

exprès[2] [ɛkspʀɛ] *adv* de propósito ; **faire exprès de faire qqch** fazer algo de propósito.

express [ɛkspʀɛs] *nm* **1.** [café] = expresso - **2.** : **(train) express** trem *m* expresso.

expressément [ɛkspʀɛsemɑ̃] *adv* expressamente.

expressif, **ive** [ɛkspʀɛsif, iv] *adj* expressivo(va).

expression [ɛkspʀɛsjɔ̃] *nf* expressão *f* ; **expression écrite/orale** expressão escrita/oral.

expresso [ɛkspʀɛso] *nm* cafezinho *m*.

exprimer [ɛkspʀime] *vt* [idée, sentiment] exprimir. ◆ **s'exprimer** *vp* [parler] exprimir-se.

exproprier [ɛkspʀɔpʀije] *vt* expropriar.

expulser [ɛkspylse] *vt* expulsar.

exquis, **e** [ɛkski, iz] *adj* requintado(da).

extasier [ɛkstazje] ◆ **s'extasier** *vp* extasiar-se ; **s'extasier devant qqn/qqch** extasiar-se com algo/alguém.

extensible [ɛkstɑ̃sibl] *adj* extensível.

exténué, **e** [ɛkstenye] *adj* extenuado(da).

extérieur, **e** [ɛksteʀjœʀ] ◇ *adj* [escalier, boulevard] externo(na) ; [commerce, politique] exterior ; [gentillesse, calme] exterior. ◇ *nm* exterior *m* ; **à l'extérieur** [dehors] lá fora ; SPORT fora ; **à l'extérieur de** fora de.

extérioriser [ɛksteʀjɔʀize] *vt* exteriorizar.

externaliser [ɛkstɛrnalize] *vt* externalizar.

exterminer [ɛkstɛʀmine] *vt* exterminar.

externe [ɛkstɛʀn] *adj* & *nmf* externo(na).

extincteur [ɛkstɛ̃ktœʀ] *nm* extintor *m*.

extinction [ɛkstɛ̃ksjɔ̃] *nf* : **avoir une extinction de voix** perder a voz.

extirper [ɛkstiʀpe] *vt* [mal, erreur] : **extirper (de)** extirpar (de) ; [plante, réponse] arrancar (de) ; [blessé] tirar (de). ◆ **s'extirper** *vp* : **s'extirper de** sair com dificuldade.

extorquer [ɛkstɔʀke] *vt* : **extorquer qqch à qqn** [de l'argent] extorquir algo de alguém ; [des aveux] arrancar algo de alguém.

extra [ɛkstʀa] ◇ *adj inv* [qualité] extra ; *fam* [formidable] extraordinário(ria). ◇ *préf* [très] extra.

extradition [ɛkstʀadisjɔ̃] *nf* extradição *f*.

extraire [ɛkstʀɛʀ] *vt* extrair ; **extraire qqch de** extrair algo de ; **extraire qqn de** tirar alguém de.

extrait [ɛkstʀɛ] *nm* MUS excerto *m* ; [de compte] extrato *m* ; [de livre, de film] trecho *m*.

extraordinaire [ɛkstʀaɔʀdinɛʀ] *adj* extraordinário(ria).

extrapoler [ɛkstʀapɔle] *vt* & *vi* extrapolar.

extraterrestre [ɛkstʀatɛʀɛstʀ] *adj* & *nmf* extraterrestre.

extravagant, **e** [ɛkstʀavagɑ̃, ɑ̃t] *adj* extravagante.

extraverti, **e** [ɛkstʀavɛʀti] *adj* & *nm, f* extrovertido(da).

extrême [ɛkstʀɛm] ◇ *adj* extremo(ma). ◇ *nm* extremo *m* ; **l'Extrême-Orient** o Extremo Oriente.

extrêmement [ɛkstʀɛmmɑ̃] *adv* extremamente.

extrémiste [ɛkstʀemist] *adj* & *nmf* extremista.

extrémité [ɛkstʀemite] *nf* extremidade *f*.

exubérant, **e** [ɛgzybeʀɑ̃, ɑ̃t] *adj* exuberante.

exulter [ɛgzylte] *vi* exultar.

F (*abr de* **franc, de Fahrenheit**) F.

fable [fabl] *nf* fábula *f*.

fabricant [fabʀikɑ̃] *nm* fabricante *m*.

fabrication [fabʀikasjɔ̃] *nf* fabricação *f*.

fabriquer [fabʀike] *vt* fabricar ; **mais qu'est-ce que tu fabriques ?** *fam* mas o que é que você está fazendo?

fabuleux, **euse** [fabylø, øz] *adj* fabuloso(osa).

fac [fak] *nf fam* faculdade *f*.

façade [fasad] *nf* fachada *f*.

face [fas] *nf* face *f* ; [visage] rosto *m* ; **faire face à** [être devant] ficar em frente a ; [affronter] fazer frente a ; **de face** de frente ; **en face (de)** em frente (a) ; **face à face** cara a cara.

face-à-face [fasafas] *nm inv* frente a frente *m*.

facétie [fasesi] *nf* gracejo *m*.

facette [fasɛt] *nf* faceta *f*.

fâché, **e** [faʃe] *adj* zangado(da).

fâcher [faʃe] *vt* zangar. ◆ **se fâcher** *vp* zangar-se ; **se fâcher avec/contre qqn** zangar-se com alguém.

fâcheux, **euse** [faʃø, øz] *adj* lamentável.

facile [fasil] *adj* fácil ; [personne] dócil.

facilement [fasilmɑ̃] *adv* [aisément] facilmente ; [au moins] pelo menos.

facilité [fasilite] *nf* facilidade *f*. ◆ **facilités** *nfpl* : **facilités de paiement** facilidades *fpl* de pagamento.

faciliter [fasilite] *vt* facilitar.

façon [fasɔ̃] *nf* modo *m* ; **de façon (à ce) que** de modo a OU que ; **de toute façon** de qualquer modo ; **non merci, sans façon** muito obrigado, mas não. ◆ **façons** *nfpl* modos *mpl* ; **faire des façons** fazer cerimônia.

facteur, **trice** [faktœʀ, tʀis] ◇ *nm, f* carteiro *m*. ◇ *nm* fator *m*.

factice [faktis] *adj* factício(cia).

facture [faktyʀ] *nf* fatura *f*.

facturer [faktyʀe] *vt* faturar.

facturette [faktyʀɛt] *nf* recibo *m* *recibo que se guarda quando se efetua um pagamento com cartão de crédito.*

facultatif, **ive** [fakyltatif, iv] *adj* facultativo(va).

faculté [fakylte] *nf* faculdade *f*.

fade [fad] *adj* [aliment] insosso(ossa) ; [couleur] apagado(da).

fagot [fago] *nm* feixe *m* de lenha.

fagoté, **e** [fagɔte] *adj fam* malvestido(da).

faible [fɛbl] ◇ *adj* fraco(ca). ◇ *nm* : **avoir un faible pour** ter um fraco por.

faiblement [fɛbləmɑ̃] *adv* [crier, appeler] baixinho ; [augmenter] ligeiramente.

faiblesse [fɛblɛs] *nf* fraqueza *f*.

faiblir [febliʀ] *vi* enfraquecer.

faïence [fajɑ̃s] *nf* faiança *f*.

faille [faj] *nf* falha *f*.

faillir [fajiʀ] *vi* : **il a failli tomber** ele quase caiu.

faillite [fajit] *nf* falência *f* ; **faire faillite** falir, ir à falência.

faim [fɛ̃] *nf* fome *f* ; **avoir faim** ter fome.

fainéant, **e** [feneɑ̃, ɑ̃t] *adj* & *nm, f* preguiçoso(sa).

faire [fɛʀ] ◇ *vt* **1.** [gén] fazer ; **c'est lui qui a fait cette chanson ?** foi ele que compôs esta canção? ; **faire les comptes** fazer as contas ; **faire une**

promenade dar um passeio ; **faire un rêve** ter um sonho ; **faire son lit** arrumar a cama ; **faire la vaisselle** lavar a louça ; **faire les carreaux** limpar os vidros ; **que faites-vous comme métier ?** qual é a sua profissão? - **2.** [sport, musique, discipline] : **faire des études** estudar ; **je fais de l'aérobic tous les soirs** pratico aeróbica todas as noites ; **faire du piano** tocar piano - **3.** [provoquer] : **faire mal à qqn** magoar alguém ; **faire de la peine à qqn** causar tristeza a alguém ; **ma jambe me fait horriblement mal** a minha perna dói terrivelmente ; **faire sensation** causar sensação ; **ça ne lui fait rien du tout** isso não produz efeito nenhum nele - **4.** [imiter] : **faire l'imbécile** fazer-se de parvo ; **faire celui qui ne comprend pas** fingir que não compreende - **5.** [parcourir] percorrer ; **nous avons fait 150 km en deux heures** percorremos 150 km em duas horas ; **faire du 150 (à l'heure)** andar a 150 km por hora - **6.** [avec des mesures] : **les pièces font 3 m de haut** as divisões medem 3 m de altura ; **ça fait plus de 2 kg** pesa mais de kg ; **je fais 1,68 m** meço 1,68 m ; **je fais du 40** calço 40 - **7.** MATH : **10 et 3 font 13** 10 mais 3 são 13 - **8.** [dire] dizer - **9.** [dans des expressions] : **ça ne fait rien** não tem importância ; **ne faire que** [faire sans cesse] não parar de ; [faire seulement] não fazer mais do que ; **qu'est-ce que ça peut te faire ?** o que você tem a ver com isso? ; **qu'est-ce que j'ai fait de mes clefs ?** o que é que eu fiz das minhas chaves? ◇ *vi* **1.** [agir] fazer ; **vas-y, mais fais vite** vá lá, mas apresse-se ; **vous feriez mieux de...** seria melhor que... ; **faites comme chez vous** faça como se estivesse em sua casa - **2.** [avoir l'air] : **faire jeune/vieux** parecer jovem/velho. ◇ *v impers* **1.** [climat, température] : **il fait chaud/30ºC** está calor/estão 30 graus - **2.** [exprime la durée] : **ça fait trois jours que nous avons quitté Rouen** já saímos de Rouen há três dias ; **ça fait longtemps que je n'ai pas eu de ses nouvelles** já não tenho notícias dele há muito tempo ; **ça fait dix ans que j'habite ici** já moro aqui há 10 anos. ◇ *v aux* **1.** [indique que l'on provoque une action] : **faire reculer les passants** fazer com que os transeuntes recuem ; **une histoire à faire dresser les cheveux sur la tête** uma história de pôr os cabelos em pé ; **faire tomber qqch** deixar cair algo - **2.** [indique que l'on commande une action] mandar ; **faire nettoyer un vêtement** mandar limpar uma roupa ; **faire repeindre la maison** mandar pintar outra vez a casa. ◇ *verbe substitut* fazer ; **on lui a conseillé de réserver mais il ne l'a pas fait** ele foi aconselhado a reservar, mas não o fez. ◆ **se faire** *vp* **1.** [être convenable, à la mode] : **ça se fait** [c'est convenable] isso se faz ; [c'est à la mode] está na moda ; **ça ne se fait pas** [ce n'est pas convenable] isso não se faz ; [ce n'est pas à la mode] não se usa - **2.** [avoir, provoquer] : **se faire des amis** fazer amigos ; **se faire mal** magoar-se ; **se faire du souci** preocupar-se ; **se faire des illusions** ter ilusões - **3.** [avec un infinitif] ser ; **se faire opérer** ser operado ; **je me suis fait arrêter par la police** fui preso pela polícia ; **se faire faire um costume sur mesure** mandar fazer um terno sob medida - **4.** [devenir] : **se faire beau** pôr-se bonito ; **se faire vieux** tornar-se velho ; **il se fait tard** faz-se tarde - **5.** [dans des expressions] : **comment se fait-il que... ?** como é possível que...? ; **ne pas s'en faire** não se preocupar. ◆ **se faire à** *vp* + *prép* [s'habituer à] : **il s'est très bien fait à sa nouvelle vie** ele acostumou-se muito bem à sua nova vida ; **je n'arrive pas à me faire à son sens de l'humour** não consigo acostumar-me com o seu senso de humor.

faire-part [fɛʀpaʀ] *nm inv* [annonce] participação *f* ; [invitation] convite *m*.

fais [fɛ] ► **faire**.

faisable [fəzabl] *adj* viável.

faisan [fəzɑ̃] *nm* faisão *m*.

faisant [fəzɑ̃] *p prés* ► **faire**.

faisceau [fɛso] *nm* feixe *m* ; **faisceau lumineux** feixe luminoso.

faisons [fəzɔ̃] ► **faire**.

fait, **e** [fɛ, fɛt] ◇ *pp* ► **faire**. ◇ *adj* [réalisé] feito(ta) ; [fromage] amanteigado(da). ◇ *nm* feito *m* ; **(c'est) bien fait!** (é) bem feito! ; **faits divers** *rubrica de um jornal composta por notícias de acidentes, crimes etc.* ; **au fait** a propósito ; **du fait de** por causa de ; **en fait** de fato ; **prendre qqn sur le fait** apanhar alguém em flagrante.

faites [fɛt] ► **faire**.

fait-tout [fɛtu] *nm inv* caçarola *f*.

falaise [falɛz] *nf* falésia *f*.

fallacieux, **euse** [falasjø, øz] *adj* falacioso(osa).

falloir [falwaʀ] *v impers* : **il faut du courage pour faire ça** é preciso coragem para fazer isso ; **il faut y aller** OU **que nous y allions** temos que ir embora ; **il me faut deux kilos d'oranges** preciso de dois quilos de laranjas ; **il me faut y retourner** tenho que voltar lá.

fallu [faly] *pp* ► **falloir**.

falsifier [falsifje] *vt* falsificar.

famé, **e** [fame] *adj* : **mal famé** malafamado.

fameux, **euse** [famø, øz] *adj* [célèbre] famoso(osa) ; [très bon] delicioso(osa).

familial, **e**, **aux** [familjal, o] *adj* familiar.

familiariser [familjaʀize] *vt* : **familiariser qqn avec qqch** familiarizar alguém com algo. ◆ **se familiariser** *vp* : **se familiariser avec qqch** familiarizar-se com algo.

familiarité [familjaʀite] *nf* familiaridade *f*.

familier, **ère** [familje, ɛʀ] *adj* familiar ; [impertinent] insolente.

famille [famij] *nf* família *f* ; **en famille** em família ; **famille monoparentale** família monoparental ; **famille recomposée** família recomposta.

famine [famin] *nf* fome *f* ; **crier famine** *fig* queixar-se da miséria.

fan [fan] *nmf fam* fã *mf*.

fanatique [fanatik] *adj* & *nmf* fanático(ca).

fanatisme [fanatism] *nm* fanatismo *m*.

fané, **e** [fane] *adj* [fleur] murcho(cha) ; [couleur, tissu] desbotado(da).

faner [fane] ◆ **se faner** *vp* murchar.

fanfare [fɑ̃faʀ] *nf* fanfarra *f*.

fanfaron, **onne** [fɑ̃faʀɔ̃, ɔn] *adj* fanfarrão(rrona).

fantaisie [fɑ̃tezi] *nf* fantasia *f*, **bijou fantaisie** jóia de fantasia.

fantaisiste [fɑ̃tezist] *adj* & *nmf* fantasista.

fantastique [fɑ̃tastik] *adj* fantástico(ca).

fantôme [fɑ̃tom] *nm* fantasma *m*.

faon [fɑ̃] *nm cria da corça*.

far [faʀ] *nm* : **far breton** *bolo de manteiga com ameixas-pretas*.

farce [faʀs] *nf* [plaisanterie] peça *f* ; CULIN recheio *m* ; **faire une farce à qqn** pregar uma peça em alguém.

farceur, **euse** [faʀsœʀ, øz] *nm, f* brincalhão *m*, -lhona *f*.

farci, **e** [faʀsi] *adj* recheado(da).

fard [faʀ] *nm* : **fard à joues** blush *m* ; **fard à paupières** sombra *f*.

fardeau [fardo] (*pl* -x) *nm* fardo *m*.

farder [farde] *vt* [visage] pintar ; [vérité] dissimular. ◆ **se farder** *vp* pintar-se.

farfelu, **e** [farfəly] *adj* extravagante.

farfouiller [farfuje] *vi fam* remexer.

farine [farin] *nf* farinha *f* ; **farine animale** AGRIC farinha animal.

farouche [faruʃ] *adj* [animal, enfant] arisco(ca) ; [haine, lutte] selvagem.

fascicule [fasikyl] *nm* fascículo *m*.

fascinant, **e** [fasinɑ̃, ɑ̃t] *adj* fascinante.

fasciner [fasine] *vt* fascinar.

fascisme [faʃism] *nm* fascismo *m*.

fasse *etc.* ► **faire**.

faste [fast] ◇ *nm* fausto *m*. ◇ *adj* : **jour faste** dia favorável.

fastidieux, **euse** [fastidjø, øz] *adj* fastidioso(osa).

fatal, **e** [fatal] *adj* fatal.

fatalement [fatalmɑ̃] *adv* fatalmente.

fataliste [fatalist] *adj* fatalista.

fatalité [fatalite] *nf* fatalidade *f*.

fatigant, **e** [fatigɑ̃, ɑ̃t] *adj* [activité] cansativo(va) ; [personne] aborrecido(da).

fatigue [fatig] *nf* cansaço *m*.

fatigué, **e** [fatige] *adj* cansado(da) ; **être fatigué de (faire) qqch** estar cansado de (fazer) algo.

fatiguer [fatige] *vt* cansar. ◆ **se fatiguer** *vp* cansar-se ; **se fatiguer à faire qqch** cansar-se fazendo algo.

faubourg [fobur] *nm* arrabaldes *mpl*.

fauché, **e** [foʃe] *adj fam* duro(ra).

faucher [foʃe] *vt* [blé] ceifar ; [piéton, cycliste] atropelar ; *fam* [voler] afanar.

faucille [fosij] *nf* foice *f*.

faucon [fokɔ̃] *nm* falcão *m*.

faudra [fodra] ► **falloir**.

faufiler [fofile] ◆ **se faufiler** *vp* esgueirar-se.

faune [fon] *nf* fauna *f*.

faussaire [fosɛr] *nmf* falsificador *m*, -ra *f*.

fausse ► **faux**.

fausser [fose] *vt* [résultat] falsear ; [clef, mécanisme] entortar.

faut [fo] ► **falloir**.

faute [fot] *nf* [erreur] falta *f* ; [responsabilité] culpa *f* ; **c'est (de) ma faute** a culpa é minha ; **faute de** por falta de.

fauteuil [fotœj] *nm* poltrona *f* ; **fauteuil à bascule** cadeira *f* de balanço ; **fauteuil roulant** cadeira de rodas.

fautif, **ive** [fotif, iv] ◇ *adj* [coupable] culpado(da) ; [erroné] errado(da) ; [défectueux] deficiente. ◇ *nm, f* culpado *m*, -da *f*.

fauve [fov] *nm* fera *f*.

faux, **fausse** [fo, fos] ◇ *adj* falso(sa). ◇ *adv* : **chanter faux** desafinar ; **fausse note** nota desafinada ; **faux numéro** número errado.

faux-filet [fofilɛ] (*pl* **faux-filets**) *nm* contrafilé *m*.

faux-fuyant [fofɥijɑ̃] (*pl* **faux-fuyants**) *nm* evasiva *f*.

faveur [favœr] *nf* favor *m* ; **en faveur de** a favor de.

favorable [favɔrabl] *adj* favorável ; **être favorable à** ser favorável a.

favori, **ite** [favɔri, it] *adj* favorito(ta).

favoriser [favɔrize] *vt* favorecer.

fax [faks] *nm* fax *m*.

faxer [fakse] *vt* enviar por fax.

fébrile [febril] *adj* febril.

fécond, **e** [fekɔ̃, ɔ̃d] *adj* fecundo(da) ; **(être) fécond en qqch** (ser) rico de algo.

fécondation [fekɔ̃dasjɔ̃] *nf* fecundação *f* ; **fécondation in vitro** fecundação in vitro.

féculent [fekylɑ̃] *nm* vegetal *m* feculento.

fédéral, e, aux [fedeʀal, o] *adj Suisse* federal.

fédération [fedeʀasjɔ̃] *nf* federação *f*.

fée [fe] *nf* fada *f*.

féerique [fe(e)ʀik] *adj* feérico(ca).

feignant, e [fɛɲɑ̃, ɑ̃t] *adj fam* boa-vida.

feindre [fɛ̃dʀ] *vt* fingir ; **elle feint de ne pas entendre** ela finge não ouvir OU que não está ouvindo.

feinte [fɛ̃t] *nf* fingimento *m* ; [au football] finta *f*.

fêlé, e [fele] *adj* [fendu] rachado(da) ; *fam* [fou] : **être fêlé** ter um parafuso a menos.

fêler [fele] ◆ **se fêler** *vp* rachar-se.

félicitations [felisitasjɔ̃] *nfpl* parabéns *mpl*.

féliciter [felisite] *vt* felicitar.

félin [felɛ̃] *nm* felino *m*.

fêlure [felyʀ] *nf* rachadura *f*.

femelle [fəmɛl] *nf* fêmea *f*.

féminin, e [feminɛ̃, in] *adj* feminino(na).

féministe [feminist] *adj & nmf* feminista.

féminité [feminite] *nf* feminilidade *f*.

femme [fam] *nf* mulher *f* ; **femme de chambre** [d'un hôtel] camareira *f* ; **femme de ménage** diarista *f* ; **bonne femme** *fam* mulherzinha *f*.

fémur [femyʀ] *nm* fêmur *m*.

fendant [fɑ̃dɑ̃] *nm Suisse vinho branco da região de Valais*.

fendre [fɑ̃dʀ] *vt* rachar.

fenêtre [fənɛtʀ] *nf* janela *f*.

fenouil [fənuj] *nm* [plante] funcho *m* ; [condiment] erva-doce *f*.

fente [fɑ̃t] *nf* fenda *f*.

féodal, e, aux [feɔdal, o] *adj* feudal.

fer [fɛʀ] *nm* ferro *m* ; **fer à cheval** ferradura *f* ; **fer forgé** ferro forjado ; **fer à repasser** ferro de passar.

fera *etc.* ► **faire.**

féra [feʀa] *nm Suisse peixe fino do Lago Leman.*

fer-blanc [fɛʀblɑ̃] *nm* folha-de-flandres *f*.

férié [feʀje] *adj m* ► **jour.**

ferme [fɛʀm] ◇ *adj* firme. ◇ *nf* fazenda *f* ; **ferme auberge** hotel-fazenda *m*.

fermé, e [fɛʀme] *adj* fechado(da).

fermement [fɛʀməmɑ̃] *adv* com firmeza.

fermentation [fɛʀmɑ̃tasjɔ̃] *nf* fermentação *f*.

fermenter [fɛʀmɑ̃te] *vi* fermentar.

fermer [fɛʀme] ◇ *vt* fechar ; [électricité, radio] desligar. ◇ *vi* fechar ; **fermer qqch à clef** fechar algo à chave ; **ça ne ferme pas** isso não fecha. ◆ **se fermer** *vp* fechar-se.

fermeté [fɛʀməte] *nf* firmeza *f*.

fermeture [fɛʀmətyʀ] *nf* [d'un magasin] fechamento *m* ; [mécanisme] fecho *m* ; **'fermeture annuelle'** 'fechamento anual' ; **fermeture Éclair®** zíper *m*.

fermier, ère [fɛʀmje, ɛʀ] *nm, f* fazendeiro *m*, -ra *f*.

fermoir [fɛʀmwaʀ] *nm* fecho *m*.

féroce [feʀɔs] *adj* feroz.

ferraille [fɛʀaj] *nf* ferro-velho *m*.

ferrée [fɛʀe] *adj f* ► **voie.**

ferroviaire [fɛʀɔvjɛʀ] *adj* ferroviário(ria).

ferry [feʀi] (*pl* **ferries**) *nm* ferry *m*.

fertile [fɛʀtil] *adj* fértil.

fertilité [fɛʀtilite] *nf* fertilidade *f*.

féru, e [feʀy] *adj sout* : **être féru de qqch** ser apaixonado por algo.

fervent, **e** [fɛʀvɑ̃, ɑ̃t] *adj* [chrétien, démocrate] fervoroso(osa) ; [amoureux] ardente.

ferveur [fɛʀvœʀ] *nf* fervor *m*.

fesse [fɛs] *nf* nádega *f*. ◆ **fesses** *nfpl* nádegas *fpl*.

fessée [fese] *nf* tapa *f*.

festin [fɛstɛ̃] *nm* festim *m*.

festival [fɛstival] *nm* festival *m*.

festivités [fɛstivite] *nfpl* festividades *fpl*.

fêtard, **e** [fɛtaʀ, aʀd] *nm, f* farrista *mf*.

fête [fɛt] *nf* festa *f* ; [jour du saint] *dia de festa do santo cujo nome se possui* ; **faire la fête** festejar ; **bonne fête!** parabéns! ; **fête foraine** feira *f* popular ; **fête des Mères** Dia *m* das Mães ; **la fête de la Musique** *festa consagrada à música, que se realiza no dia 21 de junho, na França* ; **fête nationale** feriado *m* nacional ; **fête des Pères** Dia *m* dos Pais. ◆ **fêtes** *nfpl* : **les fêtes (de fin d'année)** as festas (de fim de ano).

fêter [fete] *vt* festejar.

fétiche [fetiʃ] *nm* fetiche *m*.

fétide [fetid] *adj* fétido(da).

fétu [fety] *nm* : **fétu (de paille)** palhinha *f*.

feu [fø] (*pl* -feux) *nm* [flammes] fogo *m* ; [de circulation] semáforo *m*, farol *m* ; [de véhicule] farol *m* ; **avez-vous du feu ?** tem fogo? ; **faire du feu** acender uma fogueira ; **mettre le feu à** pôr fogo em ; **à feu doux** em fogo brando ; **feu d'artifice** fogo de artifício ; **feu de camp** fogueira *f* ; **feu rouge** sinal vermelho ; **feux arrière** lanternas traseiras ; **feux de croisement** farol baixo ; **feux de recul** luz *f* de marcha a ré ; **feux de signalisation** OU **tricolores** semáforos *mpl* ; **au feu!** fogo! ; **en feu** em fogo.

feuillage [fœjaʒ] *nm* folhagem *f*.

feuille [fœj] *nf* folha *f* ; **feuille morte** folha morta.

feuilleté, **e** [fœjte] ◇ *adj* ► **pâte**. ◇ *nm* folhado *m*.

feuilleter [fœjte] *vt* folhear.

feuilleton [fœjtɔ̃] *nm* telenovela *f*.

feutre [føtʀ] *nm* [stylo] caneta *f* de feltro ; [chapeau] chapéu *m* de feltro.

feutré, **e** [føtʀe] *adj* **1.** [tricot] feltrado(da) - **2.** [bruit, pas] abafado(da) - **3.** [bourrelet] guarnecido(da) com feltro.

feutrine [føtʀin] *nf* tecido *m* de lã com feltro.

fève [fɛv] *nf* fava *f*.

février [fevʀije] *nm* fevereiro *m*, ► **septembre**.

FF (*abr de* **franc français**) FF.

fiable [fjabl] *adj* [machine] fiável ; [personne] confiável.

fiançailles [fjɑ̃saj] *nfpl* noivado *m*.

fiancé, **e** [fjɑ̃se] *nm, f* noivo *m*, -va *f*.

fiancer [fjɑ̃se] ◆ **se fiancer** *vp* ficar noivo(va).

fibre [fibʀ] *nf* fibra *f*.

ficeler [fisle] *vt* atar.

ficelle [fisɛl] *nf* [corde] barbante *m* ; [pain] *espécie de baguete muito fina*.

fiche [fiʃ] *nf* [de carton, de papier] ficha *f* ; TECHNOL tomada *f* ; **fiche de paie** contracheque *m*.

ficher [fiʃe] *vt* [renseignement, suspect] fichar ; [planter] cravar ; *fam* [faire] fazer ; *fam* [mettre] pregar ; **mais qu'est-ce qu'il fiche ?** *fam* mas o que é que ele está fazendo? ; **fiche-moi la paix!** *fam* deixe-me em paz! ; **ficher le camp** *fam* mandar-se. ◆ **se ficher de** *vp* + *prép fam* gozar ; **je m'en fiche** *fam* estou me lixando.

fichier [fiʃje] *nm* arquivo *m*.

fichu, **e** [fiʃy] *adj fam* **c'est fichu** [raté]

danou-se ; [cassé, abîmé] está estragado ; **être bien fichu** ser bem-feito ; **être mal fichu** estar adoentado.

fictif, ive [fiktif, iv] *adj* fictício(cia).

fiction [fiksjɔ̃] *nf* ficção *f*.

fidèle [fidɛl] *adj* fiel.

fidéliser [fidelize] *vt* fidelizar.

fidélité [fidelite] *nf* fidelidade *f*.

fief [fjɛf] *nm* [féodal] feudo *m* ; *fig* [électoral] reduto *m*.

fier[1], **fière** [fjɛʀ] *adj* orgulhoso(osa) ; **être fier de** estar orgulhoso de.

fier[2] [fje] ◆ *vp* + *prép* : **se fier à** fiar-se em.

fierté [fjɛʀte] *nf* orgulho *m*.

fièvre [fjɛvʀ] *nf* febre *f* ; **avoir de la fièvre** ter febre ; **fièvre aphteuse** febre aftosa.

fiévreux, euse [fjevʀø, øz] *adj* febril.

fig. (*abr de* **figure**) fig.

figé, e [fiʒe] *adj* [sauce] coalhado(da) ; [personne] petrificado(da).

figer [fiʒe] ◆ **se figer** *vp* [sauce] espessar ; [huile] coalhar ; [personne] petrificar-se.

fignoler [fiɲɔle] *vt* aprimorar.

figue [fig] *nf* figo *m*.

figuier [figje] *nm* figueira *f*.

figurant, e [figyʀɑ̃, ɑ̃t] *nm, f* figurante *mf*.

figure [figyʀ] *nf* [visage] rosto *m* ; [schéma] figura *f*.

figuré, e [figyʀe] *adj* figurado(da). ◆ **figuré** *nm* : **au figuré** no sentido figurado.

figurer [figyʀe] *vi* constar. ◆ **se figurer** *vp* : **se figurer que** imaginar que.

figurine [figyʀin] *nf* estatueta *f*.

fil [fil] *nm* [du téléphone] fio *m* ; [à coudre] linha *f* ; **fil de fer** arame *m*.

filament [filamɑ̃] *nm* filamento *m*.

filandreux, euse [filɑ̃dʀø, øz] *adj* fibroso(sa).

filature [filatyʀ] *nf* [usine] fábrica *f* de fiação ; [fabrication] fiação *f* ; [poursuite] : **prendre qqn en filature** seguir alguém de perto.

file [fil] *nf* fila *f* ; **file (d'attente)** fila (de espera) ; **à la file** em fila ; **en file (indienne)** em fila (indiana).

filer [file] ◇ *vt* tecer. ◇ *vi* [aller vite] chispar ; *fam* [partir] picar-se ; **filer qqch à qqn** *fam* passar algo a alguém.

filet [filɛ] *nm* [de pêche, au tennis] rede *f* ; [de poisson, de bœuf] filé *m* ; [d'eau] fio *m* ; **filet américain** *Belgique* bife *m* tártaro ; **filet à bagages** porta-bagagens *m inv* ; **filet mignon** filé-mignon *m*.

filial, e, aux [filjal, o] *adj* filial. ◆ **filiale** *nf* filial *f*.

filière [filjɛʀ] *nf* área *f*.

filiforme [filifɔʀm] *adj* filiforme.

fille [fij] *nf* [enfant] menina *f* ; [femme] moça *f* ; [descendante] filha *f*.

fillette [fijɛt] *nf* menina *f*.

filleul, e [fijœl] *nm, f* afilhado *m*, -da *f*.

film [film] *nm* [de cinéma, de télévision] filme *m* ; [plastique] filme *m* aderente ; **film d'horreur** OU **d'épouvante** filme de terror ; **film vidéo** vídeo *m*.

filmer [filme] *vt* filmar.

filon [filɔ̃] *nm* [de mine] filão *m* ; *fam fig* [situation lucrative] filão *m*.

fils [fis] *nm* filho *m*.

filtre [filtʀ] *nm* filtro *m* ; **filtre parental** INFORM filtro de conteúdo.

filtrer [filtʀe] *vt* filtrar.

fin, e [fɛ̃, fin] ◇ *adj* fino(na). ◇ *nf* fim *m* ; **fin juillet** no fim de julho ; **à la fin (de)** no fim (de).

final, e, als OU **aux** [final, o] *adj* final.

finale [final] *nf* final *f*.

finalement [finalmɑ̃] *adv* finalmente ; [en définitive] afinal.

finaliste [finalist] *nmf* finalista *mf*.

finalité [finalite] *nf* finalidade *f*.

finance [finɑ̃s] *nf* : **la finance** a finança ; **les finances** as finanças.

financement [finɑ̃smɑ̃] *nm* financiamento *m*.

financer [finɑ̃se] *vt* financiar.

financier, **ère** [finɑ̃sje, ɛʀ] ◇ *adj* financeiro(ra). ◇ *nm* [gâteau] *pequeno bolo de amêndoas e frutas cristalizadas* ; **sauce financière** *molho de vinho da Madeira e essência de trufas*.

finesse [finɛs] *nf* fineza *f*.

finir [finiʀ] *vt* & *vi* acabar ; **finir bien** acabar bem ; **finir de faire qqch** acabar de fazer algo ; **finir par faire qqch** acabar por fazer algo.

finition [finisjɔ̃] *nf* acabamento *m*.

finlandais, **e** [fɛ̃lɑ̃dɛ, ɛz] ◇ *adj* finlandês(esa). ◇ *nm* = **finnois**. ◆ **Finlandais**, **e** *nm, f* finlandês *m*, -esa *f*.

Finlande [fɛ̃lɑ̃d] *nf* : **la Finlande** a Finlândia.

finnois [finwa] *nm* finlandês *m*.

fioriture [fjɔʀityʀ] *nf* floreado *m*.

fioul [fjul] *nm* óleo *m* combustível.

firmament [fiʀmamɑ̃] *nm sout* firmamento *m*.

firme [fiʀm] *nf* firma *f*.

fisc [fisk] *nm* fisco *m*.

fiscal, **e**, **aux** [fiskal, o] *adj* fiscal.

fiscalité [fiskalite] *nf* fiscalidade *f*.

fissure [fisyʀ] *nf* [dans un mur] fissura *f*.

fissurer [fisyʀe] ◆ **se fissurer** *vp* rachar-se.

fixation [fiksasjɔ̃] *nf* [de ski] fixador *m* ; **faire une fixation sur qqch** ter uma fixação por algo.

fixe [fiks] *adj* fixo(xa).

fixer [fikse] *vt* fixar.

flacon [flakɔ̃] *nm* frasco *m*.

flageolet [flaʒɔlɛ] *nm* feijão-branco *m*.

flagrant, **e** [flagʀɑ̃, ɑ̃t] *adj* flagrante ; **(en) flagrant délit** (em) flagrante delito.

flair [flɛʀ] *nm* [d'un chien] faro *m* ; **avoir du flair** *fig* [de l'intuition] ter faro.

flairer [flɛʀe] *vt* [sentir] farejar ; *fig* [deviner] pressentir.

flamand, **e** [flamɑ̃, ɑ̃d] ◇ *adj* flamengo(ga). ◇ *nm* [langue] flamengo *m*.

flambant, **e** [flɑ̃bɑ̃, ɑ̃t] *adj* : **flambant neuf** *fig* novinho em folha.

flambé, **e** [flɑ̃be] *adj* flambado(da).

flambeau [flɑ̃bo] (*pl* **flambeaux**) *nm* archote *m* ; **se passer le flambeau** *fig* passar o bastão.

flamber [flɑ̃be] *vi* [brûler] arder ; CULIN flambar.

flamboyant, **e** [flɑ̃bwajɑ̃, ɑ̃t] *adj* [ciel, regard] brilhante ; [style] flamejante.

flamiche [flamiʃ] *nf* *Belgique* *torta de alho-porro ou queijo*.

flamme [flam] *nf* chama *f* ; **en flammes** em chamas.

flan [flɑ̃] *nm* pudim *m*, flã *m*.

flanc [flɑ̃] *nm* flanco *m*.

flancher [flɑ̃ʃe] *vi fam* dar para trás ; [mémoire] falhar.

flanelle [flanɛl] *nf* flanela *f*.

flâner [flane] *vi* perambular.

flanquer [flɑ̃ke] *vt* [entourer] flanquear ; *fam* [gifle] tascar ; [dehors, par terre] atirar.

flaque [flak] *nf* poça *f*.

flash [flaʃ] (*pl* **flashs** OU **flashes**) *nm* flash *m*.

flash-back [flaʃbak] *nm inv* flash-back *m*.

flasher [flaʃe] *vi fam* : **flasher sur**

qqch/qqn ficar caidinho(nha) por algo/alguém ; **faire flasher qqn** virar a cabeça de alguém.

flasque [flask] ◇ *adj* flácido(da). ◇ *nf* garrafinha *f*.

flatter [flate] *vt* lisonjear.

flatteur, euse [flatœʀ, øz] ◇ *adj* [élogieux] lisonjeiro(ra) ; [qui embellit] favorecido(da). ◇ *nm, f* lisonjeador *m*, -ra *f*.

fléau [fleo] (*pl* **fléaux**) *nm* [catastrophe] flagelo *m*.

flèche [flɛʃ] *nf* [signe] seta *f* ; [d'arc] flecha *f*.

fléchette [fleʃɛt] *nf* dardo *m*.

fléchir [fleʃiʀ] *vt* & *vi* dobrar.

flegme [flɛgm] *nm* fleuma *f*.

flemmard, e [flɛmaʀ, aʀd] *nm, f fam* vagabundo *m*, -da *f*.

flemme [flɛm] *nf fam* preguiça *f* ; **avoir la flemme (de faire qqch)** ter preguiça (de fazer algo).

flétri, e [fletʀi] *adj* murcho(cha).

flétrir [fletʀiʀ] *vt* murchar. ◆ **se flétrir** *vp* [fleur] murchar ; *fig* [visage] encher-se de rugas.

fleur [flœʀ] *nf* flor *f* ; **fleur d'oranger** CULIN flor de laranjeira ; **à fleurs** florido(da) ; **en fleur(s)** em flor.

fleuri, e [flœʀi] *adj* florido(da).

fleurir [flœʀiʀ] *vi* florir.

fleuriste [flœʀist] *nmf* florista *mf*.

fleuron [flœʀɔ̃] *nm* [ornement] florão *m* ; *fig* [joyau] preciosidade *f*.

fleuve [flœv] *nm* rio *m*.

flexible [flɛksibl] *adj* flexível.

flic [flik] *nm fam* tira *m*.

flinguer [flɛ̃ge] *vt fam* [tuer] dar um tiro em ; [casser] espatifar. ◆ **se flinguer** *vp fam* dar um tiro nos miolos.

flipper [flipœʀ] *nm* fliperama *m*.

flirter [flœʀte] *vi* flertar.

flocon [flɔkɔ̃] *nm* : **flocon de neige** floco *m* de neve ; **flocons d'avoine** flocos *mpl* de aveia.

flop [flɔp] *nm* fiasco *m*.

flore [flɔʀ] *nf* flora *f*.

florissant, e [flɔʀisɑ̃, ɑ̃t] *adj* [santé] perfeito(ta) ; [économie] florescente.

flot [flo] *nm* [de sang] fluxo *m* ; [de paroles] enxurrada *f*.

flottante [flɔtɑ̃t] *adj f* ► **île**.

flotte [flɔt] *nf* [de navires] frota *f* ; *fam* [pluie] chuva *f* ; *fam* [eau] água *f*.

flottement [flɔtmɑ̃] *nm* [relâchement] desleixo *m* ; [indécision] hesitação *f* ; [de drapeau] tremulação *f* ; [de monnaie] flutuação *f*.

flotter [flɔte] *vi* flutuar.

flotteur [flɔtœʀ] *nm* [de pêche] bóia *f* ; [d'hydravion] flutuador *m*.

flou, e [flu] *adj* [photo] desfocado(da) ; [idée, souvenir] impreciso(sa).

flouer [flue] *vt* enganar.

fluctuer [flyktɥe] *vi* variar.

fluet, ette [flyɛ, ɛt] *adj* [personne] franzino(na) ; [voix] fino(na).

fluide [flɥid] ◇ *adj* fluido(da). ◇ *nm* fluido *m*.

fluo [flyo] *adj inv* fluorescente.

fluor [flyɔʀ] *nm* flúor *m*.

fluorescent, e [flyɔʀesɑ̃, ɑ̃t] *adj* fluorescente.

flûte [flyt] ◇ *nf* [pain] *espécie de baguete fina* ; [verre] taça *f* de champanhe. ◇ *interj* ora bolas! ; **flûte (à bec)** flauta *f* de Bizel.

flûtiste [flytist] *nmf* flautista *mf*.

fluvial, e, aux [flyvjal, o] *adj* fluvial.

flux [fly] *nm* fluxo *m* ; **le flux et le reflux** o fluxo e o refluxo ; **un flux de**

qqch [paroles *etc.*] uma enxurrada de algo ; **flux migratoire** [sociologie] fluxo migratório.

FM *nf* FM *f*.

fœtus [fetys] *nm* feto *m*.

foi [fwa] *nf* fé *f* ; **bonne/mauvaise foi** boa-fé *f* /má-fé *f*.

foie [fwa] *nm* fígado *m* ; **foie gras** foie gras *m, patê de fígado de pato ou de ganso* ; **foie de veau** fígado de vitela.

foin [fwɛ̃] *nm* feno *m*.

foire [fwaʀ] *nf* feira *f*.

fois [fwa] *nf* vez *f* ; **une/deux/trois fois (par jour)** uma/duas/três vezes (por dia) ; **3 fois 2** 3 vezes 2 ; **à la fois** ao mesmo tempo ; **des fois** às vezes ; **une fois que** assim que ; **une fois pour toutes** de uma vez por todas.

folie [fɔli] *nf* loucura *f* ; **faire une folie** cometer uma loucura.

folklore [fɔlklɔʀ] *nm* folclore *m*.

folklorique [fɔlklɔʀik] *adj* folclórico(ca).

folle ► **fou**.

follement [fɔlmɑ̃] *adv* [déraisonnablement] loucamente ; [excessivement] extremamente.

foncé, e [fɔ̃se] *adj* escuro(ra).

foncer [fɔ̃se] *vi* [s'assombrir] escurecer ; *fam* [aller vite] disparar ; **foncer dans** chocar com ; **foncer sur** atirar-se sobre.

foncier, ère [fɔ̃sje, ɛʀ] *adj* [impôt] predial ; [fondamental] inato(ta).

foncièrement [fɔ̃sjɛʀmɑ̃] *adv* por natureza.

fonction [fɔ̃ksjɔ̃] *nf* função *f* ; **la fonction publique** a função pública ; **en fonction de** em função de. ◆ **de fonction** *loc adj* de serviço.

fonctionnaire [fɔ̃ksjɔnɛʀ] *nmf* funcionário *m*, -ria *f*.

fonctionnel, elle [fɔ̃ksjɔnɛl] *adj* [pratique] funcional.

fonctionnement [fɔ̃ksjɔnmɑ̃] *nm* funcionamento *m*.

fonctionner [fɔ̃ksjɔne] *vi* funcionar ; **faire fonctionner qqch** pôr algo a funcionar.

fond [fɔ̃] *nm* fundo *m* ; [d'une photo, d'un tableau] plano *m* de fundo ; **au fond, dans le fond** no fundo ; **au fond de** no fundo de ; **à fond** [respirer] fundo ; [pousser] com força ; [rouler] a todo vapor ; **fond d'artichaut** fundo de alcachofra ; **fonds de pension** FIN fundos de pensão ; **fond de teint** base *f*. ◆ **fond d'écran** *nm* INFORM plano *m* de fundo.

fondamental, e, aux [fɔ̃damɑ̃tal, o] *adj* fundamental.

fondant, e [fɔ̃dɑ̃, ɑ̃t] ◇ *adj* tenro(ra). ◇ *nm* : **fondant au chocolat** *bolo de chocolate de consistência mole*.

fondateur, trice [fɔ̃datœʀ, tʀis] *nmf* fundador *m*, -ra *f*.

fondation [fɔ̃dasjɔ̃] *nf* fundação *f*. ◆ **fondations** *nfpl* alicerces *mpl*.

fondé, e [fɔ̃de] *adj* [justifié] fundado(da) ; **être fondé à faire qqch** [autorisé] estar autorizado a fazer algo. ◆ **fondé de pouvoir** *nm* procurador *m*, -ra *f*.

fondement [fɔ̃dmɑ̃] *nm* fundamento *m* ; **sans fondement** sem fundamento.

fonder [fɔ̃de] *vt* fundar. ◆ **se fonder sur** *vp + prép* basear-se em.

fondre [fɔ̃dʀ] *vi* derreter ; **fondre en larmes** desfazer-se em lágrimas.

fonds [fɔ̃] *nmpl* fundos *mpl*.

fondue [fɔ̃dy] *nf* : **fondue bourguignonne** fondue *f* de carne ; **fondue parmesan** *queijo fundido contendo parmesão, que é em seguida empanado e frito* ; **fondue savoyarde** fondue *f* de queijo.

font [fɔ̃] ► **faire**.

fontaine [fɔ̃tɛn] *nf* fonte *f*.

fonte [fɔ̃t] *nf* [métal] ferro *m* fundido ; [des neiges] degelo *m*.

foot(ball) [fut(bol)] *nm* futebol *m*.

footballeur [futbolœʀ] *nm* jogador *m* de futebol.

footing [futiŋ] *nm* footing *m* ; **faire un footing** fazer footing.

forage [fɔʀaʒ] *nm* perfuração *f*.

forain, e [fɔʀɛ̃, ɛn] ◇ *adj* ➤ **fête**. ◇ *nm* feirante *mf*.

force [fɔʀs] *nf* força *f* ; **forces** forças *fpl* ; **de force** à força ; **à force de crier, il n'a plus de voix** tanto gritou que perdeu a voz.

forcément [fɔʀsemɑ̃] *adv* forçosamente ; **pas forcément** não necessariamente.

forcer [fɔʀse] ◇ *vt* forçar. ◇ *vi* [faire un effort physique] esforçar-se ; [sur une serrure, en appuyant] forçar ; **forcer qqn à faire qqch** forçar alguém a fazer algo. ◆ **se forcer** *vp* : **se forcer (à faire qqch)** forçar-se (a fazer algo).

forêt [fɔʀɛ] *nf* floresta *f*.

forêt-noire [fɔʀɛnwaʀ] (*pl* **forêts-noires**) *nf* floresta *f* negra, *bolo de chocolate com chantili e cerejas*.

forfait [fɔʀfɛ] *nm* taxa *f* fixa ; **déclarer forfait** desistir.

forfaitaire [fɔʀfɛtɛʀ] *adj* fixo(xa).

forgé [fɔʀʒe] *adj m* ➤ **fer**.

forger [fɔʀʒe] *vt* forjar.

forgeron [fɔʀʒəʀɔ̃] *nm* ferreiro *m*.

formaliser [fɔʀmalize] *vt* formalizar. ◆ **se formaliser** *vp* : **se formaliser (de qqch)** ofender-se (com algo).

formalité [fɔʀmalite] *nf* formalidade *f* ; **les formalités d'usage** as formalidades habituais.

format [fɔʀma] *nm* formato *m*.

formatage [fɔʀmataʒ] *nm* formatação *f*.

formater [fɔʀmate] *vt* formatar.

formateur, trice [fɔʀmatœʀ, tʀis] *adj* & *nm, f* formador(ra).

formation [fɔʀmasjɔ̃] *nf* formação *f*.

forme [fɔʀm] *nf* forma *f* ; **en forme de** em forma de ; **être en (pleine) forme** estar em (plena) forma.

formel, elle [fɔʀmɛl] *adj* formal.

former [fɔʀme] *vt* formar. ◆ **se former** *vp* formar-se.

Formica® [fɔʀmika] *nm* fórmica *f*.

formidable [fɔʀmidabl] *adj* formidável.

formulaire [fɔʀmylɛʀ] *nm* formulário *m*.

formule [fɔʀmyl] *nf* [équation] fórmula *f* ; [de restaurant] *cardápio rápido que inclui um prato, uma entrada ou uma sobremesa*.

formuler [fɔʀmyle] *vt* formular.

fort, e [fɔʀ, fɔʀt] ◇ *adj* forte ; [doué] bom(boa). ◇ *adv* [parler] alto ; [pousser] com força ; **fort en maths** ser bom em matemática ; **sentir fort** ter um cheiro forte.

forteresse [fɔʀtəʀɛs] *nf* fortaleza *f*.

fortifiant, e [fɔʀtifjɑ̃, ɑ̃t] *adj* fortificante. ◆ **fortifiant** *nm* fortificante *m*.

fortifications [fɔʀtifikasjɔ̃] *nfpl* fortificações *fpl*.

fortifier [fɔʀtifje] *vt* [ville, église] fortificar ; [suj: médicament] fortalecer.

fortiori [fɔʀsjɔʀi] ◆ **a fortiori** *loc adv* a fortiori.

fortuit, e [fɔʀtɥi, it] *adj* fortuito(ta).

fortune [fɔʀtyn] *nf* fortuna *f* ; **faire fortune** fazer fortuna.

forum [fɔʀɔm] *nm* fórum *m*.

fosse [fos] *nf* fossa *f* ; [tombe] cova *f*.

fossé [fose] *nm* fosso *m*.

fossette [fosɛt] *nf* covinha *f*.

fossile [fosil] *nm* fóssil *m*.

fou, **folle** [fu, fɔl] ◇ *adj* [dément] doido(da) ; [extraordinaire] louco(ca). ◇ *nm, f* doido *m*, -da *f*. ◇ *nm* [aux échecs] bispo *m* ; **(avoir le) fou rire** (ter um) ataque de riso.

foudre [fudʀ] *nf* faísca *f*.

foudroyant, **e** [fudʀwajɑ̃, ɑ̃t] *adj* fulminante.

foudroyer [fudʀwaje] *vt* fulminar.

fouet [fwɛ] *nm* [lanière] chicote *m* ; CULIN batedeira *f* ; **de plein fouet** com toda a força.

fouetter [fwete] *vt* [frapper] chicotear ; CULIN bater.

fougère [fuʒɛʀ] *nf* feto *m*.

fougue [fug] *nf* impetuosidade *f*.

fouille [fuj] *nf* revista *f* *(busca)*. ◆ **fouilles** *nfpl* escavações *fpl*.

fouiller [fuje] ◇ *vt* revistar. ◇ *vi* : **fouiller dans** mexer em.

fouillis [fuji] *nm* barafunda *f*.

fouine [fwin] *nf* fuinha *f*.

fouiner [fwine] *vi* bisbilhotar.

foulard [fulaʀ] *nm* lenço *m* de pescoço.

foule [ful] *nf* multidão *f*.

foulée [fule] *nf* passada *f* ; **dans la foulée** *fig* na seqüência.

fouler [fule] ◆ **se fouler** *vp* : **se fouler la cheville** torcer o tornozelo.

foulure [fulyʀ] *nf* entorse *m*.

four [fuʀ] *nm* forno *m*.

fourbe [fuʀb] *sout adj* pérfido(da).

fourche [fuʀʃ] *nf* [instrument] forquilha *f* ; [carrefour] bifurcação *f* ; *Belgique* [temps libre] tempo *m* livre.

fourchette [fuʀʃɛt] *nf* [pour manger] garfo *m* ; [de prix] faixa *f*.

fourchu, **e** [fuʀʃy] *adj* [cheveux] espigado(da).

fourgon [fuʀgɔ̃] *nm* furgão *m*.

fourgonnette [fuʀgɔnɛt] *nf* furgãozinho *m*.

fourmi [fuʀmi] *nf* formiga *f* ; **avoir des fourmis dans les jambes** estar com formigamento nas pernas.

fourmilière [fuʀmiljɛʀ] *nf* formigueiro *m*.

fournaise [fuʀnɛz] *nf fig* fornalha *f*.

fourneau [fuʀno] (*pl* -x) *nm* forno *m*.

fournée [fuʀne] *nf* fornada *f*.

fournir [fuʀniʀ] *vt* [marchandises, preuve, argument] fornecer ; [effort] fazer ; **fournir qqch à qqn** fornecer algo a alguém ; **fournir qqn en qqch** abastecer alguém de algo.

fournisseur, **euse** [fuʀnisœʀ, øz] *nm, f* fornecedor *m*, -ra *f*.

fournitures [fuʀnityʀ] *nfpl* material *m*.

fourré, **e** [fuʀe] *adj* [vêtement] forrado(da) ; CULIN recheado(da).

fourreau [fuʀo] *nm* [d'épée] bainha *f* ; *fig* [robe] *vestido de noite justo ao corpo*.

fourrer [fuʀe] *vt* rechear ; *fam* enfiar. ◆ **se fourrer** *vp fam* enfiar-se.

fourre-tout [fuʀtu] *nm inv* [sac] sacola *f*.

fourrière [fuʀjɛʀ] *nf* [pour voitures] pátio *m* de veículos guinchados ; [pour animaux] canil *m* municipal.

fourrure [fuʀyʀ] *nf* [peau] pele *f* ; [vêtement] casaco *m* de peles.

fourvoyer [fuʀvwaje] ◆ **se fourvoyer** *vp sout* [s'égarer] perder-se ; [se tromper] ir pelo mau caminho.

foutre [futʀ] *vt fam* [mettre] pôr ; [donner] : **ça m'a foutu la trouille** isto me deu um cagaço ; **il lui a foutu une baffe** tascou-lhe uma bofetada ; [faire] : **ne rien foutre de la journée** não mexer uma palha todo santo dia ; **foutre qqn dehors** OU **à la porte** pôr alguém no olho da rua ; **j'en ai rien à foutre** estou cagando para isso. ◆ **se foutre** *vp* *fam* [se mettre] meter-se ; [se moquer de] : **se foutre de qqn/qqch** gozar de alguém/algo ; [ignorer] : **je m'en fous** estou me lixando.

foutu, e [futy] *adj fam* [caractère] maldito(ta) ; [conçu, perdu] : **bien foutu** bem-feito(ta) ; [gâché] estragado(da) ; [capable] : **être foutu de faire qqch** ser bem capaz de fazer algo ; **il est foutu** ele está arruinado ; **c'est foutu** é tarde demais.

foyer [fwaje] *nm* [d'une cheminée] lareira *f* ; [domicile] lar *m* ; [pour délinquants] casa *f* de correção ; [pour travailleurs] casa *f* ; [pour étudiants] residência *f* (universitária) ; **femme/mère au foyer** dona *f* de casa.

fracas [fʀaka] *nm* estrondo *m*.

fracasser [fʀakase] ◆ **se fracasser** *vp* despedaçar-se.

fraction [fʀaksjɔ̃] *nf* fração *f*.

fracture [fʀaktyʀ] *nf* fratura *f*.

fracturer [fʀaktyʀe] *vt* arrombar. ◆ **se fracturer** *vp* : **se fracturer le crâne** fraturar o crânio.

fragile [fʀaʒil] *adj* frágil.

fragiliser [fʀaʒilize] *vt* fragilizar.

fragment [fʀagmɑ̃] *nm* fragmento *m*.

fraîche ➤ **frais**.

fraîcheur [fʀɛʃœʀ] *nf* frescura *f*.

frais, fraîche [fʀɛ, fʀɛʃ] ◇ *adj* fresco(ca). ◇ *nmpl* despesas *fpl*, gastos *mpl*. ◇ *nm* : **mettre qqch au frais** pôr algo em local fresco ; **prendre le frais** tomar ar fresco ; **il fait frais** está fresco ; **'servir frais'** [boissons] 'servir gelado' ; [plats] 'servir frio'.

fraise [fʀɛz] *nf* morango *m*.

fraisier [fʀɛzje] *nm* [plante] morangueiro *m* ; [gâteau] *pão-de-ló com kirsh, camadas de creme e morangos*.

framboise [fʀɑ̃bwaz] *nf* framboesa *f*.

framboisier [fʀɑ̃bwazje] *nm* [plante] framboeseira *f* ; [gâteau] bolo *m* de framboesa.

franc, franche ◇ *adj* franco(ca). ◇ *nm* franco *m* ; **franc belge** franco-belga ; **franc suisse** franco-suíço.

français, e [fʀɑ̃sɛ, ɛs] ◇ *adj* francês(esa). ◇ *nm* [langue] francês *m*. ◆ **Français, e** *nm, f* francês *m*, -esa *f*.

France [fʀɑ̃s] *nf* : **la France** a França ; **France 2** *canal de televisão estatal* ; **France 3** *canal de televisão estatal com programas regionais* ; **France Télécom** *companhia nacional francesa de telecomunicações*.

franche ➤ **franc**.

franchement [fʀɑ̃ʃmɑ̃] *adv* [honnêtement] francamente ; [très] realmente.

franchir [fʀɑ̃ʃiʀ] *vt* transpor.

franchise [fʀɑ̃ʃiz] *nf* [honnêteté] franqueza *f* ; [d'assurance, de location automobile] franquia *f*.

franc-jeu [fʀɑ̃ʒø] *nm* : **jouer franc-jeu** fazer jogo limpo.

franc-maçonnerie [fʀɑ̃masɔnʀi] (*pl* **franc-maçonneries**) *nf* franco-maçonaria *f*.

francophone [fʀɑ̃kɔfɔn] *adj* francófono(na).

francophonie [fʀɑ̃kɔfɔni] *nf* francofonia *f*.

franc-parler [fʀɑ̃paʀle] (*pl* **francs-parlers**) *nm* : **avoir son franc-parler** falar sem rodeios.

frange [fʀɑ̃ʒ] *nf* franja *f* ; **à franges** com franjas.

frangipane [fʀɑ̃ʒipan] *nf* [crème] creme *m* de amêndoa ; [gâteau] *torta de massa folhada recheada com creme de amêndoas*.

franquette [fʀɑ̃kɛt] ◆ **à la bonne franquette** *adv* sem cerimônia.

frappant, e [fʀapɑ̃, ɑ̃t] *adj* [ressemblance] impressionante.

frappé, e [fʀape] *adj* [frais] gelado(da).

frapper [fʀape] ◇ *vt* bater ; [impressionner] marcar ; [suj: maladie, catastrophe] abater-se sobre. ◇ *vi* bater ; **frapper (à la porte)** bater (à porta) ; **frapper dans ses mains** bater palmas.

frasques [fʀask] *nfpl* loucuras *fpl*.

fraternité [fʀatɛʀnite] *nf* fraternidade *f*.

fraude [fʀod] *nf* fraude *f* ; **passer qqch en fraude** contrabandear algo.

frauder [fʀode] ◇ *vt* defraudar. ◇ *vi* cometer uma fraude.

frayer [fʀɛje] *vi sout* [fréquenter] : **frayer avec qqn** dar-se com alguém. ◆ **se frayer** *vp* : **se frayer un chemin (à travers)** abrir caminho (através de).

frayeur [fʀɛjœʀ] *nf* pavor *m*.

fredonner [fʀədɔne] *vt* cantarolar.

freezer [fʀizœʀ] *nm* freezer *m*.

frein [fʀɛ̃] *nm* freio *m* ; **frein à main** freio de mão.

freinage [fʀɛnaʒ] *nm* frenagem *f*.

freiner [fʀene] *vt* & *vi* frear.

frelaté, e [fʀəlate] *adj* adulterado(da).

frêle [fʀɛl] *adj* [construction, personne] frágil ; *fig* [espoir, voix] fraco(ca).

frelon [fʀəlɔ̃] *nm* vespa *f*.

frémir [fʀemiʀ] *vi* tremer.

frêne [fʀɛn] *nm* freixo *m*.

fréquence [fʀekɑ̃s] *nf* freqüência *f*.

fréquent, e [fʀekɑ̃, ɑ̃t] *adj* freqüente.

fréquentation [fʀekɑ̃tasjɔ̃] *nf* [d'un endroit] freqüentação *f* ; [d'une personne] companhia *f*. ◆ **fréquentations** *nfpl* [relations] companhias *fpl* ; **avoir de mauvaises fréquentations** andar com más companhias.

fréquenté, e [fʀekɑ̃te] *adj* freqüentado(da) ; **très/peu fréquenté** muito/pouco freqüentado ; **mal fréquenté** mal freqüentado.

fréquenter [fʀekɑ̃te] *vt* freqüentar.

frère [fʀɛʀ] *nm* irmão *m*.

fresque [fʀɛsk] *nf* afresco *m*.

fret [fʀɛ] *nm* frete *m*.

frétiller [fʀetije] *vi* [poisson] agitar-se ; [queue d'un chien] abanar ; *fig* [personne] : **frétiller de joie** pular de alegria.

friable [fʀijabl] *adj* friável.

friand [fʀijɑ̃] *nm pastel de massa folhada recheado com carne picada*.

friandise [fʀijɑ̃diz] *nf* guloseima *f*.

fric [fʀik] *nm fam* tutu *m*.

fricassée [fʀikase] *nf* fricassê *m*.

friche [fʀiʃ] *nf* baldio *m* ; **en friche** [champ] inculto(ta) ; *fig* [intelligence, capacités] desaproveitado(da).

frictionner [fʀiksjɔne] *vt* friccionar.

Frigidaire® [fʀiʒidɛʀ] *nm* geladeira *f*.

frigide [fʀiʒid] *adj* frígido(da).

frigo [fʀigo] *nm fam* frigorífico *m*.

frigorifié, e [fʀigɔʀifje] *adj fam* enregelado(da).

frileux, euse [fʀilø, øz] *adj* friorento(ta).

frimer [fʀime] *vi fam* querer aparecer.

frimeur, euse [fʀimœʀ, øz] *nm, f* : **être un vrai frimeur** ser um contador de vantagens.

fringale [fʀɛ̃gal] *nf fam* apetite *m*.

fripé, e [fʀipe] *adj* amassado(da).

fripes [fʀip] *nfpl* : **les fripes** roupas de segunda mão.

fripouille [fʀipuj] *nf fam* patife *m*.

frire [fʀiʀ] ◇ *vt* fritar. ◇ *vi* fritar ; **faire frire** fritar.

frise [fʀiz] *nf* friso *m*.

frisé, e [fʀize] *adj* [cheveux] frisado(da), crespo(pa) ; [pessoa] de cabelo frisado OU crespo.

frisée [fʀize] *nf* chicória *f* frisada.

friser [fʀize] *vi* frisar ; **friser naturellement** ter o cabelo frisado OU crespo.

frisson [fʀisɔ̃] *nm* arrepio *m* ; **avoir des frissons** arrepiar-se.

frissonner [fʀisɔne] *vi* arrepiar-se.

frit, e [fʀi, fʀit] ◇ *pp* ► **frire**. ◇ *adj* frito(ta).

frites [fʀit] *nfpl* : **(pommes) frites** batatas *fpl* fritas.

friteuse [fʀitøz] *nf* fritadeira *f*.

friture [fʀityʀ] *nf* [huile] óleo *m* para fritar ; [poissons] *pequenos peixes fritos* ; [parasites] zumbido *m*.

frivole [fʀivɔl] *adj* frívolo(la).

froid, e [fʀwa, fʀwad] ◇ *adj* frio(fria). ◇ *nm* frio *m*. ◇ *adv* : **avoir froid** ter frio ; **il fait froid** está frio ; **prendre froid** pegar um resfriado.

froidement [fʀwadmɑ̃] *adv* friamente.

froisser [fʀwase] *vt* [papier, tissu] amarrotar ; *fig* [vexer] magoar. ◆ **se froisser** *vp* [vêtement] amarrotar-se ; *fig* [se vexer] ofender-se.

frôler [fʀole] *vt* roçar.

fromage [fʀɔmaʒ] *nm* queijo *m* ; **fromage blanc** *queijo branco fresco servido na sobremesa* ; **fromage de tête** *patê de cabeça de porco com geléia*.

fromager, ère [fʀɔmaʒe, ɛʀ] ◇ *adj* do queijo. ◇ *nm, f* queijeiro *m*, -ra *f*.

fronce [fʀɔ̃s] *nf* franzido *m*.

froncer [fʀɔ̃se] *vt* franzir ; **froncer les sourcils** franzir as sobrancelhas.

fronde [fʀɔ̃d] *nf* estilingue *m*.

front [fʀɔ̃] *nm* ANAT testa *f* ; [des combats] frente *f* ; **de front** [de face] de frente ; [côte à côte] lado a lado ; [en même temps] simultaneamente.

frontal, e, aux [fʀɔ̃tal, o] *adj* frontal.

frontalier, ère [fʀɔ̃talje, ɛʀ] ◇ *adj* fronteiriço(ça). ◇ *nm, f* habitante *mf* de uma região fronteiriça.

frontière [fʀɔ̃tjɛʀ] *nf* fronteira *f*.

frottement [fʀɔtmɑ̃] *nm* fricção *f*.

frotter [fʀɔte] ◇ *vt* [tache, meuble] esfregar ; [allumette] riscar. ◇ *vi* esfregar.

fruit [fʀɥi] *nm* fruto *m* ; **fruit de la passion** maracujá *m* ; **fruits confits** frutas cristalizadas ; **fruits de mer** frutos *mpl* do mar ; **fruits secs** frutas *fpl* secas.

fruité, e [fʀɥite] *adj* [alcool] frutado(da) ; [parfum] com cheiro de fruta.

fruitier [fʀɥitje] *adj m* ► **arbre**.

frustrer [fʀystʀe] *vt* [décevoir] frustrar ; **frustrer qqn de qqch** privar alguém de algo.

fugace [fygas] *adj* fugaz.

fugitif, ive [fyʒitif, iv] *adj* & *nm, f* fugitivo(va).

fugue [fyg] *nf* : **faire une fugue** fugir de casa.

fuir [fɥiʀ] *vi* [s'échapper] fugir ; [robinet, eau] vazar.

fuite [fɥit] *nf* fuga *f* ; **être en fuite** estar em fuga ; **prendre la fuite** pôr-se em fuga.

fulgurant, e [fylgyʀɑ̃, ɑ̃t] *adj* fulgurante.

fulminer [fylmine] ◇ *vi* [personne] fulminar ; [chimie] explodir. ◇ *vt sout* invectivar ; **fulminer contre qqn** invectivar contra alguém.

fumé, e [fyme] *adj* CULIN defumado(da) ; [verre] fumê.

fumée [fyme] *nf* fumaça *f*.

fumer [fyme] ◇ *vt* [cigarette] fumar. ◇ *vi* [personne] fumar ; [liquide] fumegar.

fumeur, euse [fymœʀ, øz] *nm, f* fumante *mf*.

fumier [fymje] *nm* estrume *m*.

fumiste [fymist] *nmf fam* [paresseux] preguiçoso *m*, -sa *f* ; [pas sérieux] farsante *mf*.

fumoir [fymwaʀ] *nm* [pour fumeur] sala *f* reservada aos fumantes ; [pour poisson] defumadouro *m*.

funambule [fynɑ̃byl] *nmf* funâmbulo *m*.

funèbre [fynɛbʀ] *adj* ▶ **pompe**.

funérailles [fyneʀaj] *nfpl sout* exéquias *fpl*.

funeste [fynɛst] *adj* funesto(ta).

funiculaire [fynikylɛʀ] *nm* funicular *m*.

fur [fyʀ] ◆ **au fur et à mesure** *adv* à medida ; **au fur et à mesure que** à medida que.

fureter [fyʀte] *vi* farejar *(bisbilhotar)*.

fureur [fyʀœʀ] *nf* furor *m* ; **faire fureur** fazer furor.

furieux, euse [fyʀjø, øz] *adj* furioso(osa).

furoncle [fyʀɔ̃kl] *nm* furúnculo *m*.

furtif, ive [fyʀtif, iv] *adj* furtivo(va).

fusain [fyzɛ̃] *nm* [crayon] carvão *m* ; [dessin] desenho *m* a carvão ; [arbre] evônimo *m*.

fuseau [fyzo] (*pl* -x) *nm* [pantalon] fuseau *m* ; **fuseau horaire** fuso *m* horário.

fusée [fyze] *nf* [spatiale, de feu d'artifice] foguete *m*.

fuselé, e [fyzle] *adj* afuselado(da).

fuser [fyze] *vi* [rires] irromper de todos os lados ; [applaudissements] chover.

fusible [fyzibl] *nm* fusível *m*.

fusil [fyzi] *nm* espingarda *f*.

fusillade [fyzijad] *nf* fuzilada *f*.

fusiller [fyzije] *vt* fuzilar ; **fusiller qqn du regard** fuzilar alguém com o olhar.

fusion [fyzjɔ̃] *nf* fusão *f* ; *fig* [communion] comunhão *f* ; **en fusion** em fusão.

fusionner [fyzjɔne] ◇ *vt* fundir. ◇ *vi* fundir-se ; **fusionner avec** fundir-se com.

futé, e [fyte] *adj* esperto(ta).

futile [fytil] *adj* fútil.

futur, e [fytyʀ] ◇ *adj* futuro(ra). ◇ *nm* futuro *m*.

futuriste [fytyʀist] *adj* futurista.

fuyant, e [fɥijɑ̃, ɑ̃t] *adj* [perspective] fugente ; [front] recuado(da) ; [regard] fugidio(dia).

fuyard, e [fɥijaʀ, aʀd] *adj & nm, f* fugitivo(va).

G

gabarit [gabaʀi] *nm* gabarito *m*.

Gabon [gabɔ̃] *nm* : **le Gabon** o Gabão.

gâcher [gaʃe] *vt* [détruire] estragar ; [gaspiller] desperdiçar.

gâchette [gaʃɛt] *nf* [détente] gatilho *m*.

gâchis [gaʃi] *nm* [gaspillage] desperdício *m*.

gadget [gadʒɛt] *nm* [objet] utensílio *m* ; [invention] engenhoca *f*.

gadoue [gadu] *nf fam* lama *f*.

gaffe [gaf] *nf* : **faire une gaffe** cometer uma gafe ; **faire gaffe (à)** *fam* ter cuidado com.

gaffer [gafe] *vi fam* dar uma mancada.

gag [gag] *nm* [effet] gag *f* ; [plaisanterie] piada *f*.

gage [gaʒ] *nm* [dans un jeu] castigo *m* ; [assurance, preuve] prova *f*.

gageure [gaʒyʀ] *nf sout* desafio *m*.

gagnant, **e** [gaɲɑ̃, ɑ̃t] <> *adj* premiado(da). <> *nm, f* vencedor *m*, -ra *f*.

gagne-pain [gaɲpɛ̃] *nm inv* ganha-pão *m*.

gagner [gaɲe] <> *vt* ganhar. <> *vi* ganhar ; **(bien) gagner sa vie** ganhar (bem) a vida.

gai, **e** [gɛ] *adj* alegre.

gaiement [gemɑ̃] *adv* alegremente.

gaieté [gete] *nf* alegria *f*.

gain [gɛ̃] *nm* ganho *m*. ◆ **gains** *nmpl* ganhos *mpl*.

gaine [gɛn] *nf* [étui] estojo *m* ; [sous-vêtement] cinta *f*.

gala [gala] *nm* gala *f*.

galant [galɑ̃] *adj m* galante.

galanterie [galɑ̃tʀi] *nf* [courtoisie] galanteria *f* ; [flatterie] galanteio *m*.

galaxie [galaksi] *nf* galáxia *f*.

gale [gal] *nf* sarna *f*.

galerie [galʀi] *nf* [passage couvert] galeria *f* ; [à bagages] rack *m* ; **galerie (d'art)** galeria (de arte) ; **galerie marchande** galeria *f* comercial.

galet [galɛ] *nm* seixo *m*.

galette [galɛt] *nf* [gâteau] torta *f* ; [crêpe] *crepe salgado feito com farinha de trigo sarraceno* ; **galette bretonne** *biscoito amanteigado* ; **galette des Rois** *torta de massa folhada recheada com creme de amêndoas*, ≃ bolo *m* de reis.

galipette [galipɛt] *nf fam* cambalhota *f* ; **faire des galipettes** dar cambalhotas.

Galles [gal] *npr* ► **pays**.

gallois, **e** [galwa, az] *adj* galês(esa). ◆ **Gallois**, **e** *nm, f* galês *m*, -esa *f*.

galon [galɔ̃] *nm* galão *m*.

galop [galo] *nm* : **aller/partir au galop** ir/partir a galope.

galoper [galɔpe] *vi* [cheval] galopar ; [personne] correr.

galvauder [galvode] *vt* [réputation] manchar ; [talent] desperdiçar ; [expression] desgastar.

gambader [gɑ̃bade] *vi* saltitar.

gambas [gɑ̃bas] *nfpl* gambas *fpl*.

gamelle [gamɛl] *nf* marmita *f*.

gamin, **e** [gamɛ̃, in] *nm, f fam* menino *m*, -na *f*.

gamme [gam] *nf* MUS escala *f* ; [choix] série *f*.

ganglion [gɑ̃glijɔ̃] *nm* gânglio *m*.

gangrène [gɑ̃gʀɛn] *nf* gangrena *f*.

gangster [gɑ̃gstɛʀ] *nm* gângster *m*.

gant [gɑ̃] *nm* luva *f* ; **gant de toilette** luva de banho.

garage [gaʀaʒ] *nm* [d'une maison] garagem *f* ; [de réparation] oficina *f*.

garagiste [gaʀaʒist] *nm* [propriétaire] dono *m* de oficina ; [mécanicien] mecânico *m*.

garantie [gaʀɑ̃ti] *nf* garantia *f* ; **(bon de) garantie** garantia ; **être sous garantie** estar na garantia ; **appareil sous garantie** aparelho com garantia.

garantir [gaʀɑ̃tiʀ] *vt* garantir ; **garantir qqch à qqn** garantir algo a alguém ; **garantir à qqn que** garantir a alguém que.

garçon [gaʀsɔ̃] *nm* [enfant] menino *m* ; [jeune homme] rapaz *m* ; **garçon (de café)** garçom *m* (de café).

garçonnet [gaʀsɔnɛ] *nm* menino *m*.

garçonnière [gaʀsɔnjɛʀ] *nf* apartamento *m* de solteiro *(podendo servir para encontros amorosos)*.

garde[1] [gaʀd] *nm* guarda *m* ; **garde du corps** guarda-costas *m inv*.

garde[2] [gaʀd] *nf* **1.** [gén] guarda *f* ; **de garde** de serviço ; **monter la garde** montar a guarda ; **garde alternée des enfants** guarda alternada - **2.** [d'un endroit] vigilância *f* - **3.** [faire attention] : **mettre qqn en garde (contre)** prevenir alguém (contra) ; **prendre garde (à)** ter cuidado com ; **prendre garde de ne pas faire qqch** ter cuidado para não fazer algo.

garde-à-vous [gaʀdavu] *nm inv* sentido *m* ; **se mettre au garde-à-vous** pôr-se na posição de sentido.

garde-barrière [gaʀd(ə)baʀjɛʀ] (*pl* **gardes-barrière(s)**) *nmf* guarda-barreira *mf*.

garde-boue [gaʀdəbu] *nm inv* pára-lama *m*.

garde-chasse [gaʀdəʃas] (*pl* **gardes-chasse(s)**) *nm* guarda-florestal *m* ; [de propriété privée] guarda *m* da caça.

garde-fou, **s** [gaʀdəfu] *nm* parapeito *m*.

garder [gaʀde] *vt* guardar ; [aliment] conservar ; [enfant, malade] tomar conta de ; [lieu, prisonnier] vigiar. ◆ **se garder** *vp* conservar-se.

garderie [gaʀdəʀi] *nf* creche *f*.

garde-robe [gaʀdəʀɔb] (*pl* **garde-robes**) *nf* guarda-roupa *m*.

gardien, **enne** [gaʀdjɛ̃, ɛn] *nm, f* guarda *m* ; [d'immeuble] porteiro *m*, -ra *f* ; **gardien de but** goleiro *m* ; **gardien de nuit** guarda-noturno *m*.

gare [gaʀ] ◇ *nf* estação *f*. ◇ *interj* : **gare à toi!** ai de você! ; **entrer en gare** entrar na estação ; **gare maritime** estação *f* marítima ; **gare routière** estação rodoviária.

garer [gaʀe] *vt* estacionar. ◆ **se garer** *vp* estacionar.

gargariser [gaʀgaʀize] ◆ **se gargariser** *vp* gargarejar ; **se gargariser de qqch** *fig* & *péj* deleitar-se com algo.

gargouille [gaʀguj] *nf* gárgula *f*.

gargouiller [gaʀguje] *vi* [tuyau] gorgolejar ; [estomac] roncar.

garnement [gaʀnəmɑ̃] *nm* peste *f*.

garni, **e** [gaʀni] *adj* [plat] guarnecido(da).

garnir [gaʀniʀ] *vt* : **garnir qqch de** [équiper] equipar algo com ; [décorer] guarnecer algo com.

garniture [gaʀnityʀ] *nf* [légumes] acompanhamento *m* ; [décoration] enfeite *m*.

garrot [gaʀo] *nm* [pansement, torture] garrote *m* ; [d'un cheval] cernelha *f*.

gars [ga] *nm fam* tipo *m*.

gas-oil [gazɔjl] *nm* = **gazole**.

gaspillage [gaspijaʒ] *nm* desperdício *m*.

gaspiller [gaspije] *vt* desperdiçar.

gastro-entérite [gastʀoɑ̃teʀit] (*pl* **gastro-entérites**) *nf* gastrenterite *f*.

gastronomie [gastʀɔnɔmi] *nf* gastronomia *f*.

gastronomique [gastʀɔnɔmik] *adj* gastronômico(ca).

gâté, **e** [gate] *adj* [enfant] mimado(da) ; [fruit, dent] estragado(da).

gâteau [gato] (*pl* -x) *nm* bolo *m* ; **gâteau marbré** bolo mármore ; **gâteau sec** bolacha *f*.

gâter [gate] *vt* mimar. ◆ **se gâter** *vp* [fruit, dent] estragar-se ; [temps, situation] deteriorar-se.

gâteux, **euse** [gatø, øz] *adj* caquético(ca).

gauche [goʃ] ◇ *adj* [main, côté] esquerdo(da) ; [maladroit] desajeitado(da). ◇ *nf* : **la gauche** a esquerda ; **à gauche (de)** à esquerda (de) ; **de gauche** [du côté gauche] da esquerda ; POLIT de esquerda.

gaucher, **ère** [goʃe, ɛʀ] *adj* canhoto(ota).

gauchiste [goʃist] *adj* & *nmf* esquerdista.

gaufre [gofʀ] *nf* waffle *m*.

gaufrette [gofʀɛt] *nf* wafer *m*.

gaulliste [golist] *adj* & *nmf* gaulista.

gaver [gave] *vt* : **gaver qqn de qqch** empanturrar alguém com algo. ◆ **se gaver de** *vp + prép* empanturrar-se de.

gaz [gaz] *nm inv* gás *m*.

gaze [gaz] *nf* [pour pansements] gaze *f*.

gazelle [gazɛl] *nf* gazela *f*.

gazette [gazɛt] *nf Belgique torta de damasco ou maçã*.

gazeux, **euse** [gazø, øz] *adj* gaso-so(sa).

gazinière [gazinjɛʀ] *nf* fogão *m* a gás.

gazoduc [gazɔdyk] *nm* gasoduto *m*.

gazole [gazɔl] *nm* diesel *m*.

gazon [gazɔ̃] *nm* [herbe] relva *f* ; [terrain] relvado *m*.

gazouiller [gazuje] *vi* [oiseau] chilre-ar ; [bébé] balbuciar.

GB (*abr de* **Grande-Bretagne**) GB.

geai [ʒɛ] *nm* gaio *m*.

géant, **e** [ʒeɑ̃, ɑ̃t] *adj & nm, f* gigante.

geindre [ʒɛ̃dʀ] *vi* [gémir] gemer ; *péj* [pleurnicher] lamuriar-se.

gel [ʒɛl] *nm* [glace] gelo *m* ; [baisse des températures] geada *f* ; [pour cheveux, dentifrice] gel *m*.

gélatine [ʒelatin] *nf* gelatina *f*.

gelée [ʒəle] *nf* [glace] geada *f* ; [de fruits] geléia *f* ; **en gelée** em geléia.

geler [ʒəle] *vt & vi* gelar ; **il gèle** está geando.

gélule [ʒelyl] *nf* gélula *f*.

Gémeaux [ʒemo] *nmpl* Gêmeos *mpl*.

gémir [ʒemiʀ] *vi* gemer.

gémissement [ʒemismɑ̃] *nm* gemido *m*.

gênant, **e** [ʒenɑ̃, ɑ̃t] *adj* [qui met mal à l'aise] embaraçoso(osa) ; [incommode] aborrecido(da) ; **être gênant** [encombrant] ser embaraçoso.

gencive [ʒɑ̃siv] *nf* gengiva *f*.

gendarme [ʒɑ̃daʀm] *nm* gendarme *m*.

gendarmerie [ʒɑ̃daʀməʀi] *nf* [gendarmes] *tipo especial de corporação cujo encargo é zelar pela ordem e segurança pública na França* ; [bureau] quartel *m* de gendarmes.

gendre [ʒɑ̃dʀ] *nm* genro *m*.

gène [ʒɛn] *nm* gene *m*.

gêne [ʒɛn] *nf* [physique] dificuldade *f* ; [embarras] embaraço *m*.

généalogie [ʒenealɔʒi] *nf* genealogia *f*.

généalogique [ʒenealɔʒik] *adj* ► **arbre**.

gêner [ʒene] *vt* [déranger] incomodar ; [encombrer] estorvar ; [embarrasser] embaraçar ; **ça vous gêne si... ?** incomoda-o se...? ◆ **se gêner** *vp* : **il ne se gêne pas (pour)** ele não se constrange (em).

général, **e**, **aux** [ʒeneʀal, o] ◇ *adj* geral. ◇ *nm* general *m* ; **en général** em geral.

généralement [ʒeneʀalmɑ̃] *adv* geralmente.

généralisation [ʒeneʀalizasjɔ̃] *nf* generalização *f*.

généraliser [ʒeneʀalize] *vt* generalizar. ◆ **se généraliser** *vp* generalizar-se.

généraliste [ʒeneʀalist] *nm* : **(médecin) généraliste** clínico *m* geral.

généralité [ʒeneʀalite] *nf* generalidade *f*. ◆ **généralités** *nfpl* generalidades *fpl*.

génération [ʒeneʀasjɔ̃] *nf* geração *f*.

générer [ʒeneʀe] *vt* gerar.

généreux, **euse** [ʒeneʀø, øz] *adj* generoso(osa).

générique [ʒeneʀik] *nm* genérico *m*.

générosité [ʒeneʀɔzite] *nf* generosidade *f*.

genèse [ʒənɛz] *nf* gênese *f*. ◆ **Genèse** *nf* : **la Genèse** o Gênese.

genêt [ʒənɛ] *nm* giesta *f*.
génétique [ʒenetik] *adj* genético(ca).
Genève [ʒənɛv] *npr* Genebra.
génial, e, aux [ʒenjal, o] *adj* [brillant] genial ; *fam* [excellent] fantástico(ca).
génie [ʒeni] *nm* [don, personne] gênio *m*.
génisse [ʒenis] *nf* vitela *f*.
génital, e, aux [ʒenital, o] *adj* genital.
génitif [ʒenitif] *nm* genitivo *m*.
génocide [ʒenɔsid] *nm* genocídio *m*.
génoise [ʒenwaz] *nf* ≃ pão-de-ló *m*.
génotype [ʒenɔtip] *nm* genótipo.
genou [ʒənu] (*pl* -x) *nm* joelho *m* ; **être à genoux** estar de joelhos ; **se mettre à genoux** ajoelhar-se.
genouillère [ʒənujɛʀ] *nf* joelheira *f*.
genre [ʒɑ̃ʀ] *nm* gênero *m* ; **un genre de** uma espécie de.
gens [ʒɑ̃] *nmpl* pessoas *fpl*.
gentil, ille [ʒɑ̃ti, ij] *adj* [aimable] gentil ; [sage] sossegado(da).
gentillesse [ʒɑ̃tijɛs] *nf* gentileza *f*.
gentiment [ʒɑ̃timɑ̃] *adv* [aimablement] gentilmente ; [sagement] sossegadamente ; *Suisse* [tranquillement] tranqüilamente.
géographe [ʒeɔgʀaf] *nmf* geógrafo *m*, -fa *f*.
géographie [ʒeɔgʀafi] *nf* geografia *f*.
géologie [ʒeɔlɔʒi] *nf* geologia *f*.
géologue [ʒeɔlɔg] *nmf* geólogo *m*, -ga *f*.
géomètre [ʒeɔmɛtʀ] *nmf* [spécialiste de géométrie] geômetra *mf* ; [technicien] topógrafo *m*, -fa *f*.
géométrie [ʒeɔmetʀi] *nf* geometria *f*.
gérance [ʒeʀɑ̃s] *nf* gerência *f*.
géranium [ʒeʀanjɔm] *nm* pelargônio *m* ; [famille] gerânio *m*.
gérant, e [ʒeʀɑ̃, ɑ̃t] *nm, f* gerente *mf*.
gerbe [ʒɛʀb] *nf* [de blé] molho *m* ; [d'étincelles] girândola *f* ; [de fleurs] ramo *m*.
gercé, e [ʒɛʀse] *adj* gretado(da).
gerçure [ʒɛʀsyʀ] *nf* [des lèvres, des mains] rachadura *f*.
gérer [ʒeʀe] *vt* gerir.
germain, e [ʒɛʀmɛ̃, ɛn] *adj* ► **cousin**.
germe [ʒɛʀm] *nm* [de pomme de terre, d'oignon] broto *m* ; [de maladie] germe *m*.
germer [ʒɛʀme] *vi* germinar.
gésier [ʒezje] *nm* moela *f*.
gestation [ʒɛstasjɔ̃] *nf* gestação *f* ; **en gestation** *fig* [projet] em fase de elaboração.
geste [ʒɛst] *nm* gesto *m*.
gesticuler [ʒɛstikyle] *vi* gesticular.
gestion [ʒɛstjɔ̃] *nf* gestão *f*.
ghetto [gɛto] *nm* gueto *m*.
gibelotte [ʒiblɔt] *nf ensopado de coelho com vinho branco, toucinho, cebolinhas e cogumelos*.
gibier [ʒibje] *nm* caça *f*.
giboulée [ʒibule] *nf* aguaceiro *m*.
gicler [ʒikle] *vi* esguichar.
gifle [ʒifl] *nf* bofetada *f*, tapa *m*.
gifler [ʒifle] *vt* esbofetear.
gigantesque [ʒigɑ̃tɛsk] *adj* gigantesco(ca).
gigolo [ʒigɔlo] *nm* gigolô *m*.
gigot [ʒigo] *nm* perna *f (de carneiro)*.
gigoter [ʒigɔte] *vi* espernear ; **arrête de gigoter!** fique quieto!
gilet [ʒilɛ] *nm* [pull] casaco *m* ; [sans manches] colete *m* ; **gilet de sauvetage** colete salva-vidas.
gin [dʒin] *nm* gim *m*.
gingembre [ʒɛ̃ʒɑ̃bʀ] *nm* gengibre *m*.
girafe [ʒiʀaf] *nf* girafa *f*.

giratoire [ʒiʀatwaʀ] *adj* ► **sens.**

girofle [ʒiʀɔfl] *nm* ► **clou.**

girouette [ʒiʀwɛt] *nf* cata-vento *m.*

gisement [ʒizmɑ̃] *nm* jazigo *m.*

gitan, e [ʒitɑ̃, an] *nm, f* cigano *m*, -na *f.*

gîte [ʒit] *nm* [de bœuf] *parte inferior da coxa do boi* ; **gîte d'étape** pousada *f* ; **gîte (rural)** *casa de campo adaptada para receber hóspedes.*

givre [ʒivʀ] *nm* geada *f.*

givré, e [ʒivʀe] *adj* coberto(ta) de geada ; **orange givrée** *laranja inteira, com casca, congelada e recheada com sorvete feito com sua polpa.*

glace [glas] *nf* [eau gelée] gelo *m* ; [crème glacée] sorvete *m* ; [miroir] espelho *m* ; [vitre] vidraça *f* ; [de voiture] vidro *m.*

glacé, e [glase] *adj* gelado(da).

glacer [glase] *vt* gelar.

glacial, e, s OU **aux** [glasjal, o] *adj* glacial.

glacier [glasje] *nm* [de montagne] geleira *m* ; [marchand] sorveteiro *m.*

glacière [glasjɛʀ] *nf* geladeira *f* portátil.

glaçon [glasɔ̃] *nm* cubo *m* de gelo.

glaïeul [glajœl] *nm* gladíolo *m.*

glaire [glɛʀ] *nf* muco *m.*

glaise [glɛz] *nf* argila *f.*

gland [glɑ̃] *nm* bolota *f.*

glande [glɑ̃d] *nf* glândula *f.*

glaner [glane] *vt* [aux champs] : **glaner du blé** respigar ; *fig* [informations] recolher.

glapir [glapiʀ] *vi* ganir.

glas [gla] *nm* dobre *m* ; **sonner le glas** dobrar os sinos.

glauque [glok] *adj* [eau, yeux] glauco(ca) ; *fam* [air, regard] sinistro(tra) ; *fam* [ambiance] sórdido(da).

glissade [glisad] *nf* escorregadela *f.*

glissant, e [glisɑ̃, ɑ̃t] *adj* escorregadio(dia).

glissement [glismɑ̃] *nm* [action] deslizamento *m* ; *fig* [déplacement] desvio *m* ; **glissement de sens** alteração *f* de sentido ; **glissement de terrain** deslizamento de terra.

glisser [glise] ◇ *vt* deslizar. ◇ *vi* **1.** [en patinant] deslizar ; [déraper, être glissant] escorregar - **2.** INFORM : **faire glisser** arrastar. ◆ **se glisser** *vp* penetrar.

glissière [glisjɛʀ] *nf* corrediça *f* ; **à glissière** corrediço(ça) ; **glissière de sécurité** barreira *f* de proteção.

global, e, aux [glɔbal, o] *adj* global.

globalement [glɔbalmɑ̃] *adv* globalmente.

globe [glɔb] *nm* globo *m* ; **le globe (terrestre)** o globo (terrestre).

globule [glɔbyl] *nm* glóbulo *m* ; **globule blanc/rouge** glóbulo branco/vermelho.

gloire [glwaʀ] *nf* glória *f.*

glorieux, euse [glɔʀjø, øz] *adj* glorioso(osa).

glossaire [glɔsɛʀ] *nm* glossário *m.*

gloussement [glusmɑ̃] *nm* [de poule] cacarejo *m* ; [rire] riso *m* (dissimulado).

glousser [gluse] *vi* cacarejar.

glouton, onne [glutɔ̃, ɔn] *adj* glutão(tona).

gluant, e [glyɑ̃, ɑ̃t] *adj* viscoso(osa).

glucide [glysid] *nm* glicídio *m.*

glycine [glisin] *nf* glicínia *f.*

goal [gol] *nm* goleiro *m.*

gobelet [gɔblɛ] *nm* copo *m.*

gober [gɔbe] *vt* engolir.

goéland [gɔelɑ̃] *nm* gaivota *f.*

goinfre [gwɛ̃fʀ] *nmf* comilão *m*, -lona *f.*

golf [gɔlf] *nm* [sport] golfe *m* ; [terrain] campo *m* de golfe ; **golf miniature** minigolfe *m*.

golfe [gɔlf] *nm* golfo *m*.

gomme [gɔm] *nf* [à effacer] borracha *f*.

gommer [gɔme] *vt* [effacer] apagar.

gond [gɔ̃] *nm* dobradiça *f*.

gondole [gɔ̃dɔl] *nf* gôndola *f*.

gondoler [gɔ̃dɔle] ◆ **se gondoler** *vp* [se déformer] arquear-se.

gonflé, **e** [gɔ̃fle] *adj* [enflé] inchado(da) ; *fam* [audacieux] arrogante.

gonfler [gɔ̃fle] ◇ *vt* encher. ◇ *vi* [partie du corps] inchar ; [pâte] crescer.

gong [gɔ̃g] *nm* gongo *m*.

gorge [gɔʀʒ] *nf* ANAT garganta *f* ; [gouffre] desfiladeiro *m*.

gorgée [gɔʀʒe] *nf* gole *m*.

gorger [gɔʀʒe] *vt* [gaver] : **gorger qqn de qqch** empanturrar alguém com algo ; [remplir] : **gorger qqch de qqch** saturar algo com algo. ◆ **se gorger** *vp* : **se gorger de qqch** [se gaver] empanturrar-se com algo ; [se remplir] saturar-se com algo.

gorille [gɔʀij] *nm* gorila *m*.

gosier [gozje] *nm* goela *f*.

gosse [gɔs] *nmf fam* garoto *m*, -ta *f*.

gothique [gɔtik] *adj* gótico(ca).

gouache [gwaʃ] *nf* guache *m*.

goudron [gudʀɔ̃] *nm* alcatrão *m*.

goudronner [gudʀɔne] *vt* asfaltar.

gouffre [gufʀ] *nm* abismo *m*.

goujat [guʒa] *nm* grosseirão *m*.

goulot [gulo] *nm* gargalo *m* ; **boire au goulot** beber pelo gargalo.

goulu, **e** [guly] *adj* & *nm, f* glutão(tona).

gourd, **e** [guʀ, guʀd] *adj* dormente.

gourde [guʀd] *nf* cantil *m*.

gourdin [guʀdɛ̃] *nm* cacete *m*.

gourmand, **e** [guʀmɑ̃, ɑ̃d] *adj* guloso(osa).

gourmandise [guʀmɑ̃diz] *nf* gula *f* ; **des gourmandises** guloseimas *fpl*.

gourmet [guʀmɛ] *nm* gastrônomo *m*.

gourmette [guʀmɛt] *nf* pulseira *f*.

gousse [gus] *nf* : **gousse d'ail** dente *m* de alho ; **gousse de vanille** fava *f* de baunilha.

goût [gu] *nm* gosto *m* ; **avoir bon goût** [aliment] saber bem ; [personne] ter bom gosto.

goûter [gute] ◇ *nm* lanche *m*. ◇ *vt* provar. ◇ *vi* lanchar ; **goûter à qqch** provar algo.

goutte [gut] *nf* gota *f* ; **goutte à goutte** gota a gota. ◆ **gouttes** *nfpl* gotas *fpl*.

goutte-à-goutte [gutagut] *nm inv* sistema *m* de soro.

gouttelette [gutlɛt] *nf* gotinha *f*.

gouttière [gutjɛʀ] *nf* canaleta *f*.

gouvernail [guvɛʀnaj] *nm* leme *m*.

gouvernement [guvɛʀnəmɑ̃] *nm* governo *m*.

gouverner [guvɛʀne] *vt* governar.

gouverneur [guvɛʀnœʀ] *nm* governador *m*.

GPS (*abr de* **Global Positioning System**) *nm* GPS *m*.

grâce [gʀas] *nf* graça *f*. ◆ **grâce à** *prép* graças a.

gracier [gʀasje] *vt* agraciar.

gracieusement [gʀasjøzmɑ̃] *adv* [avec grâce] graciosamente ; [gratuitement] gratuitamente.

gracieux, **euse** [gʀasjø] *adj* gracioso(osa).

grade [gʀad] *nm* grau *m*.

gradins [gʀad˜ɛ] *nmpl* arquibancada *f*.

gradué, e [gʀadɥe] *adj* [verre, règle] graduado(da) ; *Belgique* [diplômé] diplomado(da).

graduel, elle [gʀadɥɛl] *adj* gradual.

graffiti(s) [gʀafiti] *nmpl* grafite *m*.

grain [gʀɛ̃] *nm* grão *m* ; [de poussière] grão *f* ; [de raisin] bago *m* ; **grain de beauté** pinta *f*.

graine [gʀɛn] *nf* semente *f*.

graisse [gʀɛs] *nf* [matière grasse] gordura *f* ; [bourrelets] banha *f* ; [lubrifiant] lubrificante *m*.

graisser [gʀɛse] *vt* lubrificar.

graisseux, euse [gʀɛsø, øz] *adj* engordurado(da).

grammaire [gʀamɛʀ] *nf* gramática *f*.

grammatical, e, aux [gʀamatikal, o] *adj* gramatical.

gramme [gʀam] *nm* grama *m*.

grand, e [gʀɑ̃, gʀɑ̃d] ◇ *adj* grande ; [en taille] alto(ta). ◇ *adv* : **grand ouvert** aberto de par em par ; **il est grand temps de** já é tempo de ; **grand frère** irmão mais velho ; **grand magasin** loja *f* de departamentos ; **grande surface** hipermercado *m* ; **les grandes vacances** as férias de verão.

grand-chose [gʀɑ̃ʃoz] *pron* : **ce n'est pas grand-chose** não é grande coisa.

Grande-Bretagne [gʀɑ̃dbʀətaɲ] *nf* : **la Grande-Bretagne** a Grã-Bretanha.

grandeur [gʀɑ̃dœʀ] *nf* [taille] tamanho *m* ; [importance] grandeza *f* ; **grandeur nature** de tamanho natural.

grandir [gʀɑ̃diʀ] *vi* [en taille] crescer ; [en importance] aumentar.

grand-mère [gʀɑ̃mɛʀ] (*pl* **grands-mères**) *nf* avó *f*.

grand-père [gʀɑ̃pɛʀ] (*pl* **grands-pères**) *nm* avô *m*.

grand-rue [gʀɑ̃ʀy] (*pl* **grand-rues**) *nf* rua *f* principal.

grands-parents [gʀɑ̃paʀɑ̃] *nmpl* avós *mpl*.

grange [gʀɑ̃ʒ] *nf* celeiro *m*.

granit(e) [gʀanit] *nm* granito *m*.

granulé [gʀanyle] *nm* granulado *m* *(medicamento)*.

granuleux, euse [gʀanylø, øz] *adj* granuloso(osa).

graphique [gʀafik] *nm* gráfico *m*.

graphologie [gʀafɔlɔʒi] *nf* grafologia *f*.

grappe [gʀap] *nf* cacho *m*.

grappiller [gʀapije] ◇ *vt* [cueillir] colher aqui e acolá ; *fig* [prendre] catar. ◇ *vi fig* ir buscar em.

grappin [gʀapɛ̃] *nm* : **elle lui a mis le grappin dessus** *fig* & *péj* ela deitou-lhe a mão.

gras, grasse [gʀa, gʀas] ◇ *adj* [aliment] gorduroso(osa) ; [taché] engordurado(da) ; [cheveux] oleoso(osa) ; [personne, crème] gordo(da). ◇ *nm* [graisse] gordura *f* ; [caractères d'imprimerie] : **en gras** em negrito ; **faire la grasse matinée** levantar-se tarde.

gras-double [gʀadubl] (*pl* **gras-doubles**) *nm* dobradinha *f*.

gratifier [gʀatifje] *vt* gratificar ; **gratifier qqn de qqch** gratificar alguém com algo.

gratin [gʀatɛ̃] *nm* : **gratin de pommes de terre** batatas *fpl* gratinadas ; **gratin dauphinois** *batatas gratinadas com creme de leite ou leite*.

gratiné, e [gʀatine] *adj* CULIN gratinado(da) ; *fam* [difficile] puxado(da) ; *fam* [remarquable] : **comme imbécile, il est gratiné!** é um perfeito imbecil! ; *fam* [grivois] picante. ◆ **gratinée** *nf sopa de cebola com queijo gratinado*.

gratiner [gʀatine] *vi* : **faire gratiner qqch** gratinar algo.

gratis [gʀatis] *adv* grátis.

gratitude [gʀatityd] *nf* gratidão *f*.

gratte-ciel [gʀatsjɛl] *nm inv* arranha-céu *m*.

gratter [gʀate] *vt* [peau] coçar ; [peinture, tache] raspar ; [sujet : vêtement] picar. ◆ **se gratter** *vp* coçar-se.

gratuit, **e** [gʀatɥi, it] *adj* gratuito(ta).

gratuitement [gʀatɥitmɑ̃] *adv* gratuitamente.

gravats [gʀava] *nmpl* entulho *m*.

grave [gʀav] *adj* grave ; [visage] sério(ria).

gravement [gʀavmɑ̃] *adv* gravemente.

graver [gʀave] *vt* [gén & INFORM] gravar.

graveur [gʀavœʀ] *nm* INFORM gravador (de CD-R).

gravier [gʀavje] *nm* cascalho *m*.

gravillon [gʀavijɔ̃] *nm* brita *f*.

gravir [gʀaviʀ] *vt* escalar.

gravité [gʀavite] *nf* gravidade *f*.

graviter [gʀavite] *vi* gravitar ; **graviter dans** gravitar em ; **graviter autour de qqn/qqch** gravitar em torno de alguém/algo.

gravure [gʀavyʀ] *nf* gravura *f*.

gré [gʀe] *nm* : **de mon plein gré** de minha livre vontade ; **de gré ou de force** quer queira, quer não ; **bon gré mal gré** por bem ou por mal.

grec, **grecque** [gʀɛk] ◇ *adj* grego(ga). ◇ *nm* [langue] grego *m*. ◆ **Grec**, **Grecque** *nm, f* grego *m*, -ga *f*.

Grèce [gʀɛs] *nf* : **la Grèce** a Grécia.

greffe [gʀɛf] *nf* transplante *m*.

greffer [gʀɛfe] *vt* transplantar.

greffier [gʀɛfje] *nm* escrivão *m*.

grêle [gʀɛl] *nf* granizo *m*.

grêler [gʀele] *v impers* : **il grêle** está chovendo granizo.

grêlon [gʀɛlɔ̃] *nm* pedra *f (de granizo)*.

grelot [gʀəlo] *nm* guizo *m*.

grelotter [gʀəlɔte] *vi* tiritar.

grenade [gʀənad] *nf* [fruit] romã *f* ; [arme] granada *f*.

grenadine [gʀənadin] *nf* xarope *m* de romã.

grenat [gʀəna] *adj inv* grená.

grenier [gʀənje] *nm* sótão *m*.

grenouille [gʀənuj] *nf* rã *f*.

grésiller [gʀezije] *vi* [huile] crepitar ; [radio] zumbir.

grève [gʀɛv] *nf* greve *f* ; **être/se mettre en grève** estar/entrar em greve ; **grève de la faim** greve de fome.

grever [gʀəve] *vt* sobrecarregar ; **grever qqch de** sobrecarregar algo com.

gréviste [gʀevist] *nmf* grevista *mf*.

gribouillage [gʀibujaʒ] *nm* garatuja *f*.

gribouiller [gʀibuje] *vt* garatujar.

grief [gʀijɛf] *nm* razão *f* de queixa ; **faire grief à qqn de qqch** censurar alguém por causa de algo.

grièvement [gʀijɛvmɑ̃] *adv* gravemente.

griffe [gʀif] *nf* [de chat, de chien] unha *f* ; [d'aigle] garra *f* ; *Belgique* [éraflure] arranhadela *f*.

griffer [gʀife] *vt* arranhar.

griffonner [gʀifɔne] *vt* rabiscar.

grignoter [gʀiɲɔte] *vt* lambiscar.

gril [gʀil] *nm* grelha *f*.

grillade [gʀijad] *nf* churrasco *m*.

grillage [gʀijaʒ] *nm* rede *f*.

grille [gʀij] *nf* grelha *f* ; [d'un jardin] portão *m* ; [tableau] tabela *f*.

grillé, **e** [gʀije] *adj* [ampoule] fundido(da).

grille-pain [gʀijpɛ̃] *nm inv* torradeira *f*.

griller [gʀije] *vt* grelhar ; [pain] torrar ; **griller un feu rouge** *fam* ultrapassar o sinal vermelho.

grillon [gʀijɔ̃] *nm* grilo *m*.

grimace [gʀimas] *nf* careta *f* ; **faire des grimaces** fazer caretas.

grimpant, **e** [gʀɛ̃pɑ̃, ɑ̃t] *adj* trepadeira *adj f*.

grimper [gʀɛ̃pe] *vt* & *vi* subir ; **grimper aux arbres** trepar nas árvores.

grincement [gʀɛ̃smɑ̃] *nm* rangido *m*.

grincer [gʀɛ̃se] *vi* ranger.

grincheux, **euse** [gʀɛ̃ʃø, øz] *adj* rabugento(ta).

griotte [gʀijɔt] *nf* ginja *f*.

grippe [gʀip] *nf* gripe *f* ; **avoir la grippe** estar com gripe.

grippé, **e** [gʀipe] *adj* gripado(da).

gripper [gʀipe] *vi* [un mécanisme] travar ; *fig* [un processus] emperrar. ◆ **se gripper** *vp* [se bloquer] travar ; *fig* [mal fonctionner] bloquear-se.

gris, **e** [gʀi, gʀiz] ◇ *adj* [couleur] cinzento(ta), cinza ; [cheveux] grisalho(lha) ; [ciel, temps] cinzento(ta). ◇ *nm* cinzento *m*, cinza *f*.

grisonner [gʀizɔne] *vi* começar a ficar grisalho(lha).

grive [gʀiv] *nf* tordo *m*.

grivois, **e** [gʀivwa, az] *adj* picante.

Groenland [gʀɔenlɑ̃d] *nm* : **le Groenland** a Groenlândia.

grog [gʀɔg] *nm* grogue *m*.

grognement [gʀɔɲmɑ̃] *nm* [de personne] resmungo *m* ; [du cochon] grunhido *m*.

grogner [gʀɔɲe] *vi* [cochon] grunhir ; [chien] rosnar ; [personne] resmungar.

grognon, **onne** [gʀɔɲɔ̃, ɔn] *adj* resmungão *m*, -gona *f*.

groin [gʀwɛ̃] *nm* focinho *m*.

grommeler [gʀɔmle] ◇ *vi* falar por entre dentes. ◇ *vt* resmungar.

grondement [gʀɔ̃dmɑ̃] *nm* estrondo *m*.

gronder [gʀɔ̃de] ◇ *vt* ralhar com. ◇ *vi* [tonnerre] ressoar ; **je me suis fait gronder par ma mère** a minha mãe ralhou comigo.

groom [gʀum] *nm empregado de hotel*.

gros, **grosse** ◇ *adj* [en taille] gordo(da) ; [important] importante ; [épais] espesso(a). ◇ *adv* [écrire] em letras grandes ; [gagner] muito. ◇ *nm* : **en gros** [environ] por alto ; COMM por atacado ; **le gros lot** a sorte grande ; **gros mot** palavrão *m* ; **gros titre** manchete *f*.

groseille [gʀozɛj] *nf* groselha *f* ; **groseille à maquereau** groselha espinhosa.

grosse ► **gros**.

grossesse [gʀosɛs] *nf* gravidez *f*.

grosseur [gʀosœʀ] *nf* [épaisseur] espessura *f* ; MÉD caroço *m*.

grossier, **ère** [gʀosje, ɛʀ] *adj* [impoli] grosseiro(ra) ; [approximatif] aproximado(da) ; [erreur] crasso(a).

grossièrement [gʀosjɛʀmɑ̃] *adv* [sommairement] por alto ; [vulgairement] grosseiramente.

grossièreté [gʀosjɛʀte] *nf* [d'une personne, de paroles] grosseria *f* ; [parole] asneira *f*.

grossir [gʀosiʀ] ◇ *vt* aumentar. ◇ *vi* engordar ; **faire grossir** engordar.

grossiste [gʀosist] *nmf* atacadista *mf*.

grosso modo [gʀosomodo] *adv* grosso modo.

grotesque [gʀɔtɛsk] *adj* grotesco(ca).

grotte [gʀɔt] *nf* gruta *f*.

grouiller [gʀuje] ◆ **grouiller de** *vp + prép* fervilhar de.

groupe [gʀup] *nm* grupo *m* ; **en groupe** em grupo ; **groupe sanguin** grupo sanguíneo.

grouper [gʀupe] *vt* agrupar. ◆ **se grouper** *vp* agrupar-se.

gruau [gʀyo] *nm Québec mingau de flocos de aveia.*

grue [gʀy] *nf* [de chantier] grua *f*.

grumeau [gʀymo] (*pl* -x) *nm* grumo *m*.

gruyère [gʀyjɛʀ] *nm* queijo *m* gruyère.

guacamole [gwakamol(e)] *nm* guacamole.

Guadeloupe [gwadlup] *nf* : **la Guadeloupe** a Guadalupe.

guadeloupéen, enne [gwadlupeɛ̃, ɛn] *adj* guadalupense.

Guatemala [gwatemala] *nm* : **le Guatemala** a Guatemala.

guédille [gedij] *nm Québec sanduíche de frango ou ovos.*

guenille [gənij] *nf* farrapo *m*.

guenon [gənɔ̃] *nf* macaca *f*.

guépard [gepaʀ] *nm* guepardo *m*.

guêpe [gɛp] *nf* vespa *f*, marimbondo *m*.

guêpier [gepje] *nm* vespeiro *m* ; **aller se fourrer dans un guêpier** *fig* meter–se num vespeiro.

guère [gɛʀ] *adv* : **elle ne mange guère** ela não come quase nada.

guéridon [geʀidɔ̃] *nm* gueridom *f, mesinha redonda com um único pé.*

guérilla [geʀija] *nf* guerrilha *f*.

guérir [geʀiʀ] *vt* & *vi* curar, sarar.

guérison [geʀizɔ̃] *nf* cura *f*.

guerre [gɛʀ] *nf* guerra *f* ; **être en guerre** estar em guerra ; **guerre mondiale** guerra mundial ; **guerre bactériologique / biologique / chimique** guerra bacteriológica/biológica/química ; **guerre atomique/nucléaire** guerra atômica/nuclear ; **guerre de religion** guerra religiosa.

guerrier [gɛʀje] *nm* guerreiro *m*.

guet [gɛ] *nm* : **faire le guet** estar de guarda.

guet-apens [gɛtapɑ̃] (*pl* **guets-apens**) *nm* cilada *f* ; **tomber dans un guet-apens** cair numa cilada.

guetter [gete] *vt* espreitar.

gueule [gœl] *nf* [d'animal] boca *f* ; *vulg* [visage] cara *f* ; **avoir la gueule de bois** *fam* estar com ressaca.

gueuler [gœle] *vi vulg* berrar.

gueuze [gøz] *nf Belgique cerveja forte, à base de malte e trigo, com fermentação dupla.*

gui [gi] *nm* visco *m*.

guichet [giʃɛ] *nm* guichê *m* ; **guichet automatique (de banque)** caixa *m* eletrônico.

guichetier, ère [giʃtje, ɛʀ] *nm, f* atendente *m* de guichê.

guide [gid] ◇ *nmf* guia *mf*. ◇ *nm* guia *m* ; **guide touristique** guia turístico.

guider [gide] *vt* guiar.

guidon [gidɔ̃] *nm* guidom *m*.

guignol [giɲɔl] *nm* marionete *m*.

guillemets [gijmɛ] *nmpl* aspas *fpl* ; **entre guillemets** entre aspas.

guilleret, ette [gijʀɛ, ɛt] *adj* alegre.

guillotine [gijɔtin] *nf* guilhotina *f*.

guimauve [gimov] *nf* [pâte] marshmallow *m*.

guindé, e [gɛ̃de] *adj* afetado(da).

guirlande [giʀlɑ̃d] *nf* [de Noël] guirlanda *f* ; [de fleurs] grinalda *f*.

guise [giz] *nf* : **en guise de** à guisa de.

guitare [gitaʀ] *nf* violão *m* ; **guitare électrique** guitarra *f* (elétrica).

guitariste [gitaʀist] *nmf* guitarrista *mf*.

Guyane [gɥijan] *nf* : **la Guyane (française)** a Guiana (francesa).

gymnase [ʒimnaz] *nm* ginásio *m*.

gymnastique [ʒimnastik] *nf* ginástica *f* ; **faire de la gymnastique** fazer ginástica.

gynécologue [ʒinekɔlɔg] *nmf* ginecologista *mf*.

gyrophare [ʒiʀɔfaʀ] *nm* giroflex *m*.

H

habile [abil] *adj* hábil.

habileté [abilte] *nf* habilidade *f*.

habillé, e [abije] *adj* [personne] vestido(da) ; [tenue] elegante.

habillement [abijmɑ̃] *nm* [couture] vestuário *m*.

habiller [abije] *vt* [personne] vestir ; [meuble] cobrir. ◆ **s'habiller** *vp* [mettre des vêtements] vestir-se ; [élégamment] vestir-se a rigor ; **s'habiller bien/mal** vestir-se bem/mal.

habitant, e [abitɑ̃, ɑ̃t] *nm, f* habitante *mf* ; *Québec* camponês *m*, -esa *f* ; **loger chez l'habitant** ficar em casa de uma família.

habitation [abitasjɔ̃] *nf* habitação *f*.

habiter [abite] ◇ *vt* morar em. ◇ *vi* morar.

habits [abi] *nmpl* roupa *f*.

habitude [abityd] *nf* hábito *m* ; **avoir l'habitude de faire qqch** ter o hábito de fazer algo ; **d'habitude** de costume ; **comme d'habitude** como de costume.

habitué, e [abitɥe] *nm, f* freqüentador *m*, -ora *f* assíduo(dua).

habituel, elle [abitɥɛl] *adj* habitual.

habituellement [abitɥɛlmɑ̃] *adv* habitualmente.

habituer [abitɥe] *vt* : **habituer qqn à (faire) qqch** habituar alguém a (fazer) algo ; **être habitué à (faire) qqch** estar habituado a (fazer) algo. ◆ **s'habituer à** *vp + prép* : **s'habituer à (faire) qqch** habituar-se a (fazer) algo.

hache [‘aʃ] *nf* machado *m*.

hacher [‘aʃe] *vt* picar.

hachis [‘aʃi] *nm* picado *m* ; **hachis Parmentier** *picadinho de carne moída refogada, coberto com purê de batatas e gratinado ao forno*.

hachoir [‘aʃwaʀ] *nm* [lame] faca *f* para legumes ; [électrique] moedor *m*.

hachure [‘aʃyʀ] *nf* hachura *f*.

haddock [‘adɔk] *nm hadoque defumado*.

haie [‘ɛ] *nf* [d'arbustes] sebe *f* ; SPORT barreiras *fpl*.

haine [‘ɛn] *nf* ódio *m*.

haïr [‘aiʀ] *vt* odiar.

Haïti [aiti] *npr* Haiti.

hâle [‘al] *nm* bronzeado *m*.

hâlé, e [‘ale] *adj* bronzeado(da).

haleine [alɛn] *nf* hálito *m*.

haleter [‘alte] *vi* arquejar.

hall [‘ol] *nm* [d'une maison] saguão *m*, hall *m* ; [d'une gare] saguão *m*.

halle [‘al] *nf* mercado *m*.

hallucination [alysinasjɔ̃] *nf* alucinação *f*.

halo [‘alo] *nm* **1.** [de lumière] halo *m* **- 2.** *fig* [de gloire] auréola *f*.

halogène [alɔʒɛn] *nm* : **(lampe) halogène** lâmpada *f* halógena.

halte [‘alt] *nf* parada *f* ; **faire halte** fazer uma parada.

halte-garderie [‘altgaʀdəʀi] (*pl* **hal-**

tes-garderies) *nf espécie de creche que abriga crianças durante o dia por curtos espaços de tempo.*

haltère [altɛʀ] *nm* haltere *m.*

hamac ['amak] *nm* rede *f (de dormir).*

hamburger ['ɑ̃buʀgœʀ] *nm* hambúrguer *m.*

hameau ['amo] (*pl* -x) *nm* lugarejo *m.*

hameçon [amsɔ̃] *nm* anzol *m.*

hamster ['amstɛʀ] *nm* hamster *m.*

hanche ['ɑ̃ʃ] *nf* anca *f.*

handball ['ɑ̃dbal] *nm* handebol *m.*

handicap ['ɑ̃dikap] *nm* [infirmité] deficiência *f*; [désavantage] desvantagem *f.*

handicapé, e ['ɑ̃dikape] ◇ *adj* [infirme] deficiente ; [désavantagé] prejudicado(da). ◇ *nm, f* deficiente *mf.*

hangar ['ɑ̃gaʀ] *nm* hangar *m.*

hanneton ['antɔ̃] *nm* besouro *m.*

hanté, e ['ɑ̃te] *adj* assombrado(da).

hanter ['ɑ̃te] *vt* [fantôme] assombrar ; *fig* [obséder] perseguir ; *fam* [fréquenter] freqüentar.

happer ['ape] *vt* apanhar ; [suj: animal] abocanhar.

harcèlement ['aʀsəlemɑ̃] *nm* assédio *m* ; **harcèlement moral** assédio moral.

harceler ['aʀsəle] *vt* assediar.

hardi, e ['aʀdi] *adj* ousado(da).

harem ['aʀɛm] *nm* harém *m.*

hareng ['aʀɑ̃] *nm* arenque *m* ; **hareng saur** arenque defumado.

hargne ['aʀɲ] *nf* raiva *f.*

hargneux, euse ['aʀɲø, øz] *adj* enraivecido(da).

haricot ['aʀiko] *nm* feijão *m* ; **haricot blanc** feijão-branco *m* ; **haricot vert** feijão-verde *m.*

harmonica [aʀmɔnika] *nm* harmônica *f.*

harmonie [aʀmɔni] *nf* harmonia *f.*

harmonieux, euse [aʀmɔnjø, øz] *adj* harmonioso(osa).

harmoniser [aʀmɔnize] *vt* harmonizar.

harnacher ['aʀnaʃe] *vt* arrear.

harnais ['aʀnɛ] *nm* [d'alpiniste] equipamento *m* ; [de cheval] arreios *mpl.*

harpe ['aʀp] *nf* harpa *f.*

harpon ['aʀpɔ̃] *nm* arpão *m.*

hasard ['azaʀ] *nm* acaso *m* ; **au hasard** ao acaso ; **à tout hasard** no caso de, para o caso de ; **par hasard** por acaso.

hasarder ['azaʀde] *vt* arriscar. ◆ **se hasarder** *vp* arriscar-se ; **se hasarder à faire qqch** arriscar-se a fazer algo.

hasardeux, euse ['azaʀdø, øz] *adj* arriscado(da).

haschisch ['aʃiʃ] *nm* haxixe *m.*

hâte ['at] *nf* pressa *f* ; **à la hâte** às pressas ; **en hâte** depressa, rapidamente ; **sans hâte** sem pressa ; **avoir hâte de faire qqch** ter pressa de fazer algo.

hâter ['ate] *vt* apressar. ◆ **se hâter** *vp* [se dépêcher] apressar-se ; **se hâter de faire qqch** apressar-se a fazer algo.

hausse ['os] *nf* alta *f* ; **être en hausse** estar em alta.

hausser ['ose] *vt* [ton] elevar ; [prix] subir ; **hausser les épaules** encolher os ombros.

haut, e ['o, 'ot] ◇ *adj* alto(ta). ◇ *nm* parte *f* de cima. ◇ *adv* alto ; **tout haut** em voz alta ; **haut les mains!** mãos ao alto! ; **de haut en bas** de alto a baixo ; **en haut** em cima ; **en haut de** em cima de ; **la pièce fait 3 m de haut** o cômodo tem 3 metros de altura ; **avoir des hauts et des bas** ter altos e baixos.

hautain, e ['otɛ̃, ɛn] *adj* altivo(va).

hautbois ['obwa] *nm* oboé *m.*

haut de gamme [odgam] ◇ *loc adj* de topo de linha. ◇ *nm inv* topo *m* de linha.

haute-fidélité ['otfidelite] *nf* alta-fidelidade *f*.

hauteur ['otœʀ] *nf* [taille] altura *f* ; [altitude] altitude *f* ; [colline] elevação *f* ; **être à la hauteur** estar à altura.

haut-le-cœur ['olkœʀ] *nm inv* náusea *f*.

haut-parleur ['opaʀlœʀ] (*pl* **haut-parleurs**) *nm* alto-falante *m*.

hebdomadaire [ɛbdɔmadɛʀ] ◇ *adj* semanal. ◇ *nm* semanário *m*.

hébergement [ebɛʀʒəmɑ̃] *nm* alojamento *m*.

héberger [ebɛʀʒe] *vt* alojar.

hécatombe [ekatɔ̃b] *nf* hecatombe *f*.

hectare [ɛktaʀ] *nm* hectare *m*.

hégémonie [eʒemɔni] *nf* hegemonia *f*.

hein ['ɛ̃] *interj fam* **tu ne lui diras pas, hein ?** você não vai lhe dizer, vai? ; **hein ?** [pour faire répéter] hã? ; [de surprise] ah!

hélas ['elas] *interj* infelizmente!

héler ['ele] *vt* chamar.

hélice [elis] *nf* hélice *f*.

hélicoptère [elikɔptɛʀ] *nm* helicóptero *m*.

héliport [elipɔʀ] *nm* heliporto *m*.

helvétique [ɛlvetik] *adj* helvético(ca).

hématome [ematom] *nm* hematoma *m*.

hémisphère [emisfɛʀ] *nm* hemisfério *m* ; **l'hémisphère Nord /Sud** o hemisfério Norte/Sul.

hémophile [emɔfil] *adj* & *nmf* hemofílico(ca).

hémorragie [emɔʀaʒi] *nf* hemorragia *f*.

hémorroïdes [emɔʀɔid] *nfpl* hemorróidas *fpl*.

hennir ['eniʀ] *vi* relinchar.

hennissement ['enismɑ̃] *nm* relincho *m*.

hépatite [epatit] *nf* hepatite *f* ; **hépatite C** hepatite C.

herbe [ɛʀb] *nf* erva *f* ; **fines herbes** ervas aromáticas ; **mauvaises herbes** ervas daninhas.

herboriste [ɛʀbɔʀist] *nmf* herborista *mf*.

héréditaire [eʀeditɛʀ] *adj* hereditário(ria).

hérésie [eʀezi] *nf* heresia *f*.

hérisser ['eʀise] ◆ **se hérisser** *vp* eriçar-se.

hérisson ['eʀisɔ̃] *nm* porco-espinho *m*.

héritage [eʀitaʒ] *nm* herança *f*.

hériter [eʀite] *vt* herdar. ◆ **hériter de** *vp* + *prép* : **hériter de qqch** herdar algo ; **hériter de qqn** herdar de alguém.

héritier, ère [eʀitje, ɛʀ] *nm, f* herdeiro *m*, -ra *f*.

hermétique [ɛʀmetik] *adj* hermético(ca).

hernie ['ɛʀni] *nf* hérnia *f*.

héroïne [eʀɔin] *nf* [drogue] heroína *f*, ➤ **héros**.

héroïque [eʀɔik] *adj* heróico(ca).

héroïsme [eʀɔism] *nm* heroísmo *m*.

héron ['eʀɔ̃] *nm* garça-real *f*.

héros, héroïne ['eʀo, eʀɔin] *nm, f* herói *m*, heroína *f*.

herve [ɛʀv] *nm* **Belgique** *queijo mole, fabricado com leite de vaca, da região de Liège.*

hésitation [ezitasjɔ̃] *nf* hesitação *f*.

hésiter [ezite] *vi* hesitar ; **hésiter à faire qqch** hesitar em fazer algo.

hétéroclite [eteʀɔklit] *adj* heteróclito(ta).

hétérogène [eteʀɔʒɛn] *adj* heterogêneo(nea).

hétérosexuel, elle [eteʀɔsɛksɥɛl] *adj & nm, f* heterossexual.

hêtre [ˈɛtʀ] *nm* faia *f*.

heure [œʀ] *nf* hora *f* ; **quelle heure est-il? – il est quatre heures** que horas são? – são quatro horas ; **il est trois heures vingt** são três e vinte ; **à quelle heure part le train? – à deux heures** a que horas parte o trem? – às duas horas ; **c'est l'heure de...** é hora de... ; **de bonne heure** cedo ; **être à l'heure** [personne, train] chegar na hora, ser pontual ; [montre] estar certo ; **heures de bureau** horário *m* de trabalho ; **l'heure d'été/d'hiver** horário de verão/de inverno ; **passer l'heure d'été/d'hiver** passar para o horário de verão/de inverno ; **heures d'ouverture** horário *m* de funcionamento ; **heures de pointe** horas de pico.

heureusement [œʀøzmɑ̃] *adv* felizmente.

heureux, euse [œʀø, øz] *adj* feliz.

heurt [ˈœʀ] *nm* [choc] choque *m* ; [désaccord, friction] conflito *m* ; **se dérouler sans heurts** correr bem.

heurter [ˈœʀte] *vt* [frapper] chocar com ; [vexer] chocar. ◆ **se heurter à** *vp + prép* deparar com.

hexagonal, e, aux [ɛgzagɔnal, o] *adj* **1.** MATH hexagonal - **2.** [français] francês(esa).

hexagone [ɛgzagɔn] *nm* hexágono *m* ; **l'Hexagone** a França.

hiberner [ibɛʀne] *vi* hibernar.

hibou [ˈibu] (*pl* -x) *nm* mocho *m*.

hideux, euse [ˈidø, øz] *adj* hediondo(da).

hier [ijɛʀ] *adv* ontem ; **hier après-midi** ontem à tarde.

hiérarchie [ˈjeʀaʀʃi] *nf* hierarquia *f*.

hiéroglyphe [ˈjeʀɔglif] *nm* hieróglifo *m*.

hi-fi [ˈifi] *nf inv* equipamento *m* hi-fi.

hilarant, e [ilaʀɑ̃, ɑ̃t] *adj* hilariante.

hilare [ilaʀ] *adj* : **être hilare** estar alegre.

hindou, e [ɛ̃du] *adj & nm, f* hinduísta.

hippodrome [ipɔdʀom] *nm* hipódromo *m*.

hippopotame [ipɔpɔtam] *nm* hipopótamo *m*.

hirondelle [iʀɔ̃dɛl] *nf* andorinha *f*.

hirsute [iʀsyt] *adj* hirsuto(ta).

hisser [ˈise] *vt* içar.

histoire [istwaʀ] *nf* [passé, récit] história *f* ; [mensonge] mentira *f* ; **faire des histoires** criar problemas ; **histoire drôle** piada *f*.

historique [istɔʀik] *adj* histórico(ca).

hit-parade [ˈitpaʀad] (*pl* **hit-parades**) *nm* parada *f* de sucesso.

hiver [ivɛʀ] *nm* inverno *m* ; **en hiver** no inverno.

HLM *nm inv & nf inv* ≃ habitação *f* popular, *imóveis de preços módicos para população de baixa renda*.

hobby [ˈɔbi] (*pl* **hobbys** OU **hobbies**) *nm* hobby *m*.

hochepot [ˈɔʃpo] *nm Belgique cozido preparado com carne de boi, alho-poró, batatas e toucinho*.

hocher [ˈɔʃe] *vt* : **hocher la tête** [pour accepter] anuir *(com a cabeça)* ; [pour refuser] abanar a cabeça.

hochet [ˈɔʃɛ] *nm* guizo *m*.

hockey [ˈɔkɛ] *nm* hóquei *m* ; **hockey sur glace** hóquei no gelo.

hold-up [ˈɔldœp] *nm inv* assalto *m* à mão armada.

hollandais, e [ˈɔlɑ̃dɛ, ɛz] ◇ *adj* holandês(esa). ◇ *nm* [langue] holandês *m*. ◆ **Hollandais, e** *nm, f* holandês *m*, -esa *f*.

hollande [ˈɔlɑ̃d] *nm* queijo *m* holandês.

Hollande ['ɔlɑ̃d] *nf* : **la Hollande** a Holanda.

holocauste [ɔlɔkost] *nm* holocausto *m*.

homard ['ɔmaʀ] *nm* lagosta *m* (européia) ; **homard à l'américaine** *lagosta com molho de vinho branco, conhaque e tomates* ; **homard Thermidor** lagosta à Thermidor.

homéopathe [ɔmeɔpat] *adj & nmf* homeopata.

homéopathie [ɔmeɔpati] *nf* homeopatia *f*.

homicide [ɔmisid] ◇ *nm* homicídio *m*. ◇ *adj* homicida ; **homicide volontaire/involontaire** homicídio voluntário/involuntário.

hommage [ɔmaʒ] *nm* : **en hommage à** em homenagem a ; **rendre hommage à** prestar homenagem a.

homme [ɔm] *nm* homem *m* ; **homme d'affaires** homem de negócios ; **homme politique** político *m* ; **l'homme de la rue** cidadão comum.

homogène [ɔmɔʒɛn] *adj* homogêneo(nea).

homologue [ɔmɔlɔg] ◇ *nm* homólogo *m*. ◇ *adj* homólogo(ga).

homonyme [ɔmɔnim] *nm* homônimo *m*.

homophobe [ɔmɔfɔb] *adj* homófobo.

homosexuel, **elle** [ɔmɔsɛksɥɛl] *adj & nm, f* homossexual.

Hongrie ['ɔ̃gʀi] *nf* : **la Hongrie** a Hungria.

honnête [ɔnɛt] *adj* [personne] honesto(ta) ; [salaire, résultats] satisfatório(ria).

honnêtement [ɔnɛtmɑ̃] *adv* honestamente.

honnêteté [ɔnɛtte] *nf* honestidade *f*.

honneur [ɔnœʀ] *nm* honra *f* ; **en l'honneur de** em honra de ; **faire honneur à** [repas] *comer bastante e com vontade*.

honorable [ɔnɔʀabl] *adj* [acte, résultat] honroso(osa) ; [personne] honrado(da) ; **notre honorable directeur** nosso excelentíssimo diretor.

honoraires [ɔnɔʀɛʀ] *nmpl* honorários *mpl*.

honorer [ɔnɔʀe] *vt* honrar ; [gratifier] : **honorer qqn de qqch** honrar alguém com algo. ◆ **s'honorer** *vp* : **s'honorer de** ter a honra de.

honte ['ɔ̃t] *nf* vergonha *f* ; **avoir honte (de)** ter vergonha (de) ; **faire honte à qqn** envergonhar alguém.

honteux, **euse** ['ɔ̃tø, øz] *adj* [personne, air] envergonhado(da) ; [affaire] vergonhoso(osa).

hôpital [ɔpital, o] (*pl* -aux) *nm* hospital *m*.

hoquet ['ɔkɛ] *nm* : **avoir le hoquet** estar com soluços.

horaire [ɔʀɛʀ] *nm* horário *m* ; **'horaires d'ouverture'** 'horário de funcionamento'.

horizon [ɔʀizɔ̃] *nm* horizonte *m* ; **à l'horizon** no horizonte.

horizontal, **e**, **aux** [ɔʀizɔ̃tal, o] *adj* horizontal.

horloge [ɔʀlɔʒ] *nf* relógio *m* ; **l'horloge parlante** o serviço de hora certa.

horloger, **ère** [ɔʀlɔʒe, ɛʀ] *nm, f* relojoeiro *m*.

horlogerie [ɔʀlɔʒʀi] *nf* relojoaria *f*.

hormis ['ɔʀmi] *prép sout* exceto, salvo.

hormone [ɔʀmɔn] *nf* hormônio *m*.

hormonothérapie [ɔrmɔnɔterapi] *nf* MÉD hormonoterapia.

horodateur [ɔʀɔdatœʀ] *nm* parquímetro *m*.

horoscope [ɔʀɔskɔp] *nm* horóscopo *m*.

horreur [ɔʀœʀ] *nf* horror *m* ; **quelle horreur!** que horror! ; **avoir horreur de (faire) qqch** detestar (fazer) algo.

horrible [ɔʀibl] *adj* horrível.

horriblement [ɔʀibləmɑ̃] *adv* horrivelmente.

horrifié, e [ɔʀifje] *adj* horrorizado(da).

horrifier [ɔʀifje] *vt* horrorizar.

horripiler [ɔʀipile] *vt* exasperar.

hors [ˈɔʀ] *prép* : **hors de** fora de ; **hors jeu** fora de jogo ; **hors saison** fora de época ; **'hors service'** 'fora de serviço' ; [en panne] 'avariado' ; **hors taxes** [prix] sem impostos ; **hors d'atteinte, hors de portée** fora de alcance ; **hors d'haleine** sem fôlego ; **hors de prix** excessivamente caro ; **hors de question** fora de questão ; **être hors de soi** estar fora de si ; **être hors sujet** fugir ao tema ; **hors d'usage** fora de serviço.

hors-bord [ˈɔʀbɔʀ] *nm inv* lancha *f* com motor fora de borda.

hors-d'œuvre [ˈɔʀdɛvʀ] *nm inv* entrada *f*.

hors-série [ɔrseri] ◇ *adj inv* fora de série. ◇ *nm* edição *m* especial, fora *f* de série.

hors-la-loi [ˈɔʀlalwa] *nm inv* fora-da-lei *m*.

hortensia [ɔʀtɑ̃sja] *nm* hortênsia *f*.

horticulture [ɔʀtikyltyʀ] *nf* horticultura *f*.

hospice [ɔspis] *nm* asilo *m*.

hospitalier, ère [ɔspitalje, ɛʀ] *adj* [accueillant] hospitaleiro(ra) ; [des hôpitaux] hospitalar.

hospitaliser [ɔspitalize] *vt* hospitalizar.

hospitalité [ɔspitalite] *nf* hospitalidade *f*.

hostie [ɔsti] *nf* hóstia *f*.

hostile [ɔstil] *adj* hostil.

hostilité [ɔstilite] *nf* hostilidade *f*.

hot dog [ˈɔtdɔg] (*pl* **hot dogs**) *nm* cachorro-quente *m*.

hôte, hôtesse [ot, otɛs] ◇ *nm, f* anfitrião *m*, -ã *f*. ◇ *nm* [qui est reçu] hóspede *mf*.

hôtel [otɛl] *nm* [auberge] hotel *m* ; [château] palacete *m* ; **hôtel de ville** sede *f* da prefeitura.

hôtellerie [otɛlʀi] *nf* [hôtel] hospedaria *f* ; [activité] hotelaria *f*.

hôtesse [otɛs] *nf* [d'accueil] recepcionista *f* ; **hôtesse de l'air** aeromoça *f*.

hotte [ˈɔt] *nf* [panier] cesto *m* ; **hotte (aspirante)** exaustor *m*.

houille [ˈuj] *nf* hulha *f*.

houle [ˈul] *nf* ondulação *f*.

houlette [ˈulɛt] *nf sout* : **sous la houlette de qqn** sob a direção de alguém.

hourra [ˈuʀa] *interj* hurra!

houspiller [ˈuspije] *vt* repreender.

housse [ˈus] *nf* capa *f* ; **housse de couette** capa de edredom.

houx [ˈu] *nm* azevinho *m*.

hovercraft [ɔvœʀkʀaft] *nm* aerodeslizador *m*.

HT *adj* (*abr de* **hors taxes**) s/ impostos.

hublot [ˈyblo] *nm* [de bateau] vigia *f* ; [d'avion] janela *f*.

huées [ˈɥe] *nfpl* vaias *fpl*.

huer [ˈɥe] *vt* vaiar.

huile [ɥil] *nf* óleo *m* ; **huile d'arachide** óleo de amendoim ; **huile d'olive** azeite *m* de oliva ; **huile solaire** óleo de bronzear.

huiler [ɥile] *vt* [mécanisme] olear ; [moule] untar.

huileux, euse [ɥilø, øz] *adj* oleoso(osa).

huissier [ɥisje] *nm* oficial *m* de justiça.

huit [ˈɥit] *num* oito, ► **six**.

huitaine ['ɥitɛn] *nf* : **une huitaine (de jours)** cerca de oito (dias).

huitième ['ɥitjɛm] *num* oitavo (va), ► **sixième**.

huître [ɥitʀ] *nf* ostra *f*.

humain, e [ymɛ̃, ɛn] ◇ *adj* humano(na). ◇ *nm* humano *m*.

humanitaire [ymanitɛʀ] ◇ *adj* humanitário(ria). ◇ *nm* humanitário.

humanité [ymanite] *nf* humanidade *f*.

humble [œ̃bl] *adj* humilde.

humecter [ymɛkte] *vt* umedecer.

humeur [ymœʀ] *nf* humor *m* ; **être de bonne/mauvaise humeur** estar de bom humor/mau humor.

humide [ymid] *adj* úmido(da).

humidificateur [ymidifikatœʀ] *nm* umidificador *m*.

humidité [ymidite] *nf* umidade *f*.

humiliant, e [ymiljɑ̃, ɑ̃t] *adj* humilhante.

humiliation [ymiljasjɔ̃] *nf* humilhação *f*.

humilier [ymilje] *vt* humilhar.

humoristique [ymɔʀistik] *adj* humorístico(ca).

humour [ymuʀ] *nm* humor *m* ; **avoir de l'humour** ter senso de humor.

huppé, e ['ype] *adj* da alta roda.

hurlement ['yʀləmɑ̃] *nm* [de chien] uivo *m* ; [de personne] berro *m*.

hurler ['yʀle] *vi* [chien] uivar ; [personne] berrar ; [vent] assobiar.

hutte ['yt] *nf* cabana *f*.

hybride [ibʀid] *adj* & *nmf* híbrido(da).

hydratant, e [idʀatɑ̃, ɑ̃t] *adj* hidratante.

hydrater [idʀate] *vt* hidratar.

hydraulique [idʀolik] ◇ *adj* hidráulico(ca). ◇ *nf* hidráulica *f*.

hydravion [idʀavjɔ̃] *nm* hidroavião *m*.

hydrocarbure [idʀɔkaʀbyʀ] *nm* hidrocarboneto *m*.

hydroélectrique [idʀoelɛktʀik] *adj* hidrelétrico(ca).

hydrogène [idʀɔʒɛn] *nm* hidrogênio *m*.

hydrophile [idʀɔfil] *adj* ► **coton**.

hyène [jɛn] *nf* hiena *f*.

hygiène [iʒjɛn] *nf* higiene *f*.

hygiénique [iʒjenik] *adj* higiênico(ca).

hymne [imn] *nm* [religieux] hino *m* ; **hymne national** hino *m* nacional.

hyper- *préf fam* **hyper-sympa** supersimpático.

hypermarché [ipɛʀmaʀʃe] *nm* hipermercado *m*.

hypermétrope [ipɛʀmetʀɔp] *adj* & *nmf* hipermetrope.

hypertension [ipɛʀtɑ̃sjɔ̃] *nf* hipertensão *f*, pressão *f* alta.

hypnotiser [ipnɔtize] *vt* hipnotizar.

hypocondriaque [ipɔkɔ̃dʀijak] *adj* & *nmf* hipocondríaco(ca).

hypocrisie [ipɔkʀizi] *nf* hipocrisia *f*.

hypocrite [ipɔkʀit] *adj* & *nmf* hipócrita.

hypoglycémie [ipɔglisemi] *nf* hipoglicemia *f*.

hypotension [ipɔtɑ̃sjɔ̃] *nf* hipotensão *f*, pressão *f* baixa ; **faire de l'hypotension** ter a pressão baixa.

hypothèque [ipɔtɛk] *nf* hipoteca *f*.

hypothéquer [ipɔteke] *vt* hipotecar ; *fig* [l'avenir] comprometer.

hypothèse [ipɔtɛz] *nf* hipótese *f*.

hystérique [isteʀik] *adj* histérico(ca).

I

iceberg [ajsbɛʀg] *nm* iceberg *m*.

ici [isi] *adv* aqui ; **d'ici là** daqui até lá ; **d'ici peu** daqui a pouco ; **par ici** por aqui.

icône [ikon] *nf* ícone *m*.

idéal, **e**, **aux** [ideal, o] ◇ *adj* ideal. ◇ *nm* ideal *m* ; **l'idéal, ce serait...** o ideal seria...

idéaliste [idealist] *adj* & *nmf* idealista.

idée [ide] *nf* idéia *f* ; **avoir une idée de** ter uma idéia de.

identifier [idɑ̃tifje] *vt* identificar. ◆ **s'identifier à** *vp* + *prép* identificar-se com.

identique [idɑ̃tik] *adj* : **identique (à)** idêntico(ca) (a).

identité [idɑ̃tite] *nf* identidade *f*.

idéologie [ideɔlɔʒi] *nf* ideologia *f*.

idiomatique [idjɔmatik] *adj* idiomático(ca).

idiot, **e** [idjo, ɔt] *adj* & *nm, f* idiota.

idiotie [idjɔsi] *nf* idiotice *f*.

idole [idɔl] *nf* ídolo *m*.

idylle [idil] *nf* idílio *m*.

idyllique [idilik] *adj* idílico(ca).

igloo [iglu] *nm* iglu *m*.

ignoble [iɲɔbl] *adj* ignóbil.

ignorance [iɲɔʀɑ̃s] *nf* ignorância *f* ; **dans l'ignorance de qqch** na ignorância de algo.

ignorant, **e** [iɲɔʀɑ̃, ɑ̃t] *adj* & *nm, f* ignorante.

ignorer [iɲɔʀe] *vt* ignorar.

il [il] *pron* ele ; **il pleut** está chovendo. ◆ **ils** *pron* eles.

île [il] *nf* ilha *f* ; **île flottante** ovos *mpl* nevados ; **l'île Maurice** as ilhas Maurício ; **les îles Anglo-Normandes** as ilhas Anglo-Normandas.

Île-de-France [ildəfʀɑ̃s] *nf região metropolitana de Paris*.

illégal, **e**, **aux** [ilegal, o] *adj* ilegal.

illégalité [ilegalite] *nf* ilegalidade *f* ; **dans l'illégalité** na ilegalidade.

illégitime [ileʒitim] *adj* [union, enfant] ilegítimo(ma) ; [crainte, prétention] infundado(da).

illettré, **e** [iletʀe] *adj* & *nm, f* analfabeto(ta).

illicite [ilisit] *adj* ilícito(ta).

illimité, **e** [ilimite] *adj* ilimitado(da).

illisible [ilizibl] *adj* ilegível.

illogique [ilɔʒik] *adj* ilógico(ca).

illuminer [ilymine] *vt* iluminar. ◆ **s'illuminer** *vp* iluminar-se.

illusion [ilyzjɔ̃] *nf* ilusão *f* ; **se faire des illusions** iludir-se.

illusionniste [ilyzjɔnist] *nmf* ilusionista *mf*.

illusoire [ilyzwaʀ] *adj* ilusório(ria).

illustration [ilystʀasjɔ̃] *nf* ilustração *f*.

illustre [ilystʀ] *adj* ilustre.

illustré, **e** [ilystʀe] ◇ *adj* ilustrado(da). ◇ *nm* jornal *m* ilustrado.

illustrer [ilystʀe] *vt* ilustrar.

îlot [ilo] *nm* ilhéu *m*.

ils ► **il**.

image [imaʒ] *nf* imagem *f*.

imagerie [imaʒri] *nf* imagética *f* ; **imagerie médicale** imagens *fpl* médicas.

imaginaire [imaʒinɛʀ] *adj* imaginário(ria).

imagination [imaʒinasjɔ̃] *nf* imaginação *f* ; **avoir de l'imagination** ter imaginação.

imaginer [imaʒine] *vt* imaginar.

◆ **s'imaginer** *vp* [soi-même] imaginar-se ; [scène, personne] imaginar ; **s'imaginer que** imaginar que.

imbattable [ɛ̃batabl] *adj* imbatível.

imbécile [ɛ̃besil] *nmf* imbecil *mf*.

imberbe [ɛ̃bɛʀb] *adj* imberbe.

imbiber [ɛ̃bibe] *vt* : **imbiber qqch de** embeber algo em.

imbroglio [ɛ̃bʀɔglijo] *nm* imbróglio *m*.

imbu, **e** [ɛ̃by] *adj* : **être imbu de qqch** estar imbuído de algo ; **être imbu de soi-même** ser convencido.

imbuvable [ɛ̃byvabl] *adj* intragável *(bebida)*.

imitateur, **trice** [imitatœʀ, tʀis] *nm, f* imitador *m*, -ra *f*.

imitation [imitasjɔ̃] *nf* imitação *f* ; **imitation cuir** imitação de couro.

imiter [imite] *vt* imitar.

immangeable [ɛ̃mɑ̃ʒabl] *adj* incomível.

immatriculation [imatʀikylasjɔ̃] *nf* matrícula *f*.

immédiat, **e** [imedja, at] *adj* imediato(ta).

immédiatement [imedjatmɑ̃] *adv* imediatamente.

immense [imɑ̃s] *adj* imenso(sa).

immergé, **e** [imɛʀʒe] *adj* imerso(sa).

immeuble [imœbl] *nm* prédio *m*.

immigration [imigʀasjɔ̃] *nf* imigração *f*.

immigration [imigrasjɔ̃] *nf* imigração *f* ; **immigration clandestine** imigração clandestina.

immigré, **e** [imigʀe] ◇ *adj* imigrado(da). ◇ *nm, f* imigrante *mf*.

imminent, **e** [iminɑ̃, ɑ̃t] *adj* iminente.

immiscer [imise] ◆ **s'immiscer** *vp* : **s'immiscer dans qqch** imiscuir-se em algo.

immobile [imɔbil] *adj* imóvel.

immobilier, **ère** [imɔbilje, ɛʀ] ◇ *adj* imobiliário(ria). ◇ *nm* : **l'immobilier** o setor imobiliário.

immobiliser [imɔbilize] *vt* imobilizar.

immonde [imɔ̃d] *adj* imundo(da).

immoral, **e**, **aux** [imɔʀal, o] *adj* imoral.

immortaliser [imɔʀtalize] *vt* imortalizar.

immortel, **elle** [imɔʀtɛl] *adj* imortal.

immuable [imɥabl] *adj* imutável.

immuniser [imynize] *vt* imunizar.

immunité [imynite] *nf* imunidade *f* ; **immunité diplomatique/parlementaire** imunidade diplomática/parlamentar.

impact [ɛ̃pakt] *nm* impacto *m*.

impair, **e** [ɛ̃pɛʀ] *adj* ímpar.

imparable [ɛ̃paʀabl] *adj* [coup] inevitável ; [argument] irrefutável.

impardonnable [ɛ̃paʀdɔnabl] *adj* imperdoável.

imparfait, **e** [ɛ̃paʀfɛ, ɛt] ◇ *adj* imperfeito(ta). ◇ *nm* imperfeito *m*.

impartial, **e**, **aux** [ɛ̃paʀsjal, o] *adj* imparcial.

impasse [ɛ̃pas] *nf* beco *m* sem saída.

impassible [ɛ̃pasibl] *adj* impassível.

impatience [ɛ̃pasjɑ̃s] *nf* impaciência *f*.

impatient, **e** [ɛ̃pasjɑ̃, ɑ̃t] *adj* impaciente ; **être impatient de faire qqch** estar impaciente por fazer algo.

impatienter [ɛ̃pasjɑ̃te] ◆ **s'impatienter** *vp* impacientar-se.

impeccable [ɛ̃pekabl] *adj* impecável.

impensable [ɛ̃pɑ̃sabl] *adj* impensável.

imper [ɛ̃pɛʀ] *nm* impermeável *m*.

impératif, **ive** [ɛ̃peʀatif, iv] ◇ *adj* imperativo(va). ◇ *nm* GRAMM imperativo *m*.

impératrice [ɛ̃peʀatʀis] *nf* imperatriz *f*.

imperceptible [ɛ̃pɛʀsɛptibl] *adj* imperceptível.

imperfection [ɛ̃pɛʀfɛksjɔ̃] *nf* imperfeição *f*.

impérial, **e**, **aux** [ɛ̃peʀjal, o] *adj* imperial.

impérialisme [ɛ̃peʀjalism] *nm* [d'un État] imperialismo *m* ; *fig* [domination] império *m*.

imperméabiliser [ɛ̃pɛʀmeabilize] *vt* impermeabilizar.

imperméable [ɛ̃pɛʀmeabl] *adj* & *nm* impermeável.

impersonnel, **elle** [ɛ̃pɛʀsɔnɛl] *adj* [neutre] impessoal.

impertinent, **e** [ɛ̃pɛʀtinɑ̃, ɑ̃t] *adj* impertinente.

imperturbable [ɛ̃pɛʀtyʀbabl] *adj* imperturbável.

impétueux, **euse** [ɛ̃petɥø, øz] *adj* impetuoso(osa).

impitoyable [ɛ̃pitwajabl] *adj* impiedoso(osa).

implacable [ɛ̃plakabl] *adj* implacável.

implanter [ɛ̃plɑ̃te] *vt* implantar. ◆ **s'implanter** *vp* implantar-se.

implication [ɛ̃plikasjɔ̃] *nf*: **implication (dans)** implicação *f* (em). ◆ **implications** *nfpl* implicações *fpl*.

implicite [ɛ̃plisit] *adj* implícito(ta).

impliquer [ɛ̃plike] *vt* [entraîner] implicar ; **impliquer qqn dans** implicar alguém em. ◆ **s'impliquer dans** *vp + prép* implicar-se em.

implorer [ɛ̃plɔʀe] *vt* implorar.

impoli, **e** [ɛ̃pɔli] *adj* mal-educado(da).

impopulaire [ɛ̃pɔpylɛʀ] *adj* impopular.

import [ɛ̃pɔʀ] *nm Belgique* montante *m*.

importance [ɛ̃pɔʀtɑ̃s] *nf* importância *f*.

important, **e** [ɛ̃pɔʀtɑ̃, ɑ̃t] *adj* importante.

importation [ɛ̃pɔʀtasjɔ̃] *nf* importação *f*.

importer [ɛ̃pɔʀte] *vt* & *vi* importar ; **peu importe** pouco importa ; **n'importe comment** [mal] de qualquer maneira ; **n'importe quel** qualquer ; **n'importe qui** qualquer pessoa.

importuner [ɛ̃pɔʀtyne] *vt* importunar.

imposable [ɛ̃pozabl] *adj* tributável, tributário(ria).

imposant, **e** [ɛ̃pozɑ̃, ɑ̃t] *adj* imponente.

imposer [ɛ̃poze] *vt* tributar, impor ; **imposer qqch à qqn** impor algo a alguém. ◆ **s'imposer** *vp* impor-se.

impossible [ɛ̃pɔsibl] *adj* impossível ; **il est impossible que** é impossível que ; **il est impossible de faire qqch** é impossível fazer algo.

imposteur [ɛ̃pɔstœʀ] *nm* impostor *m*, -ra *f*.

impôt [ɛ̃po] *nm* imposto *m*.

impotent, **e** [ɛpɔtɑ̃, ɑ̃t] *adj* & *nm, f* deficiente.

impraticable [ɛ̃pʀatikabl] *adj* intransitável, impraticável.

imprécis, **e** [ɛ̃pʀesi, iz] *adj* impreciso(sa).

imprégner [ɛ̃pʀeɲe] *vt* impregnar ; **imprégner qqch de** impregnar algo de. ◆ **s'imprégner de** *vp* impregnar-se de.

imprésario [ɛ̃pʀesaʀjo] *nm* empresário *m (agente)*.

impression [ɛ̃pʀesjɔ̃] *nf* impressão *f* ; **avoir l'impression que** ter a impressão de que ; **avoir l'impression de faire qqch** ter a impressão de fazer algo.

impressionnant, **e** [ɛ̃pʀesjɔnɑ̃, ɑ̃t] *adj* impressionante.

impressionner [ɛ̃pʀesjɔne] *vt* impressionar.

impressionnisme [ɛ̃pʀesjɔnism] *nm* impressionismo *m*.

imprévisible [ɛ̃pʀevizibl] *adj* imprevisível.

imprévu, **e** [ɛ̃pʀevy] ◇ *adj* imprevisto(ta). ◇ *nm* : **sauf imprévu j'arriverai à 18h** salvo algum imprevisto, chegarei às 18h.

imprimante [ɛ̃pʀimɑ̃t] *nf* impressora *f*.

imprimé, **e** [ɛ̃pʀime] ◇ *adj* [texte] impresso(ssa) ; [tissu] estampado(da). ◇ *nm* impresso *m* ; [publicitaire] folheto *m*.

imprimer [ɛ̃pʀime] *vt* imprimir.

imprimerie [ɛ̃pʀimʀi] *nf* [métier] imprensa *f* ; [lieu] tipografia *f*.

impromptu, **e** [ɛ̃pʀɔ̃pty] *adj* improvisado(da). ◆ **impromptu** *adv* de improviso.

imprononçable [ɛ̃epʀɔnɔ̃sabl] *adj* impronunciável.

impropre [ɛ̃pʀɔpʀ] *adj* impróprio(pria) ; **impropre à** impróprio para.

improviser [ɛ̃pʀɔvize] *vt* & *vi* improvisar.

improviste [ɛ̃pʀɔvist] ◆ **à l'improviste** *adv* de improviso.

imprudence [ɛ̃pʀydɑ̃s] *nf* imprudência *f*.

imprudent, **e** [ɛ̃pʀydɑ̃, ɑ̃t] *adj* imprudente.

impudique [ɛ̃pydik] *adj* impudico(ca).

impuissant, **e** [ɛ̃pɥisɑ̃, ɑ̃t] *adj* [sans recours] impotente.

impulsif, **ive** [ɛ̃pylsif, iv] *adj* impulsivo(va).

impulsion [ɛ̃pylsjɔ̃] *nf* impulso *m* ; **sous l'impulsion de** [effet] impulsionado por ; **sous l'impulsion de qqn** [influence] impulsionado por alguém.

impunément [ɛ̃pynemɑ̃] *adv* impunemente.

impunité [ɛ̃pynite] *nf* impunidade *f* ; **en toute impunité** impunemente.

impureté [ɛ̃pyʀte] *nf* impureza *f*.

imputer [ɛ̃pyte] *vt* : **imputer qqch à qqn/qqch** imputar algo a alguém/algo.

inabordable [inabɔʀdabl] *adj* [prix] inacessível.

inacceptable [inaksɛptabl] *adj* inaceitável.

inaccessible [inaksesibl] *adj* inacessível.

inachevé, **e** [inaʃve] *adj* inacabado(da).

inactif, **ive** [inaktif, iv] *adj* inativo(va).

inaction [inaksjɔ̃] *nf* inação *f*.

inadapté, **e** [inadapte] *adj* [personne] inadaptado(da) ; [objet] inadequado(da).

inadmissible [inadmisibl] *adj* inadmissível.

inadvertance [inadvɛʀtɑ̃s] *nf sout* inadvertência *f* ; **par inadvertance** por inadvertência.

inaliénable [inaljenabl] *adj* inalienável.

inanimé, **e** [inanime] *adj* inanimado(da).

inanition [inanisjɔ̃] *nf* : **tomber/mourir d'inanition** desfalecer/morrer de inanição.

inaperçu, **e** [inapɛʀsy] *adj* : **passer inaperçu** passar despercebido.

inapte [inapt] *adj* inapto(ta) ; **inapte à faire qqch** inapto para fazer algo ; **inapte à qqch** inapto para algo.

inattaquable [inatakabl] *adj* [imprenable, irréprochable] inatacável ; [irréfutable] incontestável.

inattendu, e [inatɑ̃dy] *adj* inesperado(da).

inattention [inatɑ̃sjɔ̃] *nf* distração *f* ; **faute d'inattention** erro *m* de distração.

inaudible [inodibl] *adj* inaudível.

inauguration [inogyʀasjɔ̃] *nf* inauguração *f*.

inaugurer [inogyʀe] *vt* inaugurar.

inavouable [inavwabl] *adj* inconfessável.

incalculable [ɛ̃kalkylabl] *adj* incalculável.

incandescent, e [ɛ̃kɑ̃desɑ̃, ɑ̃t] *adj* incandescente.

incantation [ɛ̃kɑ̃tasjɔ̃] *nf* encantamento *m*.

incapable [ɛ̃kapabl] ◇ *nmf* incapaz *mf*. ◇ *adj* : **être incapable de faire qqch** ser incapaz de fazer algo.

incapacité [ɛ̃kapasite] *nf* incapacidade *f* ; **être dans l'incapacité de faire qqch** estar na incapacidade de fazer algo.

incarcération [ɛ̃kaʀseʀasjɔ̃] *nf* encarceramento *m*.

incarner [ɛ̃kaʀne] *vt* encarnar.

incartade [ɛ̃kaʀtad] *nf* deslize *m*.

incassable [ɛ̃kasabl] *adj* inquebrável.

incendie [ɛ̃sɑ̃di] *nm* incêndio *m*.

incendier [ɛ̃sɑ̃dje] *vt* incendiar.

incertain, e [ɛ̃sɛʀtɛ̃, ɛn] *adj* incerto(ta).

incertitude [ɛ̃sɛʀtityd] *nf* incerteza *f*.

incessamment [ɛ̃sesamɑ̃] *adv* brevemente.

incessant, e [ɛ̃sesɑ̃, ɑ̃t] *adj* incessante.

inceste [ɛ̃sɛst] *nm* incesto *m*.

inchangé, e [ɛ̃ʃɑ̃ʒe] *adj* inalterado(da).

incident [ɛ̃sidɑ̃] *nm* incidente *m*.

incinérer [ɛ̃sineʀe] *vt* incinerar.

inciser [ɛ̃size] *vt* fazer uma incisão em.

incisif, ive [ɛ̃sizif, iv] *adj* incisivo(va). ◆ **incisive** *nf* incisivo *m*.

inciter [ɛ̃site] *vt* : **inciter qqn à faire qqch** incitar alguém a fazer algo.

incivilité [ɛ̃sivilite] *nf* [manque de courtoisie] incivilidade *f*.

inclinable [ɛ̃klinabl] *adj* reclinável.

incliné, e [ɛ̃kline] *adj* inclinado(da).

incliner [ɛ̃kline] *vt* inclinar. ◆ **s'incliner** *vp* inclinar-se ; **s'incliner devant** inclinar-se perante.

inclure [ɛ̃klyʀ] *vt* incluir.

inclus, e [ɛ̃kly, yz] ◇ *pp* ► **inclure**. ◇ *adj* incluído(da) ; **jusqu'au 15 inclus** até o dia 15 inclusive.

incognito [ɛ̃kɔɲito] ◇ *adv* incógnito(ta). ◇ *nm* incógnito *m* ; **garder l'incognito** manter o incógnito.

incohérent, e [ɛ̃kɔeʀɑ̃, ɑ̃t] *adj* incoerente.

incollable [ɛ̃kɔlabl] *adj* [riz] que fica solto ; *fam* [qui sait tout] imbatível.

incolore [ɛ̃kɔlɔʀ] *adj* incolor.

incomber [ɛ̃kɔ̃be] *vi* : **incomber à qqn** incumbir a alguém.

incommoder [ɛ̃kɔmɔde] *vt* incomodar.

incomparable [ɛ̃kɔ̃paʀabl] *adj* incomparável.

incompatible [ɛ̃kɔ̃patibl] *adj* incompatível.

incompétent, e [ɛ̃kɔ̃petɑ̃, ɑ̃t] *adj* incompetente.

incomplet, ète [ɛ̃kɔ̃plɛ, ɛt] *adj* incompleto(ta).

incompréhensible [ɛ̃kɔ̃pʀeɑ̃sibl] *adj* incompreensível.

incompris, e [ɛ̃kɔ̃pʀi, iz] *adj & nm, f* incompreendido(da).

inconcevable [ɛ̃kɔ̃svabl] *adj* inconcebível.

inconditionnel, elle [ɛ̃kɔ̃disjɔnɛl] *nm, f* : **un inconditionnel de** um seguidor incondicional de.

incongru, e [ɛ̃kɔ̃gʀy] *adj* incongruente.

inconnu, e [ɛ̃kɔny] ◇ *adj & nm, f* desconhecido(da). ◇ *nm* : **l'inconnu** o desconhecido.

inconsciemment [ɛ̃kɔ̃sjamɑ̃] *adv* inconscientemente.

inconscient, e [ɛ̃kɔ̃sjɑ̃, ɑ̃t] ◇ *adj* inconsciente. ◇ *nm* : **l'inconscient** o inconsciente.

inconsidéré, e [ɛ̃kɔ̃sideʀe] *adj* [propos, geste] inconsiderado(da) ; [usage] imoderado(da).

inconsolable [ɛ̃kɔ̃sɔlabl] *adj* inconsolável.

incontestable [ɛ̃kɔ̃tɛstabl] *adj* incontestável.

incontinent, e [ɛ̃kɔ̃tinɑ̃, ɑ̃t] *adj & nm, f* incontinente.

incontournable [ɛ̃kɔ̃tuʀnabl] *adj* incontornável.

incontrôlable [ɛ̃kɔ̃tʀolabl] *adj* incontrolável ; [activités] que não pode ser controlado(da).

inconvénient [ɛ̃kɔ̃venjɑ̃] *nm* inconveniente *m*.

incorporer [ɛ̃kɔʀpɔʀe] *vt* incorporar ; **incorporer qqch à** incorporar algo a.

incorrect, e [ɛ̃kɔʀɛkt] *adj* incorreto(ta).

incorrection [ɛ̃kɔʀɛksjɔ̃] *nf* incorreção *f*.

incorrigible [ɛ̃kɔʀiʒibl] *adj* incorrigível.

incorruptible [ɛ̃kɔʀyptibl] *adj* incorruptível.

incrédule [ɛ̃kʀedyl] *adj* incrédulo(la).

increvable [ɛ̃kʀəvabl] *adj* [ballon, pneu] que não fura ; *fam fig* [mécanisme] a toda prova ; *fam fig* [personne] incansável.

incriminer [ɛ̃kʀimine] *vt* [personne] incriminar ; [conduite] condenar.

incroyable [ɛ̃kʀwajabl] *adj* incrível.

incroyant, e [ɛ̃kʀwajɑ̃, ɑ̃t] *adj & nm, f* descrente.

incrusté, e [ɛ̃kʀyste] *adj* : **incrusté de** [décoré de] incrustado(da) de.

incruster [ɛ̃kʀyste] ◆ **s'incruster** *vp* [tache, saleté] incrustar-se.

incubation [ɛ̃kybasjɔ̃] *nf* incubação *f*.

inculpé, e [ɛ̃kylpe] *nm, f* inculpado *m*, -da *f*.

inculper [ɛ̃kylpe] *vt* inculpar ; **inculper qqn de qqch** inculpar alguém de algo.

inculquer [ɛ̃kylke] *vt* : **inculquer qqch à qqn** inculcar algo a alguém.

inculte [ɛ̃kylt] *adj* inculto(ta).

incurable [ɛ̃kyʀabl] *adj* incurável.

incursion [ɛ̃kyʀsjɔ̃] *nf* incursão *f* ; **incursion dans** *fig* incursão por.

incurvé, e [ɛ̃kyʀve] *adj* encurvado(da).

Inde [ɛ̃d] *nf* : **l'Inde** a Índia.

indécent, e [ɛ̃desɑ̃, ɑ̃t] *adj* indecente.

indéchiffrable [ɛ̃deʃifʀabl] *adj* indecifrável.

indécis, e [ɛ̃desi, iz] *adj* indeciso(sa).

indécision [ɛ̃desizjɔ̃] *nf* indecisão *f*.

indéfini, e [ɛ̃defini] *adj* indefinido(da).

indéfiniment [ɛ̃definimɑ̃] *adv* indefinidamente.

indélébile [ɛ̃delebil] *adj* indelével.

indemne [ɛ̃dɛmn] *adj* ileso(sa) ; **sortir indemne de** sair ileso de.

indemniser [ɛ̃dɛmnize] *vt* indenizar.

indemnité [ɛ̃dɛmnite] *nf* indenização *f* ; **indemnité de chômage** auxílio-desemprego.

indémodable [ɛ̃demɔdabl] *adj* que nunca sairá de moda ; **ce style est indémodable** este estilo nunca sairá de moda.

indéniable [ɛ̃denjabl] *adj* inegável.

indépendamment [ɛ̃depɑ̃damɑ̃] ◆ **indépendamment de** *prép* [à part] independentemente de.

indépendance [ɛ̃depɑ̃dɑ̃s] *nf* independência *f*.

indépendant, e [ɛ̃depɑ̃dɑ̃, ɑ̃t] *adj* independente ; **être indépendant de** [sans relation avec] ser independente de.

indescriptible [ɛ̃dɛskʀiptibl] *adj* indescritível.

index [ɛ̃dɛks] *nm* [doigt] indicador *m* ; [d'un livre] índice *m*.

indexer [ɛ̃dɛkse] *vt* [salaires] : **indexer qqch sur qqch** indexar algo a algo ; [livre] indexar.

indicateur [ɛ̃dikatœʀ] *adj m* ► **poteau**.

indicatif [ɛ̃dikatif, iv] ◇ *nm* indicativo *m*. ◇ *adj m* : **à titre indicatif** a título indicativo.

indication [ɛ̃dikasjɔ̃] *nf* indicação *f* ; **'indications'** [sur un médicament] 'indicações'.

indice [ɛ̃dis] *nm* [preuve] indício *m* ; [taux] índice *m*.

indien, enne [ɛ̃djɛ̃, ɛn] *adj* [d'Inde] indiano(na) ; [d'Amérique] índio(dia). ◆ **Indien, enne** *nm, f* [d'Inde] indiano *m*, -na *f*; [d'Amérique] índio *m*, -dia *f*.

indifféremment [ɛ̃difeʀamɑ̃] *adv* [sans distinction] indistintamente ; [sans préférence, selon le cas] indiferentemente.

indifférence [ɛ̃difeʀɑ̃s] *nf* indiferença *f*.

indifférent, e [ɛ̃difeʀɑ̃, ɑ̃t] *adj* indiferente ; **ça m'est indifférent** é-me indiferente.

indigène [ɛ̃diʒɛn] *nmf* indígena *mf*.

indigent, e [ɛ̃diʒɑ̃, ɑ̃t] *adj* & *nmf* indigente.

indigeste [ɛ̃diʒɛst] *adj* indigesto(ta).

indigestion [ɛ̃diʒɛstjɔ̃] *nf* indigestão *f*.

indignation [ɛ̃diɲasjɔ̃] *nf* indignação *f*.

indigne [ɛ̃diɲ] *adj* indigno(gna) ; **être indigne de** ser indigno de.

indigné, e [ɛ̃diɲe] *adj* indignado(da).

indigner [ɛ̃diɲe] ◆ **s'indigner** *vp* : **s'indigner de qqch** indignar-se com algo.

indigo [ɛ̃digo] *adj inv* & *nm* índigo.

indiquer [ɛ̃dike] *vt* indicar ; **indiquer qqn/qqch à qqn** indicar alguém/algo a alguém.

indirect, e [ɛ̃diʀɛkt] *adj* indireto(ta).

indirectement [ɛ̃diʀɛktəmɑ̃] *adv* indiretamente.

indiscipliné, e [ɛ̃disipline] *adj* indisciplinado(da).

indiscret, ète [ɛ̃diskʀɛ, ɛt] *adj* indiscreto(ta).

indiscrétion [ɛ̃diskʀesjɔ̃] *nf* indiscrição *f*.

indiscutable [ɛ̃diskytabl] *adj* indiscutível.

indispensable [ɛ̃dispɑ̃sabl] *adj* indispensável.

indistinct, e [ɛ̃distɛ̃(kt)ɛ̃kt] *adj* indistinto(ta).

individu [ɛ̃dividy] *nm* indivíduo *m*.

individualiste [ɛ̃individɥalist] *adj* individualista.

individuel, elle [ɛ̃dividɥɛl] *adj* individual.

indolent, e [ɛ̃dɔlɑ̃, ɑ̃t] *adj* indolente.

indolore [ɛ̃dɔlɔʀ] *adj* indolor.

indomptable [ɛ̃dɔ̃tabl] *adj* indomável.

Indonésie [ɛ̃dɔnezi] *nf* : **l'Indonésie** a Indonésia.

indu, e [ɛ̃dy] *adj* indevido(da).

indubitable [ɛ̃dybitabl] *adj* indubitável ; **il est indubitable que** é indubitável que.

induire [ɛ̃dɥiʀ] *vt* induzir ; **induire qqn en erreur** induzir alguém em erro ; **en induire que** induzir que.

indulgence [ɛ̃dylʒɑ̃s] *nf* indulgência *f* ; **avec indulgence** com indulgência.

indulgent, e [ɛ̃dylʒɑ̃, ɑ̃t] *adj* indulgente.

industrialisé, e [ɛ̃dystʀijalize] *adj* industrializado(da).

industrie [ɛ̃dystʀi] *nf* indústria *f*.

industriel, elle [ɛ̃dystʀijɛl] *adj* industrial.

inédit, e [inedi, it] *adj* inédito(ta).

inefficace [inefikas] *adj* ineficaz.

inégal, e, aux [inegal, o] *adj* [longueur, chances] desigual ; [terrain] acidentado(da) ; [travail, résultats] irregular.

inégalé, e [inegale] *adj* inigualado(da).

inégalité [inegalite] *nf* desigualdade *f*.

inéluctable [inelyktabl] *adj* inelutável.

ineptie [inɛpsi] *nf* inépcia *f* ; **dire des inepties** dizer imbecilidades.

inépuisable [inepɥizabl] *adj* inesgotável.

inerte [inɛʀt] *adj* inerte.

inertie [inɛʀsi] *nf* inércia *f*.

inespéré, e [inɛspeʀe] *adj* inesperado(da).

inestimable [inɛstimabl] *adj* inestimável.

inévitable [inevitabl] *adj* inevitável.

inexact, e [inegza(kt), akt] *adj* inexato(ta).

inexcusable [inɛkskyzabl] *adj* inescusável.

inexistant, e [inɛgzistɑ̃, ɑ̃t] *adj* inexistente.

inexorable [inɛgzɔʀabl] *adj* inexorável.

inexplicable [inɛksplikabl] *adj* inexplicável.

inexpliqué, e [inɛksplike] *adj* inexplicado(da).

inexprimable [inɛkspʀimabl] *adj* inexprimível.

in extremis [inɛkstʀemis] *adv* in extremis.

inextricable [inɛkstʀikabl] *adj* inextricável.

infaillible [ɛ̃fajibl] *adj* infalível.

infâme [ɛ̃fam] *adj* infame.

infantile [ɛ̃fɑ̃til] *adj* infantil.

infarctus [ɛ̃faʀktys] *nm* enfarte *m*.

infatigable [ɛ̃fatigabl] *adj* incansável.

infect, e [ɛ̃fɛkt] *adj* infeto(ta).

infecter [ɛ̃fɛkte] *vt* infetar. ◆ **s'infecter** *vp* infectar-se.

infectieux, euse [ɛ̃fɛksjø, øz] *adj* infeccioso(osa).

infection [ɛ̃fɛksjɔ̃] *nf* MÉD infecção *f* ; [odeur] fedor *m*.

inférieur, e [ɛ̃feʀjœʀ] *adj* inferior ; **inférieur à** inferior a.

infériorité [ɛ̃feʀjɔʀite] *nf* inferioridade *f*.

infernal, e, aux [ɛ̃fɛʀnal, o] *adj* infernal.

infesté, **e** [˜ɛfɛste] *adj* : **infesté de** infestado(da) de.

infester [ɛ̃fɛste] *vt* infestar ; **(être) infesté de** (estar) infestado de.

infidèle [ɛ̃fidɛl] *adj* infiel.

infiltration [ɛ̃filtʀasjɔ̃] *nf* infiltração *f*.

infiltrer [ɛ̃filtʀe] ◆ **s'infiltrer** *vp* infiltrar-se.

infime [ɛ̃fim] *adj* ínfimo(ma).

infini, **e** [ɛ̃fini] ◇ *adj* infinito(ta). ◇ *nm* infinito *m* ; **à l'infini** até o infinito.

infiniment [ɛ̃finimɑ̃] *adv* extremamente ; **je te remercie infiniment** estou extremamente grato a você.

infinité [ɛ̃finite] *nf* infinidade *f*.

infinitif [ɛ̃finitif] *nm* infinitivo *m*.

infirme [ɛ̃fiʀm] *adj* & *nmf* inválido(da).

infirmerie [ɛ̃fiʀməʀi] *nf* enfermaria *f*.

infirmier, **ère** [ɛ̃fiʀmje, ɛʀ] *nm, f* enfermeiro *m*, -ra *f*.

infirmité [ɛ̃fiʀmite] *nf* enfermidade *f*.

inflammable [ɛ̃flamabl] *adj* inflamável.

inflammation [ɛ̃flamasjɔ̃] *nf* inflamação *f*.

inflation [ɛ̃flasjɔ̃] *nf* inflação *f*.

inflationniste [ɛ̃flasjɔnist] *adj* inflacionário(ria).

inflexible [ɛ̃flɛksibl] *adj* inflexível.

infliger [ɛ̃fliʒe] *vt* : **infliger qqch à qqn** infligir algo a alguém.

influençable [ɛ̃flyɑ̃sabl] *adj* influenciável.

influence [ɛ̃flyɑ̃s] *nf* influência *f* ; **avoir de l'influence sur qqn** ter influência sobre alguém.

influencer [ɛ̃flyɑ̃se] *vt* influenciar.

influent, **e** [ɛ̃flyɑ̃, ɑ̃t] *adj* influente.

informaticien, **enne** [ɛ̃fɔʀmatisjɛ̃, ɛn] *nm, f* especialista *mf* em informática.

information [ɛ̃fɔʀmasjɔ̃] *nf* informação *f*. ◆ **informations** *nfpl* notícias *fpl*.

informatique [ɛ̃fɔʀmatik] ◇ *adj* informático(ca). ◇ *nf* informática *f*.

informatisé, **e** [ɛ̃fɔʀmatize] *adj* informatizado(da).

informatiser [ɛ̃fɔʀmatize] *vt* informatizar. ◆ **s'informatiser** *vp* informatizar-se.

informe [ɛ̃fɔʀm] *adj* informe.

informel, **elle** [ɛ̃fɔʀmɛl] *adj* informal.

informer [ɛ̃fɔʀme] *vt* : **informer qqn de/que** informar alguém de que. ◆ **s'informer (de)** *vp* + *prép* informar-se (sobre).

infos [ɛ̃fo] *nfpl fam* notícias *fpl*.

infraction [ɛ̃fʀaksjɔ̃] *nf* infração *f* ; **être en infraction** cometer uma infração.

infranchissable [ɛ̃fʀɑ̃ʃisabl] *adj* intransponível.

infrarouge [ɛ̃fʀaʀuʒ] ◇ *adj* infravermelho(lha). ◇ *nm* infravermelho *m*.

infrastructure [ɛ̃fʀastʀyktyʀ] *nf* infra-estrutura *f* ; **infrastructure hôtelière** infra-estrutura hoteleira.

infructueux, **euse** [ɛ̃fʀyktɥø, øz] *adj* infrutífero(ra).

infuser [ɛ̃fyze] ◇ *vt* infundir. ◇ *vi* : **laisser infuser** deixar em infusão.

infusion [ɛ̃fyzjɔ̃] *nf* infusão *f*.

ingénier [ɛ̃ʒenje] ◆ **s'ingénier** *vp* : **s'ingénier à faire qqch** esforçar-se para fazer algo.

ingénieur [ɛ̃ʒenjœʀ] *nm* engenheiro *m*, -ra *f*.

ingénieux, **euse** [ɛ̃ʒenjø, øz] *adj* engenhoso(osa).

ingéniosité [ɛ̃ʒenjozite] *nf* engenhosidade *f*.

ingénu, **e** [ɛ̃ʒeny] ◇ *adj* **1.** [candide] ingênuo(nua) - **2.** *péj* [trop candide] palerma. ◇ *nm, f* ingênuo *m*, -nua *f* ; **jouer les ingénus** [au théâtre] fazer o papel de ingênuo ; [dans la vie] fazer-se de ingênuo.

ingrat, **e** [ɛ̃gʀa, at] *adj* [personne] ingrato(ta) ; [visage, physique] desgracioso(osa).

ingratitude [ɛ̃gʀatityd] *nf* ingratidão *f*.

ingrédient [ɛ̃gʀedjɑ̃] *nm* ingrediente *m* ; **'ingrédients'** 'ingredientes'.

ingurgiter [ɛ̃gyʀʒite] *vt* ingurgitar.

inhabité, **e** [inabite] *adj* [région] inabitado(da) ; [logement] desabitado(da).

inhabituel, **elle** [inabitɥɛl] *adj* inabitual.

inhérent, **e** [ineʀɑ̃, ɑ̃t] *adj* : **être inhérent à** ser inerente a.

inhumain, **e** [inymɛ̃, ɛn] *adj* desumano(na).

inhumer [inyme] *vt* inumar.

inimaginable [inimaʒinabl] *adj* inimaginável.

inimitable [inimitabl] *adj* inimitável.

ininflammable [inɛ̃flamabl] *adj* ininflamável.

inintelligible [inɛ̃teliʒibl] *adj* ininteligível.

inintéressant, **e** [inɛ̃teʀesɑ̃, ɑ̃t] *adj* desinteressante.

ininterrompu, **e** [inɛ̃tɛʀɔ̃py] *adj* ininterrupto(ta).

initial, **e**, **iaux** [inisjal, o] *adj* inicial.

initiale [inisjal] *nf* inicial *f*.

initiation [inisjasjɔ̃] *nf* iniciação *f*.

initiative [inisjativ] *nf* iniciativa *f* ; **prendre l'initiative de faire qqch** tomar a iniciativa de fazer algo.

initié, **e** [inisje] *adj* & *nm, f* iniciado(da).

initier [inisje] *vt* : **initier qqn à qqch** iniciar alguém em algo. ◆ **s'initier** *vp* : **s'initier à qqch** iniciar-se em algo.

injecté, **e** [ɛ̃ʒɛkte] *adj* : **injecté (de sang)** injetado (de sangue).

injecter [ɛ̃ʒɛkte] *vt* injetar.

injection [ɛ̃ʒɛksjɔ̃] *nf* injeção *f*.

injoignable [ɛ̃jwaɲabl] *adj* que não pode ser contatado, incomunicável.

injure [ɛ̃ʒyʀ] *nf* injúria *f*.

injurier [ɛ̃ʒyʀje] *vt* injuriar.

injurieux, **euse** [ɛ̃ʒyʀjø, øz] *adj* injurioso(osa).

injuste [ɛ̃ʒyst] *adj* injusto(ta).

injustice [ɛ̃ʒystis] *nf* injustiça *f*.

injustifié, **e** [ɛ̃ʒystifje] *adj* injustificado(da).

inlassable [ɛ̃lasabl] *adj* [infini] inesgotável ; [infatigable] incansável.

inné, **e** [ine] *adj* inato(ta).

innocence [inɔsɑ̃s] *nf* inocência *f*.

innocent, **e** [inɔsɑ̃, ɑ̃t] *adj* & *nm, f* inocente.

innocenter [inɔsɑ̃te] *vt* inocentar.

innombrable [inɔ̃bʀabl] *adj* inumerável.

innover [inɔve] *vi* inovar.

inoccupé, **e** [inɔkype] *adj* desocupado(da).

inoculer [inɔkyle] *vt* inocular.

inodore [inɔdɔʀ] *adj* inodoro(ra).

inoffensif, **ive** [inɔfɑ̃sif, iv] *adj* inofensivo(va).

inondation [inɔ̃dasjɔ̃] *nf* inundação *f*.

inonder [inɔ̃de] *vt* inundar.

inoubliable [inublijabl] *adj* inesquecível.

inouï, **e** [inwi] *adj* [vitesse, dextérité] incrível ; [histoire, évènement] inaudito(ta).

Inox® [inɔks] *nm* inox *m*.

inoxydable [inɔksidabl] *adj* inoxidável.

inquiet, **iète** [ɛ̃kjɛ, ɛt] *adj* inquieto(ta).

inquiétant, **e** [ɛ̃kjetɑ̃, ɑ̃t] *adj* inquietante.

inquiéter [ɛ̃kjete] *vt* inquietar. ◆ **s'inquiéter** *vp* inquietar-se.

inquiétude [ɛ̃kjetyd] *nf* inquietação *f*.

insalubre [ɛ̃salybʀ] *adj* insalubre.

insaturé, **e** [ɛ̃satyre] *adj* insaturado(da).

inscription [ɛ̃skʀipsjɔ̃] *nf* inscrição *f*.

inscrire [ɛ̃skʀiʀ] *vt* inscrever. ◆ **s'inscrire** *vp* inscrever-se ; **s'inscrire à** inscrever-se em.

inscrit, **e** [ɛ̃skʀi, it] *pp* ► **inscrire**.

insecte [ɛ̃sɛkt] *nm* inseto *m*.

insecticide [ɛ̃sɛktisid] *nm* inseticida *m*.

insécurité [ɛ̃sekyʀite] *nf* insegurança *f*.

insémination [ɛ̃seminasjɔ̃] *nf* inseminação *f* ; **insémination artificielle** inseminação artificial.

insensé, **e** [ɛ̃sɑ̃se] *adj* insensato(ta).

insensible [ɛ̃sɑ̃sibl] *adj* insensível ; [léger] imperceptível ; **être insensible à qqch** ser insensível a algo.

insensiblement [ɛ̃sɑ̃sibləmɑ̃] *adv* imperceptivelmente.

inséparable [ɛ̃sepaʀabl] *adj* inseparável.

insérer [ɛ̃seʀe] *vt* inserir.

insidieux, **euse** [ɛ̃sidjø, øz] *adj* insidioso(osa).

insigne [ɛ̃siɲ] *nm* insígnia *f*.

insignifiant, **e** [ɛ̃siɲifjɑ̃, ɑ̃t] *adj* insignificante.

insinuer [ɛ̃sinɥe] *vt* insinuar.

insipide [ɛ̃sipid] *adj* insípido(da).

insistance [ɛ̃sistɑ̃s] *nf* insistência *f* ; **avec insistance** com insistência.

insister [ɛ̃siste] *vi* insistir ; **insister sur** insistir em.

insolation [ɛ̃sɔlasjɔ̃] *nf* insolação *f*.

insolence [ɛ̃sɔlɑ̃s] *nf* insolência *f*.

insolent, **e** [ɛ̃sɔlɑ̃, ɑ̃t] *adj* insolente.

insolite [ɛ̃sɔlit] *adj* insólito(ta).

insoluble [ɛ̃sɔlybl] *adj* [problème] insolúvel.

insomnie [ɛ̃sɔmni] *nf* insônia *f* ; **avoir des insomnies** ter insônia.

insonorisé, **e** [ɛ̃sɔnɔʀize] *adj* insonorizado(da).

insonoriser [ɛ̃sɔnɔʀize] *vt* insonorizar.

insouciant, **e** [ɛ̃susjɑ̃, ɑ̃t] *adj* despreocupado(da).

insoumis, **e** [ɛ̃sumi, iz] *adj* insubmisso(a). ◆ **insoumis** *nm* [soldat] insubmisso *m*.

insoupçonné, **e** [ɛ̃supsɔne] *adj* insuspeito(ta).

insoutenable [ɛ̃sutnabl] *adj* insustentável.

inspecter [ɛ̃spɛkte] *vt* inspecionar.

inspecteur, **trice** [ɛ̃spɛktœʀ, tʀis] *nm, f* inspetor *m*, -ra *f*.

inspiration [ɛ̃spiʀasjɔ̃] *nf* inspiração *f*.

inspiré, **e** [ɛ̃spiʀe] *adj* inspirado(da) ; **avoir été bien inspiré de faire qqch** fazer bem em fazer algo.

inspirer [ɛ̃spiʀe] *vt* & *vi* inspirar ; **inspirer qqch à qqn** inspirar algo a alguém ; **ça ne m'inspire pas** *fig* não me apetece. ◆ **s'inspirer de** *vp + prép* inspirar-se em.

instable [ɛ̃stabl] *adj* instável.

installation [ɛ̃stalasjɔ̃] *nf* instalação *f*.

installer [ɛ̃stale] *vt* instalar. ◆ **s'installer** *vp* instalar-se ; [commerçant, docteur] estabelecer-se.

instance [ɛ̃stɑ̃s] *nf* [autorité] instância *f* ; [insistance] : **sur les instances de qqn** perante a insistência de alguém ; **en instance** em andamento ; **être en instance de divorce** estar com o divórcio em andamento.

instant [ɛ̃stɑ̃] *nm* instante *m* ; **il sort à l'instant** ele acabou de sair ; **pour l'instant** por enquanto.

instantané, **e** [ɛ̃stɑ̃tane] *adj* instantâneo(nea).

instar [ɛ̃staʀ] ◆ **à l'instar de** *loc prép* à semelhança de.

instaurer [ɛ̃stɔʀe] *vt* instaurar.

instigateur, **trice** [ɛ̃stigatœʀ, tʀis] *nm, f* instigador *m*, -ra *f*.

instinct [ɛ̃stɛ̃] *nm* instinto *m*.

instinctif, **ive** [ɛ̃stɛ̃ktif, iv] *adj* instintivo(va).

instituer [ɛ̃stitɥe] *vt* instituir. ◆ **s'instituer** *vp* [se créer] estabelecer-se.

institut [ɛ̃stity] *nm* instituto *m* ; **institut de beauté** instituto de beleza.

instituteur, **trice** [ɛ̃stitytœʀ, tʀis] *nm, f* professor *m*, -ra *f* de escola primária.

institution [ɛ̃stitysjɔ̃] *nf* instituição *f*.

instructif, **ive** [ɛ̃stʀyktif, iv] *adj* instrutivo(va).

instruction [ɛ̃stʀyksjɔ̃] *nf* instrução *f*. ◆ **instructions** *nfpl* instruções *fpl*.

instruire [ɛ̃stʀɥiʀ] ◆ **s'instruire** *vp* instruir-se.

instruit, **e** [ɛ̃stʀɥi, it] ◇ *pp* ► instruire. ◇ *adj* instruído(da).

instrument [ɛ̃stʀymɑ̃] *nm* instrumento *m* ; **instrument (de musique)** instrumento (de música).

instrumentaliser [ɛ̃strymɑ̃talize] *vt* instrumentalizar.

insu [ɛ̃sy] ◆ **à l'insu de** *loc prép* : **faire qqch à l'insu de qqn** fazer algo sem que alguém se dê conta ; **à mon/son insu** sem que eu me dê/ele se dê conta.

insuffisance [ɛ̃syfizɑ̃s] *nf* insuficiência *f* ; **insuffisance cardiaque/rénale** insuficiência cardíaca/renal.

insuffisant, **e** [ɛ̃syfizɑ̃, ɑ̃t] *adj* insuficiente.

insuffler [ɛ̃syfle] *vt* insuflar.

insulaire [ɛ̃sylɛʀ] *adj & nmf* insular.

insuline [ɛ̃sylin] *nf* insulina *f*.

insulte [ɛ̃sylt] *nf* insulto *m*.

insulter [ɛ̃sylte] *vt* insultar.

insupportable [ɛ̃sypɔʀtabl] *adj* insuportável.

insurger [ɛ̃syʀʒe] ◆ **s'insurger** *vp* : **s'insurger contre qqn/qqch** insurgir-se contra alguém/algo.

insurmontable [ɛ̃syʀmɔ̃tabl] *adj* [difficulté] insuperável.

insurrection [ɛ̃syʀɛksjɔ̃] *nf* insurreição *f*.

intact, **e** [ɛ̃takt] *adj* intato(ta).

intarissable [ɛ̃taʀisabl] *adj* [source] inesgotável ; [personne] : **il est intarissable sur...** ele é incansável quando fala sobre...

intégral, **e**, **aux** [ɛ̃tegʀal, o] *adj* integral.

intègre [ɛ̃tɛgʀ] *adj* [personne, vie] íntegro(gra).

intégré, **e** [ɛ̃tegʀe] *adj* integrado(da).

intégrer [ɛ̃tegʀe] *vt* integrar. ◆ **s'intégrer** *vp* : **(bien) s'intégrer** integrar-se (bem).

intégrisme [ɛ̃tegʀism] *nm* integrismo *m*.

intellectuel, **elle** [ɛ̃telɛktɥɛl] *adj* & *nm, f* intelectual.

intelligence [ɛ̃teliʒɑ̃s] *nf* inteligência *f*.

intelligent, **e** [ɛ̃teliʒɑ̃, ɑ̃t] *adj* inteligente.

intempéries [˜ɛtɑ̃peʀi] *nfpl* intempéries *fpl*.

intempestif, **ive** [ɛ̃tɑ̃pɛstif, iv] *adj* intempestivo(va).

intendance [ɛ̃tɑ̃dɑ̃s] *nf* [service, bureau] intendência *f* ; *fig* [questions matérielles] *conjunto dos encargos financeiros do Estado*.

intense [ɛ̃tɑ̃s] *adj* intenso(sa).

intensif, **ive** [ɛ̃tɑ̃sif, iv] *adj* intensivo(va).

intensifier [ɛ̃tɑ̃sifje] ◆ **s'intensifier** *vp* intensificar-se.

intensité [ɛ̃tɑ̃site] *nf* intensidade *f*.

intenter [ɛ̃tɑ̃te] *vt* : **intenter un procès contre** OU **à qqn** intentar uma ação contra alguém.

intention [ɛ̃tɑ̃sjɔ̃] *nf* intenção *f* ; **avoir l'intention de faire qqch** ter intenção de fazer algo ; **intention de vote** intenção de voto.

intentionné, **e** [ɛ̃tɑ̃sjɔne] *adj* : **bien/mal intentionné** bem-intencionado/mal-intencionado.

intentionnel, **elle** [ɛ̃tɑ̃sjɔnɛl] *adj* intencional.

interactif, **ive** [ɛ̃tɛʀaktif, iv] *adj* interativo(va).

intercalaire [ɛ̃tɛʀkalɛʀ] *nm* separador *m*.

intercaler [ɛ̃tɛʀkale] *vt* intercalar.

intercéder [ɛ̃tɛʀsede] *vi* : **intercéder en faveur de** interceder a favor de.

intercepter [ɛ̃tɛʀsɛpte] *vt* interceptar.

interchangeable [ɛ̃tɛʀʃɑ̃ʒabl] *adj* intercambiável.

interclasse [ɛ̃tɛʀklas] *nm* intervalo *m* *(entre duas aulas)*.

interdiction [ɛ̃tɛʀdiksjɔ̃] *nf* proibição *f* ; **'interdiction de fumer'** 'proibido fumar'.

interdire [ɛ̃tɛʀdiʀ] *vt* proibir ; **interdire à qqn de faire qqch** proibir alguém de fazer algo.

interdit, **e** [ɛ̃tɛʀdi, it] ◇ *pp* ➤ **interdire.** ◇ *adj* proibido(da) ; **il est interdit de...** é proibido... ; **être interdit bancaire** bloqueio da conta. ◇ *nm* : **interdit bancaire** bloqueio da conta.

intéressant, **e** [ɛ̃teʀɛsɑ̃, ɑ̃t] *adj* interessante.

intéressé, **e** [ɛ̃teʀese] ◇ *adj* [concerné, motivé] interessado(da) ; *péj* [pour un profit] interesseiro(ra). ◇ *nm, f* interessado *m*, -da *f* ; **le principal intéressé** o principal interessado.

intéresser [ɛ̃teʀese] *vt* interessar ; **intéresser qqn** interessar a alguém. ◆ **s'intéresser à** *vp + prép* interessar-se por.

intérêt [ɛ̃teʀɛ] *nm* interesse *m* ; **avoir intérêt à faire qqch** ter interesse em fazer algo ; **tu as intérêt à rentrer tôt, sinon...** é melhor você chegar cedo, senão... ; **dans l'intérêt de** no interesse de. ◆ **intérêts** *nmpl* juros *mpl*.

interface [ɛ̃tɛʀfas] *nf* INFORM interface *f* ; [intermédiaire] ligação *f* ; **interface graphique** interface gráfica.

interférer [ɛ̃tɛʀfeʀe] *vi* interferir ; **interférer avec qqch** interferir com algo.

intérieur, **e** [ɛ̃teʀjœʀ] ◇ *adj* [interne] interior ; [national] interno(na). ◇ *nm* interior *m* ; **à l'intérieur (de)** no interior (de).

intérim [ɛ̃teʀim] *nm* [période] **: assurer l'intérim** assumir a suplência ; [travail temporaire] emprego *m* temporário ; **par intérim** interino(na) ; **faire de l'intérim, travailler en intérim** ter um emprego temporário.

intérioriser [ɛ̃teʀjɔʀize] *vt* interiorizar.

interligne [ɛ̃tɛʀliɲ] *nm* entrelinha *f*.

interlocuteur, trice [ɛ̃tɛʀlɔkytœʀ, tʀis] *nm, f* interlocutor *m*, -ra *f*.

interloquer [ɛ̃tɛʀlɔke] *vt* desconcertar.

intermède [ɛ̃tɛʀmɛd] *nm* intermédio *m*.

intermédiaire [ɛ̃tɛʀmedjɛʀ] ◇ *adj* intermediário(ria). ◇ *nmf* intermediário *m*, -ria *f*. ◇ *nm* **: par l'intermédiaire de** por intermédio de.

interminable [ɛ̃tɛʀminabl] *adj* interminável.

intermittence [ɛ̃tɛʀmitɑ̃s] *nf*: **par intermittence** intermitentemente.

intermittent, e [ɛ̃tɛʀmitɑ̃, ɑ̃t] *nm, f*: **les intermittents du spectacle** *como são chamados na França os técnicos e atores temporários.*

internat [ɛ̃tɛʀna] *nm* [école] colégio *m* interno.

international, e, aux [ɛ̃tɛʀnasjɔnal, o] *adj* internacional.

interne [ɛ̃tɛʀn] *adj* & *nmf* interno(na).

interner [ɛ̃tɛʀne] *vt* [malade] internar.

interpeller [ɛ̃tɛʀpəle] *vt* [appeler] interpelar.

Interphone® [ɛ̃tɛʀfɔn] *nm* interfone *m*.

interposer [ɛ̃tɛʀpoze] *vt* **1.** [placer entre] **: interposer qqch entre... et...** interpor algo entre... e... - **2.** *fig* [faire intervenir] interpor. ◆ **s'interposer** *vp* interpor-se ; **s'interposer dans** interpor-se em ; **s'interposer entre... et...** interpor-se entre... e...

interprétation [ɛ̃tɛʀpʀetasjɔ̃] *nf* [explication] interpretação *f* ; **interprétation simultanée** interpretação simultânea.

interprète [ɛ̃tɛʀpʀɛt] *nmf* intérprete *mf*.

interpréter [ɛ̃tɛʀpʀete] *vt* interpretar.

interrogation [ɛ̃teʀɔgasjɔ̃] *nf* interrogação *f* ; **interrogation (écrite)** prova *f* (escrita).

interrogatoire [ɛ̃teʀɔgatwaʀ] *nm* interrogatório *m*.

interroger [ɛ̃teʀɔʒe] *vt* interrogar ; **interroger qqn sur** interrogar alguém sobre.

interrompre [ɛ̃tɛʀɔ̃pʀ] *vt* interromper.

interrupteur [ɛ̃teʀyptœʀ] *nm* interruptor *m*.

interruption [ɛ̃teʀypsjɔ̃] *nf* interrupção *f*.

intersection [ɛ̃tɛʀsɛksjɔ̃] *nf* interseção *f*.

intervalle [ɛ̃tɛʀval] *nm* intervalo *m* ; **à deux jours d'intervalle** com dois dias de intervalo.

intervenant, e [ɛ̃tɛʀvənɑ̃, ɑ̃t] *nm, f* interveniente *mf*.

intervenir [ɛ̃tɛʀvəniʀ] *vi* intervir.

intervention [ɛ̃tɛʀvɑ̃sjɔ̃] *nf* intervenção *f*.

intervenu, e [ɛ̃tɛʀvəny] *pp* ► **intervenir**.

intervertir [ɛ̃tɛʀvɛʀtiʀ] *vt* inverter.

interview [ɛ̃tɛʀvju] *nf* entrevista *f*.

interviewer [ɛ̃tɛʀvjuve] *vt* entrevistar.

intestin [ɛ̃tɛstɛ̃] *nm* intestino *m*.

intestinal, **e**, **aux** [ɛ̃tɛstinal, o] *adj* intestinal.

intime [ɛ̃tim] *adj* íntimo(ma).

intimider [ɛ̃timide] *vt* intimidar.

intimité [ɛ̃timite] *nf* intimidade *f*.

intitulé [ɛ̃tityle] *nm* título *m*.

intituler [ɛ̃tityle] *vt* intitular. ◆ **s'intituler** *vp* intitular-se.

intolérable [ɛ̃tɔleʀabl] *adj* intolerável.

intolérant, **e** [ɛ̃tɔleʀɑ̃, ɑ̃t] *adj* intolerante.

intonation [ɛ̃tɔnasjɔ̃] *nf* entonação *f*.

intoxication [ɛ̃tɔksikasjɔ̃] *nf* : **intoxication alimentaire** intoxicação *f* alimentar.

intoxiquer [ɛ̃tɔksike] *vt* intoxicar. ◆ **s'intoxiquer** *vp* intoxicar-se.

intraduisible [ɛ̃tʀadɥizibl] *adj* intraduzível.

intransigeant, **e** [ɛ̃tʀɑ̃ziʒɑ̃, ɑ̃t] *adj* intransigente.

intransitif, **ive** [ɛ̃tʀɑ̃zitif, iv] *adj* intransitivo(va).

intraveineux, **euse** [ɛ̃tʀavɛnø, øz] *adj* intravenoso(osa).

intrépide [ɛ̃tʀepid] *adj* intrépido(da).

intrigue [ɛ̃tʀig] *nf* enredo *m*.

intriguer [ɛ̃tʀige] *vt* intrigar.

introduction [ɛ̃tʀɔdyksjɔ̃] *nf* introdução *f*.

introduire [ɛ̃tʀɔdɥiʀ] *vt* introduzir. ◆ **s'introduire** *vp* introduzir-se.

introduit, **e** [ɛ̃tʀɔdɥi, it] *pp* ► **introduire**.

introuvable [ɛ̃tʀuvabl] *adj* impossível de encontrar.

introverti, **e** [ɛ̃tʀɔvɛʀti] *adj* & *nm, f* introvertido(da).

intrus, **e** [ɛ̃tʀy, yz] *nm, f* intruso *m*, -sa *f*.

intrusion [ɛ̃tʀyzjɔ̃] *nf* intrusão *f*.

intuitif, **ive** [ɛ̃tɥitif, iv] ◇ *adj* intuitivo(va). ◇ *nm, f* pessoa *f* intuitiva.

intuition [ɛ̃tɥisjɔ̃] *nf* intuição *f*.

inusable [inyzabl] *adj* : **c'est inusable** não se gasta.

inusité, **e** [inyzite] *adj* inusitado(da).

in utero [inyterɔ] *loc adj* & *loc adv* in utero.

inutile [inytil] *adj* inútil.

inutilisable [inytilizabl] *adj* inutilizável.

invalide [ɛ̃valid] *nmf* inválido *m*, -da *f*.

invariable [ɛ̃vaʀjabl] *adj* invariável.

invasion [ɛ̃vazjɔ̃] *nf* invasão *f*.

invendable [ɛ̃vɑ̃dabl] *adj* invendável.

invendu [ɛ̃vɑ̃dy] *nm* artigo *m* não vendido.

inventaire [ɛ̃vɑ̃tɛʀ] *nm* inventário *m* ; **faire l'inventaire de qqch** fazer o inventário de algo.

inventer [ɛ̃vɑ̃te] *vt* inventar.

inventeur, **trice** [ɛ̃vɑ̃tœʀ, tʀis] *nm, f* inventor *m*, -ra *f*.

invention [ɛ̃vɑ̃sjɔ̃] *nf* invenção *f*.

inverse [ɛ̃vɛʀs] *nm* inverso *m* ; **à l'inverse** pelo contrário ; **à l'inverse de** ao contrário de.

inversement [ɛ̃vɛʀsəmɑ̃] *adv* inversamente ; **et inversement** e inversamente.

inverser [ɛ̃vɛʀse] *vt* inverter.

invertébré, **e** [ɛ̃vɛʀtebʀe] *adj* invertebrado(da). ◆ **invertébré** *nm* invertebrado *m*.

investir [ɛ̃vɛstiʀ] *vt* investir. ◆ **s'investir dans** *vp* + *prép* dedicar-se a.

investissement [ɛ̃vɛstismɑ̃] *nm* investimento *m*.

invétéré, **e** [ɛ̃veteʀe] *adj* inveterado(da).

invincible [ɛ̃vɛ̃sibl] *adj* [gén] invencível ; [difficulté, fatigue] insuperável.

invisible [ɛ̃vizibl] *adj* invisível.

invitation [ɛ̃vitasjɔ̃] *nf* convite *m*.

invité, e [ɛ̃vite] *nm, f* convidado *m*, -da *f*.

inviter [ɛ̃vite] *vt* convidar ; **inviter qqn à faire qqch** convidar alguém a fazer algo.

invivable [ɛ̃vivabl] *adj* [personne, situation] insuportável ; [lieu] inabitável.

involontaire [ɛ̃vɔlɔ̃tɛʀ] *adj* involuntário(ria).

invoquer [ɛ̃vɔke] *vt* invocar.

invraisemblable [ɛ̃vʀɛsɑ̃blabl] *adj* inverossímil.

iode [jɔd] *nm* ► **teinture.**

ion [jɔ̃] *nm* íon *m*.

ira *etc.* ► **aller.**

Irak [iʀak] *nm* : **l'Irak** o Iraque.

Iran [iʀɑ̃] *nm* : **l'Iran** o Irã.

irascible [iʀasibl] *adj* irascível.

iris [iʀis] *nm* íris *f inv*.

irlandais, e [iʀlɑ̃dɛ, ɛz] *adj* irlandês(esa). ◆ **Irlandais, e** *nm, f* irlandês *m*, -esa *f*.

Irlande [iʀlɑ̃d] *nf* : **l'Irlande du Nord** a Irlanda do Norte ; **la République d'Irlande** a República da Irlanda.

IRM (*abr de* **Imagerie par résonance magnétique**) [iɛʀɛm] *nm* MÉD RM *f (Ressonância Magnética)*, IRM *f (Imagem por RM)*.

ironie [iʀɔni] *nf* ironia *f*.

ironique [iʀɔnik] *adj* irônico(ca).

irradier [iʀadje] ◇ *vi* irradiar. ◇ *vt* expor a radiações.

irrationnel, elle [iʀasjɔnɛl] *adj* irracional.

irrécupérable [iʀekypeʀabl] *adj* irrecuperável.

irréductible [iʀedyktibl] *adj* & *nmf* irredutível.

irréel, elle [iʀeɛl] *adj* irreal.

irréfutable [iʀefytabl] *adj* irrefutável.

irrégulier, ère [iʀegylje, ɛʀ] *adj* irregular.

irrémédiable [iʀemedjabl] *adj* irremediável.

irremplaçable [iʀɑ̃plasabl] *adj* insubstituível.

irréparable [iʀepaʀabl] *adj* [moteur, vêtement] que não tem conserto ; [erreur] irreparável.

irrépressible [iʀepʀesibl] *adj sout* irreprimível.

irréprochable [iʀepʀɔʃabl] *adj* irrepreensível.

irrésistible [iʀezistibl] *adj* irresistível.

irrespirable [iʀɛspiʀabl] *adj* [air] irrespirável.

irresponsable [iʀɛspɔ̃sabl] ◇ *nmf* irresponsável *mf*. ◇ *adj* [immature, léger] irresponsável ; DR inimputável.

irréversible [iʀevɛʀsibl] *adj* irreversível.

irrigation [iʀigasjɔ̃] *nf* irrigação *f*.

irriguer [iʀige] *vt* irrigar.

irritable [iʀitabl] *adj* irritável.

irritation [iʀitasjɔ̃] *nf* irritação *f*.

irriter [iʀite] *vt* irritar.

irruption [iʀypsjɔ̃] *nf* irrupção *f* ; **faire irruption dans** [lieu] irromper por ; [vie] entrar de repente em.

islam [islam] *nm* : **l'islam** o Islã.

islamique [islamik] *adj* islâmico(ca).

isolant, e [izɔlɑ̃, ɑ̃t] ◇ *adj* isolante. ◇ *nm* isolante *m*.

isolation [izɔlasjɔ̃] *nf* isolamento *m*.

isolé, e [izɔle] *adj* isolado(da).

isoler [izɔle] *vt* isolar. ◆ **s'isoler** *vp* isolar-se.

isotherme [izɔtɛʀm] *adj* isotérmico(ca).

Israël [isʀaɛl] *npr* Israel.

israélien, enne [isʀaeljɛ̃, ɛn] *adj* israelense. ◆ **Israélien, enne** *nm, f* israelense *mf*.

issu, e [isy] *adj* : **être issu de** [famille] procedente de ; [processus, théorie] resultante de.

issue [isy] *nf* [sortie] saída *f* ; **'voie sans issue'** 'rua sem saída' ; **'issue de secours'** 'saída de emergência'.

isthme [ism] *nm* istmo *m*.

Italie [itali] *nf* : **l'Italie** a Itália.

italien, enne [italjɛ̃, ɛn] ◇ *adj* italiano(na). ◇ *nm* [langue] italiano *m*. ◆ **Italien, enne** *nm, f* italiano *m*, -na *f*.

italique [italik] *nm* itálico *m*.

itinéraire [itineʀɛʀ] *nm* itinerário *m* ; **itinéraire bis** itinerário secundário *itinerário alternativo para facilitar a circulação.*

ivoire [ivwaʀ] *nm* marfim *m*.

ivre [ivʀ] *adj* embriagado(da).

ivresse [ivʀɛs] *nf* embriaguez *f* ; **ivresse de qqch** *fig* embriaguez de algo.

ivrogne [ivʀɔɲ] *nmf* bêbado *m*, -da *f*.

J

j' ► **je**.

jachère [ʒaʃɛʀ] *nf* : **en jachère** [agriculture] em pousio.

jacinthe [ʒasɛ̃t] *nf* jacinto *m*.

jade [ʒad] *nm* jade *m*.

jadis [ʒadis] *adv* outrora.

jaguar [ʒagwaʀ] *nm* jaguar *m*.

jaillir [ʒajiʀ] *vi* [eau] jorrar ; [source] brotar.

jalon [ʒalɔ̃] *nm* baliza *f* ; **poser les (premiers) jalons de qqch** *fig* lançar os alicerces de algo.

jalonner [ʒalɔne] *vt* balizar ; **être jalonné de** [arbres, piquets] estar ladeado de ; [succès] estar marcado por.

jalousie [ʒaluzi] *nf* inveja *f* ; [amoureuse] ciúme *m*.

jaloux, ouse [ʒalu, uz] *adj* [possessif] ciumento(ta) ; [envieux] invejoso(osa) ; **être jaloux de** estar com inveja de ; [en amour] ter ciúme de.

jamais [ʒamɛ] *adv* nunca ; **je ne vais jamais au théâtre** nunca vou ao teatro ; **je ne reviendrai jamais plus** nunca mais volto ; **c'est le plus long voyage que j'aie jamais fait** foi a viagem mais longa que já fiz ; **plus que jamais** mais do que nunca ; **si jamais...** se por acaso...

jambe [ʒɑ̃b] *nf* perna *f*.

jambon [ʒɑ̃bɔ̃] *nm* presunto *m* ; **jambon blanc** presunto cozido ; **jambon cru** presunto cru.

jambonneau [ʒɑ̃bɔno] (*pl* -x) *nm* pernil *m*.

jante [ʒɑ̃t] *nf* jante *f*.

janvier [ʒɑ̃vje] *nm* janeiro *m*, ► **septembre**.

Japon [ʒapɔ̃] *nm* : **le Japon** o Japão.

japonais, e [ʒapɔnɛ, ɛz] ◇ *adj* japonês(esa). ◇ *nm* [langue] japonês *m*. ◆ **Japonais, e** *nm, f* japonês *m*, -esa *f*.

japper [ʒape] *vi* latir.

jardin [ʒaʀdɛ̃] *nm* jardim *m* ; **jardin d'enfants** jardim-de-infância *m* ; **jardin public** jardim público.

jardinage [ʒaʀdinaʒ] *nm* jardinagem *f*.

jardinier, **ère** [ʒaʀdinje, ɛʀ] *nm, f* jardineiro *m*, -ra *f*.

jardinière [ʒaʀdinjɛʀ] *nf* jardineira *f* ; **jardinière de légumes** jardineira de legumes ► **jardinier**.

jargon [ʒaʀgɔ̃] *nm* [langage spécialisé] jargão *m* ; *fam* [charabia] algaravia *f*.

jarret [ʒaʀɛ] *nm* : **jarret de veau** jarrete *m* de vitela.

jaser [ʒaze] *vi* dar com a língua nos dentes.

jasmin [ʒasmɛ̃] *nm* jasmim *m*.

jauge [ʒoʒ] *nf* indicador *m* ; **jauge d'essence** indicador do nível de combustível.

jauger [ʒoʒe] *vt* avaliar.

jaune [ʒon] ◇ *adj* amarelo(la). ◇ *nm* amarelo *m* ; **jaune d'œuf** gema *f* de ovo.

jaunir [ʒoniʀ] *vi* amarelar.

jaunisse [ʒonis] *nf* icterícia *f*.

java [ʒava] *nf* : **faire la java** *fam fig* cair na farra.

Javel [ʒavɛl] *nf* : **(eau de) Javel** água *f* sanitária.

javelot [ʒavlo] *nm* dardo *m*.

jazz [dʒaz] *nm* jazz *m*.

je [ʒə] *pron* eu.

jean [dʒin] *nm* jeans *mpl*.

Jeep® [dʒip] *nf* jipe *m*.

jérémiades [ʒeʀemjad] *nfpl* choradeiras *fpl*.

jerrican [ʒeʀikan] *nm* tambor *m*.

jersey [ʒɛʀzɛ] *nm* jérsei *m*.

jésuite [ʒezɥit] *nm* jesuíta *m*.

Jésus-Christ [ʒezykʀi] *nm* Jesus Cristo ; **après Jésus-Christ** depois de Cristo ; **avant Jésus-Christ** antes de Cristo.

jet[1] [ʒɛ] *nm* jato *m* ; **jet d'eau** repuxo *m*.

jet[2] [dʒɛt] *nm* avião *m* a jato.

jet-set [dʒɛtsɛt] *nf* jet-set *m*.

jetable [ʒətabl] *adj* : **un rasoir jetable** aparelho de barbear descartável.

jetée [ʒəte] *nf* quebra-mar *m*.

jeter [ʒəte] *vt* [lancer] atirar ; [mettre à la poubelle] jogar fora. ◆ **se jeter** *vp* : **se jeter dans** [rivière] desaguar em ; **se jeter sur** jogar-se sobre.

jeton [ʒətɔ̃] *nm* ficha *f*.

jeu [ʒø] (*pl* -x) *nm* jogo *m* ; [au tennis] partida *f* ; **le jeu** [au casino] o jogo ; **jeu de cartes** [distraction] jogo de cartas ; [paquet] baralho *m* ; **jeu d'échecs** jogo de xadrez ; **jeu de mots** trocadilho *m* ; **jeu de société** jogo de tabuleiro ; **jeu vidéo** jogo de vídeo ; **les jeux Olympiques** os Jogos Olímpicos.

jeudi [ʒødi] *nm* quinta-feira *f*, ► **samedi**.

jeun [ʒœ̃] ◆ **à jeun** *adj* em jejum.

jeune [ʒœn] *adj* & *nmf* jovem ; **jeune fille** moça *f* ; **jeune homme** rapaz *m* ; **les jeunes** os jovens.

jeûne [ʒøn] *nm* jejum *m*.

jeûner [ʒøne] *vi* jejuar.

jeunesse [ʒœnɛs] *nf* juventude *f*.

jingle [dʒingœl] *nm* jingle *m*.

joaillier [ʒɔaje] *nm* joalheiro *m*.

job [dʒɔb] *nm fam* emprego *m*.

jockey [ʒɔkɛ] *nm* jóquei *m*.

jogging [dʒɔgiŋ] *nm* [vêtement, course] jogging *m* ; **faire du jogging** fazer jogging.

joie [ʒwa] *nf* alegria *f*.

joindre [jwɛ̃dʀ] *vt* [relier] juntar ; [contacter] contatar ; **joindre qqch à** juntar algo a ; **joindre un fichier à un message électronique** INFORM anexar um arquivo a uma mensagem eletrônica. ◆ **se joindre à** *vp* + *prép* juntar-se a.

joint, **e** [ʒwɛ̃, ɛ̃t] ◇ *pp* ▶ **joindre**. ◇ *nm* TECHNOL junta *f* ; *fam* [drogue] baseado *m* ; [do motor] : **joint de culasse** junta da cabeça.

joker [ʒɔkɛʀ] *nm* curinga *m*.

joli, **e** [ʒɔli] *adj* bonito(ta) ; **jolie mentalité!** bela mentalidade!

jonc [ʒɔ̃] *nm* junco *m*.

joncher [ʒɔ̃ʃe] *vt* juncar ; **être jonché de qqch** estar juncado de algo.

jonction [ʒɔ̃ksjɔ̃] *nf* junção *f*.

jongler [ʒɔ̃gle] *vi* [avec des balles] fazer malabarismos ; *fig* [avec des difficultés] brincar.

jongleur [ʒɔ̃glœʀ] *nm* malabarista *m*.

jonquille [ʒɔ̃kij] *nf* junquilho *m*.

joual [ʒwal] *nm* **Québec** *dialeto franco-canadense falado na região do Quebec.*

joue [ʒu] *nf* bochecha *f*.

jouer [ʒwe] ◇ *vi* [enfant] brincar ; [musicien] tocar ; [acteur] representar. ◇ *vt* [carte] jogar ; [somme] apostar ; [rôle, pièce] representar ; [mélodie, sonate] tocar ; **jouer à** [tennis, foot, cartes] jogar ; **jouer de** [instrument] tocar ; **jouer un rôle dans qqch** *fig* desempenhar um papel em algo ; **la porte a joué** a porta empenou.

jouet [ʒwɛ] *nm* brinquedo *m*.

joueur, **euse** [ʒwœʀ, øz] *nm, f* jogador *m*, -ra *f* ; **être mauvais joueur** ser mau perdedor ; **joueur de cartes** jogador de cartas ; **joueur de flûte** flautista *mf* ; **joueur de foot** jogador de futebol.

joufflu, **e** [ʒufly] *adj* bochechudo(da).

joug [ʒu] *nm* jugo *m*.

jouir [ʒwiʀ] *vi* gozar ; **jouir de** [apprécier] gozar ; [bénéficier de] usufruir de.

jour [ʒuʀ] *nm* dia *m* ; **il fait jour** amanhece ; **jour de l'an** dia do ano-novo ; **jour férié** feriado *m* ; **jour ouvrable** dia útil ; **huit jours** oito dias ; **quinze jours** quinze dias ; **de jour** de dia ; **du jour au lendemain** de um dia para o outro ; **de nos jours** hoje em dia ; **être à jour** estar em dia ; **mettre qqch à jour** atualizar.

journal [ʒuʀnal] (*pl* -aux [o]) *nm* jornal *m* ; **journal (intime)** diário *m* ; **journal télévisé** telejornal *m*.

journalier, **ère** [ʒuʀnalje, ɛʀ] *adj* diário(ria).

journalisme [ʒuʀnalism] *nm* jornalismo *m*.

journaliste [ʒuʀnalist] *nmf* jornalista *mf*.

journée [ʒuʀne] *nf* dia *m* ; **dans la journée** durante o dia ; **toute la journée** o dia todo.

jovial [ʒɔvjal] *adj* jovial.

joyau [ʒwajo] (*pl* -x) *nm* jóia *f*.

joyeux, **euse** [ʒwajø, øz] *adj* feliz ; **joyeux anniversaire!** feliz aniversário! ; **joyeux Noël!** feliz Natal!

jubiler [ʒybile] *vi fam* jubilar.

judéo-chrétien, **enne** [ʒydeɔkʀetjɛ̃, ɛn] (*mpl* **judéo-chrétiens**) *adj* judaico-cristão(ã).

judiciaire [ʒydisjɛʀ] *adj* judicial, judiciário(ria).

judicieux, **euse** [ʒydisjø, øz] *adj* judicioso(osa).

judo [ʒydo] *nm* judô *m*.

juge [ʒyʒ] *nm* [magistrat] juiz *m*, juíza *f* ; **juge d'enfants** juiz de menores ; SPORT árbitro *m*.

jugement [ʒyʒmɑ̃] *nm* [procès, opinion] julgamento *m* ; [condamnation, sentence] sentença *f* ; [discernement] juízo *m* ; **le Jugement dernier** o Juízo Final ; **jugement de valeur** juízo de valor.

jugeote [ʒyʒɔt] *nf fam* juízo *m* ; **manquer de jugeote** não ter juízo nenhum.

juger [ʒyʒe] *vt* julgar.

juif, **ive** [ʒɥif, ʒɥiv] *adj* judeu(dia). ◆ **Juif**, **ive** *nm, f* judeu *m*, -dia *f*.

juillet [ʒɥijɛ] *nm* julho *m* ; **le 14-Juillet** o 14 de Julho, *feriado nacional francês*, ► **septembre**.

juin [ʒyɛ̃] *nm* junho *m*, ► **septembre**.

juke-box [dʒukbɔks] *nm inv* jukebox *m*.

julienne [ʒyljɛn] *nf* juliana *f*.

jumeau, **elle**, **eaux** [ʒymo, ɛl, o] ◇ *adj* [maisons] geminado(da). ◇ *nm, f* gêmeo *m*, -mea *f* ; **frère jumeau** irmão gêmeo.

jumelé, **e** [ʒymle] *adj* geminado(da) ; **'ville jumelée avec...'** 'cidade geminada com...'

jumeler [ʒymle] *vt* geminar.

jumelle *nf* ► **jumeau**. ◆ **jumelles** *nfpl* binóculos *mpl*.

jument [ʒymɑ̃] *nf* égua *f*.

jungle [ʒœ̃gl] *nf* selva *f*.

junior [ʒynjɔʀ] *adj inv* júnior.

junte [ʒœ̃t] *nf* junta *f*.

jupe [ʒyp] *nf* saia *f* ; **jupe droite** saia reta ; **jupe plissée** saia plissada.

jupe-culotte [ʒypkylɔt] (*pl* **jupes-culottes**) *nf* saia-calça *f*.

jupon [ʒypɔ̃] *nm* saiote *m*.

juré, **e** [ʒyʀe] *adj* jurado(da) ; **ennemi juré** inimigo jurado. ◆ **juré** *nm* jurado *m*.

jurer [ʒyʀe] ◇ *vi* jurar. ◇ *vt* : **jurer (à qqn) que** jurar (a alguém) que ; **jurer de faire qqch** jurar fazer algo.

juridique [ʒyʀidik] *adj* jurídico(ca).

jurisprudence [ʒyʀispʀydɑ̃s] *nf* jurisprudência *f* ; **faire jurisprudence** fazer jurisprudência.

juriste [ʒyʀist] *nmf* jurista *mf*.

juron [ʒyʀɔ̃] *nm* palavrão *m*.

jury [ʒyʀi] *nm* júri *m*.

jus [ʒy] *nm* [de fruit] suco *m* ; [de viande] molho *m* ; **jus d'orange** suco de laranja.

jusque [ʒysk(ə)] ◆ **jusqu'à** *prép* : **allez jusqu'à l'église** vá até a igreja ; **jusqu'à ce que je parte** até eu ir embora ; **jusqu'à présent** até hoje. ◆ **jusqu'ici** *adv* até aqui. ◆ **jusque-là** *adv* [dans l'espace] até ali ; [dans le temps] até lá.

justaucorps [ʒystokɔʀ] *nm* roupa *f* de ginástica.

juste [ʒyst] *adj* [équitable] justo(ta) ; [addition, raisonnement] correto(ta) ; [note, voix] afinado(da) ; [vêtement] justo(ta) ; [seulement] apenas ; [exactement] precisamente ; **au juste** ao certo ; **chanter juste** cantar afinadamente ; **être juste** mal dar.

justement [ʒystəmɑ̃] *adv* precisamente.

justesse [ʒystɛs] ◆ **de justesse** *adv* por pouco.

justice [ʒystis] *nf* justiça *f*.

justificatif, **ive** [ʒystifikatif, iv] *adj* justificativo(va). ◆ **justificatif** *nm* justificativa *f*.

justification [ʒystifikasjɔ̃] *nf* justificação *f*.

justifier [ʒystifje] *vt* justificar. ◆ **se justifier** *vp* justificar-se.

jute [ʒyt] *nm* : **(toile de) jute** (tecido de) juta *f*.

juteux, **euse** [ʒytø, øz] *adj* sumarento(ta).

juvénile [ʒyvenil] *adj* juvenil.

juxtaposer [ʒykstapoze] *vt* justapor.

K

K7 [kasɛt] *nf* (*abr de* **cassette**) K7 *f*.

kaki [kaki] *adj inv* cáqui.

kaléidoscope [kaleidɔskɔp] *nm* caleidoscópio *m*.

kamikaze [kamikaz] *nm* camicase *m*.

kangourou [kɑ̃guʀu] *nm* canguru *m*.

karaoké [kaʀaɔke] *nm* caraoquê *m*.

karaté [kaʀate] *nm* caratê *m*.

kart [kaʀt] *nm* kart *m*.

karting [kaʀtiŋ] *nm* karting *m*.

kayak [kajak] *nm* [bateau] caiaque *m* ; [sport] canoagem *f*.

képi [kepi] *nm* quepe *m*.

kermesse [kɛʀmɛs] *nf* quermesse *f*.

kérosène [keʀɔzɛn] *nm* querosene *m*.

ketchup [kɛtʃœp] *nm* ketchup *m*.

kg (*abr de* **kilogramme**) kg.

kidnapper [kidnape] *vt* raptar.

kilo(gramme) [kilɔ(gram)] *nm* quilo(grama) *m*.

kilométrage [kilɔmetʀaʒ] *nm* quilometragem *f* ; **kilométrage illimité** quilometragem ilimitada.

kilomètre [kilɔmɛtʀ] *nm* quilômetro *m* ; **100 kilomètres à l'heure** 100 quilômetros por hora.

kilowatt [kilɔwat] *nm* quilowatt *m*.

kilt [kilt] *nm* kilt *m*.

kiné *fam* [kine] (*abr de* **kinésithérapeute**) *nmf* cinesioterapeuta *mf*.

kinésithérapeute [kineziteʀapøt] *nmf* cinesioterapeuta *mf*.

kiosque [kjɔsk] *nm* quiosque *m* ; **kiosque à journaux** banca *f* de jornais.

kir [kiʀ] *nm aperitivo composto por vinho branco e licor de cassis* ; **kir royal** *aperitivo composto por champanhe e licor de cassis.*

kirsch [kiʀʃ] *nm* aguardente *f* de cereja.

kit [kit] *nm* kit *m* ; **en kit** em kit ; **kit mains libres** TÉLÉCOM kit viva voz.

kitchenette [kitʃənɛt] *nf* quitinete *f*.

kiwi [kiwi] *nm* [fruit] kiwi *m*.

Klaxon® [klaksɔn] *nm* buzina *f*.

klaxonner [klaksɔne] *vi* buzinar.

Kleenex® [klinɛks] *nm* lenço *m* de papel.

kleptomane [klɛptɔman] *adj* cleptomaníaco(ca).

km (*abr de* **kilomètre**) km.

km/h (*abr de* **kilomètre par heure**) km/h.

K-O *adj inv* KO.

kosovar, **e** [kɔsɔvar] *adj* Kosovar.

kouglof [kuglɔf] *nm brioche com passas e amêndoas originário da Alsácia.*

krach [kʀak] *nm* crash *m* ; **krach boursier** craque da bolsa.

K-way® [kawɛ] *nm inv anoraque impermeável.*

kyrielle [kiʀjɛl] *nf* ladainha *f*.

kyste [kist] *nm* quisto *m*.

L

l (*abr de* **litre**) l.

l' ► **le**.

la [la] ► **le**.

là [la] *adv* ali ; **par là** por ali ; **cette fille-là** aquela moça ; **ce jour-là** nesse dia.

là-bas [laba] *adv* ali.

label [labɛl] *nm* rótulo *m*.

laboratoire [labɔʀatwaʀ] *nm* laboratório *m*.

laborieux, euse [labɔʀjø, øz] *adj* laborioso(osa).

labourer [labuʀe] *vt* lavrar.

labyrinthe [labiʀɛ̃t] *nm* labirinto *m*.

lac [lak] *nm* lago *m*.

lacer [lase] *vt* amarrar.

lacérer [laseʀe] *vt* lacerar.

lacet [lasɛ] *nm* [de chaussures] cordão *m* ; [virage] estrada *f* em ziguezague.

lâche [laʃ] ◇ *adj* [peureux] covarde ; [nœud, corde] frouxo(xa). ◇ *nmf* covarde *mf*.

lâcher [laʃe] ◇ *vt* soltar ; [desserrer] afrouxar. ◇ *vi* soltar-se.

lâcheté [laʃte] *nf* covardia *f*.

lacrymogène [lakʀimɔʒɛn] *adj* lacrimogênio(nia).

lacune [lakyn] *nf* lacuna *f*.

là-dedans [laddɑ̃] *adv* [lieu] ali dentro ; [dans cela] nisto tudo.

là-dessous [ladsu] *adv* [lieu] ali debaixo ; [dans cette affaire] por detrás disto.

là-dessus [ladsy] *adv* [lieu] ali por cima ; [à ce sujet] acerca disto.

lagon [lagɔ̃] *nm* lagoa *f*.

lagune [lagyn] *nf* laguna *f*.

là-haut [lao] *adv* ali em cima.

laid, e [lɛ, lɛd] *adj* feio(feia).

laideur [lɛdœʀ] *nf* feiúra *f*.

lainage [lɛnaʒ] *nm* roupa *f* de lã ; **les lainages** as lãs.

laine [lɛn] *nf* lã *f* ; **en laine** de lã.

laïque [laik] *adj* laico(ca).

laisse [lɛs] *nf* trela *f* ; **tenir un chien en laisse** segurar um cão pela trela.

laisser [lese] ◇ *vt* deixar. ◇ *v aux* : **laisser qqn faire qqch** deixar alguém fazer algo ; **laisser tomber** [objet] deixar cair ; *fig* [projet, personne] abandonar. ◆ **se laisser** *vp* abandonar-se ; **se laisser aller** deixar-se levar ; **se laisser faire** [par lâcheté] deixar que aconteça ; [se laisser tenter] ceder a uma vontade.

laisser-aller [lɛseale] *nm inv* desleixo *m*.

laisser-passer [lɛsepase] *nm inv* salvo-conduto *m*.

lait [lɛ] *nm* leite *m* ; **lait démaquillant** leite demaquilante ; **lait de toilette** leite de limpeza. ◆ **au lait** *loc adj* com leite.

laitage [lɛtaʒ] *nm* laticínio *m*.

laitier [lɛtje] *adj m* ➤ **produit**.

laiton [lɛtɔ̃] *nm* latão *m*.

laitue [lety] *nf* alface *f*.

laïus [lajys] *nm fam* discurso *m* ; **faire un laïus** fazer um discurso.

lambeau [lɑ̃bo] (*pl* -x) *nm* farrapo *m*.

lambic [lɑ̃bik] *nm Belgique cerveja forte à base de cevada e trigo, aromatizada com frutos, sofrendo fermentação natural.*

lambris [lɑ̃bʀi] *nm* lambri *m*.

lame [lam] *nf* lâmina *f* ; [vague] onda *f* ; **lame de rasoir** lâmina de barbear.

lamelle [lamɛl] *nf* lâmina *f*.

lamentable [lamɑ̃tabl] *adj* lamentável.

lamentation [lamɑ̃tasjɔ̃] *nf* lamentação *f*.

lamenter [lamɑ̃te] ◆ **se lamenter** *vp* lamentar-se.

lampadaire [lɑ̃padɛʀ] *nm* [dans un appartement] luminária *f* de pé ; [dans la rue] luminária *f*.

lampe [lɑ̃p] *nf* luminária *f*, abajur *m* ; **lampe de chevet** abajur de cabeceira ; **lampe de poche** lanterna *f* de bolso.

lampion [lɑ̃pjɔ̃] *nm* lampião *m*.

lance [lɑ̃s] *nf* lança *f* ; **lance d'incendie** mangueira *f* de incêndio.

lancée [lɑ̃se] *nf* : **continuer sur sa/ma lancée** continuar uma ação aproveitando o impulso original.

lance-flammes [lɑ̃sflam] *nm inv* lança-chamas *m inv*.

lancement [lɑ̃smɑ̃] *nm* lançamento *m*.

lance-pierres [lɑ̃spjɛʀ] *nm inv* estilingue *m*.

lancer [lɑ̃se] *vt* [jeter] atirar ; [produit, mode] lançar. ◆ **se lancer** *vp* [se jeter] atirar-se ; [oser] lançar-se ; **se lancer dans qqch** meter-se em algo.

lancinant, e [lɑ̃sinɑ̃, ɑ̃t] *adj* [douleur, souvenir] lancinante ; [musique] enfadonho(nha).

landau [lɑ̃do] *nm* carrinho *m* de bebê.

lande [lɑ̃d] *nf* charneca *f*.

langage [lɑ̃gaʒ] *nm* linguagem *f*.

lange [lɑ̃ʒ] *nm* fralda *f* (de pano).

langer [lɑ̃ʒe] *vt* trocar a fralda de.

langoureux, euse [lɑ̃guʀø, øz] *adj* lânguido(da).

langouste [lɑ̃gust] *nf* lagosta *f*.

langoustine [lɑ̃gustin] *nf* lagostim *m*.

langue [lɑ̃g] *nf* língua *f* ; **langue étrangère** língua estrangeira ; **langue maternelle** língua materna ; **langue officielle** língua oficial ; **langue vivante** língua viva.

langue-de-chat [lɑ̃gdəʃa] (*pl* **langues-de-chat**) *nf* língua-de-gato *f*.

languette [lɑ̃gɛt] *nf* [de chaussures] lingüeta *f*.

languir [lɑ̃giʀ] *vi sout* [manquer d'énergie] enlanguescer ; [attendre] : **faire languir qqn** fazer alguém esperar muito tempo ; **languir de** penar de. ◆ **se languir** *vp* sentir saudade.

lanière [lanjɛʀ] *nf* [de cuir] correia *f*.

lanterne [lɑ̃tɛʀn] *nf* [lampe] lanterna *f* ; **les lanternes** AUTO [feu de position] as lanternas.

laper [lape] *vt & vi* beber com a língua.

lapider [lapide] *vt* apedrejar.

lapin [lapɛ̃] *nm* coelho *m*.

lapsus [lapsys] *nm* lapso *m* ; **faire un lapsus** cometer um lapso.

laque [lak] *nf* [pour coiffer] laquê *m* ; [peinture] laca *f*.

laqué [lake] *adj m* ► **canard**.

laquelle [lakɛl] ► **lequel**.

larcin [laʀsɛ̃] *nm sout* furto *m*.

lard [laʀ] *nm* toucinho *m*.

lardon [laʀdɔ̃] *nm* tira *f* de toucinho.

large [laʀʒ] ◇ *adj* largo(ga) ; [généreux] generoso(osa) ; [tolérant] aberto(ta). ◇ *nm* alto-mar *m*. ◇ *adv* por alto ; **ça fait 2 mètres de large** mede dois metros de largura ; **au large de** à altura de.

largement [laʀʒəmɑ̃] *adv* [amplement] largamente ; [au minimum] pelo menos.

largeur [laʀʒœʀ] *nf* largura *f*.

larguer [laʀge] *vt* largar ; **sa femme l'a largué** *fam* sua mulher abandonou-o.

larme [laʀm] *nf* lágrima *f* ; **être en larmes** estar banhado em lágrimas.

larmoyant, e [laʀmwajɑ̃, ɑ̃t] *adj* lacrimoso(osa).

larve [laʀv] *nf* larva *f*.

laryngite [laʀɛ̃ʒit] *nf* laringite *f*.

larynx [laʀɛ̃ks] *nm* laringe *f*.

las, lasse [la, las] *sout adj* [fatigué] fatigado(da) ; [dégoûté, ennuyé] enfastiado(da) ; **être las de qqch/de faire qqch** estar cansado de algo/de fazer algo.

lasagne(s) [lazaɲ] *nfpl* lasanha *f*.

lascar [laskaʀ] *nm fam* malandro *m* ; [enfant] maroto *m*.

lascif, ive [lasif, iv] *adj* lascivo(va).

laser [lazɛʀ] *nm* laser *m*.

lassant, e [lasɑ̃, ɑ̃t] *adj* cansativo(va).

lasser [lase] *vt* cansar. ◆ **se lasser de** *vp + prép* cansar-se de.

lassitude [lasityd] *nf sout* lassidão *f*.

lasso [laso] *nm* laço *m*.

latent, **e** [latɑ̃, ɑ̃t] *adj* latente.

latéral, **e**, **aux** [lateʀal, o] *adj* lateral.

latex [latɛks] *nm* látex *m*.

latin [latɛ̃] *nm* latim *m*.

latitude [latityd] *nf* latitude *f*.

latte [lat] *nf* ripa *f*.

lauréat, **e** [lɔʀea, at] *nm, f* laureado *m*, -da *f*.

laurier [lɔʀje] *nm* [arbuste] loureiro *m* ; [condiment] louro *m*.

lavable [lavabl] *adj* lavável.

lavabo [lavabo] *nm* lavabo *m*. ◆ **lavabos** *nmpl* lavabo *m*.

lavage [lavaʒ] *nm* lavagem *f*.

lavande [lavɑ̃d] *nf* lavanda *f*.

lave-glace [lavglas] (*pl* **lave-glaces**) *nm* lavador *m* de pára-brisa.

lave-linge [lavlɛ̃ʒ] *nm inv* máquina *f* de lavar roupa.

laver [lave] *vt* lavar. ◆ **se laver** *vp* lavar-se ; **se laver les dents** escovar os dentes ; **se laver les mains** lavar as mãos.

laverie [lavʀi] *nf* : **laverie (automatique)** lavanderia *f* (automática).

lavette [lavɛt] *nf* esfregão *m*.

laveur, **euse** [lavœʀ, øz] *nm, f* lavador *m*, -ra *f* ; **laveur de carreaux/de voitures** lavador de vidros/de carros.

lave-vaisselle [lavvesɛl] *nm inv* máquina *f* de lavar louça.

lavoir [lavwaʀ] *nm* **1.** [lieu] lavanderia *f* - **2.** [bac] tanque *m*.

laxatif [laksatif] *nm* laxante *m*.

laxisme [laksism] *nm* laxismo *m*.

layette [lɛjɛt] *nf* enxoval *m* de recém-nascido.

le, **la** [la] (*pl* **les** [lɛ]) ◇ *art déf* **1.** [gén] o(a) ; **le lac** o lago ; **la fenêtre** a janela ; **l'homme** o homem ; **les livres** os livros ; **les roses** as rosas ; **j'adore le thé** adoro chá ; **se laver les mains** lavar as mãos ; **elle a les yeux bleus** ela tem olhos azuis ; **brosse-toi les cheveux** penteie o cabelo ; **j'ai levé les yeux** levantei os olhos - **2.** [désigne le moment] : **le matin/samedi** [habituellement] de manhã/aos sábados ; [moment précis] de manhã/no sábado ; **Bruxelles, le 9 juillet 1994** Bruxelas, 9 de julho de 1994 - **3.** [chaque] : **les pommes font 2 € le kilo** as maçãs custam 2 euros o quilo ; **c'est 40 € la nuit** são 40 euros por noite ; **6 € l'un, 10 € les deux** 6 euros cada um, dois por 10 euros. ◇ *pron* **1.** [représente une personne, une chose, un animal] : **regarde-le/la** olhe para ele/ela ; **laissez-les nous** deixem-nos conosco - **2.** [reprend un mot, une phrase] : **si tu ne le fais pas tout de suite, je me fâche!** se você não o fizer imediatamente, zango-me! ; **je l'avais entendu dire** eu tinha ouvido dizer isso.

leader [lidœʀ] ◇ *nm* líder *m*. ◇ *adj* : **être leader** ser o líder do mercado.

lèche-bottes [lɛʃbɔt] *nmf fam* puxa-saco *mf*.

lécher [leʃe] *vt* lamber.

lèche-vitrines [lɛʃvitʀin] *nm inv* : **faire du lèche-vitrines** ir ver vitrines.

leçon [ləsɔ̃] *nf* [cours] aula *f* ; [devoirs] lição *f* ; [conclusion] lição *f* ; **faire la leçon à qqn** pregar um sermão a alguém.

lecteur, **trice** [lɛktœʀ, tʀis] ◇ *nm, f* leitor *m*, -ra *f*. ◇ *nm* leitor *m* ; **lecteur de cassettes** leitor de cassetes ; **lecteur laser** ou **de CD** leitor de CDs.

lecture [lɛktyʀ] *nf* leitura *f*.

légal, **e**, **aux** [legal, o] *adj* legal.

légaliser [legalize] *vt* [rendre légal] legalizar ; [certifier] autenticar.

légendaire [leʒɑ̃dɛʀ] *adj* lendário(ria).

légende [leʒɑ̃d] *nf* [conte] lenda *f* ; [d'une photo, d'un schéma] legenda *f*.

léger, ère [leʒe, ɛʀ] *adj* leve ; [café, cigarette] fraco(ca) ; [peu important] ligeiro(ra) ; **à la légère** irrefletidamente.

légèrement [leʒɛʀmɑ̃] *adv* [un peu] ligeiramente ; [s'habiller] com roupas leves.

légèreté [leʒɛʀte] *nf* [faible poids] leveza *f* ; [insouciance] despreocupação *f*.

légiférer [leʒifeʀe] *vi* legislar.

légionnaire [leʒjɔnɛʀ] *nm* legionário *m*.

légionnellose [leʒjɔnɛloz] *nf* MÉD legionelose *f*.

législatif, ive [leʒislatif, iv] *adj* legislativo(va). ◆ **législatif** *nm* legislativo *m*. ◆ **législatives** *nfpl* : **les législatives** as eleições legislativas.

législation [leʒislasjɔ̃] *nf* legislação *f*.

légitime [leʒitim] *adj* legítimo(ma) ; **légitime défense** legítima defesa.

léguer [lege] *vt* legar.

légume [legym] *nm* legume *m* ; **légumes verts** hortaliças *fpl*.

leitmotiv [lajtmɔtif] *nm* leitmotiv *m*.

lendemain [lɑ̃dmɛ̃] *nm* : **le lendemain (de)** no dia seguinte (a) ; **le lendemain matin** na manhã seguinte.

lent, e [lɑ̃, lɑ̃t] *adj* lento(ta).

lentement [lɑ̃tmɑ̃] *adv* lentamente.

lenteur [lɑ̃tœʀ] *nf* lentidão *f*.

lentille [lɑ̃tij] *nf* [légume] lentilha *f* ; [verre de contact] lente *f* (de contato).

léopard [leɔpaʀ] *nm* leopardo *m*.

lèpre [lɛpʀ] *nf* lepra *f*.

lequel, laquelle [ləkɛl, lakɛl] (*mpl* **lesquels** [lekɛl], *fpl* **lesquelles** [lekɛl]) *pron* o qual(a qual) ; [interrogatif] qual ; **l'homme auquel j'ai parlé/duquel on m'a parlé** o homem a quem falei/de quem me falaram ; **lequel veux-tu ?** qual você quer?

les ► **le**.

léser [leze] *vt* lesar.

lésiner [lezine] *vi* : **ne pas lésiner sur** não poupar em.

lésion [lezjɔ̃] *nf* lesão *f*.

lesquelles [lekɛl] ► **lequel**.

lesquels [lekɛl] ► **lequel**.

lessive [lɛsiv] *nf* [poudre, liquide] sabão *m (para a roupa)* ; [linge] roupa *f* por lavar ; **faire la lessive** lavar a roupa.

lessiver [lɛsive] *vt* [nettoyer] lavar ; *fam* [fatiguer] deixar exausto(ta).

lest [lɛst] *nm* lastro *m* ; **lâcher du lest** largar lastro ; *fig* fazer concessões.

leste [lɛst] *adj* [agile] ágil.

léthargie [letaʀʒi] *nf* letargia *f*.

lettre [lɛtʀ] *nf* [de l'alphabet] letra *f* ; [courrier] carta *f* ; **en toutes lettres** por extenso ; **lettre de motivation** carta de apresentação.

leucémie [løsemi] *nf* leucemia *f*.

leur [lœʀ] *adj* dele(dela), seu(sua) ; **ils ont vendu leur maison** eles venderam a casa deles. ◆ **le leur, la leur** (*pl* **les leurs**) *pron* o deles(a deles) ; **je préfère la leur** prefiro a deles ; **cet argent est le leur** este é o dinheiro deles ; **je vais leur montrer le chemin** vou mostrar-lhes o caminho ; **tu devrais le leur renvoyer** você deveria mandar-lhes isso de volta.

leurrer [lœʀe] *vt* iludir. ◆ **se leurrer** *vp* iludir-se.

levain [ləvɛ̃] *nm* fermento *m*.

levant [ləvɑ̃] *adj m* ► **soleil**.

levé, e [ləve] *adj* levantado(da).

levée [ləve] *nf* [du courrier] coleta *f*.

lever [ləve] ◇ *vt* levantar. ◇ *nm* levantar *m* ; **le lever du jour** o amanhecer ; **le lever du soleil** o nascer do sol. ◆ **se lever** *vp* [personne] levantar-se ; [jour] amanhecer ; [soleil] nascer ; [temps] clarear.

levier [ləvje] *nm* alavanca *f* ; **levier de vitesse** alavanca de câmbio.

lévitation [levitasjɔ̃] *nf* levitação *f*.

lèvre [lɛvʀ] *nf* lábio *m*.

lévrier [levʀijet] *nm* galgo *m*.

levure [ləvyʀ] *nf* fermento *m* biológico, levedo *m*.

lexique [lɛksik] *nm* léxico *m*.

lézard [lezaʀ] *nm* lagarto *m*.

lézarder [lezaʀde] ◆ **se lézarder** *vp* rachar-se.

liaison [ljɛzɔ̃] *nf* ligação *f* ; [amoureuse] relação *f* ; **être en liaison avec** estar em contato com.

liane [ljan] *nf* cipó *m*.

liasse [ljas] *nf* maço *m*.

Liban [libɑ̃] *nm* : **le Liban** o Líbano.

libellule [libelyl] *nf* libélula *f*.

libéral, e, aux [libeʀal, o] *adj* liberal.

libéraliser [libeʀalize] *vt* liberalizar.

libéralisme [libeʀalism] *nm* liberalismo *m*.

libération [libeʀasjɔ̃] *nf* libertação *f*.

libérer [libeʀe] *vt* libertar. ◆ **se libérer** *vp* libertar-se.

liberté [libɛʀte] *nf* liberdade *f* ; **en liberté** [animaux] em liberdade.

libertin, e [libɛʀtɛ̃, in] *nm, f* libertino *m*, -na *f*.

libido [libido] *nf* libido *f*.

libraire [libʀɛʀ] *nmf* livreiro *m*, -ra *f*.

librairie [libʀɛʀi] *nf* livraria *f*.

libre [libʀ] *adj* livre ; **être libre de faire qqch** ser livre para fazer algo.

libre-échange [libʀeʃɑ̃ʒ] (*pl* **libres-échanges**) *nm* livre-câmbio *m*.

librement [libʀəmɑ̃] *adv* livremente.

libre-service [libʀəsɛʀvis] (*pl* **libres-services**) *nm* self-service *m*.

licence [lisɑ̃s] *nf* autorização *f* ; [diplôme] *diploma universitário que se obtém após a conclusão do curso*, ≃ licenciatura *f*.

licencié, e [lisɑ̃sje] *adj* & *nm, f* licenciado(da).

licenciement [lisɑ̃simɑ̃] *nm* demissão *f*.

licencier [lisɑ̃sje] *vt* despedir ; **se faire licencier** demitir-se, ser despedido.

licorne [likɔʀn] *nf* unicórnio *m*.

lie [li] *nf* [dépôt] borra *f* (em vinho) ; *fig* & *sout* [rebut] ralé *f*.

liège [ljɛʒ] *nm* cortiça *f*.

liégeois [ljeʒwa] *adj m* ➤ **café, chocolat**.

lien [ljɛ̃] *nm* [ruban, sangle] laço *m* ; [relation] vínculo *m*.

lier [lje] *vt* ligar ; [attacher] atar ; **lier conversation avec qqn** puxar conversa com alguém. ◆ **se lier** *vp* : **se lier (d'amitié) avec qqn** fazer amizade com alguém.

lierre [ljɛʀ] *nm* hera *f*.

liesse [ljɛs] *nf* : **en liesse** em festa.

lieu [ljø] (*pl* -x) *nm* lugar *m* ; **avoir lieu** ter lugar, realizar-se ; **au lieu de** em vez de.

lieutenant [ljøtnɑ̃] *nm* tenente *m*.

lièvre [ljɛvʀ] *nm* lebre *f*.

lifting [liftiŋ] *nm* lifting *m*.

ligament [ligamɑ̃] *nm* ligamento *m*.

ligne [liɲ] *nf* linha *f* ; **garder la ligne** manter a linha ; **aller à la ligne** abrir parágrafo ; **(en) ligne droite** (em) linha reta ; **'grandes lignes'** *principais eixos ferroviários*.

lignée [liɲe] *nf* linhagem *f*.

ligoter [ligɔte] *vt* atar.

ligue [lig] *nf* liga *f.*

liguer [lige] ◆ **se liguer** *vp* aliar-se ; **se liguer contre qqn** aliar-se contra alguém.

lilas [lila] *nm* lilás *m.*

limace [limas] *nf* lesma *f.*

limande [limɑ̃d] *nf* linguado *m.*

lime [lim] *nf* lima *f* ; **lime à ongles** lixa de unha.

limer [lime] *vt* limar.

limitation [limitasjɔ̃] *nf* limitação *f* ; **limitation de vitesse** limite de velocidade.

limite [limit] ◇ *nf* limite *m.* ◇ *adj* limite ; **à la limite** em último caso.

limiter [limite] *vt* limitar. ◆ **se limiter à** *vp + prép* limitar-se a.

limitrophe [limitʀɔf] *adj* limítrofe ; **être limitrophe de** ser limítrofe com.

limoger [limɔʒe] *vt* destituir.

limon [limɔ̃] *nm* limo *m.*

limonade [limɔnad] *nf refrigerante à base de essência de limão.*

limpide [lɛ̃pid] *adj* [eau] límpido(da) ; [raisonnement] claro(ra).

lin [lɛ̃] *nm* linho *m.*

linceul [lɛ̃sœl] *nm* mortalha *f.*

linéaire [lineɛʀ] *adj* linear.

linge [lɛ̃ʒ] *nm* roupa *f* ; **linge de maison** roupa de cama, mesa e banho.

lingerie [lɛ̃ʒʀi] *nf* [sous-vêtements] lingerie *f* ; [local] lavanderia *f.*

lingette [lɛ̃ʒɛt] *nf* lenço *m* umedecido.

lingot [lɛ̃go] *nm* : **lingot (d'or)** lingote *m* (de ouro).

linguistique [lɛ̃gɥistik] ◇ *nf* lingüística *f.* ◇ *adj* lingüístico(ca).

lino(léum) [lino, linɔleɔm] *nm* linóleo *m.*

lion [ljɔ̃] *nm* leão *m.* ◆ **Lion** *nm* Leão *m.*

lipide [lipid] *nm* lipídio *m.*

liqueur [likœʀ] *nf* licor *m.*

liquidation [likidasjɔ̃] *nf* : **'liquidation totale'** 'liquidação total'.

liquide [likid] ◇ *adj* líquido(da). ◇ *nm* líquido *m* ; **(argent) liquide** dinheiro *m* ; **payer en (argent) liquide** pagar em dinheiro ; **liquide de frein** óleo *m* de freio ; **liquide vaisselle** detergente para a louça.

liquider [likide] *vt* liquidar.

liquidité [likidite] *nf* liquidez *f.* ◆ **liquidités** *nfpl* liquidez *f.*

lire [liʀ] *vt & vi* ler.

lis [lis] *nm* açucena *f.*

Lisbonne [lisbɔn] *npr* Lisboa.

liseré [lizʀe] *nm* debrum *m.*

liseron [lizʀɔ̃] *nm* campainha *f (flor).*

lisible [lizibl] *adj* legível.

lisière [lizjɛʀ] *nf* orla *f.*

lisse [lis] *adj* liso(sa).

lisser [lise] *vt* alisar.

liste [list] *nf* lista *f* ; **liste d'attente** lista de espera ; **être sur liste d'attente** estar na lista de espera ; **être sur liste rouge** *não permitir que o número de telefone conste da lista.*

listériose [listerjoz] *nf* MÉD listeriose.

listing [listiŋ] *nm* listagem *f.*

lit [li] *nm* [pour dormir] cama *f* ; [d'une rivière] leito *m* ; **aller au lit** ir para a cama ; **lit de camp** cama de armar ; **lit double, grand lit** cama de casal ; **lit simple, lit à une place, petit lit** cama de solteiro ; **lits jumeaux** camas gêmeas ; **lits superposés** beliche *m.*

litanie [litani] *nf* ladainha *f.*

litchi [litʃi] *nm* lichia *f.*

literie [litʀi] *nf conjunto de objetos que compõem uma cama (colchões, travesseiros etc.).*

litière [litjɛʀ] *nf* areia *f* para gatos.

litige [litiʒ] *nm* litígio *m.*

litigieux, **euse** [litiʒjø, øz] *adj* litigioso(osa).

litre [litʀ] *nm* litro *m*.

littéraire [liteʀɛʀ] *adj* literário(ria).

littéral, **e**, **aux** [liteʀal, o] *adj* literal.

littérature [liteʀatyʀ] *nf* literatura *f*.

littoral [litɔʀal, o] (*pl* -aux) *nm* litoral *m*.

livide [livid] *adj* lívido(da).

living(-room), **s** [liviɲ(rum)] *nm* sala *f* de estar.

livraison [livʀɛzɔ̃] *nf* entrega *f* ; **livraison à domicile** entrega em domicílio ; **'livraison des bagages'** 'retirada de bagagem'.

livre[1] [livʀ] *nm* livro *m* ; **livre de français** livro de francês.

livre[2] [livʀ] *nf* [demi-kilo] meio quilo *m* ; [monnaie] libra *f* ; **livre sterling** libra esterlina.

livrer [livʀe] *vt* entregar.

livret [livʀɛ] *nm* caderneta *f* ; **livret (de caisse) d'épargne** caderneta de poupança ; **livret de famille** *caderneta entregue aos cônjuges no momento do casamento, na qual constam os dados relativos ao casamento, ao nascimento dos filhos, bem como aqueles relativos ao falecimento dos mesmos e dos esposos* ; **livret scolaire** caderneta do aluno.

livreur, **euse** [livʀœʀ, øz] *nm, f* entregador *m*, -ra *f* ; [de meubles] carregador *m*.

lobby [lɔbi] (*pl* **lobbies**) *nm* lobby *m*.

lobe [lɔb] *nm* lóbulo *m*.

local, **e**, **aux** [lɔkal, o] ◇ *adj* local. ◇ *nm* local *m*.

localiser [lɔkalize] *vt* localizar.

locataire [lɔkatɛʀ] *nmf* inquilino *m*, -na *f*.

location [lɔkasjɔ̃] *nf* aluguel *m* ; [d'un billet] reserva *f* ; **'location de voitures'** 'aluguel de veículos'.

location-vente [lɔkasjɔ̃vɑ̃t] (*pl* **locations-ventes**) *nf sistema de locação que permite ao locatário a compra do imóvel, pagando um aluguel acrescido de juros*.

locomotive [lɔkɔmɔtiv] *nf* locomotiva *f*.

locution [lɔkysjɔ̃] *nf* locução *f*.

loft [lɔft] *nm* loft *m*.

loge [lɔʒ] *nf* [de concierge] portaria *f* ; [d'acteur] camarim *m*.

logement [lɔʒmɑ̃] *nm* [hébergement] alojamento *m* ; [appartement] residência *f*.

loger [lɔʒe] ◇ *vt* alojar. ◇ *vi* morar. ◆ **se loger** *vp* alojar-se.

logiciel [lɔʒisjɛl] *nm* software *m*.

logique [lɔʒik] ◇ *adj* lógico(ca). ◇ *nf* lógica *f*.

logiquement [lɔʒikmɑ̃] *adv* logicamente.

logistique [lɔʒistik] ◇ *nf* logística *f*. ◇ *adj* logístico(ca).

logo [logo] *nm* logotipo *m*.

loi [lwa] *nf* lei *f* ; **la loi** a lei.

loin [lwɛ̃] *adv* longe ; **au loin** ao longe ; **de loin** de longe ; **loin de** longe de ; **loin de là** longe disso.

lointain, **e** [lwɛ̃tɛ̃, ɛn] ◇ *adj* longínquo(qua) ; [hautain] distante. ◇ *nm* : **dans le lointain** ao longe.

loir [lwaʀ] *nm* ratazana *f* ; **dormir comme un loir** dormir como uma pedra.

Loire [lwaʀ] *nf* : **la Loire** [fleuve] o Loire.

loisirs [lwaziʀ] *nmpl* distrações *fpl*.

Londonien, **enne** [lɔ̃dɔnj˜ɛ, ɛn] *nm, f* londrino *m*, -na *f*.

Londres [lɔ̃dʀ] *npr* Londres.

long, **longue** [lɔ̃, lɔ̃g] *adj* [dans l'espace] comprido(da) ; [dans le temps] longo(ga) ; **ça fait 10 mètres de long** mede 10 metros de comprimento ; **le**

long de ao longo de ; **de long en large** de um lado a outro ; **à la longue** com o tempo.

longeole [lɔ̃ʒɔl] *nf Suisse salsicha defumada típica de Genebra.*

longer [lɔ̃ʒe] *vt* ladear.

longitude [lɔ̃ʒityd] *nf* longitude *f*.

longtemps [lɔ̃tɑ̃] *adv* muito tempo.

longue ► **long.**

longuement [lɔ̃gmɑ̃] *adv* longamente.

longueur [lɔ̃gœʀ] *nf* [d'une route, d'une table] comprimento *m* ; [d'un voyage, d'un discours] duração *f* ; **à longueur de journée** todo o dia ; RADIO : **longueur d'onde** comprimento de onda ; SPORT : **saut en longueur** salto em distância.

longue-vue [lɔ̃gvy] (*pl* **longues-vues**) *nf* luneta *f*.

look [luk] *nm* look *m* ; **avoir un look** ter um look.

lopin [lɔpɛ̃] *nm* pequena parcela *f* ; **lopin de terre** pequeno lote de terreno.

loquace [lɔkas] *adj* loquaz ; **(être) peu loquace** (ser) pouco loquaz.

loque [lɔk] *nf* farrapo *m* ; **en loques** em farrapos.

loquet [lɔkɛ] *nm* ferrolho *m*.

lorraine [lɔʀɛn] *adj f* ► **quiche.**

lors [lɔʀ] ◆ **lors de** *prép* durante.

lorsque [lɔʀskə] *conj* quando.

losange [lɔzɑ̃ʒ] *nm* losango *m*.

lot [lo] *nm* [de loterie] prêmio *m* ; COMM lote *m*.

loterie [lɔtʀi] *nf* loteria *f*.

loti, e [lɔti] *adj* : **être bien/mal loti** ser favorecido/desfavorecido.

lotion [losjɔ̃] *nf* loção *f*.

lotissement [lɔtismɑ̃] *nm* loteamento *m*.

loto [lɔto] *nm* [national] ≃ Mega-Sena *f* ; **le loto sportif** ≃ a loteria esportiva.

louange [lwɑ̃ʒ] *nf* louvor *m* ; **chanter les louanges de qqn** *fig* tecer louvores a alguém.

louche [luʃ] ◇ *adj* [bizarre] esquisito(ta) ; [personne] duvidoso(osa). ◇ *nf* concha *f* (de sopa).

loucher [luʃe] *vi* ser vesgo(ga).

louer [lwe] *vt* alugar ; **'à louer'** 'aluga-se'.

loufoque [lufɔk] *adj* [histoire] estapafúrdio(dia) ; [personne] adoidado(da).

loup [lu] *nm* lobo *m*.

loupe [lup] *nf* lupa *f*.

louper [lupe] *vt fam* [examen] levar bomba ; [train] perder.

lourd, e [luʀ, luʀd] ◇ *adj* pesado(da) ; [sans finesse] grosseiro(ra) ; [dépenses, traitement] importante ; [temps] abafado(da). ◇ *adv* : **peser lourd** pesar muito.

lourdement [luʀdəmɑ̃] *adv* [tomber] pesadamente ; [se tromper] redondamente.

lourdeur [luʀdœʀ] *nf* : **avoir des lourdeurs d'estomac** ter o estômago pesado.

louve [luv] *nf* loba *f*.

louveteau [luvto] *nm* [animal, scout] lobinho *m*.

louvoyer [luvwaje] *vi* NAUT bordejar ; *fig* [biaiser] andar com rodeios.

Louvre [luvʀ] *nm* : **le Louvre** o museu do Louvre.

loyal, e, aux [lwajal, o] *adj* leal.

loyauté [lwajote] *nf* lealdade *f*.

loyer [lwaje] *nm* aluguel *m*.

lu, e [ly] *pp* ► **lire.**

lubie [lybi] *nf* veneta *f*.

lubrifiant [lybʀifjɑ̃] *nm* lubrificante *m.*

lubrifier [lybʀifje] *vt* lubrificar.

lubrique [lybʀik] *adj* lúbrico(ca).

lucarne [lykaʀn] *nf* clarabóia *f.*

lucide [lysid] *adj* lúcido(da).

lucratif, ive [lykʀatif, iv] *adj* lucrativo(va).

ludique [lydik] *adj* lúdico(ca).

lueur [lɥœʀ] *nf* [lumière] clarão *m* ; [de bougie] luz *f* ; [dans le regard] brilho *m.*

luge [lyʒ] *nf* trenó *m* ; **faire de la luge** andar de trenó.

lugubre [lygybʀ] *adj* lúgubre.

lui[1] [lɥi] *pron* **1.** [gén] ele ; **j'en ai eu moins que lui** tive menos que ele ; **et lui, qu'est-ce qu'il en pense ?** e ele, o que é que ele acha? ; **c'est lui qui nous a renseignés** foi ele que nos informou ; **c'est lui-même qui l'a dit** foi ele mesmo quem o disse ; **il se contredit lui-même** ele contradiz a si mesmo - **2.** [complément d'objet indirect] lhe ; **dites-le lui tout de suite** diga isso a ele imediatamente ; **je lui ai serré la main** dei-lhe um aperto de mão.

lui[2] [lɥi] *pp* ► **luire.**

luire [lɥiʀ] *vi* luzir.

luisant, e [lɥizɑ̃, ɑ̃t] *adj* reluzente.

lumbago [lɔ̃bago] *nm* lumbago *m.*

lumière [lymjɛʀ] *nf* luz *f.*

luminaire [lyminɛʀ] *nm* luminária *f.*

lumineux, euse [lyminø, øz] *adj* [éclairé,] luminoso(osa) ; [teint, sourire] luminoso(osa) ; [explication] claro(ra).

luminosité [lyminozite] *nf* luminosidade *f.*

lunatique [lynatik] *adj* lunático(ca).

lunch, s ou **es** [lœnʃ] *nm* bufê *m.*

lundi [lœ̃di] *nm* segunda-feira *f,* ► **samedi.**

lune [lyn] *nf* lua *f* ; **lune de miel** lua-de-mel ; **pleine lune** lua cheia.

lunette [lynɛt] *nf* luneta *f* ; **lunette arrière** vidro *m* traseiro. ◆ **lunettes** *nfpl* óculos *mpl* ; **lunettes de soleil** óculos de sol.

luron [lyʀɔ̃] *nm* : **joyeux luron** brincalhão *m.*

lusophone [lyzɔfɔn] *adj* lusófono(na).

lustre [lystʀ] *nm* lustre *m.*

lustrer [lystʀe] *vt* [faire briller] lustrar ; [user] *fazer com que fique lustroso, pelo uso.*

luth [lyt] *nm* alaúde *m.*

lutin [lytɛ̃] *nm* duende *m.*

lutte [lyt] *nf* luta *f.*

lutter [lyte] *vi* lutar ; **lutter contre** lutar contra.

luxation [lyksasjɔ̃] *nf* luxação *f.*

luxe [lyks] *nm* luxo *m* ; **de (grand) luxe** de luxo.

Luxembourg [lyksɑ̃buʀ] *nm* : **le Luxembourg** o Luxemburgo.

Luxembourgeois, e [lyksɑ̃buʀʒwa, az] *nm, f* luxemburguês *m*, -esa *f.*

luxueux, euse [lyksɥø, øz] *adj* luxuoso(osa).

luxure [lyksyʀ] *nf* luxúria *f.*

luzerne [lyzɛʀn] *nf* alfafa *f.*

lycée [lise] *nm* escola *f* secundária ; **lycée professionnel** escola de formação profissional.

lycéen, enne [liseɛ̃, ɛn] *nm, f* aluno *m*, -na *f* da escola secundária.

Lycra® [likʀa] *nm* Lycra® *f.*

lyncher [lɛ̃ʃe] *vt* linchar.

lynx [lɛ̃ks] *nm* lince *m.*

Lyon [ljɔ̃] *npr* Lyon.

lyophilisé, e [ljɔfilize] *adj* liofilizado(da).

lyre [liʀ] *nf* lira *f.*

lyrique [liʀik] *adj* lírico(ca).

M

m (*abr de* **mètre**) m.

m' ► **me.**

M. (*abr de* **Monsieur**) Sr.

ma [ma] ► **mon.**

macabre [makabʀ] *adj* macabro(bra).

macadam [makadam] *nm* macadame *m.*

macaron [makaʀɔ̃] *nm* [gâteau] *petit-four feito com massa de amêndoas, açúcar e claras.*

macaronis [makaʀɔni] *nmpl* macarrão *m.*

macédoine [masedwan] *nf* : **macédoine (de légumes)** macedônia *f* de legumes ; **macédoine de fruits** macedônia *f* de frutas.

macérer [maseʀe] *vi* macerar.

mâche [maʃ] *nf* erva-benta *f.*

mâcher [maʃe] *vt* mastigar.

machin [maʃɛ̃] *nm fam* coisa *f.*

machinal, **e**, **aux** [maʃinal, o] *adj* maquinal.

machination [maʃinasjɔ̃] *nf* maquinação *f.*

machine [maʃin] *nf* máquina *f* ; **machine à coudre** máquina de costura ; **machine à écrire** máquina de escrever ; **machine à laver** máquina de lavar ; **machine à sous** caça-níqueis *m inv.*

machine-outil [maʃinuti] (*pl* **machines-outils**) *nf* máquina-ferramenta *f.*

machiniste [maʃinist] *nm* [d'autobus] motorista *mf* ; **'faire signe au machiniste'** fazer sinal ao motorista.

machisme [matʃism] *nm péj* machismo *m.*

mâchoire [maʃwaʀ] *nf* maxilar *m.*

mâchonner [maʃɔne] *vt* [mâcher lentement] mastigar lentamente ; [mordiller] mordiscar.

maçon [masɔ̃] *nm* pedreiro *m.*

maçonnerie [masɔnʀi] *nf* alvenaria *f.*

macro [makro] *nf* INFORM macro *mf.*

madame [madam] (*pl* **mesdames** [medam]) *nf* : **madame X** a senhora X ; **bonjour madame/mesdames!** bom dia minha senhora/minhas senhoras! ; **Madame,** [dans une lettre] Prezada Senhora, ; **Madame!** [pour appeler le professeur] Professora!

madeleine [madlɛn] *nf* madalena *f.*

mademoiselle [madmwazɛl] (*pl* **mesdemoiselles** [medmwazɛl]) *nf* : **mademoiselle X** senhorita X ; **bonjour, mademoiselle/mesdemoiselles!** bom-dia, senhorita/senhoritas! ; **Mademoiselle,** [dans une lettre] Prezada Senhorita, ; **Mademoiselle!** [pour appeler le professeur] Professora!

madère [madɛʀ] *nm* ► **sauce.**

maf(f)ia [mafja] *nf* máfia *f* ; **la Maf(f)ia** a Máfia.

magasin [magazɛ̃] *nm* loja *f* ; **en magasin** em estoque.

magazine [magazin] *nm* revista *f.*

Maghreb [magʀɛb] *nm* : **le Maghreb** o Magreb.

Maghrébin, **e** [magʀebɛ̃, in] *nm, f* magrebino *m*, -na *f.*

magicien, **enne** [maʒisjɛ̃, ɛn] *nm, f* mágico *m*, -ca *f.*

magie [maʒi] *nf* magia *f.*

magique [maʒik] *adj* mágico(ca).

magistral, **e**, **aux** [maʒistʀal, o] *adj* magistral.

magistrat [maʒistʀa] *nm* magistrado *m.*

magistrature [maʒistʀatyʀ] *nf* magistratura *f.*

magnat [magna] *nm* magnata *m*.

magnésium [maɲezjɔm] *nm* magnésio *m*.

magnétique [maɲetik] *adj* magnético(ca).

magnétisme [maɲetism] *nm* magnetismo *m*.

magnétophone [maɲetɔfɔn] *nm* gravador *m*.

magnétoscope [maɲetɔskɔp] *nm* vídeo *m*.

magnifique [maɲifik] *adj* magnífico(ca).

magot [mago] *nm fam* pé-de-meia *m*.

magret [magʀɛ] *nm* : **magret (de canard)** peito *m* de pato.

mai [mɛ] *nm* maio *m* ; **le premier mai** o Primeiro de Maio ► **septembre**.

maigre [mɛgʀ] *adj* magro(gra).

maigreur [mɛgʀœʀ] *nf* magreza *f*.

maigrir [megʀiʀ] *vi* emagrecer.

mail [mɛl] *nm* INFORM e-mail *m*, mail *m*.

mailing [mɛliŋ] *nm* mailing *m*.

maille [maj] *nf* malha *f*.

maillon [majɔ̃] *nm* elo *m*.

maillot [majo] *nm* camiseta *f* ; [de football] camisa *f* ; **maillot (de bain) (une pièce)** maiô *m* ; **maillot(de bain)deux pièces** biquini *m* ; **maillot jaune** [cyclisme] camiseta amarela ; **maillot de corps** camiseta.

main [mɛ̃] *nf* mão *f* ; **à main gauche** à esquerda ; **se donner la main** dar-se as mãos ; **fait (à la) main** feito à mão ; **mains libres** [téléphone, kit] viva voz ; **prendre qqch en main** encarregar-se de algo.

main-d'œuvre [mɛ̃dœvʀ] (*pl* **mains-d'œuvre**) *nf* mão-de-obra *f*.

mainmise [mɛ̃miz] *nf* : **avoir la mainmise sur qqch** controlar algo.

maint, e [mɛ̃, mɛ̃t] *adj sout* : **maintes fois** inúmeras vezes.

maintenance [mɛ̃tnɑ̃s] *nf* manutenção *f*.

maintenant [mɛ̃tnɑ̃] *adv* agora.

maintenir [mɛ̃tniʀ] *vt* manter. ◆ **se maintenir** *vp* manter-se.

maintenu, e [mɛ̃tny] *pp* ► **maintenir**.

maire [mɛʀ] *nm* prefeito *m*.

mairie [meʀi] *nf* [bâtiment] prefeitura *f*.

mais [mɛ] *conj* mas ; **mais non!** claro que não!

maïs [mais] *nm* milho *m*.

maison [mɛzɔ̃] ◇ *nf* casa *f*. ◇ *adj inv* caseiro(ra) ; **à la maison** em casa ; **maison de campagne** casa de campo ; **maison des jeunes et de la culture** *centro cultural para jovens*.

maître, esse [mɛtʀ, mɛtʀɛs] *nm, f* dono *m*, -na *f* ; **maître (d'école)** professor *m* ; **maître d'hôtel** maître *m* ; **maître nageur** salva-vidas *m inv*.

maîtresse [mɛtʀɛs] *nf* [amie] amante *f*, ► **maître**.

maîtrise [metʀiz] *nf* [diplôme] ≃ mestrado *m*.

maîtriser [metʀize] *vt* dominar.

majesté [maʒɛste] *nf* majestade *f* ; **Sa/Votre Majesté** Sua/Vossa Majestade.

majestueux, euse [maʒɛstɥø, øz] *adj* majestoso(osa).

majeur, e [maʒœʀ] ◇ *adj* [adulte] maior de idade ; [principal] principal. ◇ *nm* dedo *m* médio ; **la majeure partie (de)** a maior parte (de).

majoration [maʒɔʀasjɔ̃] *nf* majoração *f*.

majorer [maʒɔʀe] *vt* majorar.

majorette [maʒɔʀɛt] *nf* baliza *f*.

majoritaire [maʒɔʀitɛʀ] *adj* majoritário(ria).

majorité [maʒɔʀite] *nf* [âge] maioridade *f*; [plus grand nombre] maioria *f*; **en majorité** em maioria ; **la majorité de** a maioria de.

majuscule [maʒyskyl] *nf* maiúscula *f*.

mal [mal] (*pl* **maux** [mo]) ◇ *nm* [contraire du bien] mal *m*. ◇ *adv* mal ; **avoir mal** doer ; **avoir mal au cœur** estar enjoado ; **j'ai mal aux dents** estou com dor de dente ; **j'ai mal au dos** estou com dor nas costas ; **j'ai mal à la gorge** estou com dor de garganta ; **j'ai mal à la tête** estou com dor de cabeça ; **j'ai mal au ventre** estou com dor de barriga ; **ça fait mal** isso magoa ; **faire mal à qqn** machucar alguém ; **se faire mal** machucar-se ; **se donner du mal (pour faire qqch)** esforçar-se (por fazer algo) ; **mal de gorge** dor *f* de garganta ; **mal de mer** enjôo *m* ; **maux de tête** dores *mpl* de cabeça ; **il n'est pas mal** *fam* não está nada mal ; **pas mal de** *fam* bastante ; **pas mal de voitures** muitos carros. ◆ **mal à l'aise** *loc adj* pouco à vontade, intimidado ; **être/se sentir mal à l'aise** sentir-se pouco à vontade.

malade [malad] ◇ *adj* doente ; [sur un bateau] enjoado(da). ◇ *nmf* doente *mf* ; **malade mental** doente mental.

maladie [maladi] *nf* doença *f*; **maladie contagieuse** doença contagiosa ; **maladie héréditaire** doença hereditária ; **maladie sexuellement transmissible** doença sexualmente transmissível.

maladresse [maladʀɛs] *nf* falta *f* de jeito.

maladroit, e [maladʀwa, at] *adj* [personne, geste] desajeitado(da) ; [réponse, expression] despropositado(da).

malaise [malɛz] *nm* MÉD indisposição *f* ; [angoisse] mal-estar *m* ; **avoir un malaise** desmaiar.

malaudition [malodisjɔ̃] *nf* MÉD surdez, perda da audição.

malaxer [malakse] *vt* amassar.

malbouffe [malbuf] *nf comida hipercalórica e de baixo valor nutricional.*

malchance [malʃɑ̃s] *nf* má sorte *f*.

malchanceux, euse [malʃɑ̃sø, øz] *adj* & *nm, f* azarado(da).

mâle [mal] *adj* & *nm* macho.

malédiction [malediksjɔ̃] *nf* maldição *f*.

maléfique [malefik] *adj sout* maléfico(ca).

malencontreux, euse [malɑ̃kɔ̃tʀø, øz] *adj* infeliz.

malentendant, e [malɑ̃tɑ̃dɑ̃, ɑ̃t] *adj* & *nm, f* deficiente auditivo.

malentendu [malɑ̃tɑ̃dy] *nm* mal-entendido *m*.

malfaiteur [malfɛtœʀ] *nm* malfeitor *m*, -ra *f*.

malfamé, e [malfame] *adj* mal-afamado(da).

malformation [malfɔʀmasjɔ̃] *nf* malformação *f* congênita.

malfrat [malfʀa] *nm* malfeitor *m*.

malgré [malgʀe] *prép* apesar de ; **malgré tout** apesar de tudo.

malheur [malœʀ] *nm* [malchance] infelicidade *f* ; [événement] desgraça *f*.

malheureusement [malœʀøzmɑ̃] *adv* infelizmente.

malheureux, euse [malœʀø, øz] *adj* infeliz.

malhonnête [malɔnɛt] *adj* desonesto(ta).

malhonnêteté [malɔnɛtte] *nf* desonestidade *f*.

Mali [mali] *nm* : **le Mali** o Mali.

malice [malis] *nf* malícia *f* ; **sans malice** sem malícia.

malicieux, euse [malisjø, øz] *adj* malicioso(osa).

malin, igne [malɛ̃, iɲ] *adj* [habile, intelligent] esperto(ta).

malingre [malɛ̃gʀ] *adj* frágil.

malle [mal] *nf* mala *f (baú)*.

malléable [maleabl] *adj* maleável.

mallette [malɛt] *nf* pasta *f*.

malmener [malməne] *vt* maltratar.

malnutrition [malnytʀisjɔ̃] *nf* má nutrição *f*.

malotru, e [malɔtʀy] *nm, f*: **quel malotru!** que grosso!

malpoli, e [malpɔli] *adj* malcriado(da).

malsain, e [malsɛ̃, ɛn] *adj* doentio(tia).

malt [malt] *nm* malte *m*.

maltraiter [maltʀete] *vt* maltratar.

malveillant, e [malvɛjɑ̃, ɑ̃t] *adj* malévolo(la).

malversation [malvɛʀsasjɔ̃] *nf* malversação *f*.

malvoyant, e [malvwajɑ̃, ɑ̃t] *adj* & *nm, f* deficiente visual.

maman [mamɑ̃] *nf* mamãe *f*.

mamelle [mamɛl] *nf* mama *f*.

mamie [mami] *nf fam* vovó *f*.

mammifère [mamifɛʀ] *nm* mamífero *m*.

mammographie [mamɔgʀafi] *nf* mamografia *f*.

mammouth [mamut] *nm* mamute *m*.

manager [manadʒɛʀ] *nm* empresário *m*.

manche [mɑ̃ʃ] ◇ *nf* [de vêtement] manga *f* ; [de jeu, de match] partida *f*. ◇ *nm* cabo *m* ; **à manches courtes/longues** de manga curta/comprida.

Manche [mɑ̃ʃ] *nf* : **la Manche** o Canal da Mancha.

manchette [mɑ̃ʃɛt] *nf* [d'une manche] punho *m* da camisa.

manchot, e [mɑ̃ʃo, ɔt] *adj* maneta.

mandarine [mɑ̃daʀin] *nf* tangerina *f*.

mandat [mɑ̃da] *nm* [postal] vale *m* postal.

mandataire [mɑ̃datɛʀ] *nmf* mandatário *m*, -ria *f*.

mandibule [mɑ̃dibyl] *nf* mandíbula *f*.

mandoline [mɑ̃dɔlin] *nf* bandolim *m*.

manège [manɛʒ] *nm* [attraction] carrossel *m* ; [d'équitation] picadeiro *m*.

manette [manɛt] *nf* alavanca *f* ; **manette de jeux** joystick *m*.

manga [mɑ̃ga] *nm* mangá *m*.

manganèse [mɑ̃ganɛz] *nm* manganês *m*.

mangeoire [mɑ̃ʒwaʀ] *nf* manjedoura *f*.

manger [mɑ̃ʒe] *vt* & *vi* comer ; **donner à manger à qqn** dar de comer a alguém.

mangue [mɑ̃g] *nf* manga *f (fruto)*.

maniable [manjabl] *adj* manejável.

maniaque [manjak] *adj* maníaco(ca).

manie [mani] *nf* mania *f*.

manier [manje] *vt* manejar.

manière [manjɛʀ] *nf* maneira *f* ; **de manière à** de maneira a ; **de toute manière** de qualquer maneira. ◆ **manières** *nfpl* [attitude] modos *mpl* ; **faire des manières** fazer cerimônia.

maniéré, e [manjeʀe] *adj* de modos afetados.

manif [manif] *nf fam* manifestação *f*.

manifestant, e [manifɛstɑ̃, ɑ̃t] *nm, f* manifestante *mf*.

manifestation [manifɛstasjɔ̃] *nf* [défilé] passeata *f* ; [culturelle] manifestação *f*.

manifester [manifɛste] *vt* & *vi* manifestar. ◆ **se manifester** *vp* manifestar-se.

manigancer [manigɑ̃se] *vt* tramar.

manioc [manjɔk] *nm* mandioca *f*.

manipulation [manipylasjɔ̃] *nf* manipulação *f*.

manipuler [manipyle] *vt* manipular.

manivelle [manivɛl] *nf* manivela *f*.

mannequin [mankɛ̃] *nm* [de défilé] modelo *mf* ; [de vitrine] manequim *m*.

manœuvre [manœvʀ] *nf* manobra *f*.

manœuvrer [manœvʀe] *vt* & *vi* manobrar.

manoir [manwaʀ] *nm* solar *m*.

manquant, **e** [mɑ̃kɑ̃, ɑ̃t] *adj* que falta.

manque [mɑ̃k] *nm* : **le manque de** a falta de.

manquer [mɑ̃ke] ◇ *vt* [train, occasion] perder ; [cible] falhar. ◇ *vi* [échouer] falhar ; [être absent] faltar ; **elle nous manque** temos saudade OU sentimos falta dela ; **il me manque dix euros** faltam-me dez euros ; **manquer de qqch** ter falta de algo ; **il a manqué (de) se faire écraser** por pouco não foi atropelado.

mansarde [mɑ̃saʀd] *nf* mansarda *f*.

mansardé, **e** [mɑ̃saʀde] *adj* em forma de mansarda.

mansuétude [mɑ̃sɥetyd] *nf sout* mansidão *f*.

manteau [mɑ̃to] (*pl* -x) *nm* mantô *m*.

manucure [manykyʀ] *nmf* manicure *f*.

manuel, **elle** [manɥɛl] ◇ *adj* manual. ◇ *nm* manual *m*.

manufacturé, **e** [manyfaktyʀe] *adj* manufaturado(da).

manuscrit [manyskʀi] *nm* manuscrito *m*.

manutention [manytɑ̃sjɔ̃] *nf* movimentação *f* de materiais.

manutentionnaire [manytɑ̃sjɔnɛʀ] *nmf funcionário ligado aos serviços de movimentação de mercadorias.*

mappemonde [mapmɔ̃d] *nf* [carte] mapa-múndi *m* ; [globe] globo *m*.

maquereau [makʀo] (*pl* -x) *nm* cavala *f*.

maquette [makɛt] *nf* maquete *f*.

maquillage [makijaʒ] *nm* maquiagem *f*.

maquiller [makije] ◆ **se maquiller** *vp* maquiar-se.

maquis [maki] *nm* [végétation] matagal *m* ; [lieu de la Résistance] maquis *m* ; **prendre le maquis** entrar na clandestinidade.

maraîcher, **ère** [maʀɛʃe, ɛʀ] ◇ *adj* hortense. ◇ *nm, f* hortelão *m*, -loa *f*.

marais [maʀɛ] *nm* pântano *m*.

marasme [maʀasm] *nm* marasmo *m*.

marathon [maʀatɔ̃] *nm* maratona *f*.

marbre [maʀbʀ] *nm* mármore *m*.

marbré, **e** [maʀbʀe] *adj m* ► **gâteau.**

marchand, **e** [maʀʃɑ̃, ɑ̃d] *nm, f* vendedor *m*, -ra *f* ; **marchand ambulant** vendedor ambulante ; **marchand de fruits et légumes** OU **de primeurs** vendedor de frutas e legumes ; **marchand de journaux** jornaleiro *m*, -ra *f*.

marchander [maʀʃɑ̃de] *vi* regatear.

marchandise [maʀʃɑ̃diz] *nf* mercadoria *f*.

marche [maʀʃ] *nf* [à pied] passeio *m* ; **marche silencieuse** marcha silenciosa ; [d'escalier] degrau *m* ; [fonctionnement] funcionamento *m* ; **marche arrière** AUTO marcha a ré ; **en marche** [machine] em funcionamento ; [train] em movimento ; [troupes] em marcha.

marché [maʀʃe] *nm* [lieu de vente] mercado *m* ; [contrat] trato *m* ; **faire son marché** ir ao mercado ; **le Marché commun** o Mercado Comum ; **marché couvert** mercado coberto ; **marchés financiers** mercados financeiros ; **marché aux puces** feira *f* de antigüidades e objetos usados ; **bon marché** barato(ta) ; **par-dessus le marché** ainda por cima.

marchepied [marʃəpje] *nm* estribo *m*.

marcher [marʃe] *vi* [à pied] andar ; [fonctionner] funcionar ; [bien fonctionner] correr ; **faire marcher qqch** pôr algo a funcionar ; **faire marcher qqn** *fam* enganar alguém.

mardi [mardi] *nm* terça-feira *f* ; **mardi gras** Terça-feira de Carnaval ► **samedi**.

mare [mar] *nf* poça *f*.

marécage [marekaʒ] *nm* pântano *m*.

marécageux, **euse** [marekaʒø, øz] *adj* [terrain] pantanoso(osa) ; [plante] que cresce nos pântanos.

maréchal, **e** [mareʃal, o] (*mpl* -aux, *fpl* -ales) *nm, f* marechal *m*, -la *f*.

marée [mare] *nf* maré *f* ; **(à)marée basse** (durante a) maré baixa ; **(à)marée haute** (durante a) maré alta.

marelle [marɛl] *nf* amarelinha *f (jogo)*.

margarine [margarin] *nf* margarina *f*.

marge [marʒ] *nf* margem *f*.

marginal, **e**, **aux** [marʒinal, o] *nm, f* marginal *mf*.

marguerite [margərit] *nf* margarida *f*.

mari [mari] *nm* marido *m*.

mariage [marjaʒ] *nm* casamento *m*.

marié, **e** [marje] ◇ *adj* casado(da). ◇ *nm, f* noivo *m*, -va *f* ; **jeunes mariés** recém-casados *mpl*.

marier [marje] ◆ **se marier** *vp* casar-se.

marijuana [mariʒɥana] *nf* marijuana *f*.

marin, **e** [marɛ̃, in] ◇ *adj* [courant, météo] marítimo(ma) ; [carte] náutico(ca) ; [animal] marinho(nha). ◇ *nm* marinheiro *m*.

marine [marin] ◇ *adj inv* & *nm* azul-marinho. ◇ *nf* marinha *f*.

mariner [marine] *vi* marinar.

marinière [marinjɛr] *nf* ► **moule**.

marionnette [marjɔnɛt] *nf* marionete *f*.

maritime [maritim] *adj* marítimo (ma).

mark [mark] *nm* marco *m*.

marketing [markɛtiŋ] *nm* marketing *m*.

marmaille [marmaj] *nf* criançada *f*.

marmelade [marməlad] *nf* marmelada *f*.

marmite [marmit] *nf* panela *f*.

marmonner [marmɔne] *vt* resmungar.

marmotte [marmət] *nf* marmota *f*.

Maroc [marɔk] *nm* : **le Maroc** Marrocos.

marocain, **e** [marɔkɛ̃, ɛn] *adj* marroquino(na). ◆ **Marocain**, **e** *nm, f* marroquino *m*, -na *f*.

maroquinerie [marɔkinri] *nf* marroquinaria *f*.

marquant, **e** [markɑ̃, ɑ̃t] *adj* marcante.

marque [mark] *nf* marca *f* ; [nombre de points] resultado *m*.

marqué, **e** [marke] *adj* [différence, tendance] acentuado(da) ; [traits, visage] marcado(da).

marquer [marke] ◇ *vt* marcar ; [écrire] anotar. ◇ *vi* [stylo] escrever.

marqueur [markœr] *nm* marcador *m*.

marquis, **e** [marki, iz] *nm, f* marquês *m*, -esa *f*.

marraine [marɛn] *nf* madrinha *f*.

marrant, **e** [maʀɑ̃, ɑ̃t] *adj fam* engraçado(da).

marre [maʀ] *adv* : **en avoir marre (de)** *fam* estar cheio(ia) (de).

marrer [maʀe] ◆ **se marrer** *vp fam* [rire] fartar-se de rir ; [s'amuser] divertir-se.

marron [maʀɔ̃] ◇ *adj inv* castanho(nha). ◇ *nm* [fruit] castanha *f* ; [couleur] castanho *m* ; **marron glacé** marrom-glacê *m*.

marronnier [maʀɔnje] *nm* castanheiro *m*.

mars [maʀs] *nm* março *m*, ► **septembre**.

Marseille [maʀsɛj] *npr* Marselha.

marteau [maʀto] (*pl* -x) *nm* martelo *m* ; **marteau piqueur** OU **pneumatique** *(techn)* martelo pneumático.

marteler [maʀtəle] *vt* martelar.

martial, **e**, **aux** [maʀsjal, o] *adj* marcial.

martien, **enne** [maʀsjɛ̃, ɛn] *adj* marciano(na). ◆ **Martien**, **enne** *nm, f* marciano *m*, -na *f*.

martiniquais, **e** [maʀtinikɛ, ɛz] *adj* martinicano(na).

Martinique [maʀtinik] *nf* : **la Martinique** a Martinica.

martyr, **e** [maʀtiʀ] *adj & nm, f* mártir.

martyre [maʀtiʀ] *nm* [douleur, peine] martírio *m*.

martyriser [maʀtiʀize] *vt* martirizar.

marxisme [maʀksism] *nm* marxismo *m*.

mascara [maskaʀa] *nm* rímel® *m*.

mascarade [maskaʀad] *nf* mascarada *f*.

mascotte [maskɔt] *nf* mascote *f*.

masculin, **e** [maskylɛ̃, in] ◇ *adj* masculino(na). ◇ *nm* masculino *m*.

masochisme [mazɔʃim] *nm* masoquismo *m*.

masque [mask] *nm* máscara *f*.

masquer [maske] *vt* tapar.

massacre [masakʀ] *nm* massacre *m*.

massacrer [masakʀe] *vt* massacrar.

massage [masaʒ] *nm* massagem *f*.

masse [mas] *nf* [bloc] massa *f* ; [outil] maça *f* ; **une masse** OU **des masses de** um monte OU montes de ; **une arrivée en masse** uma chegada em massa.

masser [mase] *vt* [dos, personne] massagear ; [grouper] agrupar. ◆ **se masser** *vp* agrupar-se.

masseur, **euse** [masœʀ, øz] *nm, f* massagista *mf*.

massif, **ive** [masif, iv] ◇ *adj* maciço(ça). ◇ *nm* maciço *m* ; **le Massif central** o Maciço Central.

massivement [masivmɑ̃] *adv* em peso.

massue [masy] *nf* maça *f*.

mastic [mastik] *nm* mástique *m*.

mastiquer [mastike] *vt* [mâcher] mastigar.

masturbation [mastyʀbasjɔ̃] *nf* masturbação *f*.

mat, **e** [mat] ◇ *adj* mate. ◇ *nm* [aux échecs] mate *m*.

mât [ma] *nm* mastro *m*.

match [matʃ] (*pl* -s OU -es) *nm* jogo *m* ; **faire match nul** empatar em zero.

matelas [matla] *nm* colchão *m* ; **matelas pneumatique** colchão pneumático.

matelassé, **e** [matlase] *adj* acolchoado(da).

matelot [matlo] *nm* marinheiro *m*.

mater [mate] *vt* reprimir.

matérialiser [mateʀjalize] ◆ **se matérialiser** *vp* materializar-se.

matérialiste [materjalist] *adj* & *nmf* materialista.

matériau [materjo] (*pl* -x) *nm* material *m*. ◆ **matériaux** *nmpl* [dans le bâtiment] materiais *mpl* ; [documents] material *m* ; **matériaux de construction** materiais de construção.

matériel, elle [materjɛl] ◇ *adj* material. ◇ *nm* [outillage] material *m* ; INFORM hardware *m* ; **matériel de camping** material de camping.

maternel, elle [matɛrnɛl] *adj* [femme, amour] maternal ; [grands-parents] materno(na).

maternelle [matɛrnɛl] *nf* : **(école) maternelle** ensino *m* maternal e pré-escolar.

maternité [matɛrnite] *nf* maternidade *f*.

mathématicien, enne [matematisjɛ̃, ɛn] *nm, f* matemático *m*, -ca *f*.

mathématiques [matematik] *nfpl* matemática *f*.

maths [mat] *nfpl fam* matemática *f*.

matière [matjɛr] *nf* matéria *f* ; [matériau] material *m* ; SCOL matéria *f* ; **matière première** matéria-prima *f* ; **matières grasses** gordura *f*.

Matignon [matiɲɔ̃] *npr* : **(l'hôtel) Matignon** *residência do primeiro-ministro francês.*

matin [matɛ̃] *nm* manhã *f* ; **le matin** de manhã.

matinal, e, aux [matinal, o] *adj* [réveil] matinal ; [personne] madrugador(ra).

matinée [matine] *nf* [matin] manhã *f* ; [spectacle] matinê *f*.

matraque [matrak] *nf* cassetete *m*.

matraquer [matrake] *vt* agredir com o cassetete a.

matricule [matrikyl] ◇ *nm* número *m* de matrícula. ◇ *nf* registro *m*.

matrimonial, e, aux [matrimɔnjal, o] *adj* matrimonial.

maturité [matyrite] *nf* [d'un fruit] maturação *f* ; [d'une personne] maturidade *f* ; [d'une idée] amadurecimento *m*.

maudire [modir] *vt* amaldiçoar.

maudit, e [modi, it] ◇ *pp* ► **maudire**. ◇ *adj* maldito(ta).

Maurice *npr* ► **île**.

mausolée [mozɔle] *nm* mausoléu *m*.

maussade [mosad] *adj* aborrecido(da).

mauvais, e [movɛ, ɛz] *adj* mau(má) ; [faux] errado(da) ; **il fait mauvais** está fazendo mau tempo ; **être mauvais en qqch** ser fraco em algo.

mauve [mov] *adj* malva.

mauviette [movjɛt] *nf fam* pessoa *f* frágil.

maux [mo] ► **mal**.

max. (*abr de* **maximum**) máximo.

maxillaire [maksilɛr] *nm* maxilar *m*.

maximal, e, aux [maksimal, o] *adj* [température, degré] máximo(ma).

maxime [maksim] *nf* máxima *f*.

maximum [maksimɔm] ◇ *nm* máximo *m*. ◇ *adj* máximo(ma) ; **au maximum** no máximo.

mayonnaise [majɔnɛz] *nf* maionese *f*.

mazout [mazut] *nm* óleo *m* combustível.

me [mə] *pron* me ; **je me lève** eu me levanto.

méandre [meɑ̃dr] *nm* meandro *m*.

mec [mɛk] *nm fam* rapaz *m*.

mécanicien, enne [mekanisjɛ̃, ɛn] *nm, f* mecânico *m*, -ca *f*.

mécanique [mekanik] ◇ *adj* mecânico(ca). ◇ *nf* [mécanisme] mecanismo *m* ; [automobile] mecânica *f*.

mécanisme [mekanism] *nm* mecanismo *m*.

mécène [mesɛn] *nm* mecenas *m inv*.

méchamment [meʃamɑ̃] *adv* maldosamente.

méchanceté [meʃɑ̃ste] *nf* maldade *f*.

méchant, **e** [meʃɑ̃, ɑ̃t] *adj* mau(má).

mèche [mɛʃ] *nf* [de cheveux, lampe] mecha *f* ; [d'explosif] rastilho *m*.

méchoui [meʃwi] *nm comida típica do norte da África que consiste em carne de carneiro assada*.

méconnaissable [mekɔnɛsabl] *adj* irreconhecível.

méconnu, **e** [mekɔny] *adj* desconhecido(da).

mécontent, **e** [mekɔ̃tɑ̃, ɑ̃t] *adj* descontente.

médaille [medaj] *nf* medalha *f*.

médaillon [medajɔ̃] *nm* medalhão *m*.

médecin [mɛdsɛ̃] *nm* médico *m*, -ca *f* ; **médecin traitant** médico de família.

médecine [mɛdsin] *nf* medicina *f*.

médias [medja] *nmpl* mídia *f*, meios *mpl* de comunicação social.

médiateur, **trice** [medjatœʀ, tʀis] *adj* & *nm, f* mediador(ra). ◆ **médiateur** *nm* árbitro *m*. ◆ **médiatrice** *nf* mediatriz *f*.

médiathèque [medjatɛk] *nf* mediateca *f*.

médiatique [medjatik] *adj* [personnalité] midiático(ca).

médiatiser [medjatize] *vt* mediatizar.

médical, **e**, **aux** [medikal, o] *adj* médico(ca).

médicament [medikamɑ̃] *nm* medicamento *m*.

médicinal, **e**, **aux** [medisinal, o] *adj* medicinal.

médiéval, **e**, **aux** [medjeval, o] *adj* medieval.

médiocre [medjɔkʀ] *adj* medíocre.

médire [mediʀ] *vi* maldizer ; **médire de qqn** dizer mal de alguém.

médisant, **e** [medizɑ̃, ɑ̃t] *adj* maledicente.

méditation [meditasjɔ̃] *nf* meditação *f*.

méditer [medite] *vt* & *vi* meditar.

Méditerranée [mediteʀane] *nf* : **la (mer) Méditerranée** o (mar) Mediterrâneo.

méditerranéen, **enne** [mediteʀaneɛ̃, ɛn] *adj* mediterrâneo(a).

médium [medjɔm] *nm* [personne] médium *mf* ; MUS registro *m* médio do som OU da voz.

méduse [medyz] *nf* medusa *f*.

méduser [medyze] *vt* deixar atônito(ta).

meeting [mitiŋ] *nm* POLIT comício *m* ; SPORT encontro *m*.

méfait [mefɛ] *nm* malefício *m*.

méfiance [mefjɑ̃s] *nf* desconfiança *f*.

méfiant, **e** [mefjɑ̃, ɑ̃t] *adj* [personne, regard] desconfiado(da), ressabiado(da).

méfier [mefje] ◆ **se méfier** *vp* desconfiar ; **se méfier de** desconfiar de.

mégalomane [megalɔman] *adj* & *nmf* megalomaníaco(ca).

megaoctet [megaɔktɛ] *nm* megabyte *m*.

mégapole [megapɔl] *nf* megalópole *f*.

mégarde [megaʀd] ◆ **par mégarde** *loc adv* inadvertidamente.

mégot [mego] *nm* guimba *f*.

meilleur, **e** [mɛjœʀ] *adj* & *nm, f* melhor.

mél [mel] *nm* INFORM correio *m* eletrônico.

mélancolie [melɑ̃kɔli] *nf* melancolia *f*.

mélange [melɑ̃ʒ] *nm* mistura *f*.

mélanger [melɑ̃ʒe] *vt* [mêler] misturar ; [confondre] confundir.

Melba [mɛlba] *adj inv* ► **pêche**.

mêlée [mele] *nf* peleja *f*.

mêler [mele] *vt* misturar ; **mêler qqn à qqch** envolver alguém em algo. ◆ **se mêler** *vp* : **se mêler à qqch** misturar-se com algo ; **se mêler de qqch** meter-se em algo.

mélo [melo] *fam nm* dramalhão *m*.

mélodie [melɔdi] *nf* melodia *f*.

mélodieux, euse [melɔdjø, øz] *adj* melodioso(osa).

mélodrame [melɔdʀam] *nm* melodrama *m*.

mélomane [melɔman] *adj* & *nmf* melômano(na).

melon [məlɔ̃] *nm* melão *f*.

membrane [mɑ̃bʀan] *nf* membrana *f*.

membre [mɑ̃bʀ] *nm* membro *m*.

mémé [meme] *nf fam* vovó *f*.

même [mɛm] ◇ *adj* **1.** [identique] mesmo(mesma) ; **nous avons les mêmes places qu'à l'aller** temos os mesmos lugares que na ida ; **j'ai le même pull que toi** tenho um pulôver igual ao seu - **2.** [sert à renforcer] : **c'est cela même** é isso mesmo ; **cette fille, c'est la gentillesse même** esta menina é a gentileza em pessoa. ◇ *pron* : **le/la même (que)** o mesmo/a mesma (que) ; **j'ai le même!** tenho um igual! ◇ *adv* **1.** [sert à renforcer] : **même les sandwichs sont chers ici** até os sanduíches são caros aqui ; **il n'y a même pas de cinéma** nem sequer há cinema ; **c'est étonnant, incroyable même** é surpreendente, é mesmo incrível ; **j'irai même si tu restes** irei mesmo se você ficar - **2.** [exactement] mesmo ; **c'est aujourd'hui même** é hoje mesmo - **3.** [dans des expressions] : **coucher à même le sol** dormir mesmo no chão ; **être à même de faire qqch** ser capaz de fazer algo ; **bon appétit! – vous de même** bom apetite! – igualmente ; **faire de même** fazer o mesmo ; **de même que** do mesmo modo que.

mémento [memɛ̃to] *nm* memento *m*.

mémoire [memwaʀ] *nf* memória *f* ; **de mémoire** de cor ; **mémoire morte** memória ROM ; **mémoire vive** memória RAM.

mémorable [memɔʀabl] *adj* memorável.

menaçant, e [mənasɑ̃, ɑ̃t] *adj* ameaçador(ra).

menace [mənas] *nf* ameaça *f*.

menacer [mənase] *vt* & *vi* ameaçar ; **la pluie menace** está ameaçando chuva ; **menacer de faire qqch** ameaçar fazer algo.

ménage [menaʒ] *nm* [rangement] limpeza *f* ; [famille] lar *m* ; [couple] casal *m* ; **faire le ménage** fazer a limpeza.

ménager[1] [menaʒe] *vt* poupar.

ménager[2], **ère** [menaʒe, ɛʀ] *adj* doméstico(ca).

ménagère [menaʒɛʀ] *nf* faqueiro *m*.

ménagerie [menaʒʀi] *nf conjunto de animais para exposição.*

mendiant, e [mɑ̃djɑ̃, ɑ̃t] ◇ *nm, f* mendigo *m*, -ga *f*. ◇ *nm bolacha com frutos secos.*

mendier [mɑ̃dje] *vi* mendigar.

mener [məne] ◇ *vt* [conduire] ir dar a ; [accompagner] levar ; [diriger] dirigir. ◇ *vi* SPORT estar ganhando.

menhir [meniʀ] *nm* menir *m*.

méningite [menɛ̃ʒit] *nf* meningite *f*.

ménopause [menɔpoz] *nf* menopausa *f*.

menottes [mənɔt] *nfpl* algemas *fpl*.

mensonge [mɑ̃sɔ̃ʒ] *nm* mentira *f*.

mensualité [mɑ̃sɥalite] *nf* mensalidade *f*.

mensuel, **elle** [mɑ̃sɥɛl] ◇ *adj* mensal. ◇ *nm* publicação *f* mensal.

mensurations [mɑ̃syʀasjɔ̃] *nfpl* medidas *fpl*.

mental, **e**, **aux** [mɑ̃tal, o] *adj* mental.

mentalité [mɑ̃talite] *nf* mentalidade *f*.

menteur, **euse** [mɑ̃tœʀ, øz] *nm, f* mentiroso *m*, -osa *f*.

menthe [mɑ̃t] *nf* [feuilles, plante] hortelã *f* ; [parfum] menta *f* ; **menthe à l'eau** *refresco de menta*.

mention [mɑ̃sjɔ̃] *nf* distinção *f* ; **'rayer les mentions inutiles'** 'riscar o que não interessa'.

mentionner [mɑ̃sjɔne] *vt* mencionar.

mentir [mɑ̃tiʀ] *vi* mentir.

menton [mɑ̃tɔ̃] *nm* queixo *m*.

menu, **e** [məny] ◇ *adj* pequeno(na). ◇ *adv* fino. ◇ *nm* menu *m* ; **menu gastronomique** menu gastronômico ; **menu touristique** menu turístico.

menuisier [mənɥizje] *nm* carpinteiro *m*.

méprendre [mepʀɑ̃dʀ] ◆ **se méprendre** *vp sout* : **se méprendre sur qqch/qqn** equivocar-se a respeito de algo/alguém ; **à s'y méprendre** a ponto de se confundir.

mépris [mepʀi] *nm* desprezo *m*.

méprisable [mepʀizabl] *adj* desprezível.

méprisant, **e** [mepʀizɑ̃, ɑ̃t] *adj* depreciativo(va).

mépriser [mepʀize] *vt* desprezar.

mer [mɛʀ] *nf* mar *m* ; **en mer** no mar ; **la mer du Nord** o mar do Norte.

mercantile [mɛʀkɑ̃til] *adj péj* mercantil.

mercerie [mɛʀsəʀi] *nf* [boutique] armarinho *m*.

merci [mɛʀsi] *interj* obrigado(da) ; **merci beaucoup!** muito obrigado! ; **merci de...** obrigado por...

mercredi [mɛʀkʀədi] *nm* quarta-feira *f*, ► **samedi**.

mercure [mɛʀkyʀ] *nm* mercúrio *m*.

merde [mɛʀd] ◇ *interj vulg* merda! ◇ *nf vulg* merda *f*.

mère [mɛʀ] *nf* mãe *f* ; **mère biologique** MÉD mãe biológica.

merguez [mɛʀgɛz] *nf salsicha picante típica do norte da África*.

méridien [meʀidjɛ̃] *nm* meridiano *m*.

méridional, **e**, **aux** [meʀidjɔnal, o] *adj* meridional.

meringue [məʀɛ̃g] *nf* suspiro *m*.

mérite [meʀit] *nm* mérito *m* ; **avoir du mérite** ter mérito.

mériter [meʀite] *vt* merecer.

merlan [mɛʀlɑ̃] *nm* badejo *m*.

merle [mɛʀl] *nm* melro *m*.

merlu [mɛʀly] *nm* merluza *f*.

merveille [mɛʀvɛj] *nf* maravilha *f* ; [beignet] *bolinho frito, de massa leve, recortada*.

merveilleux, **euse** [mɛʀvɛjø, øz] *adj* maravilhoso(osa).

mes ► **mon**.

mésange [mezɑ̃ʒ] *nf* chapim *m*.

mésaventure [mezavɑ̃tyʀ] *nf* desventura *f*.

mesdames ► **madame**.

mesdemoiselles ► **mademoiselle**.

mesquin, **e** [mɛskɛ̃, in] *adj* mesquinho(nha).

message [mɛsaʒ] *nm* mensagem *f* ; [écrit, sur répondeur] recado *m*.

messager, **ère** [mɛsaʒe, ɛʀ] *nm, f* mensageiro *m*, -ra *f*.

messagerie [mɛsaʒʀi] *nf* : **messagerie électronique** mensagens *fpl* eletrônicas.

messe [mɛs] *nf* missa *f*.

messie [mɛsi] *nm* messias *m inv*. ◆ **Messie** *nm* : **le Messie** o Messias.

messieurs ► **monsieur.**

mesure [məzyʀ] *nf* medida *f* ; **mesure de sécurité** medida(s) de segurança ; [rythme] cadência *f* ; **sur mesure** sob medida ; **dans la mesure du possible** na medida do possível ; **(ne pas) être en mesure de faire qqch** (não) estar em condições de fazer algo.

mesuré, e [məzyʀe] *adj* moderado(da).

mesurer [məzyʀe] *vt* medir ; **il mesure 1,80 mètre** ele mede 1,80 metro.

met *etc.* ► **mettre.**

métabolisme [metabɔlism] *nm* metabolismo *m*.

métal [metal] (*pl* -aux [o]) *nm* metal *m*.

métallique [metalik] *adj* metálico(ca).

métallisé, e [metalize] *adj* metalizado(da).

métallurgie [metalyʀʒi] *nf* metalurgia *f*.

métamorphose [metamɔʀfoz] *nf* metamorfose *f*.

métaphore [metafɔʀ] *nf* metáfora *f*.

métayer, ère [meteje, metɛjɛʀ] *nm, f* meeiro *m*, -ra *f*.

météo [meteo] *nf* : **la météo** o tempo ; **météo marine** meteorologia *f* marítima ; **les prévisions météo** previsões meteorológicas.

météore [meteɔʀ] *nm* meteoro *m*.

météorologique [meteɔʀɔlɔʒik] *adj* meteorológico(ca).

méthane [metan] *nm* metano *m*.

méthode [metɔd] *nf* método *m*.

méthodique [metɔdik] *adj* metódico(ca).

méticuleux, euse [metikylø, øz] *adj* meticuloso(osa).

métier [metje] *nm* profissão *f*.

métis, isse [metis] *nm, f* mestiço *m*, -ça *f*.

mètre [mɛtʀ] *nm* [mesure] metro *m* ; [ruban] fita *f* métrica.

métro [metʀo] *nm* metrô *m* ; **métro aérien** metrô de superfície.

métropole [metʀɔpɔl] *nf* metrópole *f*.

mets [mɛ] *nm sout* iguaria *f*.

metteur [mɛtœʀ] *nm* : **metteur en scène** diretor *m*.

mettre [mɛtʀ] *vt* **1.** [placer, poser] pôr ; **mettre qqch debout** pôr algo em pé - **2.** [vêtement] vestir ; **mettre une écharpe** pôr uma écharpe ; **mettre un pull** vestir um pulôver ; **qu'est-ce que tu mets pour aller au théâtre ?** que roupa você veste para ir ao teatro? - **3.** [temps] levar ; **nous avons mis deux heures par l'autoroute** levamos duas horas pela auto-estrada - **4.** [argent] gastar ; **combien voulez-vous y mettre ?** quanto pretendem gastar? ; **je ne mettrai pas plus de 50 € pour une robe** não gastarei mais de 50 euros num vestido - **5.** [déclencher] ligar ; **mettre le chauffage** ligar o aquecimento ; **mettre le contact** ligar o contato ; **mettre le réveil** ligar o despertador - **6.** [dans un état différent] : **mettre qqn en colère** enfurecer alguém ; **mettre qqch en marche** pôr algo a funcionar - **7.** [écrire] escrever. ◆ **se mettre** *vp* **1.** [se placer] pôr-se ; **se mettre debout** pôr-se de pé ; **se mettre au lit** ir para a cama ; **mets-toi sur cette chaise** sente–se nesta cadeira - **2.** [dans un état différent] : **se mettre en colère** enfurecer-se ; **se mettre d'accord** pôr-se de acordo - **3.** [vêtement] vestir-se - **4.** [maquillage] : **elle s'est mis du rouge à lèvres** ela passou batom - **5.** [commencer] : **se mettre à faire qqch** pôr-se a fazer algo ; **se mettre au travail** pôr-se a trabalhar ; **s'y mettre** pôr mãos à obra.

meuble [mœbl] *nm* móvel *m*.

meublé [mœble] *nm* apartamento *m* mobiliado.

meubler [mœble] *vt* mobiliar.

meugler [møgle] *vi* mugir.

meule [møl] *nf* [de foin] meda *f*.

meunier, **ère** [mønje, ɛʀ] *nm, f* moleiro *m*, -ra *f*.

meunière [mønjɛʀ] *nf* ► **sole.**

meurt [mœʀ] ► **mourir.**

meurtre [mœʀtʀ] *nm* assassinato *m*.

meurtrier, **ère** [mœʀtʀije, ɛʀ] *nm, f* assassino *m*, -na *f*.

meurtrière [mœʀtʀijɛʀ] *nf* seteira *f*, ► **meurtrier.**

meurtrir [mœʀtʀiʀ] *vt* magoar.

meurtrissure [mœʀtʀisyʀ] *nf* [blessure] contusão *f* ; [sur un fruit] mancha *f*.

meute [møt] *nf* matilha *f*.

mexicain, **e** [mɛksikɛ̃, ɛn] *adj* mexicano(na). ◆ **Mexicain, e** *nm, f* mexicano *m*, -na *f*.

Mexique [mɛksik] *nm* : **le Mexique** o México.

mezzanine [mɛdzanin] *nf* mezanino *m*.

mi- [mi] *préf* meio (meia) ; **à la mi-mars** em meados de março ; **à mi-chemin** no meio do caminho ; **à mi-hauteur** a meia altura ; **à mi-jambes** até o meio das pernas.

miauler [mjole] *vi* miar.

mi-bas [miba] *nm inv* meias *fpl* três-quartos.

miche [miʃ] *nf pão grande, de formato arredondado.*

mi-clos, **e** [miklo, kloz] *adj* semicerrado(da).

micro [mikʀo] *nm* micro *m*.

microbe [mikʀɔb] *nm* micróbio *m*.

microclimat [mikʀɔklima] *nm* microclima *m*.

microcosme [mikʀɔkɔsm] *nm* microcosmo *m*.

micro-informatique [mikʀɔɛ̃fɔʀmatik] *nf* microinformática *f*.

micro-ondes [mikʀɔɔ̃d] *nm inv* : **(four à) micro-ondes** (forno) microondas *m*.

micro-ordinateur [mikʀɔɔʀdinatœʀ] (*pl* **micro-ordinateurs**) *nm* microcomputador *m*.

microprocesseur [mikʀɔpʀɔsesœʀ] *nm* microprocessador *m*.

microscope [mikʀɔskɔp] *nm* microscópio *m*.

microscopique [mikʀɔskɔpik] *adj* microscópico(ca).

midi [midi] *nm* meio-dia *m* ; **à midi** ao meio-dia ; **le Midi** o Sul da França.

mie [mi] *nf* miolo *m*.

miel [mjɛl] *nm* mel *m*.

mielleux, **euse** [mjɛlø, øz] *adj* meloso(osa).

mien [mjɛ̃] ◆ **le mien**, **la mienne** [lamjɛn] (*mpl* **les miens** [lemjɛ̃] , *fpl* **les miennes** [lemjɛn]) *pron* o meu (a minha).

miette [mjɛt] *nf* migalha *f* ; **en miettes** em migalhas.

mieux [mjø] *adv* & *adj* melhor ; **c'est ce qu'il fait le mieux** é o que ele faz melhor ; **le mieux situé des deux hôtels** o mais bem situado dos dois hotéis ; **aller mieux** estar melhor ; **ça vaut mieux** é melhor ; **de mieux en mieux** cada vez melhor ; **c'est le mieux des deux/de tous** [le plus beau] é o melhor dos dois/de todos ; **c'est le mieux** [la meilleure chose à faire] é o melhor.

mièvre [mjɛvʀ] *adj* afetado(da).

mignon, **onne** [miɲɔ̃, ɔn] *adj* querido(da).

migraine [migʀɛn] *nf* enxaqueca *f*.

migrateur, **trice** [migʀatœʀ, tʀis] *adj* migrador(ra).

mijoter [miʒɔte] *vi* cozinhar em fogo brando.

milice [milis] *nf* milícia *f*.

milieu [miljø] (*pl* -x) *nm* meio *m* ; **au milieu (de)** no meio (de).

militaire [militɛʀ] *adj* & *nm* militar.

militant, **e** [militɑ̃, ɑ̃t] *nm, f* militante *mf*.

militer [milite] *vi* militar ; **militer pour qqn/qqch** militar a favor de alguém /por algo ; **militer contre qqn/qqch** militar contra alguém/algo.

milk-shake [milkʃɛk] (*pl* **milk-shakes**) *nm* milk-shake *m*.

mille [mil] *num* mil, ► **six**.

mille-feuille [milfœj] (*pl* **mille-feuilles**) *nm* massa *f* folhada.

millénaire [milenɛʀ] ◇ *nm* milênio *m*. ◇ *adj* milenar.

mille-pattes [milpat] *nm inv* centopéia *f*.

millésime [milezim] *nm* [date] data *f* ; [vin] vintage *m*.

milliard [miljaʀ] *nm* : **un milliard de** um bilhão de.

milliardaire [miljaʀdɛʀ] *nmf* multimilionário *m*, -ria *f*.

millier [milje] *nm* milhar *m* ; **des milliers de** milhares de.

milligramme [miligʀam] *nm* miligrama *m*.

millilitre [mililitʀ] *nm* mililitro *m*.

millimètre [milimɛtʀ] *nm* milímetro *m*.

millimétré, **e** [milimetʀe] *adj* milimetrado(da).

million [miljɔ̃] *nm* milhão *m*.

millionnaire [miljɔnɛʀ] *nmf* milionário *m*, -ria *f*.

mime [mim] *nm* [acteur] mímico *m* ; [art] mímica *f*.

mimer [mime] *vt* expressar por meio de mímica.

mimétisme [mimetism] *nm* mimetismo *m*.

mimique [mimik] *nf* [grimace] careta *f* ; [expression] mímica *f*.

mimosa [mimɔza] *nm* mimosa *f*.

min (*abr de* **minute**) min.

min. (*abr de* **minimum**) mínimo *m*.

minable [minabl] *adj fam* medíocre ; **c'est minable** é lamentável.

mince [mɛ̃s] ◇ *adj* [personne] magro(gra) ; [tissu, tranche] fino(na). ◇ *interj* droga!

minceur [mɛ̃sœʀ] *nf* [de personne] gracilidade *f* ; [finesse] esbelteza *f* ; *fig* [insuffisance] insuficiência *f*.

mincir [mɛ̃siʀ] *vi* emagrecer.

mine [min] *nf* mina *f* ; [visage] cara *f* ; **avoir bonne/mauvaise mine** estar com bom/mau aspecto ; **faire mine de faire qqch** fingir fazer algo.

miner [mine] *vt* minar ; *fig* consumir.

minerai [minʀɛ] *nm* minério *m*.

minéral, **e**, **aux** [mineʀal, o] ◇ *adj* mineral. ◇ *nm* mineral *m*.

minéralogie [mineʀalɔʒi] *nf* mineralogia *f*.

minéralogique [mineʀalɔʒik] *adj* ► **plaque**.

mineur, **e** [minœʀ] ◇ *nm, f* [enfant] menor *mf*. ◇ *nm* [ouvrier] mineiro *m*.

miniature [minjatyʀ] ◇ *adj* em miniatura. ◇ *nf* miniatura *f* ; **en miniature** em miniatura.

minibar [minibaʀ] *nm* [de train] minibar *m* ; [d'hôtel] frigobar *m*.

minibus [minibys] *nm* microônibus *m*.

minichaîne [miniʃɛn] *nf* aparelho *m* de som compacto.

minidisque [minidisk] *nm* minidisco *m*.

minier, **ère** [minje, ɛʀ] *adj* mineiro(ra).

minijupe [miniʒyp] *nf* minissaia *f*.

minimal, **e**, **aux** [minimal, o] *adj* [température] mínimo(ma) ; [degré] mais baixo(xa).

minime [minim] ◇ *nmf* infantil *mf*. ◇ *adj* mínimo(ma).

minimiser [minimize] *vt* minimizar.

minimum [minimɔm] ◇ *adj* mínimo(ma). ◇ *nm* mínimo *m* ; **au minimum** no mínimo.

ministère [ministɛʀ] *nm* ministério *m*.

ministériel, **elle** [ministeʀjɛl] *adj* ministerial.

ministre [ministʀ] *nm* ministro *m*.

Minitel® [minitɛl] *nm rede francesa de consulta de banco de dados.*

minoritaire [minɔʀitɛʀ] *adj* minoritário(ria).

minorité [minɔʀite] *nf* minoria *f*.

minuit [minɥi] *nm* meia-noite *f*.

minuscule [minyskyl] *adj* minúsculo(la).

minute [minyt] *nf* minuto *m*.

minuter [minyte] *vt* cronometrar.

minuterie [minytʀi] *nf* temporizador *m*.

minuteur [minytœʀ] *nm* timer *m*.

minutie [minysi] *nf* minúcia *f* ; **avec minutie** com minúcia.

minutieux, **euse** [minysjø, øz] *adj* minucioso(osa).

mirabelle [miʀabɛl] *nf* ameixa *f* mirabela.

miracle [miʀakl] *nm* milagre *m*.

miraculeux, **euse** [miʀakylø, øz] *adj* milagroso(osa).

mirage [miʀaʒ] *nm* miragem *f*.

mirifique [miʀifik] *adj* mirífico(ca).

miroir [miʀwaʀ] *nm* espelho *m*.

miroiter [miʀwate] *vi* espelhar ; **faire miroiter qqch à qqn** *fig* acenar com algo a alguém.

mis, **e** [mi, miz] *pp* ► **mettre.**

misanthrope [mizɑ̃tʀɔp] ◇ *nmf* misantropo *m*. ◇ *adj* misantrópico(ca).

mise [miz] *nf* aposta *f* ; **mise en plis** permanente *f* ; **mise en scène** encenação *f*.

miser [mize] ◆ **miser sur** *vp + prép* [au jeu] apostar em ; [compter sur] contar com.

misérable [mizeʀabl] *adj* miserável.

misère [mizɛʀ] *nf* [pauvreté] miséria *f*.

miséricorde [mizeʀikɔʀd] *nf* misericórdia *f*.

misogyne [mizɔʒin] ◇ *nmf* misógino *m*. ◇ *adj* misógino.

missile [misil] *nm* míssil *m*.

mission [misjɔ̃] *nf* missão *f*.

missionnaire [misjɔnɛʀ] *nmf* missionário *m*, -ria *f*.

missive [misiv] *nf* missiva *f*.

mistral [mistʀal] *nm* mistral *m*.

mitaine [mitɛn] *nf* mitene *f*.

mite [mit] *nf* traça *f*.

mi-temps [mitɑ̃] *nf inv* [moitié d'un match] tempo *m* ; [pause] intervalo *m* ; **travailler à mi-temps** trabalhar em tempo parcial/meio período.

miteux, **euse** [mitø, øz] *adj* [personne] maltrapilho(lha) ; [hôtel, quartier] miserável.

mitigé, **e** [mitiʒe] *adj* mitigado(da).

mitonner [mitɔne] ◇ *vt* CULIN apurar ; *fig* [préparer] cozinhar em fogo brando. ◇ *vi* CULIN ir apurando.

mitoyen, **enne** [mitwajɛ̃, ɛn] *adj*

[mur] parede-meia(meia) ; [maisons] pegado(da) ; **la maison mitoyenne de la nôtre** a casa de paredes-meias com a nossa.

mitrailler [mitʀaje] *vt* metralhar ; *fam tirar fotografias em série de uma pessoa famosa.*

mitraillette [mitʀajɛt] *nf* arma *f* automática.

mitrailleuse [mitʀajøz] *nf* metralhadora *f.*

mixage [miksaʒ] *nm* mixagem *f.*

mixe(u)r [miksœʀ] *nm* liquidificador *m.*

mixer [mikse] *vt* triturar.

mixte [mikst] *adj* [école, équipe] misto(ta).

mixture [mikstyʀ] *nf* mistura *f* ; *péj* [mélange] gororoba *f.*

ml (*abr de* **millilitre**) ml.

Mlle (*abr de* **mademoiselle**) Sra.

mm (*abr de* **millimètre**) mm.

Mme (*abr de* **madame**) Sra.

mnémotechnique [mnemotɛknik] *adj* mnemotécnico(ca).

mobile [mɔbil] ◇ *adj* [cloison, pièce] móvel ; [regard] vivaz ; [visage] expressivo(va). ◇ *nm* móbil *m.*

mobilier [mɔbilje] *nm* mobiliário *m.*

mobiliser [mɔbilize] *vt* mobilizar.

Mobylette® [mɔbilɛt] *nf* mobilete *f.*

mocassin [mɔkasɛ̃] *nm* mocassim *m.*

moche [mɔʃ] *adj fam* feio(feia).

modalité [mɔdalite] *nf* modalidade *f* ; **modalités de paiement** modalidades de pagamento.

mode [mɔd] ◇ *nf* moda *f.* ◇ *nm* modo *m* ; **à la mode** na moda ; **mode d'emploi** modo de usar.

modèle [mɔdɛl] *nm* modelo *m* ; **modèle réduit** modelo reduzido.

modeler [mɔdle] *vt* modelar.

modélisme [mɔdelism] *nm* modelismo *m.*

modem [mɔdɛm] *nm* modem *m.*

modération [mɔdeʀasjɔ̃] *nf* moderação *f* ; **'à consommer avec modération'** 'consumir com moderação'.

modéré, e [mɔdeʀe] *adj* moderado(da).

modérer [mɔdeʀe] *vt* moderar. ◆ **se modérer** *vp* moderar-se.

moderne [mɔdɛʀn] *adj* moderno(na).

moderniser [mɔdɛʀnize] *vt* modernizar.

modeste [mɔdɛst] *adj* modesto(ta).

modestie [mɔdɛsti] *nf* modéstia *f.*

modification [mɔdifikasjɔ̃] *nf* modificação *f.*

modifier [mɔdifje] *vt* modificar.

modique [mɔdik] *adj* módico(ca).

modulation [mɔdylasjɔ̃] *nf* : **modulation de fréquence** freqüência *f* modulada.

module [mɔdyl] *nm* [élément] módulo *m* ; [à l'université] opção *f.*

moduler [mɔdyle] *vt* modular.

moelle [mwal] *nf* medula *f* ; **moelle épinière** medula espinhal.

moelleux, euse [mwalø, øz] *adj* fofo(fa).

mœurs [mœʀ(s)] *nfpl* costumes *mpl.*

mohair [mɔɛʀ] *nm* mohair *m.*

moi [mwa] *pron* [objet direct, indirect] -me ; [après prép ou comparaison] mim ; [pour insister] eu ; **il est à moi** é meu ; **moi-même** eu próprio(pria) ; **regarde-moi** olhe para mim ; **donne-le-moi** dê-mo ; **c'est pour moi** é para mim ; **il est comme moi** ele é como eu ; **moi je crois que...** eu acho que...

moindre [mwɛ̃dʀ] *adj* menor ; **le moindre...** o menor...

moine [mwan] *nm* monge *m.*

moineau [mwano] (*pl* -x) *nm* pardal *m*.

moins [mwɛ̃] ◇ *adv* menos ; **moins ancien (que)** menos antigo (do que) ; **moins vite (que)** menos rápido (do que) ; **c'est la nourriture qui coûte le moins** é a comida mais barata ; **la ville la moins intéressante que nous ayons visitée** a cidade menos interessante que visitamos ; **fatiguez-vous le moins possible** cansem-se o menos possível ; **ils ont accepté de gagner moins** eles aceitaram ganhar menos ; **moins de** [une quantité inférieure de] menos ; [en deçà de] menos de ; **moins de viande/touristes** menos carne/turistas ; **en moins de dix minutes** em menos de dez minutos ; **à moins d'un imprévu** a menos que haja um imprevisto ; **à moins de rouler** OU **que nous roulions toute la nuit...** a menos que viajemos a noite inteira... ; **au moins** pelo menos ; **de** OU **en moins** a menos ; **j'ai deux ans de moins qu'elle** tenho dois anos a menos que ela ; **de moins en moins** cada vez menos ; **moins tu y penseras, mieux ça ira** quanto menos você pensar nisso, melhor. ◇ *prép* **1.** [pour indiquer l'heure, soustraire] menos ; **il est trois heures moins le quart** são quinze (minutos) para as três (horas) - **2.** [pour indiquer la température] : **il fait moins 2ºC** está 2 graus negativos.

mois [mwa] *nm* mês *m* ; **au mois de...** no mês de...

moisi, **e** [mwazi] ◇ *adj* bolorento(ta). ◇ *nm* bolor *m* ; **sentir le moisi** cheirar a mofo.

moisir [mwaziʀ] *vi* mofar.

moisissure [mwazisyʀ] *nf* [moisi] bolor *m*.

moisson [mwasɔ̃] *nf* ceifa *f*.

moissonner [mwasɔne] *vt* ceifar.

moissonneuse [mwasɔnøz] *nf* ceifadeira *f*.

moissonneuse-batteuse [mwasɔnøzbatøz] (*pl* **moissonneuses-batteuses**) *nf* ceifadeira-debulhadora *f*.

moite [mwat] *adj* úmido(da).

moitié [mwatje] *nf* metade *f* ; **dormir à moitié** estar quase dormindo ; **la moitié de** a metade de ; **à moitié** em parte ; [faire qqch] pela metade ; **à moitié cassé** meio estragado ; **à moitié plein** meio cheio ; **à moitié prix** pela metade do preço.

moka [mɔka] *nm* [gâteau] *bolo de massa leve recheado com creme de café ou chocolate.*

molaire [mɔlɛʀ] *nf* molar *m*.

molécule [mɔlekyl] *nf* molécula *f*.

molle ► **mou**.

mollement [mɔlmɑ̃] *adv* molemente.

mollet [mɔlɛ] *nm* barriga *f* da perna.

molletonné, **e** [mɔltɔne] *adj* acolchoado(da).

mollir [mɔliʀ] *vi* [physiquement] enfraquecer ; [matière] amolecer ; NAUT abrandar ; [moralement] fraquejar.

mollusque [mɔlysk] *nm* molusco *m*.

môme [mom] *nmf fam* criança *f*.

moment [mɔmɑ̃] *nm* momento *m* ; **c'est le moment de...** é hora de... ; **au moment où** no momento em que ; **du moment que** desde que ; **en ce moment** neste momento ; **par moments** às vezes ; **pour le moment** por ora.

momentané, **e** [mɔmɑ̃tane] *adj* momentâneo(nea).

momentanément [mɔmɑ̃tanemɑ̃] *adv* momentaneamente.

momie [mɔmi] *nf* múmia *f*.

mon, **ma** [mɔ̃, ma] (*pl* **mes** [me]) *adj* meu(minha).

monacal, **e** OU **aux** [mɔnakal, o] *adj* monacal.

Monaco [mɔnako] *npr* Mônaco.

monarchie [mɔnaʀʃi] *nf* monarquia *f*.

monarque *nm* monarca *m*.

monastère [mɔnastɛʀ] *nm* mosteiro *m*.

mondain, **e** [mɔ̃dɛ̃, ɛn] *adj* mundano(na).

mondanités [mɔ̃danite] *nfpl* [événements mondains] vida *f* social ; [comportements, paroles] cerimônias *fpl*.

monde [mɔ̃d] *nm* mundo *m* ; **il y a du monde** OU **beaucoup de monde** tem muita gente ; **tout le monde** todo (o) mundo.

mondial, **e**, **aux** [mɔ̃djal, o] *adj* mundial.

mondialement [mɔ̃djalmɑ̃] *adv* mundialmente.

monétaire [mɔnetɛʀ] *adj* monetário(ria).

mongolien, **enne** [mɔ̃gɔljɛ̃, ɛn] *adj* & *nm, f* mongolóide.

moniteur, **trice** [mɔnitœʀ, tʀis] ◇ *nm, f* [de colonie] monitor *m*, -ra *f* ; [d'auto-école] instrutor *m*, -ra *f*. ◇ *nm* monitor *m*.

monnaie [mɔnɛ] *nf* [argent, devise] moeda *f* ; [pièces] troco *m* ; **vous avez la monnaie de 20 € ?** pode trocar 20 €? ; **faire de la monnaie** trocar dinheiro ; **rendre la monnaie à qqn** dar o troco a alguém.

monnayer [mɔnɛje] *vt* [vendre] trocar por dinheiro líquido ; *fig* [acheter] comprar.

monoculture [mɔnɔkyltyʀ] *nf* monocultura *f*.

monologue [mɔnɔlɔg] *nm* monólogo *m*.

monoparental, **e**, **aux** [mɔnɔpaʀɑ̃tal, o] *adj* monoparental.

monopole [mɔnɔpɔl] *nm* monopólio *m* ; **avoir le monopole de** ter o monopólio de ; **monopole d'État** monopólio do Estado.

monopoliser [mɔnɔpɔlize] *vt* monopolizar.

monoski [mɔnɔski] *nm* monoesqui *m*.

monotone [mɔnɔtɔn] *adj* monótono(na).

monotonie [mɔnɔtɔni] *nf* monotonia *f*.

monsieur [məsjø] (*pl* **messieurs** [mesjø]) *nm* senhor *m* ; **monsieur X** o senhor X ; **bonjour, monsieur/messieurs!** bom-dia, meu senhor/meus senhores! ; **Monsieur,** [dans une lettre] Prezado Senhor, ; **Monsieur!** [pour appeler le professeur] Professor!

monstre [mɔ̃stʀ] ◇ *nm* monstro *m*. ◇ *adj fam* colossal.

monstrueux, **euse** [mɔ̃stʀyø, øz] *adj* monstruoso(osa).

mont [mɔ̃] *nm* monte *m* ; **le mont Blanc** o Mont Blanc ; **le Mont Saint-Michel** o Monte Saint-Michel.

montage [mɔ̃taʒ] *nm* montagem *f*.

montagne [mɔ̃taɲ] *nf* montanha *f* ; **à la montagne** na montanha ; **montagnes russes** montanha-russa *f*.

montagneux, **euse** [mɔ̃taɲø, øz] *adj* montanhoso(osa).

montant, **e** [mɔ̃tɑ̃, ɑ̃t] ◇ *adj* [marée] cheia ; [col] alto(ta). ◇ *nm* [somme] montante *m* ; [d'une fenêtre] caixilho *m* ; [d'une échelle] banzo *m*.

monte-charge [mɔ̃tʃaʀʒ] *nm inv* monta-cargas *m inv*.

montée [mɔ̃te] *nf* subida *f*.

monter [mɔ̃te] ◇ *vi (aux être)* subir. ◇ *vt (aux avoir)* montar ; [escalier, côte] subir ; [porter en haut] levar para cima ; [son, chauffage, prix] aumentar ; [coup] preparar ; CULIN bater ; **monter les blancs en neige** bater as claras em neve ; **monter à bord (d'un avion)** subir a bordo (de um avião) ; **monter à cheval** montar a cavalo ; **monter en voiture** entrar no carro ; **monter sur**

une échelle subir em uma escada. ◆ **se monter à** *vp + prép* elevar-se a.

monticule [mɔ̃tikyl] *nm* montículo *m*.

montre [mɔ̃tʀ] *nf* relógio *m* de pulso.

montrer [mɔ̃tʀe] *vt* mostrar ; **montrer qqch à qqn** mostrar algo a alguém ; **montrer qqch/qqn du doigt** apontar com o dedo para algo/alguém. ◆ **se montrer** *vp* mostrar-se ; **se montrer courageux** mostrar-se corajoso.

monture [mɔ̃tyʀ] *nf* [de lunettes] armação *f* ; [cheval] montada *f*.

monument [mɔnymɑ̃] *nm* monumento *m* ; **monument aux morts** monumento aos mortos em combate.

monumental, e, aux [mɔnymɑ̃tal, o] *adj* [grand, énorme] monumental ; *fig* [impressionnant] espantoso(osa).

moquer [mɔke] ◆ **se moquer de** *vp + prép* [plaisanter] gozar com, fazer pouco de ; [ignorer] querer lá saber de ; **je m'en moque** quero lá saber disso.

moquerie [mɔkʀi] *nf* zombaria *f*.

moques [mɔk] *nfpl* Belgique *rodelas de massa perfumadas com cravo e cobertas com açúcar cristalizado*.

moquette [mɔkɛt] *nf* carpete *m*.

moqueur, euse [mɔkœʀ, øz] *adj* trocista.

moral, e, aux [mɔʀal, o] ◇ *adj* moral. ◇ *nm* astral *m* ; **avoir le moral** estar de bom astral ; **avoir le moral à zéro** estar deprimido, estar de baixo astral.

morale [mɔʀal] *nf* moral *f* ; **faire la morale à qqn** dar uma lição de moral a alguém.

moralement [mɔʀalmɑ̃] *adv* moralmente.

moralisateur, trice [mɔʀalizatœʀ, tʀis] *adj* moralizador(ra).

moralité [mɔʀalite] *nf* moralidade *f* ; [enseignement] moral *f* da história.

moratoire [mɔʀatwaʀ] ◇ *nm* moratória *f*. ◇ *adj* de mora.

morbide [mɔʀbid] *adj* mórbido(da).

morceau [mɔʀso] (*pl* -x) *nm* [partie] pedaço *m* ; [de musique] trecho *m* ; **morceau de sucre** torrão *m* de açúcar ; **en mille morceaux** em mil pedaços.

morceler [mɔʀsəle] *vt* fragmentar. ◆ **se morceler** *vp* fragmentar-se.

mordiller [mɔʀdije] *vt* mordiscar.

mordre [mɔʀdʀ] *vt* morder ; **mordre (sur)** ultrapassar.

morfondre [mɔʀfɔ̃dʀ] ◆ **se morfondre** *vp* ficar morrendo de tédio.

morgue [mɔʀg] *nf* [attitude] altivez *f* ; [lieu] necrotério *m*.

moribond, e [mɔʀibɔ̃, ɔ̃d] *adj* moribundo(da).

morille [mɔʀij] *nf cogumelo esponjoso comestível*.

morose [mɔʀoz] *adj* [triste] macambúzio(zia) ; [tendu] marcado(da) pela apatia.

morphine [mɔʀfin] *nf* morfina *f*.

morphologie [mɔʀfɔlɔʒi] *nf* morfologia *f*.

mors [mɔʀ] *nm* freio *m*.

morse [mɔʀs] *nm* [animal] morsa *f* ; [code] morse *m*.

morsure [mɔʀsyʀ] *nf* mordida *f*.

mort, e [mɔʀ, mɔʀt] ◇ *pp* ► **mourir**. ◇ *adj* morto(ta) ; [piles, radio] gasto(ta). ◇ *nm, f* morto *m*, -ta *f*. ◇ *nf* morte *f* ; **être mort de peur** estar morto de medo ; **être en danger de mort** correr perigo de morte.

mortadelle [mɔʀtadɛl] *nf* mortadela *f*.

mortalité [mɔʀtalite] *nf* mortalidade *f* ; **mortalité infantile** mortalidade infantil.

mort-aux-rats [mɔʀoʀa] *nf inv* mata-ratos *m inv*.

mortel, **elle** [mɔʀtɛl] *adj* [qui peut mourir] mortal ; [qui tue] mortífero(ra).

mortuaire [mɔʀtɥɛʀ] *adj* fúnebre ; [chapelle] mortuário(ria).

morue [mɔʀy] *nf* bacalhau *m*.

mosaïque [mɔzaik] *nf* mosaico *m*.

Moscou [mɔsku] *npr* Moscou.

mosquée [mɔske] *nf* mesquita *f*.

mot [mo] *nm* [terme] palavra *f* ; [message] mensagem *f* ; **mot à mot** ao pé da letra ; **mot de passe** senha *f* ; **mots croisés** palavras cruzadas ; **avoir le dernier mot** ter a última palavra.

motard [mɔtaʀ] *nm* [motocycliste] motoqueiro *m* ; [gendarme, policier] polícia *m* da brigada motorizada.

motel [mɔtɛl] *nm* motel *m*.

moteur [mɔtœʀ] *nm* motor *m*.

motif [mɔtif] *nm* motivo *m*.

motion [mɔsjɔ̃] *nf* moção *f* ; **motion de censure** moção de censura.

motivation [mɔtivasjɔ̃] *nf* motivação *f*.

motivé, **e** [mɔtive] *adj* motivado(da).

moto [mɔto] *nf* moto *f*.

motocross [mɔtɔkʀɔs] *nm* motocross *m*.

motocycliste [mɔtɔsiklist] *nmf* motociclista *mf*.

motorisé, **e** [mɔtɔʀize] *adj* motorizado(da) ; **être motorisé** *fam* ter um veículo à disposição.

motte [mɔt] *nf* [de terre] torrão *m* ; [de beurre] porção *f* ; [de gazon] tufo *m*.

mou, **molle** [mu, mɔl] *adj* mole.

mouche [muʃ] *nf* mosca *f*.

moucher [muʃe] ◆ **se moucher** *vp* assoar-se.

moucheron [muʃʀɔ̃] *nm* mosquito *m*.

mouchoir [muʃwaʀ] *nm* lenço *m* ; **mouchoir en papier** lenço de papel.

moudre [mudʀ] *vt* moer.

moue [mu] *nf* beicinho *m* ; **faire la moue** fazer beicinho.

mouette [mwɛt] *nf* gaivota *f*.

moufle [mufl] *nf* luva *f (com um só dedo)*.

mouillé, **e** [muje] *adj* molhado(da).

mouiller [muje] *vt* molhar. ◆ **se mouiller** *vp* molhar-se ; *fam* queimar-se.

mouillette [mujɛt] *nf pedaço de pão longo e fino que se mergulha em ovo quente ou em outros líquidos*.

moulage [mulaʒ] *nm* moldagem *f*.

moulant, **e** [mulɑ̃, ɑ̃t] *adj* justo(ta).

moule[1] [mul] *nm* [industriel] molde *m* ; [à pâtisserie] forma *f* ; **moule à gâteau** forma para bolos.

moule[2] [mul] *nf* mexilhão *m* ; **moules marinière** *mexilhões cozidos em vinho branco*.

mouler [mule] *vt* [statue] moldar ; [suj: vêtement] ajustar.

moulin [mulɛ̃] *nm* moinho *m* ; **moulin à café** moedor *m* de café ; **moulin à poivre** moedor de pimenta ; **moulin à vent** moinho de vento.

moulinet [mulinɛ] *nm* molinete *m*.

Moulinette® [mulinɛt] *nf* moedor *m* de legumes.

moulu, **e** [muly] *adj* moído(da).

moulure [mulyʀ] *nf* moldura *f*.

mourant, **e** [muʀɑ̃, ɑ̃t] *adj* moribundo(da).

mourir [muʀiʀ] *vi* [décéder] morrer ; [disparaître] extinguir-se ; **mourir de faim** morrer de fome ; **mourir d'envie de faire qqch** estar morto de vontade de fazer algo.

moussaka [musaka] *nf* moussaka *f, carne moída e rodelas de berinjela gratinadas*.

moussant, **e** [musɑ̃, ɑ̃t] *adj* espumante.

mousse [mus] *nf* [bulles] espuma *f* ; [plante] musgo *m* ; CULIN mousse *f* ; **mousse à raser** espuma de barbear ; **mousse au chocolat** musse de chocolate.

mousseline [muslin] ◇ *nf* musselina *f*. ◇ *adj inv* : **purée** OU **pommes mousseline** puré de batata muito leve ; **sauce mousseline** *molho à base de gemas de ovo, manteiga e creme de leite batido.*

mousser [muse] *vi* espumar.

mousseux, euse [musø, øz] ◇ *adj* cremoso(osa). ◇ *nm* : **du (vin) mousseux** espumante *m*.

mousson [musɔ̃] *nf* monção *f*.

moustache [mustaʃ] *nf* bigode *m* ; **des moustaches** bigodes.

moustachu, e [mustaʃy] *adj* com bigode.

moustiquaire [mustikɛʀ] *nf* mosquiteiro *m*.

moustique [mustik] *nm* pernilongo *m*.

moutarde [mutaʀd] *nf* mostarda *f*.

mouton [mutɔ̃] *nm* carneiro *m*.

mouvance [muvɑ̃s] *nf* : **dans la mouvance du parti** na esfera de influência do partido.

mouvants *adj m pl* ➤ **sable.**

mouvement [muvmɑ̃] *nm* movimento *m*.

mouvementé, e [muvmɑ̃te] *adj* movimentado(da).

moyen, enne [mwajɛ̃, ɛn] ◇ *adj* médio(dia) ; [passable] mais ou menos. ◇ *nm* meio *m* ; **il n'y a pas moyen de** não há meio de ; **moyen de transport** meio de transporte ; **au moyen de qqch** [d'une action] por meio de algo ; [d'un objet] com a ajuda de algo. ◆ **moyens** *nmpl* [ressources] meios *mpl* ; [capacités] capacidades *fpl* ; **avoir les moyens de faire qqch** ter meios para fazer algo ; **perdre ses moyens** perder a calma.

Moyen Âge [mwajɛnaʒ] *nm* : **le Moyen Âge** a Idade Média.

moyenne [mwajɛn] *nf* média *f* ; **en moyenne** em média.

Moyen-Orient [mwajɛnɔʀjɑ̃] *nm* : **le Moyen-Orient** o Oriente Médio.

mue [my] *nf* muda *f*.

muer [mɥe] *vi* [animal] estar na muda ; [voix, personne] mudar.

muet, muette [mɥɛ, ɛt] *adj* mudo(da).

mufle [myfl] *nm* grosso *m*.

mugir [myʒiʀ] *vi* mugir.

muguet [mygɛ] *nm* lírio-do-vale *m*.

mule [myl] *nf* [animal] mula *f* ; [chaussure] chinelo *m*.

mulet [mylɛ] *nm* burro *m*.

mulot [mylo] *nm* rato-do-campo *m*.

multicolore [myltikɔlɔʀ] *adj* multicolor.

multicoque [myltikɔk] *adj* & *nm* multicasco.

multilatéral, e, aux [myltilateʀal, o] *adj* multilateral.

multinational [myltinasjɔnal] *nf* multinacional *f*.

multiple [myltipl] ◇ *adj* múltiplo(pla). ◇ *nm* múltiplo *m*.

multiplication [myltiplikasjɔ̃] *nf* multiplicação *f*.

multiplier [myltiplije] *vt* multiplicar ; **2 multiplié par 9** 2 multiplicado por 9. ◆ **se multiplier** *vp* multiplicar-se.

multipropriété [myltipʀɔpʀijete] *nf* time-sharing *m*, direito *m* real de habitação periódica.

multirisque [myltiʀisk] *adj* multirrisco.

multitude [myltityd] *nf* : **une multitude de** uma multidão de.

municipal, **e**, **aux** [mynisipal, o] *adj* municipal.

municipalité [mynisipalite] *nf* municipalidade *f*.

munir [myniʀ] *vt* : **munir qqn/qqch de** munir alguém/algo de. ◆ **se munir de** *vp* + *prép* munir-se de.

munitions [mynisjɔ̃] *nfpl* munições *fpl*.

muqueuse [mykøz] *nf* mucosa *f*.

mur [myʀ] *nm* parede *f* ; [extérieur] muro *m* ; **faire le mur** escapar ; **mur du son** barreira *f* de som.

mûr, **e** [myʀ] *adj* [fruit] maduro(ra).

muraille [myʀaj] *nf* muralha *f*.

mural, **e**, **aux** [myʀal, o] *adj* mural.

mûre [myʀ] *nf* amora *f*.

murer [myʀe] *vt* murar.

mûrier [myʀje] *nm* amoreira *f*.

mûrir [myʀiʀ] *vi* amadurecer.

murmure [myʀmyʀ] *nm* murmúrio *m*.

murmurer [myʀmyʀe] *vi* murmurar.

muscade [myskad] *nf* : **(noix) muscade** noz-moscada *f*.

muscadet [myskadɛ] *nm* *vinho branco seco da região de Nantes.*

muscat [myska] *nm* [raisin] uva *f* moscatel ; [vin] moscatel *m*.

muscle [myskl] *nm* músculo *m*.

musclé, **e** [myskle] *adj* musculoso(sa).

muscler [myskle] *vt* desenvolver os músculos de. ◆ **se muscler** *vp* : **se muscler (qqch)** desenvolver os músculos (de algo).

musculaire [myskylɛʀ] *adj* muscular.

musculation [myskylasjɔ̃] *nf* musculação *f*.

muse [myz] *nf* musa *f*.

museau [myzo] (*pl* -x) *nm* [de chien, de renard] focinho *m* ; CULIN *preparado de cabeça de porco ou boi, servido frio.*

musée [myze] *nm* museu *m*.

museler [myzle] *vt* [animal] açaimar ; *fig* [empêcher de s'exprimer] amordaçar.

muselière [myzəljɛʀ] *nf* açaime *m*.

musical, **e**, **aux** [myzikal, o] *adj* musical.

music-hall [myzikol] (*pl* **music-halls**) *nm* [théâtre] teatro *m* de variedades ; [spectacle] musical *m*.

musicien, **enne** [myzisjɛ̃, ɛn] *nm, f* músico *m*, -ca *f*.

musique [myzik] *nf* música *f* ; **musique de chambre** música de câmara ; **musique classique** música clássica ; **musique de film** trilha *f* sonora.

musulman, **e** [myzylmɑ̃, an] *adj* & *nm, f* muçulmano(na).

mutant, **e** [mytɑ̃, ɑ̃t] *adj* mutante. ◆ **mutant** *nm* mutante *m*.

mutation [mytasjɔ̃] *nf* [d'un employé] transferência *f*.

muter [myte] *vt* transferir.

mutiler [mytile] *vt* mutilar.

mutinerie [mytinʀi] *nf* motim *m*.

mutisme [mytism] *nm* mutismo *m*.

mutualité [mytɥalite] *nf* mutualidade *f*.

mutuel, **elle** [mytɥɛl] *adj* mútuo(tua).

mutuelle [mytɥɛl] *nf* seguro *m* complementar.

mutuellement [mytɥɛlmɑ̃] *adv* mutuamente.

mycose [mikoz] *nf* micose *f*.

myopathie [mjɔpati] *nf* miopatia *f*.

myope [mjɔp] *adj* míope.

myosotis [mjozɔtis] *nm* miosótis *m inv*.

myrtille [miʀtij] *nf* mirtilo *m*.

mystère [mistɛʀ] *nm* mistério *m* ;

Mystère® *sobremesa gelada, à base de merengue e sorvete, coberta com pedaços de amêndoas.*

mystérieusement [misteʀjøzmɑ̃] *adv* misteriosamente.

mystérieux, **euse** [misteʀjø, øz] *adj* misterioso(osa).

mysticisme [mistisism] *nm* misticismo *m.*

mystique [mistik] *adj* & *nmf* místico(ca).

mythe [mit] *nm* mito *m.*

mythique [mitik] *adj* mítico(ca).

mythologie [mitɔlɔʒi] *nf* mitologia *f.*

mythomane [mitɔman] *adj* & *nmf* mitômano(na).

N

n' ► **ne.**

N (*abr de* **nord**) N.

nacre [nakʀ] *nf* madrepérola *f.*

nage [naʒ] *nf* : **à la nage** a nado ; **être en nage** estar banhado em suor.

nageoire [naʒwaʀ] *nf* nadadeira *f.*

nager [naʒe] *vt* & *vi* nadar.

nageur, **euse** [naʒœʀ, øz] *nm, f* nadador *m,* -ra *f.*

naïf, **naïve** [naif, iv] *adj* ingênuo (nua).

nain, **e** [nɛ̃, nɛn] *adj* & *nm, f* anão(anã) ; **nain de jardin** anão de jardim.

naissance [nɛsɑ̃s] *nf* nascimento *m.*

naissant, **e** [nɛsɑ̃, ɑ̃t] *adj* nascente.

naître [nɛtʀ] *vi* nascer ; **je suis né le... à...** eu nasci no dia... em...

naïve [naif, iv] ► **naïf.**

naïveté [naivte] *nf* ingenuidade *f.*

nana [nana] *nf fam* mina *f.*

nanti, **e** [nɑ̃ti] *nm, f* rico *m,* -ca *f* ; **les nantis** os ricos.

nappe [nap] *nf* [linge] toalha *f* (de mesa) ; [souterraine] lençol *m* ; [en mer] mancha *f* ; [de brouillard] cortina *f.*

nappé, **e** [nape] *adj* : **nappé de** coberto de.

napper [nape] *vt* cobrir.

napperon [napʀɔ̃] *nm toalhas de pano ou de papel que servem como enfeite ou proteção de uma mesa.*

narcissisme [naʀsisism] *nm* narcisismo *m.*

narguer [naʀge] *vt* desafiar com escárnio.

narine [naʀin] *nf* narina *f.*

narrateur, **trice** [naʀatœʀ, tʀis] *nm, f* narrador *m,* -ra *f.*

nasal, **e**, **aux** [nazal, o] *adj* nasal.

naseaux [nazo] *nmpl* ventas *fpl.*

natal, **e** [natal] *adj* natal.

natalité [natalite] *nf* natalidade *f.*

natation [natasjɔ̃] *nf* natação *f* ; **faire de la natation** praticar natação.

natif, **ive** [natif, iv] *adj* : **natif de** natural de.

nation [nasjɔ̃] *nf* nação *f.*

national, **e**, **aux** [nasjɔnal, o] *adj* nacional.

nationale [nasjɔnal] *nf* : **(route) nationale** (estrada) nacional *f.*

nationaliser [nasjɔnalize] *vt* nacionalizar.

nationalisme [nasjɔnalism] *nm* nacionalismo *m.*

nationalité [nasjɔnalite] *nf* nacionalidade *f.*

native ► **natif.**

natte [nat] *nf* [tresse] trança *f* ; [tapis] esteira *f.*

naturaliser [natyʀalize] *vt* naturalizar.

nature [natyʀ] ◇ *nf* natureza *f*. ◇ *adj inv* [yaourt] natural ; [omelette, thé] simples ; **nature morte** natureza-morta.

naturel, **elle** [natyʀɛl] *adj* & *nm* natural.

naturellement [natyʀɛlmɑ̃] *adv* naturalmente.

naturisme [natyʀism] *nm* naturismo *m*.

naturiste [natyʀist] *nmf* naturista *mf*.

naufrage [nofʀaʒ] *nm* naufrágio *m* ; **faire naufrage** naufragar.

naufragé, **e** [nofʀaʒe] *nm, f* náufrago *m*, -ga *f*.

nauséabond, **e** [nozeabɔ̃, ɔ̃d] *adj* nauseabundo(da).

nausée [noze] *nf* náusea *f* ; **avoir la nausée** estar enjoado.

nautique [notik] *adj* náutico(ca).

naval, **e** [naval] *adj* naval.

navarin [navaʀɛ̃] *nm* *ensopado de carneiro com legumes.*

navet [navɛ] *nm* [légume] nabo *m* ; *fam* [mauvais film] fiasco *m*.

navette [navɛt] *nf* [d'aéroport] linha *f* regular ; [spatiale] ônibus *m* espacial ; **faire la navette (entre)** ir e vir (entre).

navigable [navigabl] *adj* navegável.

navigateur, **trice** [navigatœʀ, tʀis] *nm, f* navegador *m*, -ra *f*.

navigation [navigasjɔ̃] *nf* **1.** navegação *f* ; **navigation de plaisance** navegação de recreio - **2.** INFORM : **navigation (sur Internet)** navegação *f* (na Internet).

naviguer [navige] *vi* navegar.

navire [naviʀ] *nm* navio *m*.

navré, **e** [navʀe] *adj* : **je suis navré** sinto muito.

nazisme [nazism] *nm* nazismo *m*.

NB (*abr de* **nota bene**) NB.

ne [nə] não, ► **jamais, pas, personne, plus, que, rien.**

né, **e** [ne] *pp* ► **naître.**

néanmoins [neɑ̃mwɛ̃] *adv* todavia.

néant [neɑ̃] *nm* nada *m* ; **réduire qqch à néant** reduzir algo a nada ; **'néant'** *em um impresso, indica que não há nenhuma particularidade a assinalar.*

nécessaire [nesesɛʀ] ◇ *adj* necessário(ria) ; **il est nécessaire de faire qqch** é necessário fazer algo. ◇ *nm* [ce qui est indispensable] necessário *m* ; [ustensiles] nécessaire *m* ; **nécessaire de toilette** nécessaire de toalete.

nécessité [nesesite] *nf* necessidade *f*.

nécessiter [nesesite] *vt* necessitar de.

nécessiteux, **euse** [nesesitø, øz] *nm, f* necessitado *m*, -da *f*.

nécrologique [nekʀɔlɔʒik] *adj* necrológico(ca).

nectar [nɛktaʀ] *nm* néctar *m* ; **nectar d'abricot /de pêche** néctar de damasco/ de pêssego.

nectarine [nɛktaʀin] *nf* nectarina *f*.

néerlandais, **e** [neɛʀlɑ̃dɛ, ɛz] ◇ *adj* neerlandês(esa). ◇ *nm* [langue] neerlandês *m*. ◆ **Néerlandais**, **e** *nm, f* neerlandês *m*, -esa *f*.

nef [nɛf] *nf* nave *f*.

néfaste [nefast] *adj* nefasto(ta).

négatif, **ive** [negatif, iv] ◇ *adj* negativo(va). ◇ *nm* negativo *m*.

négation [negasjɔ̃] *nf* negação *f*.

négligé, **e** [negliʒe] *adj* desleixado(da). ◆ **négligé** *nm* [laisser-aller] desleixo *m* ; [peignoir] roupão *m*.

négligeable [negliʒabl] *adj* desprezável.

négligence [negliʒɑ̃s] *nf* negligência *f* ; **par négligence** por negligência.

négligent, **e** [negliʒɑ̃, ɑ̃t] *adj* negligente.

négliger [neglige] *vt* negligenciar.

négoce [negɔs] *nm* negócio *m*.

négociant [negɔsjɑ̃] *nm* : **négociant en vins** negociante *m* de vinhos.

négociation [negɔsjasjɔ̃] *nf* negociação *f* ; **négociations au sommet** negociações da cúpula ; **négociations de paix** negociações de paz.

négociations [negɔsjasjɔ̃] *nfpl* negociações *fpl*.

négocier [negɔsje] ◇ *vt* [discuter de] negociar ; [virage] saber entrar em. ◇ *vi* negociar.

neige [nɛʒ] *nf* neve *f*.

neiger [neʒe] *v impers* : **il neige** está nevando.

neigeux, **euse** [nɛʒø, øz] *adj* coberto(ta) de neve.

nénuphar [nenyfaʀ] *nm* nenúfar *m*.

néologisme [neɔlɔʒism] *nm* neologismo *m*.

néon [neɔ̃] *nm* [tube] néon *m*.

néophyte [neɔfit] *nmf* neófito *m*, -ta *f*.

nerf [nɛʀ] *nm* nervo *m* ; **du nerf!** coragem! ; **être à bout de nerfs** estar à beira de um ataque de nervos.

nerveusement [nɛʀvøzmɑ̃] *adv* nervosamente.

nerveux, **euse** [nɛʀvø, øz] *adj* nervoso(osa).

nervosité [nɛʀvozite] *nf* nervosismo *m*.

n'est-ce pas [nɛspa] *adv* não é?

net, **nette** [nɛt] ◇ *adj* nítido(da) ; [propre] limpo(pa) ; [prix, salaire] líquido(da). ◇ *adv* [se casser] de um só golpe ; [s'arrêter] de repente.

netéconomie [nɛtekɔnomi] *nf* economia *f* digital.

nettement [nɛtmɑ̃] *adv* [clairement] nitidamente ; [beaucoup, très] muito.

netteté [nɛtte] *nf* nitidez *f*.

nettoyage [netwajaʒ] *nm* [ménage] limpeza *f* ; **nettoyage à sec** lavagem *f* a seco.

nettoyer [nɛtwaje] *vt* limpar ; **faire nettoyer un vêtement** mandar lavar uma peça de roupa.

neuf, **neuve** [nœf, nœv] ◇ *adj* novo(nova). ◇ *num* nove ; **remettre qqch à neuf** renovar algo ; **quoi de neuf ?** quais são as novidades?, ► **six**.

neurodégénératif, **ive** [nørɔdeʒeneratif, -iv] *adj* MÉD neurodegenerativo(va).

neurologie [nøʀɔlɔʒi] *nf* neurologia *f*.

neutraliser [nøtʀalize] *vt* neutralizar.

neutralité [nøtʀalite] *nf* neutralidade *f*.

neutre [nøtʀ] *adj* neutro(tra).

neutron [nøtʀɔ̃] *nm* nêutron *m*.

neuvième [nœvjɛm] *num* nono(na), ► **sixième**.

neveu [nəvø] (*pl* -x) *nm* sobrinho *m*.

névrose [nevʀoz] *nf* neurose *f*.

névrosé, **e** [nevʀoze] *adj* neurótico(ca).

nez [ne] *nm* nariz *m* ; **se trouver nez à nez avec qqn** encontrar-se cara a cara com alguém.

NF (*abr de* **norme française**) norma francesa.

ni [ni] *conj* : **ni... ni** nem... nem ; **je n'aime ni la guitare ni le piano** não gosto nem de guitarra nem de piano ; **ni l'un ni l'autre ne sont français** nem um nem outro são franceses ; **elle n'est ni mince ni grosse** ela não é nem magra nem gorda.

niais, **e** [njɛ, njɛz] *adj* tolo(la).

niche [niʃ] *nf* [à chien] casinha *f* ; [dans un mur] nicho *m*.

nicher [niʃe] *vi* [oiseaux] fazer o ninho ; *fam* [habiter] morar. ◆ **se nicher** *vp* meter-se.

nickel [nikɛl] ◇ *nm* níquel *m*. ◇ *adj inv fam* [impeccable] nos trinques.

niçoise [niswaz] *adj f* ➤ **salade**.

nicotine [nikɔtin] *nf* nicotina *f*.

nid [ni] *nm* ninho *m*.

nid-de-poule [nidpul] (*pl* **nids-de-poule**) *nm* buraco *m* (na estrada).

nièce [njɛs] *nf* sobrinha *f*.

nier [nje] *vt* negar ; **nier avoir fait qqch** negar ter feito algo ; **nier que** negar que.

Nil [nil] *nm* : **le Nil** o Nilo.

n'importe [nɛ̃pɔʀt] ➤ **importer**.

nippon, **one** [nipɔ̃, ɔn] *adj* nipônico(ca). ◆ **Nippon**, **one** *nm, f* japonês *m*, -esa *f*.

nitrate [nitʀat] *nm* nitrato *m*.

niveau [nivo] (*pl* -x) *nm* nível *m* ; **au niveau de** ao nível de ; **niveau d'huile** nível de óleo ; **niveau de vie** nível de vida.

niveler [nivle] *vt* nivelar.

n° (*abr de* **numéro**) n°.

noble [nɔbl] *adj* & *nmf* nobre.

noblesse [nɔblɛs] *nf* [nobles] nobreza *f*.

noce [nɔs] *nf* boda *f* ; **noces d'or** bodas de ouro.

nocif, **ive** [nɔsif, iv] *adj* nocivo(va).

noctambule [nɔktɑ̃byl] *adj* & *nmf* noctívago(ga).

nocturne [nɔktyʀn] ◇ *adj* noturno(na). ◇ *nf* [d'un magasin] funcionamento *m* noturno

Noël [nɔɛl] ◇ *nm* Natal *m*. ◇ *nf* : **la Noël** [jour] o dia de Natal ; [période] o Natal.

nœud [nø] *nm* nó *m* ; [ruban] laço *m* ; **nœud papillon** gravata-borboleta *f*.

noir, **e** [nwaʀ] ◇ *adj* [couleur] preto(ta) ; [sombre] escuro(ra). ◇ *nm* [couleur] preto *m* ; [obscurité] escuro *m* ; **il fait noir** está escuro ; **dans le noir** no escuro. ◆ **Noir**, **e** *nm, f* negro *m*, -gra *f*.

noircir [nwaʀsiʀ] *vt* & *vi* escurecer.

noisetier [nwaztje] *nm* aveleira *f*.

noisette [nwazɛt] ◇ *nf* avelã *f*. ◇ *adj inv* cor de avelã ; **une noisette de beurre** uma bolinha de manteiga.

noix [nwa] *nf* [fruit] noz *f* ; [morceau] um pouco ; **noix de cajou** castanha *f* de caju ; **noix de coco** coco *m*.

nom [nɔ̃] *nm* [de personne, de chose] nome *m* ; GRAMM substantivo *m* ; **nom commun** substantivo comum ; **nom de famille** sobrenome *m* ; **nom de jeune fille** sobrenome de solteira ; **nom propre** nome próprio.

nomade [nɔmad] *nmf* nômade *mf*.

nombre [nɔ̃bʀ] *nm* número *m* ; **un grand nombre de** um grande número de.

nombreux, **euse** [nɔ̃bʀø, øz] *adj* numeroso(osa) ; **peu nombreux** pouco numeroso.

nombril [nɔ̃bʀil] *nm* umbigo *m*.

nominal, **e**, **aux** [nɔminal, o] *adj* nominal.

nomination [nɔminasjɔ̃] *nf* nomeação *f*.

nommer [nɔme] *vt* [appeler] chamar ; [à un poste] nomear. ◆ **se nommer** *vp* chamar-se.

non [nɔ̃] *adv* não ; **non ?** não? ; **non plus** também não ; **non seulement..., mais...** não só... mas...

nonante [nɔnɑ̃t] *num Belgique* & *Suisse* noventa, ➤ **six**.

nonchalant, **e** [nɔ̃ʃalɑ̃, ɑ̃t] *adj* indolente.

non-fumeur, euse [nɔ̃fymœʀ, øz] *nm, f* não-fumante *mf*.

non-lieu [nɔ̃ljø] (*pl* **non-lieux**) *nm* improcedência *f* ; **bénéficier d'un non-lieu** ser absolvido por falta de provas ; **rendre un non-lieu** pronunciar o arquivamento dos autos por falta de provas.

non-sens [nɔ̃sɑ̃s] *nm inv* [absurdité] absurdo *m* ; [contresens] contra-senso *m*.

non-violence [nɔ̃vjɔlɑ̃s] *nf* não-violência *f*.

non-voyant, e [nɔ̃vwajɑ̃, ɑ̃t] *nm, f* cego *m*, -ga *f*.

nord [nɔʀ] *adj inv* & *nm inv* norte ; **au nord (de)** a norte (de).

nord-est [nɔʀɛst] *adj inv* & *nm inv* nordeste ; **au nord-est (de)** a nordeste (de).

nordique [nɔʀdik] *adj* nórdico(ca) ; *Québec* do norte do Canadá.

nord-ouest [nɔʀwɛst] *adj inv* & *nm inv* noroeste ; **au nord-ouest (de)** a noroeste (de).

normal, e, aux [nɔʀmal, o] *adj* normal ; **ce n'est pas normal** [pas juste] não é justo.

normale [nɔʀmal] *nf* : **la normale** a média.

normalement [nɔʀmalmɑ̃] *adv* normalmente.

normaliser [nɔʀmalize] *vt* normalizar. ◆ **se normaliser** *vp* normalizar-se.

normand, e [nɔʀmɑ̃, ɑ̃d] *adj* normando(da).

Normandie [nɔʀmɑ̃di] *nf* : **la Normandie** a Normandia.

norme [nɔʀm] *nf* norma *f*.

Norvège [nɔʀvɛʒ] *nf* : **la Norvège** a Noruega.

norvégien, enne [nɔʀveʒjɛ̃, ɛn] ◇ *adj* norueguês(esa). ◇ *nm* [langue] norueguês *m*. ◆ **Norvégien, enne** *nm, f* norueguês *m*, -esa *f*.

nosocomial, e (*mpl* -aux) [nɔzɔkɔmjal, -o] *adj* nosocomial.

nos [no] ▶ **notre.**

nostalgie [nɔstalʒi] *nf* nostalgia *f* ; **avoir la nostalgie de** ter saudade de.

notable [nɔtabl] *adj* & *nm* notável.

notaire [nɔtɛʀ] *nm* tabelião *m*.

notamment [nɔtamɑ̃] *adv* particularmente.

note [nɔt] *nf* nota *f* ; **prendre des notes** tomar nota ; **note de frais** *despesas feitas por alguém em nome de uma empresa e que lhe serão reembolsadas*.

noter [nɔte] *vt* notar ; [écrire] anotar.

notice [nɔtis] *nf* [mode d'emploi] instruções *fpl* de uso.

notifier [nɔtifje] *vt* : **notifier qqch à qqn** notificar algo a alguém.

notion [nosjɔ̃] *nf* noção *f* ; **avoir des notions de** ter noções de.

notoire [nɔtwaʀ] *adj* notório(ria).

notoriété [nɔtɔʀjete] *nf* notoriedade *f*.

notre [nɔtʀ] (*pl* **nos** [no]) *adj* nosso(a).

nôtre [notʀ] ◆ **le nôtre, la nôtre** (*pl* **les nôtres**) *pron* o nosso(a nossa).

nouer [nwe] *vt* [lacet, cravate] fazer o nó de ; [cheveux] prender.

noueux, euse [nwø, øz] *adj* nodoso(osa).

nougat [nuga] *nm* nugá *m*.

nougatine [nugatin] *nf pasta dura feita com caramelo e amêndoas*.

nouilles [nuj] *nfpl* [type de pâtes] massa *f*.

nourrice [nuʀis] *nf* ama *f*.

nourrir [nuʀiʀ] *vt* [alimenter] alimentar ; [entretenir] manter. ◆ **se nourrir (de)** *vp* + *prép* alimentar-se (de).

nourrissant, **e** [nuʀisɑ̃, ɑ̃t] *adj* nutritivo(va).

nourrisson [nuʀisɔ̃] *nm* criança *f* de peito.

nourriture [nuʀityʀ] *nf* [régime alimentaire] alimentação *f*.

nous [nu] *pron* -nos ; [sujet] nós ; **nous-mêmes** nós próprios(prias) ; **il nous en a parlé** ele nos falou sobre isso ; **ils nous regardent** eles estão olhando para nós ; **ils nous ont vus** eles nos viram ; **nous nous sommes habillés** nós nos vestimos ; **nous nous sommes parlés** nós conversamos ; **nous sommes sœurs** nós somos irmãs.

nouveau, **elle** [nuvo, nuvɛl] (*mpl* **nouveaux** [nuvo]) (**nouvel** [nuvɛl] *devant voyelle ou h muet)* ◇ *adj* novo(nova). ◇ *nm, f* [dans une classe] aluno *m* novo, aluna *f* nova ; [dans un club] membro *m* novo ; **rien de nouveau** nada de novo ; **le nouvel an** o ano-novo ; **à** OU **de nouveau** de novo.

nouveau-né, **e** [nuvone] (*mpl* **nouveau-nés**, *fpl* **nouveau-nées**) *nm, f* recém-nascido *m*, -da *f*.

nouveauté [nuvote] *nf* novidade *f*.

nouvel ► **nouveau**.

nouvelle [nuvɛl] *nf* [information] notícia *f* ; [roman] novela *f* ; **les nouvelles** as notícias ; **avoir des nouvelles de qqn** ter notícias de alguém.

Nouvelle-Calédonie [nuvɛlkaledɔni] *nf* : **la Nouvelle-Calédonie** a Nova Caledônia.

Nouvelle-Zélande [nuvɛlzelɑ̃d] *nf* : **la Nouvelle-Zélande** a Nova Zelândia.

novateur, **trice** [nɔvatœʀ, tʀis] *adj* inovador(ra).

novembre [nɔvɑ̃bʀ] *nm* novembro *m*, ► **septembre**.

novice [nɔvis] *adj* & *nmf* noviço(ça), novato(ta).

noyade [nwajad] *nf* afogamento *m*.

noyau [nwajo] (*pl* -x) *nm* [de fruit] caroço *m* ; [petit groupe] núcleo *m*.

noyé, **e** [nwaje] *nm, f* afogado *m*, -da *f*.

noyer [nwaje] ◇ *nm* nogueira *f*. ◇ *vt* afogar. ◆ **se noyer** *vp* afogar-se.

NPI (*abr de* **nouveaux pays industriels**) *nmpl* NPI *mpl (Novos Países Industrializados)*.

nu, **e** [ny] *adj* [personne, jambes] nu(nua) ; [pièce] vazio(zia) ; [arbre] desfolhado(da) ; **pieds nus** descalço(ça) ; **tout nu** nu em pêlo ; **à l'œil nu** a olho nu ; **nu-tête** sem chapéu.

nuage [nɥaʒ] *nm* nuvem *f*.

nuageux, **euse** [nɥaʒø, øz] *adj* nublado(da), enevoado(da).

nuance [nɥɑ̃s] *nf* [teinte] nuance *f*.

nucléaire [nykleɛʀ] *adj* nuclear.

nudisme [nydism] *nm* nudismo *m*.

nudiste [nydist] *nmf* nudista *mf*.

nuée [nɥe] *nf* **1.** [multitude] : **une nuée de** [insectes] uma nuvem de ; [touristes] uma multidão de - **2.** *sout* [gros nuage] nuvem *f* grande.

nues *nfpl* : **tomber des nues** *fig* cair das nuvens.

nui [nɥi] *pp* ► **nuire**.

nuire [nɥiʀ] ◆ **nuire à** *vp* + *prép* prejudicar.

nuisible [nɥizibl] *adj* nocivo(va) ; **nuisible à** nocivo a.

nuit [nɥi] *nf* noite *f* ; **la nuit** à noite ; **bonne nuit!** boa noite! ; **il fait nuit** é de noite ; **passer une nuit blanche** [ne pas se coucher] ter insônia ; [ne pas trouver le sommeil] passar uma noite em branco ; **de nuit** [travail, poste] noturno(na) ; [travailler, voyager] de noite.

nul, **nulle** [nyl] *adj* nulo(la) ; *fam* zero à esquerda ; **être nul en qqch** ser uma nulidade em algo ; **nulle part** em lugar nenhum.

nullité [nylite] *nf* [médiocrité & DR] nulidade *f* ; *péj* [personne] zero *m* à esquerda.

numérique [nymeʀik] *adj* digital.

numéro [nymeʀo] *nm* número *m* ; **numéro de compte** número de conta ; **numéro d'immatriculation** número de matrícula ; **numéro de téléphone** número de telefone ; **numéro vert** chamada *f* grátis.

numéroter [nymeʀɔte] *vt* numerar ; **place numérotée** lugar numerado.

nu-pieds [nypje] *nm inv sandália que deixa descoberto o peito do pé.*

nuptial, **e**, **aux** [nypsjal, o] *adj* nupcial.

nuque [nyk] *nf* nuca *f*.

nutritif, **ive** [nytʀitif, iv] *adj* nutritivo(va).

nutritionniste [nytʀisjɔnist] *adj* & *nmf* nutricionista.

Nylon® [nilɔ̃] *nm* nylon *m*.

nymphomane [nɛ̃fɔman] ◇ *nf* ninfomaníaca *f*. ◇ *adj* ninfomaníaco(ca).

O

O (*abr de* **ouest**) O.

oasis [ɔazis] *nf* oásis *m*.

obéir [ɔbeiʀ] *vi* obedecer ; **obéir à** obedecer a.

obéissance [ɔbeisɑ̃s] *nf* obediência *f* ; **devoir obéissance à qqn** dever obediência a alguém.

obéissant, **e** [ɔbeisɑ̃, ɑ̃t] *adj* obediente.

obèse [ɔbɛz] *adj* obeso(sa).

obésité [ɔbezite] *nf* obesidade *f*.

objecteur [ɔbʒɛktœʀ] *nm* : **objecteur de conscience** objetor *m* de consciência.

objectif, **ive** [ɔbʒɛktif, iv] ◇ *adj* objetivo(va). ◇ *nm* [but] objetivo *m* ; [d'appareil photo] objetiva *f*.

objection [ɔbʒɛksjɔ̃] *nf* objeção *f*.

objectivité [ɔbʒɛktivite] *nf* objetividade *f*.

objet [ɔbʒɛ] *nm* objeto *m* ; [but] finalidade *f* ; [d'une recherche, d'un débat] assunto *m* ; **(bureau des) objets trouvés** (seção de) achados e perdidos ; **objets de valeur** objetos de valor.

obligation [ɔbligasjɔ̃] *nf* obrigação *f*.

obligatoire [ɔbligatwaʀ] *adj* obrigatório(ria).

obligé, **e** [ɔbliʒe] *adj fam* inevitável ; **être obligé de faire qqch** ser obrigado a fazer algo.

obliger [ɔbliʒe] *vt* : **obliger qqn à faire qqch** obrigar alguém a fazer algo.

oblique [ɔblik] *adj* oblíquo(qua).

obliquer [ɔblike] *vi* obliquar.

oblitérer [ɔbliteʀe] *vt* [ticket] perfurar.

obnubiler [ɔbnybile] *vt* obnubilar ; **être obnubilé par qqn/qqch** estar obcecado por alguém/algo.

obscène [ɔpsɛn] *adj* obsceno(na).

obscénité [ɔpsenite] *nf* obscenidade *f*.

obscur, **e** [ɔpskyʀ] *adj* obscuro(ra).

obscurantisme [ɔpskyʀɑ̃tism] *nm* obscurantismo *m*.

obscurcir [ɔpskyʀsiʀ] ◆ **s'obscurcir** *vp* obscurecer-se.

obscurité [ɔpskyʀite] *nf* obscuridade *f*.

obsédé, **e** [ɔpsede] ◇ *adj* obcecado(da). ◇ *nm, f* : **obsédé (sexuel)** maníaco *m* (sexual).

obséder [ɔpsede] *vt* obcecar.

obsèques [ɔpsɛk] *nfpl sout* exéquias *fpl*.

observateur, **trice** [ɔpsɛʀvatœʀ, tʀis] *adj* observador(ra).

observation [ɔpsɛʀvasjɔ̃] *nf* observação *f*.

observatoire [ɔpsɛʀvatwaʀ] *nm* observatório *m*.

observer [ɔpsɛʀve] *vt* observar.

obsession [ɔpsesjɔ̃] *nf* obsessão *f*.

obsolète [ɔpsɔlɛt] *adj* obsoleto(ta).

obstacle [ɔpstakl] *nm* obstáculo *m*.

obstination [ɔpstinasjɔ̃] *nf* obstinação *f*.

obstiné, **e** [ɔpstine] *adj* obstinado(da).

obstiner [ɔpstine] ◆ **s'obstiner** *vp* obstinar-se ; **s'obstiner à faire qqch** obstinar-se em fazer algo.

obstruer [ɔpstʀye] *vt* obstruir.

obtempérer [ɔptɑ̃peʀe] *vi* : **obtempérer à qqch** obtemperar a algo.

obtenir [ɔptəniʀ] *vt* obter.

obtention [ɔptɑ̃sjɔ̃] *nf* obtenção *f*.

obtenu, **e** [ɔptəny] *pp* ► **obtenir**.

obturateur [ɔptyʀatœʀ] *nm* [d'appareil photo] obturador *m*.

obtus, **e** [ɔpty, yz] *adj* obtuso(sa).

obus [ɔby] *nm* obus *m*.

OC (*abr de* **ondes courtes**) OC.

occasion [ɔkazjɔ̃] *nf* [chance] ocasião *f* ; [bonne affaire] pechincha *f* ; **avoir l'occasion de faire qqch** ter oportunidade de fazer algo ; **à l'occasion de** por ocasião de ; **d'occasion** de segunda mão.

occasionnel, **elle** [ɔkazjɔnɛl] *adj* ocasional.

occasionner [ɔkazjɔne] *vt sout* ocasionar.

Occident [ɔksidɑ̃] *nm* : **l'Occident** o Ocidente.

occidental, **e**, **aux** [ɔksidɑ̃tal, o] *adj* ocidental.

occulte [ɔkylt] *adj* oculto(ta).

occulter [ɔkylte] *vt* ocultar.

occupation [ɔkypasjɔ̃] *nf* ocupação *f*.

occupé, **e** [ɔkype] *adj* ocupado(da) ; **ça sonne occupé** está ocupado.

occuper [ɔkype] *vt* ocupar ; **ça l'occupe** isso o distrai. ◆ **s'occuper** *vp* entreter-se ; **s'occuper de** tratar de.

occurrence [ɔkyʀɑ̃s] ◆ **en l'occurrence** *adv* neste caso.

océan [ɔseɑ̃] *nm* oceano *m*.

Océanie [ɔseani] *nf* : **l'Océanie** a Oceania.

océanique [ɔseanik] *adj* oceânico(ca).

ocre [ɔkʀ] *adj inv* ocre.

octane [ɔktan] *nm* : **indice d'octane** índice *m* de octano.

octante [ɔktɑ̃t] *num Belgique & Suisse* oitenta, ► **six**.

octave [ɔktav] *nf* oitava *f*.

octet [ɔktɛ] *nm* byte *m*, octeto *m*.

octobre [ɔktɔbʀ] *nm* outubro *m*, ► **septembre**.

octroyer [ɔktʀwaje] *vt* outorgar ; **octroyer qqch à qqn** outorgar algo a alguém. ◆ **s'octroyer** *vp* outorgar-se.

oculaire [ɔkylɛʀ] ◇ *nm* ocular *f*. ◇ *adj* ocular.

oculiste [ɔkylist] *nmf* oculista *mf*.

odeur [ɔdœʀ] *nf* odor *m*, cheiro *m*.

odieux, **euse** [ɔdjø, øz] *adj* odioso(osa).

odorant, **e** [ɔdɔʀɑ̃, ɑ̃t] *adj* cheiroso(osa).

odorat [ɔdɔʀa] *nm* olfato *m*.

œdème [edɛm] *nm* edema *m* ; **œdème pulmonaire** edema pulmonar.

œil [œj] (*pl* **yeux** [jø]) *nm* olho *m* ; **à l'œil** *fam* por seus lindos olhos ; **avoir qqn à l'œil** *fam* ter alguém debaixo do olho ; **mon œil!** *fam* de jeito nenhum!

œillet [œjɛ] *nm* [fleur] cravo *m* ; [de chaussure] buraco *m*.

œnologue [enɔlɔg] *nmf* enologista *mf*.

œsophage [ezɔfaʒ] *nm* esôfago *m*.

œuf, **œufs** [œf, ø] *nm* ovo *m* ; **œuf à la coque** ovo quente ; **œuf dur** ovo cozido ; **œuf de Pâques** ovo de Páscoa ; **œuf poché** ovo poché ; **œuf sur le plat** ovo estrelado ; **œufs brouillés** ovos mexidos ; **œufs à la neige** ovos nevados.

œuvre [œvʀ] *nf* obra *f* ; **mettre qqch en œuvre** pôr algo em prática ; **œuvre d'art** obra de arte.

offense [ɔfɑ̃s] *nf* ofensa *f*.

offenser [ɔfɑ̃se] *vt* ofender.

offensif, **ive** [ɔfɑ̃sif, iv] *adj* ofensivo(va). ◆ **offensive** *nf* ofensiva *f* ; **lancer une offensive** lançar uma ofensiva ; **passer à l'offensive** passar à ofensiva ; **prendre l'offensive** tomar a ofensiva.

offert, **e** [ɔfɛʀ, ɛʀt] *pp* ► **offrir**.

office [ɔfis] *nm* [organisme] organismo *m* ; [messe] ofício *m* ; **faire office de** servir de ; **office de tourisme** agência *m* de turismo ; **d'office** de ofício.

officialiser [ɔfisjalize] *vt* oficializar.

officiel, **elle** [ɔfisjɛl] *adj* oficial.

officiellement [ɔfisjɛlmɑ̃] *adv* oficialmente.

officier [ɔfisje] *nm* [militaire] oficial *m*.

officieux, **euse** [ɔfisjø, øz] *adj* oficioso(osa).

offrande [ɔfʀɑ̃d] *nf* oferenda *f*.

offre [ɔfʀ] *nf* oferta *f* ; **'offre spéciale'** 'oferta especial' ; **offres d'emploi** ofertas de emprego.

offrir [ɔfʀiʀ] *vt* : **offrir qqch à qqn** oferecer algo a alguém ; **offrir à qqn de faire qqch** propor a alguém que faça algo ; **offrir de faire qqch** propor-se a fazer algo. ◆ **s'offrir** *vp* oferecer-se.

offusquer [ɔfyske] *vt* ofender. ◆ **s'offusquer** *vp* ofender-se ; **s'offusquer de** ofender-se com.

ogre [ɔgʀ] *nm* papão *m*.

oie [wa] *nf* ganso *m*.

oignon [ɔɲɔ̃] *nm* [légume] cebola *f* ; [de fleur] bulbo *m* ; **petits oignons** cebolinhas *fpl*.

oiseau [wazo] (*pl* -x) *nm* pássaro *m*.

oisif, **ive** [wazif, iv] *adj* ocioso(osa).

oisillon [wazjɔ̃] *nm* passarinho *m*.

oisiveté [wazivte] *nf* ociosidade *f*.

OK [ɔkɛ] *interj* o.k.!

ola [ɔla] *nf* ola ; **faire la ola** fazer a ola.

oléoduc [ɔleɔdyk] *nm* oleoduto *m*.

oligarchie [ɔligaʀʃi] *nf* oligarquia *f*.

olive [ɔliv] *nf* azeitona *f* ; **olive noire/verte** azeitona preta/verde.

olivier [ɔlivje] *nm* oliveira *f*.

olympique [ɔlɛ̃pik] *adj* olímpico(ca).

ombilical, **e**, **aux** [ɔ̃bilikal, o] *adj* umbilical.

omble (chevalier) [ɔ̃blaʃavalje] *nm Suisse peixe de água doce, de carne muito apreciada, que vive nas profundezas de lagos, especialmente do lago Leman*.

ombragé, **e** [ɔ̃bʀaʒe] *adj* sombreado(da).

ombre [ɔ̃bʀ] *nf* sombra *f* ; **à l'ombre (de)** à sombra (de) ; **ombres chinoises** sombras chinesas ; **ombre à paupières** sombra (para os olhos).

ombrelle [ɔ̃bʀɛl] *nf* sombrinha *f*.

omelette [ɔmlɛt] *nf* omelete *f* ; **omelette norvégienne** *sobremesa feita de pão-de-ló, sorvete e merengue, quente por fora e gelada por dentro*.

omettre [ɔmɛtʀ] *vt sout* omitir ; **omettre de faire qqch** esquecer-se de fazer algo.

omis, **e** [ɔmi, iz] *pp* ► **omettre.**

omission [ɔmisjɔ̃] *nf* omissão *f*.

omnibus [ɔmnibys] *nm* : **(train) omnibus** ≃ trem *m* regional.

omniprésent, **e** [ɔmnipʀezɑ̃, ɑ̃t] *adj* onipresente.

omnivore [ɔmnivɔʀ] ◇ *nm* onívoro *m*. ◇ *adj* omnívoro(ra).

omoplate [ɔmɔplat] *nf* omoplata *f*.

on [ɔ̃] *pron* : **on a frappé** bateram à porta ; **autrefois, on vivait mieux** antigamente, vivia-se melhor ; **on s'en va** vamos embora ; **on ne sait jamais** nunca se sabe.

oncle [ɔ̃kl] *nm* tio *m*.

onctueux, **euse** [ɔ̃ktɥø, øz] *adj* untuoso(osa).

onde [ɔ̃d] *nf* onda *f* ; **grandes ondes** ondas longas ; **ondes courtes/moyennes** ondas curtas/médias.

ondée [ɔ̃de] *nf* pancada *f* de chuva.

ondulé, **e** [ɔ̃dyle] *adj* [cheveux] ondulado(da).

onduler [ɔ̃dyle] *vt* & *vi* ondular.

onéreux, **euse** [ɔneʀø, øz] *adj sout* oneroso(osa).

ongle [ɔ̃gl] *nm* unha *f*.

onomatopée [ɔnɔmatɔpe] *nf* onomatopéia *f*.

ont [ɔ̃] ► **avoir.**

ONU [ɔny] *nf* (*abr de* **Organisation des Nations Unies**) ONU *f*.

onze [ɔ̃z] *num* onze, ► **six.**

onzième [ɔ̃zjɛm] *num* décimo primeiro(décima primeira), ► **sixième.**

opaque [ɔpak] *adj* opaco(ca).

opéra [ɔpeʀa] *nm* ópera *f*.

opérateur, **trice** [ɔpeʀatœʀ, tʀis] *nm, f* [au téléphone] telefonista *mf*.

opération [ɔpeʀasjɔ̃] *nf* operação *f*.

opérationnel, **elle** [ɔpeʀasjɔnɛl] *adj* operacional.

opérer [ɔpeʀe] *vt* & *vi* operar ; **se faire opérer (de)** ser operado (a).

opérette [ɔpeʀɛt] *nf* opereta *f*.

ophtalmologiste [ɔftalmɔlɔʒist] *nmf* oftalmologista *mf*.

Opinel® [ɔpinɛl] *nm navalha com cabo de madeira.*

opinion [ɔpinjɔ̃] *nf* opinião *f* ; **l'opinion (publique)** a opinião pública.

opium [ɔpjɔm] *nm* ópio *m*.

opportun, **e** [ɔpɔʀtœ̃, yn] *adj* oportuno(na).

opportuniste [ɔpɔʀtynist] *adj* oportunista.

opportunité [ɔpɔʀtynite] *nf* oportunidade *f*.

opposant, **e** [ɔpozɑ̃, ɑ̃t] ◇ *adj* da oposição. ◇ *nm, f* opositor *m*, -ra *f* ; **opposant à** opositor a.

opposé, **e** [ɔpoze] ◇ *adj* oposto(osta) ; [opinion] contrário(ria). ◇ *nm* : **l'opposé** o oposto ; **opposé à** [inverse] oposto a ; [hostile à] contra ; **à l'opposé de** [du côté opposé à] do lado oposto a ; [contrairement à] contrariamente a.

opposer [ɔpoze] *vt* opor. ◆ **s'opposer** *vp* opor-se ; **s'opposer à** opor-se a.

opposition [ɔpozisjɔ̃] *nf* oposição *f* ; **faire opposition (à un chèque)** cancelar (um cheque).

oppresser [ɔpʀese] *vt* oprimir.

oppresseur [ɔpʀesœʀ] *nm* opressor *m*, -ra *f*.

oppression [ɔpʀesjɔ̃] *nf* opressão *f*.

opprimé, **e** [ɔpʀime] *adj* & *nm, f* oprimido(da).

opprimer [ɔpʀime] *vt* oprimir.

opter [ɔpte] *vi* : **opter pour qqch /qqn** optar por algo/alguém ; **opter entre qqch et qqch** optar entre algo e algo.

opticien, **enne** [ɔptisjɛ̃, ɛn] *nm, f* opticista *mf*.

optimal, **e**, **aux** [ɔptimal, o] *adj* ótimo(ma).

optimiser [ɔptimize] *vt* otimizar.

optimisme [ɔptimism] *nm* otimismo *m*.

optimiste [ɔptimist] *adj* & *nmf* otimista.

option [ɔpsjɔ̃] *nf* opção *f*.

optionnel, **elle** [ɔpsjɔnɛl] *adj* opcional.

optique [ɔptik] ◇ *adj* óptico(ca). ◇ *nf* [point de vue] óptica *f*.

opulence [ɔpylɑ̃s] *nf* opulência *f* ; **vivre** OU **nager dans l'opulence** nadar em dinheiro.

or [ɔʀ] ◇ *conj* porém. ◇ *nm* ouro *m* ; **en or** de ouro.

orage [ɔʀaʒ] *nm* tempestade *f*.

orageux, **euse** [ɔʀaʒø, øz] *adj* tempestuoso(sa).

oral, **e**, **aux** [ɔʀal, o] ◇ *adj* oral. ◇ *nm* oral *f* ; **'voie orale'** 'via oral'.

oralement [ɔʀalmɑ̃] *adv* oralmente.

orange [ɔʀɑ̃ʒ] ◇ *adj inv* cor de laranja. ◇ *nm* cor *f* de laranja. ◇ *nf* laranja *f*.

orangeade [ɔʀɑ̃ʒad] *nf* laranjada *f*.

oranger[1] [ɔʀɑ̃ʒe] *nm* ► **fleur**.

oranger[2] [ɔʀɑ̃ʒe] *nm* laranjeira *f*.

Orangina® [ɔʀɑ̃ʒina] *nm* ≃ Fanta® *f*.

orang-outan [ɔʀɑ̃utɑ̃] (*pl* **orangs-outans**) *nm* orangotango *m*.

orateur, **trice** [ɔʀatœʀ, tʀis] *nm, f* orador *m*, -ra *f*.

orbite [ɔʀbit] *nf* órbita *f*.

orchestre [ɔʀkɛstʀ] *nm* orquestra *f*.

orchestrer [ɔʀkɛstʀe] *vt* orquestrar.

orchidée [ɔʀkide] *nf* orquídea *f*.

ordinaire [ɔʀdinɛʀ] ◇ *adj* [normal, banal] ordinário(ria). ◇ *nm* gasolina *f* comum ; **sortir de l'ordinaire** sair do ordinário ; **d'ordinaire** de ordinário.

ordinateur [ɔʀdinatœʀ] *nm* computador *m*.

ordonnance [ɔʀdɔnɑ̃s] *nf* [médicale] receita *f* (médica).

ordonné, **e** [ɔʀdɔne] *adj* arrumado(da).

ordonner [ɔʀdɔne] *vt* [commander] ordenar ; [ranger] arrumar ; **ordonner à qqn de faire qqch** ordenar a alguém que faça algo.

ordre [ɔʀdʀ] *nm* ordem *f* ; **donner l'ordre (à qqn) de faire qqch** dar ordem (a alguém) para fazer algo ; **jusqu'à nouvel ordre** até nova ordem ; **en ordre** em ordem ; **mettre de l'ordre dans qqch** pôr ordem em algo ; **dans l'ordre** por ordem ; **à l'ordre de** à ordem de.

ordures [ɔʀdyʀ] *nfpl* lixo *m*.

orée [ɔʀe] ◆ **à l'orée de** *loc prép* na orla de.

oreille [ɔʀɛj] *nf* orelha *f*.

oreiller [ɔʀɛje] *nm* travesseiro *m*.

oreillons [ɔʀɛjɔ̃] *nmpl* caxumba *f*.

orfèvrerie [ɔʀfɛvʀəʀi] *nf* ourivesaria *f*.

organe [ɔʀgan] *nm* órgão *m*.

organigramme [ɔʀganigʀam] *nm* organograma *m*.

organique [ɔʀganik] *adj* orgânico(ca).

organisateur, **trice** [ɔʀganizatœʀ, tʀis] *nm, f* organizador *m*, -ra *f*.

organisation [ɔʀganizasjɔ̃] *nf* organização *f*.

organisé, **e** [ɔʀganize] *adj* organizado(da).

organiser [ɔʀganize] *vt* organizar. ◆ **s'organiser** *vp* organizar-se.

organisme [ɔʀganism] *nm* organismo *m*.

orgasme [ɔʀgasm] *nm* orgasmo *m*.

orge [ɔʀʒ] *nf* ► **sucre**.

orgie [ɔʀʒi] *nf* orgia *f* ; **faire une orgie de qqch** *fig* empanturrar-se com algo.

orgue [ɔʀg] *nm* órgão *m* ; **orgue de Barbarie** realejo *m*.

orgueil [ɔʀgœj] *nm* orgulho *m*.

orgueilleux, **euse** [ɔʀgœjø, øz] *adj* orgulhoso(osa).

Orient [ɔʀjɑ̃] *nm* : **l'Orient** o Oriente.

oriental, **e**, **aux** [ɔʀjɑ̃tal, o] *adj* oriental.

orientation [ɔʀjɑ̃tasjɔ̃] *nf* orientação *f*.

orienter [ɔʀjɑ̃te] *vt* orientar. ◆ **s'orienter** *vp* orientar-se ; **s'orienter vers** [se tourner vers] mover-se em direção a ; SCOL dirigir-se para.

orifice [ɔʀifis] *nm* orifício *m*.

originaire [ɔʀiʒinɛʀ] *adj* : **originaire de** oriundo(da) de.

original, **e**, **aux** [ɔʀiʒinal, o] ◇ *adj* original. ◇ *nm, f* excêntrico *m*, -ca *f*. ◇ *nm* original *m*.

originalité [ɔʀiʒinalite] *nf* originalidade *f*.

origine [ɔʀiʒin] *nf* origem *f* ; **être à l'origine de qqch** estar na origem de algo ; **à l'origine** no início ; **d'origine** [ancien] de origem ; **pays d'origine** país de origem.

ORL *nmf* (*abr de* **oto-rhino-laryngologiste**) otorrino *mf*.

orme [ɔʀm] *nm* olmo *m*.

ornement [ɔʀnəmɑ̃] *nm* adorno *m*.

orner [ɔʀne] *vt* adornar ; **orner qqch de** adornar algo com.

ornière [ɔʀnjɛʀ] *nf* cova *f*.

orphelin, **e** [ɔʀfəlɛ̃, in] *nm, f* órfão *m*, -ã *f*.

orphelinat [ɔʀfəlina] *nm* orfanato *m*.

Orsay [ɔʀsɛ] *npr* : **le musée d'Orsay** *museu parisiense dedicado à arte do século XIX, com destaque para o impressionismo.*

orteil [ɔʀtɛj] *nm* dedo *m* do pé ; **gros orteil** dedão *m*.

orthodontiste [ɔʀtɔdɔ̃tist] *nmf* ortodontista *mf*.

orthodoxe [ɔʀtɔdɔks] *adj* & *nmf* ortodoxo(xa) ; **peu orthodoxe** pouco ortodoxo.

orthographe [ɔʀtɔgʀaf] *nf* ortografia *f*.

orthophoniste [ɔʀtɔfɔnist] *nmf* terapeuta *mf* da fala.

ortie [ɔʀti] *nf* urtiga *f*.

os, **os** [ɔs, o] *nm* osso *m*.

oscariser [ɔskarize] *vt* conceder um óscar a.

oscillation [ɔsilasjɔ̃] *nf* oscilação *f*.

osciller [ɔsile] *vi* oscilar.

osé, **e** [oze] *adj* atrevido(da).

oseille [ozɛj] *nf* azeda *f*.

oser [oze] *vt* atrever-se ; **oser faire qqch** atrever-se a fazer algo.

osier [ozje] *nm* vime *m*.

ossature [ɔsatyʀ] *nf* ANAT ossatura *f* ; *fig* [structure] estrutura *f*.

ossements [ɔsmɑ̃] *nmpl* ossadas *fpl*.

ostensible [ɔstɑ̃sibl] *adj* ostensivo(va).

ostéopathe [ɔsteɔpat] *nmf* osteopata *mf*.

ostréiculture [ɔstʀeikyltyʀ] *nf* ostreicultura *f*.

otage [ɔtaʒ] *nm* refém *mf* ; **prendre qqn en otage** tomar alguém como refém.

OTAN [ɔtɑ̃] (*abr de* **Organisation du traité de l'Atlantique Nord**) *nf* OTAN *f*.

otarie [ɔtaʀi] *nf* ZOOL otária *f*.

ôter [ote] *vt* tirar ; **ôter qqch à qqn** tirar algo de alguém ; **ôter qqch de qqch** tirar algo de algo ; **3 ôté de 10 égale 7** 10 menos 3 é igual a 7.

otite [ɔtit] *nf* otite *f*.

oto-rhino(-laryngologiste), **s** [ɔtɔʀinɔlaʀɛ̃gɔlɔʒist] *nmf* otorrinolaringologista *mf*.

ou [u] *conj* ou ; **c'est l'un ou l'autre** é um ou o outro ; **ou bien** ou então ; **ou... ou** ou... ou.

où [u] ◇ *adv* onde ; **où habitez-vous ?** onde vocês moram? ; **d'où êtes-vous ?** de onde vocês são? ; **par où faut-il passer ?** é preciso ir por onde? ; **nous ne savons pas où dormir/où aller** não sabemos onde dormir/aonde ir. ◇ *pron* **1.** [spatial] onde ; **le village où j'habite** a cidade onde moro ; **le pays d'où je viens** o país de onde venho ; **les endroits où nous sommes allés** os lugares aonde fomos ; **la ville par où nous venons de passer** a cidade por onde acabamos de passar - **2.** [temporel] em que ; **le jour où...** o dia em que... ; **juste au moment où...** bem no momento em que...

ouate [wat] *nf* algodão *m* em rama.

oubli [ubli] *nm* esquecimento *m*.

oublier [ublije] *vt* esquecer-se de ; [omettre] esquecer-se ; **oublier de faire qqch** esquecer-se de fazer algo.

oubliettes [ublijɛt] *nfpl* masmorra *f*.

ouest [wɛst] *adj inv* & *nm inv* oeste ; **à l'ouest (de)** a oeste (de).

ouf [uf] *interj* ufa!

oui [wi] *adv* sim.

ouï-dire [widiʀ] *nm inv* boato *m* ; **par ouï-dire** de ouvir dizer.

ouïe [wi] *nf* ouvido *m*. ◆ **ouïes** *nfpl* guelras *fpl*.

ouragan [uʀagɑ̃] *nm* furacão *m*.

ourlet [uʀlɛ] *nm* bainha *f*.

ours [uʀs] *nm* urso *m* ; **ours en peluche** urso de pelúcia.

oursin [uʀsɛ̃] *nm* ouriço-do-mar *m*.

ourson [uʀsɔ̃] *nm* ursinho *m*.

outil [uti] *nm* ferramenta *f* ; *fig* instrumento *m* ; **boîte** OU **caisse à outils** caixa de ferramentas.

outillage [utijaʒ] *nm* ferramentas *fpl*.

outrage [utʀaʒ] *nm* ultraje *m* ; **outrage aux bonnes mœurs** ofensa aos bons costumes.

outrance [utʀɑ̃s] *nf* exagero *m* ; **à outrance** em excesso.

outre [utʀ] *prép* além de ; **en outre** além disso ; **outre mesure** excessivamente.

outré, **e** [utʀe] *adj* indignado(da).

outre-Atlantique [utʀatlɑ̃tik] *loc adv* além-Atlântico.

outre-Manche [utʀəmɑ̃ʃ] *loc adv* do outro lado do Canal da Mancha.

outremer [utʀəmɛʀ] *adj inv* ultramar.

outre-mer [utʀəmɛʀ] *adv* além-mar.

outrepasser [utʀəpase] *vt* exceder.

ouvert, **e** [uvɛʀ, ɛʀt] ◇ *pp* ➤ **ouvrir**. ◇ *adj* aberto(ta) ; **'ouvert le lundi'** 'aberto às segundas-feiras'.

ouvertement [uvɛʀtəmɑ̃] *adv* abertamente.

ouverture [uvɛʀtyʀ] *nf* abertura *f* ; **ouverture d'esprit** abertura de espírito.

ouvrable [uvʀabl] *adj* ➤ **jour**.

ouvrage [uvʀaʒ] *nm* obra *f*.

ouvre-boîtes [uvʀəbwat] *nm inv* abridor *m* de lata.

ouvre-bouteilles [uvʀəbutɛj] *nm inv* abridor *m* de garrafa.

ouvreur, **euse** [uvʀœʀ, øz] *nm, f* lanterninha *mf*.

ouvrier, **ère** [uvʀije, ɛʀ] *adj* & *nm, f* operário(ria).

ouvrir [uvʀiʀ] *vt* & *vi* abrir. ◆ **s'ouvrir** *vp* [porte] abrir-se ; [fleur] desabrochar.

ovaire [ɔvɛʀ] *nm* ovário *m*.

ovale [ɔval] *adj* oval.

ovation [ɔvasjɔ̃] *nf* ovação *f* ; **faire une ovation à qqn** ovacionar alguém.

ovationner [ɔvasjɔne] *vt* ovacionar.

overbooking [ɔvœʀbukiŋ] *nm* overbooking *m*, excesso *m* de reservas.

overdose [ɔvœʀdoz] *nf* overdose *f*.

OVNI [ɔvni] (*abr de* **objet volant non identifié**) *nm* OVNI *m*.

oxyde [ɔksid] *nm* óxido *m* ; **oxyde de carbone** óxido de carbono.

oxyder [ɔkside] *vt* oxidar. ◆ **s'oxyder** *vp* oxidar-se.

oxyder [ɔkside] ◆ **s'oxyder** *vp* oxidar-se.

oxygène [ɔksiʒɛn] *nm* oxigênio *m*.

oxygénée [ɔksiʒene] *adj f* ► **eau**.

ozone [ozɔn] *nm* ozônio *m*.

P

pacemaker [pɛsmekœʀ] *nm* marca-passo *m*.

pachyderme [paʃidɛʀm] *nm* paquiderme *m*.

pacifique [pasifik] *adj* pacífico(ca) ; **l'océan Pacifique, le Pacifique** o oceano Pacífico, o Pacífico.

pacifiste [pasifist] *adj* & *nmf* pacifista.

pack [pak] *nm* [de bouteilles] pack *m*.

packaging [pakadʒiŋ] *nm* embalagem *f*.

pacotille [pakɔtij] *nf* pacotilha *f* ; **de pacotille** de pacotilha.

pacsé, e [pakse] *nm ou nf fam* : **pacsés** unidos de fato.

pacser [pakse] ◆ **se pacser** *fam* [pakse] *vpi* unir-se de fato.

pacte [pakt] *nm* pacto *m*.

pactiser [paktize] *vi* : **pactiser avec** pactuar com.

pactole [paktɔl] *nm* : **ramasser le pactole** fazer uma fortuna.

paella [paela] *nf* paella *f*.

pagaie [pagɛ] *nf remo curto*.

pagaille [pagaj] *nf fam* bagunça *f* ; **en pagaille** [en quantité] aos montes ; **être en pagaille** [chambre] estar uma bagunça.

pagayer [pageje] *vi* remar *(com remo de pá larga e haste curta)*.

page [paʒ] *nf* página *f* ; **page de garde** página de guarda ; **les pages jaunes** as páginas amarelas ; **page précédente** página anterior, página precedente ; **page suivante** página seguinte ; **page Web** página Web.

pagne [paɲ] *nm* tanga *f*.

pagode [pagɔd] *nf* pagode *m*.

paie [pɛ] = **paye**.

paiement [pɛmɑ̃] *nm* pagamento *m*.

païen, enne [pajɛ̃, ɛn] *adj* & *nm, f* pagão(ã).

paillasson [pajasɔ̃] *nm* tapete *m* para limpar os pés.

paille [paj] *nf* [de blé] palha *f* ; [pour boire] canudinho *m*.

paillette [pajɛt] *nf* lantejoula *f*.

pain [pɛ̃] *nm* pão *m* ; **pain au chocolat** pão de chocolate ; **pain complet** pão integral ; **pain doré** *Québec* = **pain perdu** ; **pain d'épice** ≃ pão *m* de mel ; **pain de mie** pão de forma ; **pain perdu** ≃ rabanadas *fpl* ; **pain aux raisins** pão *m* com passas.

pair, **e** [pɛʀ] ◇ *adj* par. ◇ *nm* : **jeune fille au pair** *moça (geralmente estrangeira) que ajuda nos trabalhos domésticos etc., em troca de casa e comida.*

paire [pɛʀ] *nf* par *m*.

paisible [pezibl] *adj* sossegado(da).

paître [pɛtʀ] *vi* pastar.

paix [pɛ] *nf* paz *f* ; **avoir la paix** ter paz ; **laisser qqn en paix** deixar alguém em paz.

Pakistan [pakistɑ̃] *nm* : **le Pakistan** o Paquistão.

pakistanais, **e** [pakistanɛ, ɛz] *adj* paquistanês(esa).

palace [palas] *nm* hotel *m* de luxo.

palais [palɛ] *nm* [résidence] palácio *m* ; ANAT céu *m* da boca ; **Palais de Justice** Palácio da Justiça.

pâle [pal] *adj* pálido(da).

palette [palɛt] *nf* [de peintre] paleta *f* ; [viande] pá *f*.

pâleur [palœʀ] *nf* palidez *f*.

palier [palje] *nm* patamar *m*.

pâlir [paliʀ] *vi* empalidecer.

palissade [palisad] *nf* paliçada *f*.

palliatif, **ive** [paljatif, iv] *adj* paliativo(va). ◆ **palliatif** *nm* paliativo *m*.

pallier [palje] *vt* aliviar.

palmarès [palmaʀɛs] *nm* [de victoires] lista *f* de ganhadores ; [de chansons] parada *f* de sucesso.

palme [palm] *nf* pé-de-pato *m (de nadador)*.

palmé, **e** [palme] *adj* espalmado(da).

palmier [palmje] *nm* [arbre] palmeira *f* ; [gâteau] orelha *f* de macaco.

palmipède [palmipɛd] *adj* & *nm* palmípede.

palombe [palɔ̃b] *nf* pombo *m* bravo OU torcaz.

palourde [paluʀd] *nf* amêijoa *f*.

palper [palpe] *vt* apalpar.

palpitant, **e** [palpitɑ̃, ɑ̃t] *adj* empolgante.

palpitation [palpitasjɔ̃] *nf* palpitação *f*.

palpiter [palpite] *vi* palpitar.

paludisme [palydism] *nm* paludismo *m*.

pamphlet [pɑ̃flɛ] *nm* panfleto *m*.

pamplemousse [pɑ̃pləmus] *nm* toranja *f*.

pan [pɑ̃] *nm* [de mur] parte *f* ; [de chemise] fralda *f*.

panache [panaʃ] *nm* [de plumes, de fumée] penacho *m* ; [éclat] brilho *m* ; **avoir du panache** ter classe.

panaché [panaʃe] *nm* : **(demi) panaché** cerveja *f* com limonada.

panaris [panaʀi] *nm* panarício *m*.

pan-bagnat [pɑ̃baɲa] (*pl* **pans-bagnats**) *nm sanduíche feito com pão redondo, tomates, anchovas, ovo cozido, atum.*

pancarte [pɑ̃kaʀt] *nf* letreiro *m*.

pancréas [pɑ̃kʀeas] *nm* pâncreas *m inv*.

pané, **e** [pane] *adj* empanado(da).

paner [pane] *vt* empanar.

panier [panje] *nm* cesto *m* ; [point] ponto *m* ; **panier à provisions** cesto de compras.

panier-repas [panjeʀəpa] (*pl* **paniers-repas**) *nm* merenda *f*.

panique [panik] *nf* pânico *m*.

paniquer [panike] ◇ *vt* assustar. ◇ *vi* entrar em pânico, assustar-se.

panne [pan] *nf* avaria *f* ; **être en panne** [voiture] estar avariado(da) ; [voyageurs] ficar sem provisões ; **tomber en panne** ter uma avaria ; **panne d'électricité** OU **de courant** corte *m* de eletricidade ; **avoir une panne d'essence** OU **sèche** ficar sem gasolina ; **'en panne'** 'avariado'.

panneau [pano] (*pl* -x) *nm* [d'indication] placa *f* ; [de bois, de verre] painel *m* ; **panneau publicitaire** outdoor *m* ; **panneau de signalisation** placa *f* de sinalização.

panoplie [panɔpli] *nf* [déguisement] fantasia *f* infantil.

panorama [panɔʀama] *nm* panorama *m*.

panoramique [panɔʀamik] *adj* panorâmico(ca).

pansement [pɑ̃smɑ̃] *nm* bandagem *f* ; **pansement adhésif** band-aid® *m*.

panser [pɑ̃se] *vt* [une plaie] ligar ; [un cheval] tratar de.

pantacourt [pɑ̃takur] *nm* calça *f* corsário.

pantalon [pɑ̃talɔ̃] *nm* calça *f*.

panthère [pɑ̃tɛʀ] *nf* pantera *f*.

pantin [pɑ̃tɛ̃] *nm* marionete *f*.

pantoufle [pɑ̃tufl] *nf* pantufa *f*.

PAO *nf* publicação *f* assistida por computador.

paon [pɑ̃] *nm* pavão *m*.

papa [papa] *nm* papá *m*.

pape [pap] *nm* papa *m*.

paperasse [papʀas] *nf* papelada *f*.

papet [papɛ] *nm Suisse* : **papet vaudois** *cozido com alho-poró, batatas e salsichas de couve e de fígado de porco, típico do cantão de Vaud.*

papeterie [papɛtʀi] *nf* [magasin] papelaria *f* ; [usine] fábrica *f* de papel.

papi [papi] *nm* vovô *m*.

papier [papje] *nm* papel *m* ; **papier aluminium** papel de alumínio ; **papier cadeau** papel de embrulho para presentes ; **papier d'emballage** papel de embrulho ; **papier à en-tête** papel timbrado ; **papier hygiénique** OU **toilette** papel higiênico ; **papier à lettres** papel de carta ; **papier peint** papel de parede ; **papier de verre** lixa *f* ; **papiers (d'identité)** documentos *mpl* (de identidade).

papier-calque [papjekalk] (*pl* **papiers-calques**) *nm* papel *m* vegetal.

papillon [papijɔ̃] *nm* borboleta *f* ; **(brasse) papillon** borboleta *(estilo de natação)*.

papillote [papijɔt] *nf* : **en papillote** em papelote.

papoter [papɔte] *vi* tagarelar.

paprika [papʀika] *nm* colorau *m*.

paquebot [pakbo] *nm* paquete *m (navio)*.

pâquerette [pakʀɛt] *nf* margarida *f*.

Pâques [pak] *nm* Páscoa *f*.

paquet [pakɛ] *nm* [colis] embrulho *m* ; [de cigarettes] maço *m* ; [de chewing-gum] pacote *m* ; [de cartes] baralho *m* ; **je vous fais un paquet-cadeau ?** quer que embrulhe?

par [paʀ] *prép* **1.** [gén] por ; **passer par** passar por ; **regarder par le trou de la serrure/la fenêtre** espreitar pelo buraco da fechadura/pela janela ; **par correspondance** por correspondência ; **faire qqch par intérêt/amitié** fazer algo por interesse/amizade ; **deux comprimés par jour** dois comprimidos por dia ; **25 € par personne** 25 euros por pessoa ; **deux par deux** dois a dois - **2.** [indique le moyen de transport] : **voyager par (le) train** viajar de trem - **3.** [dans des expressions] : **par endroits** aqui e ali ; **par moments** às vezes ; **par-ci par-là** aqui e ali.

parabole [paʀabɔl] *nf* parábola *f*.

parabolique [paʀabɔlik] *adj* ➤ antenne.

paracétamol [paʀasetamɔl] *nm* paracetamol *m*.

parachute [paʀaʃyt] *nm* pára-quedas *m inv*.

parachutiste [paʀaʃytist] *nmf* pára-quedista *mf*.

parade [paʀad] *nf* [défilé] desfile *m*.

paradis [paʀadi] *nm* paraíso *m*.

paradoxal, e, aux [paʀadɔksal, o] *adj* paradoxal.

paradoxe [paʀadɔks] *nm* paradoxo *m*.

paraffine [paʀafin] *nf* parafina *f*.

parages [paʀaʒ] *nmpl* : **dans les parages** por aqui ; **il est dans les parages** ele está por aí.

paragraphe [paʀagʀaf] *nm* parágrafo *m*.

Paraguay [paʀagwɛ] *nm* : **le Paraguay** o Paraguai.

paraître [paʀɛtʀ] *vi* [sembler] parecer ; [apparaître] aparecer ; [livre] ser publicado(da) ; **il paraît que** parece que.

parallèle [paʀalɛl] ◇ *adj* paralelo(la). ◇ *nm* paralelo *m* ; **parallèle à** paralelo a.

parallélisme [paʀalelism] *nm* paralelismo *m*.

paralyser [paʀalize] *vt* paralisar.

paralysie [paʀalizi] *nf* paralisia *f*.

paramédical, e, aux [paʀamedikal, o] *adj* paramédico(ca).

paramètre [paʀamɛtʀ] *nm* parâmetro *m*.

parano [paʀano] (*abr de* **paranoïaque**) *adj fam* paranóico(ca).

paranoïaque [paʀanɔjak] *adj* paranóico(ca).

parapente [paʀapɑ̃t] *nm* parapente *m*.

parapet [paʀapɛ] *nm* parapeito *m*.

parapher [paʀafe] *vt* rubricar.

paraphrase [paʀafʀaz] *nf* paráfrase *f*.

paraplégique [paʀapleʒik] *adj* paraplégico(ca).

parapluie [paʀaplɥi] *nm* guarda-chuva *m*.

parasite [paʀazit] *nm* parasita *m*. ◆ **parasites** *nmpl* interferência *f*.

parasol [paʀasɔl] *nm* guarda-sol *m*.

paratonnerre [paʀatɔnɛʀ] *nm* pára-raios *m inv*.

paravent [paʀavɑ̃] *nm* guarda-vento *m*.

parc [paʀk] *nm* parque *m* ; **parc d'attractions** parque de diversões ; **parc de stationnement** estacionamento *m* ; **parc zoologique** jardim *m* zoológico. ◆ **parc des Princes** *npr m* Parque dos Príncipes.

parcelle [paʀsɛl] *nf* parcela *f*.

parce que [paʀsk(ə)] *conj* porque.

parchemin [paʀʃəmɛ̃] *nm* pergaminho *m*.

parcmètre [paʀkmɛtʀ] *nm* parquímetro *m*.

parcourir [paʀkuʀiʀ] *vt* percorrer ; [livre, article] ler por alto.

parcours [paʀkuʀ] *nm* percurso *m* ; **parcours santé** *percurso esportivo sinalizado num parque*.

parcouru, e [paʀkuʀy] *pp* ➤ **parcourir**.

par-derrière [paʀdɛʀjɛʀ] *adv* & *prép* por trás.

par-dessous [paʀdəsu] *adv* & *prép* por baixo.

pardessus [paʀdəsy] *nm* sobretudo *m*.

par-dessus [paʀdəsy] *adv* & *prép* por cima.

par-devant [paʀdəvɑ̃] *adv* & *prép* perante.

pardon [paʀdɔ̃] *nm* perdão *m* ; **demander pardon à qqn** pedir desculpas a alguém ; **pardon!** desculpe!

pardonner [paʀdɔne] *vt* perdoar ; **pardonner (qqch) à qqn** perdoar (algo) a alguém ; **pardonner à qqn d'avoir fait qqch** perdoar alguém por ter feito algo.

pare-balles [parbal] *adj inv* à prova de bala.

pare-brise [parbriz] *nm inv* pára-brisa *m*.

pare-chocs [parʃɔk] *nm inv* pára-choque *m*.

pareil, **eille** [parɛj] ◇ *adj* igual. ◇ *adv fam* igual ; **une somme pareille** uma quantia parecida.

parent, **e** [parɑ̃, ɑ̃t] *nm, f* familiar *m* ; **les parents** os pais.

parenté [parɑ̃te] *nf* [lien familial, rapport] parentesco *m* ; [ensemble de la famille] parentes *mpl*.

parenthèse [parɑ̃tɛz] *nf* parêntese *m* ; **entre parenthèses** [mot] entre parênteses ; [d'ailleurs] aliás.

parer [pare] *vt* [éviter] aparar.

paresse [parɛs] *nf* preguiça *f*.

paresser [parɛse] *vi* preguiçar.

paresseux, **euse** [parɛsø, øz] *adj* & *nm, f* preguiçoso(osa).

parfait, **e** [parfɛ, ɛt] ◇ *adj* perfeito(ta). ◇ *nm sorvete feito com creme de leite, geralmente com sabor de café ou chocolate*.

parfaitement [parfɛtmɑ̃] *adv* perfeitamente.

parfois [parfwa] *adv* às vezes.

parfum [parfœ̃] *nm* perfume *m* ; [goût] aroma *m*.

parfumé, **e** [parfyme] *adj* perfumado(da).

parfumer [parfyme] *vt* [pièce, mouchoir] perfumar ; [aliment] aromatizar ; **parfumé au citron** com sabor de limão. ◆ **se parfumer** *vp* perfumar-se.

parfumerie [parfymri] *nf* perfumaria *f*.

pari [pari] *nm* aposta *f* ; **faire un pari** fazer uma aposta.

paria [parja] *nm* pária *m*.

parier [parje] *vt* & *vi* apostar ; **je (te) parie que...** aposto (contigo) que... ; **parier sur** apostar em.

Paris [pari] *npr* Paris.

paris-brest [paribrɛst] *nm inv anel de massa de carolina, recheado de creme praliné e coberto com amêndoas raladas.*

parisien, **enne** [parizjɛ̃, ɛn] *adj* parisiense. ◆ **Parisien**, **enne** *nm, f* parisiense *mf*.

parité [parite] *nf* paridade *f*.

parjure [parʒyr] ◇ *adj* & *nmf* perjuro(ra). ◇ *nm* perjúrio *m*.

parka [parka] *nm* & *nf* parca *f*.

parking [parkiŋ] *nm* estacionamento *m*.

parlante *adj f* ► **horloge**.

parlement [parləmɑ̃] *nm* parlamento *m*.

parlementaire [parləmɑ̃tɛr] *adj* & *nmf* parlamentar.

parlementer [parləmɑ̃te] *vi* parlamentar.

parler [parle] *vt* & *vi* falar ; **parler à qqn de** falar com alguém de.

parloir [parlwar] *nm* parlatório *m*.

Parmentier [parmɑ̃tje] *npr* ► **hachis**.

parmesan [parməzɑ̃] *nm* parmesão *m*.

parmi [parmi] *prép* entre.

parodie [parɔdi] *nf* paródia *f*.

paroi [parwa] *nf* [mur] parede *f* ; [montagne] rocha *f* ; [d'un objet] lado *m (interior)*.

paroisse [parwas] *nf* paróquia *f*.

paroissien, **enne** [parwasjɛ̃, ɛn] *nm, f* paroquiano *m*, -na *f*.

parole [parɔl] *nf* palavra *f* ; **adresser la parole à qqn** dirigir a palavra a alguém ; **couper la parole à qqn** interromper alguém ; **prendre la parole** tomar a palavra ; **tenir (sa) parole** cumprir o prometido. ◆ **paroles** *nfpl* letra *f*.

paroxysme [paʀɔksism] *nm* paroxismo *m*.

parquer [paʀke] *vt* fechar.

parquet [paʀkɛ] *nm* [plancher] parquê *m*.

parrain [paʀɛ̃] *nm* padrinho *m*.

parrainer [paʀɛne] *vt* patrocinar.

parsemer [paʀsəme] *vt* : **parsemer qqch de qqch** espalhar algo em algo.

part [paʀ] *nf* [de gâteau] fatia *f* ; [d'un héritage] parte *f* ; **prendre part à** participar em ; **à part** [sauf] salvo ; **de la part de** da parte de ; **d'une part..., d'autre part...** por um lado..., por outro lado... ; **autre part** em outro lugar ; **nulle part** em lugar nenhum ; **quelque part** em algum lugar.

partage [paʀtaʒ] *nm* partilha *f*.

partager [paʀtaʒe] *vt* partilhar. ◆ **se partager** *vp* : **se partager qqch** partilhar algo.

partance [paʀtɑ̃s] *nf* : **en partance pour** com destino a.

partant, **e** [paʀtɑ̃, ɑ̃t] *adj* : **être partant pour faire qqch** concordar em fazer algo ; **je suis partante!** por mim tudo bem!

partenaire [paʀtənɛʀ] *nmf* [au jeu] parceiro *m*, -ra *f* ; [à la danse] par *m* ; [en affaires] sócio *m*, -cia *f*.

partenariat [paʀtənaʀja] *nm* parceria *f*.

parterre [paʀtɛʀ] *nm fam* [sol] chão *m* ; [de fleurs] canteiro *m* ; [au théâtre] platéia *f*.

parti [paʀti] *nm* partido *m* ; **prendre parti pour** tomar o partido de ; **tirer parti de qqch** tirar partido de algo ; **parti pris** idéia *f* preconcebida.

partial, **e**, **aux** [paʀsjal, o] *adj* parcial.

partialité [paʀsjalite] *nf* parcialidade *f*.

participant, **e** [paʀtisipɑ̃, ɑ̃t] *nm, f* concorrente *mf*.

participation [paʀtisipasjɔ̃] *nf* participação *f*.

participe [paʀtisip] *nm* particípio *m* ; **participe passé/présent** particípio passado/presente.

participer [paʀtisipe] ◆ **participer à** *vp + prép* participar de.

particularité [paʀtikylaʀite] *nf* particularidade *f*.

particule [paʀtikyl] *nf* partícula *f*.

particulier, **ère** [paʀtikylje, ɛʀ] *adj* particular ; **en particulier** [surtout] particularmente.

particulièrement [paʀtikyljɛʀmɑ̃] *adv* particularmente.

partie [paʀti] *nf* [part, élément] parte *f* ; [au jeu, en sport] partida *f* ; **en partie** em parte ; **faire partie de** fazer parte de ; **ce n'est que partie remise** é apenas uma questão de tempo.

partiel, **elle** [paʀsjɛl] *adj* parcial.

partiellement [paʀsjɛlmɑ̃] *adv* parcialmente.

partir [paʀtiʀ] *vi* partir ; [moteur] arrancar ; [tache] sair ; **être bien/mal parti** começar bem/mal ; **partir de** partir de ; **à partir de** a partir de.

partisan [paʀtizɑ̃] ◇ *nm* partidário *m*, -ria *f*. ◇ *adj* : **être partisan de qqch** ser partidário(ria) de algo.

partition [paʀtisjɔ̃] *nf* partitura *f*.

partout [paʀtu] *adv* em todo lugar.

paru, **e** [paʀy] *pp* ► **paraître**.

parure [paʀyʀ] *nf* [de bijoux] conjunto *m* ; [de linge] jogo *m*.

parution [paʀysjɔ̃] *nf* publicação *f*.

parvenir [paʀvəniʀ] ◆ **parvenir à** *vp + prép* chegar a ; **parvenir à faire qqch** conseguir fazer algo.

parvenu, **e** [paʀvəny] *pp* ► **parvenir**.

parvis [paʀvi] *nm* átrio *m*.

pas[1] [pa] *adv* não ; **je n'aime pas les épinards** não gosto de espinafres ; **elle ne dort pas encore** ela ainda não está dormindo ; **je n'ai pas terminé** não acabei ; **il n'y a pas de train pour Oxford aujourd'hui** não há trem para Oxford hoje ; **les passagers sont priés de ne pas fumer** pede-se aos passageiros que não fumem ; **tu viens ou pas ?** você vem ou não? ; **elle a aimé l'exposition, moi pas** OU **pas moi** ela gostou da exposição, eu não ; **c'est un endroit pas très agréable** não é um lugar lá muito agradável ; **non, pas du tout** não, de modo algum ; **pas tellement** não muito ; **pas possible!** não é possível!

pas[2] [pa] *nm* passo *m* ; **à deux pas de** a dois passos de ; **pas à pas** passo a passo ; **sur le pas de la porte** na porta.

pashmina [pasʃmina] *nm* pashimina *f*.

passable [pasabl] *adj* [performance] razoável ; [résultat] suficiente.

passage [pasaʒ] *nm* passagem *f* ; **être de passage** estar de passagem ; **passage clouté** OU **(pour) piétons** faixa de pedestres *f* ; **passage à niveau** passagem de nível ; **passage protégé** *via preferencial em um cruzamento* ; **passage souterrain** passagem subterrânea ; **'premier passage'** *horário do primeiro ônibus*.

passager, **ère** [pasaʒe, ɛʀ] *adj* & *nm, f* passageiro(ra) ; **passager clandestin** passageiro clandestino.

passant, **e** [pasɑ̃, ɑ̃t] ◇ *nm, f* transeunte *mf*. ◇ *nm* anel *m*.

passe [pas] *nf* passe *m*.

passé, **e** [pase] ◇ *adj* [terminé] passado(da) ; [décoloré] descorado(da). ◇ *nm* passado *m*.

passe-droit [pasdʀwa] (*pl* **passe-droits**) *nm* favor *m* ilícito.

passe-partout [paspaʀtu] *nm inv* [clé] chave *f* mestra.

passe-passe [paspas] *nm inv* : **tour de passe-passe** passe *m* de mágica.

passeport [paspɔʀ] *nm* passaporte *m*.

passer [pase] ◇ *vi* **1.** *(aux être)* [gén] passar ; **passer par** passar por ; **passer voir qqn** passar para ver alguém ; **je ne fais que passer** estou de passagem ; **laisser passer qqn** deixar passar alguém ; **ta douleur est-elle passée ?** a dor passou? ; **je passe en 3e** vou para a 8ª série - **2.** [à la télé, à la radio, au cinéma] dar ; **qu'est-ce qui passe cette semaine au théâtre ?** o que é que está em cartaz no teatro esta semana? ; **cet écrivain est passé à la télévision** este escritor foi à televisão - **3.** [couleur] desbotar - **4.** [vitesse] : **passer en seconde** colocar a segunda - **5.** [dans des expressions] : **passons!** passemos adiante! ; **en passant** de passagem. ◇ *vt* **1.** *(aux avoir)* [gén] passar ; **nous avons passé l'après-midi à chercher un hôtel** passamos a tarde à procura de um hotel ; **passer son tour** passar a vez ; **passer qqch à qqn** [objet] passar algo a alguém ; [maladie] pegar algo de alguém ; **je vous le passe** [au téléphone] já lhe passo - **2.** [obstacle] ultrapassar - **3.** [rivière] atravessar - **4.** [vitesse] colocar - **5.** [mettre, faire passer] : **passer le bras par la portière** pôr o braço fora da porta ; **passer l'aspirateur** aspirar - **6.** [filtrer] coar. ◆ **passer pour** *vp + prép* passar por ; **se faire passer pour** fazer-se passar por. ◆ **se passer** *vp* **1.** [arriver] passar-se ; **qu'est-ce qui se passe ?** o que é que está acontecendo? - **2.** [se dérouler] : **se passer bien/mal** correr bem/mal - **3.** [crème, eau] pôr ; **se passer de l'huile solaire sur les jambes** passar óleo de bronzear nas pernas ; **se passer de l'eau sur le visage** passar uma água no rosto. ◆ **se passer de** *vp + prép* privar-se de.

passerelle [pasʀɛl] *nf* [pont] ponte *f* ; [d'embarquement, sur un bateau] plataforma *f* de embarque.

passe-temps [pastɑ̃] *nm inv* passatempo *m*.

passible [pasibl] *adj* : **passible de** passível de.

passif, ive [pasif, iv] ◇ *adj* passivo(va). ◇ *nm* GRAMM passiva *f*.

passion [pasjɔ̃] *nf* paixão *f*.

passionnant, e [pasjɔnɑ̃, ɑ̃t] *adj* apaixonante.

passionné, e [pasjɔne] *adj* apaixonado(da) ; **passionné de musique** apaixonado por música.

passionner [pasjɔne] *vt* apaixonar. ◆ **se passionner pour** *vp + prép* apaixonar-se por.

passoire [paswaʀ] *nf* passador *m*.

pastel [pastɛl] *adj inv* pastel.

pastèque [pastɛk] *nf* melancia *f*.

pasteurisé, e [pastœʀize] *adj* pasteurizado(da).

pastille [pastij] *nf* pastilha *f*.

pastis [pastis] *nm* anis *m*.

patate [patat] *nf fam* batata *f* ; **patates pilées** *Québec* puré *m* de batata.

patauger [patoʒe] *vi* chafurdar.

pâte [pat] *nf* massa *f* ; **pâte d'amandes** marzipã *m* ; **pâte brisée** massa quebrada ; **pâte feuilletée** massa folhada ; **pâte de fruits** jujuba *f* ; **pâte sablée** massa amanteigada ; **pâte à modeler** massa de modelar. ◆ **pâtes** *nfpl* massa *f*.

pâté [pate] *nm* [charcuterie] patê *m* ; [de sable] bolo *m* de areia ; [tache] borrão *m* ; **pâté chinois** *Québec prato gratinado à base de carne moída, batatas e creme de milho* ; **pâté de maisons** quarteirão *m*.

pâtée [pate] *nf* comida *f (para cães)*.

paternalisme [patɛʀnalism] *nm* paternalismo *m*.

paternel, elle [patɛʀnɛl] *adj* paterno(na) ; [amour] paternal.

paternité [patɛʀnite] *nf* paternidade *f*.

pâteux, euse [patø, øz] *adj* pastoso(osa).

pathétique [patetik] ◇ *nm* patético *m*. ◇ *adj* patético(ca).

pathologie [patɔlɔʒi] *nf* patologia *f*.

patiemment [pasjamɑ̃] *adv* pacientemente.

patience [pasjɑ̃s] *nf* paciência *f* ; **prendre son mal en patience** ter paciência.

patient, e [pasjɑ̃, ɑ̃t] *adj & nm, f* paciente.

patienter [pasjɑ̃te] *vi* pacientar.

patin [patɛ̃] *nm* : **patins à glace** patins *mpl (para o gelo)* ; **patins à roulettes** patins *mpl (de rodas)*.

patinage [patinaʒ] *nm* patinação *f* ; **patinage artistique** patinação artística.

patiner [patine] *vi* patinar.

patineur, euse [patinœʀ, øz] *nm, f* patinador *m*, -ra *f*.

patinoire [patinwaʀ] *nf* rinque *m* de patinação.

pâtisserie [patisʀi] *nf* [magasin] confeitaria *f* ; [gâteau] doce *m* ; **la pâtisserie** a confeitaria.

pâtissier, ère [patisje, ɛʀ] *nm, f* confeiteiro *m*, -ra *f*.

patois [patwa] *nm* patoá *m*.

patrie [patʀi] *nf* pátria *f*.

patrimoine [patʀimwan] *nm* patrimônio *m*.

patriote [patʀijɔt] *nmf* patriota *mf*.

patriotique [patʀijɔtik] *adj* patriótico(ca).

patron, **onne** [patʀɔ̃, ɔn] ◇ *nm, f* patrão *m*, -troa *f*. ◇ *nm* molde *m*.

patronal, **e**, **aux** [patʀɔnal, o] *adj* [interêt, organisation] patronal ; [fête] do santo padroeiro.

patronat [patʀɔna] *nm* patronato *m*.

patrouille [patʀuj] *nf* patrulha *f*.

patrouiller [patʀuje] *vi* patrulhar.

patte [pat] *nf* [d'animal] pata *f* ; [languette] lingüeta *f* ; [favori] costeleta *f*.

pâturage [patyʀaʒ] *nm* pasto *m*.

pâture [patyʀ] *nf* pasto *m* ; **jeter qqn en pâture aux lions** atirar alguém aos leões.

paume [pom] *nf* palma *f*.

paumé, **e** [pome] *fam* ◇ *adj* perdido(da). ◇ *nm, f* desgraçado *m*, -da *f*.

paumer [pome] *vt fam* perder. ◆ **se paumer** *vp fam* perder-se.

paupière [popjɛʀ] *nf* pálpebra *f*.

paupiette [popjɛt] *nf* *pequeno rolo de carne recheado*.

pause [poz] *nf* pausa *f* ; **'pause'** 'pausa'.

pause-café [pozkafe] (*pl* **pauses-café**) *nf* pausa *f* para o café.

pauvre [povʀ] *adj* [sans argent] pobre ; [malheureux] coitado(da).

pauvreté [povʀəte] *nf* pobreza *f*.

pavaner [pavane] ◆ **se pavaner** *vp* pavonear-se.

pavé, **e** [pave] ◇ *adj* pavimentado(da). ◇ *nm* paralelo *m* ; **pavé numérique** teclado *m* numérico.

pavillon [pavijɔ̃] *nm* pavilhão *m*.

pavot [pavo] *nm* dormideira *f*.

payant, **e** [pɛjɑ̃, ɑ̃t] *adj* a pagar.

paye [pɛj] *nf* salário *m*.

payer [peje] *vt* pagar ; **bien/mal payé** bem/mal pago ; **payer qqch à qqn** *fam* oferecer algo a alguém ; **'payez ici'** 'pague aqui'.

pays [pei] *nm* país *m* ; **les gens du pays** [de la région] as pessoas da região ; **de pays** regional ; **le pays de Galles** o País de Gales.

paysage [peizaʒ] *nm* paisagem *f*.

paysagiste [peizaʒist] ◇ *nmf* paisagista *mf*. ◇ *adj* paisagístico(ca).

paysan, **anne** [peizɑ̃, an] *nm, f* camponês *m*, -esa *f*.

Pays-Bas [pɛiba] *nmpl* : **les Pays-Bas** os Países Baixos.

PC *nm* (*abr de* **Parti Communiste**) PC *m* ; (*abr de* **ordinateur**) PC *m*.

PCV *nm* : **appeler en PCV** fazer uma chamada a cobrar.

P-DG *nm* (*abr de* **président-directeur général**) presidente *m* geral.

péage [peaʒ] *nm* pedágio *m*.

peau [po] (*pl* -x) *nf* pele *f* ; [de fruit] casca *f* ; **peau de chamois** camurça *f*.

péché [peʃe] *nm* pecado *m*.

pêche [pɛʃ] *nf* [fruit] pêssego *m* ; [activité] pesca *f* ; **aller à la pêche (à la ligne)** ir pescar (com vara) ; **pêche en mer** pesca em alto-mar ; **pêche Melba** *sobremesa de pêssego em calda servida com sorvete de baunilha e creme chantilly*.

pécher [peʃe] *vi* pecar ; **pécher par** pecar por.

pêcher [peʃe] ◇ *vt* & *vi* pescar. ◇ *nm* pessegueiro *m*.

pêcheur, **euse** [pɛʃœʀ, øz] *nm, f* pescador *m*, -ra *f*.

pédagogie [pedagɔʒi] *nf* [qualité] pedagogia *f*.

pédagogue [pedagɔg] ◇ *nmf* pedagogo *m*, -ga *f*. ◇ *adj* pedagógico(ca).

pédale [pedal] *nf* pedal *m*.

pédaler [pedale] *vi* pedalar.

pédalier [pedalje] *nm* pedaleiro *m*.

Pédalo® [pedalo] *nm* pedalinho *m*.

pédant, **e** [pedɑ̃, ɑ̃t] *adj* pedante.

pédéraste [pedeʀast] *nm* pederasta *m.*

pédestre [pedɛstʀ] *adj* ► **randonnée.**

pédiatre [pedjatʀ] *nmf* pediatra *mf.*

pédicure [pedikyʀ] *nmf* calista *mf.*

pedigree [pedigʀe] *nm* pedigree *m.*

pédopsychiatre [pedɔpsikjatr] *nmf* psiquiatra *mf* de crianças e adolescentes.

peigne [pɛɲ] *nm* [pour démêler] pente *m* ; [pour retenir] travessa *f.*

peigner [peɲe] *vt* pentear. ◆ **se peigner** *vp* pentear-se.

peignoir [pɛɲwaʀ] *nm* roupão *m* ; **peignoir de bain** roupão de banho.

peindre [pɛ̃dʀ] *vt* pintar ; **peindre qqch en blanc** pintar algo de branco.

peine [pɛn] *nf* [tristesse] tristeza *f* ; [effort] dificuldade *f* ; [sanction] pena *f* ; **avoir de la peine** estar triste ; **avoir de la peine à faire qqch** custar a alguém fazer algo ; **faire de la peine à qqn** entristecer alguém ; **ce n'est pas la peine (de)** não vale a pena ; **valoir la peine** valer a pena ; **sous peine de** sob pena de ; **peine de mort** pena de morte ; **il l'a à peine regardé** ele mal olhou para ela.

peiner [pene] ◇ *vt* afligir. ◇ *vi* penar.

peint, e [pɛ̃, pɛ̃t] *pp* ► **peindre.**

peintre [pɛ̃tʀ] *nm* pintor *m*, -ra *f.*

peinture [pɛ̃tyʀ] *nf* [matière] tinta *f* ; [œuvre d'art] quadro *m* ; [art] pintura *f.*

péjoratif, ive [peʒɔʀatif, iv] *adj* pejorativo(va).

pelage [pəlaʒ] *nm* pelagem *f.*

pêle-mêle [pɛlmɛl] *adv* de qualquer jeito.

peler [pəle] *vt* & *vi* pelar.

pèlerin [pɛlʀɛ̃] *nm* peregrino *m*, -na *f.*

pèlerinage [pɛlʀinaʒ] *nm* peregrinação *f.*

pélican [pelikɑ̃] *nm* pelicano *m.*

pelle [pɛl] *nf* pá *f.*

pellicule [pelikyl] *nf* [de film, de photos] rolo *m* ; [couche] película *f.* ◆ **pellicules** *nfpl* caspa *f.*

pelote [pəlɔt] *nf* novelo *m.*

peloton [plɔtɔ̃] *nm* [de cyclistes] pelotão *m.*

pelotonner [pəlɔtɔne] ◆ **se pelotonner** *vp* aconchegar-se.

pelouse [pəluz] *nf* grama *f* ; **'pelouse interdite'** 'é proibido pisar na grama'.

peluche [pəlyʃ] *nf* [jouet] peluche *m* ; **animal en peluche** animal de pelúcia.

pelure [pəlyʀ] *nf* casca *f.*

pénal, e, aux [penal, o] *adj* penal.

pénaliser [penalize] *vt* penalizar.

penalty [penalti] (*pl* **penaltys** ou **penalties**) *nm* pênalti *m.*

penchant [pɑ̃ʃɑ̃] *nm* : **avoir un penchant pour** ter um fraco por.

pencher [pɑ̃ʃe] ◇ *vt* inclinar. ◇ *vi* estar inclinado(da) ; **pencher pour** estar inclinado para. ◆ **se pencher** *vp* debruçar-se.

pendant [pɑ̃dɑ̃] *prép* durante ; **pendant que** enquanto.

pendentif [pɑ̃dɑ̃tif] *nm* pingente *m.*

penderie [pɑ̃dʀi] *nf* guarda-roupa *f.*

pendre [pɑ̃dʀ] ◇ *vt* [suspendre] pendurar ; [condamné] enforcar. ◇ *vi* pender. ◆ **se pendre** *vp* enforcar-se.

pendule [pɑ̃dyl] *nf* relógio *m* de parede.

pénétrer [penetʀe] *vi* : **pénétrer dans** penetrar em.

pénible [penibl] *adj* penoso(osa) ; *fam* [agaçant] chato(ta).

péniche [peniʃ] *nf* barcaça *f.*

pénicilline [penisilin] *nf* penicilina *f.*

péninsule [penɛ̃syl] *nf* península *f*.

pénis [penis] *nm* pênis *m inv*.

pénitence [penitɑ̃s] *nf* penitência *f*.

pénombre [penɔ̃bʀ] *nf* penumbra *f*.

pense-bête [pɑ̃sbɛt] (*pl* **pense-bêtes**) *nm* sinal *m (para se recordar)*.

pensée [pɑ̃se] *nf* pensamento *m* ; [fleur] amor-perfeito *m*.

penser [pɑ̃se] *vt* & *vi* pensar ; **qu'est-ce que tu en penses ?** o que você pensa sobre isso? ; **penser faire qqch** pensar em fazer algo ; **penser à** pensar em ; **penser à faire qqch** lembrar-se de fazer algo.

pensif, **ive** [pɑ̃sif, iv] *adj* pensativo(va).

pension [pɑ̃sjɔ̃] *nf* [hôtel] pensão *f* ; [allocation] abono *m* ; **être en pension** estar num colégio interno ; **pension complète** pensão completa ; **pension de famille** pensão residencial.

pensionnaire [pɑ̃sjɔnɛʀ] *nmf* pensionista *mf*.

pensionnat [pɑ̃sjɔna] *nm* pensionato *m*.

pente [pɑ̃t] *nf* encosta *f* ; **en pente** inclinado(da).

Pentecôte [pɑ̃tkot] *nf* Pentecostes *m*.

pénurie [penyʀi] *nf* penúria *f*.

pépé [pepe] *nm fam* vovô *m*.

pépin [pepɛ̃] *nm* [graine] semente *f* ; *fam* [ennui] contratempo *m*.

pépinière [pepinjɛʀ] *nf* viveiro *m*.

pépite [pepit] *nf* pepita *f*.

perçant, **e** [pɛʀsɑ̃, ɑ̃t] *adj* [cri] agudo(da) ; [vue] penetrante.

percepteur [pɛʀsɛptœʀ] *nm* cobrador *m*, -ra *f* de impostos.

perceptible [pɛʀsɛptibl] *adj* perceptível.

perception [pɛʀsɛpsjɔ̃] *nf* [sensation] percepção *f* ; [recouvrement] cobrança *f* ; [bureau] *repartição pública responsável pela cobrança de impostos*.

percer [pɛʀse] ◇ *vt* furar ; [mystère] elucidar. ◇ *vi* [dent] nascer.

perceuse [pɛʀsøz] *nf* furadeira *f*.

percevoir [pɛʀsəvwaʀ] *vt* [son, nuance] distinguir ; [argent] receber.

perche [pɛʀʃ] *nf* [tige] vara *f*.

percher [pɛʀʃe] ◆ **se percher** *vp* empoleirar-se.

perchoir [pɛʀʃwaʀ] *nm* poleiro *m*.

perçu, **e** [pɛʀsy] *pp* ► **percevoir**.

percussions [pɛʀkysjɔ̃] *nfpl* instrumentos *mpl* de percussão.

percuter [pɛʀkyte] *vt* esbarrar com.

perdant, **e** [pɛʀdɑ̃, ɑ̃t] *nm, f* perdedor *m*, -ra *f*.

perdre [pɛʀdʀ] *vt* & *vi* perder ; **perdre qqn de vue** perder alguém de vista. ◆ **se perdre** *vp* perder-se.

perdreau [pɛʀdʀo] (*pl* -x) *nm* perdigoto *m*.

perdrix [pɛʀdʀi] *nf* perdiz *f*.

perdu, **e** [pɛʀdy] *adj* [village, coin] perdido(da).

père [pɛʀ] *nm* [parent] pai *m* ; [religieux] padre *m* ; **le père Noël** o Papai Noel.

péremptoire [peʀɑ̃ptwaʀ] *adj* peremptório(ria).

perfection [pɛʀfɛksjɔ̃] *nf* perfeição *f*.

perfectionné, **e** [pɛʀfɛksjɔne] *adj* aperfeiçoado(da).

perfectionnement [pɛʀfɛksjɔnmɑ̃] *nm* aperfeiçoamento *m*.

perfectionner [pɛʀfɛksjɔne] *vt* aperfeiçoar. ◆ **se perfectionner** *vp* aperfeiçoar-se.

perfide [pɛʀfid] *adj* pérfido(da).

perforer [pɛʀfɔʀe] *vt* perfurar.

performance [pɛʀfɔʀmɑ̃s] *nf* [d'un

sportif] desempenho *m* ; **performances** [d'un ordinateur, d'une voiture] capacidade *f*.

performant, e [pɛʀfɔʀmɑ̃, ɑ̃t] *adj* [personne] eficiente ; [machine, entreprise] com um bom desempenho ; [technique] eficaz.

perfusion [pɛʀfyzjɔ̃] *nf* perfusão *f*.

périph *fam* [perif] (*abr de* **périphérique**) periférico *m*.

péril [peʀil] *nm* perigo *m* ; **en péril** em perigo.

périlleux, euse [peʀijø, øz] *adj* perigoso(osa).

périmé, e [peʀime] *adj* ultrapassado(da).

périmètre [peʀimɛtʀ] *nm* perímetro *m*.

période [peʀjɔd] *nf* período *m* ; **période blanche/bleue** *período durante o qual se pode comprar uma passagem de trem com 20%/50% de redução* ; **période rouge** *período durante o qual não há reduções nas passagens de trem*.

périodique [peʀjɔdik] ◇ *adj* periódico(ca). ◇ *nm* periódico *m*.

péripéties [peʀipesi] *nfpl* peripécias *fpl*.

périphérie [peʀifeʀi] *nf* periferia *f*.

périphérique [peʀifeʀik] ◇ *adj* periférico(ca). ◇ *nm* periférico *m* ; **le (boulevard) périphérique** a estrada periférica.

périphrase [peʀifʀaz] *nf* perífrase *f*.

périple [peʀipl] *nm* [navigation] périplo *m* ; [voyage] viagem *f*.

périr [peʀiʀ] *vi sout* perecer.

périssable [peʀisabl] *adj* perecível.

perle [pɛʀl] *nf* pérola *f*.

permanence [pɛʀmanɑ̃s] *nf* permanência *f* ; [bureau] escritório *m* ; SCOL sala *f* de estudo ; **de permanence** de serviço ; **en permanence** permanentemente.

permanent, e [pɛʀmanɑ̃, ɑ̃t] *adj* permanente.

permanente [pɛʀmanɑ̃t] *nf* permanente *f*.

perméable [pɛʀmeabl] *adj* permeável.

permettre [pɛʀmɛtʀ] *vt* permitir ; **permettre à qqn de faire qqch** [autoriser] permitir a alguém que faça algo ; [rendre possible] permitir a alguém fazer algo. ◆ **se permettre** *vp* : **se permettre de faire qqch** permitir-se fazer algo ; **pouvoir se permettre de faire qqch** poder dar-se ao luxo de fazer algo.

permis, e [pɛʀmi, iz] ◇ *pp* ➤ **permettre**. ◇ *nm* licença *f* ; **il est permis de...** é permitido... ; **permis de conduire** carteira *f* de motorista ; **permis de pêche** licença de pesca.

permission [pɛʀmisjɔ̃] *nf* [autorisation] permissão *f* ; MIL licença *f* ; **demander la permission de faire qqch** pedir autorização para fazer algo.

permuter [pɛʀmyte] *vt* & *vi* permutar.

perpendiculaire [pɛʀpɑ̃dikylɛʀ] *adj* perpendicular.

perpétrer [pɛʀpetʀe] *vt sout* perpetrar.

perpétuel, elle [pɛʀpetɥɛl] *adj* perpétuo(tua).

perpétuer [pɛʀpetɥe] *vt* perpetuar. ◆ **se perpétuer** *vp* perpetuar-se.

perpétuité [pɛʀpetɥite] *nf* perpetuidade *f* ; **à perpétuité** a prisão perpétua.

perplexe [pɛʀplɛks] *adj* perplexo(xa).

perquisition [pɛʀkizisjɔ̃] *nf* busca *f*.

perron [pɛʀɔ̃] *nm* [escalier] escadaria *f* ; [plate-forme] patamar *m*.

perroquet [pɛʀɔkɛ] *nm* papagaio *m*.

perruche [peʀyʃ] *nf* periquito *m.*

perruque [peʀyk] *nf* peruca *f.*

persécuter [pɛʀsekyte] *vt* perseguir.

persécution [pɛʀsekysjɔ̃] *nf* perseguição *f.*

persévérant, **e** [pɛʀseveʀɑ̃, ɑ̃t] *adj* perseverante.

persévérer [pɛʀseveʀe] *vi* perseverar.

persienne [pɛʀsjɛn] *nf* persiana *f.*

persil [pɛʀsi] *nm* salsa *f.*

persillé, **e** [pɛʀsije] *adj* [au persil] com salsa ; [fromage] com manchas esverdeadas.

persistant, **e** [pɛʀsistɑ̃, ɑ̃t] *adj* persistente.

persister [pɛʀsiste] *vi* persistir ; **persister à faire qqch** persistir em fazer algo.

perso *fam* [pɛʀso] *adj* (*abr de* **personnel**) pessoal.

personnage [pɛʀsɔnaʒ] *nm* personagem *m f* ; **personnage principal** personagem principal.

personnaliser [pɛʀsɔnalize] *vt* personalizar.

personnalité [pɛʀsɔnalite] *nf* personalidade *f.*

personne [pɛʀsɔn] ◇ *nf* pessoa *f.* ◇ *pron* ninguém ; **il n'y a personne** não há ninguém aqui ; **en personne** em pessoa ; **par personne** por pessoa OU cabeça ; **personne âgée** pessoa idosa.

personnel, **elle** [pɛʀsɔnɛl] ◇ *adj* pessoal. ◇ *nm* pessoal *m.*

personnellement [pɛʀsɔnɛlmɑ̃] *adv* pessoalmente.

personnifier [pɛʀsɔnifje] *vt* personificar.

perspective [pɛʀspɛktiv] *nf* perspectiva *f.*

perspicace [pɛʀspikas] *adj* perspicaz.

persuader [pɛʀsɥade] *vt* persuadir ; **persuader qqn de faire qqch** persuadir alguém a fazer algo.

persuasif, **ive** [pɛʀsɥazif, iv] *adj* persuasivo(va).

perte [pɛʀt] *nf* perda *f* ; **perte de temps** perda de tempo.

pertinent, **e** [pɛʀtinɑ̃, ɑ̃t] *adj* pertinente.

perturbation [pɛʀtyʀbasjɔ̃] *nf* perturbação *f.*

perturber [pɛʀtyʀbe] *vt* perturbar.

pervenche [pɛʀvɑ̃ʃ] ◇ *adj inv* azul violeta. ◇ *nf* [fleur] pervinca *f* ; *fam* [contractuelle] *polícia de trânsito cujo uniforme é azul violeta e que se encarrega de fazer cumprir as regras de estacionamento.*

pervers, **e** [pɛʀvɛʀ, ɛʀs] ◇ *adj* perverso(sa). ◇ *nm, f* pessoa *f* perversa.

perversion [pɛʀvɛʀsjɔ̃] *nf* perversão *f.*

pervertir [pɛʀvɛʀtiʀ] *vt* perverter.

pesant, **e** [pəzɑ̃, ɑ̃t] *adj* pesado(da).

pesanteur [pəzɑ̃tœʀ] *nf* gravidade *f.*

pèse-personne [pɛzpɛʀsɔn] *nm inv* balança *f (de banheiro).*

peser [pəze] *vt* & *vi* pesar ; **peser lourd** pesar muito.

pessimisme [pesimism] *nm* pessimismo *m.*

pessimiste [pesimist] *adj* & *nmf* pessimista.

peste [pɛst] *nf* peste *f.*

pestilentiel, **elle** [pɛstilɑ̃sjɛl] *adj sout* pestilento(ta).

pétale [petal] *nm* pétala *f.*

pétanque [petɑ̃k] *nf espécie de jogo de bocha.*

pétard [petaʀ] *nm* petardo *m.*

péter [pete] *vi fam* [se casser] pifar ;

[personne] peidar ; **péter les plombs** OU **un boulon** *fam* descontrolar-se, perder a cabeça.

pétillant, **e** [petijɑ̃, ɑ̃t] *adj* [vin, eau] com borbulhas ; [yeux] cintilante.

pétiller [petije] *vi* [champagne] borbulhar ; [yeux] cintilar.

petit, **e** [p(ə)ti, it] ◇ *adj* pequeno(na). ◇ *nm* cria *f* ; **petit à petit** pouco a pouco ; **petit ami** namorado *m* ; **petite amie** namorada *f* ; **petit déjeuner** café-da-manhã *m* ; **petit pain** pãozinho *m* ; **petit pois** ervilha *f* ; **petit pot** potinho *m* de comida (para bebê).

petit-beurre [p(ə)tibœʀ] (*pl* **petits-beurre**) *nm biscoito amanteigado, de forma retangular.*

petite-fille [p(ə)titfij] (*pl* **petites-filles**) *nf* neta *f*.

petit-fils [p(ə)tifis] (*pl* **petits-fils**) *nm* neto *m*.

petit-four [p(ə)tifuʀ] (*pl* **petits-fours**) *nm* petit-four *m*.

pétition [petisjɔ̃] *nf* petição *f*.

petits-enfants [p(ə)tizɑ̃fɑ̃] *nmpl* netos *mpl*.

petit-suisse [p(ə)tisɥis] (*pl* **petits-suisses**) *nm* petit-suisse *m*.

pétrifier [petʀifje] *vt* petrificar.

pétrir [petʀiʀ] *vt* [malaxer, palper] amassar ; *fig* & *sout* [façonner] modelar.

pétrole [petʀɔl] *nm* petróleo *m*.

pétrolier [petʀɔlje] *nm* petroleiro *m*.

pétrolifère [petʀɔlifɛʀ] *adj* petrolífero(ra).

peu [pø] ◇ *adv* **1.** [gén] pouco ; **j'ai peu voyagé** viajei pouco ; **ils sont peu nombreux** eles são pouco numerosos ; **peu après** pouco depois ; **il y a peu** há pouco ; **sous** OU **d'ici peu** dentro de OU daqui a pouco - **2.** [avec un nom] : **peu de gens** pouca gente ; **peu de temps** pouco tempo ; **peu de livres** poucos livros - **3.** [dans des expressions] : **à peu près** mais ou menos ; **peu à peu** pouco a pouco. ◇ *nm* : **un peu** um pouco ; **un (tout) petit peu** um pouquinho ; **un peu de** um pouco de.

peuple [pœpl] *nm* povo *m*.

peuplement [pœpləmɑ̃] *nm* [action] povoamento *m* ; [démographie] população *f*.

peupler [pœple] *vt* povoar.

peuplier [pøplije] *nm* álamo *m*.

peur [pœʀ] *nf* medo *m* ; **avoir peur** ter medo ; **avoir peur de qqch** ter medo de algo ; **faire peur (à)** meter medo (a).

peureux, **euse** [pœʀø, øz] *adj* medroso(osa).

peut [pø] ► **pouvoir**.

peut-être [pøtɛtʀ] *adv* talvez ; **peut-être qu'elle ne viendra pas** talvez ela não venha.

peux [pø] ► **pouvoir**.

phalange [falɑ̃ʒ] *nf* falange *f*.

phallus [falys] *nm* falo *m*.

pharaon [faʀaɔ̃] *nm* faraó *m*.

phare [faʀ] *nm* farol *m*.

pharmaceutique [faʀmasøtik] *adj* farmacêutico(ca).

pharmacie [faʀmasi] *nf* [magasin] farmácia *f* ; [armoire] caixa *f* de medicamentos.

pharmacien, **enne** [faʀmasjɛ̃, ɛn] *nm, f* farmacêutico *m*, -ca *f*.

pharynx [faʀɛ̃ks] *nm* faringe *f*.

phase [faz] *nf* fase *f* ; **phase terminale** MÉD fase terminal.

phénoménal, **e**, **aux** [fenɔmenal, o] *adj* fenomenal.

phénomène [fenɔmɛn] *nm* fenômeno *m*.

philatélie [filateli] *nf* filatelia *f*.

philosophe [filɔzɔf] *adj* & *nmf* filósofo(fa) ; **être très philosophe** agir com a sabedoria de um filósofo.

philosophie [filɔzɔfi] *nf* filosofia *f*.

phobie [fɔbi] *nf* fobia *f*.

phonétique [fɔnetik] *adj* fonético(ca).

phoque [fɔk] *nm* foca *f*.

phosphate [fɔsfat] *nm* fosfato *m*.

phosphore [fɔsfɔʀ] *nm* fósforo *m* *(corpo simples)*.

phosphorescent, e [fɔsfɔʀesɑ̃, ɑ̃t] *adj* fosforescente.

photo [fɔto] *nf* [image] foto *f* ; [art] fotografia *f* ; **prendre qqn/qqch en photo** tirar fotos de alguém/algo ; **prendre une photo (de)** tirar uma foto (de).

photocopie [fɔtɔkɔpi] *nf* fotocópia *f*, xerox *m*.

photocopier [fɔtɔkɔpje] *vt* fotocopiar, xerocar.

photocopieuse [fɔtɔkɔpjøz] *nf* fotocopiadora *f*.

photoélectrique [fɔtɔelɛktʀik] *adj* fotoelétrico(ca).

photogénique [fɔtɔʒenik] *adj* fotogênico(ca).

photographe [fɔtɔgʀaf] *nmf* fotógrafo *m*, -fa *f*.

photographie [fɔtɔgʀafi] *nf* fotografia *f*.

photographier [fɔtɔgʀafje] *vt* fotografar.

Photomaton® [fɔtɔmatɔ̃] *nm* *cabine para tirar fotos instantâneas*.

phrase [fʀaz] *nf* frase *f*.

physicien, enne [fizisjɛ̃, ɛn] *nm, f* físico *m*, -ca *f*.

physionomie [fizjɔnɔmi] *nf* fisionomia *f*.

physionomiste [fizjɔnɔmist] *adj* : **être physionomiste** ser bom fisionomista.

physique [fizik] ◇ *adj* físico(ca). ◇ *nf* física *f*. ◇ *nm* físico *m*.

physiquement [fizikmɑ̃] *adv* fisicamente.

piailler [pjaje] *vi* [oiseau] piar ; *fam* [enfant] berrar.

pianiste [pjanist] *nmf* pianista *mf*.

piano [pjano] *nm* piano *m*.

pic [pik] *nm* [montagne] pico *m* ; **à pic** [descendre, couler] a pique ; *fig* [tomber, arriver] no momento certo.

pichet [piʃɛ] *nm* jarro *m*.

pickpocket [pikpɔkɛt] *nm* batedor *m* de carteira.

picorer [pikɔʀe] *vt* beliscar.

picotement [pikɔtmɑ̃] *nm* coceira *f*.

picoter [pikɔte] *vt* coçar.

pie [pi] *nf* pega *f (ave)*.

pièce [pjɛs] *nf* [argent] moeda *f* ; [salle] cômodo *m* ; [sur un vêtement] remendo *m* ; [morceau] retalho *m* ; **20 F pièce** 20 F cada ; **(maillot de bain) une pièce** maiô *m* ; **pièce d'identité** documento *m* de identidade ; **pièce de monnaie** moeda ; **pièce montée** *bolo em forma de pirâmide, montado com carolinas recheadas com creme e caramelizadas, que se serve em grandes ocasiões* ; **pièce de rechange** peça *f* (de substituição) ; **pièce (de théâtre)** peça *f* de teatro.

pied [pje] *nm* ANAT pé *m* ; [d'une montagne] sopé *m* ; **à pied** a pé ; **au pied de** junto a ; [d'une montagne] no sopé de ; **avoir pied** dar pé ; **mettre sur pied** montar.

pied-à-terre [pjetatɛʀ] *nm inv* casa *f*.

piédestal [pjedɛstal] (*pl* -aux [o]) *nm* pedestal *m* ; **mettre qqn sur un piédestal** *fig* pôr alguém num pedestal.

pied-noir, e [pjenwaʀ] *adj dos franceses que viviam na Argélia antes da sua independência.* ◆ **pied-noir** (*pl* **pieds-noirs**) *nmf francês que vivia na Argélia antes da sua independência.*

piège [pjɛʒ] *nm* [pour animaux] armadilha *f* ; *fig* [tromperie] cilada *f*.

piéger [pjeʒe] *vt* [animal] caçar com armadilha ; [tromper] armar uma cilada ; [voiture, valise] pôr um explosivo em.

pierre [pjɛʀ] *nf* pedra *f* ; **pierre précieuse** pedra preciosa.

piétiner [pjetine] ◇ *vt* espezinhar. ◇ *vi* [foule] não avançar ; *fig* [enquête] estar parado(da).

piéton, **onne** [pjetɔ̃, ɔn] ◇ *nm, f* pedestre *mf (pessoa)*. ◇ *adj* = **piétonnier**.

piétonnier, **ère** [pjetɔnje, ɛʀ] *adj* reservado(da) aos pedestres.

piètre [pjɛtʀ] *adj* bastante medíocre.

pieu [pjø] (*pl* -x) *nm* estaca *f*.

pieuvre [pjœvʀ] *nf* polvo *m*.

pieux, **euse** [pjø, øz] *adj* [personne] piedoso(osa) ; [image] sagrado(da).

pigeon [piʒɔ̃] *nm* pombo *m*.

pigment [pigmɑ̃] *nm* pigmento *m*.

pilaf [pilaf] *nm* ► **riz**.

pile [pil] ◇ *nf* pilha *f*. ◇ *adv* em ponto ; **jouer qqch à pile ou face** tirar cara ou coroa ; **pile ou face ?** cara ou coroa? ; **s'arrêter pile** parar na hora certa ; **3 h pile** 3 h em ponto.

piler [pile] ◇ *vt* esmagar. ◇ *vi fam* travar bruscamente.

pilier [pilje] *nm* pilar *m*.

pillard, **e** [pijaʀ, aʀd] *nm, f* saqueador *m*, -ra *f*.

piller [pije] *vt* pilhar.

pilonner [pilɔne] *vt* [écraser] esmagar (com pilão) ; MIL bombardear intensamente.

pilotage [pilɔtaʒ] *nm* pilotagem *f* ; **pilotage automatique** pilotagem automática.

pilote [pilɔt] *nm* piloto *m*.

piloter [pilɔte] *vt* pilotar.

pilotis [pilɔti] *nm* palafita *f*.

pilule [pilyl] *nf* pílula *f* ; **prendre la pilule** tomar a pílula.

piment [pimɑ̃] *nm* [condiment] pimenta *f* ; **piment doux** pimentão *m* ; **piment rouge** pimenta *f* muito ardida.

pimenté, **e** [pimɑ̃te] *adj* apimentado(da).

pin [pɛ̃] *nm* [arbre] pinheiro *m* ; [bois] pinho.

pinard [pinaʀ] *nm fam* vinho *m* de má qualidade.

pince [pɛ̃s] *nf* [outil] alicate *m* ; [de crabe] pinça *f* ; [de vêtement] prega *f* ; **pince à cheveux** grampo *m* (para o cabelo) ; **pince à épiler** pinça (para depilar) ; **pince à linge** prendedor *m* de roupa.

pinceau [pɛ̃so] (*pl* -x) *nm* pincel *m*.

pincée [pɛ̃se] *nf* pitada *f*.

pincer [pɛ̃se] *vt* [serrer] beliscar ; *fam* [coincer] entalar.

pingouin [pɛ̃gwɛ̃] *nm* pingüim *m*.

ping-pong [piŋpɔ̃g] *nm* pingue-pongue *m*.

pin's [pins] *nm inv* pin *m*.

pintade [pɛ̃tad] *nf* galinha-d'angola *f*.

pinte [pɛ̃t] *nf Suisse* [café] café *m*.

pioche [pjɔʃ] *nf* picareta *f*.

piocher [pjɔʃe] *vi* [au jeu] roubar *(no jogo)*.

pion [pjɔ̃] *nm* peão *m (de jogo)*.

pionnier, **ère** [pjɔnje, ɛʀ] *nm, f* pioneiro *m*, -ra *f*.

pipe [pip] *nf* cachimbo *m*.

pipeline [pajplajn] (*pl* **pipe-lines**) *nm* [de pétrole] oleoduto *m* ; [de gaz] gasoduto *m*.

pipi [pipi] *nm fam* **faire pipi** fazer xixi.

piquant, **e** [pikɑ̃, ɑ̃t] ◇ *adj* picante. ◇ *nm* espinho *m*.

pique [pik] ◇ *nf* [remarque] pique *m*. ◇ *nm* espadas *fpl*.

pique-assiette [pikasjɛt] (*pl* **pique-assiettes**) *nm péj* fila-bóia *mf inv*.

pique-nique [piknik] (*pl* **pique-niques**) *nm* piquenique *m*.

pique-niquer [piknike] *vi* fazer um piquenique.

piquer [pike] *vt* & *vi* picar.

piquet [pikɛ] *nm* estaca *f*.

piqueur [pikœʀ] *adj m* ► **marteau**.

piqûre [pikyʀ] *nf* [d'insecte] picada *f* ; MÉD injeção *f* ; **piqûre de rappel** MÉD advertência ; *fam fig* advertência, chamada de atenção.

piratage [piʀataʒ] *nm* pirataria *f*.

pirate [piʀat] *adj* & *nm* pirata ; **pirate de l'air** pirata do ar.

pirater [piʀate] *vt* piratear.

pire [piʀ] ◇ *adj* pior. ◇ *nm* : **le pire** o pior.

pirogue [piʀɔg] *nf* piroga *f*.

pirouette [piʀwɛt] *nf* pirueta *f*.

pis [pi] *nm* úbere *m*.

pisciculture [pisikyltyʀ] *nf* piscicultura *f*.

piscine [pisin] *nf* piscina *f*.

pissenlit [pisɑ̃li] *nm* dente-de-leão *m*.

pisser [pise] *vi fam* mijar.

pistache [pistaʃ] *nf* pistache *m*.

piste [pist] *nf* pista *f* ; **piste (d'atterrissage)** pista (de aterrissagem) ; **piste cyclable** ciclovia *f* ; **piste de danse** pista de dança ; **jeu de piste** jogo de pistas ; **piste verte** pista verde *(muito fácil)* ; **piste bleue** pista azul *(fácil)* ; **piste rouge** pista vermelha *(difícil)* ; **piste noire** pista preta *(muito difícil)*.

pistil [pistil] *nm* pistilo *m*.

pistolet [pistɔlɛ] *nm* pistola *f*.

piston [pistɔ̃] *nm* pistão *m*, êmbolo *m*.

pistonner [pistɔne] *vt fam* : **pistonner qqn** arranjar um emprego para alguém ; **se faire pistonner** *fig* conseguir emprego por pistolão.

pithiviers [pitivje] *nm bolo de massa folhada, recheado com creme de amêndoas*.

pitié [pitje] *nf* piedade *f* ; **avoir pitié de qqn** ter piedade de alguém ; **faire pitié à qqn** provocar piedade em alguém.

pitoyable [pitwajabl] *adj* [triste] lastimoso(osa) ; [méprisable] lastimável.

pitre [pitʀ] *nm* palhaço *m* ; **faire le pitre** fazer palhaçadas.

pitrerie [pitʀəʀi] *nf (gén pl)* palhaçada *f*.

pittoresque [pitɔʀɛsk] *adj* pitoresco(ca).

pivot [pivo] *nm* pivô *m*.

pivoter [pivɔte] *vi* girar.

pizza [pidza] *nf* pizza *f*.

pizzeria [pidzeʀja] *nf* pizzaria *f*.

placard [plakaʀ] *nm* armário *m*.

placarder [plakaʀde] *vt* afixar.

place [plas] *nf* lugar *m* ; [d'une ville] praça *f* ; [de théâtre] bilhete *m* ; [emploi] emprego *m* ; **changer qqch de place** mudar algo de lugar ; **à la place de** em vez de ; **sur place** no mesmo lugar ; **place assise/debout** lugar sentado/de pé. ◆ **sur place** *loc adv* no próprio local.

placement [plasmɑ̃] *nm* investimento *m*.

placenta [plasɛ̃ta] *nm* placenta *f*.

placer [plase] *vt* [mettre] pôr ; [argent] investir. ◆ **se placer** *vp* [se mettre] pôr-se ; [se classer] situar-se.

plafond [plafɔ̃] *nm* [d'une salle] teto *m* ; [limite] teto *m*.

plafonner [plafɔne] *vi* atingir o limite máximo.

plafonnier [plafɔnje] *nm* lâmpada *f* de teto.

plage [plaʒ] *nf* [de sable] praia *f* ; [de disque] faixa *f* ; **plage arrière** bagageiro *m (cobertura interna do porta-malas)*.

plagiat [plaʒja] *nm* plágio *m*.

plagier [plaʒje] *vt* plagiar.

plaider [plede] ◇ *vt* defender. ◇ *vi* defender uma causa ; **plaider contre qqn** defender uma causa contra alguém ; **plaider pour qqn** [avocat] defender a causa de alguém ; [jouer en faveur de] defender alguém.

plaidoirie [plɛdwaʀi] *nf* defesa *f*.

plaie [plɛ] *nf* ferida *f*.

plaindre [plɛ̃dʀ] *vt* lastimar. ◆ **se plaindre** *vp* queixar-se ; **se plaindre de** queixar-se de.

plaine [plɛn] *nf* planície *f*.

plain-pied [plɛ̃pje] ◆ **de plain-pied** ◇ *adv* [pièce] ao mesmo nível ; *fig* [directement] diretamente. ◇ *adj* : **une maison de plain-pied** uma casa térrea.

plaint, e [plɛ̃, plɛ̃t] *pp* ► **plaindre**.

plainte [plɛ̃t] *nf* [gémissement] queixume *m* ; [en justice] queixa *f* ; **porter plainte** apresentar queixa.

plaintif, ive [plɛ̃tif, iv] *adj* queixoso(osa).

plaire [plɛʀ] *vi* agradar ; **plaire à qqn** agradar a alguém ; **s'il vous/te plaît** por favor. ◆ **se plaire** *vp* sentir-se bem.

plaisance [plɛzɑ̃s] *nf* ► **navigation, port**.

plaisanter [plɛzɑ̃te] *vi* brincar.

plaisanterie [plɛzɑ̃tʀi] *nf* brincadeira *f*.

plaisir [pleziʀ] *nm* prazer *m* ; **faire plaisir à qqn** agradar a alguém ; **avec plaisir!** com muito prazer!

plan [plɑ̃] *nm* plano *m* ; [d'une maison, d'un bâtiment] planta *f* ; **au premier/second plan** em primeiro/segundo plano ; **plan d'eau** lago *m* ; **plan d'épargne** plano poupança.

planche [plɑ̃ʃ] *nf* tábua *f* ; **faire la planche** boiar ; **planche à roulettes** skate *m* ; **planche à voile** prancha *f* de windsurf.

plancher [plɑ̃ʃe] *nm* [d'une voiture] chão *m* ; [d'une maison] assoalho *m*.

plancton [plɑ̃ktɔ̃] *nm* plâncton *m*.

planer [plane] *vi* planar.

planétaire [planetɛʀ] *adj* planetário(ria).

planétarium [planetaʀjɔm] *nm* planetário *m*.

planète [planɛt] *nf* planeta *m*.

planeur [planœʀ] *nm* planador *m*.

planifier [planifje] *vt* planejar.

planning [planiŋ] *nm* planejamento *m*.

plant [plɑ̃] *nm* [jeune plante] pé *m (de planta)* ; [culture] plantio *m*.

plantaire [plɑ̃tɛʀ] *adj* plantar.

plantation [plɑ̃tasjɔ̃] *nf* plantação *f* ; **des plantations** uma plantação.

plante [plɑ̃t] *nf* planta *f* ; **plante des pieds** planta dos pés ; **plante grasse** planta carnuda ; **plante verte** planta de interior.

planter [plɑ̃te] *vt* [graines] plantar ; [enfoncer] espetar.

plaque [plak] *nf* placa *f* ; [de verglas] camada *f* ; [de chocolat] tablete *f* ; [de beurre] tablete *m* ; [tache] mancha *f* ; **plaque chauffante** placa elétrica ; **plaque d'immatriculation** ou **minéralogique** matrícula *f*.

plaqué, e [plake] *adj* : **plaqué or/argent** com banho de ouro/de prata.

plaquer [plake] *vt* [aplatir] achatar ; [au rugby] placar.

plaquette [plakɛt] *nf* [de beurre] pacote *m* ; [de chocolat] tablete *f* ; **plaquette de frein** pastilha *f* de freio.

plastifié, e [plastifje] *adj* plastificado(da).

plastique [plastik] *nm* plástico *m* ; **sac en plastique** saco de plástico.

plat, e [pla, plat] ◇ *adj* [terrain] plano(na) ; [poitrine] achatado(da) ; [chaussure] de salto baixo(sa) ; [eau] sem gás. ◇ *nm* prato *m* ; [récipient] travessa *f* ; **à plat** [pneu] vazio(zia) ; [batterie] gasto(ta) ; *fam* [fatigué] arrasado(da) ; **à plat ventre** de barriga para baixo ; **plat cuisiné** prato pré-cozido ; **plat du jour** prato do dia ; **plat de résistance** prato principal.

platane [platan] *nm* plátano *m*.

plateau [plato] (*pl* -x) *nm* [de cuisine] bandeja *f* ; [plaine] planalto *m* ; [de télévision, de cinéma] estúdio *m* ; **plateau à fromages** prato *m* para o queijo ; **plateau de fromages** prato *m* de queijos.

plateau-repas [platorəpa] (*pl* **plateaux-repas**) *nm refeição servida em uma bandeja*.

plate-bande [platbɑ̃d] (*pl* **plates-bandes**) *nf* platibanda *f*.

plate-forme [platfɔrm] (*pl* **plates-formes**) *nf* plataforma *f*.

platine [platin] *nf* : **platine cassette** toca-fitas *m inv* ; **platine laser** leitor *m* de CDs.

platonique [platɔnik] *adj* platônico(ca).

plâtre [platr] *nm* gesso *m*.

plâtrer [platre] *vt* engessar.

plausible [plozibl] *adj* plausível.

play-back [plɛbak] *nm inv* playback *m*.

plébiscite [plebisit] *nm Suisse* referendo *m*.

plein, e [plɛ̃, plɛn] ◇ *adj* [rempli] cheio(cheia) ; [complet] completo(ta). ◇ *nm* : **faire le plein (d'essence)** encher ; **plein de** [rempli de] cheio de ; *fam* [beaucoup de] muito ; **en plein air** ao ar livre ; **en plein devant moi** bem à minha frente ; **en pleine forme** em plena forma ; **en pleine nuit** no meio da noite ; **en plein milieu** bem ; **pleins phares** faróis altos ; **pleins pouvoirs** plenos poderes ; **travailler à plein temps** trabalhar em tempo integral.

plénitude [plenityd] *nf sout* plenitude *f*.

pleurer [plœre] *vi* chorar.

pleureur [plœrœr] *adj m* ► **saule**.

pleurnicher [plœrniʃe] *vi* choramingar.

pleurs [plœr] *nmpl sout* pranto *m* ; **être en pleurs** estar em lágrimas.

pleut [plø] ► **pleuvoir**.

pleuvoir [pløvwar] ◇ *vi* chover. ◇ *v impers* : **il pleut** está chovendo ; **il pleut à verse** chove a cântaros.

Plexiglas® [plɛksiglas] *nm* plexiglas *m*.

pli [pli] *nm* [d'un papier, d'une carte] dobra *f* ; [d'une jupe] prega *f* ; [d'un pantalon] vinco *m* ; [aux cartes] vaza *f* ; **(faux) pli** vinco.

pliant, e [plijɑ̃, ɑ̃t] ◇ *adj* dobrável. ◇ *nm* cadeira *f* dobrável.

plier [plije] ◇ *vt* dobrar ; [lit] fechar. ◇ *vi* dobrar-se.

plinthe [plɛ̃t] *nf* rodapé *m*.

plissé, e [plise] *adj* pregueado(da).

plisser [plise] *vt* [papier] dobrar ; [tissu] preguear ; [yeux] semicerrar.

plomb [plɔ̃] *nm* chumbo *m* ; [fusible] fusível *m*.

plombage [plɔ̃baʒ] *nm* chumbo *m*.

plomberie [plɔ̃bri] *nf* canalização *f*.

plombier [plɔ̃bje] *nm* encanador *m*.

plombières [plɔ̃bjɛʀ] *nf sorvete de baunilha guarnecido com pedaços de fruta cristalizada.*

plonge [plɔ̃ʒ] *nf*: **faire la plonge** lavar pratos num restaurante.

plongeant, **e** [plɔ̃ʒɑ̃, ɑ̃t] *adj* [décolleté] muito decotado(da) ; [vue] de cima.

plongée [plɔ̃ʒe] *nf*: **plongée (sous-marine)** mergulho *m.*

plongeoir [plɔ̃ʒwaʀ] *nm* trampolim *m (de piscina).*

plongeon [plɔ̃ʒɔ̃] *nm* mergulho *m.*

plonger [plɔ̃ʒe] *vt* & *vi* mergulhar. ◆ **se plonger dans** *vp* + *prép* concentrar-se em.

plongeur, **euse** [plɔ̃ʒœʀ, øz] *nm, f* mergulhador *m*, -ra *f.*

ployer [plwaje] *vt* & *vi sout* vergar.

plu [ply] *pp* ► **plaire, pleuvoir.**

pluie [plɥi] *nf* chuva *f.*

plumage [plymaʒ] *nm* plumagem *f.*

plume [plym] *nf* pena *f.*

plumer [plyme] *vt* [une volaille] depenar ; *fam* [personne] deixar liso(sa).

plupart [plypaʀ] *nf*: **la plupart (de)** a maior parte (de) ; **la plupart du temps** na maior parte do tempo.

pluriel [plyʀjɛl] *nm* plural *m.*

plus [ply(s)] *adv* & *prép* mais ; **plus intéressant (que)** mais interessante (do que) ; **plus simplement (que)** de forma mais simples (do que) ; **c'est ce qui me plaît le plus ici** é o que mais me agrada aqui ; **l'hôtel le plus confortable où nous ayons logé** o hotel mais confortável onde ficamos ; **le plus souvent** o mais freqüentemente possível ; **fais le plus vite possible** faça o mais rápido possível ; **parle-lui le plus patiemment possible** fale com ele da maneira mais paciente possível ; **je ne veux pas dépenser plus** não quero gastar mais ; **plus d'argent/de vacances** mais dinheiro/férias ; **plus de la moitié** mais da metade ; **un peu plus de glace** um pouco mais de sorvete ; **je ne regarde plus la télé** já não vejo televisão ; **je n'en veux plus, merci** não quero mais, obrigado ; **de plus** [en supplément] a mais ; [d'autre part] além do mais ; **il a deux ans de plus que moi** ele tem dois anos a mais (do) que eu ; **de plus en plus (de)** cada vez mais ; **en plus** [en supplément] a mais ; [d'autre part] além do mais ; **en plus de** além de ; **plus ou moins** mais ou menos ; **plus tu y penseras, pire ce sera** quanto mais você pensar nisso, pior será.

plusieurs [plyzjœʀ] *adj* & *pron* vários(rias).

plus-que-parfait [plyskəpaʀfɛ] *nm* pretérito *m* mais-que-perfeito.

plus-value [plyvaly] (*pl* **plus-values**) *nf* mais-valia *f.*

plutôt [plyto] *adv* [de préférence] antes ; [assez] bastante ; **plutôt que (de) faire qqch** em vez de fazer algo.

pluvieux, **euse** [plyvjø, øz] *adj* chuvoso(osa).

PME (*abr de* **petite et moyenne entreprise**) *nf* PME *f.*

PMI (*abr de* **petite et moyenne industrie**) *nf* PMI *f.*

PMU *nm* [système] *forma de apostas no turfe* ; [bar] *bar onde se fazem as apostas.*

pneu [pnø] *nm* pneu *m.*

pneumatique [pnømatik] *adj* ► **canot, matelas.**

pneumonie [pnømɔni] *nf* pneumonia *f.*

PO (*abr de* **petites ondes**) OC.

poche [pɔʃ] *nf* bolso *m* ; **de poche** de bolso.

poché, **e** [pɔʃe] *adj* inchado(da).

pocher [pɔʃe] *vt* CULIN escalfar.

pochette [pɔʃɛt] *nf* bolsa *f* ; [de disque] capa *f* ; [mouchoir] lenço *m* do casaco.

podium [pɔdjɔm] *nm* pódio *m*.

poêle[1] [pwal] *nm* aquecedor *m* de sala ; **poêle à mazout** aquecedor de sala a óleo.

poêle[2] [pwal] *nf* : **poêle (à frire)** frigideira *f*.

poème [pɔɛm] *nm* poema *m*.

poésie [pɔezi] *nf* poesia *f*.

poète [pɔɛt] *nm* poeta *m*.

poétique [pɔetik] *adj* poético(ca).

poids [pwa] *nm* peso *m* ; **perdre/prendre du poids** perder/ganhar peso ; **poids lourd** veículo *m* pesado.

poignard [pwaɲaʀ] *nm* punhal *m*.

poignarder [pwaɲaʀde] *vt* apunhalar.

poignée [pwaɲe] *nf* [de porte] maçaneta *f* ; [de valise] asa *f* ; [de sable, de bonbons] punhado *m* ; **une poignée de** um punhado de ; **poignée de main** aperto *m* de mão.

poignet [pwaɲɛ] *nm* ANAT pulso *m* ; [de vêtement] punho *m*.

poil [pwal] *nm* pêlo *m* ; **à poil** *fam* nu em pêlo ; **au poil** *fam* em cima da pinta.

poilu, e [pwaly] *adj* peludo(da).

poinçon [pwɛ̃sɔ̃] *nm* **1.** [outil] punção *m* - **2.** [sceau] contraste *m*.

poinçonner [pwɛ̃sɔne] *vt* picar.

poing [pwɛ̃] *nm* punho *m*.

point [pwɛ̃] *nm* ponto *m* ; **point de côté** pontada *f* ; **point de départ** ponto de partida ; **point d'exclamation** ponto de exclamação ; **point faible** ponto fraco ; **point final** ponto final ; **point (final)!** e ponto final! ; **point d'interrogation** ponto de interrogação ; **(au) point mort** (em) ponto morto ; **point de repère** ponto de referência ; **points cardinaux** pontos cardeais ; **points de suspension** reticências *fpl* ; **points (de suture)** pontos (de sutura) ; **à point** no ponto ; **au point** perfeito(ta) ; **au point** OU **à tel point que** a ponto de OU a tal ponto que ; **mal en point** num estado lastimável ; **être sur le point de faire qqch** estar prestes a fazer algo.

point de vue [pw˜ɛdvy] (*pl* **points de vue**) *nm* ponto *m* de vista.

pointe [pwɛ̃t] *nf* [extrémité] ponta *f* ; [clou] prego *m* ; **sur la pointe des pieds** na ponta dos pés ; **de pointe** de ponta ; **en pointe** em bico. ◆ **pointes** *nfpl* sapatos *mpl* de ballet.

pointer [pwɛ̃te] ◇ *vt* apontar. ◇ *vi* marcar o ponto.

pointillé [pwɛ̃tije] *nm* picotado *m*.

pointu, e [pwɛ̃ty] *adj* [couteau] pontiagudo(da) ; [nez] bicudo(da).

pointure [pwɛ̃tyʀ] *nf* número *m* ; **quelle est votre pointure ?** qual é seu número de calçado?

point-virgule [pwɛ̃viʀgyl] (*pl* **points-virgules**) *nm* ponto-e-vírgula *m*.

poire [pwaʀ] *nf* pêra *f* ; **poire Belle-Hélène** *pêra em conserva coberta com chocolate quente e servida com sorvete de baunilha*.

poireau [pwaʀo] (*pl* -x) *nm* alho-poró *m*.

poirier [pwaʀje] *nm* pereira *f*.

pois [pwa] *nm* [rond] bola *f* ; **à pois** de bolas ; **pois chiche** grão-de-bico *m*.

poison [pwazɔ̃] *nm* veneno *m* ; **poisons du lac** *Suisse peixes do Lago Leman (sobretudo percas)*.

poisse [pwas] *nf fam* : **quelle poisse !** que azar! ; **porter la poisse (à qqn)** dar azar (a alguém).

poisseux, euse [pwasø, øz] *adj* pegajoso(sa).

poisson [pwasɔ̃] *nm* peixe *m* ; **poisson d'avril!** hoje é o dia da mentira! ; **faire un poisson d'avril à qqn** pregar uma peça em alguém no dia da mentira ; **poisson rouge** peixinho vermelho. ◆ **Poissons** *nmpl* Peixes *mpl*.

poissonnerie [pwasɔnʀi] *nf* peixaria *f*.

poissonnier, **ère** [pwasɔnje, ɛʀ] *nm, f* peixeiro *m*, -ra *f*.

poitrine [pwatʀin] *nf* peito *m* ; [de porc] toucinho *m*.

poivre [pwavʀ] *nm* pimenta *f*.

poivré, **e** [pwavʀe] *adj* apimentado(da).

poivrier [pwavʀije] *nm* pimenteira *f*.

poivrière [pwavʀijɛʀ] *nf* = **poivrier**.

poivron [pwavʀɔ̃] *nm* pimentão *m*.

poker [pɔkɛʀ] *nm* pôquer *m*.

polaire [pɔlɛʀ] ◇ *adj* polar. ◇ *nf* [textile] [vêtement] polar.

Polaroid® [pɔlaʀɔid] *nm* [appareil] Polaroid® *f* ; [photo] fotografia *f* Polaroid.

pôle [pol] *nm* pólo *m* ; **pôle Nord/Sud** pólo Norte/Sul.

polémique [pɔlemik] ◇ *nf* polêmica *f*. ◇ *adj* polêmico(ca).

poli, **e** [pɔli] *adj* [bien élevé] educado(da) ; [verre, bois] polido(da).

police [pɔlis] *nf* polícia *f* ; **police d'assurance** apólice *f* de seguros ; **police secours** *polícia que se encarrega de prestar os primeiros socorros*.

policier, **ère** [pɔlisje, ɛʀ] ◇ *adj* policial. ◇ *nm* policial *m*.

poliment [pɔlimɑ̃] *adv* educadamente.

polio [pɔljo] (*abr de* **poliomyélite**) *nf* poliomielite *f*.

polir [pɔliʀ] *vt* polir.

politesse [pɔlitɛs] *nf* cortesia *f*.

politicien, **enne** [pɔlitisjɛ̃, ɛn] *nm, f* político *m*.

politique [pɔlitik] ◇ *adj* político(ca) ; **un homme/une femme politique** homem político/mulher política. ◇ *nf* política *f*.

politiser [pɔlitize] *vt* politizar.

pollen [pɔlɛn] *nm* pólen *m*.

pollué, **e** [pɔlɥe] *adj* poluído(da).

polluer [pɔlɥe] *vt* poluir.

pollution [pɔlysjɔ̃] *nf* poluição *f*.

polo [pɔlo] *nm* [vêtement] pólo *m*.

polochon [pɔlɔʃɔ̃] *nm* travesseiro *m*.

Pologne [pɔlɔɲ] *nf* : **la Pologne** a Polônia.

polonais, **e** [pɔlɔnɛ, ɛz] *adj* polonês(esa). ◆ **polonais** *nm* [langue] polonês *m*. ◆ **Polonais**, **e** *nm, f* polonês *m*, -esa *f*.

polycopié [pɔlikɔpje] *nm* apostila *f*.

polyester [pɔliɛstɛʀ] *nm* poliéster *m*.

polygamie [pɔligami] *nf* poligamia *f*.

polyglotte [pɔliglɔt] *adj* & *nmf* poliglota.

Polynésie [pɔlinezi] *nf* : **la Polynésie** a Polinésia ; **la Polynésie française** a Polinésia francesa.

polysémique [pɔlisemik] *adj* polissêmico(ca).

polystyrène [pɔlistiʀɛn] *nm* isopor *m*.

Polytechnique [pɔlitɛknik] *nf* : **l'école Polytechnique** *escola de engenharia parisiense de grande prestígio*.

polyvalent, **e** [pɔlivalɑ̃, ɑ̃t] *adj* polivalente.

pommade [pɔmad] *nf* pomada *f*.

pomme [pɔm] *nf* [fruit] maçã *f* ; [de douche] chuveiro *m* ; [d'arrosoir] ralo *m* ; **tomber dans les pommes** *fam* ter um faniquito ; **pomme de pin** pinha *f* ; **pommes dauphine** *bolinhas fritas de purê de batata* ; **pommes noisettes** *bolinhas de batata coradas*.

pomme de terre [pɔmdətɛʀ] (*pl* **pommes de terre**) *nf* batata *f*.

pommette [pɔmɛt] *nf* maçaneta *f*.

pommier [pɔmje] *nm* macieira *f*.

pompe [pɔ̃p] *nf* bomba *f* ; **pompe à**

essence bomba de gasolina ; **pompe à vélo** bomba de bicicleta ; **pompes funèbres** agência *f* funerária.

pomper [pɔ̃pe] *vt* [air] aspirar ; [eau] tirar com uma bomba.

pompier [pɔ̃pje] *nm* bombeiro *m*.

pompiste [pɔ̃pist] *nmf* abastecedor *m*, -ra *f*.

pompon [pɔ̃pɔ̃] *nm* pompom *m*.

pomponner [pɔ̃pɔne] *vt* embonecar. ◆ **se pomponner** *vp* embonecar-se.

poncer [pɔ̃se] *vt* lixar.

ponceuse [pɔ̃søz] *nf* lixadeira *f*.

ponction [pɔ̃ksjɔ̃] *nf* **1.** MÉD punção *f* - **2.** *fig* [prélèvement] corte *m*.

ponctualité [pɔ̃ktɥalite] *nf* pontualidade *f*.

ponctuation [pɔ̃ktɥasjɔ̃] *nf* pontuação *f*.

ponctuel, **elle** [pɔ̃ktɥɛl] *adj* pontual.

pondre [pɔ̃dʀ] *vt* pôr *(ovos)*.

poney [pɔnɛ] *nm* pônei *m*.

pont [pɔ̃] *nm* ponte *f* ; **faire le pont** fazer ponte.

pont-levis [pɔ̃ləvi] (*pl* **ponts-levis**) *nm* ponte *f* levadiça.

ponton [pɔ̃tɔ̃] *nm* pontão *m*.

pop [pɔp] *adj inv* & *nf* pop.

pop-corn [pɔpkɔʀn] *nm inv* pipoca *f*.

populaire [pɔpylɛʀ] *adj* popular.

populariser [pɔpylaʀize] *vt* popularizar.

popularité [pɔpylaʀite] *nf* popularidade *f*.

population [pɔpylasjɔ̃] *nf* população *f*.

porc [pɔʀ] *nm* porco *m*.

porcelaine [pɔʀsəlɛn] *nf* [matériau] porcelana *f*.

porche [pɔʀʃ] *nm* [d'une église] pórtico *m* ; [d'un immeuble] alpendre *m*.

porcherie [pɔʀʃəʀi] *nf* [bâtiment] pocilga *f* ; *péj* [lieu sale] chiqueiro *m*.

pore [pɔʀ] *nm* poro *m*.

poreux, **euse** [pɔʀø, øz] *adj* poroso(osa).

pornographie [pɔʀnɔgʀafi] *nf* pornografia *f*.

pornographique [pɔʀnɔgʀafik] *adj* pornográfico(ca).

port [pɔʀ] *nm* porto *m* ; **'port payé'** 'porte pago' ; **port de pêche** porto de pesca ; **port de plaisance** marina *f*.

portable [pɔʀtabl] *adj* portátil.

portail [pɔʀtaj] *nm* **1.** ARCHIT portão *m* - **2.** INFORM portal *m*.

portant, **e** [pɔʀtɑ̃, ɑ̃t] *adj* : **être bien/mal portant** estar bem/mal de saúde ; **à bout portant** à queima-roupa.

portatif, **ive** [pɔʀtatif, iv] *adj* portátil.

porte [pɔʀt] *nf* porta *f* ; **mettre qqn à la porte** pôr alguém na rua ; **porte (d'embarquement)** portão *m* (de embarque) ; **porte d'entrée** porta de entrada.

porte-à-porte [pɔʀtapɔʀt] *nm inv* venda *f* de porta em porta ; **faire du porte-à-porte** vender de porta em porta.

porte-avions [pɔʀtavjɔ̃] *nm inv* porta-aviões *m inv*.

porte-bagages [pɔʀtbagaʒ] *nm inv* bagageiro *m*.

porte-bébé [pɔʀtbebe] (*pl* **porte-bébés**) *nm* porta-bebê *m*.

porte-bonheur [pɔʀtbɔnœʀ] *nm inv* amuleto *m*.

porte-clefs [pɔʀtəkle] = **porte-clés**.

porte-clés [pɔʀtəkle] *nm inv* porta-chaves *m inv*.

porte-documents [pɔʀtdɔkymɑ̃] *nm inv* pasta *f*.

portée [pɔʀte] *nf* [d'un son, d'une arme] alcance *m* ; [d'une femelle] ninhada *f* ; MUS pauta *f* ; **à la portée de qqn** [intellectuelle] ao alcance de alguém ; **à portée de (la) main** ao alcance da mão ; **à portée de voix** ao alcance da voz.

porte-fenêtre [pɔʀtfənɛtʀ] (*pl* **portes-fenêtres**) *nf* porta *f* envidraçada.

portefeuille [pɔʀtəfœj] *nm* carteira *f*.

porte-jarretelles [pɔʀtʒaʀtɛl] *nm inv* cinta-liga *f*.

portemanteau [pɔʀtmɑ̃to] (*pl* -x) *nm* cabide *m*.

porte-monnaie [pɔʀtmɔnɛ] *nm inv* porta-moedas *m inv*.

porte-parole [pɔʀtpaʀɔl] *nm inv* porta-voz *m*.

porter [pɔʀte] ◇ *vt* levar ; [vêtement, lunettes] trazer ; [nom, date, marque] ter ; *fig* [responsabilité] arcar com. ◇ *vi* surtir efeito ; **porter bonheur/malheur** dar sorte/azar ; **porter sur** tratar de. ◆ **se porter** *vp* : **se porter bien** estar bem(boa) ; **se porter mal** estar mal.

porte-savon, **s** [pɔʀtsavɔ̃] *nm* saboneteira *f*.

porte-serviette, **s** [pɔʀtsɛʀvjɛt] *nm* toalheiro *m*.

porteur, **euse** [pɔʀtœʀ, øz] *nm, f* [de bagages] carregador *m*, -ra *f* ; [d'une maladie] portador *m*, -ra *f*.

portier [pɔʀtje] *nm* porteiro *m*.

portière [pɔʀtjɛʀ] *nf* porta *f*.

portillon [pɔʀtijɔ̃] *nm* portinhola *f* ; **portillon automatique** porta *f* automática.

portion [pɔʀsjɔ̃] *nf* porção *f*.

portique [pɔʀtik] *nm* pórtico *m*.

porto [pɔʀto] *nm* vinho *m* do Porto.

portrait [pɔʀtʀɛ] *nm* retrato *m*.

portrait-robot [pɔʀtʀɛʀɔbo] (*pl* **portraits-robots**) *nm* retrato *m* falado.

portuaire [pɔʀtɥɛʀ] *adj* portuário(ria).

portugais, **e** [pɔʀtygɛ, ɛz] ◇ *adj* português(esa). ◇ *nm* [langue] português *m*. ◆ **Portugais**, **e** *nm, f* português *m*, -esa *f*.

Portugal [pɔʀtygal] *nm* : **le Portugal** Portugal *m*.

pose [poz] *nf* [d'une moquette, d'une vitre] colocação *f* ; [attitude] pose *f* ; **prendre la pose** fazer pose.

posé, **e** [poze] *adj* ponderado(da).

poser [poze] ◇ *vt* [objet] pousar ; [installer] instalar ; [question] fazer ; [problème] pôr. ◇ *vi* fazer pose. ◆ **se poser** *vp* pousar.

positif, **ive** [pozitif, iv] *adj* positivo(va).

position [pozisjɔ̃] *nf* posição *f*.

posologie [pozɔlɔʒi] *nf* posologia *f*.

posséder [pɔsede] *vt* possuir.

possessif, **ive** [pɔsesif, iv] *adj* possessivo(va).

possibilité [pɔsibilite] *nf* possibilidade *f* ; **avoir la possibilité de faire qqch** ter a possibilidade de fazer algo. ◆ **possibilités** *nfpl* [financières] posses *fpl* ; [intellectuelles] faculdades *fpl*.

possible [pɔsibl] ◇ *adj* possível. ◇ *nm* : **faire son possible (pour faire qqch)** fazer o possível (para fazer algo) ; **le plus de... possible** o maior número possível de... ; [d'argent, d'eau] a maior quantidade de... possível ; **dès que possible, le plus tôt possible** logo que possível, o mais cedo possível ; **si possible** se possível.

postal, **e**, **aux** [pɔstal, o] *adj* postal.

poste[1] [pɔst] *nm* [emploi] posto *m* ; [de ligne téléphonique] extensão *f* ; **poste (de police)** posto (de polícia) ; **poste de radio** rádio *m* ; **poste de télévision** televisão *f*.

poste[2] [pɔst] *nf* correios *mpl* ; **poste restante** posta-restante *f*.

poster[1] [pɔste] *vt* [lettre] pôr no correio.

poster[2] [pɔstɛʀ] *nm* pôster *m*.

postérieur, **e** [pɔsteʀjœʀ] ◇ *adj* posterior. ◇ *nm* traseiro *m*.

posteriori [pɔsteʀjɔʀi] ◆ **a posteriori** *loc adv* a posteriori.

postériorité [pɔsteʀjɔʀite] *nf* posteridade *f*.

posthume [pɔstym] *adj* póstumo(ma).

postiche [pɔstiʃ] ◇ *nm* [perruque] cabeleira *f* postiça ; [barbe] barba *f* postiça. ◇ *adj* [faux] postiço(ça).

postier, **ère** [pɔstje, ɛʀ] *nm, f* empregado *m*, -da *f* dos correios.

postillonner *vi* falar cuspindo.

post-scriptum [pɔstskʀiptɔm] *nm inv* post-scriptum *m inv*.

postuler [pɔstyle] ◇ *vi* : **postuler à qqch** concorrer a algo. ◇ *vt* postular.

posture [pɔstyʀ] *nf* postura *f*.

pot [po] *nm* frasco *m* ; **pot d'échappement** tubo *m* de escapamento ; **pot de fleurs** vaso *m* ; **pot à lait** leiteira *f*.

potable [pɔtabl] *adj* ► **eau**.

potage [pɔtaʒ] *nm* sopa *f*.

potager [pɔtaʒe, ɛʀ] *nm* : **(jardin) potager** horta *f*.

potassium [pɔtasjɔm] *nm* potássio *m*.

pot-au-feu [pɔtofø] *nm inv cozido à base de carne de boi, cenoura, rabanete, alho-poró, cebola e aipo.*

pot-de-vin [podvɛ̃] (*pl* **pots-de-vin**) *nm* luvas *fpl (dinheiro)*.

poteau [pɔto] (*pl* -x) *nm* poste *m* ; **poteau indicateur** poste indicador.

potée [pɔte] *nf cozido à base de carne de boi ou porco e legumes variados.*

potentiel, **elle** [pɔtɑ̃sjɛl] ◇ *adj* potencial. ◇ *nm* potencial *m*.

poterie [pɔtʀi] *nf* [art] olaria *f* ; [objet] peça *f* de barro.

potier, **ère** [pɔtje, ɛʀ] *nm, f* oleiro *m*, -ra *f*.

potin [pɔtɛ̃] *nm fam* mexerico *m*.

potion [posjɔ̃] *nf* poção *f*.

potiron [pɔtiʀɔ̃] *nm* abóbora *f*.

pot-pourri [popuʀi] (*pl* **pots-pourris**) *nm* pot-pourri *m*.

pou [pu] (*pl* -x) *nm* piolho *m*.

poubelle [pubɛl] *nf* **1.** [à ordure] lata *f* de lixo ; **mettre qqch à la poubelle** pôr algo no lixo - **2.** INFORM reciclagem.

pouce [pus] *nm* polegar *m*.

pouding [pudiŋ] *nm bolo à base de pão amanhecido e passas* ; **pouding de cochon** *Québec bolo de carne e de fígado de porco.*

poudre [pudʀ] *nf* [substance] pó *m* ; [maquillage] pó-de-arroz *m* ; [explosif] pólvora *f* ; **en poudre** em pó.

poudreux, **euse** [pudʀø, øz] *adj* leve.

pouf [puf] *nm* puf *m*.

pouffer [pufe] *vi* : **pouffer (de rire)** morrer (de rir).

poulailler [pulaje] *nm* galinheiro *m*, capoeira *f*.

poulain [pulɛ̃] *nm* potro *m*.

poule [pul] *nf* galinha *f* ; **poule au pot** *galinha recheada e cozida com legumes.*

poulet [pulɛ] *nm* frango *m* ; **poulet basquaise** *frango salteado com tomate, pimentão e alho.*

poulie [puli] *nf* roldana *f*.

poulpe [pulp] *nm* polvo *m*.

pouls [pu] *nm* pulso *m* ; **prendre le pouls à qqn** medir OU tirar o pulso de alguém.

poumon [pumɔ̃] *nm* pulmão *m*.

poupe [pup] *nf* popa *f* ; **avoir le vent en poupe** *fig* ir de vento em popa.

poupée [pupe] *nf* boneca *f*.

pouponnière [pupɔnjɛʀ] *nf* berçário *m*.

pour [puʀ] *prép* **1.** [gén] para ; **c'est pour vous** é para vocês ; **pour rien** [inutilement] para nada ; [gratuitement] de graça ; **pour faire qqch** para fazer algo ; **pour que** para que ; **le vol pour Londres** o vôo para Londres ; **partir pour** partir para - **2.** [en raison de] por ; **pour avoir fait qqch** por ter feito algo ; **elle a été hospitalisée pour un cancer** ela foi hospitalizada em virtude de um câncer ; **faire qqch pour de l'argent** fazer algo por dinheiro - **3.** [exprime la durée] por ; **pour longtemps** por muito tempo ; **pour toujours** para sempre - **4.** [somme] : **je voudrais pour cinq euros de bonbons** queria cinco euros de bombons ; **nous en avons eu pour 120 euros** ficou para nós por 120 euros - **5.** [en ce qui concerne] : **pour moi** [à mon avis] por mim ; **et pour le loyer, qu'est-ce que je fais ?** e quanto ao aluguel, o que é que eu faço? - **6.** [à la place de] por ; **signe pour moi** assine por mim - **7.** [en faveur de] : **être pour (qqch)** ser a favor (de algo) - **8.** [envers] por ; **avoir de la sympathie pour qqn** ter simpatia por alguém.

pourboire [puʀbwaʀ] *nm* gorjeta *f*.

pourcentage [puʀsɑ̃taʒ] *nm* porcentagem *f*.

pourchasser [puʀʃase] *vt* acossar.

pourparlers [puʀpaʀle] *nmpl* conversações *fpl*.

pourquoi [puʀkwa] *adv* : **je ne sais pas pourquoi il n'est pas rentré** não sei por que é que ele não voltou ; **il le sait et il te dira pourquoi** ele sabe e lhe dirá o porquê ; **c'est pourquoi...** é por isso que... ; **pourquoi pas ?** por que não?

pourra *etc.* ► **pouvoir.**

pourri, e [puʀi] *adj* [fruit, légume] podre ; [personne] corrupto(ta) ; [enfant] estragado(da) com mimos.

pourrir [puʀiʀ] *vi* apodrecer.

pourriture [puʀityʀ] *nf* podridão *f*.

poursuite [puʀsɥit] *nf* perseguição *f* ; **se lancer à la poursuite de qqn** lançar-se na perseguição de alguém. ◆ **poursuites** *nfpl* ação *f*.

poursuivi, e [puʀsɥivi] *pp* ► **poursuivre.**

poursuivre [puʀsɥivʀ] *vt* [voleur] perseguir ; DR perpetrar uma ação contra ; [continuer] prosseguir. ◆ **se poursuivre** *vp* prosseguir.

pourtant [puʀtɑ̃] *adv* no entanto.

pourtour [puʀtuʀ] *nm* [circonférence] perímetro *m* ; [abords] : **sur le pourtour de qqch** em volta de algo.

pourvoir [puʀvwaʀ] *vt* [munir] : **pourvoir qqn/qqch de** dotar alguém/algo de OU com ; [subvenir] : **pourvoir à** prover de. ◆ **se pourvoir** *vp* [se munir] prover-se ; DR apelar.

pourvu [puʀvy] ◆ **pourvu que** *conj* [condition] desde que ; [souhait] tomara.

pousse [pus] *nf* [croissance] crescimento *m* ; [bourgeon] rebento *m* ; [d'ail] grelo *m* ; **pousses de bambou** brotos *mpl* de bambu.

pousse-pousse [puspus] *nm inv Suisse* carrinho *m* de bebê.

pousser [puse] ◇ *vt* empurrar ; [déplacer] afastar ; [cri] dar. ◇ *vi* empurrar ; [plante] crescer ; **pousser qqn à faire qqch** levar alguém a fazer algo ; **faire pousser qqch** fazer crescer algo ; **'poussez'** 'empurre'. ◆ **se pousser** *vp* empurrar-se.

poussette [pusɛt] *nf* carrinho *m* de bebê.

poussière [pusjɛʀ] *nf* [sur un meuble] pó *m* ; [sur la route] poeira *f*.

poussiéreux, **euse** [pusjeʀø, øz] *adj* [vêtement] empoeirado(da) ; [meuble] cheio(cheia) de pó.

poussin [pusɛ̃] *nm* pintinho *m*.

poutine [putin] *nf Québec batatas fritas recobertas com bolinhas de queijo e molho picante.*

poutre [putʀ] *nf* [de toit] viga *f* ; [de gymnastique] barra *f*.

poutrelle [putʀɛl] *nf* vigota *f*.

pouvoir [puvwaʀ] ◇ *nm* poder *m* ; **le pouvoir** o poder ; **les pouvoirs publics** os poderes públicos. ◇ *vt* poder ; **pouvoir faire qqch** poder fazer algo ; **pourriez-vous... ?** podia...? ; **je fais ce que je peux** faço o que posso ; **tu aurais pu faire ça avant!** você podia ter feito isso antes! ; **je n'en peux plus** [je suis fatigué] já não estou agüentando mais ; [j'ai trop mangé] não consigo comer mais ; **je n'y peux rien** não posso fazer nada ; **attention, tu pourrais te blesser** tenha cuidado, você pode se magoar. ◆ **se pouvoir** *vp* : **il se peut que...** é possível que... ; **ça se pourrait (bien)** é bem possível (que sim).

pragmatique [pʀagmatik] *adj* pragmático(ca).

prairie [pʀeʀi] *nf* pradaria *f*.

praline [pʀalin] *nf* [confiserie] pralina *f* ; *Belgique* [chocolat] bombom *m* de chocolate.

praliné, **e** [pʀaline] *adj torrado com açúcar.*

praticable [pʀatikabl] *adj* [route] transitável ; [sport, plan] praticável.

praticien, **enne** [pʀatisjɛ̃, ɛn] *nm, f* médico *m*, -ca *f*.

pratiquant, **e** [pʀatikɑ̃, ɑ̃t] *adj* praticante.

pratique [pʀatik] ◇ *adj* prático(ca). ◇ *nf* prática *f*.

pratiquement [pʀatikmɑ̃] *adv* [presque] praticamente.

pratiquer [pʀatike] *vt* praticar.

pré [pʀe] *nm* prado *m*.

préalable [pʀealabl] ◇ *nm* condição *f* prévia. ◇ *adj* prévio(via) ; **préalable à** anterior a. ◆ **au préalable** *loc adv* previamente.

préambule [pʀeɑ̃byl] *nm* preâmbulo *m*.

préau [pʀeo] (*pl* -x) *nm* recreio *m*.

préavis [pʀeavi] *nm* pré-aviso *m*.

précaire [pʀekɛʀ] *adj* precário(ria).

précariser [prekarize] *vt* tornar precário(ria).

précaution [pʀekosjɔ̃] *nf* precaução *f* ; **prendre des précautions** tomar precauções ; **avec précaution** com precaução.

précédent, **e** [pʀesedɑ̃, ɑ̃t] *adj* precedente.

précéder [pʀesede] *vt* preceder.

prêcher [pʀeʃe] ◇ *vt* RELIG pregar ; [recommander] **: prêcher qqch (à qqn)** *fig* recomendar algo (a alguém). ◇ *vi* pregar.

précieux, **euse** [pʀesjø, øz] *adj* precioso(osa).

précipice [pʀesipis] *nm* precipício *m*.

précipitation [pʀesipitasjɔ̃] *nf* precipitação *f*. ◆ **précipitations** *nfpl* precipitação *f*.

précipiter [pʀesipite] *vt* precipitar. ◆ **se précipiter** *vp* precipitar-se ; **se précipiter dans/vers/sur** precipitar-se para dentro de/em direção a/sobre.

précis, **e** [pʀesi, iz] *adj* preciso(sa) ; **à cinq heures précises** às cinco (horas) em ponto.

précisément [pʀesizemɑ̃] *adv* [gén] precisamente ; [avec précision] com precisão ; [dans une réponse] exatamente.

préciser [pʀesize] *vt* precisar. ◆ **se préciser** *vp* concretizar-se.

précision [presizjɔ̃] *nf* precisão *f*.

précoce [prekɔs] *adj* precoce.

préconçu, **e** [prekɔ̃sy] *adj* preconcebido(da).

préconiser [prekɔnize] *vt* preconizar ; **préconiser de faire qqch** aconselhar alguém a fazer algo ; **préconiser que qqn fasse qqch** aconselhar que alguém faça algo.

précurseur [prekyrsœr] *adj* & *nm* precursor(ra).

prédateur, **trice** [predatœr, tris] *adj* predador(ra). ◆ **prédateur** *nm* predador *m*.

prédécesseur [predesesœr] *nm* predecessor *m*.

prédiction [prediksjɔ̃] *nf* previsão *f*.

prédilection [predilɛksjɔ̃] *nf* predileção *f* ; **avoir une prédilection pour qqch/qqn** ter uma predileção especial por algo/alguém ; **de prédilection** predileto(ta).

prédire [predir] *vt* adivinhar.

prédisposition [predispozisjɔ̃] *nf* : **prédisposition à** predisposição para.

prédit, **e** [predi, it] *pp* ➤ **prédire**.

prédominer [predɔmine] *vi* predominar.

préfabriqué, **e** [prefabrike] *adj* pré-fabricado(da).

préface [prefas] *nf* prefácio *m*.

préfecture [prefɛktyr] *nf* [bâtiment] *local onde estão instalados os serviços de administração dos departamentos, na França* ; [ville] *capital de departamento.*

préférable [preferabl] *adj* preferível.

préféré, **e** [prefere] *adj* & *nm, f* preferido(da).

préférence [preferɑ̃s] *nf* preferência *f* ; **de préférence** de preferência.

préférentiel, **elle** [preferɑ̃sjɛl] *adj* preferencial.

préférer [prefere] *vt* preferir ; **préférer faire qqch** preferir fazer algo ; **je préférerais qu'elle s'en aille** eu preferia que ela fosse embora.

préfet [prefɛ] *nm dirigente da circunscrição administrativa.*

préfixe [prefiks] *nm* prefixo *m*.

préhistoire [preistwar] *nf* pré-história *f*.

préhistorique [preistɔrik] *adj* pré-histórico(ca).

préjudice [preʒydis] *nm* prejuízo *m* ; **porter préjudice à qqn** prejudicar alguém.

préjugé [preʒyʒe] *nm péj* preconceito *m*.

prélèvement [prelɛvmɑ̃] *nm* [d'argent] levantamento *m* ; [de sang] coleta *f*.

prélever [preləve] *vt* [somme, part] levantar ; [sang] tirar.

préliminaire [preliminɛr] *adj* preliminar. ◆ **préliminaires** *nmpl* preliminares *mpl*.

prématuré, **e** [prematyre] ◇ *adj* prematuro(ra). ◇ *nm* bebê *m* prematuro.

préméditation [premeditasjɔ̃] *nf* premeditação *f* ; **avec préméditation** premeditadamente.

prémédité, **e** [premedite] *adj* premeditado(da).

premier, **ère** [prəmje, ɛr] *adj* & *nm, f* primeiro(ra) ; **en premier** em primeiro lugar ; **le premier de l'an** o dia primeiro de janeiro ; **premier ministre** primeiro-ministro *m*.

première [prəmjɛr] *nf* SCOL ≃ segundo ano *m* do ensino médio ; [vitesse, en train] primeira *f* ; **voyager en première (classe)** viajar de primeira (classe).

premièrement [prəmjɛrmɑ̃] *adv* primeiro.

prémisse [premis] *nf* premissa *f*.

prémonition [pʀemɔnisjɔ̃] *nf* premonição *f*.

prémunir [pʀemyniʀ] *vt* : **prémunir qqn contre** precaver alguém contra. ◆ **se prémunir** *vp* precaver-se ; **se prémunir contre** precaver-se contra.

prenais *etc.* ► **prendre.**

prendre [pʀɑ̃dʀ] ◇ *vt* **1.** [dans sa main] pegar ; [un cadeau] ficar com - **2.** [emporter] levar - **3.** [aller, chercher] : **passer prendre qqn** ir buscar alguém ; **prendre un auto-stoppeur** dar carona a alguém - **4.** [enlever] : **prendre qqch à qqn** tirar algo de alguém - **5.** [repas, boisson, notes, mesures] tomar ; **qu'est-ce que vous prendrez ?** [à boire] o que é que vocês vão tomar? ; **prendre un verre** tomar uma bebida - **6.** [utiliser] : **quelle route dois-je prendre ?** por qual estrada devo ir? ; **prendre l'avion/le train** pegar o avião /o trem - **7.** [attraper, surprendre] apanhar ; **se faire prendre** ser apanhado - **8.** [air, ton] : **elle a pris un air innocent** ela se fez de inocente ; **ne prends pas ton air de martyr!** não se faça de mártir! - **9.** [considérer] : **prendre qqn pour** [par erreur] tomar alguém por - **10.** [photo] tirar - **11.** [poids] engordar - **12.** [dans des expressions] : **prendre feu** incendiar-se ; **qu'est-ce qui te prend ?** o que é que você tem? ◇ *vi* **1.** [sauce, ciment] ficar consistente - **2.** [feu] pegar - **3.** [se diriger] : **prenez à droite** vire à direita. ◆ **se prendre** *vp* **1.** [se considérer] : **se prendre pour** tomar-se por - **2.** [dans des expressions] : **s'en prendre à qqn** descarregar em alguém ; **s'y prendre bien** dar-se bem ; **s'y prendre mal** fazer algo mal.

prenne *etc.* ► **prendre.**

prénom [pʀenɔ̃] *nm* nome *m* (de batismo).

préoccupation [pʀeɔkypasjɔ̃] *nf* preocupação *f*.

préoccupé, e [pʀeɔkype] *adj* preocupado(da).

préoccuper [pʀeɔkype] *vt* preocupar. ◆ **se préoccuper de** *vp* + *prép* preocupar-se com.

préparatifs [pʀepaʀatif] *nmpl* preparativos *mpl*.

préparation [pʀepaʀasjɔ̃] *nf* [d'un repas, d'un départ] preparação *f*.

préparatoire [pʀepaʀatwaʀ] *adj* [travail] preparatório(ria) ; [classe] *que visa preparar os alunos para o ingresso nas escolas superiores francesas.*

préparer [pʀepaʀe] *vt* preparar. ◆ **se préparer** *vp* preparar-se ; **se préparer à faire qqch** preparar-se para fazer algo.

préposition [pʀepozisjɔ̃] *nf* preposição *f*.

préretraite [pʀeʀətʀɛt] *nf* aposentadoria *f* antecipada.

prérogative [pʀeʀɔgativ] *nf* prerrogativa *f*.

près [pʀɛ] *adv* : **de près** de perto ; **tout près** aqui perto ; **près de** perto de ; [presque] cerca de.

présage [pʀezaʒ] *nm* presságio *m*.

présager [pʀezaʒe] *vt* pressagiar.

presbytère [pʀɛsbitɛʀ] *nm* presbitério *m*, residência *f* paroquial.

prescription [pʀɛskʀipsjɔ̃] *nf* DR prescrição *f* ; MÉD receita *f*.

prescrire [pʀɛskʀiʀ] *vt* receitar.

prescrit, e [pʀɛskʀi, it] *pp* ► **prescrire.**

préséance [pʀeseɑ̃s] *nf* precedência *f*.

préselectionner [pʀeselɛksjɔne] *vt* pré-selecionar.

présence [pʀezɑ̃s] *nf* presença *f* ; **en présence de** na presença de.

présent, e [pʀezɑ̃, ɑ̃t] ◇ *adj* presente. ◇ *nm* presente *m* ; **à présent (que)** agora (que).

présentable [pʀezɑ̃tabl] *adj* apresentável.

présentateur, **trice** [pʀezɑ̃tatœʀ, tʀis] *nm, f* apresentador *m*, -ra *f*.

présentation [pʀezɑ̃tasjɔ̃] *nf* apresentação *f*. ◆ **présentations** *nfpl* : **faire les présentations** fazer as apresentações.

présenter [pʀezɑ̃te] *vt* apresentar ; **présenter qqn à qqn** apresentar alguém a alguém. ◆ **se présenter** *vp* apresentar-se ; [occasion, difficulté] surgir ; **se présenter bien/mal** apresentar-se bem/mal.

présentoir [pʀezɑ̃twaʀ] *nm* expositor *m*.

préservatif [pʀezɛʀvatif] *nm* preservativo *m*.

préserver [pʀezɛʀve] *vt* preservar ; **préserver qqn/qqch de** preservar alguém/algo de.

président, **e** [pʀezidɑ̃, ɑ̃t] *nm, f* presidente *mf* ; **le président de la République** o presidente da República.

présidentiel, **elle** [pʀezidɑ̃sjɛl] *adj* presidencial.

présider [pʀezide] *vt* presidir a.

présomption *nf* : **présomption d'innocence** DR presunção *f* de inocência.

presque [pʀɛsk] *adv* quase ; **il n'y a presque pas de neige** não há quase neve nenhuma.

presqu'île [pʀɛskil] *nf* península.

pressant, **e** [pʀɛsɑ̃, ɑ̃t] *adj* urgente.

presse [pʀɛs] *nf* [journaux] imprensa *f* ; **presse à sensation** imprensa sensacionalista.

pressé, **e** [pʀese] *adj* [voyageur] apressado(da) ; [urgent] urgente ; [citron, orange] espremido(da) ; **être pressé de faire qqch** estar com pressa de fazer algo.

presse-citron [pʀɛssitʀɔ̃] *nm inv* espremedor *m*.

pressentiment [pʀesɑ̃timɑ̃] *nm* pressentimento *m*.

pressentir [pʀesɑ̃tiʀ] *vt* [une chose] pressentir ; [une personne] sondar.

presse-papiers [pʀɛspapje] *nm inv* peso *m* para papéis.

presse-purée [pʀɛspyʀe] *nm inv* espremedor *m* de batata.

presser [pʀese] ◇ *vt* [fruit] espremer ; [bouton] apertar ; [faire se dépêcher] apressar. ◇ *vi* : **le temps presse** o tempo urge ; **rien ne presse** não há pressa. ◆ **se presser** *vp* apressar-se.

pressing [pʀesiŋ] *nm* lavanderia *f*.

pression [pʀɛsjɔ̃] *nf* pressão *f* ; [bouton] botão *m* de pressão ; **(bière) pression** chope *m*.

pressurisé, **e** [pʀesyʀize] *adj* pressurizado(da).

prestataire [pʀɛstatɛʀ] *nmf* : **prestataire (de service)** prestador *m* de serviços.

prestidigitateur, **trice** [pʀɛstidiʒitatœʀ, tʀis] *nm, f* mágico *m*, -ca *f*.

prestige [pʀɛstiʒ] *nm* prestígio *m*.

prestigieux, **euse** [pʀɛstiʒjø, øz] *adj* [magnifique] prodigioso(osa) ; [réputé] prestigioso(osa).

présumé, **e** [pʀezyme] *adj* presumível ;... **ou présumé tel**... ou presumido como tal ; **être présumé coupable/innocent** ser presumido culpado/inocente.

présumer [pʀezyme] ◇ *vt* presumir. ◇ *vi* : **présumer de qqch** sobreestimar algo ; **présumer que** presumir que.

prêt, **e** [pʀɛ, pʀɛt] ◇ *adj* pronto(ta). ◇ *nm* empréstimo *m* ; **prêt bancaire** empréstimo bancário ; **être prêt à faire qqch** estar pronto a fazer algo.

prêt-à-porter [pʀɛtapɔʀte] *nm* prêt-à-porter *m inv*.

prétendre [pʀetɑ̃dʀ] *vt*: **prétendre que** afirmar que ; **il prétend qu'il est le meilleur** ele se julga o melhor.

prétentieux, **euse** [pʀetɑ̃sjø, øz] *adj* pretensioso(osa).

prétention [pʀetɑ̃sjɔ̃] *nf* pretensão *f*.

prêter [pʀete] *vt* emprestar ; **prêter qqch à qqn** emprestar algo a alguém ; **prêter attention à** prestar atenção a.

prétérit [pʀeteʀit] *nm* pretérito *m*.

prétexte [pʀetɛkst] *nm* pretexto *m* ; **sous prétexte que** com o pretexto de.

prétexter [pʀetɛkste] *vt* dar como pretexto.

prétimbré, **e** [pretɛ̃bre] *adj* previamente selado.

prêtre [pʀɛtʀ] *nm* padre *m*.

preuve [pʀœv] *nf* prova *f* ; **faire preuve de** dar provas de ; **faire ses preuves** [méthode] dar provas de eficácia ; [employé] dar provas de eficiência.

prévaloir [pʀevalwaʀ] *vi sout* prevalecer.

prévenir [pʀevniʀ] *vt* prevenir.

préventif, **ive** [pʀevɑ̃tif, iv] *adj* preventivo(va).

prévention [pʀevɑ̃sjɔ̃] *nf* prevenção *f* ; **prévention routière** prevenção rodoviária.

prévenu, **e** [pʀevny] *pp* ► **prévenir**.

prévisible [pʀevizibl] *adj* previsível.

prévision [pʀevizjɔ̃] *nf* previsão *f* ; **en prévision de** prevendo que ; **prévisions météo(rologiques)** previsões meteorológicas.

prévoir [pʀevwaʀ] *vt* prever ; **comme prévu** como previsto.

prévoyant, **e** [pʀevwajɑ̃, ɑ̃t] *adj* precavido(da).

prévu, **e** [pʀevy] *pp* ► **prévoir**.

prier [pʀije] *vt* & *vi* rezar ; **prier qqn de faire qqch** pedir a alguém para fazer algo ; **les passagers sont priés d'attacher leurs ceintures** pede-se aos passageiros que apertem os cintos ; **suivez-moi, je vous prie** siga-me, por favor ; **je peux fumer ? – je vous en prie!** posso fumar? – por favor! ; **merci – je vous en prie** obrigado – de nada.

prière [pʀijɛʀ] *nf* oração *f* ; **'prière de ne pas fumer'** 'favor não fumar'.

primaire [pʀimɛʀ] *adj* primário(ria).

prime [pʀim] *nf* [d'assurance] prêmio *m* ; [de salaire] gratificação *f* ; **en prime** [avec un achat] de brinde.

primer [pʀime] ◇ *vi* ser mais importante. ◇ *vt* [être supérieur à] ser mais importante do que ; [récompenser] premiar ; **primer sur** ser mais importante do que.

primeurs [pʀimœʀ] *nfpl frutos ou legumes temporões*.

primevère [pʀimvɛʀ] *nf* primavera *f*.

primitif, **ive** [pʀimitif, iv] *adj* primitivo(va).

primordial, **e**, **aux** [pʀimɔʀdjal, o] *adj* primordial.

prince [pʀɛ̃s] *nm* príncipe *m*.

princesse [pʀɛ̃sɛs] *nf* princesa *f*.

principal, **e**, **aux** [pʀɛ̃sipal, o] ◇ *adj* principal. ◇ *nm* director *m (de um colégio)* ; **le principal** [l'essentiel] o principal.

principalement [pʀɛ̃sipalmɑ̃] *adv* principalmente.

principe [pʀɛ̃sip] *nm* [règle de conduite] princípio *m* ; **en principe** em princípio.

printanier, **ère** [pʀɛ̃tanje, ɛʀ] *adj* primaveril.

prion [prijɔ̃] *nm* BIOL & MÉD príon *m*.

printemps [pʀɛ̃tɑ̃] *nm* primavera *f*.

priori ► **a priori**.

prioritaire [pʀijɔʀitɛʀ] *adj* prioritário(ria).

priorité [pʀijɔʀite] *nf* prioridade *f* ; **priorité à droite** prioridade à direita ; **laisser la priorité** ceder a prioridade ; **'vous n'avez pas la priorité'** deve ceder a prioridade.

pris, **e** [pʀi, iz] *pp* ► **prendre**.

prise [pʀiz] *nf* [à la pêche] presa *f* ; [point d'appui] apoio *m* ; **prise (de courant)** [dans le mur] tomada *f* ; [fiche] ficha *f* ; **prise multiple** tomada múltipla ; **prise de sang** análise *f* de sangue ; **se faire faire une prise de sang** ir tirar sangue.

prisé, **e** [pʀize] *adj* apreciado(da).

prison [pʀizɔ̃] *nf* prisão *f* ; **en prison** na prisão.

prisonnier, **ère** [pʀizɔnje, ɛʀ] *nm, f* prisioneiro *m*, -ra *f*.

privation [pʀivasjɔ̃] *nf* privação *f*. ◆ **privations** *nfpl* privações *fpl*.

privatisation [pʀivatizasjɔ̃] *nf* privatização *f*.

privatiser [pʀivatize] *vt* privatizar.

privé, **e** [pʀive] *adj* privado(da) ; **en privé** em privado.

priver [pʀive] *vt* : **priver qqn de qqch** privar alguém de algo. ◆ **se priver** *vp* privar-se ; **se priver de qqch** privar-se de algo.

privilège [pʀivilɛʒ] *nm* privilégio *m*.

privilégié, **e** [pʀivileʒje] *adj* privilegiado(da) ; [matériellement] abastado(da).

prix [pʀi] *nm* [d'un produit] preço *m* ; [récompense] prêmio *m* ; **à tout prix** custe o que custar.

probabilité [pʀɔbabilite] *nf* probabilidade *f*.

probable [pʀɔbabl] *adj* provável.

probablement [pʀɔbabləmɑ̃] *adv* provavelmente.

problème [pʀɔblɛm] *nm* problema *m*.

procédé [pʀɔsede] *nm* [méthode] procedimento *m* ; [de fabrication] processo *m*.

procéder [pʀɔsede] *vi* proceder ; **procéder à** proceder a ; **procéder de** *sout* proceder de ; **procédons par ordre** vamos por ordem.

procédure [pʀɔsedyʀ] *nf* procedimento *m*.

procès [pʀɔsɛ] *nm* processo *m*.

processeur [pʀɔsesœʀ] *nm* processador *m*.

procession [pʀɔsesjɔ̃] *nf* procissão *f* ; **en procession** em procissão.

processus [pʀɔsesys] *nm* processo *m*.

procès-verbal [pʀɔsɛvɛʀbal] (*pl* -aux [o]) *nm* [contravention] multa *f* ; [acte officiel] ata *f*.

prochain, **e** [pʀɔʃɛ̃, ɛn] *adj* próximo(ma) ; **la semaine prochaine** na semana que vem.

prochainement [pʀɔʃɛnmɑ̃] *adv* brevemente.

proche [pʀɔʃ] *adj* : **être proche** [dans le temps] estar próximo(ma) ; [dans l'espace] estar perto ; **être proche de** [lieu, but] estar perto de ; [personne, ami] ser chegado(da) de ; **le Proche-Orient** o Oriente Próximo.

Proche-Orient [pʀɔʃɔʀjɑ̃] *nm* : **le Proche-Orient** o Oriente Próximo.

proclamer [pʀɔklame] *vt* proclamar.

procuration [pʀɔkyʀasjɔ̃] *nf* procuração *f*.

procréation [pʀɔkʀeasjɔ̃] *nf* procriação *f* ; **procréation médicalement assistée** reprodução assistida.

procurer [pʀɔkyʀe] ◆ **se procurer** *vp* obter.

procureur [pʀɔkyʀœʀ] *nm* procurador *m*, -a *f* ; **procureur général** magistrado *m* do Ministério Público ; **procureur de la République** procurador *m* da República.

prodige [pRɔdiʒ] *nm* prodígio *m* ; **un prodige de la technique** um prodígio da tecnologia.

prodigieux, **euse** [pRɔdiʒjø, øz] *adj* prodigioso(osa).

prodiguer [pRɔdige] *vt* [donner] não poupar ; *sout* [gaspiller] esbanjar ; **prodiguer qqch à qqn** dar algo a alguém.

producteur, **trice** [pRɔdyktœR, tRis] *nm, f* produtor *m*, -ra *f*.

productif, **ive** [pRɔdyktif, iv] *adj* produtivo(va).

production [pRɔdyksjɔ̃] *nf* [de marchandises] produção *f*.

productivité [pRɔdyktivite] *nf* produtividade *f*.

produire [pRɔdɥiR] *vt* produzir. ◆ **se produire** *vp* ocorrer.

produit, **e** [pRɔdɥi, it] ◇ *pp* ► **produire**. ◇ *nm* produto *m* ; **produits de beauté** produtos de beleza ; **produits laitiers** laticínios *mpl*.

proéminent, **e** [pRɔeminɑ̃, ɑ̃t] *adj* proeminente.

prof [pRɔf] *nmf fam* professor *m*, -ra *f*.

profane [pRɔfan] *adj* & *nmf* [non religieux] profano(na) ; [novice] leigo(ga).

profaner [pRɔfane] *vt* profanar.

proférer [pRɔfeRe] *vt* proferir.

professeur [pRɔfɛsœR] *nm* professor *m*, -ra *f* ; **professeur d'anglais/de piano** professor de inglês/de piano.

profession [pRɔfɛsjɔ̃] *nf* profissão *f* ; **profession libérale** profissão liberal.

professionnel, **elle** [pRɔfɛsjɔnɛl] *adj* & *nm, f* profissional.

profil [pRɔfil] *nm* perfil *m* ; **de profil** de perfil ; **profil utilisateur** INFORM perfil do usuário.

profit [pRɔfi] *nm* [avantage] proveito *m* ; [d'une entreprise] lucro *m* ; **tirer profit de qqch** tirar proveito de algo.

profitable [pRɔfitabl] *adj* proveitoso(osa) ; **être profitable à qqn** ser proveitoso para alguém.

profiter [pRɔfite] *vi* [jouir de] : **profiter de qqch** aproveitar algo ; [abuser de] : **profiter de qqn** aproveitar-se de alguém ; [tirer parti de] : **profiter de qqch pour faire qqch** aproveitar algo para fazer algo ; [servir] : **profiter à qqn** ser útil a alguém ; **en profiter** aproveitar ; **il en a profité pour le lui dire** aproveitou para dizer-lhe.

profiterole [pRɔfitRɔl] *nf* profiterole *m*, *carolina recheada com sorvete de baunilha e recoberta com calda de chocolate quente*.

profond, **e** [pRɔfɔ̃, ɔ̃d] *adj* profundo(da).

profondément [pRɔfɔ̃demɑ̃] *adv* profundamente.

profondeur [pRɔfɔ̃dœR] *nf* profundidade *f* ; **à 10 mètres de profondeur** a 10 metros de profundidade.

profusion [pRɔfyzjɔ̃] *nf* [abondance] : **une profusion de** uma profusão de ; **à profusion** com abundância.

programmable [pRɔgRamabl] *adj* programável.

programmateur [pRɔgRamatœR] *nm* programador *m*.

programme [pRɔgRam] *nm* programa *m*.

programmer [pRɔgRame] *vt* programar.

programmeur, **euse** [pRɔgRamœR, øz] *nm, f* programador *m*, -ra *f*.

progrès [pRɔgRɛ] *nm* progresso *m* ; **en progrès** em andamento ; **faire des progrès** fazer progressos.

progresser [pRɔgRese] *vi* progredir.

progressif, **ive** [pʀɔgʀesif, iv] *adj* progressivo(va).

progression [pʀɔgʀesjɔ̃] *nf* [essor] aumento *m* ; [avancée] progressão *f* ; [développement] propagação *f*.

progressivement [pʀɔgʀesivmɑ̃] *adv* progressivamente.

prohiber [pʀɔibe] *vt sout* proibir.

proie [pʀwa] *nf* presa *f*.

projecteur [pʀɔʒɛktœʀ] *nm* projetor *m*.

projectile [pʀɔʒɛktil] *nm* projétil *m*.

projection [pʀɔʒɛksjɔ̃] *nf* [de films, de diapositives] projeção *f*.

projectionniste [pʀɔʒɛksjɔnist] *nmf* projecionista *mf*.

projet [pʀɔʒɛ] *nm* projeto *m*.

projeter [pʀɔʒte] *vt* projetar ; **projeter de faire qqch** planejar fazer algo.

proliférer [pʀɔlifeʀe] *vi* proliferar.

prologue [pʀɔlɔg] *nm* prólogo *m*.

prolongation [pʀɔlɔ̃gasjɔ̃] *nf* prolongamento *m*. ◆ **prolongations** *nfpl* prolongamentos *mpl*.

prolongement [pʀɔlɔ̃ʒmɑ̃] *nm* prolongamento *m* ; **dans le prolongement de** no prolongamento de.

prolonger [pʀɔlɔ̃ʒe] *vt* prolongar. ◆ **se prolonger** *vp* prolongar-se.

promenade [pʀɔmnad] *nf* passeio *m* ; **faire une promenade** dar um passeio.

promener [pʀɔmne] *vt* passear. ◆ **se promener** *vp* passear.

promesse [pʀɔmɛs] *nf* promessa *f*.

prometteur, **euse** [pʀɔmɛtœʀ, øz] *adj* prometedor(ra).

promettre [pʀɔmɛtʀ] *vt* : **promettre qqch à qqn** prometer algo a alguém ; **il lui a promis d'aller le voir** ele prometeu de ir visitá-lo ; **c'est promis!** está prometido! ; **ça promet!** *fam* isto promete!

promis, **e** [pʀɔmi, iz] *pp* ➤ **promettre**.

promiscuité [pʀɔmiskɥite] *nf* promiscuidade *f*.

promoteur, **trice** [pʀɔmɔtœʀ, tʀis] *nm, f* [constructeur] imobiliária *f* ; [novateur] promotor *m*, -ra *f*.

promotion [pʀɔmɔsjɔ̃] *nf* promoção *f* ; **en promotion** em promoção.

promouvoir [pʀɔmuvwaʀ] *vt* promover.

prompt, **e** [pʀɔ̃, pʀɔ̃t] *adj* rápido(da) ; **prompt à faire qqch** pronto para fazer algo.

promulguer [pʀɔmylge] *vt* promulgar.

prôner [pʀone] *vt sout* preconizar.

pronom [pʀɔnɔ̃] *nm* pronome *m*.

pronominal, **e**, **aux** [pʀɔnɔminal, o] *adj* pronominal.

prononcer [pʀɔnɔ̃se] *vt* pronunciar. ◆ **se prononcer** [un médecin, un jury, une cour] pronunciar, pronunciar-se.

prononciation [pʀɔnɔ̃sjasjɔ̃] *nf* pronunciação *f*.

pronostic [pʀɔnɔstik] *nm* prognóstico *m*.

propagande [pʀɔpagɑ̃d] *nf* propaganda *f*.

propager [pʀɔpaʒe] *vt* propagar. ◆ **se propager** *vp* propagar-se.

prophète, **prophétesse** [pʀɔfɛt, pʀɔfetɛs] *nm, f* [d'un culte] profeta *m*, -tisa *f* ; *fig* [médium] adivinho *m*, -nha *f*.

prophétie [pʀɔfesi] *nf* profecia *f*.

propice [pʀɔpis] *adj* propício(cia).

proportion [pʀɔpɔʀsjɔ̃] *nf* proporção *f*.

proportionnel, elle [pʀɔpɔʀsjɔnɛl] *adj* : **proportionnel à** proporcional a.

propos [pʀɔpo] ◇ *nmpl* palavras *fpl*. ◇ *nm* : **à propos, ...** a propósito, ... ; **à propos de** com relação a.

proposer [pʀɔpoze] *vt* propor ; **proposer à qqn de faire qqch** propor a alguém fazer algo.

proposition [pʀɔpozisjɔ̃] *nf* proposta *f*.

propre [pʀɔpʀ] *adj* próprio(pria) ; [linge, pièce] limpo(pa) ; **avec ma propre voiture** com o meu próprio carro.

proprement [pʀɔpʀəmɑ̃] *adv* decentemente ; **à proprement parler** a bem dizer.

propreté [pʀɔpʀəte] *nf* limpeza *f*.

propriétaire [pʀɔpʀijetɛʀ] *nmf* [d'un chien, d'une voiture] dono *m*, -na *f* ; [d'une maison] proprietário *m*, -ria *f*.

propriété [pʀɔpʀijete] *nf* propriedade *f* ; **'propriété privée'** 'propriedade privada'.

propulser [pʀɔpylse] *vt* [moteur] propulsar ; [fusée, personne] lançar. ◆ **se propulser** *vp* [avancer] propulsionar-se ; *fig* [atteindre] saltar.

prorata [pʀɔʀata] ◆ **au prorata de** *loc prép* na proporção de.

prose [pʀoz] *nf* prosa *f*.

prospecter [pʀɔspɛkte] *vt* [région, sol] prospectar ; [clientèle] arranjar.

prospectus [pʀɔspɛktys] *nm* prospecto *m*.

prospère [pʀɔspɛʀ] *adj* próspero(ra).

prospérité [pʀɔsperite] *nf* prosperidade *f*.

prostate [pʀɔstat] *nf* próstata *f*.

prosterner [pʀɔstɛʀne] ◆ **se prosterner** *vp* prostrar-se ; **se prosterner devant qqn/qqch** prostrar-se perante alguém/algo.

prostituée [pʀɔstitɥe] *nf* prostituta *f*.

prostituer [pʀɔstitɥe] ◆ **se prostituer** *vp* prostituir-se.

prostitution [pʀɔstitysjɔ̃] *nf* prostituição *f*.

protagoniste [pʀɔtagɔnist] *nmf* protagonista *mf*.

protection [pʀɔtɛksjɔ̃] *nf* proteção *f*.

protectionnisme [pʀɔtɛksjɔnism] *nm* protecionismo *m*.

protège-cahier [pʀɔtɛʒkaje] (*pl* **protège-cahiers**) *nm* capa *f (para cadernos)*.

protège-poignets [pʀɔtɛʒpwanjɛ] *nm inv* protetor *m* de pulso, suporte *m* de pulso.

protéger [pʀɔteʒe] *vt* proteger ; **protéger qqn de** OU **contre qqch** proteger alguém de OU contra algo. ◆ **se protéger de** *vp + prép* proteger-se de.

protéine [pʀɔtein] *nf* proteína *f*.

protestant, e [pʀɔtɛstɑ̃, ɑ̃t] *adj* & *nm, f* protestante.

protestation [pʀɔtɛstasjɔ̃] *nf* protesto *m*.

protester [pʀɔtɛste] *vi* protestar.

prothèse [pʀɔtɛz] *nf* prótese *f*.

protide [pʀɔtid] *nm* protídeo *m*.

protocole [pʀɔtɔkɔl] *nm* protocolo *m*.

prototype [pʀɔtɔtip] *nm* protótipo *m*.

prouesse [pʀuɛs] *nf* proeza *f*.

prouver [pʀuve] *vt* provar.

provenance [pʀɔvnɑ̃s] *nf* proveniência *f* ; **en provenance de** procedente de.

provençal, e, aux [pʀɔvɑ̃sal, o] *adj* provençal.

Provence [pʀɔvɑ̃s] *nf* : **la Provence** a Provença ; **herbes de Provence** ervas da Provença.

provenir [pʀɔvniʀ] ◆ **provenir de** *vp + prép* provir de.

proverbe [pʀɔvɛʀb] *nm* provérbio *m*.

providence [pʀɔvidɑ̃s] *nf* providência *f*. ◆ **Providence** *nf* Providência *f*.

province [pʀɔvɛ̃s] *nf* província *f* ; **la province** [hors Paris] a província.

provincial, **e**, **aux** [pʀɔvɛ̃sjal, o] ◇ *adj* provinciano(na). ◇ *nm* : **le provincial** *Québec o governo de uma província.*

proviseur [pʀɔvizœʀ] *nm* presidente *mf* do conselho diretivo.

provisions [pʀɔvizjɔ̃] *nfpl* provisões *fpl* ; [achats] compras *fpl*.

provisoire [pʀɔvizwaʀ] *adj* provisório(ria).

provocant, **e** [pʀɔvɔkɑ̃, ɑ̃t] *adj* provocante.

provocation [pʀɔvɔkasjɔ̃] *nf* provocação *f*.

provoquer [pʀɔvɔke] *vt* provocar.

proxénète [pʀɔksenɛt] *nmf* proxeneta *mf*.

proximité [pʀɔksimite] *nf* : **à proximité (de)** nas proximidades (de). ◆ **de proximité** *loc adj* das proximidades.

prudemment [pʀydamɑ̃] *adv* com prudência.

prudence [pʀydɑ̃s] *nf* prudência *f* ; **avec prudence** com prudência.

prudent, **e** [pʀydɑ̃, ɑ̃t] *adj* prudente.

prune [pʀyn] *nf* ameixa *f*.

pruneau [pʀyno] (*pl* -x) *nm* ameixa *f* seca.

prunier [pʀynje] *nm* ameixeira *f* ; **secouer qqn comme un prunier** *fig* sacudir alguém violentamente.

PS *nm* (*abr de* **post-scriptum, parti socialiste**) PS *m*.

pseudonyme [psødɔnim] *nm* pseudônimo *m*.

psychanalyse [psikanaliz] *nf* psicanálise *f*.

psychanalyste [psikanalist] *nmf* psicanalista *mf*.

psychiatre [psikjatʀ] *nmf* psiquiatra *mf*.

psychique [psiʃik] *adj* psíquico(ca).

psychologie [psikɔlɔʒi] *nf* psicologia *f*.

psychologique [psikɔlɔʒik] *adj* psicológico(ca).

psychologue [psikɔlɔg] *nmf* psicólogo *m*, -ga *f*.

psychose [psikoz] *nf* psicose *f*.

psychosomatique [psikɔsɔmatik] *adj* psicossomático(ca).

psychothérapie [psikɔteʀapi] *nf* psicoterapia *f*.

PTT *nfpl antiga designação dos Correios franceses.*

pu [py] *pp* ► **pouvoir**.

puanteur [pɥɑ̃tœʀ] *nf* fedor *m*.

pub[1] [pœb] *nm* pub *m*.

pub[2] [pyb] *nf fam* publicidade *f*.

puberté [pybɛʀte] *nf* puberdade *f*.

pubis [pybis] *nm* púbis *f*.

public, **ique** [pyblik] ◇ *adj* público(ca). ◇ *nm* público *m*, platéia *f* ; **en public** em público.

publication [pyblikasjɔ̃] *nf* publicação *f*.

publicitaire [pyblisitɛʀ] *adj* publicitário(ria).

publicité [pyblisite] *nf* publicidade *f*.

publier [pyblije] *vt* publicar.

puce [pys] *nf* [insecte] pulga *f* ; INFORM chip *m*.

puceau [pyso] (*pl* -x) *fam nm* rapaz *m* virgem.

pucelle [pysɛl] *fam nf* donzela *f*.

pudding [pudiŋ] = **pouding**.

pudeur [pydœʀ] *nf* pudor *m*.

pudique [pydik] *adj* pudico(ca).

puer [pɥe] ◇ *vi* feder. ◇ *vt* exalar.

puéricultrice [pɥeʀikyltʀis] *nf* puericultora *f*.

puéril, **e** [pɥeʀil] *adj* pueril.

puis [pɥi] *adv* depois.

puiser [pɥize] *vt* [de l'eau] tirar ; **puiser dans** [emprunter] tirar de ; [se servir] pegar.

puisque [pɥiskə] *conj* já que.

puissance [pɥisɑ̃s] *nf* potência *f* ; [pouvoir] poder *m*.

puissant, **e** [pɥisɑ̃, ɑ̃t] *adj* [influent] poderoso(osa) ; [fort] potente.

puisse *etc.* ► **pouvoir**.

puits [pɥi] *nm* [à eau] poço *m*.

pull(-over) [pyl(over)] (*pl* **pull(-over)s**) *nm* pulôver *m*.

pulmonaire [pylmɔnɛʀ] *adj* pulmonar.

pulpe [pylp] *nf* polpa *f*.

pulsation [pylsasjɔ̃] *nf* pulsação *f*.

pulsion [pylsjɔ̃] *nf* impulso *m*.

pulvérisateur [pylveʀizatœʀ] *nm* pulverizador *m*.

pulvériser [pylveʀize] *vt* pulverizar.

puma [pyma] *nm* puma *m*.

punaise [pynɛz] *nf* [insecte] percevejo *m* ; [clou] percevejo *m*.

punch[1] [pɔ̃ʃ] *nm* [boisson] ponche *m*.

punch[2] [pœnʃ] *nm fam* [énergie] velocidade *f*.

punching-ball [pœnʃiŋbol] (*pl* **punching-balls**) *nm bola de couro usada para treino de pugilista*.

punir [pyniʀ] *vt* [coupable, crime] punir ; [élève, enfant] castigar.

punition [pynisjɔ̃] *nf* castigo *m*.

pupille [pypij] *nf* pupila *f*.

pupitre [pypitʀ] *nm* [bureau] carteira *f* ; [à musique] estante *f (de música)*.

pur, **e** [pyʀ] *adj* puro(ra).

purée [pyʀe] *nf* purê *m* ; **purée (de pommes de terre)** purê (de batata).

purement [pyʀmɑ̃] *adv* puramente ; **purement et simplement** pura e simplesmente.

pureté [pyʀte] *nf* pureza *f*.

purgatoire [pyʀgatwaʀ] *nm* RELIG purgatório *m* ; *fig* [châtiment] inferno *m*.

purger [pyʀʒe] *vt* purgar ; [radiateur, tuyau] esvaziar.

purifier [pyʀifje] *vt* purificar.

puritain, **e** [pyʀitɛ̃, ɛn] *adj & nm, f* puritano(na).

pur-sang [pyʀsɑ̃] *nm inv* puro-sangue *m inv*.

pus [py] *nm* pus *m*.

putain [pytɛ̃] *nf vulg* [prostituée] puta *f* ; **putain d'ordinateur, il ne marche pas!** *fig* esta droga de computador não funciona! ; **putain de porte, elle n'ouvre pas!** *fig* esta droga de porta não abre! ; **putain!** foda-se!

putsch [putʃ] *nm* golpe *m* de Estado.

puzzle [pœzl] *nm* quebra-cabeça *m*.

PV *nm* (*abr de* **procès-verbal**) multa *f*.

PVC *nm* PVC *m*.

Pygmée [pigme] *nmf* pigmeu *m*, -méia *f*.

pyjama [piʒama] *nm* pijama *m*.

pylône [pilon] *nm* poste *m*.

pyramide [piʀamid] *nf* pirâmide *f*.
◆ **Pyramide du Louvre** *npr f* Pirâmide do Louvre.

Pyrénées [piʀene] *nfpl* : **les Pyrénées** os Pireneus.

Pyrex® [piʀɛks] *nm* pírex® *m*.

pyromane [piʀɔman] *nmf* pirômano *m*, -na *f*.

python [pitɔ̃] *nm* píton *m*.

Q

QCM (*abr de* **questionnaire à choix multiple**) *nm* teste *m* de múltipla escolha.

QG (*abr de* **quartier général**) *nm* quartel-general *m*.

QI *nm* (*abr de* **quotient intellectuel**) Q.I. *m*.

quad [kwad] *nm* [moto] Moto4 *m*.

quadra *fam* [kwadʀa] *nmf* (*abr de* **quadragénaire**) quadragenário *m*, -a *f*.

quadragénaire [kwadʀaʒenɛʀ] *nmf* quadragenário *m*, -ria *f*.

quadrilatère [kwadʀilatɛʀ] *nm* quadrilátero *m*.

quadrillé, **e** [kadʀije] *adj* quadriculado(da).

quadriller [kadʀije] *vt* [du papier] quadricular ; [une ville] esquadrinhar.

quadrupède [k(w)adʀypɛd] *nm* quadrúpede *m*.

quadruple [k(w)adʀypl] *nm* : **le quadruple (de)** o quádruplo (de).

quadrupler [k(w)adʀyple] *vt* & *vi* quadruplicar.

quai [kɛ] *nm* cais *m inv*.

qualificatif, **ive** [kalifikatif, iv] *adj* qualificativo(va). ◆ **qualificatif** *nm* qualificativo *m*.

qualification [kalifikasjɔ̃] *nf* qualificação *f*.

qualifié, **e** [kalifje] *adj* qualificado(da).

qualifier [kalifje] *vt* : **qualifier qqn/qqch de** qualificar alguém/algo de. ◆ **se qualifier** *vp* qualificar-se.

qualité [kalite] *nf* qualidade *f* ; **de (bonne) qualité** de (boa) qualidade.

quand [kɑ̃] *conj* & *adv* quando ; **quand même** mesmo assim ; **quand même!** até que enfim! ; [exprime l'indignation] realmente! ; **je me demande quand il va arriver** gostaria de saber quando é que ele vai chegar.

quant [kɑ̃] ◆ **quant à** *prép* quanto a.

quantifier [kɑ̃tifje] *vt* quantificar.

quantité [kɑ̃tite] *nf* quantidade *f* ; **une quantité** OU **des quantités de** uma quantidade de.

quarantaine [kaʀɑ̃tɛn] *nf* quarentena *f* ; **une quarantaine (de)** cerca de quarenta ; **avoir la quarantaine** ter cerca de quarenta anos.

quarante [kaʀɑ̃t] *num* quarenta, ► **six**.

quarantième [kaʀɑ̃tjɛm] *num* quadragésimo(ma), ► **sixième**.

quart [kaʀ] *nm* quarto *m* ; **cinq heures et quart** cinco(horas) e quinze (minutos) ; **cinq heures moins le quart** quinze (minutos) para as cinco (horas) ; **un quart d'heure** quinze minutos.

quartier [kaʀtje] *nm* [portion] bocado *m* ; [d'une ville] bairro *m*.

quart-monde [kaʀmɔ̃d] *nm* quarto-mundo *m*.

quartz [kwaʀts] *nm* quartzo *m* ; **montre à quartz** relógio de quartzo.

quasiment [kazimɑ̃] *adv* quase.

quatorze [katɔʀz] *num* catorze, ► **six**.

quatorzième [katɔʀzjɛm] *num* décimo quarto(décima quarta), ► **sixième**.

quatrain [katʀɛ̃] *nm* quadra *f*.

quatre [katʀ] *num* quatro ; **monter les escaliers quatre à quatre** subir as escadas de quatro em quatro ; **à quatre pattes** de quatro, ► **six**.

quatre-quarts [katkaʀ] *nm inv* pão-de-ló *m*.

quatre-quatre [kat(rə)katʀ] *nm inv* veículo *m* com tração nas quatro rodas.

quatre-vingt [katʀəvɛ̃] = **quatre-vingts**.

quatre-vingt-dix [katʀəvɛ̃dis] *num* noventa, ► **six**.

quatre-vingt-dixième [katʀəvɛ̃dizjɛm] *num* nonagésimo(ma), ► **sixième**.

quatre-vingtième [katʀəvɛ̃tjɛm] *num* octogésimo(ma), ► **sixième**.

quatre-vingts [katʀəvɛ̃] *num* oitenta, ► **six**.

quatrième [katʀijɛm] ◇ *num* quarto(ta). ◇ *nf* SCOL ≃ sétima série *f* do ensino fundamental ; [vitesse] quarta *f*, ► **sixième**.

quatuor [kwatɥɔʀ] *nm* quarteto *m*.

que [kə] ◇ *conj* **1.** [gén] que ; **voulez-vous que je ferme la fenêtre ?** quer que eu feche a janela? ; **je sais que tu es là** eu sei que você está aí ; **que nous partions aujourd'hui ou demain...** que nós partamos hoje ou amanhã... - **2.** [dans une comparaison] ► **aussi, autant, même, moins, plus** - **3.** [remplace une autre conjonction] : **comme il pleut et que je n'ai pas de parapluie...** como está chovendo e eu não tenho guarda-chuva... - **4.** [exprime une restriction] : **ne... que** só ; **je n'ai qu'une sœur** só tenho uma irmã. ◇ *pron rel* que ; **la personne qu'ils voient là-bas** a pessoa que eles vêem lá ; **le train que nous prenons part dans 10 minutes** o trem que nós vamos pegar sai dentro de 10 minutos ; **les livres qu'il m'a prêtés** os livros que ele me emprestou. ◇ *pron interr* que ; **qu'a-t-il dit?, qu'est-ce qu'il a dit ?** o que disse ele?, o que é que ele disse? ; **qu'est-ce qui ne va pas ?** o que é que não está bem? ; **je ne sais plus que faire** já não sei o que fazer. ◇ *adv* [dans une exclamation] : **que c'est beau!, qu'est-ce que c'est beau!** que bonito!, como é bonito!

Québec [kebɛk] *nm* : **le Québec** o Quebec.

québécois, e [kebekwa, az] *adj* do Quebec. ◆ **Québécois, e** *nm, f* habitante *mf* do Quebec.

quel, quelle [kɛl] ◇ *adj* **1.** [interrogatif] qual ; **quel est ton vin préféré ?** qual é o seu vinho preferido? ; **quels amis comptez-vous aller voir ?** quais são os amigos que vocês pretendem visitar? ; **quelle est la vendeuse qui vous a conseillé ?** qual foi a vendedora que o atendeu? ; **quelle heure est-il ?** que horas são? - **2.** [exclamatif] que ; **quel beau temps !** que tempo ótimo! - **3.** [avec 'que'] : **tous les Français quels qu'ils soient** todos os franceses, quem quer que sejam ; **quel que soit le temps...** qualquer que seja o tempo... ◇ *pron interr* qual ; **quel est le plus intéressant des deux musées ?** qual dos dois museus é o mais interessante?

quelconque [kɛlkɔ̃k] *adj* : **si pour une raison quelconque, tu dois t'absenter...** se por uma razão qualquer você tiver que se ausentar... ; **une personne quelconque** uma pessoa qualquer.

quelque [kɛlk(ə)] *adj* **1.** [un peu de] algum(alguma) ; **dans quelque temps** dentro de algum tempo - **2.** [avec 'que'] qualquer ; **quelque route que je prenne** qualquer estrada que eu pegue. ◆ **quelques** *adj* **1.** [plusieurs] alguns(algumas) ; **j'ai quelques lettres à écrire** tenho algumas cartas para escrever ; **j'ai quelques vieux livres à donner** tenho alguns livros velhos para dar - **2.** [dans des expressions] : **50 euros et quelques** 50 e tantos euros ; **il est midi et quelques** é meio-dia e pouco.

quelque chose [kɛlkəʃoz] *pron* alguma coisa ; **il y a quelque chose de bizarre** há alguma coisa de esquisito.

quelquefois [kɛlkəfwa] *adv* às vezes.

quelque part [kɛlkəpaʀ] *adv* em algum lado.

quelques-uns, **quelques-unes** [kɛlkəzœ̃, kɛlkəzyn] *pron* alguns(algumas).

quelqu'un [kɛlkœ̃] *pron* alguém.

quémander [kemɑ̃de] *vt* pedinchar.

qu'en-dira-t-on [kɑ̃diʀatɔ̃] *nm inv* : **le qu'en-dira-t-on** o que as pessoas vão dizer.

quenelle [kənɛl] *nf bolinho cozido, geralmente de peixe.*

querelle [kəʀɛl] *nf* querela *f* ; **chercher querelle à qqn** provocar alguém.

quereller [kəʀele] ◆ **se quereller** *vp sout* discutir.

qu'est-ce que [kɛskə] ► **que**.

qu'est-ce qui [kɛski] ► **que**.

question [kɛstjɔ̃] *nf* [interrogation] pergunta *f* ; [sujet] questão *f* ; **l'affaire en question** o assunto em questão ; **il est question de qqch** trata-se de algo ; **il est question de faire qqch** trata-se de fazer algo ; **(il n'en est) pas question!** nem pensar! ; **remettre qqch en question** pôr algo em questão.

questionnaire [kɛstjɔnɛʀ] *nm* questionário *m*.

questionner [kɛstjɔne] *vt* questionar.

quête [kɛt] *nf* [d'argent] coleta *f* ; **faire la quête** fazer a coleta.

quêter [kete] *vi* arrecadar.

quetsche [kwɛtʃ] *nf* ameixa-preta *f*.

queue [kø] *nf* [d'un animal, avion] cauda *f* ; [d'un train, d'un peloton] parte *f* traseira ; [file d'attente] fila *f* ; **faire la queue** fazer fila ; **à la queue leu leu** em fila indiana ; **faire une queue de poisson à qqn** atravessar na frente do carro de alguém.

queue-de-cheval [kødʃəval] (*pl* **queues-de-cheval**) *nf* rabo-de-cavalo *m*.

qui [ki] ◇ *pron rel* **1.** [sujet] que ; **les passagers qui doivent changer d'avion** os passageiros que devem mudar de avião ; **la route qui mène à Calais** a estrada que leva a Calais - **2.** [complément d'objet direct, indirect] quem ; **tu vois qui je veux dire** você percebe a quem me refiro ; **invite qui tu veux** convide quem você quiser ; **la personne à qui j'ai parlé** a pessoa com quem falei - **3.** [quiconque] : **qui que ce soit** quem quer que seja - **4.** [dans des expressions] : **qui plus est,...** ainda por cima... ◇ *pron interr* quem ; **qui êtes-vous ?** quem são vocês? ; **je voudrais savoir qui viendra** gostaria de saber quem virá ; **qui demandez-vous?, qui est-ce que vous demandez ?** com quem deseja falar?, com quem é que deseja falar? ; **dites-moi qui vous demandez** diga-me com quem deseja falar ; **à qui dois-je m'adresser ?** a quem devo me dirigir?

quiche [kiʃ] *nf* : **quiche (lorraine)** *torta à base de queijo, creme de leite e pedaços de toucinho defumado.*

quiconque [kikɔ̃k] *pron* quem quer que seja que.

quiétude [kjetyd] *nf sout* quietude *f*.

quignon [kiɲɔ̃] *nm fam* naco *m*.

quille [kij] *nf* [de jeu] pino *m* de boliche ; [d'un bateau] quilha *f*.

quincaillerie [kɛ̃kajʀi] *nf* [boutique] loja *f* de ferragens.

quinine [kinin] *nf* quinino *m*.

quinquagénaire [kɛ̃kaʒenɛʀ] *nmf* qüinquagenário *m*, -ria *f*.

quinquennal, **e**, **aux** [kɛ̃kenal, o] *adj* qüinqüenal.

quinquennat [kɛ̃kena, o] *nm* mandato *m* presidencial para cinco anos, mandato *m* qüinqüenal.

quintal [kɛ̃tal] (*pl* -aux [o]) *nm* quintal *m (medida)*.

quinte [kɛ̃t] *nf* : **quinte de toux** ataque *m* de tosse.

quintuple [kɛ̃typl] *nm* : **le quintuple (de)** o quíntuplo (de).

quinzaine [kɛ̃zɛn] *nf* [deux semaines] quinzena *f* ; **une quinzaine (de)** uma quinzena (de).

quinze [kɛ̃z] *num* quinze, ► **six**.

quinzième [kɛ̃zjɛm] *num* décimo quinto(décima quinta), ► **sixième**.

quiproquo [kipʀɔko] *nm* qüiproquó *m*.

quittance [kitɑ̃s] *nf* recibo *m*.

quitte [kit] *adj* : **nous sommes quitte** estamos quites ; **quitte à y aller à pied** nem que tenhamos que ir lá a pé.

quitter [kite] *vt* **1.** deixar ; **ne quittez pas** [au téléphone] não desligue - **2.** INFORM sair. ◆ **se quitter** *vp* despedir-se ; [pour toujours] separar-se.

qui-vive [kiviv] *nm inv* : **être sur le qui-vive** estar de sobreaviso.

quoi [kwa] ◇ *pron interr* **1.** [employé seul] : **c'est quoi ?** *fam* o que é? ; **quoi de neuf ?** quais são as novidades? ; **quoi ?** *fam* o quê? - **2.** [complément d'objet direct] que ; **je ne sais pas quoi dire** não sei (o) que dizer - **3.** [après une préposition] : **de quoi avez-vous besoin ?** do que é que vocês precisam? ; **à quoi penses-tu ?** você está pensando em quê? ; **à quoi bon ?** para quê? ; **sur quoi est-ce que je peux écrire ?** onde posso escrever? - **4.** *fam* [exclamatif] : **allez, quoi!** vamos lá! - **5.** [dans des expressions] : **tu viens ou quoi ?** *fam* você vem ou não? ; **si tu as besoin de quoi que ce soit, fais-moi signe** se precisar do que quer que seja, avise-me ; **j'irai quoi qu'il dise** eu irei, independentemente do que ele diga ; **quoi qu'il en soit, ...** seja como for, ... ◇ *pron rel* [après une préposition] : **sans quoi** senão ; **ce à quoi je pense** é aquilo o que eu penso ; **avoir de quoi manger/vivre** ter de que comer/viver ; **avez-vous de quoi écrire ?** vocês têm do que escrever? ; **merci – il n'y a pas de quoi** obrigado – não há de quê.

quoique [kwakə] *conj* embora.

quota [k(w)ɔta] *nm* cota *f*.

quotidien, enne [kɔtidjɛ̃, ɛn] ◇ *adj* cotidiano(na). ◇ *nm* [journal] diário *m*.

quotient [kɔsjɑ̃] *nm* quociente *m* ; **quotient intellectuel** quociente de inteligência.

R

rabâcher [ʀabaʃe] *vt fam* repisar.

rabais [ʀabɛ] *nm* desconto *m*.

rabaisser [ʀabɛse] *vt* rebaixar.

rabat [ʀaba] *nm* [de poche] pala *f* ; [d'enveloppe] dobra *f*.

rabat-joie [ʀabajwa] *nm inv* desmancha-prazeres *mf inv*.

rabattre [ʀabatʀ] *vt* [replier] dobrar ; [gibier] levantar. ◆ **se rabattre** *vp* [automobiliste] encostar ; **se rabattre sur** conformar-se com.

rabbin [ʀabɛ̃] *nm* rabino *m*.

rabot [ʀabo] *nm* plaina *f*.

raboter [ʀabɔte] *vt* aplainar.

rabougri, e [ʀabugʀi] *adj* enfezado(da).

raccommoder [ʀakɔmɔde] *vt* remendar.

raccompagner [ʀakɔ̃paɲe] *vt* acompanhar.

raccord [ʀakɔʀ] *nm* ligação *f*.

raccordement [ʀakɔʀdəmɑ̃] *nm* ligação *f*.

raccorder [ʀakɔʀde] *vt* ligar ; **raccorder qqch à qqch** ligar algo a algo. ◆ **se raccorder** *vp* : **se raccorder par qqch** ter ligação através de algo ; **se raccorder à qqch** ter ligação com algo.

raccourci [ʀakuʀsi] *nm* atalho *m* ; **raccourci clavier** INFORM atalhos de teclado.

raccourcir [ʀakuʀsiʀ] ◇ *vt* encurtar. ◇ *vi* diminuir.

raccrocher [ʀakʀɔʃe] ◇ *vt* pendurar outra vez. ◇ *vi* [au téléphone] desligar.

race [ʀas] *nf* raça *f* ; **de race** de raça.

rachat [ʀaʃa] *nm* [transaction] compra *f* ; RELIG redenção *f*.

racheter [ʀaʃte] *vt* recomprar ; **racheter qqch à qqn** recomprar algo de alguém.

rachitique [ʀaʃitik] *adj* raquítico(ca).

racial, e, aux [ʀasjal, o] *adj* racial.

racine [ʀasin] *nf* **1.** raiz *f* ; **racine carrée** raiz quadrada - **2.** INFORM nó *m*, raiz *f*.

racisme [ʀasism] *nm* racismo *m*.

raciste [ʀasist] *adj* racista.

racket [ʀakɛt] *nm* extorsão *f*.

raclée [ʀakle] *nf fam* surra *f*.

racler [ʀakle] *vt* raspar. ◆ **se racler** *vp* : **se racler la gorge** limpar a garganta.

raclette [ʀaklɛt] *nf prato suíço à base de queijo fundido e batatas*.

racoler [ʀakɔle] *vt péj* [attirer] atrair ; [suj: prostituée] pegar.

racoleur, euse [ʀakɔlœʀ, øz] *adj péj* aliciador(ra).

racontars [ʀakɔ̃taʀ] *nmpl fam* mexericos *mpl*.

raconter [ʀakɔ̃te] *vt* contar ; **raconter qqch à qqn** contar algo a alguém ; **raconter à qqn que** [décrire] contar a alguém que ; *péj* [prétendre] andar por aí dizendo que.

radar [ʀadaʀ] *nm* radar *m*.

radeau [ʀado] (*pl* -x) *nm* jangada *f*.

radiateur [ʀadjatœʀ] *nm* [de chauffage] aquecedor *m* ; [d'automobile] radiador *m*.

radiations [ʀadjasjɔ̃] *nfpl* radiações *fpl*.

radical, e, aux [ʀadikal, o] ◇ *adj* radical. ◇ *nm* radical *m*.

radicaliser [ʀadikalize] *vt* radicalizar. ◆ **se radicaliser** *vp* radicalizar-se.

radier [ʀadje] *vt* [d'une liste] riscar ; [d'une profession] expulsar.

radieux, euse [ʀadjø, øz] *adj* [soleil] radioso(osa) ; [sourire] radiante.

radin, e [ʀadɛ̃, in] *adj fam* unha-de-fome.

radio [ʀadjo] *nf* rádio *m* ; MÉD radiografia *f* ; **à la radio** na rádio ; **radio locale/privée/libre** rádio local/privada/pirata.

radioactif, ive [ʀadjɔaktif, iv] *adj* radioativo(va).

radioactivité [ʀadjɔaktivite] *nf* radioatividade *f*.

radiocassette [ʀadjɔkasɛt] *nf* rádio *m*.

radiodiffuser [ʀadjɔdifyze] *vt* radiodifundir.

radiographie [ʀadjɔgʀafi] *nf* radiografia *f*.

radiologue [ʀadjɔlɔg] *nmf* radiologista *mf*.

radio-réveil [ʀadjɔʀevɛj] (*pl* **radios-réveils**) *nm* rádio *m* despertador.

radiotélévisé, e [ʀadjɔtelevize] *adj transmitido ao mesmo tempo pelo rádio e pela televisão.*

radis [ʀadi] *nm* rabanete *m.*

radium [ʀadjɔm] *nm* rádio *m (metal).*

radius [ʀadjys] *nm* rádio *m (osso).*

radoter [ʀadɔte] *vi* disparatar.

radoucir [ʀadusiʀ] ◆ **se radoucir** *vp* suavizar-se.

rafale [ʀafal] *nf* rajada *f.*

raffermir [ʀafɛʀmiʀ] *vt* fortalecer.

raffinage [ʀafinaʒ] *nm* refinação *f.*

raffiné, e [ʀafine] *adj* [personne, manières] requintado(da) ; [sucre, pétrole] refinado(da).

raffinement [ʀafinmɑ̃] *nm* requinte *m.*

raffiner [ʀafine] *vt* refinar.

raffinerie [ʀafinʀi] *nf* refinaria *f.*

raffoler [ʀafɔle] ◆ **raffoler de** *vp + prép* ser doido(da) por.

raffut [ʀafy] *nm fam* barulheira *f* ; **faire du raffut** *fig* armar uma confusão.

rafistoler [ʀafistɔle] *vt fam* consertar.

rafle [ʀafl] *nf fam* [vol] roubo *m* ; [de police] batida *f* policial.

rafler [ʀafle] *vt fam* [emporter] açambarcar.

rafraîchir [ʀafʀɛʃiʀ] *vt* [atmosphère, boisson] refrescar ; [vêtement, coiffure] retocar. ◆ **se rafraîchir** *vp* [boire] refrescar-se ; [temps] esfriar.

rafraîchissant, e [ʀafʀɛʃisɑ̃, ɑ̃t] *adj* refrescante.

rafraîchissement [ʀafʀɛʃismɑ̃] *nm* refresco *m.*

rage [ʀaʒ] *nf* raiva *f* ; **rage de dents** forte dor *m* de dentes.

rager [ʀaʒe] *vi fam* ficar com raiva.

ragots [ʀago] *nmpl fam* fofocas *fpl.*

ragoût [ʀagu] *nm* guisado *m.*

raid [ʀɛd] *nm* incursão *f* militar ; **raid aérien** incursão aérea.

raide [ʀɛd] ◇ *adj* [corde, cheveux] liso(sa) ; [personne, démarche] rígido(da) ; [pente] íngreme. ◇ *adv* : **tomber raide mort** cair morto.

raidir [ʀɛdiʀ] *vt* endurecer. ◆ **se raidir** *vp* ficar rígido(da).

raie [ʀɛ] *nf* risca *f* ; [poisson] raia *f.*

raillerie [ʀajʀi] *nf sout* escárnio *m.*

rails [ʀaj] *nmpl* trilhos *mpl.*

rainure [ʀɛnyʀ] *nf* ranhura *f.*

raisin [ʀɛzɛ̃] *nm* uva *f* ; **raisins secs** passas *fpl.*

raison [ʀɛzɔ̃] *nf* razão *f* ; **à raison de** na proporção de ; **avoir raison (de faire qqch)** ter razão (em fazer algo) ; **en raison de** por causa de.

raisonnable [ʀɛzɔnabl] *adj* razoável.

raisonnement [ʀɛzɔnmɑ̃] *nm* raciocínio *m.*

raisonner [ʀɛzɔne] ◇ *vi* raciocinar. ◇ *vt* chamar à razão.

rajeunir [ʀaʒœniʀ] ◇ *vi* rejuvenescer. ◇ *vt* : **rajeunir qqn** rejuvenescer alguém.

rajouter [ʀaʒute] *vt* acrescentar.

râle [ʀal] *nm* estertor *m.*

ralenti [ʀalɑ̃ti] *nm* [d'un moteur] marcha *f* lenta ; [au cinéma] câmera *f* lenta ; **au ralenti** [fonctionner] a uma velocidade reduzida ; [passer une scène] em câmera lenta.

ralentir [ʀalɑ̃tiʀ] ◇ *vt* [mouvement] abrandar ; [véhicule] reduzir a marcha. ◇ *vi* ir mais devagar.

ralentissement [ʀalɑ̃tismɑ̃] *nm* [freinage] redução *f* ; [embouteillage] congestionamento *m* ; [diminution] diminuição *f.*

râler [ʀale] *vi fam* mandar vir.

râleur, euse [ʀalœʀ, øz] *nm, f fam* resmungão *m*, -gona *f.*

rallier [ʀalje] *vt* [rassembler, convaincre] reunir ; [rejoindre] voltar para. ◆ **se rallier** *vp* reunir-se ; **se rallier à** aderir a.

rallonge [ʀalɔ̃ʒ] *nf* [de table] tábua *f* ; [électrique] extensão *f*.

rallonger [ʀalɔ̃ʒe] ◇ *vt* [vêtement] descer a bainha de ; [parcours, voyage] prolongar. ◇ *vi* [jours] aumentar.

rallumer [ʀalyme] *vt* reacender.

rallye [ʀali] *nm* rali *m*.

RAM [ʀam] *nf inv* RAM *f*.

ramadan [ʀamadɑ̃] *nm* ramadã *m*.

ramassage [ʀamasaʒ] *nm* : **ramassage scolaire** transporte *m* escolar.

ramasser [ʀamase] *vt* apanhar.

rambarde [ʀɑ̃baʀd] *nf* grades *fpl*.

rame [ʀam] *nf* remo *m* ; **une rame (de métro)** um metro.

rameau [ʀamo] (*pl* -x) *nm* ramo *m*. ◆ **Rameaux** *nmpl* : **les Rameaux** Domingo *m* de Ramos.

ramener [ʀamne] *vt* [raccompagner] levar ; [souvenir, pain] trazer ; [amener de nouveau] trazer de volta ; **ramener à** [baisser] reduzir a.

ramequin [ʀamkɛ̃] *nm* [récipient] *pequeno recipiente de barro utilizado para cozinhar no forno* ; CULIN *espécie de suflê de queijo*.

ramer [ʀame] *vi* remar.

ramification [ʀamifikasjɔ̃] *nf* ramificação *f*.

ramollir [ʀamɔliʀ] *vt* amolecer. ◆ **se ramollir** *vp* amolecer.

ramoner [ʀamɔne] *vt* limpar.

ramoneur [ʀamɔnœʀ] *nm* limpa-chaminés *m inv*.

rampe [ʀɑ̃p] *nf* [d'escalier] corrimão *m* ; [d'accès] rampa *f*.

ramper [ʀɑ̃pe] *vi* rastejar.

rampon [ʀɑ̃pɔ̃] *nm Suisse* erva-benta *f*.

rance [ʀɑ̃s] *adj* rançoso(osa).

ranch [ʀɑ̃tʃ] (*pl* **ranchs** OU **ranches**) *nm* rancho *m (casa de campo)*.

rancir [ʀɑ̃siʀ] *vi* ficar rançoso(osa).

rancœur [ʀɑ̃kœʀ] *nf* rancor *m*.

rançon [ʀɑ̃sɔ̃] *nf* resgate *m*.

rancune [ʀɑ̃kyn] *nf* rancor *m* ; **sans rancune!** sem ressentimentos!

rancunier, **ère** [ʀɑ̃kynje, ɛʀ] *adj* rancoroso(osa).

rando [ʀɑ̃dɔ] *fam nf* (*abr de* **randonnée**) passeio *m*.

randonnée [ʀɑ̃dɔne] *nf* passeio *m* ; **faire de la randonnée (pédestre)** passear (a pé).

randonneur, **euse** [ʀɑ̃dɔnœʀ, øz] *nm, f* caminhante *mf*.

rang [ʀɑ̃] *nm* [rangée] fila *f* ; [place] posição *f* ; **se mettre en rangs** pôr-se em fila.

rangé, **e** [ʀɑ̃ʒe] *adj* arrumado(da).

rangée [ʀɑ̃ʒe] *nf* fila *f*.

rangement [ʀɑ̃ʒmɑ̃] *nm* [placard] arrumação *f* ; **faire du rangement** fazer uma arrumação.

ranger [ʀɑ̃ʒe] *vt* arrumar. ◆ **se ranger** *vp* [en voiture] encostar.

ranimer [ʀanime] *vt* [blessé] reanimar ; [feu] atiçar.

rap [ʀap] *nm* rap *m*.

rapace [ʀapas] *nm* ave *f* de rapina.

rapatrier [ʀapatʀije] *vt* repatriar.

râpe [ʀap] *nf* ralador *m* ; [plate] raspador *m* ; *Suisse fam* unha-de-fome *mf*.

râpé, **e** [ʀape] *adj* CULIN ralado(da) ; [usagé] gasto(da) ; *fam* [raté] : **c'est râpé!** já era!

râper [ʀape] *vt* [fromage] ralar ; [carottes] raspar.

rapetisser [ʀaptise] *vi* minguar.

râpeux, euse [ʀapø, øz] *adj* [rugueux] áspero(ra) ; [vin] carrascão(ã).

raphia [ʀafja] *nm* ráfia *f*.

rapide [ʀapid] *adj* rápido(da).

rapidement [ʀapidmɑ̃] *adv* rapidamente.

rapidité [ʀapidite] *nf* rapidez *f*.

rapiécer [ʀapjese] *vt* remendar.

rappel [ʀapɛl] *nm* aviso *m* ; **'rappel'** 'atenção'.

rappeler [ʀaple] *vt* [faire revenir] chamar de volta ; [au téléphone] telefonar mais tarde ; **rappeler qqch à qqn** [redire] relembrar algo a alguém ; [évoquer] lembrar algo a alguém. ◆ **se rappeler** *vp* lembrar-se.

rapport [ʀapɔʀ] *nm* [compte-rendu] relatório *m* ; [point commun] ligação *f* ; **par rapport à** em relação a. ◆ **rapports** *nmpl* relações *fpl*.

rapporter [ʀapɔʀte] ◇ *vt* trazer ; [rendre] devolver ; [argent] render. ◇ *vi* [être avantageux] dar lucro ; [répéter] contar. ◆ **se rapporter à** *vp + prép* referir-se a.

rapprochement [ʀapʀɔʃmɑ̃] *nm* [contact, réconciliation] aproximação *f* ; [comparaison] ligação *f* ; **faire le rapprochement** fazer a ligação.

rapprocher [ʀapʀɔʃe] *vt* aproximar. ◆ **se rapprocher** *vp* aproximar-se ; **se rapprocher de** aproximar-se de.

rapt [ʀapt] *nm* rapto *m*.

raquette [ʀakɛt] *nf* [de tennis, de ping-pong] raquete *f* ; [pour la neige] raquete *f* de neve.

rare [ʀaʀ] *adj* raro(ra).

raréfier [ʀaʀefje] *vt* rarefazer. ◆ **se raréfier** *vp* rarefazer-se.

rarement [ʀaʀmɑ̃] *adv* raramente.

ras, e [ʀa, ʀaz] ◇ *adj* [très court] curtinho(nha) ; [verre, cuillère] raso(sa). ◇ *adv* : **(à) ras** rente ; **au ras de** rente a ; **à ras bord** até em cima ; **en avoir ras le bol** *fam* estar pelas tampas.

rasade [ʀazad] *nf* copo *m* cheio.

raser [ʀaze] *vt* [barbe, personne] fazer a barba a ; [cheveux] raspar ; [frôler] roçar. ◆ **se raser** *vp* barbear-se.

ras-le-bol [ʀalbɔl] *nm inv fam* **en avoir ras-le-bol!** estar pelas tampas!

rasoir [ʀazwaʀ] *nm* gilete *f* ; **rasoir électrique** máquina *f* de barbear.

rassasié, e [ʀasazje] *adj* saciado(da).

rassasier [ʀasazje] *vt* saciar.

rassemblement [ʀasɑ̃bləmɑ̃] *nm* ajuntamento *m* ; MIL toque *m* de reunir.

rassembler [ʀasɑ̃ble] *vt* juntar. ◆ **se rassembler** *vp* juntar-se.

rasseoir [ʀaswaʀ] ◆ **se rasseoir** *vp* tornar a sentar-se.

rasséréner [ʀaseʀene] *vt sout* sossegar.

rassis, e [ʀasi, iz] ◇ *pp* ► **rasseoir**. ◇ *adj* duro(ra).

rassurant, e [ʀasyʀɑ̃, ɑ̃t] *adj* tranqüilizante.

rassurer [ʀasyʀe] *vt* tranqüilizar.

rat [ʀa] *nm* ratazana *f*.

ratatiné, e [ʀatatine] *adj* [pomme] murcho(cha) ; [personne] abatido(da).

ratatouille [ʀatatuj] *nf refogado de berinjelas, abobrinhas, tomates e cebolas em azeite de oliva, típico da Provença.*

rate [ʀat] *nf* baço *m*.

râteau [ʀato] (*pl* -x) *nm* ancinho *m*.

rater [ʀate] ◇ *vt* [cible] falhar ; [examen] reprovar em ; [train] perder. ◇ *vi* fracassar.

ratifier [ʀatifje] *vt* ratificar.

ration [ʀasjɔ̃] *nf* ração *f*.

rationaliser [ʀasjɔnalize] *vt* racionalizar.

rationnel, **elle** [ʀasjɔnɛl] *adj* racional.

rationnement [ʀasjɔnmɑ̃] *nm* racionamento *m*.

rationner [ʀasjɔne] *vt* racionar.

ratisser [ʀatise] *vt* limpar com o ancinho.

RATP *nf companhia de transportes parisienses.*

rattacher [ʀataʃe] *vt* : **rattacher qqch à** [attacher] voltar a prender algo a ; [relier] ligar algo a ; **rattacher ses lacets** amarrar o cadarço.

ratte [rat] *nf* BOT & CULIN batata nova.

rattrapage [ʀatʀapaʒ] *nm* recuperação *f*.

rattraper [ʀatʀape] *vt* apanhar ; [retard] recuperar. ◆ **se rattraper** *vp* [se retenir] agarrar-se ; [d'une erreur] corrigir-se ; [sur le temps perdu] recuperar.

rature [ʀatyʀ] *nf* rasura *f*.

rauque [ʀok] *adj* rouco(ca).

ravager [ʀavaʒe] *vt* arrasar.

ravages [ʀavaʒ] *nmpl* : **faire des ravages** fazer estragos.

ravalement [ʀavalmɑ̃] *nm* restauração *f*.

ravaler [ʀavale] *vt* [façade] restaurar.

ravi, **e** [ʀavi] *adj* encantado(da).

ravigoter [ʀavigɔte] *vt fam* revigorar.

ravin [ʀavɛ̃] *nm* ravina *f*.

ravioli(s) [ʀavjɔli] *nmpl* raviolis *mpl*.

ravir [ʀaviʀ] *vt* [charmer] encantar ; *sout* [arracher] : **ravir qqch à qqn** arrebatar algo a alguém ; **être ravi de qqch/de faire qqch** estar encantado com algo /por fazer algo ; **je suis ravi qu'il vienne** estou encantado com o fato de ele vir ; **à ravir** às mil maravilhas.

raviser [ʀavize] ◆ **se raviser** *vp* mudar de idéia.

ravissant, **e** [ʀavisɑ̃, ɑ̃t] *adj* encantador(ra).

ravisseur, **euse** [ʀavisœʀ, øz] *nm, f* raptor *m*, -ra *f*.

ravitaillement [ʀavitajmɑ̃] *nm* [action] abastecimento *m* ; [provisions] provisões *fpl*.

ravitailler [ʀavitaje] *vt* abastecer ; **se ravitailler** abastecer-se.

raviver [ʀavive] *vt* reavivar.

rayé, **e** [ʀɛje] *adj* [tissu] listrado(da) ; [disque, verre] riscado(da).

rayer [ʀɛje] *vt* riscar.

rayon [ʀɛjɔ̃] *nm* raio *m* ; [de grand magasin] seção *f* ; **rayons X** raios X.

rayonnage [ʀɛjɔnaʒ] *nm* prateleiras *fpl*.

rayonnant, **e** [ʀɛjɔnɑ̃, ɑ̃t] *adj* radiante ; **rayonnant de** radiante de.

rayonnement [ʀɛjɔnmɑ̃] *nm* [gén] radiação *f* ; *fig* [éclat] esplendor *m* ; *fig* [bonheur] irradiação *f*.

rayonner [ʀɛjɔne] *vi* irradiar ; **rayonner autour de** deslocar-se nos arredores de.

rayure [ʀɛjyʀ] *nf* [sur un tissu] listra *f* ; [sur un disque, du verre] risco *m* ; **à rayures** de listras.

raz(-)de(-)marée [ʀadmaʀe] *nm inv* maremoto *m*.

razzia [ʀazja] *nf* ataque *m* ; **faire une razzia sur qqch** *fam* fazer um ataque em algo.

réacheminer [reaʃmine] *vt* encaminhar.

réacteur [ʀeaktœʀ] *nm* reator *m*.

réaction [ʀeaksjɔ̃] *nf* reação *f*.

réactionnaire [ʀeaksjɔnɛʀ] *adj* & *nmf péj* reacionário(ria).

réactualiser [ʀeaktɥalize] *vt* reatualizar.

réadapter [readapte] *vt* readaptar. ◆ **se réadapter** *vp* : **se réadapter à qqch** readaptar-se a algo.

réaffirmer [reafirme] *vt* reafirmar.

réagir [reaʒir] *vi* reagir.

réalisable [realizabl] *adj* realizável.

réalisateur, trice [realizatœr, tris] *nm, f* realizador *m*, -ra *f*.

réaliser [realize] *vt* realizar ; [comprendre] dar-se conta de. ◆ **se réaliser** *vp* realizar-se.

réaliste [realist] *adj* realista.

réalité [realite] *nf* realidade *f* ; **en réalité** na realidade ; **réalité virtuelle** realidade virtual.

réanimation [reanimasjɔ̃] *nf* reanimação *f*.

réanimer [reanime] *vt* reanimar.

rébarbatif, ive [rebarbatif, iv] *adj* rebarbativo(va).

rebelle [rəbɛl] *adj* & *nmf* rebelde ; **être rebelle à** ser rebelde a.

rebeller [rəbɛle] ◆ **se rebeller** *vp* rebelar-se.

rébellion [rebɛljɔ̃] *nf* [collective] rebelião *f* ; [individuelle] rebeldia *f*.

reboiser [rəbwaze] *vt* rearborizar.

rebondir [rəbɔ̃dir] *vi* saltar.

rebondissement [rəbɔ̃dismɑ̃] *nm* novo acontecimento *m*.

rebord [rəbɔr] *nm* parapeito *m*.

reboucher [rəbuʃe] *vt* tapar de novo.

rebours [rəbur] ◆ **à rebours** *loc adv* [brosser, caresser] a contrapelo ; *fig* [faire, comprendre] ao contrário.

rebrousse-poil [rəbruspwal] ◆ **à rebrousse-poil** *adv* [caresser] em sentido contrário.

rebrousser [rəbruse] *vt* : **rebrousser chemin** voltar atrás.

rébus [rebys] *nm* rébus *m*.

récalcitrant, e [rekalsitrɑ̃, ɑ̃t] *adj* recalcitrante.

recaler [rəkale] *vt fam* chumbar.

récapituler [rekapityle] *vt* recapitular.

recel [rəsɛl] *nm* receptação *f*.

receleur, euse [rəsəlœr, øz] *nm, f* receptador *m*, -ra *f*.

récemment [resamɑ̃] *adv* recentemente.

recensement [rəsɑ̃smɑ̃] *nm* censo *m*.

recenser [rəsɑ̃se] *vt* recensear.

récent, e [resɑ̃, ɑ̃t] *adj* recente.

récépissé [resepise] *nm* recibo *m*.

récepteur [resɛptœr] *nm* receptor *m*.

réception [resɛpsjɔ̃] *nf* recepção *f*.

réceptionner [resɛpsjɔne] *vt* receber.

réceptionniste [resɛpsjɔnist] *nmf* recepcionista *mf*.

récession [resesjɔ̃] *nf* recessão *f*.

recette [rəsɛt] *nf* receita *f*.

receveur [rəsəvœr] *nm* cobrador *m* ; **receveur des postes** chefe *m* de agência dos correios.

recevoir [rəsəvwar] *vt* receber ; [balle, coup] levar ; [candidat] aprovar.

rechange [rəʃɑ̃ʒ] ◆ **de rechange** *adj* [vêtement, solution] de reserva ; [pneu] sobressalente.

réchapper [reʃape] *vi* : **réchapper de** escapar de ; **en réchapper** escapar desta.

recharge [rəʃarʒ] *nf* recarga *f*.

rechargeable [rəʃarʒabl] *adj* recarregável.

recharger [rəʃarʒe] *vt* recarregar.

réchaud [reʃo] *nm* fogão *m* ; **réchaud à gaz** fogão a gás.

réchauffement [reʃofmɑ̃] *nm* sobreaquecimento *m* ; **réchauffement de la planète** aquecimento global do planeta.

réchauffer [reʃofe] *vt* aquecer. ◆ **se réchauffer** *vp* aquecer ; **se réchauffer les mains** aquecer as mãos.

rêche [rɛʃ] *adj* áspero(ra).

recherche [rəʃɛrʃ] *nf* pesquisa *f* ; **faire des recherches** pesquisar ; **être à la recherche de** andar à procura de.

rechercher [rəʃɛrʃe] *vt* procurar.

rechute [rəʃyt] *nf* recaída *f*.

rechuter [rəʃyte] *vi* ter uma recaída.

récidiver [residive] *vi* reincidir.

récif [resif] *nm* recife *m*, arrecife *m*.

récipient [resipjɑ̃] *nm* recipiente *m*.

réciproque [resiprɔk] *adj* recíproco(ca).

réciproquement [resiprɔkmɑ̃] *adv* reciprocamente ; **et réciproquement** e vice-versa.

récit [resi] *nm* narração *f* ; [genre] narrativa *f*.

récital [resital] *nm* recital *m*.

récitation [resitasjɔ̃] *nf* declamação *f*.

réciter [resite] *vt* recitar.

réclamation [reklamasjɔ̃] *nf* reclamação *f*.

réclame [reklam] *nf* anúncio *m* ; **en réclame** em promoção.

réclamer [reklame] *vt* reclamar.

réclusion [reklyzjɔ̃] *nf* reclusão *f* ; **réclusion à perpétuité** prisão perpétua.

recoiffer [rəkwafe] ◆ **se recoiffer** *vp* voltar a pentear-se.

recoiffer [rəkwafe] *vt* tornar a pentear. ◆ **se recoiffer** *vp* pentear-se outra vez.

recoin [rəkwɛ̃] *nm* recanto *m*.

recoller [rəkɔle] *vt* colar.

récolte [rekɔlt] *nf* colheita *f*.

récolter [rekɔlte] *vt* [fruits] colher ; [céréales] apanhar.

recommandation [rəkɔmɑ̃dasjɔ̃] *nf* recomendação *f*.

recommandé, e [rəkɔmɑ̃de] ◇ *adj* registrado(da). ◇ *nm* : **envoyer qqch en recommandé** mandar algo registrado.

recommander [rəkɔmɑ̃de] *vt* recomendar. ◆ **se recommander** *vp Suisse* insistir.

recommencer [rəkɔmɑ̃se] ◇ *vt* recomeçar. ◇ *vi* recomeçar ; **recommencer à faire qqch** voltar a fazer algo.

récompense [rekɔ̃pɑ̃s] *nf* recompensa *f*.

récompenser [rekɔ̃pɑ̃se] *vt* recompensar.

réconciliation [rekɔ̃siljasjɔ̃] *nf* reconciliação *f*.

réconcilier [rekɔ̃silje] *vt* reconciliar. ◆ **se réconcilier** *vp* reconciliar-se.

reconduire [rəkɔ̃dɥir] *vt* acompanhar.

reconduit, e [rəkɔ̃dɥi, it] *pp* ► **reconduire**.

réconfort [rekɔ̃fɔr] *nm* reconforto *m* ; **chercher réconfort dans** procurar consolação em.

réconfortant, e [rekɔ̃fɔrtɑ̃, ɑ̃t] *adj* reconfortante.

réconforter [rekɔ̃fɔrte] *vt* reconfortar.

reconnaissance [rəkɔnɛsɑ̃s] *nf* reconhecimento *m*.

reconnaissant, e [rəkɔnɛsɑ̃, ɑ̃t] *adj* grato(ta).

reconnaître [rəkɔnɛtr] *vt* reconhecer.

reconnu, e [rəkɔny] *pp* ► **reconnaître**.

reconquête [rəkɔ̃kɛt] *nf* reconquista *f*.

reconsidérer [rəkɔ̃sidere] *vt* reconsiderar.

reconstituer [ʀəkɔ̃stitɥe] *vt* reconstituir.

reconstruire [ʀəkɔ̃stʀɥiʀ] *vt* reconstruir.

reconstruit, **e** [ʀəkɔ̃stʀɥi, it] *pp* ► reconstruire.

reconversion [ʀəkɔ̃vɛʀsjɔ̃] *nf* reconversão *f*.

reconvertir [ʀəkɔ̃vɛʀtiʀ] ◆ **se reconvertir** *vp* mudar de ramo.

recopier [ʀəkɔpje] *vt* tornar a copiar.

record [ʀəkɔʀ] *nm* recorde *m*.

recoucher [ʀəkuʃe] ◆ **se recoucher** *vp* tornar a deitar-se.

recoudre [ʀəkudʀ] *vt* tornar a costurar ; [bouton] pregar.

recoupement [ʀəkupmɑ̃] *nm* verificação *f* ; **par recoupement** por reconstituição.

recourbé, **e** [ʀekuʀbe] *adj* encurvado(da).

recourir [ʀəkuʀiʀ] *vi* : **recourir à qqn/qqch** recorrer a alguém/algo.

recours [ʀəkuʀ] *nm* : **avoir recours à** recorrer a.

recouvert, **e** [ʀəkuvɛʀ, ɛʀt] *pp* ► recouvrir.

recouvrir [ʀəkuvʀiʀ] *vt* cobrir ; **recouvrir qqch de** cobrir algo com.

recracher [ʀəkʀaʃe] *vt* cuspir.

récréation [ʀekʀeasjɔ̃] *nf* recreio *m*.

récrimination [ʀekʀiminasjɔ̃] *nf* recriminação *f*.

recroqueviller [ʀəkʀɔkvije] ◆ **se recroqueviller** *vp* [personne] encolher-se ; [feuille] encarquilhar-se.

recrudescence [ʀəkʀydesɑ̃s] *nf* recrudescência *f*.

recrutement [ʀəkʀytmɑ̃] *nm* recrutamento *m*.

recruter [ʀəkʀyte] *vt* recrutar.

rectangle [ʀɛktɑ̃gl] *nm* retângulo *m*.

rectangulaire [ʀɛktɑ̃gylɛʀ] *adj* retangular.

rectifier [ʀɛktifje] *vt* retificar.

rectiligne [ʀɛktiliɲ] *adj* retilíneo (nea).

recto [ʀɛkto] *nm* reto *m* ; **recto verso** dos dois lados.

rectorat [ʀɛktɔʀa] *nm* reitoria *f*.

rectum [ʀɛktɔm] *nm* reto *m*.

reçu, **e** [ʀəsy] ◇ *pp* ► **recevoir**. ◇ *nm* recibo *m*.

recueil [ʀəkœj] *nm* coletânea *f*.

recueillir [ʀəkœjiʀ] *vt* recolher. ◆ **se recueillir** *vp* meditar.

recul [ʀəkyl] *nm* coice *m (de arma)* ; **prendre du recul** tomar distância.

reculer [ʀəkyle] ◇ *vt* [dans l'espace] recuar ; [date] adiar. ◇ *vi* recuar.

reculons [ʀəkylɔ̃] ◆ **à reculons** *adv* para trás.

récupération [ʀekypeʀasjɔ̃] *nf* recuperação *f*.

récupérer [ʀekypeʀe] ◇ *vt* [reprendre] reaver ; [pour réutiliser] recuperar ; [heures, journées de travail] compensar. ◇ *vi* [sportif] recuperar.

récurer [ʀekyʀe] *vt* esfregar.

récuser [ʀekyze] *vt* DR recusar ; [refuser] rejeitar.

recyclage [ʀəsiklaʒ] *nm* reciclagem *f*.

recycler [ʀəsikle] *vt* [déchets] reciclar.

rédacteur, **trice** [ʀedaktœʀ, tʀis] *nm, f* redator *m*, -ra *f* ; **rédacteur en chef** redator-chefe *m*.

rédaction [ʀedaksjɔ̃] *nf* redação *f*.

redéfinir [ʀədefiniʀ] *vt* redefinir.

redemander [ʀədəmɑ̃de] *vt* tornar a pedir.

redémarrer [rədemare] *vt* INFORM reiniciar.

redescendre [ʀədesɑ̃dʀ] *vi* tornar a descer.

redevable [ʀədəvabl] *adj* : **être redevable de qqch à qqn** dever algo a alguém.

redevance [ʀədəvɑ̃s] *nf* taxa *f*.

rédhibitoire [ʀedibitwaʀ] *adj* [prix] proibitivo(va) ; [condition, obstacle] impeditivo(va).

rediffusion [ʀədifyzjɔ̃] *nf* [émission] reposição *f*.

rédiger [ʀediʒe] *vt* redigir.

redimensionner [radimɑ̃sjɔne] *vt* INFORM redimensionar.

redire [ʀədiʀ] *vt* tornar a dizer.

redistribuer [ʀədistʀibɥe] *vt* redistribuir.

redonner [ʀədɔne] *vt* : **redonner qqch à qqn** [rendre] devolver algo a alguém ; [donner à nouveau] voltar a dar algo a alguém.

redoublant, **e** [ʀədublɑ̃, ɑ̃t] *nm, f* repetente *mf*.

redoubler [ʀəduble] ◇ *vt* reprovar. ◇ *vi* SCOL reprovar ; [pluie] intensificar-se.

redoutable [ʀədutabl] *adj* temível.

redouter [ʀədute] *vt* temer.

redoux [ʀədu] *nm* aumento *m* de temperatura.

redressement [ʀədʀɛsmɑ̃] *nm* recuperação *f*.

redresser [ʀədʀɛse] ◇ *vt* [relever] levantar ; [remettre droit] endireitar. ◇ *vi* endireitar o carro. ◆ **se redresser** *vp* endireitar-se.

réduction [ʀedyksjɔ̃] *nf* redução *f* ; [sur un prix] abatimento *m*.

réduire [ʀedɥiʀ] *vt* **1.** [transformer] reduzir ; **réduire qqch en miettes** reduzir algo a migalhas ; **réduire qqch en poudre** reduzir algo a pó - **2.** INFORM [fenêtre] reduzir.

réduit, **e** [ʀedɥi, it] ◇ *pp* ► **réduire.** ◇ *adj* reduzido(da).

réécrire [ʀeekʀiʀ] *vt* reescrever.

rééducation [ʀeedykasjɔ̃] *nf* reeducação *f*.

réel, **elle** [ʀeɛl] *adj* real.

réellement [ʀeɛlmɑ̃] *adv* realmente.

rééquilibrer [ʀeekilibʀe] *vt* reequilibrar.

réévaluer [ʀeevalɥe] *vt* reavaliar.

réexaminer [ʀeɛgzamine] *vt* reexaminar.

réexpédier [ʀeɛkspedje] *vt* reexpedir.

refaire [ʀəfɛʀ] *vt* refazer.

refait, **e** [ʀəfɛ, ɛt] *pp* ► **refaire.**

réfectoire [ʀefɛktwaʀ] *nm* refeitório *m*.

référence [ʀefeʀɑ̃s] *nf* referência *f* ; **faire référence à** fazer referência a.

référendum [ʀefeʀɛ̃dɔm] *nm* referendo *m*.

référer [ʀefeʀe] *vi* : **en référer à qqn** consultar alguém. ◆ **se référer** *vp* : **se référer à qqn/qqch** [se rapporter à] referir-se a alguém/algo ; [recourir à] recorrer a alguém/algo.

refermer [ʀəfɛʀme] *vt* fechar. ◆ **se refermer** *vp* fechar-se.

réfléchi, **e** [ʀefleʃi] *adj* reflexivo(va).

réfléchir [ʀefleʃiʀ] *vt* & *vi* refletir. ◆ **se réfléchir** *vp* refletir-se.

reflet [ʀəflɛ] *nm* reflexo *m*.

refléter [ʀəflete] *vt* refletir. ◆ **se refléter** *vp* refletir-se.

réflexe [ʀeflɛks] *nm* reflexo *m*.

réflexion [ʀeflɛksjɔ̃] *nf* [pensée] reflexão *f* ; [remarque] observação *f* ; [critique] reparo *m*.

refluer [ʀəflye] *vi* **1.** [liquide] refluir - **2.** [foule] retroceder.

reflux [ʀəfly] *nm* refluxo *m*.

réforme [ʀefɔʀm] *nf* reforma *f (modificação)*.

réformé, **e** [ʀefɔʀme] *nm* : **les réformés ne font pas leur service** os que são dispensados não vão à tropa.

réformer [ʀefɔʀme] *vt* [transformer] reformar ; MIL dispensar.

refoulé, **e** [ʀəfule] *adj* recalcado(da).

refouler [ʀəfule] *vt* [foule] fazer recuar ; [sentiment] recalcar ; [larmes] conter.

réfractaire [ʀefʀaktɛʀ] *adj* refratário(ria) ; **être réfractaire à** ser resistente a.

refrain [ʀəfʀɛ̃] *nm* refrão *m*.

refréner [ʀəfʀene] *vt* refrear. ◆ **se refréner** *vp* refrear-se.

réfrigérateur [ʀefʀiʒeʀatœʀ] *nm* frigorífico *m*.

refroidir [ʀəfʀwadiʀ] ◇ *vt* [aliment] arrefecer ; [décourager] desanimar. ◇ *vi* arrefecer. ◆ **se refroidir** *vp* arrefecer.

refroidissement [ʀəfʀwadismɑ̃] *nm* [de la température] arrefecimento *m* ; [rhume] resfriado *m*.

refuge [ʀəfyʒ] *nm* refúgio *m*.

réfugié, **e** [ʀefyʒje] *nm, f* refugiado *m*, -da *f*.

réfugier [ʀefyʒje] ◆ **se réfugier** *vp* refugiar-se.

refus [ʀəfy] *nm* recusa *f*.

refuser [ʀəfyze] *vt* recusar ; **refuser qqch à qqn** recusar algo a alguém ; **refuser de faire qqch** recusar-se a fazer algo.

réfuter [ʀefyte] *vt* refutar.

regagner [ʀəgaɲe] *vt* [reprendre] recuperar ; [rejoindre] voltar para.

regain [ʀəgɛ̃] *nm* [activité, interêt] : **un regain de** uma recrudescência de ; **connaître un regain de jeunesse** rejuvenescer.

régal, **als** [ʀegal] *nm* regalo *m*.

régaler [ʀegale] ◆ **se régaler** *vp* regalar-se.

regard [ʀəgaʀ] *nm* olhar *m*.

regarder [ʀəgaʀde] *vt* [observer] olhar para ; [concerner] dizer respeito a ; **ça ne te regarde pas** isso não lhe diz respeito.

régate [ʀegat] *nf* regata *f*.

régénérer [ʀeʒeneʀe] *vt* regenerar. ◆ **se régénérer** *vp* regenerar-se.

régenter [ʀeʒɑ̃te] *vt péj* querer mandar em tudo.

reggae [ʀege] *nm* reggae *m*.

régie [ʀeʒi] *nf* [de cinéma, théâtre] equipe *f* de produção.

régime [ʀeʒim] *nm* [alimentaire] dieta *f* ; [d'un moteur & POLIT] regime *m* ; [de bananes] cacho *m* ; **être/se mettre au régime** estar de/começar a fazer dieta.

régiment [ʀeʒimɑ̃] *nm* regimento *m*.

région [ʀeʒjɔ̃] *nf* região *f*.

régional, **e**, **aux** [ʀeʒjɔnal, o] *adj* regional.

régir [ʀeʒiʀ] *vt* reger.

régisseur [ʀeʒisœʀ] *nm* [intendant] administrador *m*, -ra *f* ; [de cinéma, théâtre] chefe *mf* da equipe de produção.

registre [ʀəʒistʀ] *nm* [livre] registro *m*.

réglable [ʀeglabl] *adj* regulável.

réglage [ʀeglaʒ] *nm* regulagem *f*.

règle [ʀɛgl] *nf* [instrument] régua *f* ; [loi] regra *f* ; **être en règle** estar em ordem ; **en règle générale** em regra geral ; **règles du jeu** regras do jogo. ◆ **règles** *nfpl* menstruação *f*, período *m*.

règlement [ʀɛgləmɑ̃] *nm* [lois] regulamento *m* ; [paiement] pagamento *m*.

réglementaire [ʀɛgləmɑ̃tɛʀ] *adj* regulamentar.

réglementation [ʀɛgləmɑ̃tasjɔ̃] *nf* regulamentação *f*.

réglementer [ʀɛgləmɑ̃te] *vt* regulamentar.

régler [ʀegle] *vt* [appareil, moteur] ajustar ; [payer] pagar ; [problème] resolver.

réglisse [ʀeglis] *nf* alcaçuz *m*.

règne [ʀɛɲ] *nm* reinado *m*.

régner [ʀeɲe] *vi* reinar.

regonfler [ʀəgɔ̃fle] *vt* [pneu, ballon] tornar a encher ; *fam* [personne] dar ânimo a.

regorger [ʀəgɔʀʒe] ◆ **regorger de** *vp + prép* estar repleto(ta) de.

régresser [ʀegʀese] *vi* regredir.

regret [ʀəgʀɛ] *nm* pesar *m* ; **avoir des regrets de** arrepender-se de.

regrettable [ʀəgʀɛtabl] *adj* lamentável.

regretter [ʀəgʀɛte] *vt* [erreur, décision] lamentar ; [personne] sentir falta de ; **regretter de faire qqch** lamentar fazer algo ; **regretter que** lamentar que.

regrouper [ʀəgʀupe] *vt* reagrupar. ◆ **se regrouper** *vp* reagrupar-se.

régulariser [ʀegylaʀize] *vt* regularizar.

régulier, **ère** [ʀegylje, ɛʀ] *adj* regular.

régulièrement [ʀegyljɛʀmɑ̃] *adv* regularmente.

réhabiliter [ʀeabilite] *vt* [gén] reabilitar ; [rénover] restaurar. ◆ **se réhabiliter** *vp* reabilitar-se.

rehausser [ʀəose] *vt* [mur, maison] aumentar ; [prestige, tenue] realçar.

rein [ʀɛ̃] *nm* rim *m*. ◆ **reins** *nmpl* rins *mpl*.

réincarnation [ʀeɛ̃kaʀnasjɔ̃] *nf* reencarnação *f*.

réincarner [ʀeɛ̃kaʀne] ◆ **se réincarner** *vpi* reencarnar-se.

reine [ʀɛn] *nf* rainha *f* ; [aux cartes] dama *f*.

réinsertion [ʀeɛ̃sɛʀsjɔ̃] *nf* reinserção *f*.

réintégrer [ʀeɛ̃tegʀe] *vt* [rejoindre] regressar a ; DR reintegrar.

rejaillir [ʀəʒajiʀ] *vi* [liquide] esguichar ; *fig* [faire tache] : **rejaillir sur qqn** manchar o bom nome de alguém.

rejet [ʀəʒɛ] *nm* [refus & MÉD] rejeição *f* ; [jeune pousse] rebento *m*.

rejeter [ʀəʒte] *vt* [renvoyer] rejeitar ; [refuser] recusar.

rejoindre [ʀəʒwɛ̃dʀ] *vt* [personne] ir encontrar ; [lieu] chegar a.

rejoint, **e** [ʀəʒwɛ̃, ɛ̃t] *pp* ➤ **rejoindre**.

réjouir [ʀeʒwiʀ] ◆ **se réjouir** *vp* alegrar-se ; **se réjouir de qqch** alegrar-se com algo ; **se réjouir de faire qqch** alegrar-se por fazer algo.

réjouissant, **e** [ʀeʒwisɑ̃, ɑ̃t] *adj* alegre.

relâcher [ʀəlaʃe] *vt* soltar. ◆ **se relâcher** *vp* [corde] soltar-se ; [discipline] relaxar-se.

relais [ʀəlɛ] *nm* [auberge] albergue *m* ; SPORT revezador *m* ; **prendre le relais de qqn** substituir alguém ; **relais routier** restaurante *m* à beira da estrada.

relance [ʀəlɑ̃s] *nf* [reprise] retomada *f* ; [au jeu] parada *f*.

relancer [ʀəlɑ̃se] *vt* **1.** [balle] voltar a lançar ; [solliciter] voltar a contatar com - **2.** INFORM lançar de novo.

relatif, **ive** [ʀəlatif, iv] *adj* relativo(va) ; **relatif à** relativo a.

relation [ʀəlasjɔ̃] *nf* relação *f* ; **être/entrer en relation(s) avec qqn** estar/entrar em contato com alguém.

relativement [ʀəlativmɑ̃] *adv* relativamente.

relativiser [ʀəlativize] *vt* tornar relativo(va).

relax [ʀəlaks] *adj fam* [décontracté] na boa ; [détendu] descontraído(da).

relaxant, e [ʀəlaksɑ̃, ɑ̃t] *adj* relaxante.

relaxation [ʀəlaksasjɔ̃] *nf* relaxamento *m*.

relaxer [ʀəlakse] ◆ **se relaxer** *vp* relaxar-se.

relayer [ʀəlɛje] *vt* revezar. ◆ **se relayer** *vp* : **se relayer (pour faire qqch)** revezar-se (para fazer algo).

reléguer [ʀəlege] *vt* relegar.

relent [ʀəlɑ̃] *nm péj* [odeur] mau cheiro *m* ; *fig* [trace] vestígio *m*.

relevé, e [ʀəlve] ◇ *adj* picante. ◇ *nm* : **relevé de compte** número *m* de identificação bancária.

relève [ʀəlɛv] *nf* revezamento *m* ; **prendre la relève** [médecin] revezar ; [garde] render ; *fig* [successeur] continuar o trabalho.

relever [ʀəlve] *vt* [tête, col] levantar ; [remarquer] notar ; [épicer] temperar ; [remettre debout] levantar. ◆ **se relever** *vp* levantar-se.

relief [ʀəljɛf] *nm* relevo *m* ; **en relief** em relevo.

relier [ʀəlje] *vt* ligar.

religieuse [ʀəliʒjøz] *nf pequeno bolo redondo recheado com creme de café ou de chocolate*, ► **religieux**.

religieux, euse [ʀəliʒjø, øz] ◇ *adj* [fête] religioso(osa) ; [musique] litúrgico(ca). ◇ *nm, f* religioso *m*, -osa *f*.

religion [ʀəliʒjɔ̃] *nf* religião *f*.

relique [ʀəlik] *nf* relíquia *f*.

relire [ʀəliʀ] *vt* reler.

reliure [ʀəljyʀ] *nf* [couverture] encadernação *f*.

relu, e [ʀəly] *pp* ► **relire**.

reluire [ʀəlɥiʀ] *vi* reluzir ; **faire reluire qqch** fazer com que algo reluza.

remake [ʀimɛk] *nm* remake *m*, nova versão *f*.

remaniement [ʀəmanimɑ̃] *nm* remodelação *f* ; **remaniement ministériel** remodelação ministerial.

remanier [ʀəmanje] *vt* modificar.

remarquable [ʀəmaʀkabl] *adj* notável.

remarque [ʀəmaʀk] *nf* observação *f*.

remarquer [ʀəmaʀke] *vt* perceber ; **remarque, ...** observe, ... ; **se faire remarquer** fazer-se notar.

rembobiner [ʀɑ̃bɔbine] *vt* rebobinar.

rembourré, e [ʀɑ̃buʀe] *adj* [fauteuil] estofado(da) ; [veste] acolchoado(da).

remboursement [ʀɑ̃buʀsəmɑ̃] *nm* reembolso *m*.

rembourser [ʀɑ̃buʀse] *vt* reembolsar ; **se faire rembourser** reembolsar.

remède [ʀəmɛd] *nm* remédio *m*.

remédier [ʀəmedje] ◆ **remédier à** *vp + prép* remediar.

remémorer [ʀəmemɔʀe] ◆ **se remémorer** *vp sout* recordar-se de.

remerciements [ʀəmɛʀsimɑ̃] *nmpl* agradecimentos *mpl* ; **avec tous mes remerciements** com os meus agradecimentos.

remercier [ʀəmɛʀsje] *vt* agradecer ; **remercier qqn de** OU **pour qqch** agradecer a alguém algo ; **remercier qqn d'avoir fait qqch** agradecer a alguém por ter feito algo.

remettre [ʀəmɛtʀ] *vt* [reposer] repor ; [vêtement] tornar a vestir ; [retarder] adiar ; **remettre qqch à qqn** entregar algo a alguém ; **remettre qqch en état** consertar algo. ◆ **se remettre** *vp* restabelecer-se ; **se remettre à faire qqch** pôr-se a fazer algo ; **se remettre de qqch** restabelecer-se de algo.

remis, e [ʀəmi, iz] *pp* ► **remettre**.

remise [Rəmiz] *nf* [abri] arrecadação *f* ; [rabais] desconto *m* ; **faire une remise à qqn** dar um desconto a alguém.

remix [Rəmiks] *nm* MUS remix.

remontant [Rəmɔ̃tɑ̃] *nm* tônico *m*.

remontée [Rəmɔ̃te] *nf* : **remontées mécaniques** teleféricos *mpl*.

remonte-pente [Rəmɔ̃tpɑ̃t] (*pl* **remonte-pentes**) *nm* teleférico *m*.

remonter [Rəmɔ̃te] ◇ *vt (aux avoir)* [mettre plus haut] pôr mais para cima ; [côte, escalier] tornar a subir ; [moteur, pièces] tornar a montar ; [montre] dar corda a. ◇ *vi (aux être)* tornar a subir ; **remonter à** [dater de] remontar a.

remords [Rəmɔr] *nm* remorso *m*.

remorque [Rəmɔrk] *nf* reboque *m*.

remorquer [Rəmɔrke] *vt* rebocar.

remorqueur [Rəmɔrkœr] *nm* rebocador *m*.

rémoulade [Remulad] *nf* ► **céleri**.

remous [Rəmu] *nm* redemoinho *m*.

rempart [Rɑ̃par] *nm* muralha *f*.

remparts [Rɑ̃par] *nmpl* muralhas *fpl*.

remplaçant, **e** [Rɑ̃plasɑ̃, ɑ̃t] *nm, f* [de sportif] suplente *mf* ; [d'enseignant] substituto *m*, -ta *f*.

remplacement [Rɑ̃plasmɑ̃] *nm* substituição *f* ; **faire des remplacements** fazer substituições.

remplacer [Rɑ̃plase] *vt* substituir ; **remplacer qqn/qqch par** substituir alguém/algo por.

remplir [Rɑ̃plir] *vt* [verre, salle] encher ; [questionnaire] preencher ; **remplir qqch de** encher algo de. ◆ **se remplir (de)** *vp + prép* encher-se de.

remporter [Rɑ̃pɔrte] *vt* [reprendre] tornar a pegar ; [gagner] ganhar.

remuant, **e** [Rəmɥɑ̃, ɑ̃t] *adj* irrequieto(ta).

remue-ménage [Rəmymenaʒ] *nm inv* desarrumação *f*.

remuer [Rəmɥe] *vt* [bouger] remexer ; [mélanger] mexer ; [émouvoir] transtornar.

rémunération [Remynerasjɔ̃] *nf* remuneração *f*.

rémunérer [Remynere] *vt* remunerar.

renaissance [Rənɛsɑ̃s] *nf* renascimento *m* ; **la Renaissance** o Renascimento.

renaître [Rənɛtr] *vi* renascer ; **renaître à** renascer para.

rénal, **e**, **aux** [Renal, o] *adj* renal ; [calcul] de rim.

renard [Rənar] *nm* raposa *f*.

renchérir [Rɑ̃ʃerir] *vi* [surenchérir] : **renchérir sur qqch** aumentar algo ; *sout* [augmenter] encarecer.

rencontre [Rɑ̃kɔ̃tr] *nf* encontro *m* ; **aller à la rencontre de qqn** ir ao encontro de alguém.

rencontrer [Rɑ̃kɔ̃tre] *vt* [par hasard] encontrar ; [faire la connaissance de] conhecer ; [équipe adverse] enfrentar. ◆ **se rencontrer** *vp* [par hasard] encontrar-se ; [faire connaissance] conhecer-se.

rendement [Rɑ̃dmɑ̃] *nm* rendimento *m*.

rendez-vous [Rɑ̃devu] *nm* encontro *m* ; **rendez-vous chez moi à 14h** encontro marcado às 14h em minha casa ; **avoir rendez-vous avec qqn** ter encontro marcado com alguém ; **donner rendez-vous à qqn** marcar um encontro com alguém ; **prendre rendez-vous** OU **se donner rendez-vous** marcar um encontro ; [chez le médecin] marcar uma consulta.

rendormir [Rɑ̃dɔrmir] ◆ **se rendormir** *vp* tornar a adormecer.

rendre [Rɑ̃dr] ◇ *vt* devolver ; [santé] restituir ; [faire devenir] deixar. ◇ *vi* [vomir] botar para fora ; **rendre la pareille** pagar na mesma moeda ; **rendre visite à qqn** visitar alguém.

◆ **se rendre** *vp* render-se ; **se rendre à** *sout* dirigir-se a ; **se rendre utile** ser útil ; **se rendre malade** ficar doente.

renégocier [ʀənegɔsje] *vt* renegociar.

rênes [ʀɛn] *nfpl* rédeas *fpl*.

renfermé, e [ʀɑ̃fɛʀme] ◇ *adj* [caractère] reservado(da). ◇ *nm* : **sentir le renfermé** cheirar a mofo.

renfermer [ʀɑ̃fɛʀme] *vt* conter.

renflouer [ʀɑ̃flue] *vt* [un bâteau] desencalhar ; *fig* [une entreprise, une personne] emprestar dinheiro a. ◆ **se renflouer** *vp fam fig* encher os bolsos.

renfoncement [ʀɑ̃fɔ̃smɑ̃] *nm* recôncavo *m*.

renforcer [ʀɑ̃fɔʀse] *vt* reforçar ; *fig* aumentar.

renforts [ʀɑ̃fɔʀ] *nmpl* reforços *mpl*.

renfrogné, e [ʀɑ̃fʀɔɲe] *adj* carrancudo(da).

rengaine [ʀɑ̃gɛn] *nf* lengalenga *f*.

renier [ʀənje] *vt* renegar.

renifler [ʀənifle] *vi* fungar.

renne [ʀɛn] *nm* rena *f*.

renom [ʀənɔ̃] *nm* renome *m* ; **de grand renom** de grande renome.

renommé, e [ʀənɔme] *adj* famoso(osa).

renommée [ʀənɔme] *nf* fama *f*.

renoncer [ʀənɔ̃se] ◆ **renoncer à** *vp + prép* [abandonner] desistir de ; [refuser] renunciar a ; **renoncer à faire qqch** desistir de fazer algo ; [refuser] renunciar a fazer algo.

renouer [ʀənwe] ◇ *vt* reatar. ◇ *vi* : **renouer avec qqn** reatar com alguém.

renouveau [ʀənuvo] (*pl* -x) *nm* renovação *f*.

renouvelable [ʀənuvlabl] *adj* renovável.

renouveler [ʀənuvle] *vt* renovar. ◆ **se renouveler** *vp* renovar-se.

renouvellement [ʀənuvɛlmɑ̃] *nm* renovação *f*.

rénovation [ʀenɔvasjɔ̃] *nf* reforma *f*.

rénover [ʀenɔve] *vt* restaurar.

renseignement [ʀɑ̃sɛɲmɑ̃] *nm* informação *f* ; **les renseignements** as informações.

renseigner [ʀɑ̃seɲe] *vt* : **renseigner qqn (sur)** informar alguém (sobre). ◆ **se renseigner (sur)** *vp + prép* informar-se (sobre).

rentabiliser [ʀɑ̃tabilize] *vt* rentabilizar.

rentabilité [ʀɑ̃tabilite] *nf* rentabilidade *f* ; **seuil de rentabilité** ponto *m* de equilíbrio.

rentable [ʀɑ̃tabl] *adj* rentável.

rente [ʀɑ̃t] *nf* rendimento *m*.

rentier, ère [ʀɑ̃tje, ɛʀ] *nm, f* : **être un rentier** viver dos seus rendimentos.

rentrée [ʀɑ̃tʀe] *nf* : **rentrée (d'argent)** entrada *f* (de dinheiro) ; **rentrée (des classes)** início *m* das aulas.

rentrer [ʀɑ̃tʀe] ◇ *vi (aux être)* [entrer] entrar ; [chez soi] regressar ; [être contenu] caber ; **rentrer dedans** dar uma bronca. ◇ *vt (aux avoir)* meter ; [dans la maison] entrar ; **rentrer dans** chocar com ; **rentrer le ventre** meter a barriga para dentro.

renverse [ʀɑ̃vɛʀs] ◆ **à la renverse** *adv* de costas.

renversement [ʀɑ̃vɛʀsəmɑ̃] *nm* inversão *f* ; [d'un régime] derrubada *f*.

renverser [ʀɑ̃vɛʀse] *vt* [liquide] entornar ; [piéton] atropelar ; **se faire renverser** ser atropelado (a) ; [gouvernement] derrubar. ◆ **se renverser** *vp* entornar-se.

renvoi [ʀɑ̃vwa] *nm* [d'un élève] expulsão *f* ; [d'un salarié] demissão *f* ; [rot] arroto *m*.

renvoyer [ʀɑ̃vwaje] *vt* [balle, lettre] devolver ; [image, rayon] refletir ; [élève] expulsar ; [salarié] despedir.

réorganisation [ʀeɔʀganizasjɔ̃] *nf* reorganização *f*.

réorganiser [ʀeɔʀganize] *vt* reorganizar.

réouverture [ʀeuvɛʀtyʀ] *nf* reabertura *f*.

repaire [ʀəpɛʀ] *nm* covil *m*.

répandre [ʀepɑ̃dʀ] *vt* [renverser] derramar ; [nouvelle] espalhar. ◆ **se répandre** *vp* [liquide] derramar-se ; [nouvelle, maladie] espalhar-se.

répandu, e [ʀepɑ̃dy] *adj* corrente.

réparateur, trice [ʀeparatœʀ, tʀis] *nm, f* reparador *m*, -ra *f*.

réparation [ʀeparasjɔ̃] *nf* reparação *f* ; **en réparation** no conserto.

réparer [ʀepaʀe] *vt* reparar ; **faire réparer qqch** mandar reparar algo.

repartie [ʀəpaʀti] *nf* réplica *f* ; **avoir de la repartie** ter resposta pronta.

repartir [ʀəpaʀtiʀ] *vi* [partir] voltar a partir ; [rentrer] voltar.

répartir [ʀepaʀtiʀ] *vt* repartir.

répartition [ʀepaʀtisjɔ̃] *nf* partilha *f*.

repas [ʀəpa] *nm* refeição *f*.

repassage [ʀəpasaʒ] *nm* : **faire du repassage** passar a ferro.

repasser [ʀəpase] ◇ *vt (aux avoir)* passar a ferro. ◇ *vi (aux être)* voltar.

repêchage [ʀəpeʃaʒ] *nm* repescagem *f*.

repêcher [ʀəpeʃe] *vt* [retirer de l'eau] repescar ; [à un examen] puxar a nota de.

repeindre [ʀəpɛ̃dʀ] *vt* tornar a pintar.

repeint, e [ʀəpɛ̃, ɛ̃t] *pp* ▶ **repeindre**.

repentir [ʀəpɑ̃tiʀ] *nm* arrependimento *m*. ◆ **se repentir** *vp* arrepender-se ; **se repentir de qqch/d'avoir fait qqch** arrepender-se de algo/de ter feito algo.

répercussions [ʀepɛʀkysjɔ̃] *nfpl* repercussões *fpl*.

répercuter [ʀepɛʀkyte] *vt* [son] repercutir ; [ordre] transmitir ; **répercuter qqch sur** repercutir algo em. ◆ **se répercuter** *vp* repercutir-se ; **se répercuter sur** repercutir-se em.

repère [ʀəpɛʀ] *nm* referência *f*.

repérer [ʀəpeʀe] *vt* encontrar. ◆ **se repérer** *vp* orientar-se.

répertoire [ʀepɛʀtwaʀ] *nm* [carnet] agenda *f* ; [d'un acteur, d'un musicien] repertório *m* ; INFORM diretório *m*.

répertorier [ʀepɛʀtɔʀje] *vt* repertoriar.

répéter [ʀepete] *vt* repetir ; [rôle, œuvre] ensaiar. ◆ **se répéter** *vp* [se reproduire] repetir-se.

répétitif, ive [ʀepetitif, iv] *adj* repetitivo(va).

répétition [ʀepetisjɔ̃] *nf* [dans un texte] repetição *f* ; [au théâtre] ensaio *m* ; **répétition générale** ensaio geral.

répit [ʀepi] *nm* sossego *m* ; **sans répit** sem parar.

replacer [ʀəplase] *vt* repor.

repli [ʀəpli] *nm* [d'un ourlet, d'une rivière] dobra *f* ; MIL retirada *f* ; [recul] recuo *m*.

replier [ʀəplije] *vt* dobrar.

réplique [ʀeplik] *nf* réplica *f*.

répliquer [ʀeplike] *vt* & *vi* replicar.

replonger [ʀəplɔ̃ʒe] ◇ *vt* : **replonger qqch/qqn dans** tornar a mergulhar algo/alguém em. ◇ *vi* mergulhar de novo. ◆ **se replonger** *vp* : **se replonger dans** mergulhar de novo em.

répondeur [ʀepɔ̃dœʀ] *nm* : **répondeur (téléphonique** OU **automatique)** secretária *f* eletrônica.

répondre [repɔ̃dr] ◇ *vi* [à une question, à une lettre] responder ; [freins] obedecer. ◇ *vt* responder ; **répondre à qqn** responder a alguém.

réponse [repɔ̃s] *nf* resposta *f*.

report [rəpɔr] *nm* [renvoi] : **report de qqch (à)** adiamento de algo (para) ; [transcription] transcrição *f*.

reportage [rəpɔrtaʒ] *nm* reportagem *f*.

reporter¹ [rəpɔrtɛr] *nm* repórter *m* ; **grand reporter** grande repórter.

reporter² [rəpɔrte] *vt* [rapporter] devolver ; [date, réunion] adiar.

repos [rəpo] *nm* repouso *m* ; **c'est mon jour de repos** é o meu dia de folga.

reposant, **e** [rəpozɑ̃, ɑ̃t] *adj* repousante.

reposer [rəpoze] *vt* repor. ◆ **se reposer** *vp* descansar.

repositionnable [rapɔzisjɔnabl] *adj* reposicionável ; **étiquettes repositionnables** etiquetas autocolantes.

repoussant, **e** [rəpusɑ̃, ɑ̃t] *adj* repulsivo(va).

repousser [rəpuse] ◇ *vt* [faire reculer] repelir ; [retarder] adiar. ◇ *vi* voltar a crescer.

répréhensible [repreɑ̃sibl] *adj* repreensível.

reprendre [rəprɑ̃dr] *vt* [revenir chercher] vir buscar ; [objet donné] levar ; [activité] recomeçar ; [prisonnier] recapturar ; [se resservir] repetir ; [corriger] emendar ; **reprendre sa place** retomar o seu lugar ; **reprendre son souffle** retomar fôlego. ◆ **se reprendre** *vp* [se ressaisir] recompor-se ; [se corriger] retratar-se.

représailles [rəprezaj] *nfpl* represálias *fpl*.

représentant, **e** [rəprezɑ̃tɑ̃, ɑ̃t] *nm, f* representante *mf* ; **représentant (de commerce)** caixeiro-viajante *m*.

représentatif, **ive** [rəprezɑ̃tatif, iv] *adj* representativo(va).

représentation [rəprezɑ̃tasjɔ̃] *nf* representação *f*.

représenter [rəprezɑ̃te] *vt* representar.

répression [represjɔ̃] *nf* repressão *f*.

réprimander [reprimɑ̃de] *vt* repreender.

réprimer [reprime] *vt* reprimir.

repris, **e** [rəpri, iz] *pp* ► **reprendre**.

reprise [rəpriz] *nf* [couture] remendo *m* ; [économique] **retomada** *f* ; [d'un appareil, d'une voiture] troca *f* ; **à plusieurs reprises** por várias vezes.

repriser [rəprize] *vt* remendar.

réprobateur, **trice** [reprɔbatœr, tris] *adj* reprovador(ra).

reproche [rəprɔʃ] *nm* censura *f*.

reprocher [rəprɔʃe] *vt* : **reprocher qqch à qqn** censurar algo a alguém.

reproduction [rəprɔdyksjɔ̃] *nf* reprodução *f*.

reproduire [rəprɔdɥir] *vt* reproduzir. ◆ **se reproduire** *vp* [avoir de nouveau lieu] voltar a acontecer ; [animaux] reproduzir-se.

reproduit, **e** [rəprɔdɥi, it] *pp* ► **reproduire**.

reptile [rɛptil] *nm* réptil *m*.

repu, **e** [rəpy] *adj* saciado(da).

république [repyblik] *nf* república *f*.

répudier [repydje] *vt* repudiar.

répugnant, **e** [repyɲɑ̃, ɑ̃t] *adj* repugnante.

répulsion [repylsjɔ̃] *nf* [sentiment] repulsa *f* ; [phénomène physique] repulsão *f*.

réputation [repytasjɔ̃] *nf* reputação *f*.

réputé, **e** [repyte] *adj* reputado(da).

requérir [rəkerir] *vt* necessitar.

requête [ʀəkɛt] *nf sout* [prière] pedido *m* ; DR requerimento *m* ; INFORM seleção *f* ; **à** OU **sur la requête de qqn** a pedido de alguém.

requin [ʀəkɛ̃] *nm* tubarão *m*.

requis, e [ʀəki, iz] ◇ *pp* ➤ requérir. ◇ *adj* requisitado(da).

réquisitionner [ʀekizisjɔne] *vt* [biens] requisitar ; *fam fig* [demander l'aide de] recrutar.

RER *nm rede parisiense de trens rápidos.*

rescapé, e [ʀɛskape] *nm, f* sobrevivente *mf*.

rescousse [ʀɛskus] *nf* : **appeler qqn à la rescousse** pedir socorro a alguém ; **aller à la rescousse de qqn** ir em socorro de alguém.

réseau [ʀezo] (*pl* -x) *nm* rede *f*.

réservation [ʀezɛʀvasjɔ̃] *nf* reserva *f*.

réserve [ʀezɛʀv] *nf* reserva *f* ; **en réserve** de reserva.

réservé, e [ʀezɛʀve] *adj* reservado(da).

réserver [ʀezɛʀve] *vt* reservar ; **réserver qqch à qqn** reservar algo para alguém. ◆ **se réserver** *vp* guardar-se.

réservoir [ʀezɛʀvwaʀ] *nm* depósito *m*.

résidence [ʀezidɑ̃s] *nf* residência *f* ; **résidence secondaire** residência secundária.

résidentiel, elle [ʀezidɑ̃sjɛl] *adj* residencial.

résider [ʀezide] *vi sout* residir.

résidu [ʀezidy] *nm* resíduo *m*. ◆ **résidus** *nmpl* resíduos *mpl*.

résigner [ʀeziɲe] ◆ **se résigner** *vp* resignar-se ; **se résigner à qqch** resignar-se com algo ; **se résigner à faire qqch** resignar-se a fazer algo.

résilier [ʀezilje] *vt* rescindir.

résine [ʀezin] *nf* resina *f*.

résistance [ʀezistɑ̃s] *nf* resistência *f*.

résistant, e [ʀezistɑ̃, ɑ̃t] *adj* & *nm, f* resistente.

résister [ʀeziste] ◆ **résister à** *vp* + *prép* resistir a.

résolu, e [ʀezɔly] ◇ *pp* ➤ résoudre. ◇ *adj* determinado(da).

résolument [ʀezɔlymɑ̃] *adv* decididamente.

résolution [ʀezɔlysjɔ̃] *nf* [décision] resolução *f*.

résonner [ʀezɔne] *vi* ressoar.

résorber [ʀezɔʀbe] *vt* [faire disparaître] acabar com ; MÉD reabsorver. ◆ **se résorber** *vp* [disparaître] desaparecer ; MÉD reabsorver-se.

résoudre [ʀezudʀ] *vt* resolver.

respect [ʀɛspɛ] *nm* respeito *m*.

respectable [ʀɛspɛktabl] *adj* [honorable] respeitável ; [important] considerável.

respecter [ʀɛspɛkte] *vt* respeitar.

respectif, ive [ʀɛspɛktif, iv] *adj* respectivo(va).

respectueux, euse [ʀɛspɛktɥø, øz] *adj* respeitador(ra) ; **être respectueux de** mostrar-se respeitador de.

respiration [ʀɛspiʀasjɔ̃] *nf* respiração *f*.

respiratoire [ʀɛspiʀatwaʀ] *adj* respiratório(ria).

respirer [ʀɛspiʀe] *vt* & *vi* respirar.

resplendissant, e [ʀɛsplɑ̃disɑ̃, ɑ̃t] *adj* resplandecente ; **resplendissant de** radiante de ; **être resplendissant de santé** estar vendendo saúde.

responsabiliser [ʀɛspɔ̃sabilize] *vt* tornar responsável.

responsabilité [ʀɛspɔ̃sabilite] *nf* responsabilidade *f*.

responsable [ʀɛspɔ̃sabl] *adj* & *nmf* responsável ; **être responsable de qqch** ser responsável por algo.

resquiller [rɛskije] *vi fam* [dans le bus] viajar sem pagar ; [au spectacle] entrar de penetra.

ressaisir [rəsezir] ◆ **se ressaisir** *vp* dominar-se.

ressasser [rəsase] *vt* [ruminer] cismar em, remoer ; [rabâcher] repisar.

ressemblance [rəsɑ̃blɑ̃s] *nf* semelhança *f*.

ressemblant, e [rəsɑ̃blɑ̃, ɑ̃t] *adj* parecido(da).

ressembler [rəsɑ̃ble] ◆ **ressembler à** *vp + prép* parecer-se com. ◆ **se ressembler** *vp* ser parecido(da).

ressemeler [rəsəmle] *vt* pôr meias-solas.

ressentiment [rəsɑ̃timɑ̃] *nm* ressentimento *m*.

ressentir [rəsɑ̃tir] *vt* sentir.

resserrer [rəsere] *vt* apertar. ◆ **se resserrer** *vp* ficar mais estreito(ta).

resservir [rəsɛrvir] *vt & vi* voltar a servir. ◆ **se resservir** *vp* : **se resservir (de)** [plat] voltar a servir-se (de).

ressort [rəsɔr] *nm* mola *f*.

ressortir [rəsɔrtir] *vi* [sortir à nouveau] tornar a sair ; [se détacher] sobressair.

ressortissant, e [rəsɔrtisɑ̃, ɑ̃t] *nm, f* nacional *mf*.

ressource [rəsurs] *nf* recurso *m* ; **il a de la ressource** *fig* é um homem de recursos. ◆ **ressources** *nfpl* recursos *mpl* ; **être sans ressources** não ter recursos ; **ressources naturelles** recursos naturais.

ressusciter [resysite] *vi* ressuscitar.

restant, e [rɛstɑ̃] ◇ *adj* ► **poste**. ◇ *nm* restante *m*.

restaurant [rɛstɔrɑ̃] *nm* restaurante *m* ; **restaurant universitaire** restaurante universitário.

restaurateur, trice [rɛstɔratœr, tris] *nm, f* CULIN dono *m*, -na *f* de um restaurante ; [de tableaux] restaurador *m*, -ra *f*.

restauration [rɛstɔrasjɔ̃] *nf* restauração *f*.

restaurer [rɛstɔre] *vt* restaurar.

reste [rɛst] *nm* resto *m* ; **un reste de** um resto de ; **les restes** os restos.

rester [rɛste] *vi* [dans un lieu] ficar ; [subsister] restar ; [continuer à être] permanecer ; **il n'en reste que deux** só restam dois.

restituer [rɛstitɥe] *vt* restituir.

resto [rɛsto] *nm fam* restaurante *m* ; **les restos du cœur** *restaurantes onde são servidas, durante o inverno, refeições gratuitas para os necessitados.*

restreindre [rɛstrɛ̃dr] *vt* restringir.

restreint, e [rɛstrɛ̃, ɛ̃t] ◇ *pp* ► restreindre. ◇ *adj* restrito(ta).

restriction [rɛstriksjɔ̃] *nf* restrição *f* ; **sans restriction** sem restrições. ◆ **restrictions** *nfpl* restrições *fpl*.

restructuration [rəstryktyrasjɔ̃] *nf* reestruturação *f*.

résultat [rezylta] *nm* resultado *m*.

résulter [rezylte] ◆ **résulter de** *vp + prép* resultar de ; **il en résulte que** como resultado.

résumé [rezyme] *nm* resumo *m* ; **en résumé** em resumo.

résumer [rezyme] *vt* resumir.

résurgence [rezyrʒɑ̃s] *nf* [d'une rivière] ressurgência *f* ; *fig* [d'une doctrine] ressurgimento *m*.

rétablir [retablir] *vt* restabelecer. ◆ **se rétablir** *vp* restabelecer-se.

rétablissement [retablismɑ̃] *nm* restabelecimento *m*.

retard [rətar] *nm* atraso *m* ; **avoir du retard** estar atrasado ; **avoir une heure**

de **retard** estar com uma hora de atraso ; **être en retard (sur)** estar atrasado (em relação a).

retardataire [Rətardatɛr] *nmf* retardatário *m*, -ria *f*.

retarder [Rətarde] *vi* : **ma montre retarde (de cinq minutes)** o meu relógio atrasa (cinco minutos).

retenir [Rətnir] *vt* [empêcher de partir] reter ; [empêcher de tomber] segurar ; [empêcher d'agir] deter ; [réserver] reservar ; [se souvenir de] fixar ; **retenir son souffle** segurar a respiração ; **je retiens 1** [dans une opération] e vai 1. ◆ **se retenir** *vp* : **se retenir (à qqch)** agarrar-se (a algo) ; **se retenir (de faire qqch)** conter-se (para não fazer algo).

retentir [Rətɑ̃tir] *vi* ressoar ; **la salle retentit d'applaudissements** os aplausos ressoavam na sala ; **retentir sur qqch** *fig* refletir-se em algo.

retentissant, e [Rətɑ̃tisɑ̃, ɑ̃t] *adj* [sonore] retumbante ; [éclatant, frappant] estrondoso(osa).

retenu, e [Rətny] *pp* ► **retenir.**

retenue [Rətny] *nf* SCOL castigo *m* ; [dans une opération] número *m* que vai.

réticence [Retisɑ̃s] *nf* relutância *f* ; **avec/sans réticence** com/sem relutância.

réticent, e [Retisɑ̃, ɑ̃t] *adj* reticente.

rétine [Retin] *nf* retina *f*.

retirer [Rətire] *vt* [extraire] tirar ; [vêtement] despir ; [argent, billet, colis, bagages] levantar ; **retirer qqch à qqn** tirar algo de alguém ; [permis] apreender algo de alguém.

retomber [Rətɔ̃be] *vi* [tomber à nouveau] voltar a cair ; [après un saut] cair ; [pendre] vir até ; **retomber malade** ficar doente outra vez.

rétorquer [Retɔrke] *vt* retorquir ; **rétorquer à qqn que** retorquir a alguém que.

retors, e [Rətɔr, ɔrs] *adj* manhoso(osa).

retouche [Rətuʃ] *nf* retoque *m*.

retour [Rətur] *nm* volta *f* ; [d'une personne] regresso *m* ; **être de retour** estar de regresso ; **au retour** na volta.

retourner [Rəturne] ◇ *vt (aux avoir)* [mettre à l'envers] virar do avesso ; [renvoyer] devolver. ◇ *vi (aux être)* voltar para. ◆ **se retourner** *vp* [voiture, bateau] virar-se ; [tourner la tête] voltar-se para trás.

retracer [RətRase] *vt* [tracer de nouveau] tornar a traçar ; [raconter] reconstituir.

rétracter [RetRakte] *vt* [contracter] encolher ; *sout* [nier] retratar. ◆ **se rétracter** *vp* [se contracter] retrair-se ; [se dédire] retratar-se.

retrait [RətRɛ] *nm* levantamento *m* ; **faire un retrait** levantamento, fazer um levantamento.

retraite [RətRɛt] *nf* aposentadoria *f* ; **être à la retraite** estar aposentado ; **prendre sa retraite** aposentar-se.

retraité, e [RətRete] *nm, f* aposentado *m*, -da *f*.

retransmission [RətRɑ̃smisjɔ̃] *nf* [à la radio] retransmissão *f*.

rétrécir [RetResir] *vi* encolher. ◆ **se rétrécir** *vp* ficar mais estreito(ta).

rétribution [RetRibysjɔ̃] *nf* retribuição *f*.

rétro [RetRo] ◇ *adj inv* antiquado(da). ◇ *nm fam* retrovisor *m*.

rétroactif, ive [RetRɔaktif, iv] *adj* retroativo(va).

rétrograder [RetRɔgRade] *vi* reduzir a marcha.

rétroprojecteur [RetRɔpRɔʒɛktœR] *nm* retroprojetor *m*.

rétrospective [RetRɔspɛktiv] *nf* retrospectiva *f*.

rétrospectivement [ʀetʀɔspɛktivmɑ̃] *adv* retrospectivamente.

retrousser [ʀətʀuse] *vt* arregaçar.

retrouvailles [ʀətʀuvaj] *nfpl* reencontro *m*.

retrouver [ʀətʀuve] *vt* [objet perdu] encontrar ; [personne perdue de vue] reencontrar ; [rejoindre] encontrar. ◆ **se retrouver** *vp* encontrar-se ; [dans une situation, un lieu] encontrar-se.

rétroviseur [ʀetʀɔvizœʀ] *nm* retrovisor *m*.

réunification [ʀeynifikasjɔ̃] *nf* reunificação *f*.

réunion [ʀeynjɔ̃] *nf* reunião *f* ; **la Réunion** a ilha da Reunião.

réunionnais, e [ʀeynjɔnɛ, ɛz] *adj* habitante *mf* da ilha da Reunião.

réunir [ʀeyniʀ] *vt* reunir. ◆ **se réunir** *vp* reunir-se.

réussi, e [ʀeysi] *adj* bom(boa) ; **être réussi** correr bem.

réussir [ʀeysiʀ] ◇ *vi* [tentative] correr bem ; [socialement, professionnellement] sair-se bem. ◇ *vt* : **j'ai réussi la photo/le repas** a fotografia/a comida ficou boa ; **réussir (à) un examen** passar num exame ; **réussir à faire qqch** conseguir fazer algo ; **réussir à qqn** fazer bem a alguém.

réussite [ʀeysit] *nf* [succès] êxito *m* ; [jeu] paciência *f*.

réutiliser [ʀeytilize] *vt* reutilizar.

revaloriser [ʀəvalɔʀize] *vt* revalorizar.

revanche [ʀəvɑ̃ʃ] *nf* desforra *f* ; **en revanche** em compensação.

rêve [ʀɛv] *nm* sonho *m*.

rêvé, e [ʀɛve] *adj* ideal.

réveil [ʀevɛj] *nm* despertador *m* ; **à son réveil** ao despertar.

réveiller [ʀeveje] *vt* acordar. ◆ **se réveiller** *vp* [sortir du sommeil] acordar ; [douleur, souvenir] **despertar**.

réveillon [ʀevɛjɔ̃] *nm* [repas du 24 décembre] **ceia** *f* **de Natal** ; [repas du 31 décembre] **jantar** *m* **da passagem de ano** ; [fête du 24 décembre] **festa** *f* **de Natal** ; [fête du 31 décembre] réveillon *m*.

réveillonner [ʀevɛjɔne] *vi* [faire un repas le 24 décembre] **jantar na noite de Natal** ; [faire un repas le 31 décembre] **jantar na passagem de ano** ; [participer à la fête du 24 décembre] **festejar o Natal** ; [participer à la fête du 31 décembre] **festejar a passagem de ano**.

révélateur, trice [ʀevelatœʀ, tʀis] *adj* revelador(ra).

révélation [ʀevelasjɔ̃] *nf* revelação *f*.

révéler [ʀevele] *vt* revelar. ◆ **se révéler** *vp* [s'avérer] revelar-se.

revenant [ʀəvnɑ̃] *nm* alma *f* do outro mundo.

revendeur, euse [ʀəvɑ̃dœʀ, øz] *nm, f* revendedor *m*, -ra *f*.

revendication [ʀəvɑ̃dikasjɔ̃] *nf* reivindicação *f*.

revendiquer [ʀəvɑ̃dike] *vt* reivindicar.

revendre [ʀəvɑ̃dʀ] *vt* revender.

revenir [ʀəvniʀ] *vi* [venir à nouveau] regressar ; [d'où l'on arrive] voltar (para trás) ; **faire revenir qqch** refogar algo ; **revenir cher** ficar caro ; **ça nous est revenu à 2 000 euros** para nós, isto ficou por 2.000 euros ; **ça me revient maintenant** agora me lembro ; **ça revient au même** vai dar no mesmo ; **je n'en reviens pas** me custa crer ; **revenir sur sa décision** voltar atrás ; **revenir sur ses pas** voltar para trás.

revenu, e [ʀəvny] ◇ *pp* ➤ **revenir**. ◇ *nm* rendimento *m*.

rêver [ʀɛve] ◇ *vi* [en dormant]

sonhar ; [être distrait] sonhar acordado(da). ◇ *vt* : **rêver que** sonhar que ; **rêver de** sonhar com ; **rêver de faire qqch** sonhar fazer algo.

réverbération [ʀevɛʀbeʀasjɔ̃] *nf* reverberação *f*.

réverbère [ʀevɛʀbɛʀ] *nm* poste *m* (de iluminação pública).

rêverie [ʀɛvʀi] *nf* devaneio *m*.

revers [ʀəvɛʀ] *nm* [d'une pièce] coroa *f* ; [de la main] costas *fpl* ; [d'une veste, d'un pantalon] avesso *m* ; SPORT esquerda *f*.

réversible [ʀevɛʀsibl] *adj* reversível.

revêtement [ʀəvɛtmɑ̃] *nm* revestimento *m*.

rêveur, **euse** [ʀɛvœʀ, øz] *adj* sonhador(ra).

revirement [ʀəviʀmɑ̃] *nm* mudança *f* ; **revirement de situation** reviravolta *f*.

réviser [ʀevize] *vt* [leçons] rever ; **faire réviser sa voiture** mandar o carro para a revisão.

révision [ʀevizjɔ̃] *nf* [d'une voiture] revisão *f*. ◆ **révisions** *nfpl* revisões *fpl*.

révisionnisme [ʀevizjɔnism] *nm* revisionismo *m*.

revoir [ʀəvwaʀ] *vt* [retrouver] voltar a ver ; [leçons] rever ; **au revoir!** adeus!

révoltant, **e** [ʀevɔltɑ̃, ɑ̃t] *adj* revoltante.

révolte [ʀevɔlt] *nf* [émeute] revolta *f*.

révolter [ʀevɔlte] *vt* revoltar. ◆ **se révolter** *vp* revoltar-se.

révolu, **e** [ʀevɔly] *adj* **1.** [qui n'existe plus] passado(da) - **2.** [complet] feito(ta).

révolution [ʀevɔlysjɔ̃] *nf* revolução *f* ; **la Révolution (française)** a Revolução francesa.

révolutionnaire [ʀevɔlysjɔnɛʀ] *adj* & *nmf* revolucionário(ria).

revolver [ʀevɔlvɛʀ] *nm* revólver *m*.

révoquer [ʀevɔke] *vt* [destituer] destituir ; [annuler] revogar.

revue [ʀəvy] *nf* revista *f* ; **passer qqch en revue** passar algo em revista.

rez-de-chaussée [ʀedʃose] *nm inv* térreo *m*.

rhabiller [ʀabije] *vt* tornar a vestir. ◆ **se rhabiller** *vp* tornar a vestir-se ; **tu peux aller te rhabiller** *fam fig* você pode pendurar as chuteiras.

rhésus [ʀezys] *nm* rh *m* ; **rhésus positif/négatif** rH positivo/negativo.

rhétorique [ʀetɔʀik] *nf* retórica *f*.

Rhin [ʀɛ̃] *nm* : **le Rhin** o Reno.

rhinocéros [ʀinɔseʀɔs] *nm* rinoceronte *m*.

rhino-pharyngite [ʀinɔfaʀɛ̃ʒit] (*pl* **rhino-pharyngites**) *nf* rinofaringite *f*.

Rhône [ʀon] *nm* : **le Rhône** o Ródano.

rhubarbe [ʀybaʀb] *nf* ruibarbo *m*.

rhum [ʀɔm] *nm* rum *m*.

rhumatismes [ʀymatism] *nmpl* reumatismo *m* ; **avoir des rhumatismes** ter reumatismo.

rhume [ʀym] *nm* resfriado *m* ; **avoir un rhume** estar com resfriado ; **rhume des foins** rinite *f* alérgica.

ri [ʀi] *pp* ► **rire**.

ribambelle [ʀibɑ̃bɛl] *nf* : **une ribambelle de qqch** um agrupamento de algo.

ricaner [ʀikane] *vi* fazer chacota.

riche [ʀiʃ] ◇ *adj* rico(ca). ◇ *nmf* : **les riches** os ricos ; **riche en** rico em.

richesse [ʀiʃɛs] *nf* riqueza *f*. ◆ **richesses** *nfpl* riquezas *fpl*.

ricocher [ʀikɔʃe] *vi* ricochetear.

ricochet [ʀikɔʃɛ] *nm* : **faire des ricochets** fazer ricochete.

ride [ʀid] *nf* ruga *f*.

ridé, **e** [Ride] *adj* [personne] enrugado(da) ; [pomme] murcho(cha).

rideau [Rido] (*pl* -x) *nm* cortina *f* ; [au théâtre] pano *m*.

ridicule [Ridikyl] *adj* ridículo(la).

ridiculiser [Ridikylize] *vt* ridicularizar. ◆ **se ridiculiser** *vp* ridicularizar-se.

rien [Rjɛ̃] *pron* nada ; **ne... rien** não... nada ; **je ne fais rien le dimanche** não faço nada aos domingos ; **ça ne fait rien** não faz mal ; **de rien** de nada ; **pour rien** [gratuitement] a troco de nada ; [inutilement] para nada ; **rien d'intéressant** nada de interessante ; **rien du tout** nada de nada ; **rien que** só.

rigide [Riʒid] *adj* rígido(da).

rigole [Rigɔl] *nf* [caniveau] rego *m* ; [eau] riacho *m*.

rigoler [Rigɔle] *vi fam* [rire] rir ; [s'amuser] divertir-se ; [plaisanter] estar brincando.

rigolo, **ote** [Rigɔlo, ɔt] *adj fam* [amusant] engraçado(da) ; [bizarre] esquisito(ta).

rigoureux, **euse** [RiguRø, øz] *adj* rigoroso(osa).

rigueur [RigœR] *nf* rigor *m* ; **être de rigueur** ser obrigatório ; **tenir rigueur de qqch à qqn** guardar rancor de alguém por algo ; **à la rigueur** quando muito.

rillettes [Rijɛt] *nfpl patê de carne de porco frita em banha.*

rime [Rim] *nf* rima *f*.

rimer [Rime] *vi* rimar ; **rimer avec** rimar com ; **ça ne rime à rien** *fig* isso não tem sentido.

rinçage [Rɛ̃saʒ] *nm* enxaguada *f*.

rincer [Rɛ̃se] *vt* enxaguar.

ring [Riŋ] *nm* [de boxe] ringue *m* ; *Belgique* [route] anel *m* rodoviário.

riposter [Ripɔste] *vi* [en paroles] replicar ; [militairement] contra-atacar.

rire [RiR] ◇ *nm* riso *m*. ◇ *vi* [de joie] rir ; [s'amuser] rir-se ; **rire aux éclats** rir às gargalhadas ; **tu veux rire ?** está brincando? ; **pour rire** para brincar.

ris [Ri] *nmpl* : **ris de veau** moleja *f* de vitela.

risée [Rize] *nf* chacota *f* ; **être la risée de** ser alvo de chacota de.

risotto [Rizɔto] *nm* risoto *m*.

risque [Risk] *nm* risco *m*.

risqué, **e** [Riske] *adj* arriscado(da).

risquer [Riske] *vt* arriscar. ◆ **risquer de** *vp* + *prép* correr o risco de ; **il risque de ne pas venir** pode ser que ele não venha.

rissolé, **e** [Risɔle] *adj* dourado(da).

rite [Rit] *nm* rito *m*.

rituel, **elle** [Ritɥɛl] *adj* ritual. ◆ **rituel** *nm* ritual *m*.

rivage [Rivaʒ] *nm* costa *f*.

rival, **e**, **aux** [Rival, o] *adj* & *nm, f* rival.

rivaliser [Rivalize] *vi* : **rivaliser avec qqn/qqch** rivalizar com alguém/algo ; **rivaliser de** *fig* rivalizar em.

rivalité [Rivalite] *nf* rivalidade *f*.

rive [Riv] *nf* margem *f* ; **la rive gauche/droite** [à Paris] *bairros parisienses situados respectivamente na margem esquerda e na margem direita do rio Sena.*

river [Rive] *vt* **1.** [fixer] : **river qqch à** pregar algo em - **2.** [assembler] rebitar ; **être rivé à** estar colado a.

riverain, **e** [RivRɛ̃, ɛn] *nm, f* [d'une rue] morador *m*, -ra *f* ; **'sauf riverains'** 'exceto moradores'.

rivet [Rivɛ] *nm* rebite *m*.

rivière [RivjɛR] *nf* rio *m*.

riz [Ri] *nm* arroz *m* ; **riz cantonais** arroz

chau-chau ; **riz au lait** arroz-doce *m* ; **riz pilaf** pilaf *m* ; **riz sauvage** *Québec* arroz selvagem.

rizière [RizjɛR] *nf* arrozal *m*.

RMI *nm* (*abr de* **revenu minimum d'insertion sociale**) *subsídio de inserção social concedido às pessoas sem recursos*.

RMiste [ɛRɛmist] *nmf pessoa que se beneficia do subsídio de inserção social*.

RN *nf* (*abr de* **route nationale**) EN *f*.

robe [Rɔb] *nf* [vêtement de femme] vestido *m* ; [d'un cheval] pêlo *m* ; **robe de chambre** robe *m* ; **robe du soir** vestido de noite.

robinet [Rɔbinɛ] *nm* torneira *f*.

robot [Rɔbo] *nm* [industriel] robô *m* ; [ménager] processador *m* de alimentos.

robotique [Rɔbɔtik] *nf* robótica *f*.

robuste [Rɔbyst] *adj* robusto(ta).

roc [Rɔk] *nm* rochedo *m*.

rocade [Rɔkad] *nf* anel *m* rodoviário.

rocaille [Rɔkaj] *nf* rocalha *f* ; [jardin] *jardim composto por rochas, conchas e plantas*.

rocambolesque [Rɔkɑ̃bɔlɛsk] *adj* rocambolesco(ca).

roche [Rɔʃ] *nf* rocha *f*.

rocher [Rɔʃe] *nm* [bloc, matière] rochedo *m* ; [au chocolat] *bombom de chocolate redondo coberto com pedaços de avelã*.

rocheux, **euse** [Rɔʃø, øz] *adj* rochoso(osa).

rock [Rɔk] *nm* rock *m*.

rodage [Rɔdaʒ] *nm* rodagem *f*.

rodé, **e** [Rɔde] *adj* AUTO amaciado(da) ; *fig* [personne] que tem conhecimento dos métodos.

rôder [Rode] *vi* [par ennui] vaguear ; [pour attaquer] rondar.

rôdeur, **euse** [RodœR, øz] *nm, f* vadio *m*, -dia *f*.

rœsti [Røʃti] *nmpl Suisse tortilhas de batatas raladas*.

rogne [Rɔɲ] *nf fam* mau humor ; **être /se mettre en rogne** estar /ficar de mau humor.

rogner [Rɔɲe] *vt* [couper] aparar ; [diminuer] : **rogner sur** cortar em.

rognons [Rɔɲɔ̃] *nmpl* rins *mpl* (*de animal*).

roi [Rwa] *nm* rei *m* ; **les Rois, la fête des Rois** o dia de Reis.

Roland-Garros [Rɔlɑ̃gaRɔs] *npr* : **(le tournoi de) Roland-Garros** (o torneio de) Roland Garros.

rôle [Rol] *nm* papel *m* ; **jeu de rôle** representação de papéis.

ROM [Rɔm] *nf* (*abr de* **read only memory**) ROM *f*.

romain, **e** [Rɔmɛ̃, ɛn] *adj* romano(na) ; **roman policier** romance policial.

roman, **e** [Rɔmɑ̃, an] ◇ *adj* românico(ca). ◇ *nm* romance *m*.

romancier, **ère** [Rɔmɑ̃sje, ɛR] *nm, f* romancista *mf*.

romanesque [Rɔmanɛsk] *adj* romanesco(ca).

roman-feuilleton [Rɔmɑ̃fœjtɔ̃] (*pl* **romans-feuilletons**) *nm* [à épisodes] novela *f* ; *fig* [sans fin] novela *f*.

roman-photo [Rɔmɑ̃fɔto] (*pl* **romans-photos**) *nm* fotonovela *f*.

romantique [Rɔmɑ̃tik] *adj* romântico(ca).

romantisme [Rɔmɑ̃tism] *nm* romantismo *m*.

romarin [RɔmaRɛ̃] *nm* rosmaninho *m*.

rompre [Rɔ̃pR] *vi* romper o namoro.

rompu, **e** [Rɔ̃py] ◇ *pp* ➤ **rompre**. ◇ *adj* : **être rompu à** ter muita prática em.

romsteck [Rɔmstɛk] *nm* bife *m* de alcatra.

ronce [Rɔ̃s] *nf* silva *f*, framboeseira *f*.

rond, e [ʀɔ̃, ʀɔ̃d] ◇ *adj* redondo(da) ; [gros] forte. ◇ *nm* círculo *m* ; **en rond** em círculo.

ronde [ʀɔ̃d] *nf* [de policiers] ronda *f*.

rondelle [ʀɔ̃dɛl] *nf* [tranche] rodela *f* ; TECHNOL anilha *f*.

rondeur [ʀɔ̃dœʀ] *nf* [forme] redondeza *f* ; [partie charnue] curva *f* ; [du caractère] franqueza *f*.

rond-point [ʀɔ̃pwɛ̃] (*pl* **ronds-points**) *nm* rotunda *f*.

ronflement [ʀɔ̃fləmɑ̃] *nm* ronco *m*.

ronfler [ʀɔ̃fle] *vi* roncar.

ronger [ʀɔ̃ʒe] *vt* [os] roer ; [suj: rouille] corroer. ◆ **se ronger** *vp* : **se ronger les ongles** roer as unhas.

ronronner [ʀɔ̃ʀɔne] *vi* ronronar.

roquefort [ʀɔkfɔʀ] *nm* queijo *m* Roquefort.

ROR [ɛroɛr] *nm* (*abr de* **rougeole oreillons rubéole**) VASPR *m* (vacina contra o sarampo, caxumba e rubéola), SPR *m*.

rosace [ʀozas] *nf* [vitrail] rosácea *f*.

rosbif [ʀɔzbif] *nm* rosbife *m*.

rose [ʀoz] ◇ *adj* & *nm* cor-de-rosa. ◇ *nf* [fleur] rosa *f*.

rosé, e [ʀoze] ◇ *adj* rosado(da). ◇ *nm* rosado *m*.

roseau [ʀozo] (*pl* -x) *nm* junco *m*.

rosée [ʀoze] ◇ ► **rosé**. ◇ *nf* orvalho *m*.

rosier [ʀozje] *nm* roseira *f*.

rossignol [ʀɔsiɲɔl] *nm* rouxinol *m*.

Rossini [ʀɔsini] *npr* ► **tournedos**.

rot [ʀo] *nm* arroto *m*.

rotation [ʀɔtasjɔ̃] *nf* rotação *f*.

roter [ʀɔte] *vi* arrotar.

rôti [ʀoti] *nm* assado *m*.

rôtie [ʀoti] *nf Québec* torrada *f*.

rotin [ʀɔtɛ̃] *nm* ratã *m*.

rôtir [ʀotiʀ] ◇ *vt* estar assando. ◇ *vi* assar.

rôtisserie [ʀotisʀi] *nf* churrascaria *f*.

rôtissoire [ʀotiswaʀ] *nf* [électrique] assadeira *f*.

rotonde [ʀɔtɔ̃d] *nf* [bâtiment] rotunda *f* ; [dans un autobus] *parte traseira, ao ar livre, de certos ônibus*.

rotule [ʀɔtyl] *nf* rótula *f*.

rouage [ʀwaʒ] *nm* (*gén pl*) [d'un mécanisme] engrenagem *f* ; *fig* [de l'État] máquina *f* (administrativa).

rouble [ʀubl] *nm* rublo *m*.

roucouler [ʀukule] *vi* arrulhar.

roue [ʀu] *nf* roda *f* ; **roue de secours** pneu *m* sobressalente, estepe *m* ; **(la)grande roue** roda-gigante *f*.

rouer [ʀwe] *vt* : **rouer qqn de coups** espancar alguém.

rouge [ʀuʒ] ◇ *adj* vermelho(lha) ; [fer] em brasa. ◇ *nm* [couleur] vermelho *m* ; [vin] tinto *m* ; **le feu est passé au rouge** o semáforo ficou vermelho ; **rouge à lèvres** batom *m*.

rouge-gorge [ʀuʒgɔʀʒ] (*pl* **rouges-gorges**) *nm* pintarroxo *m*.

rougeole [ʀuʒɔl] *nf* sarampo *m*.

rougeur [ʀuʒœʀ] *nf* [teinte, de la peau] vermelhidão *f* ; [du visage] rubor *m*. ◆ **rougeurs** *nfpl* manchas *fpl* vermelhas.

rougir [ʀuʒiʀ] *vi* corar.

rouille [ʀuj] *nf* [du fer] ferrugem *f* ; [sauce] *molho de alho e pimenta vermelha para acompanhar pratos de peixe*.

rouillé, e [ʀuje] *adj* enferrujado(da).

rouiller [ʀuje] *vi* enferrujar.

roulade [ʀulad] *nf* cambalhota *f*.

roulant [ʀulɑ̃] *adj m* ► **fauteuil, tapis**.

rouleau [ʀulo] (*pl* -x) *nm* rolo *m* ;

[vague] vaga *f* ; **rouleau à pâtisserie** rolo da massa ; **rouleau de printemps** rolinho *m* primavera.

roulement [ʀulmɑ̃] *nm* turno *m* ; **roulement à billes** rolamento *m* ; **roulement de tambour** rufo *m*.

rouler [ʀule] ◇ *vt* enrolar. ◇ *vi* circular ; [balle, caillou] rolar ; **rouler les r** enrolar os erres ; **'roulez au pas'** 'circule devagar'. ◆ **se rouler** *vp* rebolar-se.

roulette [ʀulɛt] *nf* rodinha *f* ; **la roulette** a roleta.

roulis [ʀuli] *nm* balanço *m*.

roulotte [ʀulɔt] *nf* trailer *m*.

Roumanie [ʀumani] *nf* : **la Roumanie** a Romênia.

rousse ► **roux**.

rousseur [ʀusœʀ] *nf* ► **tache**.

roussi [ʀusi] *nm* : **ça sent le roussi** isto cheira a chamuscado.

routage [ʀutaʒ] *nm* distribuição *f*.

route [ʀut] *nf* estrada *f* ; **mettre qqch en route** pôr algo em andamento ; **se mettre en route** pôr-se a caminho ; **'route barrée'** 'estrada bloqueada ao trânsito' ; **route départementale** estrada nacional.

routier, ère [ʀutje, ɛʀ] ◇ *adj* [carte] da estrada ; [transports] rodoviário(ria). ◇ *nm* [camionneur] caminhoneiro *m* ; [restaurant] restaurante *m* de beira de estrada.

routine [ʀutin] *nf péj* rotina *f*.

routinier, ère [ʀutinje, ɛʀ] *adj* rotineiro(ra).

roux, rousse [ʀu, ʀus] ◇ *adj* ruivo(va) ; [arbre, chat] amarelado(da). ◇ *nm, f* ruivo *m*, -va *f*.

royal, e, aux [ʀwajal, o] *adj* [famille, pouvoir] real ; [cadeau] suntuoso(osa) ; [pourboire] fabuloso(osa).

royalement [ʀwajalmɑ̃] *adv* [vivre, traiter] magnificamente ; *fig* [se moquer] extremamente ; *iron* [offrir] nobremente.

royaliste [ʀwajalist] *adj* & *nmf* monarquista.

royaume [ʀwajom] *nm* reino *m*.

Royaume-Uni [ʀwajomyni] *nm* : **le Royaume-Uni** o Reino Unido.

royauté [ʀwajɔte] *nf* realeza *f*.

RPR *nm partido político francês de direita.*

RTT [ɛrtete] (*abr de* **réduction du temps de travail**) *nf redução da jornada semanal de trabalho com manutenção do salário.*

ruade [ʀyad] *nf* coice *m*.

ruban [ʀybɑ̃] *nm* fita *f* ; **ruban adhésif** fita adesiva.

rubéole [ʀybeɔl] *nf* rubéola *f*.

rubis [ʀybi] *nm* rubi *m*.

rubrique [ʀybʀik] *nf* [catégorie] categoria *f* ; [de journal] rubrica *f*.

ruche [ʀyʃ] *nf* colmeia *f*.

rude [ʀyd] *adj* [climat] rigoroso(osa) ; [travail] penoso(osa) ; [voix] áspero(ra).

rudesse [ʀydɛs] *nf* rudeza *f*.

rudimentaire [ʀydimɑ̃tɛʀ] *adj* rudimentar.

rue [ʀy] *nf* rua *f* ; **rue piétonne** OU **piétonnière** rua de pedestres.

ruée [ʀɥe] *nf* corrida *f*.

ruelle [ʀɥɛl] *nf* ruela *f*.

ruer [ʀɥe] *vi* escoicear. ◆ **se ruer** *vp* : **se ruer dans/sur** atirar-se a.

rugby [ʀygbi] *nm* rúgbi *m*.

rugir [ʀyʒiʀ] *vi* rugir.

rugueux, euse [ʀygø, øz] *adj* rugoso(osa).

ruine [ʀɥin] *nf* ruína *f* ; **en ruine** em ruínas ; **tomber en ruine** ficar em ruínas. ◆ **ruines** *nfpl* ruínas *fpl*.

ruiné, e [ʀɥine] *adj* arruinado(da).

ruiner [ʀɥine] *vt* arruinar. ◆ **se ruiner** *vp* arruinar-se.

ruineux, **euse** [ʀɥinø, øz] *adj* ruinoso(osa).

ruisseau [ʀɥiso] (*pl* -x) *nm* riacho *m*.

ruisseler [ʀɥisle] *vi* [liquide] correr ; **ruisseler de** estar banhado de.

rumeur [ʀymœʀ] *nf* rumor *m*.

ruminer [ʀymine] *vi* ruminar.

rupture [ʀyptyʀ] *nf* [de relations diplomatiques] ruptura *f* ; [d'une relation amoureuse] rompimento *m*.

rural, **e**, **aux** [ʀyʀal, o] *adj* rural.

ruse [ʀyz] *nf* [habileté] astúcia *f* ; [procédé] artimanha *f*.

rusé, **e** [ʀyze] *adj* astuto(ta).

russe [ʀys] ◇ *adj* russo(a). ◇ *nm* [langue] russo *m*. ◆ **Russe** *nmf* russo *m*, -a *f*.

Russie [ʀysi] *nf* : **la Russie** a Rússia.

Rustine® [ʀystin] *nf* remendo *m (em câmara-de-ar)*.

rustique [ʀystik] *adj* rústico(ca).

rythme [ʀitm] *nm* ritmo *m*.

rythmer [ʀitme] *vt* ritmar.

S

s' ► **se**.

S (*abr de* **sud**) S.

sa [sa] ► **son** *(adj)*.

SA *nf* (*abr de* **société anonyme**) SA *f*.

sabbatique [sabatik] *adj* sabático(ca).

sable [sabl] *nm* areia *f* ; **sables mouvants** areia movediça.

sablé, **e** [sable] ◇ *adj* : **pâte sablée** *massa à base de farinha, ovos e açúcar, muito quebradiça*. ◇ *nm* amanteigado *m*.

sablier [sablije] *nm* ampulheta *f*.

sablonneux, **euse** [sablɔnø, øz] *adj* arenoso(osa).

sabot [sabo] *nm* [de cheval, de vache] casco *m* ; [chaussure] tamanco *m* ; **sabot de Denver** *dispositivo utilizado pela polícia para bloquear as rodas de um veículo mal estacionado*.

sabotage [sabɔtaʒ] *nm* sabotagem *f*.

saboter [sabɔte] *vt* [faire échouer] sabotar ; *fig* [bâcler] fazer depressa e mal.

sabre [sabʀ] *nm* sabre *m*.

sac [sak] *nm* saco *m* ; **sac de couchage** saco de dormir *m* ; **sac à dos** mochila *f* ; **sac à main** carteira *f* ; **sac (en) plastique** saco de plástico ; **sac poubelle** saco de lixo.

saccadé, **e** [sakade] *adj* [gestes] brusco(ca) ; [respiration] entrecortado(da).

saccager [sakaʒe] *vt* saquear.

sacerdoce [sasɛʀdɔs] *nm* sacerdócio *m*.

sachant [saʃɑ̃] *p prés* ► **savoir**.

sache *etc.* ► **savoir**.

sachet [saʃɛ] *nm* saco *m* ; **sachet de thé** saquinho *m* de chá ; **soupe en sachet** sopa instantânea.

sacoche [sakɔʃ] *nf* sacola *f*.

sac-poubelle [sakpubɛl] (*pl* **sacs-poubelle**) *nm* saco *m* de lixo.

sacré, **e** [sakʀe] *adj* [temple, texte] sagrado(da) ; [musique, art] sacro(cra) ; **c'est un sacré menteur!** *fam* [maudit] é um maldito mentiroso! ; *fam* [important, excellent] extraordinário(ria).

sacrement [sakʀəmɑ̃] *nm* sacramento *m* ; **les derniers sacrements** os últimos sacramentos.

sacrifice [sakʀifis] *nm* [effort] sacrifício *m*.

sacrifier [sakʀifje] *vt* [renoncer à] sacrificar. ◆ **se sacrifier** *vp* sacrificar-se.

sacrilège [sakʀilɛʒ] *nm* sacrilégio *m*.

sacristie [sakʀisti] *nf* sacristia *f*.

sadique [sadik] *adj* sádico(ca).

safari [safaʀi] *nm* safári *m*.

safran [safʀɑ̃] *nm* açafrão *m*.

saga [saga] *nf* saga *f*.

sage [saʒ] *adj* [avisé] sensato(ta) ; [obéissant] bem-comportado(da).

sage-femme [saʒfam] (*pl* **sages-femmes**) *nf* parteira *f*.

sagesse [saʒɛs] *nf* [raison] sabedoria *f* ; [prudence] sensatez *f*.

Sagittaire [saʒitɛʀ] *nm* Sagitário *m*.

saignant, e [sɛɲɑ̃, ɑ̃t] *adj* [viande] malpassado(da).

saignement [sɛɲmɑ̃] *nm* : **saignement de nez** hemorragia *f* nasal.

saigner [seɲe] *vi* sangrar ; **saigner du nez** perder sangue pelo nariz.

saillant, e [sajɑ̃, ɑ̃t] *adj* saliente.

saillie [saji] *nf* [avancée] saliência *f* ; **en saillie** saliente.

sain, e [sɛ̃, sɛn] *adj* [physiquement] sadio(dia) ; [mentalement] são(sã) ; [nourriture, climat] saudável ; **sain et sauf** são e salvo.

saint, e [sɛ̃, sɛ̃t] *adj & nm, f* santo(ta) ; **la Saint-François** o dia de São Francisco.

sainteté [sɛ̃tte] *nf* santidade *f* ; **Sa Sainteté** Sua Santidade.

saint-honoré [sɛ̃tɔnɔʀe] *nm inv bolo guarnecido de carolinas com creme.*

Saint-Jacques [sɛ̃ʒak] *npr* ➤ **coquille**.

Saint-Michel [sɛ̃miʃɛl] *npr* ➤ **mont**.

Saint-Père [sɛ̃pɛʀ] *nm* : **le Saint-Père** o Santo Padre.

Saint-Sylvestre [sɛ̃silvɛstʀ] *nf* : **la Saint-Sylvestre** a noite de São Silvestre.

sais *etc.* ➤ **savoir**.

saisie [sezi] *nf* DR penhora *f* ; INFORM digitação *f* de dados ; **erreur de saisie** erro de digitação.

saisir [seziʀ] *vt* [prendre] apanhar ; [occasion] agarrar ; [comprendre] alcançar ; DR [biens] penhorar ; INFORM introduzir em.

saisissant, e [sezisɑ̃, ɑ̃t] *adj* surpreendente.

saison [sɛzɔ̃] *nf* estação *f* ; [période] época *f* ; **basse saison** baixa estação ; **haute saison** alta estação.

saisonnier, ère [sɛzɔnje, ɛʀ] ◇ *adj* sazonal. ◇ *nm, f* trabalhador *m*, -ra *f* sazonal.

salade [salad] *nf* [verte] alface *f* ; [plat en vinaigrette] salada *f* ; **salade composée** salada composta ; **champignons en salade** salada de cogumelos ; **salade de fruits** salada de fruta ; **salade mêlée** *Suisse* salada mista ; **salade mixte** salada mista ; **salade niçoise** *salada com tomates, batatas, anchovas e ovo.*

saladier [saladje] *nm* saladeira *f*.

salaire [salɛʀ] *nm* salário *m*.

salami [salami] *nm* salame *m*.

salant [salɑ̃] *adj m* : **marais salant** salina *f*.

salarial, e, aux [salaʀjal, o] *adj* salarial ; **masse salariale** massa salarial.

salarié, e [salaʀje] *nm, f* assalariado *m*, -da *f*.

salaud [salo] *nm vulg* canalha *mf*.

sale [sal] *adj* [linge, mains *etc.*] sujo(ja) ; *fam* [temps, histoire] horrível ; *fam* [mentalité] deturpado(da).

salé, e [sale] ◇ *adj* salgado(da). ◇ *nm* : **petit salé aux lentilles** *carne de porco salgada servida com lentilhas.*

saler [sale] *vt* [plat] salgar ; [chaussée] pôr sal em.

saleté [salte] *nf* sujidade *f* ; [chose sale] porcaria *f*.

salière [saljɛʀ] *nf* saleiro *m*.

salir [saliʀ] *vt* sujar. ◆ **se salir** *vp* sujar-se.

salissant, **e** [salisɑ̃, ɑ̃t] *adj* que se suja facilmente.

salive [saliv] *nf* saliva *f*.

saliver [salive] *vi* salivar ; *fig* dar água na boca.

salle [sal] *nf* sala *f* ; **salle d'attente** sala de espera ; **salle de bains** banheiro *m* ; **salle de classe** sala de aula ; **salle d'embarquement** sala de embarque ; **salle à manger** sala de jantar ; **salle d'opération** sala de operações.

salon [salɔ̃] *nm* salão *m* ; **salon de coiffure** salão de cabeleireiro ; **salon de thé** confeitaria *f*.

salope [salɔp] *nf vulg* puta *f*.

saloperie [salɔpʀi] *nf fam* porcaria *f*.

salopette [salɔpɛt] *nf* [d'ouvrier] macacão *m* ; [en jean *etc.*] jardineira *f*.

salsifis [salsifi] *nmpl* salsifi *m*.

saltimbanque [saltɛ̃bɑ̃k] *nmf* saltimbanco *m*.

salubre [salybʀ] *adj* salubre.

saluer [salɥe] *vt* cumprimentar ; [dire au revoir à] despedir-se de ; MIL fazer continência a.

salut [saly] ◇ *nm* [pour dire bonjour] cumprimento *m* ; [de la tête] aceno *m* de cabeça ; [pour dire au revoir] despedida *f* ; MIL continência *f*. ◇ *interj fam* [bonjour] olá!, oi! ; [au revoir] adeus!

salutaire [salytɛʀ] *adj* salutar.

salutation [salytasjɔ̃] *nf* saudação *f*. ◆ **salutations** *nfpl* : **salutations distinguées** respeitosos cumprimentos ; **avec mes sincères salutations** com os mais sinceros cumprimentos.

salve [salv] *nf* [d'armes à feu] salva *f* ; [d'applaudissements] salva *f* (de palmas).

samaritain [samaʀitɛ̃] *nm Suisse* socorrista *m*.

samedi [samdi] *nm* sábado *m* ; **nous sommes** OU **c'est samedi** é sábado ; **samedi 13 septembre** sábado, 13 de setembro ; **nous sommes partis samedi** nós fomos embora no sábado ; **samedi dernier** no sábado passado ; **samedi prochain** no sábado que vem ; **samedi matin** no sábado de manhã ; **le samedi** aos sábados ; **à samedi!** até sábado!

SAMU [samy] *nm serviço médico de urgências* ; **le SAMU social** *ajuda para pessoas em dificuldades, sem abrigo, que oferece alojamento nas noites de inverno e presta os primeiros socorros.*

sanction [sɑ̃ksjɔ̃] *nf* sanção *f*.

sanctionner [sɑ̃ksjɔne] *vt* sancionar.

sanctuaire [sɑ̃ktɥɛʀ] *nm* santuário *m*.

sandale [sɑ̃dal] *nf* sandália *f*.

sandwich [sɑ̃dwitʃ] *nm* sanduíche *m*.

sandwicherie [sɑ̃dwitʃ(ə)ri] *nf* lanchonete *f*.

sang [sɑ̃] *nm* sangue *m* ; **en sang** a sangrar ; **se faire du mauvais sang** apoquentar-se.

sang-froid [sɑ̃fʀwa] *nm inv* sangue-frio *m*.

sanglant, **e** [sɑ̃glɑ̃, ɑ̃t] *adj* [couvert de sang] ensangüentado(da) ; [meurtrier] sangrento(ta).

sangle [sɑ̃gl] *nf* correia *f*.

sanglier [sɑ̃glije] *nm* javali *m*.

sanglot [sɑ̃glo] *nm* soluço *m*.

sangloter [sɑ̃glɔte] *vi* soluçar.

sangria [sɑ̃gʀija] *nf* sangria *f*.

sangsue [sɑ̃sy] *nf* [animal] sanguessuga *f* ; *fam fig* [personne importune] chato *m*, -ta *f* ; *fig* [personne avide] sanguessuga *f*.

sanguin [sɑ̃gɛ̃] *adj m* ► **groupe.**

sanguinaire [sɑ̃ginɛʀ] *adj* sanguinário(ria).

sanguine [sɑ̃gin] *nf* [orange] laranja *f* sangüínea.

Sanisette® [sanizɛt] *nf banheiro público automático.*

sanitaire [sanitɛʀ] *adj* sanitário(ria). ◆ **sanitaires** *nmpl* sanitários *mpl.*

sans [sɑ̃] *prép* sem ; **sans faire qqch** sem fazer algo ; **sans que personne ne s'en rende compte** sem que ninguém se dê conta.

sans-abri [sɑ̃zabʀi] *nmf inv* sem-teto *mf inv.*

sans-emploi [sɑ̃zɑ̃plwa] *nmf inv* desempregado *m*, -da *f.*

sans-gêne [sɑ̃ʒɛn] ◇ *adj inv* descarado(da). ◇ *nm inv* à vontade *m.*

santé [sɑ̃te] *nf* saúde *f* ; **en bonne/mauvaise santé** com boa/má saúde ; **(à ta) santé!** saúde!

saoul, e [su, sul] = **soûl.**

saouler [sule] = **soûler.**

saphir [safiʀ] *nm* [pierre] safira *f* ; [d'un électrophone] agulha *f.*

sapin [sapɛ̃] *nm* abeto *m* ; **sapin de Noël** árvore *f* de Natal.

sarcasme [saʀkasm] *nm* sarcasmo *m.*

sarcastique [saʀkastik] *adj* sarcástico(ca).

sardine [saʀdin] *nf* sardinha *f.*

SARL *nf* (*abr de* **société à responsabilité limitée**) S/C *f.*

sarrasin [saʀazɛ̃] *nm* trigo-sarraceno *m.*

sas [sas] *nm* [de décompression] câmara *f* ; [d'écluse] represa *f.*

satellite [satelit] *nm* satélite *m* ; **satellite artificiel** satélite artificial ; **satellite météorologique** satélite meteorológico ; **satellite de télécommunications** satélite de telecomunicações, satélite de radiodifusão direta.

satiété [sasjete] *nf* saciedade *f* ; **à satiété** até a saciedade.

satin [satɛ̃] *nm* cetim *m.*

satiné, e [satine] *adj* acetinado(da).

satire [satiʀ] *nf* sátira *f.*

satirique [satiʀik] *adj* satírico(ca).

satisfaction [satisfaksjɔ̃] *nf* satisfação *f.*

satisfaire [satisfɛʀ] *vt* satisfazer. ◆ **se satisfaire de** *vp + prép* contentar-se com.

satisfaisant, e [satisfəzɑ̃, ɑ̃t] *adj* satisfatório(ria).

satisfait, e [satisfɛ, ɛt] ◇ *pp* ► **satisfaire.** ◇ *adj* satisfeito(ta) ; **être satisfait de** estar satisfeito com.

saturation [satyʀasjɔ̃] *nf* saturação *f.*

saturé, e [satyʀe] *adj* saturado(da).

satyre [satiʀ] *nm* sátiro *m.*

sauce [sos] *nf* molho *m* ; **en sauce** com molho ; **sauce blanche** molho branco ; **sauce chasseur** *molho de cogumelos, vinho branco e tomate* ; **sauce madère** *molho madeira* ; **sauce tartare** molho tártaro ; **sauce tomate** molho de tomate.

saucer [sose] *vt* molhar o pão em.

saucisse [sosis] *nf* salsicha *f* ; **saucisse sèche** chouriço *m.*

saucisson [sosisɔ̃] *nm* paio *m.*

sauf, sauve [sof, sov] ◇ *adj* ► **sain.** ◇ *prép* menos ; **sauf erreur** se não me engano.

sauge [soʒ] *nf* salva *f.*

saugrenu, e [sogʀəny] *adj* disparatado(da).

saule [sol] *nm* salgueiro *m* ; **saule pleureur** salgueiro-chorão *m.*

saumon [somɔ̃] ◇ *nm* salmão *m*. ◇ *adj inv* : **(rose) saumon** salmão ; **saumon fumé** salmão defumado.

sauna [sona] *nm* sauna *f*.

saupoudrer [sopudʀe] *vt* : **saupoudrer qqch de** polvilhar algo com.

saur [sɔʀ] *adj m* ► **hareng**.

saura *etc.* ► **savoir**.

saut [so] *nm* salto *m* ; **faire un saut chez qqn** dar um pulo na casa de alguém ; **saut en hauteur** salto em altura ; **saut en longueur** salto em distância ; **saut périlleux** salto mortal.

saute [sot] *nf* : **saute d'humeur** mudança *f* de humor.

sauté, **e** [sote] ◇ *adj* salteado(da). ◇ *nm* : **sauté de veau** *carne de vitela salteada*.

saute-mouton [sotmutɔ̃] *nm inv* : **jouer à saute-mouton** brincar de pula-sela.

sauter [sote] ◇ *vi* rebentar ; [bondir] saltar. ◇ *vt* saltar ; [classe] passar ; **sauter son tour** passar a sua vez ; **faire sauter qqch** [faire exploser] fazer explodir algo ; CULIN saltear algo.

sauterelle [sotʀɛl] *nf* gafanhoto *m*.

sautiller [sotije] *vi* saltitar.

sauvage [sovaʒ] ◇ *adj* selvagem ; [enfant, caractère] insociável. ◇ *nmf* [barbare] selvagem *mf* ; [personne farouche] pessoa *f* insociável.

sauvagerie [sovaʒʀi] *nf* [férocité] selvageria *f* ; [insociabilité] descortesia *f*.

sauvegarde [sovgaʀd] *nf* salvaguarda *f* ; **sauvegarde automatique** backup *m*.

sauvegarder [sovgaʀde] *vt* salvaguardar.

sauver [sove] *vt* salvar ; **sauver qqn/qqch de qqch** salvar alguém/algo de algo. ◆ **se sauver** *vp* escapar.

sauvetage [sovtaʒ] *nm* salvamento *m*.

sauveteur [sovtœʀ] *nm* salvador *m*, -ra *f*.

SAV *nm* (*abr de* **service après-vente**) serviço *m* pós-venda.

savant, **e** [savɑ̃, ɑ̃t] ◇ *adj* sábio(bia). ◇ *nm* cientista *mf*.

savarin [savaʀɛ̃] *nm bolo em forma de coroa, embebido em rum com creme de leite ao centro.*

saveur [savœʀ] *nf* sabor *m*.

savoir [savwaʀ] *vt* saber ; **savoir faire qqch** saber fazer algo ; **je n'en sais rien** não faço idéia ; **on ne sait jamais** nunca se sabe.

savoir-faire [savwaʀfɛʀ] *nm inv* know-how *m*.

savoir-vivre [savwaʀvivʀ] *nm inv* saber viver *m*.

savon [savɔ̃] *nm* sabão *m* ; **savon de Marseille** sabão de Marselha.

savonner [savɔne] *vt* ensaboar.

savonnette [savɔnɛt] *nf* sabonete *m*.

savourer [savuʀe] *vt* saborear.

savoureux, **euse** [savuʀø, øz] *adj* [aliment] saboroso(osa).

savoyarde [savwajaʀd] *adj f* ► **fondue**.

saxophone [saksɔfɔn] *nm* saxofone *m*.

saxophoniste [saksɔfɔnist] *nmf* saxofonista *mf*.

sbrinz [ʃbʀints] *nm Suisse queijo duro de vaca, geralmente ralado.*

scabreux, **euse** [skabʀø, øz] *adj* escabroso(osa).

scalpel [skalpɛl] *nm* escalpelo *m*.

scandale [skɑ̃dal] *nm* escândalo *m* ; **faire du** OU **un scandale** fazer (um) escândalo ; **faire scandale** causar um escândalo.

scandaleux, **euse** [skɑ̃dalø, øz] *adj* escandaloso(osa).

scandaliser [skɑ̃dalize] *vt* escandalizar. ◆ **se scandaliser** *vp* escandalizar-se.

scandinave [skɑ̃dinav] *adj* escandinavo(va).

Scandinavie [skɑ̃dinavi] *nf* : **la Scandinavie** a Escandinávia.

scanner [skanɛʀ] *nm* scanner *m*.

scaphandre [skafɑ̃dʀ] *nm* escafandro *m*.

scarole [skaʀɔl] *nf* escarola *f*.

sceau [so] (*pl* -x) *nm* [cachet] selo *m* ; *fig* [marque] cunho *m* ; **sous le sceau du secret** *fig* sob condição de guardar segredo.

sceller [sele] *vt* [cimenter] selar.

scénario [senaʀjo] *nm* cenário *m*.

scénariste [senaʀist] *nmf* roteirista *mf*.

scène [sɛn] *nf* cena *f* ; [estrade] palco *m* ; **faire une scène (à qqn)** fazer uma cena (a alguém) ; **mettre qqch en scène** encenar algo.

sceptique [sɛptik] *adj* cético(ca).

sceptre [sɛptʀ] *nm* cetro *m*.

schéma [ʃema] *nm* esquema *m*.

schématique [ʃematik] *adj* esquemático(ca).

schématiser [ʃematize] *vt* [présenter en schéma] esquematizar ; *péj* [généraliser] generalizar.

schisme [ʃism] *nm* cisma *m*.

schizophrène [skizɔfʀɛn] *adj* esquizofrênico(ca).

schublig [ʃublig] *nm Suisse tipo de salsicha*.

sciatique [sjatik] *nf* ciática *f*.

scie [si] *nf* serra *f*.

sciemment [sjamɑ̃] *adv* conscientemente.

science [sjɑ̃s] *nf* ciência *f* ; **sciences naturelles** ciências naturais.

science-fiction [sjɑ̃sfiksjɔ̃] *nf* ficção *f* científica.

scientifique [sjɑ̃tifik] ◇ *adj* científico(ca). ◇ *nmf* cientista *mf*.

scier [sje] *vt* serrar.

scinder [sɛ̃de] *vt* cindir ; **scinder en** cindir em. ◆ **se scinder** *vp* cindir-se ; **se scinder en** cindir-se em.

scintiller [sɛ̃tije] *vi* cintilar.

scission [sisjɔ̃] *nf* cisão *f*.

sciure [sjyʀ] *nf* serradura *f*.

sclérose [skleʀoz] *nf* esclerose *f* ; **sclérose en plaques** esclerose em placas.

scolaire [skɔlɛʀ] *adj* escolar.

scolarité [skɔlaʀite] *nf* escolaridade *f*.

scoop [skup] *nm* [journalistique] furo *m* jornalístico ; [nouvelle incroyable] bomba *f*.

scooter [skutœʀ] *nm* lambreta *f* ; **scooter des mers** jet-ski *m*.

score [skɔʀ] *nm* pontuação *f*.

scorpion [skɔʀpjɔ̃] *nm* escorpião *m*. ◆ **Scorpion** *nm* Escorpião *m*.

scotch [skɔtʃ] *nm* uísque *m* escocês.

Scotch® [skɔtʃ] *nm* fita *f* adesiva.

scotché, e *fam fig* [skɔtʃe] *adj* agarrado, colado ; **être scotché devant la télévision** estar grudado na televisão.

scotcher [skɔtʃe] *vt* colar com fita adesiva.

scout, e [skut] *nm, f* escoteiro *m*, -ra *f*.

script [skʀipt] *nm* [écriture] letra *f* de imprensa ; [scénario] script *m*.

scrupule [skʀypyl] *nm* escrúpulo *m*.

scrupuleux, euse [skʀypylø, øz] *adj* escrupuloso(osa).

scruter [skʀyte] *vt* escrutar.

scrutin [skʀytɛ̃] *nm* escrutínio *m*.

sculpter [skylte] *vt* esculpir.

sculpteur [skyltœʀ] *nm* escultor *m*, -ra *f*.

sculpture [skyltyʀ] *nf* escultura *f*.

SDF *nmf* (*abr de* **sans domicile fixe**) pessoa *f* sem domicílio fixo.

se [sə] *pron pers* **1.** [gén] -se ; **elle se regarde dans le miroir** ela se olha no espelho ; **se faire mal** magoar-se ; **se regarder** olhar-se ; **ils s'écrivent toutes les semaines** eles se escrevem todas as semanas ; **se décider** decidir-se ; **se mettre à faire qqch** pôr-se a fazer algo ; **ce produit se vend bien/partout** este produto vende bem/em todo lugar - **2.** [à valeur de possessif] : **se laver les mains** lavar as mãos ; **se couper le doigt** cortar o dedo.

séance [seɑ̃s] *nf* sessão *f* ; **séance tenante** na hora.

seau [so] (*pl* -x) *nm* balde *m* ; **seau à champagne** balde de gelo.

sec, **sèche** [sɛk, sɛʃ] *adj* seco(ca) ; [whisky] puro(ra) ; **à sec** seco(ca) ; **au sec** em lugar seco ; **d'un coup sec** com um golpe seco.

sécateur [sekatœʀ] *nm* tesoura *f* de podar.

sécession [sesesjɔ̃] *nf* secessão *f* ; **faire sécession** separar-se.

séchage [seʃaʒ] *nm* secagem *f*.

sèche ► **sec**.

sèche-cheveux [sɛʃʃəvø] *nm inv* secador *m* de cabelo.

sèche-linge [sɛʃlɛ̃ʒ] *nm inv* máquina *f* de secar.

sèchement [sɛʃmɑ̃] *adv* secamente.

sécher [seʃe] ◇ *vt* [linge, peau, cheveux] secar ; *fam* [cours] faltar a. ◇ *vi* [linge, peinture, cheveux] estar secando ; *fam* [à un examen] bloquear.

sécheresse [sɛʃʀɛs] *nf* seca *f*.

séchoir [seʃwaʀ] *nm* : **séchoir (à cheveux)** secador *m (de cabelo)* ; **séchoir (à linge)** varal *m* ; [électrique] máquina *f* de secar.

second, **e** [səgɔ̃, ɔ̃d] *adj* segundo(da).

secondaire [səgɔ̃dɛʀ] *adj* secundário(ria).

seconde [səgɔ̃d] *nf* [unité de temps] segundo *m* ; SCOL ≃ primeiro ano *m* do ensino médio ; [vitesse] segunda *f* ; **voyager en seconde (classe)** viajar em segunda classe.

seconder [səgɔ̃de] *vt* secundar.

secouer [səkwe] *vt* [agiter] sacudir ; [bouleverser] abalar ; [inciter à agir] sacudir.

secourir [səkuʀiʀ] *vt* socorrer.

secourisme [səkuʀism] *nm* socorrismo *m*.

secouriste [səkuʀist] *nmf* socorrista *mf*.

secours [səkuʀ] *nm* socorro *m* ; **appeler au secours** pedir socorro ; **au secours!** socorro! ; **secours d'urgence** socorro de emergência ; **premiers secours** primeiros socorros.

secouru, **e** [səkuʀy] *pp* ► **secourir**.

secousse [səkus] *nf* [en voiture, train] sacudida *f* ; [sismique] tremor *m*.

secret, **ète** [səkʀɛ, ɛt] ◇ *adj* secreto(ta). ◇ *nm* segredo *m* ; **en secret** em segredo.

secrétaire [səkʀetɛʀ] ◇ *nmf* secretário *m*, -ria *f*. ◇ *nm* [meuble] escrivaninha *f*.

secrétariat [səkʀetaʀja] *nm* [bureau] secretaria *f* ; [métier] secretariado *m*.

sectaire [sɛktɛʀ] *adj* sectário(ria) *(intolerante)*.

secte [sɛkt] *nf* seita *f*.

secteur [sɛktœʀ] *nm* setor *m* ; **fonctionner sur secteur** funcionar a eletricidade.

section [sɛksjɔ̃] *nf* [portion] seção *f* ; [de ligne d'autobus] zona *f*.

sectionner [sɛksjɔne] *vt* seccionar.

Sécu [seky] *nf fam* **la Sécu** a Segurança Social.

séculaire [sekylɛʀ] *adj* secular.

sécuriser [sekyʀize] *vt* sossegar.

sécurité [sekyʀite] *nf* segurança *f* ; **en sécurité** em segurança ; **la sécurité routière** a segurança nas estradas ; **la Sécurité sociale** a Segurança Social.

sédatif [sedatif] *nm* sedativo *m*.

sédentaire [sedɑ̃tɛʀ] *adj* & *nmf* sedentário(ria).

sédiment [sedimɑ̃] *nm* sedimento *m*.

séduire [sedɥiʀ] *vt* seduzir.

séduisant, e [sedɥizɑ̃, ɑ̃t] *adj* sedutor(ra).

séduit, e [sedɥi, it] *pp* ► **séduire**.

segment [sɛgmɑ̃] *nm* segmento *m*.

segmenter [sɛgmɑ̃te] *vt* segmentar.

ségrégation [segʀegasjɔ̃] *nf* segregação *f*.

seigle [sɛgl] *nm* centeio *m*.

seigneur [sɛɲœʀ] *nm* senhor *m* ; **le Seigneur** o Senhor.

sein [sɛ̃] *nm* seio *m* ; **au sein de** no seio de.

Seine [sɛn] *nf* : **la Seine** [fleuve] o Sena.

séisme [seism] *nm* sismo *m*.

seize [sɛz] *num* dezesseis, ► **six**.

seizième [sɛzjɛm] *num* décimo sexto(décima sexta), ► **sixième**.

séjour [seʒuʀ] *nm* estadia *f* ; **(salle de) séjour** sala *f* de estar.

séjourner [seʒuʀne] *vi* ficar.

sel [sɛl] *nm* sal *m* ; **sels de bain** sais de banho.

sélection [selɛksjɔ̃] *nf* seleção *f*.

sélectionner [selɛksjɔne] *vt* selecionar.

self-service, s [sɛlfsɛʀvis] *nm* [restaurant] self-service *m* ; [station-service] posto *m* de gasolina.

selle [sɛl] *nf* [de cheval] sela *f* ; [de vélo] selim *m*.

seller [sele] *vt* selar.

selon [səlɔ̃] *prép* segundo ; **nous sortirons ou nous resterons selon qu'il fera beau** vai depender de o tempo ficar bom ou ruim para sairmos ou não.

semaine [səmɛn] *nf* semana *f* ; **en semaine** durante a semana.

sémantique [semɑ̃tik] ◇ *nf* semântica *f*. ◇ *adj* semântico(ca).

semblable [sɑ̃blabl] *adj* semelhante ; **semblable à** semelhante a.

semblant [sɑ̃blɑ̃] *nm* : **faire semblant** fazer de conta ; **il fait semblant de travailler** ele finge estar trabalhando.

sembler [sɑ̃ble] *vi* parecer ; **il semble que...** parece que... ; **il me semble que...** parece-me que...

semelle [səmɛl] *nf* [de chaussure] sola *f* ; [intérieure] palmilha *f*.

semence [səmɑ̃s] *nf* [graine] semente *f* ; [sperme] sêmen *m*.

semer [səme] *vt* [graines] semear ; [se débarrasser de] despistar.

semestre [səmɛstʀ] *nm* semestre *m*.

semestriel, elle [səmɛstʀijɛl] *adj* semestral.

séminaire [seminɛʀ] *nm* seminário *m*.

semi-remorque, s [səmiʀəmɔʀk] *nm* semi-reboque *m*.

semis [səmi] *nm* sementeira *f*.

semoule [səmul] *nf* sêmola *f*.

sempiternel, elle [sɑ̃pitɛʀnɛl] *adj* repetitivo(va).

sénat [sena] *nm* senado *m*.

sénateur, trice [senatœr, tris] senador *m*, -a *f*.

Sénégal [senegal] *nm* : **le Sénégal** o Senegal.

sénile [senil] *adj* senil.

senior [senjɔr] *adj* [tourisme, clientèle, menu] sênior.

sens [sɑ̃s] *nm* sentido *m* ; **dans le sens**

des aiguilles d'une montre no sentido horário ; **dans le sens inverse des aiguilles d'une montre** no sentido anti-horário ; **en sens inverse** em sentido contrário ; **avoir du bon sens** ter bom senso ; **sens giratoire** sentido giratório ; **sens interdit** sentido proibido ; **(rue à) sens unique** sentido único ; **sens dessus dessous** de pernas para o ar.

sensation [sɑ̃sasjɔ̃] *nf* sensação *f* ; **faire sensation** causar sensação.

sensationnel, elle [sɑ̃sasjɔnɛl] *adj* [formidable] sensacional.

sensibiliser [sɑ̃sibilize] *vt* sensibilizar.

sensibilité [sɑ̃sibilite] *nf* sensibilidade *f*.

sensible [sɑ̃sibl] *adj* sensível ; [perceptible] perceptível ; **sensible à** sensível a.

sensiblement [sɑ̃sibləmɑ̃] *adv* sensivelmente.

sensoriel, elle [sɑ̃sɔʀjɛl] *adj* sensorial.

sensualité [sɑ̃sɥalite] *nf* sensualidade *f*.

sensuel, elle [sɑ̃sɥɛl] *adj* sensual.

sentence [sɑ̃tɑ̃s] *nf* sentença *f*.

senteur [sɑ̃tœʀ] *nf sout* odor *m*.

sentier [sɑ̃tje] *nm* senda *f*.

sentiment [sɑ̃timɑ̃] *nm* [impression] impressão *f* ; [émotion] sentimento *m* ; **sentiments dévoués** OU **respectueux** com os melhores cumprimentos.

sentimental, e, aux [sɑ̃timɑ̃tal, o] *adj* sentimental.

sentinelle [sɑ̃tinɛl] *nf* sentinela *f*.

sentir [sɑ̃tiʀ] *vt* sentir ; [odeur] cheirar ; [avoir une odeur de] cheirar a ; **sentir bon** cheirar bem ; **sentir mauvais** cheirar mal ; **ne pas pouvoir sentir qqn** *fam* não poder com alguém. ◆ **se sentir** *vp* : **se sentir mal** sentir-se mal ; **se sentir bizarre** sentir-se esquisito.

séparation [sepaʀasjɔ̃] *nf* separação *f*.

séparatiste [sepaʀatist] *nmf* separatista *mf*.

séparément [sepaʀemɑ̃] *adv* separadamente.

séparer [sepaʀe] *vt* separar ; **séparer qqn/qqch de** separar alguém/algo de. ◆ **se séparer** *vp* separar-se ; **se séparer de qqn** [conjoint] separar-se de alguém ; [employé] despedir alguém.

sept [sɛt] *num* sete, ► **six**.

septante [sɛptɑ̃t] *num Belgique* & *Suisse* setenta, ► **six**.

septembre [sɛptɑ̃bʀ] *nm* setembro *m* ; **en septembre, au mois de septembre** em setembro, no mês de setembro ; **début septembre** começo de setembro ; **fin septembre** fim de setembro ; **le deux septembre** no dia dois de setembro.

septennat [sɛptena] *nm* setenato *m*.

septième [sɛtjɛm] *num* sétimo(ma).

sépulture [sepyltyʀ] *nf* sepultura *f*.

séquelles [sekɛl] *nfpl* seqüelas *fpl*.

séquence [sekɑ̃s] *nf* [de film] seqüência *f*.

séquestrer [sekɛstʀe] *vt* [enfermer] seqüestrar ; DR pôr em seqüestro.

sera *etc.* ► **être**.

séré [seʀe] *nm Suisse tipo de queijo fresco*.

serein, e [səʀɛ̃, ɛn] *adj* sereno(na).

sérénité [seʀenite] *nf* serenidade *f*.

sergent [sɛʀʒɑ̃] *nm* sargento *m*.

série [seʀi] *nf* série *f* ; **série (télévisée)** série (televisiva).

sérieusement [seʀjøzmɑ̃] *adv* seriamente ; [sans plaisanter] a sério.

sérieux, euse [seʀjø, øz] ◇ *adj*

sério(ria). ◇ *nm* : **avec sérieux** [travailler] a sério ; **garder son sérieux** ficar sério ; **prendre qqch au sérieux** levar algo a sério.

serin [səʀɛ̃] *nm* canário *m*.

seringue [səʀɛ̃g] *nf* seringa *f*.

serment [sɛʀmɑ̃] *nm* juramento *m* ; **prêter serment** prestar juramento ; **sous serment** sob juramento.

sermon [sɛʀmɔ̃] *nm* sermão *m*.

séronégatif, **ive** [seʀɔnegatif, iv] *adj* soronegativo(va).

séropositif, **ive** [seʀɔpozitif, iv] *adj* soropositivo(va).

serpent [sɛʀpɑ̃] *nm* cobra *f*.

serpenter [sɛʀpɑ̃te] *vi* serpentear.

serpentin [sɛʀpɑ̃tɛ̃] *nm* [de fête] serpentina *f*.

serpillière [sɛʀpijɛʀ] *nf* serapilheira *f*.

serre [sɛʀ] *nf* estufa *f (para plantas)*.

serré, **e** [seʀe] *adj* apertado(da).

serrer [seʀe] *vt* apertar ; [dans ses bras] abraçar ; [poings, dents] cerrar ; **serrer la main à qqn** dar um aperto de mão em alguém ; **'serrez à droite'** desvie para a direita. ◆ **se serrer** *vp* apertar-se ; **se serrer contre qqn** aconchegar-se contra alguém.

serre-tête [sɛʀtɛt] *nm inv* tiara *f*.

serrure [seʀyʀ] *nf* fechadura *f*.

serrurier [seʀyʀje] *nm* serralheiro *m*.

sers *etc.* ► **servir**.

sérum [seʀɔm] *nm* soro *m* ; **sérum physiologique** soro fisiológico.

servante [sɛʀvɑ̃t] *nf* criada *f*.

serveur, **euse** [sɛʀvœʀ, øz] *nm, f* garçom *m*, garçonete *f*.

serviable [sɛʀvjabl] *adj* prestável.

service [sɛʀvis] *nm* serviço *m* ; [faveur] favor *m* ; **faire le service** servir *(à mesa)* ; **rendre service à qqn** fazer um favor a alguém ; **être de service** estar de serviço ; **'service compris/non compris'** 'serviço incluído/não incluído' ; **premier/deuxième service** primeiro/segundo serviço ; **service après-vente** serviço pós-venda ; **service militaire** serviço militar.

serviette [sɛʀvjɛt] *nf* [cartable] pasta *f* ; **serviette hygiénique** absorvente *m* higiênico ; **serviette (de table)** guardanapo *m* ; **serviette (de toilette)** toalha *f*.

serviette-éponge [sɛʀvjɛtepɔ̃ʒ] (*pl* **serviettes-éponges**) *nf* toalha *f* felpuda.

servile [sɛʀvil] *adj* servil.

servir [sɛʀviʀ] ◇ *vt* servir ; [client] atender ; **servir qqch à qqn** servir algo a alguém ; **qu'est-ce que je vous sers ?** o que é que lhe sirvo? ; **'servir frais'** 'servir frio'. ◇ *vi* servir ; **servir à (faire) qqch** servir para (fazer) algo ; **ça ne sert à rien d'insister** não adianta insistir ; **ce livre de grammaire a beaucoup servi** este livro de gramática foi muito usado ; **servir (à qqn) de qqch** servir (a alguém) de algo ; **à toi de servir** [aux cartes] é a tua vez de dar. ◆ **se servir** *vp* servir-se. ◆ **se servir de** *vp + prép* servir-se de.

serviteur [sɛʀvitœʀ] *nm* servo *m*.

ses ► **son** *(adj)*.

sésame [sezam] *nm* [graines] sésamo *m*.

session [sesjɔ̃] *nf* [assemblée] sessão *f* ; [d'examen] época *f*.

set [sɛt] *nm* set *m* ; **set (de table)** jogo *m* (de mesa).

seuil [sœj] *nm* entrada *f*.

seul, **e** [sœl] ◇ *adj* só ; [unique] único(ca). ◇ *nm, f* : **le seul** o único ; **un seul** só um ; **(tout) seul** sozinho.

seulement [sœlmɑ̃] *adv* [uniquement] só ; [mais] só que ; **non seulement...**

mais encore OU **en plus** não só... mas também OU como também ; **si seulement...** se ao menos..

sève [sɛv] *nf* seiva *f*.

sévère [sevɛʀ] *adj* [professeur, regard, sentence] severo(ra) ; [vêtements, aspect] sério(ria) ; [échec, pertes] grave.

sévérité [seveʀite] *nf* severidade *f*.

sévices [sevis] *nmpl* sevícias *fpl*.

sévir [seviʀ] *vi* [punir] castigar ; [épidémie, crise] fazer estragos.

sevrer [səvʀe] *vt* desmamar.

sexe [sɛks] *nm* sexo *m*.

sexiste [sɛksist] *adj* sexista.

sexologue [sɛksɔlɔg] *nmf* sexologista *mf*, sexólogo *m*, -ga *f*.

sex-shop [sɛksʃɔp] (*pl* **sex-shops**) *nm* sex-shop *m*.

sexualité [sɛksɥalite] *nf* sexualidade *f*.

sexuel, **elle** [sɛksɥɛl] *adj* sexual.

sexy [sɛksi] *adj inv fam* sexy.

seyant, **e** [sɛjɑ̃, ɑ̃t] *adj* que fica bem.

Seychelles [sɛʃɛl] *nfpl* : **les Seychelles** as Seicheles.

shampo(o)ing [ʃɑ̃pwɛ̃] *nm* xampu *m*.

short [ʃɔʀt] *nm* short *m*.

show [ʃo] *nm* espetáculo *m*.

show-business [ʃobiznɛs] *nm* mundo *m* do espetáculo.

si [si] ◇ *conj* se ; **si tu veux, on y va** se você quiser nós vamos ; **ce serait bien si vous pouviez** seria ótimo se vocês pudessem ; **si j'avais su...** se eu soubesse... ; **(et) si on allait à la piscine ?** (e) se fôssemos à piscina? ; **si seulement tu m'en avais parlé avant!** se você ao menos tivesse me falado isso antes! ; **dites-moi si vous venez** diga-me se vocês vêm ou não ; **si..., c'est que...** se..., é porque... ◇ *adv* **1.** [tellement] tão ; **si... que** tão... que ; **ce n'est pas si facile que ça** não é assim tão fácil ; **si bien que** de tal modo que - **2.** [oui] sim.

siamois, **e** [sjamwa, az] *adj* siamês(esa) ; **frères siamois** irmãos siameses ; **sœurs siamoises** irmãs siamesas.

SICAV [sikav] *nf inv* [titre] fundo *m* de investimento.

SIDA [sida] *nm* AIDS *f*.

side-car [sidkaʀ] (*pl* **side-cars**) *nm* side-car *m*.

sidéré, **e** [sideʀe] *adj* pasmado(da).

sidérurgie [sideʀyʀʒi] *nf* siderurgia *f*.

siècle [sjɛkl] *nm* século *m* ; **au vingtième siècle** no século vinte.

siège [sjɛʒ] *nm* [chaise, fauteuil] assento *m* ; [aux élections] **lugar** *m* ; [d'une banque, d'une association] **sede** *f*.

siéger [sjeʒe] *vi* [personne] ter assento ; [tenir séance] reunir-se ; [se situer] ter a sua sede ; [mal] residir.

sien [sjɛ̃] ◆ **le sien**, **la sienne** [lasjɛn] (*mpl* **les siens** [lesj˜ɛ] , *fpl* **les siennes** [lesjɛn]) *pron* o seu(a sua).

sieste [sjɛst] *nf* sesta *f* ; **faire la sieste** fazer a sesta.

sifflement [sifləmɑ̃] *nm* assobio *m*.

siffler [sifle] ◇ *vi* assobiar. ◇ *vt* assobiar ; [chien] assobiar a ; [femme] assobiar para.

sifflet [siflɛ] *nm* [instrument] apito *m* ; [au spectacle] assobio *m*.

sigle [sigl] *nm* sigla *f*.

signal [siɲal, o] (*pl* -aux) *nm* sinal *m* ; **signal d'alarme** sinal de alarme.

signalement [siɲalmɑ̃] *nm* descrição *f*.

signaler [siɲale] *vt* assinalar.

signalétique [siɲaletik] *adj* de identificação.

signalisation [siɲalizasjɔ̃] *nf* sinalização *f*.

signataire [siɲatɛʀ] *nmf* signatário *m*, -ria *f*.

signature [siɲatyʀ] *nf* assinatura *f*.

signe [siɲ] *nm* sinal *m* ; **faire signe à qqn (de faire qqch)** fazer sinal para alguém (para fazer algo) ; **c'est bon/mauvais signe** é bom/mau sinal ; **faire le signe de croix** benzer-se ; **signe du zodiaque** signo do Zodíaco.

signer [siɲe] *vt* & *vi* assinar. ◆ **se signer** *vp* benzer-se.

signet [siɲɛ] *nm* marcador *m (de livro)*.

significatif, ive [siɲifikatif, iv] *adj* significativo(va).

signification [siɲifikasjɔ̃] *nf* significado *m*.

signifier [siɲifje] *vt* significar.

silence [silɑ̃s] *nm* silêncio *m* ; **en silence** em silêncio.

silencieux, euse [silɑ̃sjø, øz] *adj* silencioso(osa).

silex [silɛks] *nm* sílex *m*.

silhouette [silwɛt] *nf* silhueta *f*.

sillage [sijaʒ] *nm* NAUT esteira *f* ; *fig* [d'une personne] rasto *m*.

sillon [sijɔ̃] *nm* sulco *m*.

sillonner [sijɔne] *vt* sulcar.

silo [silo] *nm* silo *m*.

simagrées [simagʀe] *nfpl péj* fitas *fpl* ; **faire des simagrées** fazer fita.

similaire [similɛʀ] *adj* similar.

similitude [similityd] *nf* similitude *f*.

simple [sɛ̃pl] *adj* simples.

simplement [sɛ̃pləmɑ̃] *adv* simplesmente.

simplicité [sɛ̃plisite] *nf* simplicidade *f*.

simplifier [sɛ̃plifje] *vt* simplificar.

simpliste [sɛ̃plist] *adj péj* simplista.

simulacre [simylakʀ] *nm* simulacro *m*.

simulateur [simylatœʀ] *nm* simulador *m*.

simulation [simylasjɔ̃] *nf* simulação *f*.

simuler [simyle] *vt* simular.

simultané, e [simyltane] *adj* simultâneo(nea).

simultanément [simyltanemɑ̃] *adv* simultaneamente.

sincère [sɛ̃sɛʀ] *adj* sincero(ra).

sincèrement [sɛ̃sɛʀmɑ̃] *adv* sinceramente.

sincérité [sɛ̃seʀite] *nf* sinceridade *f*.

sine qua non [sinekwanɔn] *loc adj inv* : **condition sine qua non** condição sine qua non.

singe [sɛ̃ʒ] *nm* macaco *m*.

singer [sɛ̃ʒe] *vt* [imiter] arremedar ; [feindre] imitar.

singulariser [sɛ̃gylaʀize] *vt* singularizar. ◆ **se singulariser** *vp* singularizar-se.

singulier [sɛ̃gylje] *nm* singular *m*.

sinistre [sinistʀ] ◇ *adj* sinistro(tra). ◇ *nm* [catastrophe] sinistro *m*.

sinistré, e [sinistʀe] *adj* & *nm, f* sinistrado(da).

sinon [sinɔ̃] *conj* senão.

sinueux, euse [sinɥø, øz] *adj* sinuoso(osa).

sinus [sinys] *nm* ANAT seio *m (cavidade óssea)* ; MATH seno *m*.

sinusite [sinyzit] *nf* sinusite *f*.

siphon [sifɔ̃] *nm* sifão *m*.

sirène [siʀɛn] *nf* [d'alarme, de police] sirene *f*.

sirop [siʀo] *nm* xarope *m* ; **sirop d'érable** xarope de bordo ; **sirop de fruits** xarope de fruta.

siroter [siʀɔte] *vt* bebericar.

site [sit] *nm* local *m* ; **site touristique** local turístico.

situation [sitɥasjɔ̃] *nf* situação *f*.

situé, **e** [sitɥe] *adj* situado(da) ; **bien/mal situé** bem/mal situado.

situer [sitɥe] ◆ **se situer** *vp* situar-se.

six [sis] ◇ *adj num* seis. ◇ *nm* seis *m* ; **il a six ans** ele tem seis anos ; **il est six heures** são seis horas ; **le six janvier** no dia seis de janeiro ; **page six** página seis ; **ils étaient six** eram seis ; **le six de pique** o seis de espadas ; **(au) six rue Lepic** (na) rua Lepic, número seis.

sixième [sizjɛm] ◇ *adj num* & *pron* sexto(ta). ◇ *nf* SCOL ≃ quinta série *f* do ensino fundamental. ◇ *nm* [fraction] sexto *m* ; [étage] sexto andar *m*.

Skaï® [skaj] *nm* napa *f*.

skateboard [skɛtbɔʀd] *nm* skate *m*.

sketch [skɛtʃ] *nm* esquete *m*.

ski [ski] *nm* esqui *m* ; **faire du ski** fazer esqui ; **ski alpin** esqui alpino ; **ski de fond** esqui de fundo ; **ski nautique** esqui aquático.

skier [skje] *vi* esquiar.

skieur, **euse** [skjœʀ, øz] *nm, f* esquiador *m*, -ra *f*.

skipper [skipœʀ] *nm* [capitaine] capitão *m*, -ã *f* ; [barreur] timoneiro *m*, -ra *f*.

slalom [slalɔm] *nm* slalom *m*.

slave [slav] ◇ *adj* eslavo(va). ◇ *nm* [langue] eslavo *m*. ◆ **Slave** *nmf* eslavo *m*, -va *f*.

slip [slip] *nm* cueca *f* ; **slip de bain** calção *m* de banho, sunga *f*.

slogan [slɔgɑ̃] *nm* slogan *m*.

slow [slo] *nm* dança *f* lenta.

SMIC [smik] *nm* salário *m* mínimo.

smoking [smɔkiŋ] *nm* smoking *m*.

snack(-bar) [snak(bar)] (*pl* **snack(-bar)s**) *nm* snack-bar *m*.

SNCF *nf companhia francesa de vias férreas*.

snob [snɔb] *adj* & *nmf* esnobe.

snober [snɔbe] *vt* esnobar.

snobisme [snɔbism] *nm* esnobismo *m*.

sobre [sɔbʀ] *adj* sóbrio(bria).

sobriété [sɔbʀijete] *nf* sobriedade *f*.

sociable [sɔsjabl] *adj* sociável.

social, **e**, **aux** [sɔsjal, o] *adj* social.

socialisme [sɔsjalism] *nm* socialismo *m*.

socialiste [sɔsjalist] *adj* & *nmf* socialista.

sociétaire [sɔsjetɛʀ] *nmf* societário *m*, -ria *f*.

société [sɔsjete] *nf* sociedade *f*.

sociologie [sɔsjɔlɔʒi] *nf* sociologia *f*.

sociologue [sɔsjɔlɔg] *nmf* sociólogo *m*, -ga *f*.

socle [sɔkl] *nm* pedestal *m*.

socquette [sɔkɛt] *nf* soquete *m*.

soda [sɔda] *nm* gasosa *f*.

sodium [sɔdjɔm] *nm* sódio *m*.

sœur [sœʀ] *nf* irmã *f*.

sofa [sɔfa] *nm* sofá *m*.

soi [swa] *pron* si ; **en soi** em si ; **cela va de soi** é evidente.

soi-disant [swadizɑ̃] ◇ *adj inv* suposto(ta). ◇ *adv* supostamente.

soie [swa] *nf* seda *f*.

soif [swaf] *nf* sede *f* ; **avoir soif** ter sede ; **ça (me) donne soif** isso (me) dá sede.

soigné, **e** [swaɲe] *adj* [minutieux, élégant] cuidado(da) ; *fam* [carabiné] das boas.

soigner [swaɲe] *vt* cuidar de ; [malade, maladie] curar.

soigneusement [swaɲøzmɑ̃] *adv* cuidadosamente.

soigneux, **euse** [swaɲø, øz] *adj* cuidadoso(osa).

soin [swɛ̃] *nm* cuidado *m* ; **prendre soin**

de qqch ter cuidado com algo ; **prendre soin de faire qqch** ter o cuidado de fazer algo. ◆ **soins** *nmpl* cuidados *mpl* ; **premiers soins** primeiros socorros.

soir [swaʀ] *nm* noite *f* ; **le soir** à noite.

soirée [swaʀe] *nf* [soir] noite *f* ; [réception] recepção *f*.

sois, soit [swa] ► **être**.

soit [swa(t)] *conj* : **soit... soit** quer... quer.

soixante [swasɑ̃t] *num* sessenta, ► **six**.

soixante-dix [swasɑ̃tdis] *num* setenta, ► **six**.

soixante-dixième [swasɑ̃tdizjɛm] *num* setuagésimo(ma), ► **sixième**.

soixantième [swasɑ̃tjɛm] *num* sexagésimo(ma), ► **sixième**.

soja [sɔʒa] *nm* soja *f*.

sol [sɔl] *nm* [d'une maison] chão *m* ; [dehors, terrain] solo *m*.

solaire [sɔlɛʀ] *adj* solar.

solarium [sɔlaʀjɔm] *nm* solário *m*.

soldat [sɔlda] *nm* soldado *m*.

solde [sɔld] *nm* saldo *m* ; **en solde** em saldo. ◆ **soldes** *nmpl* saldos *mpl*.

soldé, e [sɔlde] *adj* saldado(da).

solder [sɔlde] *vt* saldar. ◆ **se solder** *vp* : **se solder par** saldar-se por.

sole [sɔl] *nf* linguado *m* ; **sole meunière** *linguado passado na farinha e frito numa frigideira com manteiga e limão e servido com esse molho.*

soleil [sɔlɛj] *nm* sol *m* ; **il fait (du) soleil** está sol ; **au soleil** ao sol ; **au soleil levant/couchant** ao nascer/pôr-do-sol.

solennel, elle [sɔlanɛl] *adj* solene.

solfège [sɔlfɛʒ] *nm* solfejo *m*.

solidaire [sɔlidɛʀ] *adj* solidário(ria) ; **être solidaire de qqn** ser solidário com alguém.

solidarité [sɔlidaʀite] *nf* solidariedade *f*.

solide [sɔlid] *adj* [matériau, construction] sólido(da) ; [personne, santé] robusto(ta).

solidifier [sɔlidifje] ◆ **se solidifier** *vp* solidificar-se.

solidité [sɔlidite] *nf* solidez *f*.

soliste [sɔlist] *nmf* solista *mf*.

solitaire [sɔlitɛʀ] *adj* & *nmf* solitário(ria).

solitude [sɔlityd] *nf* solidão *f*.

solliciter [sɔlisite] *vt* [suj: mendiant] mendigar ; [entrevue, faveur] solicitar.

sollicitude [sɔlisityd] *nf* solicitude *f*.

solo [sɔlo] *nm* solo *m* ; **en solo** em solo.

solstice [sɔlstis] *nm* : **solstice d'hiver/d'été** solstício *m* de inverno/de verão.

soluble [sɔlybl] *adj* solúvel.

solution [sɔlysjɔ̃] *nf* solução *f*.

solvable [sɔlvabl] *adj* solvente.

solvant [sɔlvɑ̃] *nm* dissolvente *m*.

sombre [sɔ̃bʀ] *adj* [ciel, pièce] sombrio(bria) ; [couleur] escuro(ra) ; [visage, humeur, avenir] triste.

sombrer [sɔ̃bʀe] *vi* [bateau] naufragar ; *fig* [personne] : **sombrer dans** [folie, oubli] cair em ; [sommeil] mergulhar em.

sommaire [sɔmɛʀ] ◇ *adj* sumário(ria). ◇ *nm* sumário *m*.

sommation [sɔmasjɔ̃] *nf* [assignation] notificação *f* ; [ordre] aviso *m*.

somme [sɔm] ◇ *nf* MATH soma *f* ; [d'argent] quantia *f*. ◇ *nm* : **faire un somme** tirar um cochilo ; **faire la somme de** fazer a soma de ; **en somme** em suma ; **somme toute** no final das contas.

sommeil [sɔmɛj] *nm* sono *m* ; **avoir sommeil** ter sono.

sommelier, **ère** [sɔməlje, ɛʀ] *nm, f* sommelier *mf*.

sommes [sɔm] ► **être**.

sommet [sɔmɛ] *nm* cume *m*.

sommier [sɔmje] *nm* estrado *m*.

sommité [sɔmite] *nf* sumidade *f*.

somnambule [sɔmnɑ̃byl] *adj* & *nmf* sonâmbulo(la).

somnifère [sɔmnifɛʀ] *nm* sonífero *m*.

somnoler [sɔmnɔle] *vi* cochilar.

somptueux, **euse** [sɔ̃ptɥø, øz] *adj* suntuoso(osa).

son[1], **sa** [sɔ̃, sa] (*pl* **ses** [se]) *adj* seu(sua).

son[2] [sɔ̃] *nm* [bruit] som *m* ; [de blé] farelo *m* ; **son et lumière** espetáculo de som e luz.

sonate [sɔnat] *nf* sonata *f*.

sondage [sɔ̃daʒ] *nm* sondagem *f*.

sonde [sɔ̃d] *nf* MÉD sonda *f*.

sonder [sɔ̃de] *vt* sondar.

songe [sɔ̃ʒ] *nm sout* sonho *m* ; **en songe** em sonhos.

songer [sɔ̃ʒe] ◆ **songer à** *vp* + *prép* [envisager de] pensar em.

songeur, **euse** [sɔ̃ʒœʀ, øz] *adj* pensativo(va).

sonner [sɔne] ◇ *vi* tocar. ◇ *vt* [cloche] tocar ; [suj: horloge] dar.

sonnerie [sɔnʀi] *nf* campainha *f* ; [son de cloches] repique *m*.

sonnet [sɔnɛ] *nm* soneto *m*.

sonnette [sɔnɛt] *nf* campainha *f* ; **sonnette d'alarme** [dans un train] campainha de alarme.

sono [sɔno] *nf fam* aparelhagem *f*.

sonore [sɔnɔʀ] *adj* sonoro(ra).

sonorisation [sɔnɔʀizasjɔ̃] *nf* sonorização *f*.

sonorité [sɔnɔʀite] *nf* sonoridade *f*.

sont [sɔ̃] ► **être**.

Sopalin® [sɔpalɛ̃] *nm* papel de cozinha.

sophistiqué, **e** [sɔfistike] *adj* sofisticado(da).

soporifique [sɔpɔʀifik] ◇ *adj* [qui endort] soporífero(ca) ; *fig* [ennuyeux] bom para dormir. ◇ *nm* soporífero *m*.

soprano [sɔpʀano] ◇ *nm* [voix] soprano *m*. ◇ *nmf* [personne] soprano *mf*.

sorbet [sɔʀbɛ] *nm* sorbet *m*.

sorcellerie [sɔʀsɛlʀi] *nf* bruxaria *f*.

sorcier, **ère** [sɔʀsje, ɛʀ] *nm, f* bruxo *m*, -xa *f*.

sordide [sɔʀdid] *adj* [crime, affaire] sórdido(da).

sort [sɔʀ] *nm* sorte *f* ; [malédiction] praga *f* ; **tirer au sort** tirar a sorte.

sorte [sɔʀt] *nf* espécie *f* ; **une sorte de** uma espécie de ; **de (telle) sorte que** [afin que] de maneira que ; **en quelque sorte** de certa forma.

sortie [sɔʀti] *nf* saída *f* ; [excursion] passeio *m* ; **'sortie de secours'** 'saída de emergência' ; **'sortie de véhicules'** 'saída de veículos'.

sortilège [sɔʀtilɛʒ] *nm* sortilégio *m*.

sortir [sɔʀtiʀ] ◇ *vi (aux être)* sair ; [aller au cinéma, au restaurant] sair (à noite). ◇ *vt (aux avoir)* [chien] passear ; [livre, film] sair ; **sortir de** sair de ; [école, université] vir de. ◆ **s'en sortir** *vp* safar-se.

SOS *nm* SOS *m* ; **SOS Médecins** *organismo de urgências médicas* ; **SOS-Racisme** SOS Racismo.

sosie [sɔzi] *nm* sósia *mf*.

sottise [sɔtiz] *nf* burrice *f*.

sou [su] *nm* : **ne plus avoir un sou** já não ter um tostão. ◆ **sous** *nmpl fam* dinheiro *m*.

souche [suʃ] *nf* [d'arbre] toco *m* ; [de carnet] talão *m* de recibo.

souci [susi] *nm* preocupação *f* ; **se faire du souci (pour)** preocupar-se (com).

soucier [susje] ◆ **se soucier de** *vp* + *prép* preocupar-se com.

soucieux, euse [susjø, øz] *adj* preocupado(da).

soucoupe [sukup] *nf* pires *m inv* ; **soucoupe volante** disco *m* voador.

soudain, e [sudɛ̃, ɛn] ◇ *adj* repentino(na). ◇ *adv* de repente.

souder [sude] *vt* soldar.

soudoyer [sudwaje] *vt* subornar.

soudure [sudyʀ] *nf* soldadura *f*.

souffert [sufɛʀ] *pp* ► **souffrir**.

souffle [sufl] *nm* sopro *m* ; **un souffle d'air** OU **de vent** um sopro de ar ; **être à bout de souffle** estar ofegante.

soufflé [sufle] *nm* soufflé *m*.

souffler [sufle] ◇ *vt* soprar. ◇ *vi* [expirer] expirar ; [haleter] ofegar ; [vent] soprar ; **souffler qqch à qqn** [à un examen] soprar algo a alguém.

soufflet [suflɛ] *nm* fole *m*.

souffrance [sufʀɑ̃s] *nf* sofrimento *m*.

souffrant, e [sufʀɑ̃, ɑ̃t] *adj sout* indisposto(osta).

souffre-douleur [sufʀədulœʀ] *nm inv* : **c'est leur souffre-douleur** ele é um boneco nas mãos deles.

souffrir [sufʀiʀ] *vi* sofrer ; **souffrir de** [maladie] sofrer de ; [chaleur, froid] sofrer com.

soufre [sufʀ] *nm* enxofre *m*.

souhait [swɛ] *nm* desejo *m* ; **à tes souhaits!** saúde!

souhaitable [swɛtabl] *adj* desejável.

souhaiter [swete] *vt* : **souhaiter que** desejar que ; **souhaiter faire qqch** desejar fazer algo ; **souhaiter bonne chance à qqn** desejar boa sorte a alguém ; **souhaiter bon anniversaire à qqn** dar os parabéns a alguém.

souiller [suje] *vt sout* manchar.

souillon [sujɔ̃] *nf péj* pessoa *f* suja.

soûl, e [su, sul] *adj* embriagado(da).

soulagement [sulaʒmɑ̃] *nm* alívio *m*.

soulager [sulaʒe] *vt* aliviar.

soûler [sule] ◆ **se soûler** *vp* embriagar-se.

soulèvement [sulɛvmɑ̃] *nm* levantamento *m*.

soulever [sulve] *vt* levantar ; [enthousiasme, protestations] originar. ◆ **se soulever** *vp* [se redresser] levantar-se ; [se rebeller] revoltar-se.

soulier [sulje] *nm* sapato *m*.

souligner [suliɲe] *vt* sublinhar.

soumettre [sumɛtʀ] *vt* : **soumettre qqn à qqch** submeter alguém a algo ; **soumettre qqch à qqn** submeter algo a alguém. ◆ **se soumettre à** *vp* + *prép* submeter-se a.

soumis, e [sumi, iz] ◇ *pp* ► **soumettre**. ◇ *adj* submisso(a).

soupape [supap] *nf* válvula *f*.

soupçon [supsɔ̃] *nm* suspeita *f*.

soupçonner [supsɔne] *vt* suspeitar.

soupçonneux, euse [supsɔnø, øz] *adj* desconfiado(da).

soupe [sup] *nf* sopa *f* ; **soupe à l'oignon** sopa de cebola ; **soupe de légumes** sopa de legumes.

souper [supe] ◇ *nm* [dernier repas] ceia *f* ; [dîner] jantar *m*. ◇ *vi* [très tard] cear ; [dîner] jantar.

soupeser [supəze] *vt* pesar.

soupière [supjɛʀ] *nf* sopeira *f*.

soupir [supiʀ] *nm* suspiro *m* ; **pousser un soupir** dar um suspiro.

soupirail [supiʀaj] (*pl* -aux [o]) *nm* respiradouro *m*.

soupirant [supiʀɑ̃] *nm* pretendente *m*.

soupirer [supiʀe] *vi* suspirar.

souple [supl] *adj* flexível.

souplesse [suplɛs] *nf* flexibilidade *f*.

source [suʀs] *nf* [d'eau] nascente *f*; [de chaleur, de lumière] fonte *f*.

sourcil [suʀsi] *nm* sobrancelha *f*.

sourciller [suʀsije] *vi* pestanejar ; **sans sourciller** sem pestanejar.

sourd, e [suʀ, suʀd] *adj* surdo(da).

sourdine [suʀdin] *nf* surdina *f* ; **en sourdine** [sans bruit] na surdina ; [secrètement] pelas caladas.

sourd-muet, sourde-muette [suʀmɥɛ, suʀdmuɛt] (*mpl* **sourds-muets**, *fpl* **sourdes-muettes**) *nm, f* surdo-mudo *m*, surda-muda *f*.

souriant, e [suʀjɑ̃, ɑ̃t] *adj* sorridente.

souricière [suʀisjɛʀ] *nf* ratoeira *f*.

sourire [suʀiʀ] ◇ *nm* sorriso *m*. ◇ *vi* sorrir.

souris [suʀi] *nf* rato *m*.

sournois, e [suʀnwa, az] *adj* dissimulado(da).

sous [su] *prép* debaixo de ; **sous enveloppe** num envelope ; **sous peu** dentro em breve.

sous-bois [subwa] *nm* vegetação *f* rasteira.

souscription [suskʀipsjɔ̃] *nf* subscrição *f*.

souscrire [suskʀiʀ] ◇ *vt* subscrever. ◇ *vi* : **souscrire à qqch** subscrever algo.

sous-développé, e, s [sudevlɔpe] *adj* subdesenvolvido(da).

sous-directeur, trice [sudiʀɛktœʀ, tʀis] *nm, f* subdiretor *m*, -ra *f*.

sous-ensemble [suzɑ̃sɑ̃bl] (*pl* **sous-ensembles**) *nm* subconjunto *m*.

sous-entendre [suzɑ̃tɑ̃dʀ] *vt* subentender.

sous-entendu [suzɑ̃tɑ̃dy] (*pl* **sous-entendus**) *nm* subentendido *m*.

sous-équipé, e [suzekipe] *adj* mal equipado(da).

sous-estimer [suzɛstime] *vt* subestimar.

sous-jacent, e [suʒasɑ̃, ɑ̃t] *adj* subjacente.

sous-louer [sulwe] *vt* subarrendar.

sous-marin, e, s [sumaʀɛ̃] ◇ *adj* submarino(na). ◇ *nm* submarino *m* ; *Québec* CULIN *sanduíche longo de pastrami, servido com batatas fritas e salada.*

sous-préfecture [supʀefɛktyʀ] (*pl* **sous-préfectures**) *nf* subprefeitura *f*.

sous-pull [supyl] (*pl* **sous-pulls**) *nm* camisola *f*.

sous-répertoire (*pl* -s) [surepɛrtwar] *nm* INFORM subdiretório *m*.

soussigné, e [susiɲe] *adj* : **je soussigné** eu abaixo assinado.

sous-sol [susɔl] (*pl* **sous-sols**) *nm* [d'une maison] subsolo *m*.

sous-titre [sutitʀ] (*pl* **sous-titres**) *nm* [d'un film] legenda *f* ; [d'un livre] subtítulo *m*.

sous-titré, e, s [sutitʀe] *adj* legendado(da).

soustraction [sustʀaksjɔ̃] *nf* subtração *f*.

soustraire [sustʀɛʀ] *vt* subtrair.

sous-traitance [sutʀɛtɑ̃s] (*pl* **sous-traitances**) *nf* subcontratação *f*.

sous-traitant, e [sutʀɛtɑ̃, ɑ̃t] *adj* subcontratado(da). ◆ **sous-traitant** (*pl* **sous-traitants**) *nm* subempreiteiro *m*.

sous-verre [suvɛʀ] *nm inv* caixilho *m*.

sous-vêtements [suvɛtmɑ̃] *nmpl* roupa *f* íntima.

soutane [sutan] *nf* sotaina *f*.

soute [sut] *nf* paiol *m* ; **soute à bagages** porta-bagagem *m*.

soutenance [sutnɑ̃s] *nf* defesa *f*.

soutenir [sutniʀ] *vt* [porter] sustentar ; [défendre] apoiar ; **soutenir que** sustentar que.

souterrain, **e** [sutɛʀɛ̃, ɛn] ◇ *adj* subterrâneo(nea). ◇ *nm* subterrâneo *m*.

soutien [sutjɛ̃] *nm* apoio *m*.

soutien-gorge [sutjɛ̃gɔʀʒ] (*pl* **soutiens-gorge**) *nm* sutiã *m*.

soutirer [sutiʀe] *vt* : **soutirer qqch à qqn** subtrair algo de alguém.

souvenir [suvniʀ] *nm* lembrança *f*. ◆ **se souvenir de** *vp + prép* lembrar-se de.

souvent [suvɑ̃] *adv* [fréquemment] amiúde ; [généralement] geralmente.

souvenu, **e** [suvny] *pp* ► **souvenir**.

souverain, **e** [suvʀɛ̃, ɛn] *nm, f* soberano *m*, -na *f*.

souveraineté [suvʀɛnte] *nf* soberania *f* ; [économique] supremacia *f*.

soviétique [sɔvjetik] *adj* soviético(ca).

soyeux, **euse** [swajø, øz] *adj* sedoso(osa).

soyons [swajɔ̃] ► **être**.

SPA *nf* SPA *f*.

spacieux, **euse** [spasjø, øz] *adj* espaçoso(osa).

spaghetti(s) [spageti] *nmpl* espaguete *m*.

sparadrap [spaʀadʀa] *nm* esparadrapo *m*.

spasme [spasm] *nm* espasmo *m*.

spatial, **e**, **aux** [spasjal, o] *adj* espacial.

spatule [spatyl] *nf* espátula *f*.

spätzli [ʃpetsli] *nm* Suisse *pedaços de massa fervida, geralmente servidos como acompanhamento de carne.*

spécial, **e**, **aux** [spesjal, o] *adj* [particulier] especial ; [bizarre] esquisito(ta).

spécialement [spesjalmɑ̃] *adv* especialmente ; **pas spécialement** não especialmente.

spécialisé, **e** [spesjalize] *adj* especializado(da).

spécialiser [spesjalize] *vt* especializar. ◆ **se spécialiser** *vp* especializar-se ; **se spécialiser dans** especializar-se em.

spécialiste [spesjalist] *nmf* especialista *mf*.

spécialité [spesjalite] *nf* especialidade *f*.

spécificité [spesifisite] *nf* especificidade *f*.

spécifier [spesifje] *vt* especificar.

spécifique [spesifik] *adj* específico(ca).

spécimen [spesimɛn] *nm* espécime *m*.

spectacle [spɛktakl] *nm* espetáculo *m*.

spectaculaire [spɛktakylɛʀ] *adj* espetacular.

spectateur, **trice** [spɛktatœʀ, tʀis] *nm, f* espectador *m*, -ra *f*.

spectre [spɛktʀ] *nm* espectro *m*.

spéculation [spekylasjɔ̃] *nf* especulação *f*.

spéculer [spekyle] *vi* : **spéculer sur** especular sobre.

speculo(o)s [spekylos] *nmpl* Belgique *bolacha seca em forma de boneco, feita com açúcar amarelo e canela.*

speed [spid] *adj fam* agitado(da).

spéléologie [speleɔlɔʒi] *nf* espeleologia *f*.

spermatozoïde [spɛʀmatɔzɔid] *nm* espermatozóide *m*.

sperme [spɛʀm] *nm* esperma *m*.

sphère [sfɛʀ] *nf* esfera *f*.

sphérique [sfeʀik] *adj* esférico(ca).

spirale [spiʀal] *nf* espiral *f* ; **en spirale** em espiral.

spirituel, elle [spiʀitɥɛl] *adj* [de l'âme] espiritual ; [personne, remarque] engraçado(da).

spiritueux [spiʀitɥø] *nm* bebida *f* de alto teor alcoólico.

splendide [splɑ̃did] *adj* esplêndido(da).

sponsor [spɔ̃sɔʀ] *nm* patrocinador *m*.

sponsoriser [spɔ̃sɔʀize] *vt* patrocinar.

spontané, e [spɔ̃tane] *adj* espontâneo(nea).

spontanéité [spɔ̃taneite] *nf* espontaneidade *f*.

sporadique [spɔʀadik] *adj* esporádico(ca).

sport [spɔʀ] *nm* esporte *m* ; **sports d'hiver** esportes de inverno.

sportif, ive [spɔʀtif, iv] ◇ *adj* esportivo(va). ◇ *nm, f* esportista *mf*.

spot [spɔt] *nm* holofote *m* ; **spot publicitaire** anúncio *m* publicitário.

sprint [spʀint] *nm* sprint *m*.

square [skwaʀ] *nm* parque *m*.

squash [skwaʃ] *nm* squash *m*.

squatter[1] [skwatœʀ] *nm* ocupante *mf* ilegal.

squatter[2] [skwate] *vt* ocupar ilegalmente.

squelette [skəlɛt] *nm* esqueleto *m*.

squelettique [skəletik] *adj* [corps] esquelético(ca) ; *fig* [peu fourni] limitado(da) ; *fig* [peu développé] pobre.

St (*abr de* **saint**) S.

stabiliser [stabilize] *vt* estabilizar. ◆ **se stabiliser** *vp* estabilizar-se.

stable [stabl] *adj* estável.

stade [stad] *nm* [de sport] estádio *m* ; [période] estado *m*.

stage [staʒ] *nm* estágio *m* ; **faire un stage** fazer um estágio.

stagiaire [staʒjɛʀ] *nmf* estagiário *m*, -ria *f*.

stagner [stagne] *vi* estagnar.

stalactite [stalaktit] *nf* estalactite *f*.

stalagmite [stalagmit] *nf* estalagmite *f*.

stand [stɑ̃d] *nm* estande *m*.

standard [stɑ̃daʀ] ◇ *adj inv* standard. ◇ *nm* [téléphonique] PBX *m*.

standardiste [stɑ̃daʀdist] *nmf* telefonista *mf*.

star [staʀ] *nf* estrela *f*.

starter [staʀtɛʀ] *nm* afogador *m*.

start-up [staʀtɛp] *nf* start(-)up *f*.

station [stasjɔ̃] *nf* estação *f* ; **station balnéaire** balneário *m* ; **station de sports d'hiver** OU **de ski** estação de esportes de inverno OU de esqui ; **station de taxis** ponto *m* de táxi ; **station thermale** estância *f* termal.

stationnaire [stasjɔnɛʀ] *adj* estacionário(ria).

stationnement [stasjɔnmɑ̃] *nm* estacionamento *m* ; **'stationnement payant'** 'estacionamento pago'.

stationner [stasjɔne] *vi* estacionar.

station-service [stasjɔ̃sɛʀvis] (*pl* **stations-service**) *nf* posto *m* de gasolina.

statique [statik] *adj* ▶ **électricité**.

statistiques [statistik] *nfpl* estatísticas *fpl*.

statue [staty] *nf* estátua *f*.

statuer [statɥe] *vi* : **statuer (sur)** decidir.

statuette [statɥɛt] *nf* estatueta *f*.

statu quo [statykwo] *nm inv* statu quo *m inv*.

statut [staty] *nm* estatuto *m*.

Ste (*abr de* **sainte**) Sta.

Sté (*abr de* **société**) sociedade *f*.

steak [stɛk] *nm* bife *m* ; **steak frites** bife com batatas fritas ; **steak haché** hambúrger *m* ; **steak tartare** bife tártaro.

sténo [steno] *nf* estenografia *f*.

sténodactylo [stenɔdaktilo] *nf* estenodatilógrafa *f*.

stéréo [steʀeo] ◇ *adj inv* estéreo. ◇ *nf* : **en stéréo** em estéreo.

stérile [steʀil] *adj* [femme, homme] estéril ; [milieu, compresse] esterilizado(da).

stérilet [steʀilɛ] *nm* DIU *m*, dispositivo *m* intra-uterino, diafragma *m*.

stériliser [steʀilize] *vt* esterilizar.

sterling [stɛʀliŋ] *adj* ► **livre**.

sternum [stɛʀnɔm] *nm* esterno *m*.

steward [stiwaʀt] *nm* comissário *m* de bordo.

stimulant, **e** [stimylɑ̃, ɑ̃t] *adj* estimulante. ◆ **stimulant** *nm* [remontant] estimulante *m* ; [motivation] estímulo *m*.

stimuler [stimyle] *vt* estimular.

stipuler [stipyle] *vt* : **stipuler qqch** estipular algo ; **stipuler que** estipular que.

stock [stɔk] *nm* estoque *m* ; **en stock** em estoque.

stocker [stɔke] *vt* armazenar.

stoïque [stɔik] *adj* estóico(ca).

stop [stɔp] ◇ *nm* [panneau] sinal *m* de 'pare' ; [phare] luz *f* de freio. ◇ *interj* pare! ; **faire du stop** pedir carona.

stopper [stɔpe] *vt* & *vi* parar.

store [stɔʀ] *nm* [extérieur] toldo *m* ; [intérieur] estore *m*.

STP (*abr écrite de* **s'il te plaît**) por favor.

strabisme [stʀabism] *nm* estrabismo *m*.

strapontin [stʀapɔ̃tɛ̃] *nm* assento *m* dobradiço.

stratagème [stʀataʒɛm] *nm* estratagema *m*.

stratégie [stʀateʒi] *nf* estratégia *f*.

stress [stʀɛs] *nm* estresse *m*.

stressé, **e** [stʀɛse] *adj* tenso(sa).

stresser [stʀɛse] ◇ *vi* ficar tenso(sa). ◇ *vt* deixar tenso(sa).

stretching [stʀɛtʃiŋ] *nm* alongamento *m*.

strict, **e** [stʀikt] *adj* severo(ra).

strictement [stʀiktəmɑ̃] *adv* [absolument] estritamente.

strident, **e** [stʀidɑ̃, ɑ̃t] *adj* estridente.

strié, **e** [stʀije] *adj* estriado(da).

strip-tease [stʀiptiz] (*pl* **strip-teases**) *nm* striptease *m*.

strophe [stʀɔf] *nf* estrofe *f*.

structure [stʀyktyʀ] *nf* estrutura *f*.

studieux, **euse** [stydjø, øz] *adj* estudioso(osa).

studio [stydjo] *nm* [logement] conjugado *m* ; [de cinéma, de photo] **estúdio** *m*.

stupéfaction [stypefaksjɔ̃] *nf* estupefação *f*.

stupéfait, **e** [stypefɛ, ɛt] *adj* estupefato(ta).

stupéfiant, **e** [stypefjɑ̃, ɑ̃t] ◇ *adj* espantoso(osa). ◇ *nm* estupefaciente *m*.

stupide [stypid] *adj* estúpido(da).

stupidité [stypidite] *nf* [caractère] estupidez *f* ; [parole] parvoíce *f*.

style [stil] *nm* estilo *m* ; **meuble de style** móvel de estilo.

styliste [stilist] *nmf* estilista *mf*.

stylo [stilo] *nm* caneta *f* ; **stylo (à) bille** esferográfica *f* ; **stylo (à) plume** caneta-tinteiro.

stylo-feutre [stiloføtʀ] (*pl* **stylos-feutres**) *nm* marca-texto *m*.

su, e [sy] *pp* ► **savoir**.

suave [sɥav] *adj* suave.

subalterne [sybaltɛʀn] *adj* & *nmf* subalterno(na).

subconscient, e [sybkɔ̃sjɑ̃, ɑ̃t] *adj* subconsciente. ◆ **subconscient** *nm* subconsciente *m*.

subir [sybiʀ] *vt* sofrer ; [opération] fazer.

subit, e [sybi, it] *adj* súbito(ta).

subitement [sybitmɑ̃] *adv* subitamente.

subjectif, ive [sybʒɛktif, iv] *adj* subjetivo(va).

subjonctif [sybʒɔ̃ktif] *nm* subjuntivo *m*.

subjuguer [sybʒyge] *vt* subjugar.

sublime [syblim] *adj* sublime.

submerger [sybmɛʀʒe] *vt* [suj: eau] submergir ; [suj: travail, responsabilités] encher.

subordonné, e [sybɔʀdɔne] *adj* & *nm, f* subordinado(da). ◆ **subordonnée** *nf* subordinada *f*.

subsidiaire [sybzidjɛʀ] *adj* subsidiário(ria).

subsister [sybziste] *vi* subsistir.

substance [sypstɑ̃s] *nf* substância *f*.

substantiel, elle [sypstɑ̃sjɛl] *adj* substancial.

substantif, ive [sypstɑ̃tif] *adj* substantivado(da). ◆ **substantif** *nm* substantivo *m*.

substituer [sypstitɥe] *vt* : **substituer qqch à qqch** substituir algo por algo. ◆ **se substituer à** *vp + prép* substituir.

subterfuge [syptɛʀfyʒ] *nm* subterfúgio *m*.

subtil, e [syptil] *adj* sutil.

subtiliser [syptilize] *vt* surrupiar.

subtilité [syptilite] *nf* sutileza *f*.

subvenir [sybvəniʀ] ◆ **subvenir à** *vp + prép* fazer face a ; **subvenir aux besoins de qqn** fazer face às necessidades de alguém.

subvention [sybvɑ̃sjɔ̃] *nf* subvenção *f*.

subventionner [sybvɑ̃sjɔne] *vt* subvencionar.

subversif, ive [sybvɛʀsif, iv] *adj* subversivo(va).

succéder [syksede] ◆ **succéder à** *vp + prép* suceder a. ◆ **se succéder** *vp* suceder-se.

succès [syksɛ] *nm* sucesso *m* ; **avoir du succès** ter sucesso.

successeur [syksesœʀ] *nm* sucessor *m*.

successif, ive [syksesif, iv] *adj* sucessivo(va).

succession [syksesjɔ̃] *nf* sucessão *f*.

succinct, e [syksɛ̃, ɛ̃t] *adj* [discours] sucinto(ta) ; [repas] rápido(da).

succomber [sykɔ̃be] *vi* sucumbir ; **succomber à** sucumbir a.

succulent, e [sykylɑ̃, ɑ̃t] *adj* suculento(ta).

succursale [sykyʀsal] *nf* sucursal *f*.

sucer [syse] *vt* [un bonbon] chupar ; [son pouce] chupar.

sucette [sysɛt] *nf* [bonbon] chupa-chupa *m* ; [de bébé] chupeta *f*.

sucre [sykʀ] *nm* [produit] açúcar *m* ; [morceau] torrão *m* de açúcar ; **sucre en morceaux** açúcar em cubos ; **sucre d'orge** açúcar mascavo ; **sucre en poudre** açúcar ; **sucre roux** OU **brun** açúcar amarelo.

sucré, e [sykʀe] *adj* [fruit] doce ; [yaourt, café] açucarado(da).

sucrer [sykʀe] *vt* adoçar.

sucreries [sykʀəʀi] *nfpl* doces *mpl*.

Sucrette® [sykʀɛt] *nf* adoçante *m*, sacarina *f*.

sucrier [sykʀije] *nm* açucareiro *m*.

sud [syd] *adj inv* & *nm inv* sul ; **au sud (de)** ao sul (de).

sud-africain, **e**, **s** [sydafʀikɛ̃, ɛn] *adj* sul-africano(na).

sud-est [sydɛst] *adj inv* & *nm inv* sudeste ; **au sud-est (de)** a sudeste de.

sud-ouest [sydwɛst] *adj inv* & *nm inv* sudoeste ; **au sud-ouest (de)** a sudoeste de.

Suède [sɥɛd] *nf* : **la Suède** a Suécia.

suédois, **e** [sɥedwa, az] ◇ *adj* sueco(ca). ◇ *nm* [langue] sueco *m*. ◆ **Suédois**, **e** *nm, f* sueco *m*, -ca *f*.

suer [sɥe] *vi* suar.

sueur [sɥœʀ] *nf* suor *m* ; **être en sueur** estar (todo) suado ; **avoir des sueurs froides** ter suores frios.

suffire [syfiʀ] *vi* [être assez] bastar ; **ça suffit!** basta! ; **suffire à qqn** bastar a alguém ; **il suffit de qqch pour** basta algo para ; **il (te) suffit de faire qqch** basta fazer algo.

suffisamment [syfizamɑ̃] *adv* bastante ; **suffisamment de** bastante ; **suffisamment de livres** muitos livros ; **il n'y a pas suffisamment de gens** não há pessoas suficientes.

suffisant, **e** [syfizɑ̃, ɑ̃t] *adj* suficiente.

suffixe [syfiks] *nm* sufixo *m*.

suffocant, **e** [syfɔkɑ̃, ɑ̃t] *adj* sufocante.

suffoquer [syfɔke] *vi* sufocar.

suffrage [syfʀaʒ] *nm* sufrágio *m* ; **suffrage universel/indirect** sufrágio universal/indireto.

suggérer [sygʒeʀe] *vt* sugerir ; **suggérer à qqn de faire qqch** sugerir a alguém que faça algo.

suggestif, **ive** [sygʒɛstif, iv] *adj* sugestivo(va).

suggestion [sygʒɛstjɔ̃] *nf* sugestão *f*.

suicidaire [sɥisidɛʀ] *adj* suicida.

suicide [sɥisid] *nm* suicídio *m*.

suicider [sɥiside] ◆ **se suicider** *vp* suicidar-se.

suie [sɥi] *nf* fuligem *f*.

suinter [sɥɛ̃te] *vi* gotejar.

suis [sɥi] ► **être, suivre.**

suisse [sɥis] *adj* suíço(ça). ◆ **Suisse** ◇ *nmf* suíço *m*, -ça *f*. ◇ *nf* : **la Suisse** a Suíça.

suite [sɥit] *nf* [série, succession] série *f* ; [d'une histoire, d'un film] continuação *f* ; **à la suite** em seguida ; **à la suite de** [à cause de] por causa de ; **de suite** a seguir ; **par suite de** devido a. ◆ **suites** *nfpl* repercussões *fpl*.

suivant, **e** [sɥivɑ̃, ɑ̃t] ◇ *adj* & *nm, f* seguinte. ◇ *prép* segundo ; **au suivant!** o seguinte!

suivi, **e** [sɥivi] *pp* ► **suivre**.

suivre [sɥivʀ] *vt* seguir ; [succéder à] seguir-se a ; [cours] assistir a ; **suivi de** seguido de ; **faire suivre** aos cuidados de ; **'à suivre'** 'continua'.

sujet [syʒɛ] *nm* [thème] assunto *m* ; GRAMM sujeito *m* ; [d'un roi] súdito *m* ; **au sujet de** a propósito de.

Sup de Co (*abr de* **École Supérieure de Commerce**) Instituto Superior de Comércio.

super [sypɛʀ] ◇ *adj inv fam* [formidable] bárbaro(ra). ◇ *nm* [carburant] gasolina *f* de alta octanagem.

super- [sypɛʀ] *préf fam* super-.

superbe [sypɛʀb] *adj* espetacular.

supercherie [sypɛʀʃəʀi] *nf* trapaça *f*.

supérette [sypeʀɛt] *nf* minimercado *m*.

superficie [sypɛʀfisi] *nf* superfície *f*.

superficiel, **elle** [sypɛʀfisjɛl] *adj* superficial.

superflu, e [sypɛʀfly] *adj* supérfluo(flua).

supérieur, e [sypeʀjœʀ] <> *adj* superior. <> *nm, f* superior *m*, -ra *f* ; **supérieur à** superior a.

supériorité [sypeʀjɔʀite] *nf* superioridade *f*.

superlatif [sypɛʀlatif] *nm* superlativo *m*.

supermarché [sypɛʀmaʀʃe] *nm* supermercado *m*.

superposer [sypɛʀpoze] *vt* sobrepor.

superproduction [sypɛʀpʀɔdyksjɔ̃] *nf* superprodução *f*.

superpuissance [sypɛʀpɥisɑ̃s] *nf* superpotência *f*.

superstitieux, euse [sypɛʀstisjø, øz] *adj* supersticioso(osa).

superstition [sypɛʀstisjɔ̃] *nf* superstição *f*.

superviser [sypɛʀvize] *vt* supervisionar.

supplanter [syplɑ̃te] *vt* suplantar.

suppléant, e [sypleɑ̃, ɑ̃t] *adj & nm, f* suplente.

supplément [syplemɑ̃] *nm* suplemento *m* ; **en supplément** extra.

supplémentaire [syplemɑ̃tɛʀ] *adj* suplementar.

supplice [syplis] *nm* suplício *m*.

supplier [syplije] *vt* : **supplier qqn (de faire qqch)** suplicar a alguém (que faça algo).

support [sypɔʀ] *nm* suporte *m*.

supportable [sypɔʀtabl] *adj* suportável.

supporter[1] [sypɔʀte] *vt* suportar ; [soutenir] sustentar.

supporter[2] [sypɔʀtɛʀ] *nm* torcedor *m*, -ra *f*.

supposer [sypoze] *vt* supor ; **à supposer que...** supondo que...

supposition [sypozisjɔ̃] *nf* suposição *f*.

suppositoire [sypozitwaʀ] *nm* supositório *m*.

suppression [sypʀesjɔ̃] *nf* supressão *f*.

supprimer [sypʀime] *vt* [faire disparaître] suprimir ; [tuer] eliminar ; INFORM limpar.

suprématie [sypʀemasi] *nf* supremacia *f*.

suprême [sypʀɛm] *nm* : **suprême de volaille** *peito de frango com molho*.

sur [syʀ] *prép* **1.** [dessus] em, em cima de ; **sur la table** em cima da mesa - **2.** [au-dessus de] sobre - **3.** [indique la direction] a ; **tournez sur la droite** vire à direita ; **on remonte sur Paris** voltamos para Paris - **4.** [indique la distance] ao longo de ; **'travaux sur 10 kilomètres'** 'obras nos próximos 10 quilômetros' - **5.** [au sujet de] sobre ; **un dépliant sur l'Auvergne** um folheto sobre a Auvergne - **6.** [dans une mesure] por ; **un mètre de large sur deux mètres de long** um metro de largura por dois metros de comprimento - **7.** [dans une proportion] em ; **9 personnes sur 10** 9 em cada 10 pessoas ; **un jour sur deux** um em cada dois dias.

sûr, e [syʀ] *adj* [sans danger] seguro(ra) ; [digne de confiance] de confiança ; **je suis sûre de réussir/qu'il viendra** tenho certeza de que vou conseguir/que ele vem ; **je suis sûre de lui** tenho confiança nele ; **être sûr de soi** estar seguro de si.

surbooking [syʀbukiŋ] *nm* reservas *fpl* em excesso.

surcharge [syʀʃaʀʒ] *nf* [de travail, de ratures] sobrecarga *f* ; [de poids] excesso *m* de peso ; [d'ornements] superabundância *f*.

surcharger [syʀʃaʀʒe] *vt* sobrecarregar.

surchauffé, e [syʀʃofe] *adj* superaquecido(da).

surchemise [syrʃəmiz] *nf* camisa *f* xadrez.

surcroît [syʀkʀwa] *nm* acréscimo *m* ; **de** OU **par surcroît** *sout* além disso.

surdité [syʀdite] *nf* surdez *f*.

surdoué, e [syʀdwe] *adj* superdotado(da).

sureffectif [syʀefɛktif] *nm* : **être en sureffectif** ter pessoal a mais.

surélever [syʀɛlve] *vt* aumentar a altura de ; **surélever une maison** acrescentar um andar a uma casa.

sûrement [syʀmɑ̃] *adv* certamente ; **sûrement pas!** certamente que não!

surenchère [syʀɑ̃ʃɛʀ] *nf* DR lance *m* maior ; *fig* [exagération] redobramento *m* ; **faire de la surenchère** prometer mundos e fundos.

surendetté, e [syʀɑ̃dɛte] *adj* bastante endividado(da).

surestimer [syʀɛstime] *vt* superestimar.

sûreté [syʀte] *nf* : **mettre qqch en sûreté** pôr algo a salvo.

surexcité, e [syʀeksite] *adj* irrequieto(ta).

surf [sœʀf] *nm* surfe *m*.

surface [syʀfas] *nf* superfície *f*.

surfait, e [syʀfɛ, ɛt] *adj* supervalorizado(da).

surgelé, e [syʀʒəle] ◇ *adj* congelado(da). ◇ *nm* congelado *m*.

surgir [syʀʒiʀ] *vi* surgir.

surimi [syrimi] *nm* surimi *m*.

sur-le-champ [syʀləʃɑ̃] *adv* imediatamente.

surlendemain [syʀlɑ̃dmɛ̃] *nm* : **le surlendemain** daqui a dois dias.

surligner [syʀliɲe] *vt* marcar (com marca-texto).

surligneur [syʀliɲœʀ] *nm* marca-texto *m*.

surmenage [syʀmənaʒ] *nm* esgotamento *m*.

surmené, e [syʀməne] *adj* esgotado(da).

surmené, e [syʀməne] *adj* estafado(da).

surmonter [syʀmɔ̃te] *vt* superar.

surnaturel, elle [syʀnatyʀɛl] *adj* sobrenatural.

surnom [syʀnɔ̃] *nm* apelido *m*.

surnommer [syʀnɔme] *vt* apelidar.

surpasser [syʀpase] *vt* superar. ◆ **se surpasser** *vp* superar-se.

surpeuplé, e [syʀpœple] *adj* superpovoado(da).

surplace [syʀplas] *nm* : **faire du surplace** *fig* marcar passo.

surplomber [syʀplɔ̃be] *vt* dominar.

surplus [syʀply] *nm* excedente *m*.

surprenant, e [syʀpʀənɑ̃, ɑ̃t] *adj* surpreendente.

surprendre [syʀpʀɑ̃dʀ] *vt* surpreender.

surpris, e [syʀpʀi, iz] ◇ *pp* ► **surprendre**. ◇ *adj* surpreendido(da) ; **je suis surpris de le voir ici** estou surpreso de vê-lo aqui.

surprise [syʀpʀiz] *nf* surpresa *f* ; **faire une surprise à qqn** fazer uma surpresa para alguém ; **par surprise** de surpresa.

surréalisme [syʀʀealism] *nm* surrealismo *m*.

surréservation [syʀʀezɛʀvasjɔ̃] *nf* = **surbooking**.

sursaut [syʀso] *nm* : **se réveiller en sursaut** acordar de sobressalto.

sursauter [syʀsote] *vi* sobressaltar-se.

sursis [syʀsi] *nm* **1.** [délai] prorrogação *f* - **2.** DR pena *f* suspensa ; **6 mois avec sursis** 6 meses com pena suspensa.

surtaxe [syʀtaks] *nf* sobretaxa *f*.

surtout [syʀtu] *adv* sobretudo ; **surtout, fais bien attention!** sobretudo, tenha muito cuidado! ; **surtout que** sobretudo porque.

survécu [syʀveky] *pp* ► **survivre**.

surveillance [syʀvɛjɑ̃s] *nf* vigilância *f* ; **être sous surveillance** estar sob vigilância.

surveillant, e [syʀvɛjɑ̃, ɑ̃t] *nm, f* inspetor *m*, -ra *f*.

surveiller [syʀvɛje] *vt* [observer] vigiar ; [prendre soin de] cuidar de. ◆ **se surveiller** *vp* [faire du régime] cuidar-se.

survenir [syʀvəniʀ] *vi* sobrevir.

survêtement [syʀvɛtmɑ̃] *nm* training *m*, moletom *m*.

survie [syʀvi] *nf* sobrevivência *f*.

survivant, e [syʀvivɑ̃, ɑ̃t] *nm, f* sobrevivente *mf*.

survivre [syʀvivʀ] *vi* sobreviver ; **survivre à** sobreviver a.

survol [syʀvɔl] *nm* [vol au-dessus de] sobrevôo *m* ; *fig* [examen rapide] olhada *f*.

survoler [syʀvɔle] *vt* sobrevoar.

sus [sy(s)] ◆ **en sus** *adv* além disso.

susceptible [sysɛptibl] *adj* suscetível ; **être susceptible de faire qqch** ser capaz de fazer algo.

susciter [sysite] *vt* suscitar.

suspect, e [syspɛ, ɛkt] *adj* & *nm, f* suspeito(ta).

suspecter [syspɛkte] *vt* suspeitar de.

suspendre [syspɑ̃dʀ] *vt* suspender.

suspens [syspɑ̃] ◆ **en suspens** *loc adv* em suspenso.

suspense [syspɛns] *nm* suspense *m*.

suspension [syspɑ̃sjɔ̃] *nf* [d'une voiture] suspensão *f* ; [lampe] luminária *f* de teto.

suture [sytyʀ] *nf* ► **point**.

svelte [zvɛlt] *adj* esbelto(ta).

SVP (*abr de* **s'il vous plaît**) por favor.

sweat-shirt, s [switʃœʀt] *nm suéter de malha de algodão para atletas*.

syllabe [silab] *nf* sílaba *f*.

symbole [sɛ̃bɔl] *nm* símbolo *m*.

symbolique [sɛ̃bɔlik] *adj* simbólico.

symboliser [sɛ̃bɔlize] *vt* simbolizar.

symétrie [simetʀi] *nf* simetria *f*.

symétrique [simetʀik] *adj* simétrico(ca).

sympa [sɛ̃pa] *adj fam* legal.

sympathie [sɛ̃pati] *nf* : **éprouver** OU **avoir de la sympathie pour qqn** sentir OU ter simpatia por alguém.

sympathique [sɛ̃patik] *adj* simpático(ca).

sympathiser [sɛ̃patize] *vi* simpatizar ; **ils ont sympathisé** eles simpatizaram um com o outro.

symphonie [sɛ̃fɔni] *nf* sinfonia *f*.

symphonique [sɛ̃fɔnik] *adj* sinfônico(ca).

symptomatique [sɛ̃ptɔmatik] *adj* sintomático(ca).

symptôme [sɛ̃ptom] *nm* sintoma *m*.

synagogue [sinagɔg] *nf* sinagoga *f*.

synchronisé, e [s˜ɛkʀɔnize] *adj* sincronizado(da).

synchroniser [sɛ̃kʀɔnize] *vt* sincronizar.

syncope [sɛ̃kɔp] *nf* MÉD síncope *f*.

syndic [sɛ̃dik] *nm* [personne] síndico *m*, -ca *f* ; [entreprise] empresa *f* gestora de condomínios.

syndical, e, aux [sɛ̃dikal, o] *adj* [mouvement, revendications] sindical.

syndicaliste [sɛ̃dikalist] *nmf* sindicalista *mf*.

syndicat [sɛ̃dika] *nm* sindicato *m* ; **syndicat d'initiative** escritório *m* de turismo.

syndiqué, e [sɛ̃dike] *adj* sindicalizado(da).

syndrome [sɛ̃dʀom] *nm* síndrome *f* ; **syndrome immunodéficitaire acquis** Síndrome de Imunodeficiência Adquirida.

synergie [sinɛʀʒi] *nf* sinergia *f*.

synonyme [sinɔnim] *nm* sinônimo *m*.

syntaxe [sɛ̃taks] *nf* sintaxe *f*.

synthèse [sɛ̃tɛz] *nf* síntese *f*.

synthétique [sɛ̃tetik] ◇ *adj* sintético(ca). ◇ *nm* tecido *m* sintético.

synthétiseur [sɛ̃tetizœʀ] *nm* sintetizador *m*.

systématique [sistematik] *adj* sistemático(ca).

système [sistɛm] *nm* sistema *m* ; **système d'exploitation** sistema operacional ; **système monétaire européen** Sistema Monetário Europeu.

T

t' ► **te**.

ta [ta] ► **ton** *(adj)*.

tabac [taba] *nm* [plante, produit] tabaco *m* ; [magasin] tabacaria *f*.

tabagie [tabaʒi] *nf Québec* tabacaria *f*.

tabagisme [tabaʒism] *nm* tabagismo *m*.

table [tabl] *nf* [meuble] mesa *f* ; [tableau] quadro *m* ; **mettre la table** pôr a mesa ; **être/se mettre à table** estar à/ir para a mesa ; **à table!** para a mesa! ; **table de chevet** OU **de nuit** mesa-de-cabeceira *f* ; **table à langer** mesa de vestir ; **table des matières** índice *m* ; **table d'opération** mesa de operações ; **table d'orientation** plano *m* de orientação ; **table à repasser** tábua *f* de passar roupa.

tableau [tablo] (*pl* -x) *nm* [peinture, grille] quadro *m* ; [panneau] painel *m* ; **tableau de bord** painel de instrumentos ; **tableau (noir)** quadro(-negro).

tabler [table] *vi* : **tabler sur** contar com.

tablette [tablɛt] *nf* prateleira *f* ; **tablette de chocolat** tablete *f* de chocolate.

tableur [tablœʀ] *nm* planilha *f* de cálculo.

tablier [tablije] *nm* avental *m*.

tabou, e [tabu] *adj* tabu. ◆ **tabou** *nm* tabu *m*.

taboulé [tabule] *nm* tabule *m*.

tabouret [tabuʀɛ] *nm* mocho *m*, banco *m*.

tache [taʃ] *nf* mancha *f* ; **taches de rousseur** sardas *fpl*.

tâche [taʃ] *nf* tarefa *f*.

tacher [taʃe] *vt* manchar.

tâcher [taʃe] ◇ *vi* : **je vais tâcher de finir ce soir** vou ver se acabo esta noite. ◇ *vt* : **tâche que ça ne se reproduise plus** veja lá se isto não se repete.

tacheté, e [taʃte] *adj* manchado(da).

tacite [tasit] *adj* tácito(ta).

taciturne [tasityʀn] *adj* taciturno(na).

tact [takt] *nm* tato *m*.

tactique [taktik] *nf* tática *f*.

tag [tag] *nm* pichação *f*.

tagine [taʒin] *nm prato à base de carne, sobretudo de carneiro, típico do norte da África.*

taguer [tage] *vt* fazer pichações em.

taie [tɛ] *nf* : **taie d'oreiller** fronha *f* (de travesseiro).

taille [taj] *nf* [dimension] tamanho *m* ; [mensuration] medida *f* ; [partie du corps] cintura *f*.

taille-crayon [tajkʀɛjɔ̃] (*pl* **taille-crayons**) *nm* apontador *m*.

tailler [taje] *vt* [arbre] podar ; [tissu] cortar ; [crayon] afiar.

tailleur [tajœʀ] *nm* [couturier] alfaiate *m* ; [vêtement] conjunto *m* de saia e casaco ; **s'asseoir en tailleur** sentar-se com as pernas cruzadas.

taillis [taji] *nm* bosquete *m*.

tain [tɛ̃] *nm* aço *m (para espelhos)*.

taire [tɛʀ] ◆ **se taire** *vp* calar-se ; **tais-toi!** cale-se!

talc [talk] *nm* talco *m* em pó.

talent [talɑ̃] *nm* talento *m*.

talentueux, **euse** [talɑ̃tɥø, øz] *adj* talentoso(osa).

talisman [talismɑ̃] *nm* talismã *m*.

talkie-walkie [tɔkiwɔki] (*pl* **talkies-walkies**) *nm* walkie-talkie *m*.

talon [talɔ̃] *nm* [du pied] calcanhar *m* ; [d'une chaussure] salto *m* ; [d'un chèque] talão *m* ; **talons hauts** saltos altos ; **talons plats** saltos baixos.

talonner [talɔne] *vt* [suivre] ir no encalço de ; [harceler] atormentar.

talus [taly] *nm* talude *m*.

tambour [tɑ̃buʀ] *nm* [instrument] tambor *m*.

tambourin [tɑ̃buʀɛ̃] *nm* pandeiro *m*.

tambouriner [tɑ̃buʀine] ◇ *vt* tamborilar. ◇ *vi* : **tambouriner sur/à /contre** tamborilar em/a/contra.

tamis [tami] *nm* peneira *f*.

Tamise [tamiz] *nf* : **la Tamise** o Tâmisa.

tamisé, **e** [tamize] *adj* tênue.

tamiser [tamize] *vt* peneirar.

tampon [tɑ̃pɔ̃] *nm* [cachet] carimbo *m* ; [de tissu, de coton] pano *m* ; **tampon (hygiénique)** tampão *m*.

tamponner [tɑ̃pɔne] *vt* [document] carimbar ; [heurter] bater em ; [plaie] limpar de leve.

tamponneuse [tɑ̃pɔnøz] *adj f* ► **auto**.

tam-tam [tamtam] (*pl* **tam-tams**) *nm* tantã *m*.

tandem [tɑ̃dɛm] *nm* [vélo] tandem *m*.

tandis [tɑ̃di] ◆ **tandis que** *conj* [pendant que] enquanto ; [alors que] ao passo que.

tangent, **e** [tɑ̃ʒɑ̃, ɑ̃t] *adj* MATH tangente ; [juste] por pouco. ◆ **tangente** *nf* tangente *f*.

tango [tɑ̃go] *nm* tango *m*.

tanguer [tɑ̃ge] *vi* balançar.

tanière [tanjɛʀ] *nf* [d'ours] caverna *f* ; [de renard] covil *m* ; *fig* [de personne] toca *f*.

tank [tɑ̃k] *nm* tanque *m*.

tanner [tane] *vt* [peau] curtir ; *fam* [embêter] azucrinar a paciência de.

tant [tɑ̃] *adv* **1.** [tellement] tanto ; **il l'aime tant (que)** ele a ama tanto (que) ; **tant de... (que)** tanto... (que) ; **tant de gens (que)** tanta gente (que) - **2.** [autant] : **tant que** tanto quanto ; **tant qu'il peut** tanto quanto pode - **3.** [temporel] : **tant que nous resterons ici** enquanto ficarmos aqui - **4.** [dans des expressions] : **en tant que** como ; **on est arrivés à finir tant bien que mal** conseguimos acabar como pudemos ; **tant mieux** melhor assim ; **tant pis** pouco importa ; **tant pis pour lui** pior para ele.

tante [tɑ̃t] *nf* tia *f*.

tantôt [tɑ̃to] *adv* : **tantôt... tantôt** ora... ora.

taon [tɑ̃] *nm* mutuca *f*.

tapage [tapaʒ] *nm* algazarra *f*.

tape [tap] *nf* palmada *f*.

tape-à-l'œil [tapalœj] ◇ *adj inv* espalhafatoso(sa). ◇ *nm inv* fachada *f*.

tapenade [tapənad] *nf condimento à base de azeitonas, anchovas e alcaparras trituradas com azeite e ervas aromáticas.*

taper [tape] *vt* [frapper] bater ; [code] marcar ; **taper (qqch) à la machine** bater (algo) à máquina ; **taper des pieds** bater com os pés no chão ; **taper sur** bater em.

tapioca [tapjɔka] *nm* tapioca *f*.

tapis [tapi] *nm* tapete *f* ; [d'escalier] passadeira *f* ; **tapis roulant** esteira *f* rolante ; **tapis de sol** *lona que cobre o chão de uma tenda de campismo.*

tapisser [tapise] *vt* forrar.

tapisserie [tapisʀi] *nf* [à l'aiguille, arts décoratifs] tapeçaria *f* ; [papier peint] papel *m* de parede.

tapoter [tapɔte] *vt* dar pancadinhas em.

taquin, e [takɛ̃, in] *adj* arreliador(ra).

taquiner [takine] *vt* arreliar.

tarama [taʀama] *nm ovas de peixe misturadas com miolo de pão, azeite e suco de limão.*

tard [taʀ] *adv* tarde ; **plus tard** [après, dans l'avenir] mais tarde ; **à plus tard!** até logo! ; **au plus tard** o mais tardar.

tarder [taʀde] *vi* : **elle ne va pas tarder (à arriver)** ela não vai tardar (a chegar) ; **tarder à faire qqch** tardar a fazer algo ; **il me tarde de partir** estou ansioso por partir.

tardif, ive [taʀdif, iv] *adj* tardio(dia).

tare [taʀ] *nf* [d'une balance, d'une personne] tara *f* ; [d'une société, d'un système] defeito *m*.

tarif [taʀif] *nm* [liste des prix] tabela *f* de preços ; [prix] tarifa *f* ; **tarif plein** preço *m* normal ; **tarif réduit** preço *m* reduzido ; **à tarif réduit** a preço reduzido.

tarir [taʀiʀ] *vi* secar.

tarot [taʀo] *nm* [jeu] tarô *m*.

tartare [taʀtaʀ] *adj* ► **sauce, steak.**

tarte [taʀt] *nf* tarte *f* ; **tarte aux fraises** torta *f* de morango ; **tarte au maton** *Belgique torta de leite coalhado com amêndoas* ; **tarte au sucre** *Belgique* torta de açúcar ; **tarte Tatin** *torta de maçã caramelizada.*

tartelette [taʀtəlɛt] *nf* tortinha *f*.

tartiflette [tartiflɛt] *nf* tartiflette.

tartine [taʀtin] *nf* fatia *f* de pão (com manteiga ou geléia).

tartiner [taʀtine] *vt* espalhar ; **fromage/pâte à tartiner** queijo/creme de espalhar.

tartre [taʀtʀ] *nm* [sur les dents] tártaro *m* ; [calcaire] calcário *m*.

tas [ta] *nm* monte *m* ; **mettre qqch en tas** amontoar algo ; **un** OU **des tas de** *fam* um monte OU montes de.

tasse [tas] *nf* xícara *f* ; **boire la tasse** engolir água ; **tasse à café** xícara para café ; **tasse à thé** xícara para chá.

tasser [tase] *vt* apertar. ◆ **se tasser** *vp* [s'affaisser] abater ; [dans une voiture] apertar-se.

tâter [tate] *vt* apalpar. ◆ **se tâter** *vp* hesitar.

tâtonner [tatɔne] *vi* tatear.

tâtons [tatɔ̃] ◆ **à tâtons** *adv* às apalpadelas.

tatouage [tatwaʒ] *nm* tatuagem *f*.

tatouer [tatwe] *vt* tatuar.

taudis [todi] *nm* [logement misérable] pardieiro *m* ; *fig* & *péj* [maison ou pièce mal tenues] chiqueiro *m*.

taule [tol] *nf fam* [prison] xadrez *m*.

taupe [top] *nf* toupeira *f*.

taureau [tɔʀo] (*pl* -x) *nm* touro *m*. ◆ **Taureau** *nm* Touro *m*.

tauromachie [tɔʀɔmaʃi] *nf* tauromaquia *f*.

taux [to] *nm* taxa *f* ; **taux de change** taxa de câmbio.

taverne [tavɛʀn] *nf Québec* café *m*.

taxe [taks] *nf* imposto *m* ; **taxe d'habitation** IPTU *m* ; **toutes taxes comprises** com IVA.

taxer [takse] *vt* lançar um imposto sobre.

taxi [taksi] *nm* táxi *m*.

Tchécoslovaquie [tʃekɔslɔvaki] *nf* : **la Tchécoslovaquie** a Checoslováquia.

te [tə] *pron* -te.

technicien, **enne** [tɛknisjɛ̃, ɛn] *nm, f* técnico *m*, -ca *f*.

technico-commercial, **e** [tɛknikokɔmɛʀsjal] (*mpl* **technico-commerciaux** [tɛknikokɔmɛʀsjo]) *adj* : **un ingénieur technico-commercial** um técnico de vendas.

technique [tɛknik] ◇ *adj* técnico(ca). ◇ *nf* técnica *f*.

technocrate [tɛknɔkʀat] *nm péj* tecnocrata *m*.

technologie [tɛknɔlɔʒi] *nf* tecnologia *f*.

technologique [tɛknɔlɔʒik] *adj* tecnológico(ca).

tee-shirt [tiʃœʀt] (*pl* **tee-shirts**) *nm* camiseta *f*.

teindre [tɛ̃dʀ] *vt* tingir ; **se faire teindre (les cheveux)** pintar o cabelo.

teint, **e** [tɛ̃, tɛ̃t] ◇ *pp* ► **teindre**. ◇ *nm* tez *f*.

teinte [tɛ̃t] *nf* cor *f*.

teinter [tɛ̃te] *vt* pintar.

teinture [tɛ̃tyʀ] *nf* tinta *f* ; **teinture d'iode** tintura *f* de iodo.

teinturerie [tɛ̃tyʀʀi] *nf* tinturaria *f*.

teinturier, **ère** [tɛ̃tyʀje, ɛʀ] *nm, f* tintureiro *m*, -ra *f*.

tel, **telle** *adj* [semblable] tal ; [si grand] tanto(tanta) ; **tel que** tal como ; **tel quel** tal e qual ; **tel ou tel** tal ou tal.

tél. (*abr de* **téléphone**) tel.

télé [tele] *nf fam* televisão *f* ; **à la télé** na televisão.

télécharger [teleʃarʒe] *vt* INFORM carregar.

téléachat [teleaʃa] *nm* telecompra *f*.

télécabine [telekabin] *nf* teleférico *m*.

Télécarte® [telekaʀt] *nf* cartão *m* telefônico.

télécommande [telekɔmɑ̃d] *nf* controle *m* remoto.

télécommunications [telekɔmynikasjɔ̃] *nfpl* telecomunicações *fpl*.

téléconférence [telekɔ̃feʀɑ̃s] *nf* teleconferência *f*.

télécopie [telekɔpi] *nf* fax *m (documento)*.

télécopieur [telekɔpjœʀ] *nm* fax *m (aparelho)*.

téléfilm [telefilm] *nm* telefilme *m*.

télégramme [telegʀam] *nm* telegrama *m* ; **télégramme téléphoné** telegrama fonado.

téléguidé, **e** [telegide] *adj* teleguiado(da).

téléguider [telegide] *vt* [un engin] teleguiar ; *fig* [une opération] comandar a distância.

télématique [telematik] *nf* telemática *f*.

téléobjectif [teleɔbʒɛktif] *nm* teleobjetiva *f*.

télépathie [telepati] *nf* telepatia *f*.

téléphérique [telefeʀik] *nm* teleférico *m*.

téléphone [telefɔn] *nm* telefone *m*, fone *m* ; **au téléphone** ao telefone ;

téléphone à carte *telefone público que funciona com o uso de cartões* ; **téléphone mobile** telefone *m* celular ; **téléphone portable** telefone celular ; **téléphone sans fil** telefone sem fio.

téléphoner [telefɔne] *vi* telefonar ; **téléphoner à qqn** telefonar para alguém.

téléphonique [telefɔnik] *adj* ► **cabine, carte.**

télescope [teleskɔp] *nm* telescópio *m*.

télescoper [teleskɔpe] ◆ **se télescoper** *vp* chocar-se violentamente.

télescopique [teleskɔpik] *adj* telescópico(ca).

télésiège [telesjɛʒ] *nm* teleférico *m*.

téléski [teleski] *nm teleférico para transportar esquiadores*.

téléspectateur, **trice** [telespɛktatœʀ, tʀis] *nm, f* telespectador *m*, -ra *f*.

télévente [televɑ̃t] *nf* televenda *f*.

télévisé, **e** [televize] *adj* televisivo(va).

téléviseur [televizœʀ] *nm* televisor *m*.

télévision [televizjɔ̃] *nf* televisão *f* ; **à la télévision** na televisão ; **télévision par satellite** televisão por satélite.

télévision-réalité [televizjɔ̃realite] *nf* TV : **une émission de télévision-réalité** uma emissão de reality show.

télex [telɛks] *nm inv* telex *m*.

telle ► **tel.**

tellement [tɛlmɑ̃] *adv* [tant] tanto ; [si] tão ; **tellement de** tanto(tanta) ; **pas tellement** nem tanto.

téméraire [temeʀɛʀ] *adj* temerário(ria).

témoignage [temwaɲaʒ] *nm* testemunho *m*.

témoigner [temwaɲe] *vi* testemunhar.

témoin [temwɛ̃] *nm* [spectateur] testemunha *f* ; SPORT bastão *m* ; **être témoin de** ser testemunha de.

tempe [tɑ̃p] *nf* têmpora *f*.

tempérament [tɑ̃peʀamɑ̃] *nm* temperamento *m*.

température [tɑ̃peʀatyʀ] *nf* [niveau de chaleur] temperatura *f* ; [fièvre] febre *f*.

tempérer [tɑ̃peʀe] *vt* [adoucir] temperar ; [atténuer] atenuar ; *fig* [calmer] moderar.

tempête [tɑ̃pɛt] *nf* tempestade *f*.

temple [tɑ̃pl] *nm* templo *m*.

tempo [tɛmpo] *nm* tempo *m*.

temporaire [tɑ̃pɔʀɛʀ] *adj* temporário(ria).

temporairement [tɑ̃pɔʀɛʀmɑ̃] *adv* temporariamente.

temps [tɑ̃] *nm* tempo *m* ; **avoir le temps de faire qqch** ter tempo de fazer algo ; **il est temps de/que** está na hora de ; **à temps** a tempo ; **de temps en temps** de tempos em tempos ; **en même temps** ao mesmo tempo ; **à temps complet** período integral ; **à temps partiel** período parcial ; **un temps partiel** meio período.

tenace [tənas] *adj* [gén] tenaz ; [colle] resistente ; [tache] difícil de sair ; [odeur, maladie] persistente.

tenailler [tənaje] *vt* atazanar.

tenailles [tənaj] *nfpl* pinças *fpl*.

tendance [tɑ̃dɑ̃s] *nf* tendência *f* ; **avoir tendance à faire qqch** ter tendência a fazer algo.

tendeur [tɑ̃dœʀ] *nm* esticador *m*.

tendinite [tɑ̃dinit] *nf* inflamação *f* dos tendões.

tendon [tɑ̃dɔ̃] *nm* tendão *m*.

tendre [tɑ̃dʀ] ◇ *adj* terno(na). ◇ *vt* esticar ; **tendre qqch à qqn** estender algo a alguém ; **tendre la main**

à qqn estender a mão a alguém ; **tendre l'oreille** prestar atenção ; **tendre un piège à qqn** preparar uma armadilha para alguém. ◆ **se tendre** *vp* esticar-se.

tendresse [tɑ̃dʀɛs] *nf* ternura *f*.

tendu, **e** [tɑ̃dy] *adj* tenso(sa).

ténèbres [tenɛbʀ] *nfpl sout* trevas *fpl*.

teneur [tənœʀ] *nf* teor *m* ; **teneur en** teor de.

tenir [təniʀ] ◇ *vt* **1.** [à la main, dans ses bras] segurar ; [garder] manter ; **tenir un plat au chaud** manter um prato quente - **2.** [promesse, engagement] cumprir - **3.** [magasin, bar] ter - **4.** [dans des expressions] **: tiens!, tenez!** tome!, tomem! ; **tiens!** [exprime la surprise] olhe! ◇ *vi* **1.** [résister] resistir ; **la neige n'a pas tenu** a neve derreteu - **2.** [rester] ficar ; **tenir debout** ficar direito ; **tu ne tiens plus debout** [de fatigue] você já não se agüenta em pé - **3.** [être contenu] caber. ◆ **tenir à** *vp + prép* [être attaché à] **: tenir à qqch** dar valor a algo ; **tenir à qqn** ser apegado a alguém ; **tenir à faire qqch** fazer questão de fazer algo. ◆ **tenir de** *vp + prép* [ressembler à] sair a. ◆ **se tenir** *vp* **1.** [avoir lieu] realizar-se - **2.** [s'accrocher] segurar-se ; **se tenir à** segurar-se a - **3.** [être, rester] ficar ; **se tenir droit** ficar direito ; **se tenir tranquille** ficar quieto - **4.** [se comporter] **: bien/mal se tenir** comportar-se bem/mal.

tennis [tenis] ◇ *nm* tênis *m inv*. ◇ *nmpl* tênis *mpl*, sapatilha *f* ; **tennis de table** tênis de mesa.

ténor [tenɔʀ] ◇ *adj* tenor. ◇ *nm* [chanteur] tenor *m* ; *fig* [vedette] vulto *m*.

tension [tɑ̃sjɔ̃] *nf* tensão *f* ; **avoir de la tension** ter a pressão alta.

tentaculaire [tɑ̃takylɛʀ] *adj* tentacular.

tentacule [tɑ̃takyl] *nm* tentáculo *m*.

tentant, **e** [tɑ̃tɑ̃, ɑ̃t] *adj* tentador(ra).

tentation [tɑ̃tasjɔ̃] *nf* tentação *f*.

tentative [tɑ̃tativ] *nf* tentativa *f*.

tente [tɑ̃t] *nf* tenda *f*.

tenter [tɑ̃te] *vt* tentar ; **tenter de faire qqch** tentar fazer algo.

tenu, **e** [təny] *pp* ➤ **tenir**.

tenue [təny] *nf* roupa *f* ; **tenue de soirée** traje *m* de noite.

ter [tɛʀ] *adv indica que há 3 números iguais numa rua* ; **11 ter** 11 c.

TER (*abr de* **Train Express Régional**) [tɛʀ] *nm* Trem *m* Regional e Inter-Regional.

Tergal® [tɛʀgal] *nm* tergal *m*.

terme [tɛʀm] *nm* termo *m* ; **à court terme** a curto prazo ; **à long terme** a longo prazo.

terminaison [tɛʀminɛzɔ̃] *nf* terminação *f*.

terminal [tɛʀminal] (*pl* -aux [o]) *nm* terminal *m*.

terminale [tɛʀminal] *nf* ≃ terceiro ano *m* do ensino médio.

terminer [tɛʀmine] *vt* terminar. ◆ **se terminer** *vp* terminar.

terminologie [tɛʀminɔlɔʒi] *nf* terminologia *f*.

terminus [tɛʀminys] *nm* término *m*.

termite [tɛʀmit] *nf* cupim *m*.

terne [tɛʀn] *adj* desbotado(da).

ternir [tɛʀniʀ] *vt* [salir] sujar ; *fig* [flétrir] denegrir. ◆ **se ternir** *vp* [se salir] desbotar-se.

terrain [tɛʀɛ̃] *nm* terreno *m* ; **terrain de camping** camping *m* ; **terrain de foot** campo *m* de futebol ; **terrain de jeux** campo *m* de jogos ; **terrain vague** terreno baldio.

terrasse [tɛʀas] *nf* [d'une maison, d'un appartement, de café] terraço *m*.

terrasser [tɛʀase] *vt* [vaincre] derrubar ; [venir à bout de] erradicar ; *fig* [foudroyer] abalar.

terre [tɛʀ] *nf* terra *f* ; [argile] barro *m* ; **la Terre** a Terra ; **par terre** no chão.

terreau [tɛʀo] *nm* húmus *m*.

terre-plein [tɛʀplɛ̃] (*pl* **terre-pleins**) *nm* terrapleno *m* ; **terre-plein central** separador *m*.

terrestre [tɛʀɛstʀ] *adj* terrestre.

terreur [tɛʀœʀ] *nf* terror *m*.

terrible [tɛʀibl] *adj* [catastrophe, accident] terrível ; *fam* [excellent] extraordinário(ria) ; **pas terrible** *fam* não é nada de especial.

terriblement [tɛʀibləmɑ̃] *adv* terrivelmente ; **il a eu terriblement peur** ele sentiu um medo terrível ; **il a terriblement changé** ele mudou muitíssimo.

terrien, enne [tɛʀjɛ̃, ɛn] ◇ *adj* : **un propriétaire terrien** um latifundiário. ◇ *nm, f* terráqueo *m*, -quea *f*.

terrier [tɛʀje] *nm* [de lapin] toca *f*.

terrifier [tɛʀifje] *vt* aterrorizar.

terrine [tɛʀin] *nf* [récipient] *recipiente para o patê* ; CULIN patê *m* caseiro.

territoire [tɛʀitwaʀ] *nm* território *m*.

territorial, e, aux [tɛʀitɔʀjal, o] *adj* territorial.

terroriser [tɛʀɔʀize] *vt* aterrorizar.

terrorisme [tɛʀɔʀism] *nm* terrorismo *m*.

terroriste [tɛʀɔʀist] *nmf* terrorista *mf*.

tertiaire [tɛʀsjɛʀ] ◇ *adj* terciário(ria). ◇ *nm* setor *m* terciário.

tes ► **ton.**

test [tɛst] *nm* teste *m* ; **test de dépistage** teste de despistagem.

testament [tɛstamɑ̃] *nm* testamento *m*.

tester [tɛste] *vt* testar.

testicule [tɛstikyl] *nm* testículo *m*.

tétanos [tetanos] *nm* tétano *m*.

têtard [tɛtaʀ] *nm* girino *m*.

tête [tɛt] *nf* ANAT cabeça *f* ; [visage] cara *f* ; [partie avant] frente *f* ; **de tête** [wagon] da frente ; **être en tête** estar à frente ; **faire la tête** emburrar ; **tête de liste** cabeça de lista ; **tête de série** cabeça de série ; **tête de veau** cabeça de vitela.

tête-à-queue [tɛtakø] *nm inv* reviravolta *f*.

tête-à-tête [tɛtatɛt] *nm inv* encontro *m* a sós ; **en tête-à-tête** a sós.

tête-bêche [tɛtbɛʃ] *loc adv* : **les enfants ont dormi tête-bêche** as crianças dormiram um com os pés para cima e outro com os pés para baixo.

tétée [tete] *nf* mamada *f*.

téter [tete] *vi* mamar.

tétine [tetin] *nf* [de biberon] bico *m (de mamadeira)* ; [sucette] chupeta *f*.

têtu, e [tety] *adj* teimoso(osa).

texte [tɛkst] *nm* texto *m*.

textile [tɛkstil] *nm* têxtil *m*.

texto [tɛksto] *nm* TÉLÉCOM enviar mensagens de texto, receber texto.

texture [tɛkstyʀ] *nf* textura *f*.

TF1 *npr canal privado da televisão francesa.*

TGV *nm trem francês de alta velocidade.*

thalassothérapie [talasɔteʀapi] *nf* talassoterapia *f*.

théâtral, e, aux [teatʀal, o] *adj* teatral.

théâtre [teatʀ] *nm* teatro *m*.

théière [tejɛʀ] *nf* bule *m* de chá.

thématique [tematik] *adj* temático(ca).

thème [tɛm] *nm* [d'une exposition, d'un film] tema *m* ; [traduction] retroversão *f*.

théologie [teɔlɔʒi] *nf* teologia *f*.

théorème [teɔʀɛm] *nm* MATH teorema *m*.

théorie [teɔʀi] *nf* teoria *f* ; **en théorie** em teoria.

théorique [teɔʀik] *adj* teórico(ca).

théoriquement [teɔʀikmɑ̃] *adv* [normalement] teoricamente.

thérapie [teʀapi] *nf* terapia *f* ; **thérapie génique** terapia genética.

thermal, e, aux [tɛʀmal, o] *adj* termal.

Thermidor [tɛʀmidɔʀ] *nm* ► **homard.**

thermomètre [tɛʀmɔmɛtʀ] *nm* termômetro *m*.

Thermos® [tɛʀmos] *nf*: **(bouteille) Thermos** garrafa *f* térmica.

thermostat [tɛʀmɔsta] *nm* termostato *m*.

thèse [tɛz] *nf* tese *f*.

thon [tɔ̃] *nm* atum *m*.

thorax [tɔʀaks] *nm* tórax *m*.

thym [tɛ̃] *nm* tomilho *m*.

thyroïde [tiʀɔid] *nf* tireóide *f*.

tibia [tibja] *nm* tíbia *f*.

tic [tik] *nm* [mouvement] tique *m* ; [habitude] mania *f*.

ticket [tikɛ] *nm* bilhete *m* ; **ticket de caisse** cupom *m* fiscal ; **ticket de métro** bilhete de metrô.

tiède [tjɛd] *adj* morno(morna).

tien [tjɛ̃] ◆ **le tien, la tienne** [latjɛn] (*mpl* **les tiens** [letj˜ɛ] , *fpl* **les tiennes** [letjɛn]) *pron* o teu(a tua) ; **à la tienne!** à tua!

tiendra *etc.* ► **tenir.**

tienne *etc.* ► **tenir.**

tiens *etc.* ► **tenir.**

tiercé [tjɛʀse] *nm* *sistema de aposta que envolve os três primeiros cavalos de uma corrida.*

tiers [tjɛʀ] *nm* terço *m*.

tiers-monde [tjɛʀmɔ̃d] *nm* terceiro mundo *m*.

tige [tiʒ] *nf* [de plante] caule *m* ; [de métal, de bois] vara *f*.

tigre [tigʀ] *nm* tigre *m*.

tigresse [tigʀɛs] *nf* [animal] tigre *m* fêmea ; *fig* [femme] fera *f*.

tilleul [tijœl] *nm* [arbre] tília *f* ; [tisane] chá *m* de tília.

tilsit [tilsit] *nm* *Suisse queijo mole de vaca.*

timbale [tɛ̃bal] *nf* [gobelet] copo *m* de metal ; CULIN timbale *m*.

timbre(-poste) [tɛ̃bʀ(əpɔst)] (*pl* **timbres(-poste)**) *nm* selo *m* (do correio).

timbrer [tɛ̃bʀe] *vt* pôr um selo em.

timide [timid] *adj* tímido(da).

timidité [timidite] *nf* timidez *f*.

tinter [tɛ̃te] *vi* tilintar.

tir [tiʀ] *nm* tiro *m* ; **tir à l'arc** tiro de arco ; **tir de roquette** tiro de míssil.

tirage [tiʀaʒ] *nm* sorteio *m* ; **tirage au sort** sorteio *m*.

tirailler [tiʀaje] *vt* puxar ; **être tiraillé entre** sentir-se dividido entre.

tire-bouchon [tiʀbuʃɔ̃] (*pl* **tire-bouchons**) *nm* saca-rolhas *m inv*.

tirelire [tiʀliʀ] *nf* cofre *m*.

tirer [tiʀe] ◇ *vt* **1.** [gén] puxar - **2.** [tiroir, rideau] abrir - **3.** [trait] traçar - **4.** [avec une arme] disparar ; [sortir] : **tirer qqn/qqch de** tirar alguém/algo de ; **tirer une conclusion de qqch** tirar uma conclusão de algo ; **tirer la langue à qqn** mostrar a língua para alguém ; **les numéros du loto sont tirés tous les samedis à 20 h** os números da loteria são sorteados todos os sábados às 20 h. ◇ *vi* **1.** [gén] atirar ; **tirer sur** atirar em - **2.** [vers soi, vers le bas etc.] **: tirer sur qqch** puxar algo. ◆ **se tirer** *vp* *fam* [s'en aller] mandar-se. ◆ **s'en tirer** *vp* [se débrouiller] virar-se ; [survivre] escapar.

tiret [tiʀɛ] *nm* travessão *m*.

tirette [tiʀɛt] *nf Belgique* fecho *m*.

tireur, **euse** [tiʀœʀ, øz] *nm, f* atirador *m*, -ra *f* ; **tireur d'élite** atirador de elite.

tiroir [tiʀwaʀ] *nm* gaveta *f*.

tiroir-caisse [tiʀwaʀkɛs] (*pl* **tiroirs-caisses**) *nm* caixa *f* registradora.

tisane [tizan] *nf* tisana *f*.

tisonnier [tizɔnje] *nm* atiçador *m*.

tisser [tise] *vt* tecer.

tissu [tisy] *nm* tecido *m*.

titre [titʀ] *nm* título *m* ; **titre de transport** bilhete *m*.

tituber [titybe] *vi* cambalear.

titulaire [tityleʀ] *adj* & *nmf* titular.

titulariser [titylaʀize] *vt* tornar titular.

toast [tost] *nm* torrada *f* ; **porter un toast à qqn** brindar à saúde de alguém.

toboggan [tɔbɔgɑ̃] *nm* tobogã *m*.

toc [tɔk] *nm* fantasia *f* ; **en toc** de fantasia.

TOC [tɔk] *nmpl* MÉD (*abr de* **troubles obsessionnels compulsifs**) transtorno *m* obsessivo-compulsivo.

toi [twa] *pron* [objet direct] te ; [après prép] ti ; [après comparaison, pour insister] tu ; **lève-toi** levante-se ; **toi-même** [sujet] você ; [objet] si próprio.

toile [twal] *nf* [tissu] lona *f* ; [tableau] tela *f* ; **toile d'araignée** teia *f* de aranha.

toilette [twalɛt] *nf* traje *m* ; **faire sa toilette** lavar-se. ◆ **toilettes** *nfpl* banheiro *m*, toalete *m*.

toiser [twaze] *vt* olhar de alto a baixo. ◆ **se toiser** *vp* olhar-se de alto a baixo.

toit [twa] *nm* teto *m*.

toiture [twatyʀ] *nf* telhado *m*.

tôle [tol] *nf* chapa *f* ; **tôle ondulée** chapa ondulada.

tolérant, **e** [tɔleʀɑ̃, ɑ̃t] *adj* tolerante.

tolérer [tɔleʀe] *vt* tolerar.

tollé [tɔle] *nm* onda *f* de protestos ; **soulever un tollé général** provocar uma onda geral de protestos.

tomate [tɔmat] *nf* tomate *m* ; **tomates farcies** tomates recheados.

tombe [tɔ̃b] *nf* tumba *f*.

tombeau [tɔ̃bo] (*pl* -x) *nm* túmulo *m* ; **rouler à tombeau ouvert** *fig* dirigir feito um louco.

tombée [tɔ̃be] *nf* : **à la tombée de la nuit** ao cair da noite.

tomber [tɔ̃be] *vi* cair ; [date, fête] cair ; **ça tombe bien!** isto cai bem! ; **laisser tomber** [études, projet] desistir de ; [ami] abandonar ; **tomber amoureux** apaixonar-se ; **tomber malade** adoecer ; **tomber en panne** avariar-se.

tombola [tɔ̃bɔla] *nf* tômbola *f*.

tome [tɔm] *nm* tomo *m*.

tomme [tɔm] *nf* [de savoie] *queijo de leite de vaca* ; *Suisse* **tomme vaudoise** *queijo de vaca com cominhos*.

ton[1], **ta** [tɔ̃, ta] (*pl* **tes** [te]) *adj* o teu(a tua).

ton[2] [tɔ̃] *nm* tom *m*.

tonalité [tɔnalite] *nf* tonalidade *f*.

tondeuse [tɔ̃døz] *nf* : **tondeuse (à gazon)** cortador *m* de grama.

tondre [tɔ̃dʀ] *vt* [gazon] cortar ; [cheveux] rapar.

tongs [tɔ̃g] *nfpl* chinelo *m (de dedo)*.

tonifier [tɔnifje] *vt* tonificar.

tonique [tɔnik] *adj* tônico(ca) ; **accent tonique** acento tônico.

tonne [tɔn] *nf* tonelada *f*.

tonneau [tɔno] (*pl* -x) *nm* [de vin] pipa *f* ; [grand] tonel *m* ; **faire des tonneaux** capotar.

tonnelle [tɔnɛl] *nf* caramanchão *m*.

tonnerre [tɔnɛʀ] *nm* trovão *m* ; **coup de tonnerre** estampido *m* de trovão.

tonus [tɔnys] *nm* tônus *m*.

top model *nmf* top (-) model *mf*.

top modèle *nf* top (-) model *f*.

topographie [tɔpɔgʀafi] *nf* topografia *f*.

toque [tɔk] *nf* [coiffure] gorro *m* ; [de cuisinier] chapéu *m* ; [cuisinier] cozinheiro *m*, -ra *f*.

torche [tɔʀʃ] *nf* tocha *f* ; **torche électrique** lanterna *f*.

torchon [tɔʀʃɔ̃] *nm* pano *m (de cozinha)*.

tordre [tɔʀdʀ] *vt* torcer. ◆ **se tordre** *vp* : **se tordre la cheville** torcer o tornozelo ; **se tordre de douleur** contorcer-se de dor ; **se tordre de rire** morrer de rir.

tordu, e [tɔʀdy] ◇ *pp* ► **tordre**. ◇ *adj & nm, f fam* destrambelhado(da).

tornade [tɔʀnad] *nf* tornado *m*.

torpeur [tɔʀpœʀ] *nf* torpor *m*.

torpille [tɔʀpij] *nf* MIL torpedo *m* ; [poisson] treme-treme *m*.

torréfaction [tɔʀefaksjɔ̃] *nf* torrefação *f*.

torrent [tɔʀɑ̃] *nm* torrente *f* ; **il pleut à torrents** está chovendo a cântaros.

torrentiel, elle [tɔʀɑ̃sjɛl] *adj* torrencial.

torride [tɔʀid] *adj* tórrido(da).

torsade [tɔʀsad] *nf* : **pull à torsades** suéter *m* trançado.

torse [tɔʀs] *nm* tronco *m* ; **torse nu** tronco nu.

tort [tɔʀ] *nm* : **avoir tort** não ter razão ; **avoir tort (de faire qqch)** fazer mal (em fazer algo) ; **causer** OU **faire du tort à qqn** causar prejuízo a alguém, prejudicar alguém ; **donner tort à qqn** não dar razão a alguém ; **être dans son tort, être en tort** ter culpa ; **à tort** sem razão ; **parler à tort et à travers** falar a torto e a direito.

torticolis [tɔʀtikɔli] *nm* torcicolo *m*.

tortiller [tɔʀtije] *vt* contorcer. ◆ **se tortiller** *vp* contorcer-se.

tortionnaire [tɔʀsjɔnɛʀ] *nmf* torturador *m*, -ra *f*.

tortue [tɔʀty] *nf* tartaruga *f*.

tortueux, euse [tɔʀtɥø, øz] *adj* tortuoso(osa).

torture [tɔʀtyʀ] *nf* tortura *f*.

torturer [tɔʀtyʀe] *vt* torturar.

tôt [to] *adv* [de bonne heure] cedo ; [vite] rápido ; **tôt ou tard** mais cedo ou mais tarde ; **au plus tôt** quanto antes.

total, e, aux [tɔtal, o] ◇ *adj* total. ◇ *nm* total *m*.

totalement [tɔtalmɑ̃] *adv* totalmente.

totaliser [tɔtalize] *vt* totalizar.

totalitaire [tɔtalitɛʀ] *adj* totalitário(ria).

totalitarisme [tɔtalitaʀism] *nm* totalitarismo *m*.

totalité [tɔtalite] *nf* : **la totalité de** a totalidade de ; **en totalité** [rembourser] na totalidade.

toubib [tubib] *nmf fam* médico *m*, -ca *f*.

touchant, e [tuʃɑ̃, ɑ̃t] *adj* tocante.

touche [tuʃ] *nf* [de piano, d'ordinateur, de téléphone] tecla *f* ; SPORT [ligne] linha *f*.

toucher [tuʃe] *vt* [entrer en contact avec] tocar ; [argent, chèque] receber ; [cible] atingir ; [émouvoir] comover ; **toucher à** [objet] tocar em ; [nourriture] provar. ◆ **se toucher** *vp* tocar-se.

touffe [tuf] *nf* tufo *m*.

toujours [tuʒuʀ] *adv* [tout le temps] sempre ; [encore] ainda ; **pour toujours** para sempre.

toupie [tupi] *nf* pião *m*.

tour [tuʀ] *nm* volta *f* ; **faire un tour** dar uma volta ; **faire le tour de qqch** dar uma volta em algo ; **jouer un tour à qqn** pregar uma peça em alguém ; **c'est ton tour (de faire qqch)** é a sua vez (de fazer algo) ; **à tour de rôle** por vez ; **le Tour (de France)** *prova ciclística anual realizada na França* ; **tour de magie** truque *m* de mágica.

tour [tuʀ] *nf* torre *f* ; **tour de contrôle** torre de controle ; **la tour Eiffel** a Torre Eiffel.

tourbillon [tuʀbijɔ̃] *nm* turbilhão *m*.

tourbillonner [tuʀbijɔne] *vi* turbilhonar.

tourelle [tuʀɛl] *nf* torrinha *f*.

tourisme [tuʀism] *nm* turismo *m* ; **faire du tourisme** fazer turismo.

touriste [tuʀist] *nmf* turista *mf*.

touristique [tuʀistik] *adj* turístico(ca).

tourmente [tuʀmɑ̃t] *nf sout* tormento *m*.

tourmenté, e [tuʀmɑ̃te] *adj* [personne] atormentado(da) ; [mer, période] turbulento(ta).

tourmenter [tuʀmɑ̃te] *vt* atormentar. ◆ **se tourmenter** *vp* atormentar-se.

tournage [tuʀnaʒ] *nm* filmagem *f*.

tournant [tuʀnɑ̃] *nm* curva *f*.

tourne-disque [tuʀnədisk] (*pl* **tourne-disques**) *nm* toca-discos *m inv*.

tournedos [tuʀnədo] *nm* turnedô *m* ; **tournedos Rossini** *filé de lombo de vaca com patê de fígado de pato ou ganso e trufas*.

tournée [tuʀne] *nf* [d'un chanteur] turnê *f* ; [du facteur] volta *f* ; [au bar] rodada *f*.

tourner [tuʀne] ◇ *vt* [clé, manivelle] virar ; [sauce, soupe, salade] mexer ; [tête, regard, page] virar ; [film] filmar. ◇ *vi* [manège, roue] girar ; [route] virar ; [moteur, machine] estar em andamento ; [lait] azedar ; [acteur] entrar ; **tournez à gauche/droite** vire à esquerda/direita ; **tourner autour de** andar em volta de ; **avoir la tête qui tourne** estar com a cabeça rodando ; **mal tourner** [affaire] acabar mal. ◆ **se tourner** *vp* virar-se ; **se tourner vers** [dans l'espace] virar-se para ; *fig* [activité] dedicar-se a.

tournesol [tuʀnəsɔl] *nm* girassol *m*.

tournevis [tuʀnəvis] *nm* chave-de-fenda *f*.

tourniquet [tuʀnikɛ] *nm* [du métro] torniquete *m*.

tournis [tuʀni] *nm fam* [vertige] : **avoir le tournis** sentir tontura ; **donner le tournis à qqn** deixar alguém zonzo.

tournoi [tuʀnwa] *nm* torneio *m*.

tournoyer [tuʀnwaje] *vi* revolutear.

tournure [tuʀnyʀ] *nf* [expression] expressão *f*.

tourte [tuʀt] *nf* torta *f* folhada.

tourteau [tuʀto] (*pl* -x) *nm* [crabe] caranguejo *m* ; [aliment pour bétail] bagaço *m*.

tourterelle [tuʀtəʀɛl] *nf* pomba-rola *f*.

tourtière [tuʀtjɛʀ] *nf Québec torta de carne moída e cebola*.

tous ► **tout**.

Toussaint [tusɛ̃] *nf* : **la Toussaint** o dia de Todos os Santos.

tousser [tuse] *vi* tossir.

tout, e [tu, tut] (*mpl* **tous** [tus] , *fpl* **toutes** [tut]) ◇ *adj* **1.** [avec un substantif singulier] todo(toda) ; **tout le vin** todo o vinho ; **tout un gâteau** o bolo inteiro ; **toute la journée** o dia todo ; **toute la famille** toda a família ; **tout le monde** todo (o) mundo ; **tout le temps** o tempo todo - **2.** [avec un pronom démonstratif] tudo ; **tout ça** ou **cela** tudo isto, isto tudo - **3.** [avec un substantif pluriel] todos(todas) ; **tous les gâteaux** todos os bolos ; **toutes les maisons** todas as casas ; **tous les trois** os três ; **toutes les deux** as duas ; **tous les deux ans** de dois em dois anos - **4.** [n'importe quel] **: tout homme a le droit de...** todos os homens têm direito a... ; **déjeuner servi à toute heure** almoço servido qualquer hora ; **à toute heure du jour ou de la nuit** a qualquer hora do dia ou da noite. ◇ *pron* **1.** [la totalité] tudo ; **je t'ai tout dit** disse tudo a você ; **c'est tout** é tudo ; **ce sera tout?** [dans un magasin] mais alguma coisa? ; **en tout** ao todo - **2.** [au pluriel : tout le monde] **: ils voulaient tous la voir** todos eles queriam vê-la. ◇ *adv* **1.** [très, complètement] muito ; **tout jeune** muito jovem ; **tout près** muito perto ; **ils étaient tout seuls** eles estavam sozinhos ; **tout en haut** bem lá em cima - **2.** [avec un gérondif] **: tout en marchant** ao mesmo tempo que andava - **3.** [dans des expressions] **: tout à coup** de repente ; **tout à fait** perfeitamente ; **tout à l'heure** [avant] agora mesmo ; [après] daqui a pouco ; **à tout à l'heure!** até logo! ; **tout de même** [malgré tout] mesmo assim ; [exprime l'indignation] realmente ; [l'impatience] até que enfim ; **tout de suite** imediatamente. ◇ *nm* **: le tout** ao todo ; **le tout est de...** o importante é... ; **pas du tout** de modo nenhum ; **il n'est pas du tout sympathique** ele não é nem um pouco simpático.

tout-à-l'égout [tutalegu] *nm inv* rede *f* de esgotos.

toutefois [tutfwa] *adv* todavia.

tout-petit [tup(ə)ti] (*pl* **tout-petits**) *nm* pequenino *m*, -na *f*.

tout(-)terrain, s [tutɛʀɛ̃] *adj* todo-terreno.

toux [tu] *nf* tosse *f*.

toxicomane [tɔksikɔman] *nmf* toxicômano *m*, -na *f*.

toxine [tɔksin] *nf* toxina *f*.

toxique [tɔksik] *adj* tóxico(ca).

TP *nmpl abr de* **travaux pratiques**.

trac [tʀak] *nm* **: avoir le trac** estar nervoso(osa).

tracas [tʀaka] *nm* preocupação *f*.

tracasser [tʀakase] *vt* inquietar. ◆ **se tracasser** *vp* inquietar-se.

trace [tʀas] *nf* [de pas] pegada *f* ; [de sang] vestígio *m*.

tracé [tʀase] *nm* traçado *m*.

tracer [tʀase] *vt* traçar.

tract [tʀakt] *nm* panfleto *m*.

tractations [tʀaktasjɔ̃] *nfpl* negociações *fpl* secretas.

tracteur [tʀaktœʀ] *nm* [agricole] trator *m*.

tradition [tʀadisjɔ̃] *nf* tradição *f*.

traditionnel, elle [tʀadisjɔnɛl] *adj* tradicional.

traducteur, trice [tʀadyktœʀ, tʀis] *nm, f* tradutor *m*, -ra *f*.

traduction [tʀadyksjɔ̃] *nf* tradução *f*.

traduire [tʀadɥiʀ] *vt* traduzir.

trafic [tʀafik] *nm* [circulation] tráfego *m* ; [commerce] tráfico *m*.

trafiquant, e [tʀafikɑ̃, ɑ̃t] *nm, f* traficante *mf*.

trafiquer [tʀafike] ◇ *vt* [vin] falsificar ; [moteur] mexer em ; *fam* [manigancer] tramar. ◇ *vi* traficar.

tragédie [tʀaʒedi] *nf* [épisode dramatique] tragédia *f*.

tragi-comédie [tʀaʒikɔmedi] *nf* tragicomédia *f*.

tragique [tʀaʒik] *adj* trágico(ca).

trahir [tʀaiʀ] *vt* trair. ◆ **se trahir** *vp* trair-se.

trahison [tʀaizɔ̃] *nf* traição *f*.

train [tʀɛ̃] *nm* trem *m* ; **être en train de faire qqch** estar em vias de fazer algo ; **train d'atterrissage** trem *m* de aterrissagem ; **train de banlieue** trem de subúrbio ; **train-couchettes** trem leito ; **train rapide** trem rápido.

traîne [trɛn] *nf* cauda *f* ; **être à la traîne** estar atrás.

traîneau [trɛno] (*pl* -x) *nm* trenó *m*.

traînée [trene] *nf* [trace] rasto *m*.

traîner [trene] ◇ *vt* arrastar. ◇ *vi* [par terre] arrastar-se ; [prendre du temps, s'attarder] demorar ; *péj* [affaires, dans la rue, dans les bars] andar por aí. ◆ **se traîner** *vp* arrastar-se.

train-train [trɛ̃trɛ̃] *nm inv* rotina *f*.

traire [trɛr] *vt* ordenhar.

trait [trɛ] *nm* traço *m* ; **d'un trait** [boire] de um trago ; **trait d'union** hífen *m*. ◆ **traits** *nmpl* traços *mpl*.

traite [trɛt] *nf* : **d'une (seule) traite** de uma (só) vez.

traité [trete] *nm* tratado *m*.

traitement [trɛtmɑ̃] *nm* tratamento *m* ; **traitement de texte** processamento *m* de texto.

traiter [trete] *vt* tratar ; [affaire] tratar de ; **traiter qqn de qqch** chamar alguém de algo. ◆ **traiter de** *vp + prép* tratar de.

traiteur [trɛtœr] *nm profissional que fornece pratos já preparados*.

traître [trɛtr] *nm* traidor *m*.

trajectoire [traʒɛktwar] *nf* trajetória *f*.

trajet [traʒɛ] *nm* trajeto *m*.

trame [tram] *nf* trama *f*.

trampoline [trɑ̃pɔlin] *nm* trampolim *m*.

tramway [tramwɛ] *nm* bonde *m*.

tranchant, e [trɑ̃ʃɑ̃, ɑ̃t] ◇ *adj* cortante. ◇ *nm* gume *m*.

tranche [trɑ̃ʃ] *nf* [morceau] fatia *f* ; [d'un livre] lombada *f*.

tranchée [trɑ̃ʃe] *nf* trincheira *f*.

trancher [trɑ̃ʃe] ◇ *vt* [couper] cortar. ◇ *vi* [décider] decidir ; [ressortir] sobressair.

tranquille [trɑ̃kil] *adj* [endroit] tranqüilo(la) ; [enfant] sossegado(da) ; **laisser qqn/qqch tranquille** deixar algo/alguém em paz ; **rester tranquille** ficar sossegado ; **soyez tranquille** [ne vous inquiétez pas] fique tranqüilo.

tranquillisant [trɑ̃kilizɑ̃] *nm* tranqüilizante *m*.

tranquilliser [trɑ̃kilize] *vt* tranqüilizar. ◆ **se tranquilliser** *vp* tranqüilizar-se.

tranquillité [trɑ̃kilite] *nf* tranqüilidade *f* ; **en toute tranquillité** na maior tranqüilidade.

transaction [trɑ̃zaksjɔ̃] *nf* [bancaire] transação *f*.

transat [trɑ̃zat] ◇ *nm* espreguiçadeira *f*. ◇ *nf* NAUT regata *f (disputada no oceano Atlântico)*.

transe [trɑ̃s] *nf* : **être en transe** ficar em transe ; *fig* ficar extasiado(da).

transférer [trɑ̃sfere] *vt* transferir.

transfert [trɑ̃sfɛr] *nm* transferência *f*.

transfigurer [trɑ̃sfigyre] *vt* transfigurar.

transformateur [trɑ̃sfɔrmatœr] *nm* transformador *m*.

transformation [trɑ̃sfɔrmasjɔ̃] *nf* transformação *f*.

transformer [trɑ̃sfɔrme] *vt* transformar ; **transformer qqch en qqch** transformar algo em algo. ◆ **se transformer** *vp* transformar-se ; **se transformer en qqch** transformar-se em algo.

transfuge [trɑ̃sfyʒ] *nmf* trânsfuga *mf*.

transfusion [trɑ̃sfyzjɔ̃] *nf* : **transfusion (sanguine)** transfusão *f* (de sangue).

transgresser [tʀɑ̃sgʀese] *vt* transgredir.

transistor [tʀɑ̃zistɔʀ] *nm* [radio] transistor *m*.

transit [tʀɑ̃zit] *nm* : **passagers en transit** passageiros em trânsito.

transiter [tʀɑ̃zite] *vi* [marchandises] expedir ; [voyageurs] estar em trânsito ; **transiter par** transitar por.

translucide [tʀɑ̃slysid] *adj* translúcido(da).

transmettre [tʀɑ̃smɛtʀ] *vt* : **transmettre qqch à qqn** transmitir algo a alguém. ◆ **se transmettre** *vp* transmitir-se.

transmis, e [tʀɑ̃smi, iz] *pp* ► **transmettre**.

transmissible [tʀɑ̃smisibl] *adj* transmissível.

transmission [tʀɑ̃smisjɔ̃] *nf* transmissão *f*.

transparent, e [tʀɑ̃spaʀɑ̃, ɑ̃t] *adj* transparente.

transpercer [tʀɑ̃spɛʀse] *vt* traspassar.

transpiration [tʀɑ̃spiʀasjɔ̃] *nf* transpiração *f*.

transpirer [tʀɑ̃spiʀe] *vi* transpirar.

transplanter [tʀɑ̃splɑ̃te] *vt* [plante] transplantar.

transport [tʀɑ̃spɔʀ] *nm* transporte *m* ; **les transports (en commun)** os transportes (públicos).

transporter [tʀɑ̃spɔʀte] *vt* transportar.

transporteur [tʀɑ̃spɔʀtœʀ] *nm* transportador *m* ; **transporteur routier** transportador rodoviário.

transposer [tʀɑ̃spoze] *vt* transpor.

transsexuel, elle [tʀɑ̃ssɛksɥɛl] *adj* & *nm, f* transexual.

transvaser [tʀɑ̃svaze] *vt* transvasar.

transversal, e, aux [tʀɑ̃svɛʀsal, o] *adj* transversal.

trapèze [tʀapɛz] *nm* [de cirque] trapézio *m*.

trapéziste [tʀapezist] *nmf* trapezista *mf*.

trappe [tʀap] *nf* alçapão *m*.

trapu, e [tʀapy] *adj* atarracado(da).

traquer [tʀake] *vt* [animal, personne] perseguir ; *fig* [erreur] caçar.

traumatiser [tʀomatize] *vt* traumatizar.

traumatisme [tʀomatism] *nm* traumatismo *m* ; **traumatisme crânien** traumatismo craniano.

travail [tʀavaj] (*pl* -aux [o]) *nm* trabalho *m*. ◆ **travaux** *nmpl* [agricoles] trabalhos *mpl* ; [ménagers] tarefas *fpl* ; [de construction] obras *fpl* ; **'travaux'** obras na estrada ; **travaux pratiques** aulas *fpl* práticas.

travailler [tʀavaje] ◇ *vi* trabalhar. ◇ *vt* [matière scolaire, passage musical] estudar ; [bois, pierre] trabalhar.

travailleur, euse [tʀavajœʀ, øz] *adj* & *nm, f* trabalhador(ra) ; **travailleur émigré** trabalhador emigrante ; **travailleur indépendant** trabalhador autônomo.

traveller's check [tʀavlœʀʃɛk] (*pl* **traveller's-checks**) *nm* cheque *m* de viagem.

traveller's cheque [tʀavlœʀʃɛk] (*pl* **traveller's-cheques**) = **traveller's check**.

travers [tʀavɛʀ] *nm* : **à travers** através de ; **de travers** de lado ; **aller de travers** *fig* ir do lado contrário ; **avaler de travers** engasgar-se ; **être en travers (de)** estar atravessado em ; **travers de porc** costeletas *fpl* de porco.

traversée [tʀavɛʀse] *nf* [en bateau] travessia *f*.

traverser [tʀavɛʀse] *vt* & *vi* atravessar.

traversin [tʀavɛʀsɛ̃] *nm* travesseiro *m*.

travesti, **e** [travɛsti] *adj*: **bal travesti** baile de máscaras. ◆ **travesti** *nm* travesti.

trébucher [tʀebyʃe] *vi* tropeçar.

trèfle [tʀɛfl] *nm* [plante] trevo *m* ; [aux cartes] paus *mpl*.

treillis [tʀɛji] *nm* [clôture] treliça *f* ; [toile] aniagem *f* ; MIL uniforme *m* camuflado.

treize [tʀɛz] *num* treze, ► **six**.

treizième [tʀɛzjɛm] *num* décimo terceiro(décima terceira), ► **sixième**.

trekking [tʀɛkiŋ] *nm* trekking *m*.

tréma [tʀema] *nm* trema *m*.

tremblant, **e** [tʀɑ̃blɑ̃, ɑ̃t] *adj* trêmulo(la) ; **être tremblant de froid** estar tremendo de frio ; **être tout tremblant** estar tremendo todo.

tremblement [tʀɑ̃bləmɑ̃] *nm*: **tremblement de terre** tremor *m* de terra ; **tremblements** [frissons] arrepios *mpl*.

trembler [tʀɑ̃ble] *vi* tremer ; **trembler de peur/froid** tremer de medo/frio.

trémousser [tʀemuse] ◆ **se trémousser** *vp* mexer-se.

trempé, **e** [tʀɑ̃pe] *adj* [mouillé] encharcado(da).

tremper [tʀɑ̃pe] *vt* & *vi* molhar ; **faire tremper qqch** pôr algo de molho.

tremplin [tʀɑ̃plɛ̃] *nm* trampolim *m*.

trentaine [tʀɑ̃tɛn] *nf*: **une trentaine de** uma trintena de ; **avoir la trentaine** andar pelos trinta (anos).

trente [tʀɑ̃t] *num* trinta, ► **six**.

trente-trois-tours [tʀɑ̃ttʀwatuʀ] *nm inv* trinta e três rotações *m*.

trentième [tʀɑ̃tjɛm] *num* trigésimo(ma), ► **sixième**.

trépied [tʀepje] *nm* **1.** [support] tripé *m* - **2.** [meuble] tripeça *f*.

très [tʀɛ] *adv* muito ; **avoir très peur/faim** ter muito medo/muita fome ; **très malade** muito doente ; **très bien** muito bem.

trésor [tʀezɔʀ] *nm* tesouro *m*.

trésorerie [tʀezɔʀʀi] *nf* tesouraria *f*.

trésorier, **ère** [tʀezɔʀje, ɛʀ] *nm* tesoureiro *m*, -ra *f*.

tresse [tʀɛs] *nf* trança *f* ; *Suisse* CULIN pão *m* trançado.

tresser [tʀese] *vt* trançar.

tréteau [tʀeto] (*pl* -x) *nm* cavalete *m*.

treuil [tʀœj] *nm* guindaste *m*.

trêve [tʀɛv] *nf*: **trêve de...** basta de...

tri [tʀi] *nm*: **faire un tri parmi** fazer uma seleção entre ; **tri sélectif (des ordures ménagères)** coleta seletiva.

triangle [tʀijɑ̃gl] *nm* triângulo *m*.

triangulaire [tʀijɑ̃gylɛʀ] *adj* triangular.

triathlon [tʀiatlɔ̃] *nm* triatlo *m*.

tribord [tʀibɔʀ] *nm* estibordo *m* ; **à tribord** a estibordo.

tribu [tʀiby] *nf* tribo *f*.

tribunal [tʀibynal] (*pl* -aux [o]) *nm* tribunal *m*.

tribune [tʀibyn] *nf* tribuna *f*.

tributaire [tʀibytɛʀ] *adj*: **être tributaire de qqch/qqn** depender de algo/alguém.

tricher [tʀiʃe] *vi* [au jeu] trapacear ; [à un examen] copiar.

tricherie [tʀiʃʀi] *nf* trapaça *f*.

tricheur, **euse** [tʀiʃœʀ, øz] *nm, f* trapaceiro *m*, -ra *f*.

tricolore [tʀikɔlɔʀ] *adj* [à trois couleurs] tricolor ; [équipe, drapeau] francês(esa).

tricot [tʀiko] *nm* [ouvrage] tricô *m* ; [pull] suéter *m* ; **tricot de corps** camiseta *f*.

tricoter [tʀikɔte] *vt* & *vi* tricotar.

tricycle [tRisikl] *nm* triciclo *m*.

trier [tRije] *vt* [sélectionner] selecionar ; [classer] classificar.

trilingue [tRilɛ̃g] *adj* trilíngüe.

trimestre [tRimɛstR] *nm* trimestre *m*.

trimestriel, **elle** [tRimɛstRijɛl] *adj* trimestral.

tringle [tRɛ̃gl] *nf* varão *m* ; **tringle à rideaux** varão para cortina.

trinquer [tRɛ̃ke] *vi* brindar.

trio [tRijo] *nm* trio *m*.

triomphal, **e**, **aux** [tRijɔ̃fal, o] *adj* triunfal.

triomphe [tRijɔ̃f] *nm* triunfo *m*.

triompher [tRijɔ̃fe] *vi* triunfar ; **triompher de** [adversaire] vencer.

tripes [tRip] *nfpl* CULIN tripas *fpl*.

triple [tRipl] ◇ *adj* [exemplaire] triplicado ; [dose] triplo(pla). ◇ *nm* : **le triple (de)** o triplo (de).

tripler [tRiple] *vt* & *vi* triplicar.

triplés [tRiple] *nmpl* trigêmeos *mpl*.

tripoter [tRipɔte] *vt* [objet] mexer em.

triste [tRist] *adj* triste.

tristesse [tRistɛs] *nf* tristeza *f*.

trivial, **e**, **aux** [tRivjal, o] *adj* [banal] trivial ; *péj* [vulgaire] grosseiro(ra).

troc [tRɔk] *nm* [échange] troca *f*.

trognon [tRɔɲɔ̃] *nm* [de pomme, de poire] caroço *m*.

trois [tRwa] *num* três, ► **six**.

troisième [tRwazjɛm] ◇ *num* terceiro(ra). ◇ *nf* SCOL ≃ oitava série *f* do ensino fundamental ; [vitesse] terceira *f*, ► **sixième**.

trois-quarts [tRwakaR] *nm* casaco *m* 3/4.

trombe [tRɔ̃b] *nf* : **des trombes d'eau** trombas *fpl* de água ; **en trombe** de repente.

trombone [tRɔ̃bɔn] *nm* [agrafe] clipe *m* ; MUS trombone *m*.

trompe [tRɔ̃p] *nf* [d'éléphant] tromba *f*.

trompe-l'œil [tRɔ̃plœj] *nm inv* [peinture] trompe-l'œil *m inv* ; [apparence trompeuse] conto-do-vigário *m* ; **en trompe-l'œil** em trompe-l'œil.

tromper [tRɔ̃pe] *vt* enganar. ◆ **se tromper** *vp* enganar-se ; **se tromper de** enganar-se de.

trompette [tRɔ̃pɛt] *nf* trompete *m*.

trompettiste [tRɔ̃petist] *nmf* trompetista *mf*.

trompeur, **euse** [tRɔ̃pœR, øz] *adj* enganador(ra).

tronc [tRɔ̃] *nm* : **tronc (d'arbre)** tronco *m* (de árvore).

tronçon [tRɔ̃sɔ̃] *nm* troço *m*.

tronçonneuse [tRɔ̃sɔnøz] *nf* serra *f* elétrica.

trône [tRon] *nm* trono *m*.

trôner [tRone] *vi* [siéger sur un trône] tronar ; [être à la place d'honneur, en évidence] dominar ; *fig* [faire l'important] julgar-se rei e senhor.

trop [tRo] *adv* demais ; **trop de travail** trabalho demais ; **de** OU **en trop** a mais.

trophée [tRɔfe] *nm* troféu *m*.

tropical, **e**, **aux** [tRɔpikal, o] *adj* tropical.

tropique [tRɔpik] *nm* trópico *m* ; **le tropique du Cancer/du Capricorne** o trópico de Câncer/de Capricórnio. ◆ **tropiques** *nmpl* os trópicos *mpl*.

trop-plein [tRoplɛ̃] (*pl* **trop-pleins**) *nm* excesso *m* ; [déversoir] desaguadouro *m*.

trot [tRo] *nm* trote *m* ; **au trot** a trote.

trotter [tRɔte] *vi* trotar.

trotteuse [tRɔtøz] *nf* ponteiro *m* dos segundos.

trottinette [tRɔtinɛt] *nf* patinete *f*.

trottoir [tRɔtwaR] *nm* calçada *f (de uma rua)*.

trou [tʀu] *nm* buraco *m* ; **avoir un trou de mémoire** ter uma falha de memória.

troublant, e [tʀublɑ̃, ɑ̃t] *adj* [déconcertant] espantoso(osa) ; [femme, décolleté] perturbador(ra).

trouble [tʀubl] ◇ *adj* turvo(va). ◇ *adv* : **voir trouble** ter a vista turva.

troubler [tʀuble] *vt* [liquide, vue] turvar ; [silence, sommeil, réunion] perturbar ; [esprit, raison] transtornar ; [inquiéter] inquietar ; [émouvoir] emocionar. ◆ **se troubler** *vp* [eau, vue] ficar turvo(va) ; [s'inquiéter] atrapalhar-se.

trouer [tʀue] *vt* esburacar.

trouille [tʀuj] *nf fam* **avoir la trouille** estar borrado(da) de medo.

troupe [tʀup] *nf* [de théâtre] companhia *f* de teatro.

troupeau [tʀupo] (*pl* -x) *nm* rebanho *m*.

trousse [tʀus] *nf* estojo *m* ; **trousse de secours** estojo de primeiros socorros ; **trousse de toilette** estojo de toalete.

trousseau [tʀuso] (*pl* -x) *nm* [de clefs] molho *m* de chaves.

trouvaille [tʀuvaj] *nf* achado *m*.

trouver [tʀuve] *vt* achar ; **je trouve que** acho que. ◆ **se trouver** *vp* encontrar-se ; **se trouver mal** sentir-se mal.

truand [tʀyɑ̃] *nm* mafioso *m*.

truc [tʀyk] *nm fam* [objet] coisa *f* ; [astuce] truque *m*.

trucage [tʀykaʒ] *nm* trucagem *f*.

truffe [tʀyf] *nf* [d'un animal] focinho *m* ; [champignon] trufa *f* ; **truffe (en chocolat)** *bolinha de chocolate com manteiga*.

truffer [tʀyfe] *vt* CULIN trufar ; *fig* [remplir] : **truffer qqch de** rechear algo de OU com.

truie [tʀɥi] *nf* porca *f (animal)*.

truite [tʀɥit] *nf* truta *f* ; **truite aux amandes** truta com amêndoas.

truquage [tʀykaʒ] = **trucage**.

truquer [tʀyke] *vt* [dés] viciar ; [élections] falsificar os resultados de.

T-shirt [tiʃœʀt] = **tee-shirt**.

tsigane [tsigan] *adj* cigano(na). ◆ **Tsigane** *nmf* cigano *m*, -na *f*.

TSVP (*abr de* **tournez s'il vous plaît**) vide verso.

TTC *adj* (*abr de* **toutes taxes comprises**) c/IVA.

tu[1] [ty] *pron* tu.

tu[2], **e** [ty] *pp* ➤ **taire**.

tuba [tyba] *nm* tubo *m (de mergulho)*.

tube [tyb] *nm* tubo *m* ; *fam* [musique] êxito *m*.

tuberculose [tybɛʀkyloz] *nf* tuberculose *f*.

tuer [tɥe] *vt* matar. ◆ **se tuer** *vp* matar-se.

tuerie [tyʀi] *nf* chacina *f*.

tue-tête [tytɛt] ◆ **à tue-tête** *adv* aos berros.

tueur, euse [tɥœʀ, øz] *nm, f* [meurtrier] assassino *m*, -na *f* ; [dans un abattoir] magarefe *m* ; **tueur à gages** assassino profissional.

tuile [tɥil] *nf* telha *f* ; **tuile aux amandes** biscoito *m* de amêndoa.

tulipe [tylip] *nf* tulipa *f*.

tulle [tyl] *nm* tule *m*.

tumeur [tymœʀ] *nf* tumor *m*.

tumulte [tymylt] *nm* [bruit] tumulto *m* ; *sout* [agitation] desordem *f*.

tuner [tynɛʀ] *nm* sintonizador *m*.

tunique [tynik] *nf* túnica *f*.

Tunisie [tynizi] *nf* : **la Tunisie** a Tunísia.

tunisien, enne [tynizjɛ̃, ɛn] *adj* tunisiano(na). ◆ **Tunisien, enne** *nm, f* tunisiano *m*, -na *f*.

tunnel [tynɛl] *nm* túnel *m* ; **le tunnel sous la Manche** o túnel do Canal da Mancha.

turban [tyʀbɑ̃] *nm* turbante *m*.

turbine [tyʀbin] *nf* turbina *f*.

turbo [tyʀbo] ◇ *adj inv* turbo. ◇ *nf* turbo *m*.

turbot [tyʀbo] *nm* linguado *m*.

turbulences [tyʀbylɑ̃s] *nfpl* turbulência *f*.

turbulent, e [tyʀbylɑ̃, ɑ̃t] *adj* turbulento(ta).

turc, turque [tyʀk] *adj* turco(ca).

Turquie [tyʀki] *nf* : **la Turquie** a Turquia.

turquoise [tyʀkwaz] ◇ *adj inv* azul-turquesa. ◇ *nf* turquesa *f*.

tutelle [tytɛl] *nf* tutela *f*.

tuteur, trice [tytœʀ, tʀis] *nm, f* tutor *m*, -ra *f*. ◆ **tuteur** *nm* estaca *f (para uma planta)*.

tutoyer [tytwaje] *vt* tratar por "tu". ◆ **se tutoyer** *vp* tratar-se por "tu".

tutu [tyty] *nm* tutu *m*.

tuyau [tɥijo] (*pl* -x) *nm* tubo *m* ; **tuyau d'arrosage** mangueira *f* ; **tuyau d'échappement** tubo de escapamento.

tuyauterie [tɥijotʀi] *nf* tubulação *f*.

TV (*abr de* **télévision**) TV *f*.

TVA *nf* (*abr de* **taxe sur la valeur ajoutée**) ICM/S *m*.

tweed [twid] *nm* tweed *m*.

tympan [tɛ̃pɑ̃] *nm* tímpano *m*.

type [tip] *nm* tipo *m*.

typé, e [tipe] *adj* tipificado(da).

typhon [tifɔ̃] *nm* tufão *m*.

typique [tipik] *adj* típico(ca).

typographie [tipɔgʀafi] *nf* tipografia *f*.

tyran [tiʀɑ̃] *nm* tirano *m*, -na *f*.

tyrannique [tiʀanik] *adj* tirânico(ca).

tyranniser [tiʀanize] *vt* tiranizar.

U

UDF *nf partido político francês de direita.*

ulcère [ylsɛʀ] *nm* úlcera *f*.

ULM *nm* ultraleve *m*.

ultérieur, e [ylteʀjœʀ] *adj* ulterior.

ultérieurement [ylteʀjœʀmɑ̃] *adv* ulteriormente.

ultimatum [yltimatɔm] *nm* ultimato *m*.

ultime [yltim] *adj* último(ma).

ultra- [yltʀa] *préf* ultra-.

ultramoderne [yltʀamɔdɛʀn] *adj* ultramoderno(na).

ultrason [yltʀasɔ̃] *nm* ultra-som *m*.

ultraviolet, ette [yltʀavjɔlɛ, ɛt] *adj* ultravioleta. ◆ **ultraviolet** *nm* raio *m* ultravioleta.

UMP [yɛmpe] *nf* POLIT (*abr de* **Union pour un mouvement populaire**) *partido político francês de direita.*

un, une [œ̃, yn] (*pl* **des** [de]) ◇ *art indéf* um(uma) ; **un homme** um homem ; **une femme** uma mulher ; **une pomme** uma maçã ; **des voitures** (uns) carros ; **des valises** (umas) malas. ◇ *pron* um(uma) ; **(l')un de mes amis/des plus intéressants** um dos meus amigos /dos mais interessantes ; **l'un l'autre** um ao outro ; **l'un..., l'autre...** um..., o outro... ; **l'un et l'autre** tanto um como o outro ; **l'un ou l'autre** um ou outro ; **ni l'un ni l'autre** nem um nem outro. ◇ *num* um, ► **six.**

unanime [ynanim] *adj* unânime.

unanimité [ynanimite] *nf* unanimidade *f* ; **à l'unanimité** por unanimidade.

Unetelle ► **Untel.**

uni, **e** [yni] *adj* [tissu, couleur] liso(sa) ; [famille, couple] unido(da).

uniforme [yniform] ◇ *adj* uniforme. ◇ *nm* [civil] uniforme *m* ; [militaire] farda *f*.

uniformiser [yniformize] *vt* uniformizar.

union [ynjɔ̃] *nf* união *f* ; **l'Union européenne** a União Européia ; **l'Union soviétique** a União Soviética.

unique [ynik] *adj* único(ca).

uniquement [ynikmɑ̃] *adv* unicamente.

unir [yniʀ] *vt* unir. ◆ **s'unir** *vp* unir-se.

unisson [ynisɔ̃] *nm* : **à l'unisson** em uníssono.

unitaire [ynitɛʀ] *adj* unitário(ria).

unité [ynite] *nf* unidade *f* ; COMM artigo *m* ; **à l'unité** por unidade ; **unité centrale** unidade central.

univers [ynivɛʀ] *nm* universo *m*.

universel, **elle** [ynivɛʀsɛl] *adj* universal.

universitaire [ynivɛʀsitɛʀ] *adj* universitário(ria).

université [ynivɛʀsite] *nf* universidade *f*.

Untel, **Unetelle** [œ̃tɛl, yntɛl] *nm, f* fulano *m*, -na *f*.

uranium [yʀanjɔm] *nm* urânio *m*.

urbain, **e** [yʀbɛ̃, ɛn] *adj* urbano(na).

urbaniser [yʀbanize] *vt* urbanizar. ◆ **s'urbaniser** *vp* urbanizar-se.

urbanisme [yʀbanism] *nm* urbanismo *m*.

urgence [yʀʒɑ̃s] *nf* [d'une action] urgência *f* ; MÉD emergência *f* ; **d'urgence** de urgência ; **(service des) urgences** (serviço de) urgência.

urgent, **e** [yʀʒɑ̃, ɑ̃t] *adj* urgente.

urgentiste [yʀʒɑ̃tist] *nmf* MÉD socorrista *mf*.

urine [yʀin] *nf* urina *f*.

uriner [yʀine] *vi* urinar.

urinoir [yʀinwaʀ] *nm* urinol *m*.

urne [yʀn] *nf* urna *f*.

URSS *nf* : **l'URSS** a URSS.

urticaire [yʀtikɛʀ] *nf* urticária *f*.

USA *nmpl* : **les USA** os EUA.

usage [yzaʒ] *nm* uso *m* ; **'usage externe'** 'uso externo' ; **'usage interne'** 'uso interno'.

usagé, **e** [yzaʒe] *adj* [ticket] usado(da).

usager [yzaʒe] *nm* usuário *mf*.

usé, **e** [yze] *adj* gasto(ta).

user [yze] *vt* gastar. ◆ **s'user** *vp* gastar-se.

usine [yzin] *nf* fábrica *f*.

USP [yɛspe] *nf* MÉD (*abr de* **unité de soins palliatifs**) Unidade de Cuidados Paliativos.

ustensile [ystɑ̃sil] *nm* utensílio *m*.

usufruit [yzyfʀɥi] *nm* usufruto *m*.

usure [yzyʀ] *nf* [détérioration, affaiblissement] desgaste *m* ; [intérêt] usura *f*.

usurpateur, **trice** [yzyʀpatœʀ, tʀis] *nm, f* usurpador *m*, -ra *f*.

usurper [yzyʀpe] *vt* usurpar.

utérus [yteʀys] *nm* útero *m*.

utile [ytil] *adj* útil.

utilisateur, **trice** [ytilizatœʀ, tʀis] *nm, f* utilizador *m*, -ra *f*.

utilisation [ytilizasjɔ̃] *nf* utilização *f*.

utiliser [ytilize] *vt* utilizar.

utilitaire [ytilitɛʀ] ◇ *adj* utilitário(ria). ◇ *nm* utilitário *m*.

utilité [ytilite] *nf* : **être d'une grande utilité** ser de grande utilidade.

utopie [ytɔpi] *nf* utopia *f*.

UV *nmpl* (*abr de* **ultraviolets**) UV *mpl*.

V

va [va] ► **aller.**

vacances [vakɑ̃s] *nfpl* férias *fpl* ; **être/partir en vacances** estar/sair de férias ; **prendre des vacances** tirar férias ; **vacances scolaires** férias escolares.

vacancier, ère [vakɑ̃sje, ɛʀ] *nm, f* pessoa *f* que está de férias ; [d'été] veranista *mf.*

vacant, e [vakɑ̃, ɑ̃t] *adj* [libre] vago(ga) ; [inoccupé] desocupado(da).

vacarme [vakaʀm] *nm* barulheira *f.*

vacataire [vakatɛʀ] *adj* temporário(ria).

vacation [vakasjɔ̃] *nf* [travail] *desempenho de uma função durante um certo espaço de tempo* ; [rémunération] honorários *mpl.*

vaccin [vaksɛ̃] *nm* vacina *f.*

vaccination [vaksinasjɔ̃] *nf* vacinação *f.*

vacciner [vaksine] *vt* : **vacciner qqn contre qqch** vacinar alguém contra algo.

vache [vaʃ] ◇ *nf* vaca *f.* ◇ *adj fam* [méchant] ordinário(ria).

vachement [vaʃmɑ̃] *adv fam* à beça ; **c'est vachement bien** está legal demais.

vacherin [vaʃʀɛ̃] *nm* [gâteau] *bolo gelado com camadas de merengue e chantilly* ; *Suisse* [fromage] *queijo cremoso de vaca.*

vaciller [vasije] *vi* [personne] vacilar ; [lumière] tremeluzir ; [mémoire] falhar.

va-et-vient [vaevjɛ̃] *nm inv* : **faire le va-et-vient entre** fazer o trajeto entre.

vagabond, e [vagabɔ̃, ɔ̃d] ◇ *adj* errante. ◇ *nm, f* vagabundo *m*, -da *f.*

vagin [vaʒɛ̃] *nm* vagina *f.*

vague [vag] ◇ *adj* vago(ga). ◇ *nf* onda *f* ; **vague de chaleur** onda de calor.

vaguement [vagmɑ̃] *adv* vagamente.

vaille *etc.* ► **valoir.**

vain, e [vɛ̃, vɛn] *adj* vão(vã) ; **en vain** em vão.

vaincre [vɛ̃kʀ] *vt* vencer.

vaincu, e [vɛ̃ky] *nm, f* [équipe, sportif] perdedor *m*, -ra *f.*

vainement [vɛnmɑ̃] *adv* em vão.

vainqueur [vɛ̃kœʀ] *nm* vencedor *m*, -ra *f.*

vais [vɛ] ► **aller.**

vaisseau [vɛso] (*pl* -x) *nm* [veine] vaso *m* ; **vaisseau spatial** nave *f* espacial.

vaisselle [vɛsɛl] *nf* louça *f* ; **faire la vaisselle** lavar a louça.

valable [valabl] *adj* válido(da).

valait *etc.* ► **valoir.**

valent [val] ► **valoir.**

valet [valɛ] *nm* [aux cartes] valete *m.*

valeur [valœʀ] *nf* valor *m.*

valide [valid] *adj* válido(da).

valider [valide] *vt* [ticket] validar.

validité [validite] *nf* validade *f* ; **date limite de validité** prazo de validade.

valise [valiz] *nf* mala *f* ; **faire ses valises** fazer as malas.

vallée [vale] *nf* vale *m.*

vallon [valɔ̃] *nm* pequeno vale *m.*

vallonné, e [valɔne] *adj* sulcado(da) por vales.

valoir [valwaʀ] ◇ *vi* [coûter] custar ; [avoir comme qualité] valer. ◇ *v impers* : **il vaut mieux faire qqch** é melhor fazer algo ; **il vaut mieux que tu restes**

é melhor ficar ; **ça vaut combien ?** quanto custa? ; **ça vaut la peine (de faire qqch)** vale a pena (fazer algo).

valoriser [valɔʀize] *vt* valorizar.

valse [vals] *nf* valsa *f*.

valu [valy] *pp* ➤ **valoir**.

valve [valv] *nf* válvula *f*.

vampire [vɑ̃piʀ] *nm* vampiro *m*.

vandale [vɑ̃dal] *nm* vândalo *m*.

vandalisme [vɑ̃dalism] *nm* vandalismo *m*.

vanille [vanij] *nf* baunilha *f*.

vanité [vanite] *nf* vaidade *f*.

vaniteux, euse [vanitø, øz] *adj* vaidoso(osa).

vanne [van] *nf* [dispositif] comporta *f* ; *fam* [remarque] deboche *m*.

vantard, e [vɑ̃taʀ, aʀd] *adj* : **être vantard** ser garganta.

vanter [vɑ̃te] ◆ **se vanter** *vp* gabar-se.

vapeur [vapœʀ] *nf* barco *m* a vapor ; **à vapeur** a vapor ; **(à la) vapeur** a vapor.

vaporisateur [vapɔʀizatœʀ] *nm* vaporizador *m*.

vaporiser [vapɔʀize] *vt* vaporizar.

varappe [vaʀap] *nf* escalada *f*.

variable [vaʀjabl] *adj* variável.

variante [vaʀjɑ̃t] *nf* variante *f*.

variation [vaʀjasjɔ̃] *nf* variação *f* ; [de température] mudança *f*.

varicelle [vaʀisɛl] *nf* varicela *f*.

varices [vaʀis] *nfpl* varizes *fpl*.

varié, e [vaʀje] *adj* variado(da) ; **hors-d'œuvre variés** entradas variadas.

varier [vaʀje] *vt* & *vi* variar.

variété [vaʀjete] *nf* variedade *f* ; **variétés** variedades *fpl*.

variole [vaʀjɔl] *nf* varíola *f*.

vas [va] ➤ **aller**.

vase [vaz] ◇ *nf* lodo *m*. ◇ *nm* vaso *m*.

vaseline [vazlin] *nf* vaselina *f*.

vaste [vast] *adj* vasto(ta).

Vatican [vatikɑ̃] *nm* : **le Vatican** o Vaticano.

vaudra *etc.* ➤ **valoir**.

vaut [vo] ➤ **valoir**.

vautour [votuʀ] *nm* abutre *m*.

veau [vo] (*pl* -x) *nm* [animal] bezerro *m* ; CULIN vitela *f*.

vecteur [vɛktœʀ] *nm* vetor *m*.

vécu, e [veky] ◇ *pp* ➤ **vivre**. ◇ *adj* vivido(da).

vedette [vədɛt] *nf* [acteur, sportif] vedete *f* ; [bateau] lancha *f*.

végétal, e, aux [veʒetal, o] ◇ *adj* vegetal. ◇ *nm* vegetal *m*.

végétarien, enne [veʒetaʀjɛ̃, ɛn] *adj* & *nm, f* vegetariano(na).

végétation [veʒetasjɔ̃] *nf* vegetação *f*. ◆ **végétations** *nfpl* MÉD adenóides *fpl*.

végéter [veʒete] *vi péj* & *fig* vegetar.

véhémence [veemɑ̃s] *nf* veemência *f*.

véhicule [veikyl] *nm* veículo *m*.

veille [vɛj] *nf* véspera *f*.

veillée [veje] *nf* serão *m*.

veiller [veje] *vi* velar ; **veiller à faire qqch** procurar fazer algo ; **veiller à ce que** fazer com que ; **veiller sur qqn** cuidar de alguém.

veilleur [vejœʀ] *nm* : **veilleur de nuit** guarda-noturno *m*.

veilleuse [vejøz] *nf* [lampe] lamparina *f* ; AUTO luz *f* lateral ; [flamme] piloto *m*.

veinard, e [vɛnaʀ, aʀd] *adj* & *nm, f fam* sortudo(da).

veine [vɛn] *nf* veia *f* ; **avoir de la veine** *fam* ter sorte.

Velcro® [vɛlkʀo] *nm* velcro® *m*.

véliplanchiste [veliplɑ̃ʃist] *nm, f* windsurfista *mf*.

vélo [velo] *nm* bicicleta *f* ; **faire du vélo** andar de bicicleta ; **vélo de course** bicicleta de corrida ; **vélo tout terrain** bicicleta todo-terreno.

vélodrome [velɔdʀom] *nm* velódromo *m*.

vélomoteur [velɔmɔtœʀ] *nm* bicicleta *f* motorizada.

velours [vəluʀ] *nm* veludo *m* ; **velours côtelé** veludo cotelê.

velouté [vəlute] *nm* : **velouté d'asperge** *sopa cremosa de aspargos*.

vénal, e, aux [venal, o] *adj* venal.

vendanges [vɑ̃dɑ̃ʒ] *nfpl* vindimas *fpl*.

vendeur, euse [vɑ̃dœʀ, øz] *nm, f* vendedor *m*, -ra *f*.

vendre [vɑ̃dʀ] *vt* vender ; **vendre qqch à qqn** vender algo a alguém ; **'à vendre'** 'vende-se'.

vendredi [vɑ̃dʀədi] *nm* sexta-feira *f* ; **vendredi saint** Sexta-feira Santa ► **samedi**.

vénéneux, euse [venenø, øz] *adj* venenoso(osa).

vénérable [veneʀabl] *adj* venerável.

vénérer [veneʀe] *vt* venerar.

vénérien, enne [veneʀjɛ̃, ɛn] *adj* venéreo(rea).

vengeance [vɑ̃ʒɑ̃s] *nf* vingança *f*.

venger [vɑ̃ʒe] ◆ **se venger** *vp* vingar-se.

venimeux, euse [vənimø, øz] *adj* venenoso(osa).

venin [vənɛ̃] *nm* veneno *m*.

venir [vəniʀ] *vi* vir ; **venir de** vir de ; **venir de faire qqch** acabar de fazer algo ; **faire venir qqn** mandar vir alguém.

vent [vɑ̃] *nm* vento *m* ; **vent d'ouest** vento do oeste.

vente [vɑ̃t] *nf* venda *f* ; **être/mettre qqch en vente** estar/pôr algo à venda ; **vente par correspondance** venda pelo correio ; **vente aux enchères** leilão *m* ; **vente par téléphone** venda por telefone ; **vente en ligne** venda on-line.

ventilateur [vɑ̃tilatœʀ] *nm* ventilador *m*.

ventilation [vɑ̃tilasjɔ̃] *nf* ventilação *f*.

ventouse [vɑ̃tuz] *nf* ventosa *f*.

ventre [vɑ̃tʀ] *nm* barriga *f*.

ventriloque [vɑ̃tʀilɔk] *nmf* ventríloquo *m*, -qua *f*.

venu, e [vəny] *pp* ► **venir**.

ver [vɛʀ] *nm* verme *m* ; [de fruit] bicho *m* ; **ver luisant** vaga-lume *m* ; **ver (de terre)** minhoca *f*.

véranda [veʀɑ̃da] *nf* marquise *f*.

verbal, e, aux [vɛʀbal, o] *adj* verbal.

verbe [vɛʀb] *nm* verbo *m*.

verdict [vɛʀdikt] *nm* veredicto *m*.

verdoyant, e [vɛʀdwajɑ̃, ɑ̃t] *adj* verdejante.

verdure [vɛʀdyʀ] *nf* verdura *f*.

véreux, euse [veʀø, øz] *adj* com bicho.

verge [vɛʀʒ] *nf* pênis *m inv*.

verger [vɛʀʒe] *nm* pomar *m*.

vergeture [vɛʀʒətyʀ] *nf* estria *f*.

verglacé, e [vɛʀglase] *adj* coberto(ta) de gelo.

verglas [vɛʀgla] *nm* gelo *m (na estrada)*.

véridique [veʀidik] *adj* verídico(ca).

vérification [veʀifikasjɔ̃] *nf* verificação *f*.

vérifier [veʀifje] *vt* verificar.

véritable [veʀitabl] *adj* verdadeiro(ra).

véritablement [veʀitabləmɑ̃] *adv* [réellement] de fato ; [absolument] verdadeiramente.

vérité [veʀite] *nf* verdade *f* ; **dire la vérité** dizer a verdade.

vermicelle [vɛʀmisɛl] *nm* cabelo-de-anjo *m*.

vermine [vɛʀmin] *nf* [parasites] parasitas *mpl* ; *fig & péj* [personne] corja *f*.

verni, e [vɛʀni] *adj* envernizado(da).

vernir [vɛʀniʀ] *vt* envernizar.

vernis [vɛʀni] *nm* verniz *m* ; **vernis à ongles** esmalte *m* de unhas.

vernissage [vɛʀnisaʒ] *nm* [action de vernir] envernizamento *m* ; [réception] inauguração *f*.

verra *etc.* ► **voir**.

verre [vɛʀ] *nm* copo *m* ; [matière] vidro *m* ; **boire** OU **prendre un verre** tomar uma bebida ; **verre à pied** cálice *m* ; **verre à vin** copo para vinho ; **verres de contact** lentes *fpl* de contato.

verrière [vɛʀjɛʀ] *nf* vidraça *f*.

verrou [vɛʀu] *nm* ferrolho *m*.

verrouiller [vɛʀuje] *vt* aferrolhar.

verrue [vɛʀy] *nf* verruga *f*.

vers [vɛʀ] ◇ *nm* verso *m*. ◇ *prép* [direction] em direção a ; [époque] por volta de.

Versailles [vɛʀsaj] *npr* : **le château de Versailles** o palácio de Versalhes.

versant [vɛʀsɑ̃] *nm* encosta *f*.

versatile [vɛʀsatil] *adj* imprevisível.

verse [vɛʀs] ◆ **à verse** *adv* a cântaros.

Verseau [vɛʀso] *nm* Aquário *m*.

versement [vɛʀsəmɑ̃] *nm* [d'argent] pagamento *m* ; [crédit] prestação *f* ; [à la banque] depósito *m*.

verser [vɛʀse] *vt* [liquide] despejar ; [argent] dar ; [à la banque] depositar.

verseur [vɛʀsœʀ] *adj m* ► **bec**.

version [vɛʀsjɔ̃] *nf* versão *f* ; **(en) version française** (em) versão francesa ; **(en) version originale** (em) versão original.

verso [vɛʀso] *nm* verso *m (página)*.

vert, e [vɛʀ, vɛʀt] ◇ *adj* verde. ◇ *nm* verde *m*.

vertébrale [vɛʀtebʀal] *adj f* ► **colonne**.

vertèbre [vɛʀtɛbʀ] *nf* vértebra *f*.

vertébré, e [vɛʀtebʀe] *adj* vertebrado(da).

vertical, e, aux [vɛʀtikal, o] *adj* vertical.

vertige [vɛʀtiʒ] *nm* : **avoir le vertige** ter vertigens.

vertigineux, euse [vɛʀtiʒinø, øz] *adj* vertiginoso(osa).

vertu [vɛʀty] *nf* virtude *f* ; **de petite vertu** de moral duvidosa. ◆ **en vertu de** *loc prép* em virtude de.

verve [vɛʀv] *nf* verve *f*.

verveine [vɛʀvɛn] *nf* [plante] verbena *f* ; [infusion] chá *m* de verbena.

vésicule [vezikyl] *nf* vesícula *f*.

vessie [vesi] *nf* bexiga *f*.

veste [vɛst] *nf* casaco *m*.

vestiaire [vɛstjɛʀ] *nm* vestiário *m*.

vestibule [vɛstibyl] *nm* vestíbulo *m*.

vestiges [vɛstiʒ] *nmpl* vestígios *mpl*.

veston [vɛstɔ̃] *nm* paletó *m*.

vétéciste [vetesist] *nmf esportista que pratica ciclismo todo-terreno*.

vêtements [vɛtmɑ̃] *nmpl* roupa *f*.

vétéran [veteʀɑ̃] *nm* MIL veterano *m* ; [ancien] veterano *m*, -na *f*.

vétérinaire [veteʀinɛʀ] *nmf* veterinário *m*, -ria *f*.

vêtir [vetiʀ] *vt* vestir. ◆ **se vêtir** *vp* vestir-se.

veto [veto] *nm* veto *m* ; **mettre son veto** vetar ; *fig* opor-se.

vétuste [vetyst] *adj* vetusto(ta).

veuf, **veuve** [vœf, vœv] *adj & nm, f* viúvo(va).

veuille *etc.* ► **vouloir**.

veuve ► **veuf**.

veux [vø] ► **vouloir**.

vexant, **e** [vɛksɑ̃, ɑ̃t] *adj* que ofende.

vexer [vɛkse] *vt* ofender. ◆ **se vexer** *vp* ofender-se.

VF *nf abr de* **version française**.

via [vja] *prép* via.

viable [vjabl] *adj* viável.

viaduc [vjadyk] *nm* viaduto *m*.

viager, **ère** [vjaʒe, ɛʀ] *adj* vitalício(cia). ◆ **viager** *nm* renda *f* vitalícia ; **en viager** em troca de uma renda vitalícia.

viande [vjɑ̃d] *nf* carne *f* ; **viande séchée des Grisons** *Suisse carne de vaca seca e salgada.*

vibration [vibʀasjɔ̃] *nf* vibração *f*.

vibrer [vibʀe] *vi* vibrar.

vibreur [vibrœr] *nm* TÉLÉCOM vibrador *m*, opção *f* de toque por vibração.

vice [vis] *nm* vício *m*.

vice-président, **e** [vispʀezidɑ̃, ɑ̃t] (*mpl* **vice-présidents**, *fpl* **vice-présidentes**) *nm, f* vice-presidente *mf*.

vice versa [vis(e)vɛʀsa] *adv* vice-versa.

vicié, **e** [visje] *adj* viciado(da).

vicieux, **euse** [visjø, øz] *adj* [pervers] depravado(da) ; [cercle] vicioso(osa).

victime [viktim] *nf* vítima *f* ; **être victime de** ser vítima de.

victoire [viktwaʀ] *nf* vitória *f*.

victorieux, **euse** [viktɔʀjø, øz] *adj* vitorioso(osa).

vidange [vidɑ̃ʒ] *nf* [d'une auto] troca *f* de óleo.

vidanger [vidɑ̃ʒe] *vt* esvaziar.

vide [vid] ◇ *adj* vazio(zia). ◇ *nm* [espace] vazio *m* ; [absence d'air] vácuo *m* ; **sous vide** [aliment] a vácuo ; **vide juridique** DR vazio jurídico.

vidéo [video] ◇ *adj inv* de vídeo. ◇ *nf* [appareils] vídeo *m* ; [film] fita *f* de vídeo.

vidéocassette [videɔkasɛt] *nf* videocassete *f*.

vidéodisque [videɔdisk] *nm* videodisco *m*.

vide-ordures [vidɔʀdyʀ] *nm inv conduto vertical usado para evacuar o lixo domiciliar de certos imóveis.*

vidéoprojecteur [videɔprɔʒektœr] *nm* projetor *m* de vídeo.

vidéothèque [videɔtɛk] *nf* videoteca *f*.

vide-poches [vidpɔʃ] *nm inv compartimento para objetos nas portas do carro.*

vider [vide] *vt* esvaziar ; [poulet, poisson] limpar. ◆ **se vider** *vp* esvaziar-se.

videur [vidœʀ] *nm* segurança *m*.

vie [vi] *nf* vida *f* ; **en vie** em vida.

vieil ► **vieux**.

vieillard [vjɛjaʀ] *nm* velho *m*.

vieille ► **vieux**.

vieillesse [vjejɛs] *nf* velhice *f*.

vieillir [vjejiʀ] ◇ *vi* envelhecer. ◇ *vt* : **ça le vieillit** isso faz com que ele pareça mais velho.

vieillissement [vjejismɑ̃] *nm* envelhecimento *m*.

viendra *etc.* ► **venir**.

viens *etc.* ► **venir**.

vierge [vjɛʀʒ] *adj* [cassette] virgem. ◆ **Vierge** *nf* [signe du zodiaque] Virgem *f*.

Vietnam [vjɛtnam] *nm* : **le Vietnam** o Vietnã.

vieux, **vieille** [vjø, vjɛj] (*mpl* **vieux** [vjø]) (**vieil** [vjɛj] *devant voyelle ou h* *muet) adj* velho(lha) ; **il est vieux jeu** ele é antiquado ; **salut, mon vieux/ma vieille!** *fam* oi, meu amigo/minha amiga!

vif, **vive** [vif, viv] *adj* vivo(va) ; [geste] apressado(da).

vigilant, **e** [viʒilɑ̃, ɑ̃t] *adj* atento(ta).

vigile [viʒil] *nm* vigia *m*.

vigne [viɲ] *nf* vinha *f*.

vigneron, **onne** [viɲʀɔ̃, ɔn] *nm, f* vinhateiro *m*, -ra *f*.

vignette [viɲɛt] *nf* [automobile] adesivo *m* ; [de médicament] etiqueta *f*.

vignoble [viɲɔbl] *nm* vinhedo *m*.

vigoureux, **euse** [viguʀø, øz] *adj* vigoroso(osa).

vigueur [vigœʀ] *nf* : **les prix en vigueur** os preços em vigor ; **entrer en vigueur** entrar em vigor.

VIH, **V.I.H.** (*abr de* **Virus d'Immunodéficience Humaine**) HIV *m*.

vilain, **e** [vilɛ̃, ɛn] *adj* [méchant] mau(má) ; [laid] feio(feia).

villa [vila] *nf* vivenda *f*.

village [vilaʒ] *nm* aldeia *f*.

ville [vil] *nf* cidade *f* ; **aller en ville** ir à cidade.

Villette [vilɛt] *nf* : **(le parc de) la Villette** *centro cultural ao norte de Paris que inclui um museu de ciências e tecnologia.*

vin [vɛ̃] *nm* vinho *m* ; **vin blanc** vinho branco ; **vin doux** vinho doce ; **vin rosé** vinho rosé ; **vin rouge** vinho tinto ; **vin sec** vinho seco ; **vin de table** vinho de mesa.

vinaigre [vinɛgʀ] *nm* vinagre *m*.

vinaigrette [vinɛgʀɛt] *nf* vinagrete *m*.

vingt [vɛ̃] *num* vinte, ► **six**.

vingtaine [vɛ̃tɛn] *nf* : **une vingtaine (de)** cerca de vinte.

vingtième [vɛ̃tjɛm] *num* vigésimo(ma), ► **sixième**.

vinicole [vinikɔl] *adj* vinícola.

viol [vjɔl] *nm* violação *f*.

violation [vjɔlasjɔ̃] *nf* violação *f (infração)*.

violemment [vjɔlamɑ̃] *adv* com violência.

violence [vjɔlɑ̃s] *nf* violência *f* ; **violence routière** condução agressiva.

violent, **e** [vjɔlɑ̃, ɑ̃t] *adj* violento(ta).

violer [vjɔle] *vt* violar.

violet, **ette** [vjɔlɛ, ɛt] ◇ *adj* violeta. ◇ *nm* violeta *m*.

violette [vjɔlɛt] *nf* violeta *f*.

violon [vjɔlɔ̃] *nm* violino *m*.

violoncelle [vjɔlɔ̃sɛl] *nm* violoncelo *m*.

violoniste [vjɔlɔnist] *nmf* violinista *mf*.

vipère [vipɛʀ] *nf* víbora *f*.

virage [viʀaʒ] *nm* curva *f*.

viral, **e**, **aux** [viʀal, o] *adj* viral.

virée [viʀe] *nf fam* giro *m* ; **faire une virée** dar uma volta.

virement [viʀmɑ̃] *nm* transferência *f* ; **virement automatique** levantamento automático.

virer [viʀe] *vt* transferir.

virginité [viʀʒinite] *nf* [physique] virgindade *f* ; *fig* [candeur] pureza *f*.

virgule [viʀgyl] *nf* vírgula *f*.

viril, **e** [viʀil] *adj* viril.

virilité [viʀilite] *nf* virilidade *f*.

virtuelle [viʀtɥɛl] *adj f* ► **réalité**.

virtuose [viʀtɥoz] *nmf* virtuoso *m*.

virulent, **e** [viʀylɑ̃, ɑ̃t] *adj* virulento(ta).

virus [viʀys] *nm* vírus *m*.

vis [vis] *nf* parafuso *m*.

visa [viza] *nm* visto *m*.

visage [vizaʒ] *nm* rosto *m*.

vis-à-vis [vizavi] ◆ **vis-à-vis de** *prép* [envers] com respeito a.

viscéral, e, aux [viseʀal, o] *adj* visceral.

viscères [visɛʀ] *nmpl* vísceras *fpl*.

viscose [viskoz] *nf* viscose *f*.

viser [vize] *vt* [cible] apontar para ; [concerner] dizer respeito a.

viseur [vizœʀ] *nm* [de carabine] mira *f*; [d'appareil photo] visor *m*.

visibilité [vizibilite] *nf* visibilidade *f*.

visible [vizibl] *adj* visível.

visiblement [viziblәmɑ̃] *adv* visivelmente.

visière [vizjɛʀ] *nf* viseira *f*.

vision [vizjɔ̃] *nf* visão *f*.

visionnaire [vizjɔnɛʀ] *adj* & *nmf* visionário(ria).

visionner [vizjɔne] *vt* visionar.

visionneuse [vizjɔnøz] *nf* projetor *m*.

visite [vizit] *nf* visita *f* ; **rendre visite à qqn** fazer uma visita a alguém ; **visite guidée** visita guiada ; **visite médicale** visita médica.

visiter [vizite] *vt* visitar.

visiteur, euse [vizitœʀ, øz] *nm, f* [touriste] visitante *mf* ; [invité] visita *f*.

vison [vizɔ̃] *nm* [animal] visão *m* ; [fourrure, manteau] vison *m*.

visqueux, euse [viskø, øz] *adj* viscoso(osa).

visser [vise] *vt* parafusar.

visualiser [vizɥalize] *vt* visualizar.

visuel, elle [vizɥɛl] *adj* visual.

vital, e, aux [vital, o] *adj* vital.

vitalité [vitalite] *nf* vitalidade *f*.

vitamine [vitamin] *nf* vitamina *f*.

vitaminé, e [vitamine] *adj* vitaminado(da).

vite [vit] *adv* depressa.

vitesse [vitɛs] *nf* [rapidité] velocidade *f* ; TECHNOL [d'une voiture, d'un vélo] marcha *f* ; **à toute vitesse** a toda a velocidade.

viticole [vitikɔl] *adj* vitícola.

viticulteur, trice [vitikyltœʀ, tʀis] *nm, f* viticultor *m*, -ra *f*.

vitrail [vitʀaj] (*pl* -aux [o]) *nm* vitral *m*.

vitre [vitʀ] *nf* vidro *m*.

vitré, e [vitʀe] *adj* envidraçado(da).

vitrifier [vitʀifje] *vt* [parquet] envernizar ; [matériau] vitrificar.

vitrine [vitʀin] *nf* vitrine *f* ; **en vitrine** na vitrine ; **faire les vitrines** ver as vitrines.

vivacité [vivasite] *nf* vivacidade *f*.

vivant, e [vivɑ̃, ɑ̃t] *adj* [en vie] vivo(va) ; [animé] animado(da).

vive [viv] ◇ ► **vif**. ◇ *interj* viva!

vivement [vivmɑ̃] ◇ *adv* energicamente. ◇ *interj* : **vivement demain!** tomara que amanhã chegue depressa!

vivisection [vivisɛksjɔ̃] *nf* dissecação *f* de um ser vivo.

vivre [vivʀ] *vt* & *vi* viver.

VO *nf* (*abr de* **version originale**) **en VO** VO, versão original.

vocabulaire [vɔkabylɛʀ] *nm* vocabulário *m*.

vocales [vɔkal] *adj f pl* ► **corde**.

vocalise [vɔkaliz] *nf* : **faire des vocalises** vocalizar.

vocation [vɔkasjɔ̃] *nf* vocação *f* ; **avoir pour vocation de faire qqch** ter como missão fazer algo.

vociférer [vɔsifeʀe] *vt* & *vi* vociferar ; **vociférer contre qqn** vociferar contra alguém.

vodka [vɔdka] *nf* vodca *f*.

vœu [vø] (*pl* -x) *nm* votos *mpl* ; **meilleurs vœux!** votos de boas festas!

vogue [vɔg] *nf* fama *f* ; **en vogue** em voga.

voici [vwasi] *prép* : **voici votre clef** aqui está a sua chave ; **voici ma fille** aqui está a minha filha ; **le voici** ei-lo.

voie [vwa] *nf* via *f* ; **en voie de** em vias de ; **'par voie orale'** 'por via oral' ; **voie ferrée** via férrea *f* ; **voie sans issue** beco *m* sem saída.

voilà [vwala] *prép* : **voilà ce qui s'est passé** eis o que aconteceu ; **voilà Pierre** aqui está o Pierre.

voile [vwal] ◇ *nm* véu *m*. ◇ *nf* vela *f* ; **faire de la voile** andar de barco à vela.

voilé, e [vwale] *adj* [roue] torto(torta).

voilier [vwalje] *nm* veleiro *m*.

voir [vwaʀ] *vt* ver ; **ça n'a rien à voir (avec)** não tem nada a ver (com) ; **voyons!** olhe lá! ; **faire voir qqch à qqn** mostrar algo a alguém. ◆ **se voir** *vp* ver-se.

voire [vwaʀ] *adv* e mesmo.

voirie [vwaʀi] *nf* [administration] ≃ ministério *m* de transportes ; [réseau] *vias de comunicações estatais* ; [décharge] aterro *m* sanitário.

voisin, e [vwazɛ̃, in] *adj* & *nm, f* vizinho(nha).

voisinage [vwazinaʒ] *nm* [entourage, voisins] vizinhança *f* ; [environs] arredores *fpl*.

voiture [vwatyʀ] *nf* [automobile] carro *m* ; [wagon] vagão *m* ; **voiture de sport** carro esporte.

voix [vwa] *nf* [organe] voz *f* ; [vote] voto *m* ; **à voix basse/haute** em voz baixa/alta.

vol [vɔl] *nm* [délit] roubo *m* ; [trajet en avion] vôo *m* ; [groupe d'oiseaux] revoada *f* ; **attraper qqch au vol** apanhar algo no ar ; **à vol d'oiseau** em linha reta ; **en vol** durante o vôo ; **vol charter** vôo charter ; **vol régulier** vôo regular.

volage [vɔlaʒ] *adj sout* volúvel.

volaille [vɔlaj] *nf* ave *f* ; [collectif] aves *fpl*.

volant [vɔlɑ̃] *nm* [de voiture] volante *m* ; [de nappe] franja *f* ; [de badminton] peteca *f* ; **à volants** [jupe] com babados.

volante [vɔlɑ̃t] *adj f* ► **soucoupe**.

volatiliser [vɔlatilize] ◆ **se volatiliser** *vp* volatilizar-se.

vol-au-vent [vɔlovɑ̃] *nm inv* vol-au-vent *m*.

volcan [vɔlkɑ̃] *nm* vulcão *m*.

volcanique [vɔlkanik] *adj* vulcânico(ca).

volée [vɔle] *nf* [de coups] sova *f* ; *fam* [gifle] lamparina *f* ; **à la volée** [en sport] no ar.

voler [vɔle] ◇ *vt* roubar. ◇ *vi* [oiseau, avion] voar ; [commettre un vol] roubar.

volet [vɔlɛ] *nm* [de fenêtre] persiana *f*, veneziana *f* ; [d'imprimé] folha *f*.

voleur, euse [vɔlœʀ, øz] *nm, f* ladrão *m*, ladra *f*.

volière [vɔljɛʀ] *nf* aviário *m*.

volley(-ball) [vɔlɛ(bol)] *nm* voleibol *m*.

volontaire [vɔlɔ̃tɛʀ] *adj* & *nmf* voluntário(ria).

volontairement [vɔlɔ̃tɛʀmɑ̃] *adv* voluntariamente.

volontariat [vɔlɔ̃taʀja] *nm* voluntariado *m*.

volonté [vɔlɔ̃te] *nf* vontade *f* ; **bonne/mauvaise volonté** boa/má vontade.

volontiers [vɔlɔ̃tje] *adv* com muito prazer.

volt [vɔlt] *nm* volt *m*.

volte-face [vɔltəfas] *nf inv* [demi-tour] meia-volta *f* ; [revirement] reviravolta *f*.

voltige [vɔltiʒ] *nf* [au trapèze] volteio *m* ; [à cheval] acrobacia *f* ; [en avion] acrobacia *f* aérea ; **haute voltige** acrobacia *f* ; *fig* [tour de force] malabarismo *m*.

voltiger [vɔltiʒe] *vi* [acrobate] fazer acrobacias ; [voleter, flotter] esvoaçar.

volume [vɔlym] *nm* volume *m*.

volumineux, **euse** [vɔlyminø, øz] *adj* volumoso(osa).

volupté [vɔlypte] *nf* volúpia *f*.

voluptueux, **euse** [vɔlyptɥø, øz] *adj* voluptuoso(osa).

vomi [vɔmi] *nm fam* vômito *m*.

vomir [vɔmiʀ] *vt* & *vi* vomitar.

vomitif [vɔmitif, iv] *nm* emético *m*.

vont [vɔ̃] ► **aller**.

vorace [vɔʀas] *adj* voraz.

voracité [vɔʀasite] *nf* voracidade *f*.

vos ► **votre**.

vote [vɔt] *nm* voto *m*.

voter [vɔte] *vi* votar.

votre [vɔtʀ] (*pl* **vos** [vo]) *adj* o vosso(a vossa) ; [en vouvoyant une personne] o seu(a sua).

vôtre [votʀ] ◆ **le vôtre**, **la vôtre** (*pl* **les vôtres**) *pron* [collectif] o vosso(a vossa) ; [de vouvoiement] o seu(a sua) ; **à la vôtre!** à vossa!

voudra *etc.* ► **vouloir**.

vouer [vwe] *vt* : **vouer qqn à** [destiner à] predestinar alguém para ; **vouer qqch à qqn** [sentiment] prometer algo a alguém ; **vouer qqch à** [vie, temps] consagrar algo a ; **être voué à** estar condenado a. ◆ **se vouer** *vp* : **se vouer à qqch** dedicar-se a algo.

vouloir [vulwaʀ] *vt* querer ; **voulez-vous boire quelque chose ?** quer beber alguma coisa? ; **vouloir que** querer que ; **si tu veux** se quiser ; **sans le vouloir** sem querer ; **je voudrais...** eu queria... ; **que me voulez-vous ?** que quer de mim? ; **je veux bien** sim, quero ; **veuillez vous asseoir** queira sentar-se ; **ne pas vouloir de qqn/qqch** não querer alguém/algo ; **en vouloir à qqn** estar ressentido(da) com alguém ; **vouloir dire** querer dizer ; **si on veut** é possível. ◆ **s'en vouloir** *vp* : **s'en vouloir (de faire qqch)** arrepender-se (de ter feito algo).

voulu, **e** [vuly] *pp* ► **vouloir**.

vous [vu] *pron* [sujet, pour tutoyer plusieurs personnes] **vocês** ; [sujet, pour vouvoyer une personne] **o senhor(a senhora)** ; [sujet, pour vouvoyer plusieurs personnes] **os senhores(as senhoras)** ; [objet direct, pour tutoyer plusieurs personnes] **-vos** ; [objet direct, pour vouvoyer une personne] **-o(-a)** ; [objet direct, pour vouvoyer plusieurs personnes] **-vos** ; [objet indirect, pour tutoyer plusieurs personnes] **-vos** ; [objet indirect, pour vouvoyer une personne] **-lo(-la)** ; [objet indirect, pour vouvoyer plusieurs personnes] **-los(-las)** ; [après préposition, comparatif pour tutoyer plusieurs personnes] **vocês** ; [après préposition, comparatif pour vouvoyer une personne] **o senhor(a senhora)** ; [après préposition, comparatif pour vouvoyer plusieurs personnes] **os senhores(as senhoras)** ; [réfléchi] **-se** ; [réciproque] **se** ; **vous-même** si próprio ; **vous-mêmes** vocês próprios.

voûte [vut] *nf* abóbada *f*.

voûté, **e** [vute] *adj* curvado(da).

voûter [vute] *vt* abobadar. ◆ **se voûter** *vp* curvar-se.

vouvoyer [vuvwaje] *vt* tratar por 'você'. ◆ **se vouvoyer** tratar-se por 'você'.

voyage [vwajaʒ] *nm* viagem *f* ; **bon voyage!** boa viagem! ; **partir en voyage** fazer uma viagem ; **voyage de noces** viagem de núpcias ; **voyage organisé** viagem organizada.

voyager [vwajaʒe] *vi* viajar.

voyageur, **euse** [vwajaʒœʀ, øz] *nm, f* viajante *mf*.

voyance [vwajɑ̃s] *nf* vidência *f*.

voyant, **e** [vwajɑ̃, ɑ̃t] ◇ *adj* vistoso(osa). ◇ *nm* : **voyant lumineux** indicador *m* luminoso.

voyelle [vwajɛl] *nf* vogal *f*.

voyeur, **euse** [vwajœʀ, øz] *nm, f* voyeur *mf*.

voyons [vwajɔ̃] ► **voir**.

voyou [vwaju] *nm* arruaceiro *m*, -ra *f*.

vrac [vʀak] *nm* : **en vrac** [en désordre] em desordem ; [sans emballage] avulso.

vrai, **e** [vʀɛ] *adj* [exact] verdade ; [véritable] verdadeiro(ra) ; **à vrai dire** para dizer a verdade.

vraiment [vʀɛmɑ̃] *adv* mesmo.

vraisemblable [vʀɛsɑ̃blabl] *adj* verossímil.

vraisemblance [vʀɛsɑ̃blɑ̃s] *nf* verossimilhança *f* ; **selon toute vraisemblance** ao que tudo indica.

vrille [vʀij] *nf* [de plante] gavinha *f* ; [outil] verruma *f*.

vrombir [vʀɔ̃biʀ] *vi* vibrar.

vrombissement [vʀɔ̃bismɑ̃] *nm* barulho *m*.

VTT *nm* (*abr de* **vélo tout terrain**) mountainbike *f*.

vu, **e** [vy] ◇ *pp* ► **voir**. ◇ *prép* dado(da). ◇ *adj* : **être bien/mal vu (de qqn)** ser bem-visto/malvisto (aos olhos de alguém) ; **vu que** visto que.

vue [vy] *nf* vista *f* ; **avec vue sur...** com vista para... ; **connaître qqn de vue** conhecer alguém de vista ; **en vue de faire qqch** com a intenção de fazer algo ; **à vue d'œil** a olhos vistos.

vulgaire [vylgɛʀ] *adj* [grossier] ordinário(ria) ; [quelconque] vulgar.

vulgairement [vylgɛʀmɑ̃] *adv* [grossièrement] de maneira vulgar ; [couramment] vulgarmente.

vulgarisation [vylgaʀizasjɔ̃] *nf* vulgarização *f*.

vulgariser [vylgaʀize] *vt* vulgarizar.

vulgarité [vylgaʀite] *nf* vulgaridade *f*.

vulnérable [vylneʀabl] *adj* vulnerável.

W

wagon [vagɔ̃] *nm* vagão *m*.

wagon-lit [vagɔ̃li] (*pl* **wagons-lits**) *nm* vagão-leito *m*.

wagon-restaurant [vagɔ̃ʀɛstɔʀɑ̃] (*pl* **wagons-restaurants**) *nm* vagão-restaurante *m*.

Walkman® [wɔkman] *nm* walkman® *m*.

wallon, **onne** [walɔ̃, ɔn] *adj* valão(lona). ◆ **Wallon**, **onne** *nm, f* valão *m*, -lona *f*.

Washington [waʃiŋtɔn] *npr* Washington.

water-polo [watɛʀpɔlo] *nm* pólo *m* aquático.

waters [watɛʀ] *nmpl* sanitários *mpl*.

waterzoi [watɛʀzɔj] *nm Belgique ensopado de peixe ou de frango com carne.*

watt [wat] *nm* watt *m*.

W-C [vese] *nmpl* WC *mpl*.

web, **Web** [wɛb] *nm* : **le web** a web.

webcam [wɛbkamr] *nf* webcam *f*.

webmestre [wɛbmɛstr] *nm* INFORM administrador *m* da Web, webmaster *m*.

week-end [wikɛnd] (*pl* **week-ends**) *nm* fim de semana *m* ; **bon week-end!** bom fim de semana!

western [wɛstɛʀn] *nm* bangue-bangue *m*.

whisky [wiski] *nm* uísque *m*.

white-spirit [wajtspiʀit] (*pl* **white-spirits**) *nm* aguarrás *f*.

X

xénophobie [gzenɔfɔbi] *nf* xenofobia *f*.

xérès [gzeʀɛs] *nm* xerez *m*.

xylophone [ksilɔfɔn] *nm* xilofone *m*.

Y

y [i] <> *adv* **1.** [gén] lá ; **j'y vais demain** vou lá amanhã ; **mets-y du sel** ponha sal ; **va voir sur la table si les clefs y sont** veja se as chaves estão em cima da mesa - **2.** [indique le lieu où l'on est] aqui ; **nous y resterons une semaine** ficaremos aqui uma semana. <> *pron* isso ; **pensez-y** [réfléchissez-y] pense nisso ; [souvenez-vous-en] lembre-se disso ; **que veux-tu que j'y fasse ?** o que você quer que eu faça? ; **n'y comptez pas** não conte com isso ► **aller, avoir**.

yacht [jɔt] *nm* iate *m*.

yaourt [jauʀt] *nm* iogurte *m*.

yen [jɛn] *nm* iene *m*.

yeux ► **œil**.

yiddish [jidiʃ] *adj inv* & *nm inv* yiddish *m inv*.

yoga [jɔga] *nm* ioga *m*.

yoghourt [jɔguʀt] = **yaourt**.

Yougoslavie [jugɔslavi] *nf* : **la Yougoslavie** a Iugoslávia.

Yo-Yo® [jojo] *nm inv* ioiô *m*.

Z

zapper [zape] *vi* mudar constantemente de canal.

zèbre [zɛbʀ] *nm* zebra *f*.

zèle [zɛl] *nm* zelo *m* ; **faire du zèle** *péj* mostrar-se excessivamente zeloso.

zen [zɛn] *adj inv* zen.

zénith [zenit] *nm* zênite *m*.

zéro [zeʀo] *nm* zero *m*.

zeste [zɛst] *nm* casca *f*.

zigzag [zigzag] *nm* ziguezague *m* ; **en zigzag** [route] em ziguezague ; [marcher] em ziguezague.

zigzaguer [zigzage] *vi* [route] ziguezaguear ; [voiture] andar em ziguezague.

zinc [zɛ̃g] *nm* [matière] zinco *m* ; *fam* [comptoir] balcão *m* ; *fam vieilli* [avion] avião *m*.

zipper [zipe] *vt* INFORM zipar.

zizi [zizi] *nm fam* piu-piu *m*.

zodiaque [zɔdjak] *nm* ► **signe**.

zone [zon] *nf* zona *f* ; **zone industrielle** zona industrial ; **zone piétonne** OU **piétonnière** zona de pedestres ; **zone verte** zona verde.

zoo [zo(o)] *nm* jardim *m* zoológico.

zoologie [zɔɔlɔʒi] *nf* zoologia *f*.

zoologique [zɔɔlɔʒik] *adj* ► **parc**.

zoom [zum] *nm* zoom *m*.

zut [zyt] *interj* caramba!

SUPLEMENTO

O francês no mundo III
A educação na França IV
A educação na Bélgica VI
A educação em Quebec VI
Os meios de comunicação VII
Cultura e lazer IX
Os feriados na França. XII
Conjugação verbal XV

O francês no mundo

A língua francesa é falada por cerca de 264 milhões de pessoas em 55 países espalhados pelos cinco continentes. Dentre elas, 118 milhões utilizam o idioma normalmente, 63 milhões, ocasionalmente e 83 milhões o aprendem fora dos países francófanos para comunicar-se com estrangeiros. O conceito de francofonia (francophonie) vem ocupando o lugar da visão antiquada de que o francês era apenas empregado na França. Sendo assim, são considerados francófanos os países em que o idioma francês é oficial (seja como língua materna ou como segunda língua) ou usual.

A África é o continente que mais tem francófonos (11%) e a Europa fica em segundo lugar com 10% dos falantes.

Alguns países francófanos no mundo:

África: Argélia, Marrocos, Tunísia, Senegal, Ruanda, Congo, Costa do Marfim, Egito, Zaire, República dos Camarões; ilhas Maurício, Comores, Seychelles e da Reunião.
Europa: França, Bélgica, Suíça, Luxemburgo, Andorra, Vale d´Aosta, Mônaco e Romênia.
América do Norte: Canadá (sobretudo na província de Quebec) e alguns estados dos Estados Unidos (p. ex., Louisiana).
América Central e do Sul: ilhas do Caribe (como Guadalupe, Martinica, Haiti etc.) e Guiana Francesa.
Ásia: Líbano, Síria, Laos, Camboja e Vietnã.

Muitos dos países em que se fala francês foram colonizados pelos franceses e compartilham alguns elementos culturais e sociais com a França. Mas, colonizados ou não, existem tradições locais bastante diferentes. A própria língua francesa falada nos países francófonos sofre modificações que podem abranger o vocabulário, a pronúncia e, muitas vezes, a estrutura da língua. Além disso, o francês é uma das seis línguas oficiais da ONU e, com o inglês, é considerada língua de trabalho.

A divisão administrativa da França

A República Francesa compreende:
a metrópole (dividida em 22 regiões e 96 departamentos) que corresponde ao território francês no continente europeu;

4 departamentos ultramarinos (DOM):	► Guadalupe, Martinica, Guiana e Reunião;
5 coletividades ultramarinas:	► Polinésia Francesa, Wallis e Futuna, Mayotte, Saint-Pierre-et-Miquelon, as Terras Austrais e Antárticas Francesas;
1 coletividade sui generis:	► a Nova-Caledônia (estatuto de semi-autonomia).

A educação na França

O sistema educacional francês é dividido em cinco diferentes níveis: *école maternelle* (pré-escola, de 2 a 5 anos); *école primaire* ou *élémentaire* (4 primeiros anos do ensino fundamental, de 6 a 10 anos); *collège* (4 últimos anos do ensino fundamental, entre 11 e 15 anos); *lycée* (ensino médio, entre 16 e 18 anos) e *université* (universidade).

A educação na França é pública e laica da *maternelle* ao *lycée*. A escolaridade é obrigatória dos 6 aos 16 anos e o sistema de educação é centralizado e controlado pelo Ministério da Educação nacional, cujo orçamento é o mais alto de todos os ministérios.

Educação infantil (de 2 a 5 anos)

A pré-escola é opcional na França, mas quase todas as crianças (99,6%) a freqüentam. Ela é dividida em três seções, segundo a idade: pequena (petite), média (moyenne) e grande (grande). Os pais têm a opção de deixar os filhos na escola por meio período, mas, como muitos trabalham, a maioria deixa o dia todo, das 8h30 às 16h30.

Ensino fundamental (de 6 a 15 anos)

A partir da *école primaire* ou *élémentaire*, o ensino é obrigatório. A primeira fase do ensino fundamental é dividida em cinco ciclos: o CP (*cours préparatoire*); o CE 1 e o CE 2 (*cours élémentaire*); e o CM 1 e CM 2 (*cours moyen*).
A segunda fase do ensino fundamental acontece no collège e dura quatro anos (que começa na *sixième* "série" e vai até a *troisième*), no final dos quais os alunos fazem um teste, o Brevet National des Collèges. A partir do resultado desse exame, os estudantes escolhem quais matérias querem estudar mais a fundo e em que *lycée* vão estudar.

Ensino médio (*Lycée* – de 16 a 18 anos)

O *lycée* dura três anos, indo da *seconde* "série" até a *terminale*. Existem dois tipos de *lycée*: o professionnel, que prepara os alunos para diplomas profissionalizantes (BEP, *Brevet d'Études Professionnelles*, e CAP, *Certificat d'Aptitude Professionnelle*); e o *général*, que prepara os estudantes para a universidade.

Le "Bac"

Após o *lycée*, os estudantes fazem um exame que dá acesso à universidade, o *baccalauréat* ("*bac*"). A primeira parte desse exame é feita no segundo ano do *lycée* (*première*) e consiste em provas de francês oral e escrito. Existem doze tipos de "*bac*": três gerais – literatura (série L), ciência (série S), e economia e estudos sociais (série ES) – e nove técnicos.

Educação superior

BTS (*Brevet de Technicien Supérieur*)
É um diploma obtido depois de dois anos de estudo superior em um *lycée* ou escola pública.

Universidades ou IUTs (*Instituts Universitaires de Technologie*)
São freqüentados pela maioria dos alunos que possuem o "*bac*". Os diplomas são nacionalmente reconhecidos e os estudos são gratuitos. Depois de dois anos, os alunos fazem um exame para obter o DEUG (*Diplome d'Études Universitaires Générales*) e podem continuar mais um ano de estudo para obter a *licence*, e mais um ano ainda para obter a *maîtrise*, num total de quatro anos de estudos. Depois disso, se o aluno quiser continuar seus estudos tem duas opções. A primeira e mais profissionalizante é o *master professionnel*. A segunda é dedicar-se à pesquisa, fazendo o *master recherche*. Esses dois diplomas substituem os anteriores DEA e DESS (que continuam a existir em algumas universidades, por enquanto), com o objetivo de alinhar o ensino francês ao da comunidade européia. Depois do *master recherche*, os alunos podem fazer o doutorado, que dura três anos.

Grandes Écoles

Esses estabelecimentos, que dispensam ensino superior, têm excelente reputação e formam funcionários públicos de alto nível, políticos e altos executivos.
O ingresso nessas *Écoles* é bastante difícil, por isso os alunos costumam se inscrever nas *classes préparatoires* (aulas preparatórias), oferecidas por alguns *lycées*, com duração de dois anos.
Algumas dessas escolas são: *École Nationale d'Administration* (ENA), que forma funcionários públicos; *École Polytechnique*, na área científica; *École des Mines*, na área industrial; *École Nationale de Ponts et Chaussées*, que forma engenheiros especializados em obras públicas; *École Normale Supérieure* (ENS), que forma profissionais da área de educação e pesquisa; e a *Hautes Études Commerciales* (HEC) na área de finanças e economia.
As *Grandes Écoles* são pagas e custam caro, mas são financiadas pelo governo (65%) e pelas cidades ou regiões (20%). Os pais arcam com 7% e as empresas, com 6%.

O ano escolar

As férias de verão, as mais longas do ano, acontecem de julho a agosto para os estudantes até o *lycée*, e de julho a setembro para os universitários. As férias de Natal duram aproximadamente quinze dias. Há outras férias curtas ou feriados cujas datas variam dependendo da zona em que a escola se encontra. Existem três zonas de feriados e férias, e as datas variam a cada ano (veja os principais feriados franceses na página XI.)

A educação na Bélgica

Na Bélgica francófona a escola é obrigatória entre 6 e 18 anos. Nos últimos dois anos escolares, os alunos podem optar por estudar meio período para fazer um curso técnico na outra parte do dia. Os que pretendem fazer faculdade têm de estudar o dia inteiro em um *lycée* (ou *athénée*, como também é chamado na Bélgica) e prestar o exame DAES (*Diplôme d'Aptitude à Accéder à l'Enseignement Supérieur*).

Educação superior

Há quatro universidades na Bélgica francófona, uma delas com um número limitado de cursos. Além das universidades, sete outros tipos de estabelecimentos também são especializados no ensino superior, oferecendo formação nas áreas de enfermagem, agricultura etc.

A educação em Quebec

No Canadá, cada província é responsável por seu sistema educativo. Em Quebec as aulas são quase sempre em francês já que 80% da população é francófona.

Ensino fundamental e médio

A escola é obrigatória por onze anos: a escola primária (ensino fundamental) dura seis anos e a escola secundária (ensino médio) dura cinco anos. Depois desse período, os alunos podem entrar em um *Collège d'Enseignement Général et Professionnel* (Cégep) e fazer um curso preparatório de dois anos para entrar na universidade ou de três anos para fazer um curso voltado para o mercado de trabalho.

Universidades

As universidades em Quebec têm alto grau de independência e fornecem seus próprios diplomas. Existem quatro universidades francófonas. Depois de três anos de estudo, os estudantes recebem o *baccalauréat*, que já é um diploma. Eles podem continuar estudando por mais dois anos para receber um diploma de mestrado (*maîtrise*) e continuar por mais três anos para o doutorado.

Os meios de comunicação

A mídia impressa

Na França há liberdade de expressão e nenhum tipo de censura. Os jornais nacionais circulam por todo o país e alguns dos mais conhecidos são: *Le Monde*, *Le Figaro* e *Libération*. O jornal *Le Monde* também publica mensalmente outros jornais dirigidos a áreas específicas, como o *Le Monde de l'Éducation*. Outro jornal bastante conhecido é o esportivo *L'Équipe*.

A imprensa regional focaliza as notícias locais, mas também mostra eventos nacionais e internacionais. Alguns exemplos são os jornais *Ouest France* (Bretagne, Pays de la Loire e Normandie) e *Le Provençal* (Provence).

As revistas semanais mais conhecidas que tratam de notícias variadas são: *Le Point*, *L'Express* e *Le Nouvel Observateur*. Além disso, há as revistas especializadas em celebridades, como a *Paris Match*, e as revistas femininas que circulam também em outros países, como *Elle* e *Marie Claire*. Há revistas para numerosas outras áreas, como gastronomia (*Gault et Millau magazine*); decoração (*Art et décoration*, *Maisons Côté Sud*); saúde (*Santé magazine*); curiosidades (*Ça m'intéresse*); viagens e ecologia (*Géo*); carros (*L'action auto moto*); e esportes (*Tennis Magazine*).

Também são conhecidos os guias publicados semanalmente com atividades culturais, pontos turísticos, restaurantes etc. Um deles é o *Periscope*, lançado em Paris todas as quartas-feiras. Existem outros do mesmo tipo, como o *Zurban*.

Jornais e revistas são vendidos em quiosques, algumas livrarias e *bureaux de tabac* (que também vendem cigarros, balas etc.). Também é possível fazer uma assinatura (*abonnement*).

Rádio e televisão

Tanto o rádio quanto a televisão franceses são financiados por uma licença que deve ser paga anualmente pelas pessoas que têm televisão (a *redevance*, que custou 116,50 euros em 2004), por receitas de comerciais de televisão e por um sistema de patrocínio. Apesar de serem monopólios do Estado, há vários canais de televisão e estações de rádio independentes. Pesquisas mostram que os franceses escutam rádio com a mesma freqüência que vêem televisão: 3 horas por dia; mas que confiam mais no rádio.

Existem seis grandes canais de televisão, três públicos e três privados. A televisão pública é composta pelos canais: *France 2* e *France 3* que mostram todos os tipos de programas, e um canal cultural que transmite os programas dos canais *La Cinquième*, canal educativo, e *Arte*, canal franco-alemão. Os canais privados são

TF1 e *M6*, com programação variada, e o *Canal* +. Embora só 8% dos franceses tenham assinaturas de TV a cabo, muitos assistem ao *Canal* +, que é um canal com grande parte da programação (de esporte e de cinema) paga, acessível por meio de um decodificador.

Recentemente, a televisão francesa lançou a TNT (télévision numérique terrestre), uma televisão digital. Ela transmite os canais normais e mais oito canais variados, acessíveis por meio de um conversor. Esse sistema permitirá que o *La Cinquième* e o *Arte*, que antes dividiam a mesma freqüência, transmitam sua programação em canais separados.

As estações de rádio públicas pertencem à *Radio France*. A lei obriga as rádios a tocarem no mínimo 40% de músicas francesas. A *RTL*, a rádio mais ouvida, é privada. A *France Inter* é a estação nacional com mais ouvintes, divulgando notícias e entretenimento. Outras estações são: *France Info* (notícias), *France-culture* (documentários e programas de arte), *FIP* (música e flashes de informação). Outras duas estações de rádio são públicas mas independentes da *Radio France*: a *RFI*, *Radio France Internationale*, acessível no mundo inteiro, inclusive pela internet (www.rfi.fr), e a RFO, acessível nos DOM-TOM (departamentos e territórios franceses situados fora da França metropolitana). Duas estações são direcionadas para os adolescentes: *Europe* 2 e *NRJ*. Outras têm como público-alvo comunidades estrangeiras que moram na França, como a *Radio Beur*, destinada aos imigrantes do norte da África.

Cultura e lazer

Os franceses gastam em média 1.075 euros por ano com atividades culturais. As atividades culturais preferidas são: cinema (50%), visitar museus ou monumentos (35%), ver exposições (25%), assistir a espetáculos amadores (20%), teatro (16%), circo (13%), parques temáticos (11%), ver shows de rock, de jazz ou de música clássica (9%) e ópera (3%).

Cinema

Embora apenas 34,6% dos franceses vão ao cinema pelo menos uma vez por mês, a França é o país da Europa que ocupa o primeiro lugar na União Européia em termos de freqüência das salas.
Há vários festivais de cinema, como o de Cannes; o de Avoriaz, nos Alpes, dedicado à ficção científica; o festival de Cognac, dedicado a filmes policiais; e o festival de Deauville, dedicado a filmes americanos. Além disso, existe um prêmio que é equivalente ao Oscar americano: o César.

Museus

Encontramos na França por volta de 1.200 museus, dos quais 34 são nacionais. Alguns dos mais famosos museus do mundo estão em Paris, como o *Musée du Louvre* e o *Musée d'Orsay*. Eles abrigam tanto suas coleções permanentes quanto exposições temporárias, e são cada vez mais visitados pelos franceses.

Música

Muitos adolescentes franceses tocam um instrumento musical, principalmente violão, flauta e piano. Em Paris existem várias casas de show e espetáculos, entre elas as *Salles Pleyel* e *Gaveau* e o *Olympia*. Além disso, há vários festivais de música: os de jazz em Antibes e Juan-les-Pins; os festivais de música francófona, como o *Francopholies de la Rochelle* (oeste da França, região Poitou-Charentes); e outros, como o festival de Bourges (região Central).

Além disso, no dia 21 de junho é comemorada a festa da música (*fête de la musique*), iniciativa promovida pelo governo desde 1982 e criada pelo ministro da Cultura da época, Jack Lang. O objetivo da festa é promover a música em geral e a data coincide com o primeiro dia do verão (o dia mais longo do ano). É um dia de festa: em Paris e em várias outras cidades da França podem ser vistos grupos famosos e menos conhecidos se apresentando até mesmo em esquinas e praças das cidades, gratuitamente.

A maioria das cidades francesas possui uma ópera. Paris possui duas: o *Palais Garnier* e *Opéra Bastille*, construída no final do século XX. O *Opéra de Paris* também é a sede da maior escola de balé da França e apresenta espetáculos ao longo do ano.

Teatro

Muitas companhias de teatro têm sua sede em Paris (como a *Comédie Française*, o *théâtre de l'Odéon* e o *théâtre de Chaillot*), mas outras estão sediadas em grandes cidades francesas como Lyon ou Strasbourg.
Existem também os festivais de teatro, como o célebre festival de Avignon (no sul da França) e o festival de outono em Paris. Além disso, todos os anos os melhores atores e peças de teatro são premiados com o Molière.

Arquitetura

O ex-presidente François Mitterrand, que ficou no poder durante catorze anos (1981-1995), tinha grande preocupação com o desenvolvimento da arquitetura moderna. Ele acreditava na importância de deixar edifícios e monumentos públicos modernos em Paris e no restante da França, como uma marca do século XX. Assim, vários edifícios modernos foram construídos em Paris nos últimos vinte anos, como a pirâmide do Louvre, o *Institut du Monde Arabe*, o edifício futurístico *Arche de la Défense* e o *Ópera Bastille*, entre outros.

Turismo

A França é o país mais visitado do mundo, ao lado dos EUA, e recebe uma média de 70 milhões de turistas por ano. Alemães, ingleses, holandeses, belgas e italianos são os que mais visitam o país. Paris é a região mais procurada, seguida pela Provence e pela Côte d'Azur, que ficam no sul do país. O país possui 1.500 monumentos e os mais visitados são: a catedral Notre-Dame de Paris (12 milhões de visitantes ao ano), o *Centre Georges Pompidou*, que abriga o Museu de Arte Moderna da cidade de Paris (6 milhões), o *Musée du Louvre* (6 milhões), a *Tour Eiffel* (5 a 6 milhões) e a *Cité des sciences de la Villette* (3,5 milhões).
Além dos monumentos tradicionais, a França conta com vários parques temáticos, como a *Euro Disneyland* e o *Parc Astérix*, perto de Paris, e o *Futuroscope* na cidade de Poitiers.

Hotéis

Os hotéis são classificados pelo Ministério do Turismo por meio de estrelas, de uma a quatro, dependendo do nível de conforto que oferecem. Mas existem várias alternativas para quem não quer se hospedar nos hotéis, como as *chambres d'hôtes*, acomodações em casa de família com café da manhã, e os *gîtes ruraux*, fazendas e casas de campo que recebem hóspedes. Além dessas alternativas mais acessíveis, é possível também hospedar-se em castelos e grandes mansões cujos proprietários alugam quartos para poder manter suas imensas residências.

Restaurantes

Na França, os restaurantes podem ser categorizados com vários tipos de classificações, desde estrelas até garfos. Também existem guias que propõem classificações, como o *guide Michelin* e o *Gault et Millau*.

Nos restaurantes pode-se escolher entre o menu – uma refeição com entrada, prato principal e sobrememesa –, que tem valor fixo, e o prato à la carte, opção mais cara pois permite compor a refeição ou escolher um só prato. Em ambos os casos, o serviço está incluído no preço, mas pode-se deixar uma gorjeta (*pourboire*) quando se está satisfeito com o serviço.

Os feriados na França

Na França, comemoram-se feriados civis e religiosos. No total, são onze feriados, alguns fixos, outros móveis.

Feriados civis legais

1º de janeiro: é um feriado geralmente festejado em família ou com os amigos, em um almoço festivo.

O **1º de maio**: é a festa do trabalho (desde 1947), mas esse dia é feriado. Tradicionalmente, oferece-se um buquê de flores de muguet (pequenas flores brancas da região francesa Ile-de-France, onde se situa a cidade de Paris) para dar sorte. Nesse dia, muitas pessoas vendem essas flores nas ruas.

8 de maio: é a data em que se comemora a vitória dos Aliados na Segunda Guerra Mundial, em 1945, que marcou oficialmente o final do conflito.

14 de julho: é a principal festa nacional e civil francesa, pois representa a Queda da Bastilha (em 14 de julho de 1789) e o início da República. Há desfiles militares em várias grandes cidades, e em Paris ele acontece nos Champs Elysées e conta com a presença do presidente. À noite, há vários bailes e fogos de artifício. É a festa que conta com a maior participação dos franceses.

11 de novembro: essa data marca o final da Primeira Guerra Mundial, em 1918, e comemora o armistício entre a Alemanha e a França. Nesse dia, muitas pessoas colocam flores nos monumentos aos mortos.

Os feriados religiosos legais

Mais de 80% dos franceses se dizem católicos. A religião islâmica é a segunda, com 5% dos adeptos.

Páscoa: é a grande festa cristã que comemora a ressurreição de Cristo. Ela é sempre comemorada em um domingo, entre o final do mês de março e abril, e coincide com a chegada da primavera. A segunda-feira seguinte é feriado. Os sinos das igrejas não tocam entre a Sexta-Feira Santa e o Domingo de Páscoa, pois a tradição diz que eles voam até Roma e na volta deixam cair ovos, galinhas, coelhos ou peixes de chocolate que as crianças devem procurar.

Ascensão: é comemorada em uma quinta-feira para celebrar o milagre da subida de Jesus ao céu, quarenta dias depois de sua Ressurreição, que aconteceu no domingo de Páscoa.

Assunção: em 15 de novembro ocorre a festa que celebra a remoção milagrosa da Virgem Maria pelos anjos.

Todos os Santos: o dia 2 de novembro é considerado, como no Brasil, o dia dos mortos, mas na França o feriado é comemorado no dia 1°, que é o dia de Todos os Santos. Segundo a tradição, visitam-se os túmulos dos mortos, colocando-se flores, sobretudo crisântemos.

Natal: embora celebre o nascimento do Cristo, o Natal é mais uma festa de infância, bastante familiar, na qual se comem peru e um bolo em forma de tronco de árvore, chamado *bûche de Noël*. O Papai Noel (Père Noël) traz presentes que são colocados embaixo da árvore de Natal.

CONJUGAÇÃO

VERBAL

Conjugação Verbal

Estes são os 60 verbos mais utilizados na língua francesa conjugados em seus modos e tempos verbais mais usados. Aqui ele estão apresentados em ordem alfabética para facilitar a consulta, mas podem ser divididos em três grandes grupos indicados entre parênteses ao lado do verbo no infinitivo, a saber:

1º grupo	►	Verbos regulares terminados em:	**er** no infinitivo (p. ex., *aimer*);
2º grupo	►	Verbos regulares terminados em:	**ir** no infinitivo e em **is** na 1ª pessoa do singular do indicativo (p. ex., *finir, je finis*);
3º grupo	►	Verbos irregulares terminados em:	**ir** que não terminam em **is** na 1ª pessoa do singular do indicativo (p. ex., *partir, je pars*) **oir** (p. ex., *devoir, savoir*) **re** (p. ex., *faire, prendre*).

Obs.: Caso não encontre o verbo desejado nesta lista, procure pela conjugação do verbo que está na raiz do verbo desejado. Por exemplo: para saber como se conjuga o verbo **permettre**, procure pela conjugação do verbo **mettre**; para saber como se conjuga o verbo **interdire**, procure pela conjugação do verbo **dire**.

INFINITIF	PARTICIPE PRÉSENT	INDICATIF PRÉSENT	PASSÉ COMPOSÉ	IMPARFAIT
acheter	achetant	*j'*achète	*j'*ai acheté	*j'*achetais
(1º grupo)		*tu* achètes	*tu* as acheté	*tu* achetais
		il, elle achète	*il, elle* a acheté	*il, elle* achetait
		nous achetons	*nous* avons acheté	*nous* achetions
		vous achetez	*vous* avez acheté	*vous* achetiez
		ils, elles achètent	*ils, elles* ont acheté	*ils, elles* achetaient
aimer	aimant	*j'*aime	*j'*ai aimé	*j'*aimais
(1º grupo)		*tu* aimes	*tu* as aimé	*tu* aimais
		il, elle aime	*il, elle* a aimé	*il, elle* aimait
		nous aimons	*nous* avons aimé	*nous* aimions
		vous aimez	*vous* avez aimé	*vous* aimiez
		ils, elles aiment	*ils, elles* ont aimé	*ils, elles* aimaient
aller	allant	*je* vais	*je* suis allé(e)	*j'*allais
(3º grupo)		*tu* vas	*tu* es allé(e)	*tu* allais
		il, elle va	*il, elle* est allé(e)	*il, elle* allait
		nous allons	*nous* sommes allé(e)s	*nous* allions
		vous allez	*vous* êtes allé(e)s	*vous* alliez
		ils, elles vont	*ils, elles* sont allé(e)s	*ils, elles* allaient
appeler	appelant	*j'*appelle	*j'*ai appelé	*j'*appelais
(1º grupo)		*tu* appelles	*tu* as appelé	*tu* appelais
		il, elle appelle	*il, elle* a appelé	*il, elle* appelait
		nous appelons	*nous* avons appelé	*nous* appelions
		vous appelez	*vous* avez appelé	*vous* appeliez
		ils, elles appellent	*ils, elles* ont appelé	*ils, elles* appelaient
apprendre	apprenant	*j'*apprends	*j'*ai appris	*j'*apprenais
(3º grupo)		*tu* apprends	*tu* as appris	*tu* apprenais
		il, elle apprend	*il, elle* a appris	*il, elle* apprenait
		nous apprenons	*nous* avons appris	*nous* apprenions
		vous apprenez	*vous* avez appris	*vous* appreniez
		ils, elles apprennent	*ils, elles* ont appris	*ils, elles* apprenaient
arriver	arrivant	*j'*arrive	*je* suis arrivé(e)	*j'*arrivais
(1º grupo)		*tu* arrives	*tu* es arrivé(e)	*tu* arrivais
		il, elle arrive	*il, elle* est arrivé(e)	*il, elle* arrivait
		nous arrivons	*nous* sommes arrivé(e)s	*nous* arrivions
		vous arrivez	*vous* êtes arrivé(e)s	*vous* arriviez
		ils, elles arrivent	*ils, elles* sont arrivé(e)s	*ils, elles* arrivaient

FUTUR	CONDITIONNEL (PRÉSENT)	SUBJONCTIF (PRÉSENT)	IMPÉRATIF
*j'*achèterai	*j'*achèterais	*j'*achète	
tu achèteras	*tu* achèterais	*tu* achètes	achète
il, elle achètera	*il, elle* achèterait	*il, elle* achète	achetons
nous achèterons	*nous* achèterions	*nous* achetions	achetez
vous achèterez	*vous* achèteriez	*vous* achetiez	
ils, elles achèteront	*ils, elles* achèteraient	*ils, elles* achètent	
*j'*aimerai	*j'*aimerais	*j'*aime	
tu aimeras	*tu* aimerais	*tu* aimes	aime
il, elle aimera	*il, elle* aimerait	*il, elle* aime	aimons
nous aimerons	*nous* aimerions	*nous* aimions	aimez
vous aimerez	*vous* aimeriez	*vous* aimiez	
ils, elles aimeront	*ils, elles* aimeraient	*ils, elles* aiment	
*j'*irai	*j'*irais	*j'*aille	
tu iras	*tu* irais	*tu* ailles	va
il, elle ira	*il, elle* irait	*il, elle* aille	allons
nous irons	*nous* irions	*nous* allions	allez
vous irez	*vous* iriez	*vous* alliez	
ils, elles iront	*ils, elles* iraient	*ils, elles* aillent	
*j'*appellerai	*j'*appellerais	*j'*appelle	
tu appelleras	*tu* appellerais	*tu* appelles	appelle
il, elle appellera	*il, elle* appellerait	*il, elle* appelle	appelons
nous appellerons	*nous* appellerions	*nous* appelions	appelez
vous appellerez	*vous* appelleriez	*vous* appeliez	
ils, elles appelleront	*ils, elles* appelleraient	*ils, elles* appellent	
*j'*apprendrai	*j'*apprendrais	*j'*apprenne	
tu apprendras	*tu* apprendrais	*tu* apprennes	apprends
il, elle apprendra	*il, elle* apprendrait	*il, elle* apprenne	apprenons
nous apprendrons	*nous* apprendrions	*nous* apprenions	apprenez
vous apprendrez	*vous* apprendriez	*vous* appreniez	
ils, elles apprendront	*ils, elles* apprendraient	*ils, elles* apprennent	
*j'*arriverai	*j'*arriverais	*j'*arrive	
tu arriveras	*tu* arriverais	*tu* arrives	arrive
il, elle arrivera	*il, elle* arriverait	*il, elle* arrive	arrivons
nous arriverons	*nous* arriverions	*nous* arrivions	arrivez
vous arriverez	*vous* arriveriez	*vous* arriviez	
ils, elles arriveront	*ils, elles* arriveraient	*ils, elles* arrivent	

INFINITIF	PARTICIPE PRÉSENT	INDICATIF PRÉSENT	PASSÉ COMPOSÉ	IMPARFAIT
s'asseoir	asseyant,	*je* m'assieds, *je* m'assois	*je* me suis assis(e)	*je* m'asseyais, assoyais
(3º grupo)	assoyant	*tu* t'assieds, assois	*tu* t'es assis(e)	*tu* t'asseyais, assoyais
		il, elle s'assied, assoit	*il, elle* s'est assis(e)	*il, elle* s'asseyait, assoyait
		nous nous asseyons,assoyons	*nous nous* sommes assis(es)	*nous nous* asseyions, assoyions
		vous vous asseyez, asso yez	*vous vous* êtes assis(es)	*vous vous* asseyiez, assoyiez
		ils, elles s'asseyent; assoient	*ils, elles* se sont assis(es)	*ils, elles* s'asseyaient, assoyaient
attendre	attendant	*j'* attends	*j'* ai attendu	*j'* attendais
(3º grupo)		*tu* attends	*tu* as attendu	*tu* attendais
		il, elle attend	*il, elle* a attendu	*il, elle* attendait
		nous attendons	*nous* avons attendu	*nous* attendions
		vous attendez	*vous* avez attendu	*vous* attendiez
		ils, elles attendent	*ils, elles* ont attendu	*ils, elles* attendaient
avoir	ayant	*j'* ai	*j'* ai eu	*j'* avais
Este é um verbo		*tu* as	*tu* as eu	*tu* avais
irregular que não é		*il, elle* a	*il, elle* a eu	*il, elle* avait
classificado dentro		*nous* avons	*nous* avons eu	*nous* avions
de nenhum grupo.		*vous* avez	*vous* avez eu	*vous* aviez
		ils, elles ont	*ils, elles* ont eu	*ils, elles* avaient
boire	buvant	*je* bois	*j'* ai bu	*je* buvais
(3º grupo)		*tu* bois	*tu* as bu	*tu* buvais
		il, elle boit	*il, elle* a bu	*il, elle* buvait
		nous buvons	*nous* avons bu	*nous* buvions
		vous buvez	*vous* avez bu	*vous* buviez
		ils, elles boivent	*ils, elles* ont bu	*ils, elles* buvaient
choisir	choisissant	*je* choisis	*j'* ai choisi	*je* choisissais
(2º grupo)		*tu* choisis	*tu* as choisi	*tu* choisissais
		il, elle choisit	*il, elle* a choisi	*il, elle* choisissait
		nous choisissons	*nous* avons choisi	*nous* choisissions
		vous choisissez	*vous* avez choisi	*vous* choisissiez
		ils, elles choisissent	*ils, elles* ont choisi	*ils, elles* choisissaient
comprendre	comprenant	*je* comprends	*j'* ai compris	*je* comprenais
(3º grupo)		*tu* comprends	*tu* as compris	*tu* comprenais
		il, elle comprend	*il, elle* a compris	*il, elle* comprenait
		nous comprenons	*nous* avons compris	*nous* comprenions
		vous comprenez	*vous* avez compris	*vous* compreniez
		ils, elles comprennent	*ils, elles* ont compris	*ils, elles* comprenaient

FUTUR	CONDITIONNEL (PRÉSENT)	SUBJONCTIF (PRÉSENT)	IMPÉRATIF
je m'assiérai, *je* assoirai	*je* m'assiérais, *je* assoirais	*je* m'asseye, *je* assoie	
tu t'assiéras, assoiras	*tu* t'assiérais, assoirais	*tu* t'asseyes, assoies	assieds, assois
il, elle s'assiéra, assoira	*il, elle* s'assiérait, assoirait	*il, elle* s'asseye, assoie	asseyons, assoyons
nous nous assiérons, assoirons	*nous nous* assiérions, assoirions	*nous nous* asseyions, assoyions	asseyez, assoyez
vous vous assiérez, assoirez	*vous vous* assiériez, assoiriez	*vous vous* asseyiez, assoyiez	
ils, elles s'assiéront, assoiront	*ils, elles* s'assiéraient, assoiraient	*ils, elles* s'asseyent, assoient	
j' attendrai	*j'* attendrais	*j'* attende	
tu attendras	*tu* attendrais	*tu* attendes	attends
il, elle attendra	*il, elle* attendrait	*il, elle* attende	attendons
nous attendrons	*nous* attendrions	*nous* attendions	attendez
vous attendrez	*vous* attendriez	*vous* attendiez	
ils, elles attendront	*ils, elles* attendraient	*ils, elles* attendent	
j' aurai	*j'* aurais	*j'* aie	
tu auras	*tu* aurais	*tu* aies	aie
il, elle aura	*il, elle* aurait	*il, elle* ait	ayons
nous aurons	*nous* aurions	*nous* ayons	ayez
vous aurez	*vous* auriez	*vous* ayez	
ils, elles auront	*ils, elles* auraient	*ils, elles* aient	
je boirai	*je* boirais	*je* boive	
tu boiras	*tu* boirais	*tu* boives	bois
il, elle boira	*il, elle* boirait	*il, elle* boive	buvons
nous boirons	*nous* boirions	*nous* buvions	buvez
vous boirez	*vous* boiriez	*vous* buviez	
ils, elles boiront	*ils, elles* boiraient	*ils, elles* boivent	
je choisirai	*je* choisirais	*je* choisisse	
tu choisiras	*tu* choisirais	*tu* choisisses	choisis
il, elle choisira	*il, elle* choisirait	*il, elle* choisisse	choisissons
nous choisirons	*nous* choisirions	*nous* choisissions	choisissez
vous choisirez	*vous* choisiriez	*vous* choisissiez	
ils, elles choisiront	*ils, elles* choisiraient	*ils, elles* choisissent	
je comprendrai	*je* comprendrais	*je* comprenne	
tu comprendras	*tu* comprendrais	*tu* comprennes	comprends
il, elle comprendra	*il, elle* comprendrait	*il, elle* comprenne	comprenons
nous comprendrons	*nous* comprendrions	*nous* comprenions	comprenez
vous comprendrez	*vous* comprendriez	*vous* compreniez	
ils, elles comprendront	*ils, elles* comprendraient	*ils, elles* comprennent	

INFINITIF	PARTICIPE PRÉSENT	INDICATIF PRÉSENT	PASSÉ COMPOSÉ	IMPARFAIT
conduire	conduisant	*je* conduis	*j'*ai conduit	*je* conduisais
(3º grupo)		*tu* conduis	*tu* as conduit	*tu* conduisais
		il, elle conduit	*il, elle* a conduit	*il, elle* conduisait
		nous conduisons	*nous* avons conduit	*nous* conduisions
		vous conduisez	*vous* avez conduit	*vous* conduisiez
		ils, elles conduisent	*ils, elles* ont conduit	*ils, elles* conduisaient
connaître	connaissant	*je* connais	*j'*ai connu	*je* connaissais
(3º grupo)		*tu* connais	*tu* as connu	*tu* connaissais
		il, elle connaît	*il, elle* a connu	*il, elle* connaissait
		nous connaissons	*nous* avons connu	*nous* connaissions
		vous connaissez	*vous* avez connu	*vous* connaissiez
		ils, elles connaissent	*ils, elles* ont connu	*ils, elles* connaissaient
créer	créant	*je* crée	*j'*ai créé	*je* créais
(1º grupo)		*tu* crées	*tu* as créé	*tu* créais
		il, elle crée	*il, elle* a créé	*il, elle* créait
		nous créons	*nous* avons créé	*nous* créions
		vous créez	*vous* avez créé	*vous* créiez
		ils, elles créent	*ils, elles* ont créé	*ils, elles* créaient
croire	croyant	*je* crois	*j'*ai cru	*je* croyais
(3º grupo)		*tu* crois	*tu* as cru	*tu* croyais
		il, elle croit	*il, elle* a cru	*il, elle* croyait
		nous croyons	*nous* avons cru	*nous* croyions
		vous croyez	*vous* avez cru	*vous* croyiez
		ils, elles croient	*ils, elles* ont cru	*ils, elles* croyaient
découvrir	découvrant	*je* découvre	*j'*ai découvert	*je* découvrais
(3º grupo)		*tu* découvres	*tu* as découvert	*tu* découvrais
		il, elle découvre	*il, elle* a découvert	*il, elle* découvrait
		nous découvrons	*nous* avons découvert	*nous* découvrions
		vous découvrez	*vous* avez découvert	*vous* découvriez
		ils, elles découvrent	*ils, elles* ont découvert	*ils, elles* découvraient
devenir	devenant	*je* deviens	*je* suis devenu(e)	*je* devenais
(3º grupo)		*tu* deviens	*tu* es devenu(e)	*tu* devenais
		il, elle devient	*il, elle* est devenu(e)	*il, elle* devenait
		nous devenons	*nous* sommes devenu(e)s	*nous* devenions
		vous devenez	*vous* êtes devenu(e)s	*vous* deveniez
		ils, elles deviennent	*ils, elles* sont devenu(e)s	*ils, elles* devenaient

FUTUR	CONDITIONNEL (PRÉSENT)	SUBJONCTIF (PRÉSENT)	IMPÉRATIF
je conduirai	*je* conduirais	*je* conduise	
tu conduiras	*tu* conduirais	*tu* conduises	conduis
il, elle conduira	*il, elle* conduirait	*il, elle* conduise	conduisons
nous conduirons	*nous* conduirions	*nous* conduisions	conduisez
vous conduirez	*vous* conduiriez	*vous* conduisiez	
ils, elles conduiraient	*ils, elles* conduiraient	*ils, elles* conduisent	
je connaîtrai	*je* connaîtrais	*je* connaisse	
tu connaîtras	*tu* connaîtrais	*tu* connaisses	connais
il, elle connaîtra	*il, elle* connaîtrait	*il, elle* connaisse	connaissons
nous connaîtrons	*nous* connaîtrions	*nous* connaissions	connaissez
vous connaîtrez	*vous* connaîtriez	*vous* connaissiez	
ils, elles connaîtront	*ils, elles* connaîtraient	*ils, elles* connaissent	
je créerai	*je* créerais	*je* crée	
tu créeras	*tu* créerais	*tu* crées	crée
il, elle créera	*il, elle* créerait	*il, elle* crée	créons
nous créerons	*nous* créerions	*nous* créions	créez
vous créerez	*vous* créeriez	*vous* créiez	
ils, elles créeront	*ils, elles* créeraient	*ils, elles* créent	
je croirai	*je* croirais	*je* croie	
tu croiras	*tu* croirais	*tu* croies	crois
il, elle croira	*il, elle* croirait	*il, elle* croie	croyons
nous croirons	*nous* croirions	*nous* croyions	croyez
vous croirez	*vous* croiriez	*vous* croyiez	
ils, elles croiront	*ils, elles* croiraient	*ils, elles* croient	
je découvrirai	*je* découvrirais	*je* découvre	
tu découvriras	*tu* découvrirais	*tu* découvres	découvre
il, elle découvrira	*il, elle* découvrirait	*il, elle* découvre	découvrons
nous découvrirons	*nous* découvririons	*nous* découvrions	découvrez
vous découvrirez	*vous* découvririez	*vous* découvriez	
ils, elles découvriront	*ils, elles* découvriraient	*ils, elles* découvrent	
je deviendrai	*je* deviendrais	*je* devienne	
tu deviendras	*tu* deviendrais	*tu* deviennes	deviens
il, elle deviendra	*il, elle* deviendrait	*il, elle* devienne	devenons
nous deviendrons	*nous* deviendrions	*nous* devenions	devenez
vous deviendrez	*vous* deviendriez	*vous* deveniez	
ils, elles deviendront	*ils, elles* deviendraient	*ils, elles* deviennent	

INFINITIF	PARTICIPE PRÉSENT	INDICATIF PRÉSENT	PASSÉ COMPOSÉ	IMPARFAIT
devoir	devant	*je* dois	j'ai dû	*je* devais
(3º grupo)		*tu* dois	*tu* as dû	*tu* devais
		il, elle doit	*il, elle* a dû	*il, elle* devait
		nous devons	*nous* avons dû	*nous* devions
		vous devez	*vous* avez dû	*vous* deviez
		ils, elles doivent	*ils, elles* ont dû	*ils, elles* devaient
dire	disant	*je* dis	j'ai dit	*je* disais
(3º grupo)		*tu* dis	*tu* as dit	*tu* disais
		il, elle dit	*il, elle* a dit	*il, elle* disait
		nous disons	*nous* avons dit	*nous* disions
		vous dites	*vous* avez dit	*vous* disiez
		ils, elles disent	*ils, elles* ont dit	*ils, elles* disaient
dormir	dormant	*je* dors	j'ai dormi	*je* dormais
(3º grupo)		*tu* dors	*tu* as dormi	*tu* dormais
		il, elle dort	*il, elle* a dormi	*il, elle* dormait
		nous dormons	*nous* avons dormi	*nous* dormions
		vous dormez	*vous* avez dormi	*vous* dormiez
		ils, elles dorment	*ils, elles* ont dormi	*ils, elles* dormaient
écrire	écrivant	j'écris	j'ai écrit	j'écrivais
(3º grupo)		*tu* écris	*tu* as écrit	*tu* écrivais
		il, elle écrit	*il, elle* a écrit	*il, elle* écrivait
		nous écrivons	*nous* avons écrit	*nous* écrivions
		vous écrivez	*vous* avez écrit	*vous* écriviez
		ils, elles écrivent	*ils, elles* ont écrit	*ils, elles* écrivaient
entendre	entendant	j'entends	j'ai entendu	j'entendais
(3º grupo)		*tu* entends	*tu* as entendu	*tu* entendais
		il, elle entend	*il, elle* a entendu	*il, elle* entendait
		nous entendons	*nous* avons entendu	*nous* entendions
		vous entendez	*vous* avez entendu	*vous* entendiez
		ils, elles entendent	*ils, elles* ont entendu	*ils, elles* entendaient
entrer	entrant	j'entre	*je* suis entré(e)	j'entrais
(1º grupo)		*tu* entres	*tu* es entré(e)	*tu* entrais
		il, elle entre	*il, elle* est entré(e)	*il, elle* entrait
		nous entrons	*nous* sommes entré(e)s	*nous* entrions
		vous entrez	*vous* êtes entré(e)s	*vous* entriez
		ils, elles entrent	*ils, elles* sont entré(e)s	*ils, elles* entraient

FUTUR	CONDITIONNEL (PRÉSENT)	SUBJONCTIF (PRÉSENT)	IMPÉRATIF
je devrai	*je* devrais	*je* doive	
tu devras	*tu* devrais	*tu* doives	dois
il, elle devra	*il, elle* devrait	*il, elle* doive	devons
nous devrons	*nous* devrions	*nous* devions	devez
vous devrez	*vous* devriez	*vous* deviez	
ils, elles devront	*ils, elles* devraient	*ils, elles* doivent	
je dirai	*je* dirais	*je* dise	
tu diras	*tu* dirais	*tu* dises	dis
il, elle dira	*il, elle* dirait	*il, elle* dise	disons
nous dirons	*nous* dirions	*nous* disions	dites
vous direz	*vous* diriez	*vous* disiez	
ils diront	*ils, elles* diraient	*ils, elles* disent	
je dormirai	*je* dormirais	*je* dorme	
tu dormiras	*tu* dormirais	*tu* dormes	dors
il, elle dormira	*il, elle* dormirait	*il, elle* dorme	dormons
nous dormirons	*nous* dormirions	*nous* dormions	dormez
vous dormirez	*vous* dormiriez	*vous* dormiez	
ils, elles dormiront	*ils, elles* dormiraient	*ils, elles* dorment	
j' écrirai	*j'* écrirais	*j'* écrive	
tu écriras	*tu* écrirais	*tu* écrives	écris
il, elle écrira	*il, elle* écrirait	*il, elle* écrive	écrivons
nous écrirons	*nous* écririons	*nous* écrivions	écrivez
vous écrirez	*vous* écririez	*vous* écriviez	
ils, elles écriront	*ils, elles* écriraient	*ils, elles* écrivent	
j' entendrai	*j'* entendrais	*j'* entende	
tu entendras	*tu* entendrais	*tu* entendes	entends
il, elle entendra	*il, elle* entendrait	*il, elle* entende	entendons
nous entendrons	*nous* entendrions	*nous* entendions	entendez
vous entendrez	*vous* entendriez	*vous* entendiez	
ils, elles entendraient	*ils, elles* entendraient	*ils, elles* entendent	
j' entrerai	*j'* entrerais	*j'* entre	
tu entreras	*tu* entrerais	*tu* entres	entre
il, elle entrera	*il, elle* entrerait	*il, elle* entre	entrons
nous entrerons	*nous* entrions	*nous* entrions	entrez
vous entrerez	*vous* entriez	*vous* entriez	
ils, elles entreront	*ils, elles* entraient	*ils, elles* entrent	

INFINITIF	PARTICIPE PRÉSENT	INDICATIF PRÉSENT	PASSÉ COMPOSÉ	IMPARFAIT
envoyer	envoyant	*j'*envoie	*j'*ai envoyé	*j'*envoyais
(1º grupo)		*tu* envoies	*tu* as envoyé	*tu* envoyais
		il, elle envoie	*il, elle* a envoyé	*il, elle* envoyait
		nous envoyons	*nous* avons envoyé	*nous* envoyions
		vous envoyez	*vous* avez envoyé	*vous* envoyiez
		ils, elles envoient	*ils, elles* ont envoyé	ils envoyaient
être	étant	*je* suis	*j'*ai été	*j'*étais
Este é um verbo irregular que não é classificado dentro de nenhum grupo.		*tu* es	*tu* as été	*tu* étais
		il, elle est	*il, elle* a été	*il, elle* était
		nous sommes	*nous* avons été	*nous* étions
		vous êtes	*vous* avez été	*vous* étiez
		ils, elles sont	*ils, elles* ont été	*ils, elles* étaient
faire	faisant	*je* fais	*j'*ai fait	*je* faisais
(3º grupo)		*tu* fais	*tu* as fait	*tu* faisais
		il, elle fait	*il, elle* a fait	*il, elle* faisait
		nous faisons	*nous* avons fait	*nous* faisions
		vous faites	*vous* avez fait	*vous* faisiez
		ils, elles font	*ils, elles* ont fait	*ils, elles* faisaient
falloir (3º grupo) (não tem todas as pessoas / tempos verbais)		*il* faut	—	*il* fallait
finir	finissant	*je* finis	*j'*ai fini	*je* finissais
(2º grupo)		*tu* finis	*tu* as fini	*tu* finissais
		il, elle finit	*il, elle* a fini	*il, elle* finissait
		nous finissons	*nous* avons fini	*nous* finissions
		vous finissez	*vous* avez fini	*vous* finissiez
		ils, elles finissent	*ils, elles* ont fini	*ils, elles* finissaient
habiter	habitant	*j'*habite	*j'*ai habité	*j'*habitais
(1º grupo)		*tu* habites	*tu* as habité	*tu* habitais
		il, elle habite	*il, elle* a habité	*il, elle* habitait
		nous nous habitons	*nous* avons habité	*nous* habitions
		vous vous habitez	*vous* avez habité	*vous* habitiez
		ils, elles habitent	*ils, elles* ont habité	*ils, elles* habitaient

FUTUR	CONDITIONNEL (PRÉSENT)	SUBJONCTIF (PRÉSENT)	IMPÉRATIF
*j'*enverrai	*j'* enverrais	*j'* envoie	
tu enverras	*tu* enverrais	*tu* envoies	envoie
il, elle enverra	*il, elle* enverrait	*il, elle* envoie	envoyons
nous enverrons	*nous* enverrions	*nous* envoyions	envoyez
vous enverrez	*vous* enverriez	*vous* envoyiez	
ils enverront	ils enverraient	*ils, elles* envoient	
je serai	*je* serais	*je* sois	
tu seras	*tu* serais	*tu* sois	sois
il, elle sera	*il, elle* serait	*il, elle* soit	soyons
nous serons	*nous* serions	*nous* soyons	soyez
vous serez	*vous* seriez	*vous* soyez	
ils, elles seront	*ils, elles* seraient	*ils, elles* soient	
je ferai	*je* ferais	*je* fasse	
tu feras	*tu* ferais	*tu* fasses	fais
il, elle fera	*il, elle* ferait	*il, elle* fasse	faisons
nous ferons	*nous* ferions	*nous* fassions	faites
vous ferez	*vous* feriez	*vous* fassiez	
ils, elles feront	*ils, elles* feraient	*ils, elles* fassent	
il faudra	*il* faudrait	*il* faille	—
je finirai	*je* finirais	*je* finisse	
tu finiras	*tu* finirais	*tu* finisses	finis
il, elle finira	*il, elle* finirait	*il, elle* finisse	finissons
nous finirons	*nous* finirions	*nous* finissions	finissez
vous finirez	*vous* finiriez	*vous* finissiez	
ils, elles finiront	*ils, elles* finiraient	*ils, elles* finissent	
j' habiterai	*j'* habiterais	*j'* habite	
tu habiteras	*tu* habiterais	*tu* habites	habite
il, elle habitera	*il, elle* habiterait	*il, elle* habite	habitons
nous habiterons	*nous* habiterions	*nous* habitions	habitez
vous habiterez	*vous* habiteriez	*vous* habitiez	
ils, elles habiteront	*ils, elles* habiteraient	*ils, elles* habitent	

INFINITIF	PARTICIPE PRÉSENT	INDICATIF PRÉSENT	PASSÉ COMPOSÉ	IMPARFAIT
lire	lisant	*je* lis	*j'*ai lu	*je* lisais
(3º grupo)		*tu* lis	*tu* as lu	*tu* lisais
		il, elle lit	*il, elle* a lu	*il, elle* lisait
		nous lisons	*nous* avons lu	*nous* lisions
		vous lisez	*vous* avez lu	*vous* lisiez
		ils, elles lisent	*ils, elles* ont lu	*ils, elles* lisaient
manger	mangeant	*je* mange	*j'*ai mangé	*je* mangeais
(1º grupo)		*tu* manges	*tu* as mangé	*tu* mangeais
		il, elle mange	*il, elle* a mangé	*il, elle* mangeait
		nous mangeons	*nous* avons mangé	*nous* mangions
		vous mangez	*vous* avez mangé	*vous* mangiez
		ils, elles mangent	*ils, elles* ont mangé	*ils, elles* mangeaient
mettre	mettant	*je* mets	*j'*ai mis	*je* mettais
(3º grupo)		*tu* mets	*tu* as mis	*tu* mettais
		il, elle met	*il, elle* a mis	*il, elle* mettait
		nous mettons	*nous* avons mis	*nous* mettions
		vous mettez	*vous* avez mis	*vous* mettiez
		ils, elles mettent	*ils, elles* ont mis	*ils, elles* mettaient
mourir	mourant	*je* meurs	*je* suis mort(e)	*je* mourais
(3º grupo)		*tu* meurs	*tu* es mort(e)	*tu* mourais
		il, elle meurt	*il, elle* est mort(e)	*il, elle* mourait
		nous mourons	*nous* sommes mort(e)s	*nous* mourions
		vous mourez	*vous* êtes mort(e)s	*vous* mouriez
		ils, elles meurent	*ils, elles* sont mort(e)s	*ils, elles* mouraient
naître	naissant	*je* nais	*je* suis né(e)	*je* naissais
(3º grupo)		*tu* nais	*tu* es né(e)	*tu* naissais
		il, elle naît	*il, elle* est né(e)	*il, elle* naissait
		nous naissons	*nous* sommes né(e)s	*nous* naissions
		vous naissez	*vous* êtes né(e)s	*vous* naissiez
		ils, elles naissent	*ils, elles* sont né(e)s	*ils, elles* naissaient
offrir	offrant	*j'*offre	*j'*ai offert	*j'*offrais
(3º grupo)		*tu* offres	*tu* as offert	*tu* offrais
		il, elle offre	*il, elle* a offert	*il, elle* offrait
		nous offrons	*nous* avons offert	*nous* offrions
		vous offrez	*vous* avez offert	*vous* offriez
		ils, elles offrent	*ils, elles* ont offert	*ils, elles* offraient

FUTUR	CONDITIONNEL (PRÉSENT)	SUBJONCTIF (PRÉSENT)	IMPÉRATIF
je lirai	*je* lirais	*je* lise	
tu liras	*tu* lirais	*tu* lises	lis
il, elle lira	*il, elle* lirait	*il, elle* lise	lisons
nous lirons	*nous* lirions	*nous* lisions	lisez
vous lirez	*vous* liriez	*vous* lisiez	
ils, elles liront	*ils, elles* liraient	*ils, elles* lisent	
je mangerai	*je* mangerais	*je* mange	
tu mangeras	*tu* mangerais	*tu* manges	mange
il, elle mangera	*il, elle* mangerait	*il, elle* mange	mangeons
nous mangerons	*nous* mangerions	*nous* mangions	mangez
vous mangerez	*vous* mangeriez	*vous* mangiez	
ils, elles mangeront	*ils, elles* mangeraient	*ils, elles* mangent	
je mettrai	*je* mettrais	*je* mette	
tu mettras	*tu* mettrais	*tu* mettes	mets
il, elle mettra	*il, elle* mettrait	*il, elle* mette	mettons
nous mettrons	*nous* mettrions	*nous* mettions	mettez
vous mettrez	*vous* mettriez	*vous* mettiez	
ils, elles mettront	*ils, elles* mettraient	*ils, elles* mettent	
je mourrai	*je* mourrais	*je* meure	
tu mourras	*tu* mourrais	*tu* meures	meurs
il, elle mourra	*il, elle* mourrait	*il, elle* meure	mourons
nous mourrons	*nous* mourrions	*nous* mourions	mourez
vous mourrez	*vous* mourriez	*vous* mourrez	
ils, elles mourront	*ils, elles* mourraient	*ils, elles* meurent	
je naîtrai	*je* naîtrais	*je* naisse	
tu naîtras	*tu* naîtrais	*tu* naisses	nais
il, elle naîtra	*il, elle* naîtrait	*il, elle* naisse	naissons
nous naîtrons	*nous* naîtrions	*nous* naissions	naissez
vous naîtrez	*vous* naîtriez	*vous* naissiez	
ils, elles naîtront	*ils, elles* naîtraient	*ils, elles* naissent	
j' offrirai	*j'* offrirais	*j'* offre	
tu offriras	*tu* offrirais	*tu* offres	offre
il, elle offrira	*il, elle* offrirait	*il, elle* offre	offrons
nous offrirons	*nous* offririons	*nous* offrions	offrez
vous offrirez	*vous* offririez	*vous* offriez	
ils, elles offriront	*ils, elles* offriraient	*ils, elles* offrent	

INFINITIF	PARTICIPE PRÉSENT	INDICATIF PRÉSENT	PASSÉ COMPOSÉ	IMPARFAIT
ouvrir	ouvrant	*j'*ouvre	*j'*ai ouvert	*j'*ouvrais
(3º grupo)		*tu* ouvres	*tu* as ouvert	*tu* ouvrais
		il, elle ouvre	*il, elle* a ouvert	*il, elle* ouvrait
		nous ouvrons	*nous* avons ouvert	*nous* ouvrions
		vous ouvrez	*vous* avez ouvert	*vous* ouvriez
		ils, elles ouvrent	*ils, elles* ont ouvert	*ils, elles* ouvraient
partir	partant	*je* pars	*je* suis parti(e)	*je* partais
(3º grupo)		*tu* pars	*tu* es parti(e)	*tu* partais
		il, elle part	*il, elle* est parti(e)	*il, elle* partait
		nous partons	*nous* sommes parti(e)s	*nous* partions
		vous partez	*vous* êtes parti(e)s	*vous* partiez
		ils, elles partent	*ils, elles* sont parti(e)s	*ils, elles* partaient
payer	payant	*je* paye / paie	*j'*ai payé	*je* payais
(1º grupo)		*tu* payes / paies	*tu* as payé	*tu* payais
		il, elle paye / paie	*il, elle* a payé	*il, elle* payait
		nous payons	*nous* avons payé	*nous* payions
		vous payez	*vous* avez payé	*vous* payiez
		ils, elles payent / paient	*ils, elles* ont payé	*ils, elles* payaient
penser	pensant	*je* pense	*j'*ai pensé	*je* pensais
(1º grupo)		*tu* penses	*tu* as pensé	*tu* pensais
		il, elle pense	*il, elle* a pensé	*il, elle* pensait
		nous pensons	*nous* avons pensé	*nous* pensions
		vous pensez	*vous* avez pensé	*vous* pensiez
		ils, elles pensent	*ils, elles* ont pensé	*ils, elles* pensaient
perdre	perdant	*je* perds	*j'*ai perdu	*je* perdais
(3º grupo)		*tu* perds	*tu* as perdu	*tu* perdais
		il, elle perd	*il, elle* a perdu	*il, elle* perdait
		nous perdons	*nous* avons perdu	*nous* perdions
		vous perdez	*vous* avez perdu	*vous* perdiez
		ils, elles perdent	*ils, elles* ont perdu	*ils, elles* perdaient
plaire	plaisant	*je* plais	*j'*ai plu	*je* plaisais
(3º grupo)		*tu* plais	*tu* as plu	*tu* plaisais
		il, elle plaît	*il, elle* a plu	*il, elle* plaisait
		nous plaisons	*nous* avons plu	*nous* plaisions
		vous plaisez	*vous* avez plu	*vous* plaisiez
		ils, elles plaisent	*ils, elles* ont plu	*ils, elles* plaisaient

FUTUR	CONDITIONNEL (PRÉSENT)	SUBJONCTIF (PRÉSENT)	IMPÉRATIF
j' ouvrirai *tu* ouvriras *il, elle* ouvrira *nous* ouvrirons *vous* ouvrirez *ils, elles* ouvriront	*j'* ouvrirais *tu* ouvrirais *il, elle* ouvrirait *nous* ouvririons *vous* ouvririez *ils, elles* ouvriraient	*j'* ouvre *tu* ouvres *il, elle* ouvre *nous* ouvrions *vous* ouvriez *ils, elles* ouvrent	ouvre ouvrons ouvrez
je partirai *tu* partiras *il, elle* partira *nous* partirons *vous* partirez *ils, elles* partiront	*je* partirais *tu* partirais *il, elle* partirait *nous* partirions *vous* partiriez *ils, elles* partiraient	*je* parte *tu* partes *il, elle* parte *nous* partions *vous* partiez *ils, elles* partent	pars partons partez
je payerai / paierai *tu* payeras / paieras *il, elle* payera / paiera *nous* payerons *vous* payerez *ils, elles* payeront / paieront	*je* payerais / paierais *tu* payerais / paierais *il, elle* payerait / paierait *nous* payerions *vous* payeriez *ils, elles* payaient / paieraient	*je* paye / paie *tu* payes / paies *il, elle* paye / paie *nous* payions *vous* payiez *ils, elles* payent / paient	paye payons payez
je penserai *tu* penseras *il, elle* pensera *nous* penserons *vous* penserez *ils, elles* penseront	*je* penserais *tu* penserais *il, elle* penserait *nous* penserions *vous* penseriez *ils, elles* penseraient	*je* pense *tu* penses *il, elle* pense *nous* pensions *vous* pensiez *ils, elles* pensent	pense pensons pensez
je perdrai *tu* perdras *il, elle* perdra *nous* perdrons *vous* perdrez *ils, elles* perdront	*je* perdrais *tu* perdrais *il, elle* perdrait *nous* perdrions *vous* perdriez *ils, elles* perdraient	*je* perde *tu* perdes *il, elle* perde *nous* perdions *vous* perdiez *ils, elles* perdent	perds perdons perdez
je plairai *tu* plairas *il, elle* plaira *nous* plairons *vous* plairez *ils, elles* plairont	*je* plairais *tu* plairais *il, elle* plairait *nous* plairions *vous* plairiez *ils, elles* plairaient	*je* plaise *tu* plaises *il, elle* plaise *nous* plaisions *vous* plaisiez *ils, elles* plaisent	plais plaisons plaisez

INFINITIF	PARTICIPE PRÉSENT	INDICATIF PRÉSENT	PASSÉ COMPOSÉ	IMPARFAIT
pleuvoir (3º grupo) (não tem todas as pessoas / tempos verbais)	pleuvant	il pleut	il a plu	il pleuvait
pouvoir (3º grupo)	pouvant	*je* peux *tu* peux *il, elle* peut *nous* pouvons *vous* pouvez *ils, elles* peuvent	*j'*ai pu *tu* as pu *il, elle* a pu *nous* avons pu *vous* avez pu *ils, elles* ont pu	*je* pouvais *tu* pouvais *il, elle* pouvait *nous* pouvions *vous* pouviez *ils, elles* pouvaient
prendre (3º grupo)	prenant	*je* prends *tu* prends *il, elle* prend *nous* prenons *vous* prenez *ils, elles* prennent	*j'*ai pris *tu* as pris *il, elle* a pris *nous* avons pris *vous* avez pris *ils, elles* ont pris	*je* prenais *tu* prenais *il, elle* prenait *nous* prenions *vous* preniez *ils, elles* prenaient
se promener (1º grupo)	promenant	*je* me promène *tu* te promènes *il, elle* se promène *nous nous* promenons *vous vous* promenez *ils, elles* promènent	*je* me suis promené(e) *tu* t'es promené(e) *il, elle* s'est promené(e) *nous nous* sommes promené(e)s *vous vous* êtes promené(e)s *ils, elles* se sont promené(e)s	*je* me promenais *tu* te promenais *il, elle* se promenait *nous nous* promenions *vous vous* promeniez *ils, elles* se promenaient
recevoir (3º grupo)	recevant	*je* reçois *tu* reçois *il, elle* reçoit *nous* recevons *vous* recevez *ils, elles* reçoivent	*j'*ai reçu *tu* as reçu *il, elle* a reçu *nous* avons reçu *vous* avez reçu *ils, elles* ont reçu	*je* recevais *tu* recevais *il, elle* recevait *nous* recevions *vous* receviez *ils, elles* recevaient
répondre (3º grupo)	répondant	*je* réponds *tu* réponds *il, elle* répond *nous* répondons *vous* répondez *ils, elles* répondent	*j'*ai répondu *tu* as répondu *il, elle* a répondu *nous* avons répondu *vous* avez répondu *ils, elles* ont répondu	*je* répondais *tu* répondais *il, elle* répondait *nous* répondions *vous* répondiez *ils, elles* répondaient

FUTUR	CONDITIONNEL (PRÉSENT)	SUBJONCTIF (PRÉSENT)	IMPÉRATIF
il pleuvra	il pleuvrait	il pleuve	—
je pourrai *tu* pourras *il, elle* pourra *nous* pourrons *vous* pourrez *ils, elles* pourront	*je* pourrais *tu* pourrais *il, elle* pourrait *nous* pourrions *vous* pourriez *ils, elles* pourraient	*je* puisse *tu* puisses *il, elle* puisse *nous* puissions *vous* puissiez *ils, elles* puissent	—
je prendrai *tu* prendras *il, elle* prendra *nous* prendrons *vous* prendrez *ils, elles* prendront	*je* prendrais *tu* prendrais *il, elle* prendrait *nous* prendrions *vous* prendriez *ils, elles* prendraient	*je* prenne *tu* prennes *il, elle* prenne *nous* prenions *vous* preniez *ils, elles* prennent	prends prenons prenez
je me promènerai *tu* te promèneras *il, elle* se promènera *nous nous* promènerons *vous vous* promènerez *ils, elles* se promèneront	*je* me promènerais *tu* te promènerais *il, elle* se promènerait *nous nous* promènerions *vous vous* promèneriez *ils, elles* se promèneraient	*je* me promène *tu* te promènes *il, elle* se promène *nous nous* promenions *vous vous* promeniez *ils, elles* se promènent	promène-*toi* promenons-*nous* promenez-*vous*
je recevrai *tu* recevras *il, elle* recevra *nous* recevrons *vous* recevrez *ils, elles* recevront	*je* recevrais *tu* recevrais *il, elle* recevrait *nous* recevrions *vous* recevriez *ils, elles* recevraient	*je* reçoive *tu* reçoives *il, elle* reçoive *nous* recevions *vous* receviez *ils, elles* reçoivent	reçois recevons recevez
je répondrai *tu* répondras *il, elle* répondra *nous* répondrons *vous* répondrez *ils, elles* répondront	*je* répondrais *tu* répondrais *il, elle* répondrait *nous* répondrions *vous* répondriez *ils, elles* répondraient	*je* réponde *tu* répondes *il, elle* réponde *nous* répondions *vous* répondiez *ils, elles* répondent	réponds répondons répondez

INFINITIF	PARTICIPE PRÉSENT	INDICATIF PRÉSENT	PASSÉ COMPOSÉ	IMPARFAIT
rire (3º grupo)	riant	*je* ris *tu* ris *il, elle* rit *nous* rions *vous* riez *ils, elles* rient	*j'*ai ri *tu* as ri *il, elle* a ri *nous* avons ri *vous* avez ri *ils, elles* ont ri	*je* riais *tu* riais *il, elle* riait *nous* riions *vous* riiez *ils, elles* riaient
savoir (3º grupo)	sachant	*je* sais *tu* sais *il, elle* sait *nous* savons *vous* savez *ils, elles* savent	*j'*ai su *tu* as su *il, elle* a su *nous* avons su *vous* avez su *ils, elles* ont su	*je* savais *tu* savais *il, elle* savait *nous* savions *vous* saviez *ils, elles* savaient
servir (3º grupo)	servant	*je* sers *tu* sers *il, elle* sert *nous* servons *vous* servez *ils, elles* servent	*j'*ai servi *tu* as servi *il, elle* a servi *nous* avons servi *vous* avez servi *ils, elles* ont servi	*je* servais *tu* servais *il, elle* servait *nous* servions *vous* serviez *ils, elles* servaient
sortir (3º grupo)	sortant	*je* sors *tu* sors *il, elle* sort *nous* sortons *vous* sortez *ils, elles* sortent	*je* suis sorti(e) *tu* es sorti(e) *il, elle* est sorti(e) *nous* sommes sorti(e)s *vous* êtes sorti(e)s *ils, elles* sont sorti(e)s	*je* sortais *tu* sortais *il, elle* sortait *nous* sortions *vous* sortiez *ils, elles* sortaient
suivre (3º grupo)	suivant	*je* suis *tu* suis *il, elle* suit *nous* suivons *vous* suivez *ils, elles* suivent	*j'*ai suivi *tu* as suivi *il, elle* a suivi *nous* avons suivi *ils, elles* ont suivi	*je* suivais *tu* suivais *il, elle* suivait *nous* suivions *vous* suiviez *ils, elles* suivaient
téléphoner (1º grupo)	téléphonant	*je* téléphone *tu* téléphones *il, elle* téléphone *nous* téléphonons *vous* téléphonez *ils, elles* téléphonent	*j'*ai téléphoné *tu* as téléphoné *il, elle* a 'téléphoné *nous* avons téléphoné *vous* avez téléphoné *ils, elles* ont téléphoné	*je* téléphonais *tu* téléphonais *il, elle* téléphonait *nous* téléphonions *vous* téléphoniez *ils, elles* téléphonaient

FUTUR	CONDITIONNEL (PRÉSENT)	SUBJONCTIF (PRÉSENT)	IMPÉRATIF
je rirai	*je* rirais	*je* rie	
tu riras	*tu* rirais	*tu* ries	ris
il, elle rira	*il, elle* rirait	*il, elle* rie	rions
nous rirons	*nous* ririons	*nous* riions	riez
vous rirez	*vous* ririez	*vous* riiez	
ils, elles riront	*ils, elles* riraient	*ils, elles* rient	
je saurai	*je* saurais	*je* sache	
tu sauras	*tu* saurais	*tu* saches	sache
il, elle saura	*il, elle* saurait	*il, elle* sache	sachons
nous saurons	*nous* saurions	*nous* sachions	sachez
vous saurez	*vous* sauriez	*vous* sachiez	
ils, elles sauront	*ils, elles* sauraient	*ils, elles* sachent	
je servirai	*je* servirais	*je* serve	
tu serviras	*tu* servirais	*tu* serves	sers
il, elle servira	*il, elle* servirait	*il, elle* serve	servons
nous servirons	*nous* servirions	*nous* servions	servez
vous servirez	*vous* serviriez	*vous* serviez	
ils, elles serviront	*ils, elles* serviraient	*ils, elles* servent	
je sortirai	*je* sortirais	*je* sorte	
tu sortiras	*tu* sortirais	*tu* sortes	sors
il, elle sortira	*il, elle* sortirait	*il, elle* sorte	sortons
nous sortirons	*nous* sortirions	*nous* sortions	sortez
vous sortirez	*vous* sortiriez	*vous* sortiez	
ils, elles sortiront	*ils, elles* sortiraient	*ils, elles* sortent	
je suivrai	*je* suivrais	*je* suive	
tu suivras	*tu* suivrais	*tu* suives	suis
il, elle suivra	*il, elle* suivrait	*il, elle* suive	suivons
nous suivrons	*nous* suivrions	*nous* suivions	suivez
vous suivrez	*vous* suivriez	*vous* suiviez	
ils, elles suivront	*ils, elles* suivraient	*ils, elles* suivent	
je téléphonerai	*je* téléphonerais	*je* téléphone	
tu téléphoneras	*tu* téléphonerais	*tu* téléphones	téléphone
il, elle téléphonera	*il, elle* téléphonerait	*il, elle* téléphone	téléphonons
nous téléphonerons	*nous* téléphonerions	*nous* téléphonions	téléphonez
vous téléphonerez	*vous* téléphoneriez	*vous* téléphoniez	
ils, elles téléphoneront	*ils, elles* téléphoneraient	*ils, elles* téléphonent	

INFINITIF	PARTICIPE PRÉSENT	INDICATIF PRÉSENT	PASSÉ COMPOSÉ	IMPARFAIT
vaincre (3º grupo)	vainquant	*je* vaincs *tu* vaincs *il, elle* vainc *nous* vainquons *vous* vainquez *ils, elles* vainquent	*j'*ai vaincu *tu* as vaincu *il, elle* a vaincu *nous* avons vaincu *vous* avez vaincu *ils, elles* ont vaincu	*je* vainquais *tu* vainquais *il, elle* vainquait *nous* vainquions *vous* vainquiez *ils, elles* vainquaient
vendre (3º grupo)	vendant	*je* vends *tu* vends *il, elle* vend *nous* vendons *vous* vendez *ils, elles* vendent	*j'*ai vendu *tu* as vendu *il, elle* a vendu *nous* avons vendu *vous* avez vendu *ils, elles* ont vendu	*je* vendais *tu* vendais *il, elle* vendait *nous* vendions *vous* vendiez *ils, elles* vendaient
venir (3º grupo)	venant	*je* viens *tu* viens *il, elle* vient *nous* venons *vous* venez *ils, elles* viennent	*je* suis venu(e) *tu* es venu(e) *il, elle* est venu(e) *nous* sommes venu(e)s *vous* êtes venu(e)s *ils, elles* sont venu(e)s	*je* venais *tu* venais *il, elle* venait *nous* venions *vous* veniez *ils, elles* venaient
vivre (3º grupo)	vivant	*je* vis *tu* vis *il, elle* vit *nous* vivons *vous* vivez *ils, elles* vivent	*j'*ai vécu *tu* as vécu *il, elle* a vécu *nous* avons vécu *vous* avez vécu *ils, elles* ont vécu	*je* vivais *tu* vivais *il, elle* vivait *nous* vivions *vous* viviez *ils, elles* vivaient
voir (3º grupo)	voyant	*je* vois *tu* vois *il, elle* voit *nous* voyons *vous* voyez *ils, elles* voient	*j'*ai vu *tu* as vu *il, elle* a vu *nous* avons vu *vous* avez vu *ils, elles* ont vu	*je* voyais *tu* voyais *il, elle* voyait *nous* voyions *vous* voyiez *ils, elles* voyaient
vouloir (3º grupo)	voulant	*je* veux *tu* veux *il, elle* veut *nous* voulons *vous* voulez *ils, elles* veulent	*j'*ai voulu *tu* as voulu *il, elle* a voulu *nous* avons voulu *vous* avez voulu *ils, elles* ont voulu	*je* voulais *tu* voulais *il, elle* voulait *nous* voulions *vous* vouliez *ils, elles* voulaient

FUTUR	CONDITIONNEL (PRÉSENT)	SUBJONCTIF (PRÉSENT)	IMPÉRATIF
je vaincrai	*je* vaincrais	*je* vainque	
tu vaincras	*tu* vaincrais	*tu* vainques	vaincs
il, elle vaincra	*il, elle* vaincrait	*il, elle* vainque	vainquons
nous vaincrons	*nous* vaincrions	*nous* vainquions	vainquez
vous vaincrez	*vous* vaincriez	*vous* vainquiez	
ils, elles vaincront	*ils, elles* vaincraient	*ils, elles* vainquent	
je vendrai	*je* vendrais	*je* vende	
tu vendras	*tu* vendrais	*tu* vendes	vends
il, elle vendra	*il, elle* vendrait	*il, elle* vende	vendons
nous vendrons	*nous* vendrions	*nous* vendions	vendez
vous vendrez	*vous* vendriez	*vous* vendiez	
ils, elles vendraient	*ils, elles* vendraient	*ils, elles* vendent	
je viendrai	*je* viendrais	*je* vienne	
tu viendras	*tu* viendrais	*tu* viennes	viens
il, elle viendra	*il, elle* viendrait	*il, elle* vienne	venons
nous viendrons	*nous* viendrions	*nous* venions	venez
vous viendrez	*vous* viendriez	*vous* veniez	
ils, elles viendront	*ils, elles* viendraient	*ils, elles* viennent	
je vivrai	*je* vivrais	*je* vive	
tu vivras	*tu* vivrais	*tu* vives	vis
il, elle vivra	*il, elle* vivrait	*il, elle* vive	vivons
nous vivrons	*nous* vivrions	*nous* vivions	vivez
vous vivrez	*vous* vivriez	vus viviez	
ils, elles vivront	*ils, elles* vivraient	*ils, elles* vivent	
je verrai	*je* verrais	*je* voie	
tu verras	*tu* verrais	*tu* voies	vois
il, elle verra	*il, elle* verrait	*il, elle* voie	voyons
nous verrons	*nous* verrions	*nous* voyions	voyez
vous verrez	*vous* verriez	*vous* voyiez	
ils, elles verraient	*ils, elles* verraient	*ils, elles* voient	
je voudrai	*je* voudrais	*je* veuille	
tu voudras	*tu* voudrais	*tu* veuilles	veux / veuille
il, elle voudra	*il, elle* voudrait	*il, elle* veuille	voulons
nous voudrons	*nous* voudrions	*nous* voulions	voulez / veuillez
vous voudrez	*vous* voudriez	*vous* vouliez	
ils, elles voudront	*ils, elles* voudraient	*ils, elles* veuillent	

PORTUGUÊS-FRANCÊS
PORTUGAIS-FRANÇAIS

A

a [a] *prep* **1.** [ger] à ; **dar algo a alguém** donner qqch à qqn ; **diga ao João que venha** dis à João de venir ; **mostrar algo a alguém** montrer qqch à qqn ; **nós vamos ao cinema** nous allons au cinéma ; **fomos à praia** nous sommes allés à la plage ; **vou ao Egito/ao Japão/aos Estados Unidos** je vais en Égypte/au Japon/aux États-Unis ; **fica à saída do teatro** c'est à la sortie du théâtre ; **é à esquerda/direita** c'est à gauche/droite ; **fica a dez quilômetros** c'est à dix kilomètres ; **aos centos/às dezenas** par centaines/dizaines ; **a quanto...?** à combien... ? ; **a quanto está vendendo as peras?** à combien vendez-vous les poires ? ; **ganhamos por dois a um** nous avons gagné deux à un ; **entraram um a um** ils sont entrés un par un ; **feito à mão** fait (à la) main ; **escrever à máquina** taper à la machine ; **sal a gosto** sel à volonté ; **ele ia a cem por hora** il allait à cent à l'heure ; **conduzir a 60 km/h** conduire à 60 km/h ; **abertura às oito horas** ouverture à huit heures ; **é a dez minutos daqui** c'est à dix minutes d'ici ; **de... a...** de... à... ; **a loja tem de tudo, desde pregos a máquinas de lavar** cette boutique vend de tout, des clous aux machines à laver - **2.** [indica freqüência] : **três vezes ao dia** trois fois par jour ; **estou lá às terças e quintas-feiras** j'y suis tous les mardis et jeudis - **3.** [seguido de infinitivo] en ; **engasgou-se ao comer** il s'est étouffé en mangeant ; **partiu a chorar** il est parti en pleurant - **4.** [em locuções] : **a não ser que** à moins que.

à [a] = **a** + **a**, ▶ **a.**

aba ['aba] *f* [de chapéu] aile *f* ; [corte de carne] côte *f*.

abacate [aba'katʃi] *m* avocat *m (fruit)*.

abacaxi [abaka'ʃi] *m* ananas *m*.

abadia [aba'dʒia] *f* abbaye *f*.

abafado, da [aba'fadu, da] *adj* [ar, tempo] lourd(e).

abafar [aba'fa(x)] *vt & vi* étouffer.

abaixar [abaj'ʃa(x)] *vt* [cabeça, braço] baisser. ◆ **abaixar-se** *vp* se baisser.

abaixo [a'bajʃu] ◇ *adv* au-dessous. ◇ *interj* : **abaixo o governo!** à bas le gouvernement ! ; **mais abaixo** plus bas ; **deitar abaixo** [árvore] abattre ; [argumento] démolir ; **abaixo de** [em espaço] après ; [em hierarquia] au-dessous de.

abaixo-assinado [aˌbajʃuasi'nadu] (*pl* **abaixo-assinados**) *m* pétition *f*.

abajur [aba'ʒu(x)] (*pl* -es) *m* abat-jour *m*.

abalar [aba'la(x)] ◇ *vt* secouer. ◇ *vi* s'en aller.

abalo [a'balu] *m* : **abalo (sísmico** ou **de terra)** secousse *f* (sismique).

abanar [aba'na(x)] *vt* [cabeça] secouer ; [rabo] remuer.

abandonado, **da** [abɐ̃ndo'nadu, da] *adj* abandonné(e).

abandonar [abɐ̃ndo'na(x)] *vt* abandonner.

abandono [abɐ̃n'donu] *m* abandon *m* ; **ao abandono** à l'abandon.

abarcar [abax'ka(x)] *vt* [abranger] comprendre ; [temas] recouvrir.

abarrotado, **da** [abaxo'tadu, da] *adj* plein(e) à craquer.

abarrotar [abaxo'ta(x)] *vi* : **a abarrotar de** bourré de.

abastecer [abaʃte'se(x)] *vt* [fornecer] approvisionner. ◆ **abastecer-se** *vp* s'approvisionner.

abastecimento [abaʃtesi'mẽntu] *m* approvisionnement *m*.

abater [aba'te(x)] *vt* [preço] baisser ; [derrubar, matar] abattre.

abatimento [abatʃi'mẽntu] *m* [desconto] réduction *f*.

abcesso [ab'sɛsu] *m* abcès *m*.

abdicar [abdʒi'ka(x)] *vi* abdiquer ; **abdicar de algo** [de direito, cargo] renoncer à qqch.

abdome [ab'domi] *m* abdomen *m*.

abdominal [abdomi'naw] (*pl* -ais) *adj* abdominal(e). ◆ **abdominais** *mpl* : **fazer abdominais** faire des abdominaux.

abecedário [abese'darju] *m* alphabet *m*.

abeirar-se [abej'ra(x)] ◆ **abeirar-se de** *vp* + *prep* s'approcher de.

abelha [a'beʎa] *f* abeille *f*.

abelhudo, **da** [abe'ʎudu, da] *adj* fouineur(euse).

aberração [abexa'sɐ̃w] (*pl* -ões) *f* aberration *f*.

aberto, **ta** [a'bɛxtu, ta] ◇ *pp* ➤ **abrir**. ◇ *adj* ouvert(e) ; **'aberto'** 'ouvert'.

abertura [abex'tura] *f* ouverture *f*.

abeto [abex'tu] *m* sapin *m*.

ABI *f* (*abrev de* **Associação Brasileira de Imprensa**) *association de presse brésilienne*.

abismo [a'biʒmu] *m* abîme *m*.

abóbada [a'bɔbada] *f* voûte *f*.

abóbora [a'bɔbora] *f* citrouille *f*.

abóbora-menina [a'bɔborame'nina] (*pl* **abóboras-meninas**) *f* potiron *m*.

abobrinha [abo'briɲa] *f* courgette *f*.

abolir [abo'li(x)] *vt* abolir.

abominar [abomi'na(x)] *vt* exécrer.

abordagem [abox'daʒẽ] (*pl* -ns) *f* approche *f*.

abordar [abox'da(x)] *vt* aborder.

aborígene [abori'ʒeni] *adj* & *mf* aborigène.

aborrecer [aboxe'se(x)] *vt* ennuyer. ◆ **aborrecer-se** *vp* s'ennuyer.

aborrecido, **da** [aboxe'sidu, da] *adj* [chato] ennuyeux(euse) ; [zangado] ennuyé(e).

aborrecimento [aboxesi'mẽntu] *m* ennui *m*.

abortar [abox'ta(x)] *vi* [espontaneamente] faire une fausse couche ; [intencionalmente] avorter.

aborto [a'boxtu] *m* [espontâneo] fausse couche *f* ; [intencional] avortement *m*.

abotoar [abo'twa(x)] *vt* boutonner.

abraçar [abra'sa(x)] *vt* serrer dans ses bras. ◆ **abraçar-se** *vp* s'étreindre.

abraço [a'brasu] *m* embrassade *f* ; **um abraço** [em carta, postal] affectueusement.

abrandar [abrɐ̃n'da(x)] ◇ *vt* [passo] ralentir. ◇ *vi* [vento, chuva] se calmer.

abranger [abrɐ̃'ʒe(x)] *vt* [abarcar] comprendre ; [temas] recouvrir.

abreviação [abrevja'sɑ̃w] (*pl* -ões) *f* abréviation *f (action)*.

abreviatura [abrevja'tura] *f* abréviation *f (résultat)*.

abridor [abri'do(x)] (*pl* -es) *m* : **abridor de garrafa** ouvre-bouteilles *m inv* ; **abridor de lata** ouvre-boîtes *m inv*.

abrigar [abri'ga(x)] *vt* abriter. ◆ **abrigar-se** *vp* s'abriter.

abrigo [a'brigu] *m* abri *m* ; **ao abrigo de** à l'abri de.

abril [a'briw] *m* avril *m*, ➤ **setembro**.

abrir [a'bri(x)] ◇ *vt* ouvrir. ◇ *vi* [começar] ouvrir ; [desabrochar] s'ouvrir ; **abrir o apetite** ouvrir l'appétit ; **abrir a boca** bâiller ; **abrir mão de algo** *fig* renoncer à qqch ; **abrir os olhos** *fig* ouvrir les yeux. ◆ **abrir-se** *vp* : **abrir-se com alguém** se confier à qqn.

absinto [ab'sĩntu] *m* absinthe *f*.

absolutamente [abso,luta'mẽntʃi] *adv* complètement.

absoluto, **ta** [abso'lutu, ta] *adj* absolu(e).

absolver [absow've(x)] *vt* absoudre ; JUR acquitter.

absorção [absox'sɑ̃w] *f* absorption *f*.

absorvente [absox'vẽntʃi] *adj* absorbant(e) ; **absorvente diário** protège-slip *m* ; **absorvente higiênico** serviette *f* hygiénique.

absorver [absor've(x)] *vt* absorber.

abstêmio, **mia** [abʃ'temju, mja] *adj* : **ele é abstêmio** il ne boit pas d'alcool.

abstenção [abʃtẽ'sɑ̃w] *f* abstention *f*.

abstrato, **ta** [abʃ'tratu, ta] *adj* abstrait(e).

absurdo, **da** [ab'suxdu, da] ◇ *adj* absurde. ◇ *m* absurdité *f*.

abundância [abũn'dɑ̃sja] *f* abondance *f*.

abundante [abũn'dɑ̃ntʃi] *adj* abondant(e).

abusado, **da** [abu'zadu, da] *adj* effronté(e).

abusar [abu'za(x)] *vi* abuser ; **abusar de algo** [álcool, droga] abuser de qqch ; **abusar de alguém** abuser de qqn.

abuso [a'buzu] *m* abus *m*.

a.C. (*abrev de* **antes de Cristo**) av.J-C.

a/c (*abrev de* **ao cuidado de**) att.

acabamento [akaba'mẽntu] *m* finition *f*.

acabar [aka'ba(x)] *vt & vi* finir ; **acabou a água** il n'y a plus d'eau ; **acabar com algo** en finir avec qqch ; **acabe com o barulho!** arrête de faire du bruit ! ; **acabar com alguém** achever qqn ; **acabar de fazer algo** venir de faire qqch ; **acabar bem** finir bien ; **acabar por fazer algo** finir par faire qqch. ◆ **acabar-se** *vp* : **acabou-se o pão** il n'y a plus de pain ; **acabou-se!** ça suffit !

acácia [a'kasja] *f* acacia *m*.

academia [akade'mia] *f* [escola] école *f* ; [sociedade] académie *f* ; **academia de belas-artes** école des beaux-arts ; **academia (de ginástica)** club *m* de gymnastique.

açafrão [asa'frɑ̃w] *m* safran *m*.

acalmar [akaw'ma(x)] ◇ *vt* calmer. ◇ *vi* se calmer. ◆ **acalmar-se** *vp* se calmer.

acampamento [akɑ̃mpa'mẽntu] *m* campement *m*.

acampar [akɑ̃m'pa(x)] *vi* camper.

acanhado, **da** [aka'ɲadu, da] *adj* timide.

acanhar-se [aka'ɲaxsi] *vp* être intimidé(e).

ação [a'sɑ̃w] (*pl* -ões) *f* action *f* ; **entrar em ação** entrer en action.

acarajé [akara'ʒɛ] *m beignet à la pâte de haricot, farci aux crevettes.*

acariciar [akari'sja(x)] *vt* caresser.

acaso [a'kazu] *m* hasard *m* ; **ao acaso** au hasard ; **por acaso** par hasard.

acastanhado, da [akaʃta'ɲadu, da] *adj* qui tire sur le marron ; [cabelo] châtain.

acatar [aka'ta(x)] *vt* respecter.

aceder [ase'de(x)] *vi* consentir.

aceitar [asej'ta(x)] *vt* accepter.

aceite [a'sejti] *pp* ► **aceitar**.

acelerador [aselera'do(x)] (*pl* -es) *m* accélérateur *m*.

acelerar [asele'ra(x)] *vt* & *vi* accélérer.

acenar [ase'na(x)] *vi* faire signe.

acendedor [asẽnde'do(x)] *m* [de fogão a gás] allume-gaz *m inv*.

acender [asẽn'de(x)] *vt* allumer.

aceno [a'senu] *m* signe *m (de la main, tête)*.

acento [a'sẽntu] *m* accent *m* ; **acento agudo/grave** accent aigu/grave ; **acento circunflexo** accent circonflexe.

acepção [asep'sɐ̃w] (*pl* -ões) *f* acception *f*.

acepipes [ase'pipeʃ] *mpl* [aperitivos] amuse-gueules *mpl* ; [entrada] hors-d'œuvre *m inv*.

acerca [a'sexka] ◆ **acerca de** *prep* au sujet de ; **falar acerca de** parler de.

acerola [ase'rɔla] *f* acerola *f (cerise)*.

acertar [asex'ta(x)] ◇ *vt* [relógio] mettre à l'heure. ◇ *vi* [em alvo] viser juste ; [em resposta] trouver.

acervo [a'sexvu] *m* fonds *m (de musée)*.

aceso, sa [a'sezu, za] ◇ *pp* ► **acender**. ◇ *adj* [luz, lume] allumé(e) ; [discussão] enflammé(e).

acessível [ase'sivɛw] (*pl* -eis) *adj* accessible ; [preço] abordable.

acesso [a'sɛsu] *m* [a local, de raiva] accès *m* ; [de histeria] crise *f* ; **de fácil acesso** facile d'accès.

acessório [ase'sɔrju] *m* accessoire *m (de mode, de voiture)*.

acetona [ase'tona] *f* dissolvant *m*.

achado [a'ʃadu] *m* [descoberta] trouvaille *f* ; [pechincha] (bonne) affaire *f*.

achar [a'ʃa(x)] *vt* [coisa, pessoa perdida] retrouver ; [descobrir] trouver ; **achar que** penser que ; **acho que não** je ne crois pas ; **acho que sim** oui, je crois.

acidentado, da [asidẽn'tadu, da] *adj* [terreno] accidenté(e) ; [viagem, férias] mouvementé(e).

acidental [asidẽn'taw] (*pl* -ais) *adj* accidentel(elle) ; [encontro, descoberta] fortuit(e).

acidentalmente [asi'dẽntaw'mẽntʃi] *adv* par accident.

acidente [asi'dẽntʃi] *m* accident *m*.

acidez [asi'deʒ] *f* acidité *f*.

ácido, da ['asidu, da] ◇ *adj* acide. ◇ *m* acide *m* ; **ácido cítrico** acide citrique ; **ácido sulfúrico** acide sulfurique.

acima [a'sima] *adv* au-dessus ; **mais acima** plus haut ; **acima de** [em espaço] au-dessus de ; [em hierarquia] au-dessus de ; **acima de tudo** par-dessus tout.

acionar [asjo'na(x)] *vt* actionner.

acionista [asjo'niʃta] *mf* actionnaire *mf*.

acne ['akni] *f* acné *f*.

aço ['asu] *m* acier *m* ; **aço inoxidável** acier inoxydable.

acocorar-se [akoko'raxsi] *vp* s'accroupir.

ações [a'sõjʃ] ► **ação**.

acolhimento [akoʎi'mẽntu] *m* accueil *m (hospitalité)*.

acompanhamento [akõmpaɲa'mẽntu] *m* [de evolução, situação] suivi *m* ; [de prato] garniture *f* ; MÚS accompagnement *m*.

acompanhante [akõmpa'ɲãntʃi] *mf* [parceiro] compagnon *m*, compagne *f* ; [de grupo] accompagnateur *m*, -trice *f*.

acompanhar [akõmpa'ɲa(x)] *vt* accompagner ; [programa, situação] suivre.

aconchegante [akõʃe'gãntʃi] *adj* réconfortant(e).

aconselhar [akõse'ʎa(x)] *vt* conseiller. ◆ **aconselhar-se** *vp* demander conseil.

aconselhável [akõse'ʎavɛw] (*pl* -eis) *adj* conseillé(e) ; **é pouco aconselhável** il est déconseillé de.

acontecer [akõnte'se(x)] *vi* arriver ; [acidente] se produire ; **o que é que te aconteceu?** que t'est-il arrivé ? ; **acontece que** il se trouve que ; **aconteça o que acontecer** quoi qu'il arrive.

acontecimento [akõntesi'mẽntu] *m* événement *m*.

acordar [akox'da(x)] ◇ *vt* réveiller. ◇ *vi* se réveiller.

acorde [a'kɔxdʒi] *m* MÚS accord *m*.

acordeão [akox'dʒjãw] (*pl* -ões) *m* accordéon *m*.

acordo [a'koxdu] *m* accord *m* ; **de acordo!** d'accord ! ; **de acordo com** d'après ; **estar de acordo com** être d'accord avec.

Açores [a'soriʃ] *mpl* : **os Açores** les Açores *fpl*.

açoriano, **na** [a'soriʃanu, na] ◇ *adj* des Açores. ◇ *m, f* Açorien *m*, -enne *f*.

acorrentar [akoxẽn'ta(x)] *vt* enchaîner.

acostamento [akoʃta'mẽntu] *m* bas-côté *m*.

acostumado, **da** [akoʃtu'madu, da] *adj* : **estar acostumado a algo** être habitué à qqch.

acostumar-se [akoʃtu'maxsi] *vp* s'habituer ; **acostumar-se com algo** s'habituer à qqch ; **acostumar-se a fazer algo** s'habituer à faire qqch.

açougue [a'sogi] *m* boucherie *f*.

açougueiro, **ra** [aso'gejru, ra] *m, f* boucher *m*, -ère *f*.

acre ['akri] *adj* âcre.

acreditar [akredʒi'ta(x)] *vi* croire ; **acreditar em Deus** croire en Dieu ; **acreditar em Papai Noel** croire au Père Noël.

acrescentar [akresẽn'ta(x)] *vt* ajouter.

acréscimo [a'kresimu] *m* [aumento] ajout *m* ; [no preço] augmentation *f*.

acrílica [a'krilika] *adj f* ➤ **fibra**.

acrobata [akro'bata] *mf* acrobate *mf*.

açúcar [a'suka(x)] *m* sucre *m* ; **açúcar amarelo** sucre roux ; **açúcar branco** sucre blanc ; **açúcar em cubos** sucre en morceaux ; **açúcar mascavo** cassonade *f* ; **açúcar em pó** sucre glace.

açucareiro [asuka'rejru] *m* sucrier *m*.

acumulação [akumula'sãw] (*pl* -ões) *f* accumulation *f*.

acumular [akumu'la(x)] *vt* accumuler.

acupuntura [akupũn'tura] *f* acuponcture *f*.

acusação [akuza'sãw] (*pl* -ões) *f* accusation *f*.

acusar [aku'za(x)] *vt* accuser.

A.D. (*abrev de* **Anno Domini**) AD.

adaptação [adapta'sãw] (*pl* -ões) *f* adaptation *f*.

adaptado, **da** [adap'tadu, da] *adj* adapté(e).

adaptador [adapta'do(x)] (*pl* -es) *m* adaptateur *m* ; **adaptador de rede** INFORM adaptateur de réseau.

adaptar [adap'ta(x)] *vt* adapter. ◆ **adaptar-se** *vp* : **adaptar-se a** s'adapter à.

adega [a'dɛga] *f* cave *f*.

adepto, **ta** [a'dɛptu, ta] *m, f* supporter *m*.

adequado, **da** [ade'kwadu, da] *adj* adéquat(e).

adereço [ade'resu] *m* accessoire *m (de théâtre)*.

aderente [ade'rẽntʃi] ◇ *adj* adhésif(ive). ◇ *mf* adhérent *m*, -e *f*.

aderir [ade'ri(x)] *vi* adhérer ; **aderir a algo** adhérer à qqch.

adesão [ade'zɑ̃w] (*pl* -ões) *f fig* adhésion *f*.

adesivo, **va** [ade'zivu, va] ◇ *adj* adhésif(ive). ◇ *m* adhésif *m*.

adesões ► **adesão**.

adeus [a'dewʃ] ◇ *m* adieu *m*. ◇ *interj* au revoir ! ; [para sempre] adieu ! ; **dizer adeus** dire au revoir ; [para sempre] dire adieu.

adiamento [adʒja'mẽntu] *m* report *m (de réunion)*.

adiantado, **da** [adʒjɑ̃n'tadu, da] ◇ *adj* avancé(e). ◇ *adv* : **chegar adiantado** être en avance ; **estar adiantado** avancer ; **pagar adiantado** payer d'avance.

adiantar [adʒjɑ̃n'ta(x)] *vt* & *v impess* avancer ; **de que adianta...?** à quoi bon... ? ; **não adianta nada!** ça n'avance à rien ! ◆ **adiantar-se** *vp* s'avancer.

adiante [a'dʒjɑ̃ntʃi] ◇ *adv* devant. ◇ *interj* en avant ! ; **mais adiante** plus loin ; **passar adiante** passer à autre chose ; **e por aí adiante** et ainsi de suite.

adiar [adʒi'a(x)] *vt* reporter *(une réunion)*.

adição [adʒi'sɑ̃w] (*pl* -ões) *f* addition *f (somme)*.

adicionar [adʒisjo'na(x)] *vt* [acrescentar] ajouter ; [somar] additionner.

adições ► **adição**.

adivinha [adʒi'viɲa] *f* devinette *f*.

adivinhar [adʒivi'ɲa(x)] *vt* [decifrar] deviner ; [futuro] prédire.

adjetivo [adʒɛ'tʃivu] *m* adjectif *m*.

adjunto, **ta** [ad'ʒũntu, ta] *adj* & *m, f* adjoint(e).

administração [adʒiminiʃtra'sɑ̃w] *f* administration *f*.

administrador, **ra** [adʒiminiʃtra'do(x), ra] (*mpl* -es, *fpl* -s) *m, f* administrateur *m*, -trice *f*.

administrar [adʒiminiʃ'tra(x)] *vt* [empresa, negócio] gérer ; [injeção, curativo] administrer.

admiração [adʒimira'sɑ̃w] *f* [espanto] étonnement *m* ; [respeito, estima] admiration *f*.

admirador, **ra** [adʒimira'do(x), ra] (*mpl* -es, *fpl* -s) *m, f* admirateur *m*, -trice *f*.

admirar [adʒimi'ra(x)] *vt* [contemplar] admirer ; [espantar] étonner. ◆ **admirar-se** *vp* s'étonner.

admirável [adʒimi'ravɛw] (*pl* -eis) *adj* admirable.

admissão [adʒimi'sɑ̃w] (*pl* -ões) *f* admission *f*.

admitir [adʒimi'tʃi(x)] *vt* admettre.

adoçante [ado'sɑ̃ntʃi] *m* édulcorant *m*.

adoção [ado'sɑ̃w] (*pl* -ões) *f* adoption *f*.

adoçar [ado'sa(x)] *vt* sucrer.

adoecer [adoe'se(x)] *vi* tomber malade.

adolescência [adole'sẽsja] *f* adolescence *f*.

adolescente [adole'sẽntʃi] *mf* adolescent *m*, -e *f*.

adorar [ado'ra(x)] *vt* adorer.

adorável [ado'ravɛw] (*pl* -eis) *adj* adorable.

adormecer [adoxme'se(x)] ◇ *vt* endormir. ◇ *vi* s'endormir.

adornar [adox'na(x)] *vt* orner.

adotado, da [ado'tadu, da] *adj* adopté(e).

adotar [ado'ta(x)] *vt* adopter.

adquirir [adʒiki'ri(x)] *vt* acquérir.

adrenalina [adrena'lina] *f* adrénaline *f*.

adulterar [aduw'tera(x)] *vt* altérer.

adultério [aduw'tɛrju] *m* adultère *m*.

adulto, ta [a'duwtu, ta] *adj* & *m, f* adulte.

advérbio [ad'vɛxbju] *m* adverbe *m*.

adversário, ria [adʒivex'sarju, rja] ◇ *adj* adverse. ◇ *m, f* adversaire *mf*.

advertência [adʒivex'tẽsja] *f* avertissement *m*.

advogado, da [adʒivo'gadu, da] *m, f* avocat *m*, -e *f*.

a-e-i-o-u [aɛiɔu] *m* : **aprender o a-e-i-o-u** [as vogais] apprendre les voyelles ; [o essencial de algo] apprendre le B.A.-Ba.

aéreo, rea [a'erju, rja] *adj* aérien(enne) ; *fig* [distraído] tête en l'air.

aerobarco [aɛro'baxku] *m* hovercraft *m*.

aerodinâmico, ca [aerodʒi'nɑ̃miku, ka] *adj* aérodynamique.

aeródromo [aɛ'rɔdromu] *m* aérodrome *m*.

aerograma [aɛro'grama] *m* aérogramme *m*.

aeromoça [aero'mosa] *f* hôtesse *f* de l'air.

aeromodelismo [aero'mode'liʒmu] *m* aéromodélisme *m*.

aeronáutica [aero'nawtʃika] *f* aéronautique *f* ; [força aérea] armée *f* de l'air.

aeroporto [aero'poxtu] *m* aéroport *m*.

aerossol [aero'sɔw] (*pl* -óis) *m* aérosol *m*.

afagar [afa'ga(x)] *vt* caresser.

afastado, da [afaʃ'tadu, da] *adj* [parente, lugar] éloigné(e) ; [suspeita] écarté(e) ; [aldeia] reculé(e).

afastar [afaʃ'ta(x)] *vt* [desviar] écarter ; [apartar] éloigner. ◆ **afastar-se** *vp* [desviar-se] s'écarter ; [distanciar-se] s'éloigner ; **afastar-se de** s'éloigner de.

afável [a'favɛw] (*pl* -eis) *adj* [pessoa] charmant(e) ; [animal] doux(douce).

afeição [afej'sɑ̃w] *f* affection *f* ; [inclinação] goût *m* ; **ter afeição por algo** aimer bien qqch.

afetar [afe'ta(x)] *vt* affecter.

afetivo, va [afe'tʃivu, va] *adj* [pessoa] affectueux(euse) ; [problemas, vida] affectif(ive).

afeto [a'fɛtu] *m* affection *f*.

afetuoso, osa [afe'tuozu, ɔza] *adj* affectueux(euse).

afiado, da [a'fjadu, da] *adj* aiguisé(e).

afiambrado [afjam'bradu, da] *m sorte de mortadelle*.

afiar [afi'a(x)] *vt* [faca] aiguiser ; [lápis] tailler.

aficionado, da [afisjo'nadu, da] *m, f* aficionado *m*.

afilhado, da [afi'ʎadu, da] *m, f* filleul *m*, -e *f*.

afim [a'fĩ] (*pl* -ns) ◇ *adj* [gostos] commun(e) ; [idéias] voisin(e) ; [produtos] similaire. ◇ *m* parent *m* par alliance.

afinado, da [afi'nadu, da] *adj* [instrumento musical] accordé(e).

afinal [afi'naw] *adv* finalement ; **afinal de contas** en fin de compte.

afinar [afi'na(x)] *vt* [instrumento musical] accorder.

afinidade [afini'dadʒi] *f* affinité *f* ; JUR parenté *f* par alliance.

afins [a'fĩʃ] ► **afim**.

afirmação [afixma'sãw] (*pl* -ões) *f* affirmation *f*.

afirmar [afix'ma(x)] *vt* affirmer.

afirmativo, **va** [afixma'tʃivu, va] *adj* affirmatif(ive).

afixar [afik'sa(x)] *vt* [cartaz, aviso] afficher.

aflição [afli'sãw] (*pl* -ões) *f* peine *f*.

afligir [afli'ʒi(x)] *vt* [suj: doença, dor] affliger ; [suj: perigo] affoler. ◆ **afligir-se** *vp* s'affoler ; **afligir-se com** être affligé par.

aflito, **ta** [a'flitu, ta] *pp* ► **afligir**.

aflorar [aflo'ra(x)] ◇ *vt* [assunto, tema] effleurer. ◇ *vi* affleurer.

afluência [aflu'ẽsja] *f* affluence *f*.

afluente [aflu'ẽntʃi] *m* affluent *m*.

afobado, **da** [afo'badu, da] *adj* [apressado] pressé(e) ; [atrapalhado] affolé(e) ; [cansado] fatigué(e).

afogado, **da** [afo'gadu, da] *adj* & *m, f* noyé(e).

afogador [afoga'do(x)] (*pl* -es) *m* starter *m*.

afogamento [afoga'mẽntu] *m* noyade *f*.

afogar [afo'ga(x)] *vt* noyer. ◆ **afogar-se** *vp* se noyer.

afônico, **ca** [a'foniku, ka] *adj* aphone.

afortunado, **da** [afoxtu'nadu, da] *adj* : **ele é uma pessoa afortunada** il a de la chance.

afresco [a'freʃku] *m* fresque *f*.

África ['afrika] *f* : **a África** l'Afrique *f* ; **a África do Sul** l'Afrique du Sud.

africano, **na** [afri'kanu, na] ◇ *adj* africain(e). ◇ *m, f* Africain *m*, -e *f*.

afro-brasileiro, **ra** [ˌafrobrazi'lejru, ra] ◇ *adj* afro-brésilien(enne). ◇ *m, f* Afro-Brésilien *m*, -enne *f*.

afronta [a'frõnta] *f* affront *m*.

afrouxar [afro'ʃa(x)] *vt* [cinto, parafuso] desserrer.

afta ['afta] *f* aphte *m*.

afugentar [afugẽn'ta(x)] *vt* faire fuir.

afundar [afũn'da(x)] *vt* couler. ◆ **afundar-se** *vp* couler.

agachar-se [aga'ʃaxsi] *vp* se baisser.

agarrar [aga'xa(x)] *vt* attraper ; [segurar] tenir. ◆ **agarrar-se** *vp* : **agarrar-se a** [segurar-se a] s'accrocher à, se tenir à ; [pegar-se a] attacher à ; [dedicar-se a] se consacrer à.

agasalhar-se [agaza'ʎaxsi] *vp* se couvrir.

agasalho [aga'zaʎu] *m* [peça de roupa] vêtement *m* chaud.

ágeis ['aʒejʃ] ► **ágil**.

agência [a'ʒẽsja] *f* agence *f* ; **agência bancária** agence bancaire ; **agência de câmbio** bureau *m* de change ; **agência de correios** bureau *m* de poste ; **agência funerária** pompes *fpl* funèbres ; **agência imobiliária** agence immobiliaire ; **agência de viagens** agence de voyages.

agenda [a'ʒẽnda] *f* [livro] agenda *m* ; [plano de reunião] ordre *m* du jour.

agente [a'ʒẽntʃi] *mf* [de polícia] agent *m* ; [de vendas] commercial *m*, -e *f* ; **agente funerário** croque-mort *m* ; **agente secreto** [espião] agent secret.

ágil ['aʒiw] (*pl* **ágeis**) *adj* agile.

agilidade [aʒili'dadʒi] *f* agilité *f*.

ágio ['aʒju] *m* agio *m*.

agir [a'ʒi(x)] *vi* agir.

agitação [aʒita'sãw] *f* agitation *f*.

agitado, **da** [aʒi'tadu, da] *adj* agité(e).

agitar [aʒi'ta(x)] *vt* [líquido] agiter ; **'agitar antes de abrir'** 'agiter avant d'ouvrir'. ◆ **agitar-se** *vp* s'agiter.

aglomeração [aglomera'sãw] (*pl* -ões) *f* [de pessoas] attroupement *m* ; [de detritos] amas *m*.

aglomerar [aglome'ra(x)] *vt* rassembler.

agonia [ago'nia] *f* [angústia] angoisse *f* ; [náusea] nausée *f* ; [antes da morte] agonie *f*.

agora [a'gɔra] *adv* maintenant ; **venha aqui agora mesmo!** viens ici tout de suite ! ; **ele saiu agora mesmo** il est sorti à l'instant ; **agora que** maintenant que ; **essa agora!** ça alors ! ; **por agora** pour le moment ; **só agora reparei que...** je viens de m'apercevoir que... ; **só agora!** ce n'est pas trop tôt ! ; **é agora ou nunca** c'est maintenant ou jamais.

agosto [a'goʃtu] *m* août *m*, ► **setembro**.

agradar [agra'da(x)] *vi* : **agradar a alguém** plaire à qqn.

agradável [agra'davɛw] (*pl* -eis) *adj* agréable.

agradecer [agrade'se(x)] *vt* & *vi* remercier ; **agradecer algo a alguém, agradecer a alguém por algo** remercier qqn de qqch.

agradecido, **da** [agrade'sidu, da] *adj* reconnaissant(e) ; **mal-agradecido** ingrat ; **muito agradecido!** merci beaucoup !

agradecimento [agradesi'mẽntu] *m* remerciement *m*.

agravante [agra'vãntʃi] ◇ *adj* aggravant(e). ◇ *m* & *f* circonstance *f* aggravante.

agravar [agra'va(x)] *vt* aggraver.

agredir [agre'dʒi(x)] *vt* agresser.

agressão [agre'sãw] (*pl* -ões) *f* agression *f*.

agressivo, **va** [agre'sivu, va] *adj* agressif(ive).

agressões ► **agressão**.

agreste [a'grɛʃtʃi] *adj* [paisagem] champêtre ; [tempo] rigoureux(euse).

agrião [agri'ãw] (*pl* -ões) *m* cresson *m*.

agrícola [a'grikola] *adj* agricole.

agricultor, **ra** [agrikuw'to(x), ra] (*mpl* -es, *fpl* -s) *m, f* agriculteur *m*, -trice *f*.

agricultura [agrikuw'tura] *f* agriculture *f*.

agridoce [agri'dosi] *adj* aigre-doux.

agriões ► **agrião**.

agronomia [agrono'mia] *f* agronomie *f*.

agrupar [agru'pa(x)] *vt* grouper.

água ['agwa] *f* eau *f* ; **água benta** eau bénite ; **água corrente** eau courante ; **água destilada** eau distillée ; **água mineral** eau minérale ; **água mineral com gás** OU **gaseificada** eau gazeuse ; **água mineral sem gás** eau plate ; **água oxigenada** eau oxygénée ; **água potável** eau potable ; **água sanitária** eau de Javel ; **água tônica** Schweppes® *m* ; **de dar água na boca** qui met l'eau à la bouche.

aguaceiro [agwa'sejru] *m* averse *f*.

água-de-colônia [ˌagwadʒiko'lonja] *f* eau *f* de Cologne.

aguado, **da** [a'gwadu, da] *adj* coupé(e) *(avec de l'eau)*.

aguardar [agwar'da(x)] *vt* attendre.

aguardente [agwax'dẽntʃi] *f* eau-de-vie *f* ; **aguardente de cana** eau-de-vie de canne à sucre ; **aguardente de pêra** eau-de-vie de poire ; **aguardente velha** vieille eau-de-vie.

aguarrás [agwa'xaʃ] *f* white-spirit *m*.

água-viva [ˌagwa'viva] (*pl* **águas-vivas**) *f* marée *f* de vive eau.

aguçado, **da** [agu'sadu, da] *adj* aiguisé(e).

aguçar [agu'sa(x)] *vt* aiguiser.

agudo, **da** [a'gudu, da] *adj* aigu(ë).

agüentar [agwẽn'ta(x)] *vt* [dor, sofrimento] supporter ; [desgaste] résister à ; *fig* [suportar] endurer ; **já não agüento mais!** je n'en peux plus !

águia ['agja] *f* aigle *m*.

agulha [a'guʎa] *f* aiguille *f* ; [de tricô] aiguille *f* à tricoter.

agulheta [agu'ʎeta] *f* lance *f (de tuyau d'arrosage)*.

ai [aj] *interj* aïe !

aí [a'i] *adv* là ; [então] à ce moment-là ; **por aí** par là ; **anda por aí alguém que...** il y a quelqu'un qui...

AIDS [ajdʒs] *f* SIDA *m*.

ainda [a'ĩnda] *adv* encore ; **ainda agora** à peine ; **ainda assim não compreendo** je ne comprends toujours pas ; **ainda bem** tant mieux ; **ainda bem que** heureusement que ; **ainda não** pas encore ; **ainda por cima** en plus ; **ainda que** bien que.

aipim [aj'pĩ] (*pl* -ns) *m* manioc *m*.

aipo ['ajpu] *m* céleri *m*.

ajeitar [aʒej'ta(x)] *vt* arranger. ◆ **ajeitar-se** *vp* [acomodar-se] s'installer ; **ajeitar-se com algo** [saber lidar com] se faire à qqch.

ajoelhar-se [aʒwe'ʎaxsi] *vp* s'agenouiller.

ajuda [a'ʒuda] *f* aide *f* ; **pedir ajuda** demander de l'aide ; **ajuda recíproca** entraide *f*.

ajudante [aʒu'dɑ̃ntʃi] *mf* assistant *m*, -e *f*.

ajudar [aʒu'da(x)] *vt* [auxiliar] aider ; [socorrer] porter secours à.

ajuste [a'ʒuʃtʃi] *m* : **ajuste de contas** règlement *m* de compte(s).

Al. (*abrev de* **alameda**) av.

ala ['ala] *f* [fileira] rangée *f* ; [de edifício] aile *f*.

alambique [alɑ̃n'biki] *m* alambic *m*.

alameda [ala'meda] *f* allée *f*.

alargar [alax'ga(x)] *vt* [em espaço] élargir ; [em tempo] prolonger ; *fig* [expandir] agrandir.

alarido [ala'ridu] *m* vacarme *m*.

alarmante [alax'mɑ̃ntʃi] *adj* alarmant(e).

alarme [a'laxmi] *m* alarme *f* ; [susto] frayeur *f* ; **falso alarme, alarme falso** fausse alerte *f*.

alastrar [alaʃ'tra(x)] *vt* répandre. ◆ **alastrar-se** *vp* s'étendre.

alavanca [ala'vɑ̃ŋka] *f* levier *m*.

albergue [aw'bɛxgi] *m* auberge *f*.

álbum ['awbũ] (*pl* -ns) *m* album *m*.

alça ['awsa] *f* [de vestido, combinação] bretelle *f* ; [de bolsa, arma] bandoulière *f*.

alcachofra [awka'ʃofra] *f* artichaut *m*.

alcançar [awkɑ̃'sa(x)] *vt* atteindre ; [apanhar] attraper ; [obter] obtenir ; [compreender] saisir.

alcance [aw'kɑ̃si] *m* portée *f* ; **ao alcance de** à la portée de ; **fora do alcance de** hors de la portée de.

alçapão [awsa'pɑ̃w] (*pl* -ões) *m* trappe *f*.

alcaparras [awka'paxaʃ] *fpl* câpres *fpl*.

alçapões ► **alçapão**.

alcatéia [awka'tɛja] *f* bande *f*.

alcatra [aw'katra] *f* culotte *f*.

alcatrão [awka'trɑ̃w] *m* goudron *m*.

álcool ['awk(w)ɔw] *m* alcool *m* ; **álcool etílico** alcool à 90°.

alcoólatra [aw'kɔlatra] *mf* alcoolique *mf*.

alcoólico, ca [aw'kwɔliku, ka] *adj* & *m, f* alcoolique.

Alcorão [awko'rɑ̃w] *m* Coran *m*.

alcunha [aw'kuɲa] *f* surnom *m*.

aldeia [aw'deja] *f* village *m*.

alecrim [ale'krĩ] *m* romarin *m*.

alegação [alega'sɑ̃w] (*pl* -ões) *f* allégation *f* ; [prova] affirmation *f*.

alegar [ale'ga(x)] *vt* alléguer ; JUR citer.

alegoria [alego'ria] *f* allégorie *f*.

alegórico [ale'gɔriku] *adj m* ► carro.

alegrar [ale'gra(x)] *vt* [pessoa] réjouir ; [ambiente, casa, festa] égayer. ◆ **alegrar-se** *vp* se réjouir.

alegre [a'lɛgri] *adj* joyeux(euse) ; [roupa, cor] gai(e) ; *fig* [bêbado] éméché(e).

alegria [ale'gria] *f* joie *f*.

aleijado, **da** [alej'ʒadu, da] *adj* blessé(e).

aleijar [alej'ʒa(x)] *vt* blesser. ◆ **aleijar-se** *vp* se blesser.

além [a'lẽj] ◇ *adv* là-bas. ◇ *m* : **o além** l'au-delà *m* ; **além disso** en plus ; **mais além** plus loin.

alemã ► **alemão**.

alemães ► **alemão**.

Alemanha [ale'maɲa] *f* : **a Alemanha** l'Allemagne *f*.

alemão, **ã** [ale'mɑ̃w, mɑ̃] (*mpl* -ães, *fpl* -s) ◇ *adj* allemand(e). ◇ *m, f* Allemand *m*, -e *f*. ◇ *m* [língua] allemand *m*.

além-mar [alẽj'mar] *adv* & *m* outre-mer.

alergia [alex'ʒia] *f* allergie *f*.

alérgico, **ca** [a'lɛxʒiku, ka] *adj* allergique.

alerta [a'lɛxta] ◇ *adv* sur ses gardes. ◇ *m* alerte *f*.

aletria [ale'tria] *f* vermicelle *m*.

alfabético, **ca** [awfa'bɛtʃiku, ka] *adj* alphabétique.

alfabeto [awfa'bɛtu] *m* alphabet *m*.

alface [aw'fasi] *f* laitue *f*.

alfaiate [awfa'jatʃi] *m* tailleur *m*.

alfândega [aw'fɑ̃ndega] *f* douane *f*.

alfazema [awfa'zema] *f* lavande *f*.

alfinete [awfi'netʃi] *m* [de costura] épingle *f* ; [jóia] broche *f* ; **alfinete de gravata** épingle à cravate.

alga ['awga] *f* algue *f*.

algarismo [awga'riʒmu] *m* chiffre *m*.

algazarra [awga'zaxa] *f* hurlements *mpl*.

álgebra ['awʒebra] *f* algèbre *f*.

algemas [aw'ʒemaʃ] *fpl* menottes *fpl*.

algibeira [awʒi'bejra] *f* poche *f*.

algo ['awgu] *pron* quelque chose.

algodão [awgo'dɑ̃w] *m* coton *m* ; **algodão-doce** barbe *f* à papa.

alguém [aw'gẽj] *pron* quelqu'un ; **ser alguém** être quelqu'un.

algum, **ma** [aw'gũ, ma] (*mpl* -ns, *fpl* -s) ◇ *adj* [ger] un(une), quelque ; [em negativas] aucun(aucune). ◇ *pron* [indicando pessoa] quelqu'un ; [indicando coisa] quelque ; [em interrogativas] [indicando pessoa] quelqu'un ; [indicando coisa] : **você quer algum/alguns?** tu en veux un/quelques-uns ? ; **algum dia** un jour ; **algumas vezes** quelquefois ; **em alguns casos** dans certains cas ; **você tem algum problema?** tu as un problème ? ; **alguns não vieram** certains ne sont pas venus ; **alguma coisa** quelque chose ; **alguma vez você há de se enganar** tu finiras par te tromper ; **não há melhora alguma** il n'y a aucune amélioration. ◆ **alguma** *f* [evento, feito] quelque chose.

algures [aw'gureʃ] *adv* quelque part.

alheio, **alheia** [a'ʎeju, a'ʎeja] *adj* [de outrem] d'autrui ; [desconhecido] étranger(ère) ; [distraído] distrait(e).

alheira [aw'ʎejra] *f saucisse à l'ail*.

alho ['aʎu] *m* ail *m*.

alho-poró [aʎupo'rɔ] (*pl* **alhos-porós**) *m* poireau *m*.

ali [a'li] *adv* là, là-bas ; **ele nasceu ali**

c'est là qu'il est né ; **ali ao fundo** là-bas au fond ; **aqui e ali** çà et là ; **até ali** jusque là ; **logo ali** à cet endroit là ; **por ali** par là.

aliado, **da** [a'ljadu, da] *adj* & *m, f* allié(e).

aliança [a'ljɐ̃sa] *f* alliance *f*.

aliar [ali'a(x)] *vt* allier. ◆ **aliar-se** *vp* s'allier.

aliás [a'ljajʃ] *adv* d'ailleurs.

álibi ['alibi] *m* alibi *m*.

alicate [ali'katʃi] *m* pince *f (outil)* ; **alicate de unhas** coupe-ongles *m inv*.

alicerce [ali'sɛxsi] *m* fondations *fpl*.

aliche [ali'ʃe] *f* anchois *m*.

aliciante [ali'sjɐ̃nte] *adj* alléchant(e).

aliciar [alisi'a(x)] *vt* allécher.

alienado, **da** [alje'nadu, da] *adj* aliéné(e).

alimentação [alimẽnta'sɐ̃w] *f* alimentation *f*.

alimentar [alimẽn'ta(x)] (*pl* -es) ◇ *adj* alimentaire. ◇ *vt* [pessoa, animal] nourrir ; [máquina] alimenter. ◆ **alimentar-se** *vp* se nourrir, s'alimenter.

alimentício, **cia** [alimẽn'tʃisju, sja] *adj* nourrissant(e) ; [massas, gêneros] alimentaire.

alimento [ali'mẽntu] *m* [comida] aliment *m* ; [nutrição] nourriture *f*.

alinhado, **da** [ali'ɲadu, da] *adj* [em linha] aligné(e) ; [sério] rangé(e).

alinhamento [aliɲa'mẽntu] *m* INFORM alignement *m*.

alinhar [ali'ɲa(x)] *vt* aligner.

alinhavar [aliɲa'va(x)] *vt* faufiler.

alisar [ali'za(x)] *vt* lisser.

alistar [aliʃ'ta(x)] *vt* enrôler. ◆ **alistar-se** *vp* [em exército] s'engager ; [em partido] entrer.

aliviar [alivi'a(x)] *vt* [peso] alléger ; [dor] soulager.

alívio [a'livju] *m* allègement *m* ; [de dor, preocupação] soulagement *m*.

alma ['awma] *f* âme *f*.

almoçar [awmo'sa(x)] ◇ *vi* déjeuner. ◇ *vt* prendre au déjeuner.

almoço [aw'mosu] *m* déjeuner *m*.

almofada [awmo'fada] *f* [de cama] oreiller *m* ; [de sofá] coussin *m* ; [de carimbo] tampon *m* encreur.

almôndega [aw'mõndega] *f* boulette *f (de viande)*.

alô [a'lo] *interj* [ao telefone] allô ! ; [saudação] salut !

alojamento [aloʒa'mẽntu] *m* logement *m*.

alojar [alo'ʒa(x)] *vt* loger. ◆ **alojar-se** *vp* se loger.

alpargata [aw'paxgata] *f* espadrille *f*.

alpendre [aw'pẽndri] *m* [telheiro] auvent *m* ; [pórtico] porche *m*.

alpercata *f* espadrille *f*.

Alpes ['awpiʃ] *mpl* : **os Alpes** les Alpes *fpl*.

alpinismo [awpi'niʒmu] *m* alpinisme *m* ; **fazer alpinismo** faire de l'alpinisme.

alpinista [awpi'niʃta] *mf* alpiniste *mf*.

alta ['awta] *f* [de preço, valor] hausse *f* ; [de doença] *fin de l'arrêt maladie* ; [de cidade] ville *f* haute ; **ter alta** [de hospital] avoir l'autorisation de sortie.

altar [aw'ta(x)] (*pl* -es) *m* autel *m*.

alteração [awtera'sɐ̃w] (*pl* -ões) *f* changement *m* ; **sem alteração** inchangé.

alterar [awte'ra(x)] *vt* modifier, changer.

alternar [awtex'na(x)] *vt* alterner.

alternativa [awtexna'tʃiva] *f* alternative *f*.

altitude [awtʃi'tudʒi] *f* altitude *f*.

altivez [awtʃi'veʒ] *f* suffisance *f*.

altivo, **va** [aw'tʃivu, va] *adj* hautain(e).

alto, **ta** ['awtu, ta] ◇ *adj* [pessoa] grand(e) ; [objeto, qualidade] haut(e) ; [preço] élevé(e) ; [som, voz] fort(e). ◇ *m* haut *m*. ◇ *adv* fort ; [relativo a posição] haut. ◇ *interj* halte ! ; **alta costura** haute couture ; **ao alto** debout ; **do alto de** du haut de ; **por alto** en diagonale.

alto-falante ['awtofa'lɑ̃tʃi] *m* haut-parleur *m*.

altura [aw'tura] *f* hauteur *f* ; [de pessoa] taille *f* ; [de som] puissance *f* ; [ocasião, momento] moment *m* ; [época] époque *f* ; **ter um metro de altura** mesurer un mètre de haut ; **a certa** OU **dada altura** à un moment donné ; **nessa altura** à l'époque ; **estar à altura de** être à la hauteur de.

alucinação [alusina'sɑ̃w] (*pl* -ões) *f* hallucination *f*.

alucinante [alusi'nɑ̃ntʃi] *adj* hallucinant(e).

aludir [alu'di(x)] ◆ **aludir a** *v + prep* faire allusion à, évoquer.

alugar [alu'ga(x)] *vt* louer. ◆ **alugar-se** *vp* : **'aluga-se'** 'à louer' ; **'alugam-se quartos'** 'chambres à louer'.

aluguel [alu'gɛw] (*pl* -éis) *m* loyer *m*.

aluir [a'lwi(x)] *vi* s'écrouler.

alumiar [alu'mja(x)] *vt* éclairer.

alumínio [alu'minju] *m* aluminium *m*.

aluno, **na** [a'lunu, na] *m, f* élève *mf*.

alusão [alu'zɑ̃w] (*pl* -ões) *f* allusion *m* ; **fazer alusão a** faire allusion à.

alvejar [awve'ʒa(x)] *vt* viser ; [atirar] tirer.

alvo ['awvu] *m* cible *f*.

alvorada [awvo'rada] *f* aube *f*.

alvoroço [awvo'rosu] *m* [gritaria] vacarme *m* ; [excitação] agitation *f*.

amabilidade [amabili'dadʒi] *f* amabilité *f*.

amaciante [ama'sjɑ̃ntʃi] *m* assouplissant *m*, assouplisseur *m*.

amador, **ra** [ama'do(x), ra] (*mpl* -es, *fpl* -s) *adj* & *m, f* amateur.

amadurecer [amadure'se(x)] *vi* mûrir.

âmago ['ɑ̃magu] *m* cœur *m (du problème)*.

amainar [amaj'na(x)] ◇ *vt* amener *(voile)*. ◇ *vi* se calmer *(tempête)*.

amaldiçoar [amawdi'swa(x)] *vt* maudire.

amálgama [a'mawgama] *f fig* mélange *m*.

amalgamar [amawga'ma(x)] *vt* mélanger.

amamentar [amamẽn'ta(x)] *vt* allaiter.

amanhã [ama'ɲɑ̃] ◇ *adv* demain. ◇ *m* : **o amanhã** l'avenir *m*.

amanhecer [amaɲe'se(x)] ◇ *m* lever *m* du jour. ◇ *v impess* : **amanhece** le jour se lève.

amansar [amɑ̃'sa(x)] *vt* dompter.

amante [a'mɑ̃ntʃi] ◇ *mf* amant *m*, maîtresse *f*. ◇ *adj* : **amante de** amateur de.

amanteigado, **da** [amɑ̃ntej'gadu, da] *adj* [queijo] fait(e) ; [molho] au beurre.

amar [a'ma(x)] *vt* aimer.

amarelado, **da** [amare'ladu, da] *adj* jaunâtre.

amarelinha [amare'liɲa] *f* marelle *f*.

amarelo, **la** [ama'rɛlu, la] ◇ *adj* jaune. ◇ *m* jaune *m*.

amargar [amax'ga(x)] *vi* avoir un goût amer.

amargo, **ga** [a'maxgu, ga] *adj* amer(ère).

amarrar [ama'xa(x)] *vt* [barco] amarrer ; [pessoa, animal] s'attacher.

amarrotado, **da** [amaxo'tadu, da] *adj* froissé(e).

amarrotar [amaxo'ta(x)] *vt* froisser.

amassar [ama'sa(x)] *vt* [farinha, pão] pétrir ; [cimento] malaxer ; [carro] cabosser.

amável [a'mavɛw] (*pl* -eis) *adj* aimable.

Amazonas [ama'zonaʃ] *m* : **o Amazonas** l'Amazone *m*.

Amazônia [ama'zonja] *f* : **a Amazônia** l'Amazonie *f*.

âmbar ['ɑ̃mba(x)] *m* ambre *m*.

ambição [ɑ̃mbi'sɑ̃w] (*pl* -ões) *f* ambition *f*.

ambiental [ɑ̃mbjẽn'taw] (*pl* -ais) *adj* environnemental(e).

ambientalista [ɑ̃nbjẽnta'liʃta] *mf* écologiste *mf*.

ambiente [ɑ̃m'bjẽntʃi] <> *adj* ambiant(e). <> *m* [ar] atmosphère *f* ; [meio social] milieu *m* ; [atmosfera] ambiance *f*.

ambigüidade [ɑ̃mbigwi'dadʒi] *f* ambiguité *f*.

ambíguo, **gua** [ɑ̃m'bigwu, gwa] *adj* ambigu(uë).

âmbito ['ɑ̃mbitu] *m* cadre *m (limites)*.

ambos, **bas** ['ɑ̃mbuʃ, baʃ] <> *adj pl* les deux. <> *pron pl* tous les deux(toutes les deux).

ambrosia [ɑ̃nbro'zia] *f dessert à base d'oeufs melangés dans du lait sucré parfumé à la cannelle et aux clous de giroffle.*

ambulância [ɑ̃mbu'lɑ̃sja] *f* ambulance *f*.

ambulante [ɑ̃mbu'lɑ̃ntʃi] *adj* ambulant(e).

ambulatório [ɑ̃mbula'tɔrju] *m* [de hospital] service *m* de consultations externes ; [de escola, fábrica] infirmerie *f*.

ameaça [ame'asa] *f* menace *f* ; **sob ameaça** sous la menace.

ameaçar [amea'sa(x)] *vt* menacer.

amedrontar [amedrõn'ta(x)] *vt* effrayer.

amêijoa [a'mejʒwa] *f* palourde *f*.

ameixa [a'mejʃa] *f* prune *f*.

amêndoa [a'mẽndwa] *f* amande *f* ; **amêndoa amarga** amande amère.

amendoeira [amẽn'dwejra] *f* amandier *m*.

amendoim [amẽn'dwĩ] (*pl* -ns) *m* cacahuète *f* ; **amendoim torrado** cacahuète grillée.

ameno, **na** [a'menu, na] *adj* agréable.

América [a'mɛrika] *f* : **a América** l'Amérique *f* ; **a América Central** l'Amérique Centrale ; **a América do Norte** l'Amérique du Nord ; **a América du Sul** l'Amérique du Sud ; **a América Latina** l'Amérique Latine.

americano, **na** [ameri'kanu, na] <> *adj* américain(e). <> *m, f* Américain *m*, -e *f*.

ametista [ame'tʃiʃta] *f* améthyste *f*.

amianto [a'mjɑ̃ntu] *m* amiante *m*.

amido [a'midu] *m* amidon *m* ; **amido de milho** amidon de maïs.

amigável [ami'gavɛw] (*pl* -eis) *adj* amiable.

amígdalas [a'migdalaʃ] *fpl* : **as amígdalas** les amygdales *fpl*.

amigdalite [amigda'litʃi] *f* amygdalite *f*.

amigo, **ga** [a'migu, ga] <> *adj* ami(e) ; [gesto, palavra] amical(e). <> *m, f* ami *m*, -e *f*.

amistoso, **osa** [amiʃ'tozu, ɔza] *adj* amical(e).

amizade [ami'zadʒi] *f* amitié *f*.

amnésia [am'nɛzja] *f* amnésie *f*.

amolação [amola'sɑ̃w] (*pl* -ões) *f* [maçada] ennui *m (problème)*.

amolar [amo'la(x)] *vt* [afiar] aiguiser ; [aborrecer] ennuyer.

amolecer [amole'se(x)] *vt* amollir.

amoníaco [amo'niaku] *m* ammoniac *m*.

amontoar [amõn'twa(x)] *vt* [papéis] entasser ; [riquezas] amasser ; [trabalho] accumuler. ◆ **amontoar-se** *vp* [folhas] s'amonceler ; [papéis] s'entasser ; [trabalho] s'accumuler.

amor [a'mo(x)] (*pl* -es) *m* amour *m* ; **fazer amor** faire l'amour.

amora [a'mɔra] *f* mûre *f*.

amordaçar [amoxda'sa(x)] *vt* bâillonner.

amoroso, **osa** [amo'rozu, ɔza] *adj* [carinhoso] attachant(e) ; [ligação, conquista] amoureux(euse).

amor-perfeito [aˌmoxpex'fejtu] (*pl* **amores-perfeitos**) *m* [flor] pensée *f*.

amor-próprio [aˌmox'prɔpriu] *m* amour-propre *m*.

amortecedor [amoxtese'do(x)] (*pl* -es) *m* amortisseur *m*.

amortização [amoxtiza'sɑ̃w] (*pl* -ões) *f* amortissement *m (en économie)*.

amortizar [amoxti'za(x)] *vt* amortir *(en économie)*.

amostra [a'mɔʃtra] *f* [de produto] échantillon *m* ; [prova] preuve *f* ; **amostra grátis** échantillon gratuit.

amparar [ɑ̃mpa'ra(x)] *vt* [ao cair] retenir ; [numa desgraça] soutenir ; [os pobres] aider.

amparo [ɑ̃m'paru] *m* soutien *m*.

ampliação [ɑ̃mplia'sɑ̃w] (*pl* -ões) *f* [de fotografia] agrandissement *m*.

ampliar [ɑ̃mpli'a(x)] *vt* [fotografia] agrandir.

amplificador [ɑ̃mplifika'do(x)] (*pl* -es) *m* [de som] amplificateur *m*.

amplificar [ɑ̃mplifi'ka(x)] *vt* [som] amplifier.

amplitude [ɑ̃npli'tudʒi] *f* ampleur *f*.

amplo, **pla** ['ɑ̃mplu, pla] *adj* [quarto, quintal] grand(e) ; [estrada, maioria] large.

ampola [ɑ̃m'pola] *f* ampoule *f (médicament)*.

amputar [ɑ̃mpu'ta(x)] *vt* amputer.

amuado, **da** [a'mwadu, da] *adj* boudeur(euse).

amuar [a'mwa(x)] *vi* bouder.

anã [a'nɑ̃] ➤ **anão**.

anacronismo [anakro'niʒmu] *m* anachronisme *m*.

analfabetismo [anawfabe'tʃiʒmu] *m* analphabétisme *m*.

analfabeto, **ta** [anawfa'bɛtu, ta] *adj* & *m, f* analphabète.

analgésico [anaw'ʒɛziku] *m* analgésique *m*.

analisar [anali'za(x)] *vt* [examinar] analyser.

análise [a'nalizi] *f* analyse *f* ; **fazer análises** faire des analyses ; **em última análise** en dernière analyse.

analista [ana'liʃta] *mf* analyste *mf*.

analogia [analo'ʒia] *f* analogie *f*.

ananás [ana'naʃ] (*pl* -ases) *m* ananas *m*.

anão, **ã** [a'nɑ̃w, a'nɑ̃] (*mpl* -ões, *fpl* -s) *m, f* nain *m*, -e *f*.

anarquia [anax'kia] *f* anarchie *f*.

ANATEL *f Agence Nationale de Télécommunications brésilienne*.

anatomia [anato'mia] *f* anatomie *f*.

anca ['ɑ̃ŋka] *f* hanche *f*.

anchova [ɑ̃n'ʃova] *f* anchois *m inv*.

ancinho [ɑ̃'siɲu] *m* râteau *m*.

âncora ['ɑ̃ŋkora] *f* ancre *f*.

andaime [ɑ̃n'dajmi] *m* échafaudage *m*.

andamento [ɑ̃nda'mẽntu] *m* [rumo] cours *m* ; [de conversa] tour *m* ; [de acontecimento] tournure *f* ; [velocidade] allure *f* ; MÚS andante *m* ; **em andamento** [em progresso] en cours ; [trem] en marche.

andar [ɑ̃n'da(x)] (*pl* -es) ◇ *m* [de edifício] étage *m* ; [maneira de caminhar] démarche *f*. ◇ *vi* [caminhar] marcher ; [estar] être. ◇ *vt* [caminhar] parcourir ; **ele hoje anda triste** il est triste aujourd'hui ; **ele anda por aí** il est quelque part par là ; **andar de avião** voyager en avion ; **andar de bicicleta** faire du vélo ; **andar a cavalo** faire du cheval ; **andar a pé** marcher ; **o andar de baixo** l'étage du dessous ; **o andar de cima** l'étage du dessus.

Andes ['ɑ̃ndiʃ] *mpl* : **os Andes** les Andes *fpl*.

andorinha [ɑ̃ndo'riɲa] *f* [ave] hirondelle *f*.

Andorra [ɑ̃n'doxa] *s* Andorre *f*.

anedota [ane'dɔta] *f* [pequena história] anecdote *f*.

anel [a'nɛw] (*pl* -éis) *m* [com pedra] bague *f* ; [sem pedra] anneau *m* ; [de cabelo] boucle *f* ; [de corrente] maillon *m* ; **anel de noivado** bague de fiançailles.

anemia [ane'mia] *f* anémie *f*.

anestesia [aneʃte'zia] *f* anesthésie *f* ; **anestesia geral** anesthésie générale ; **anestesia local** anesthésie locale.

anestesiar [aneʃtezi'a(x)] *vt* anesthésier.

anexar [anek'sa(x)] *vt* mettre en annexe ; **anexar a** joindre à ; **anexar um arquivo** INFORM joindre un dossier.

anexo, xa [a'nɛksu, ksa] ◇ annexe. ◇ *m* annexe *f* ; INFORM pièce jointe *f*.

anfiteatro [ɑ̃fi'tʒjatru] *m* amphithéâtre *m*.

angariar [ɑ̃ŋgari'a(x)] *vt* [dinheiro] collecter.

angina [ɑ̃'ʒina] *f* : **angina do peito** angine *f* de poitrine. ◆ **anginas** *fpl* angine *f*.

anglicano, na [ɑ̃ŋgli'kanu, na] *adj* anglican(e).

Angola [ɑ̃ŋ'gɔla] *s* Angola *m*.

angolano, na [ɑ̃ŋ'gola'nu, na] ◇ *adj* angolais(e). ◇ *m, f* Angolais *m*, -e *f*.

angra ['ɑ̃ŋgra] *f* anse *f (baie)*.

angu [ɑ̃ŋ'gu] *m* ≃ polenta *f*.

ângulo ['ɑ̃ŋgulu] *m* angle *m*.

angústia [ɑ̃ŋ'guʃtʒja] *f* angoisse *f*.

animação [anima'sɑ̃w] *f* animation *f*.

animado, da [ani'madu, da] *adj* animé(e).

animador, ra [anima'do(x), ra] (*mpl* -es, *fpl* -s) *adj* encourageant(e).

animal [ani'maw] (*pl* -ais) *m* animal *m* ; **animal doméstico** animal domestique ; **animal selvagem** animal sauvage.

animar [ani'ma(x)] *vt* [alegrar, organizar] animer ; [dar ânimo a] encourager. ◆ **animar-se** *vp* [alegrar-se] s'animer.

ânimo ['ɑ̃nimu] *m* courage *m*.

aniquilar [aniki'la(x)] *vt* anéantir.

anis [a'niʃ] (*pl* -es) *m* [licor] anisette *f* ; [planta] anis *m*.

anistia [aniʃ'tʃia] *f* amnistie *f*.

aniversário [anivex'sarju] *m* anniversaire *m* ; **feliz aniversário!** bon anniversaire !

anjo ['ɑ̃ʒu] *m* ange *m*.

ano ['ɑ̃nu] *m* année *f* ; **quantos anos você tem?** quel âge as-tu ? ; **faço anos amanhã** demain, c'est mon anniversaire ; **ano bissexto** année bissextile ;

ano letivo année scolaire ; **Ano Novo** nouvel an ; **ano após ano** d'année en année.

anoitecer [anojte'se(x)] ◇ *m* : **ao anoitecer** à la tombée de la nuit. ◇ *v impess* : **anoitece** la nuit tombe.

anomalia [anoma'lia] *f* anomalie *f*.

anoraque [ano'raki] *m* anorak *m*.

anorexia [anorɛk'sia] *f* anorexie *f*.

anormal [anox'maw] (*pl* -ais) *adj* & *mf* anormal(e).

anormalidade [anoxmali'dadʒi] *f* anormalité *f*.

anotação [anota'sãw] (*pl* -ões) *f* note *f* (*remarque*).

anotar [ano'ta(x)] *vt* noter.

ânsia ['ãsja] *f* anxieté *f*.

ansiar [ã'sja(x)] ◆ **ansiar por** *v + prep* aspirer à.

ansiedade [ãsje'dadʒi] *f* anxieté *f*.

ansioso, osa [ã'sjozu, ɔza] *adj* anxieux(euse) ; **estar ansioso por fazer algo** avoir envie de faire qqch.

antebraço [ãntʃi'brasu] *m* avant-bras *m*.

antecedência [ãntese'dẽsja] *f* antériorité *f* ; **com antecedência** à l'avance.

antecedente [ãntese'dẽntʃi] *adj* précédent(e). ◆ **antecedentes** *mpl* antécédents *mpl*.

antecipação [ãntesipa'sãw] (*pl* -ões) *f* anticipation *f*.

antecipadamente [ãntesi,pada'mẽntʃi] *adv* à l'avance.

antecipar [ãntesi'pa(x)] *vt* avancer. ◆ **antecipar-se** *vp* prendre les devants.

antemão [ãnte'mãw] ◆ **de antemão** *adv* auparavant.

antena [ãn'tena] *f* antenne *f* ; **antena parabólica** antenne parabolique.

anteontem [ãntʃi'õntẽ] *adv* avant-hier.

antepassado [ãntʃipa'sadu] *m* ancêtre *m*.

anterior [ãnteri'o(x)] (*pl* -es) *adj* précédent(e), d'avant ; **anterior a** antérieur à.

antes ['ãntiʃ] *adv* avant ; [de preferência] plutôt ; **antes assim** c'est mieux ainsi ; **antes de** avant de ; **antes de mais (nada)** d'abord ; **o quanto antes** dès que possible.

antever [ãnte've(x)] *vt* prévoir.

antiaderente [ãntʃiade'rẽntʃi] *adj* antiadhésif(ive).

antibiótico [ãntʃi'bjɔtʃiku] *m* antibiotique *m*.

anticaspa [ãntʃi'kaʃpa] *adj inv* antipelliculaire.

anticoncepcional [ãntʃikõsɛpsju'naw] (*pl* -ais) *adj* contraceptif(ive).

anticonceptivo [ãntʃikõsɛp'tivu] *m* contraceptif *m*.

anticongelante [ãntʃikõʒe'lãntʃi] ◇ *adj* antigivrant(e). ◇ *m* antigel *m*.

anticorpo [ãntʃi'koxpu] *m* anticorps *m*.

antidepressivo [ãntʃidepre'sivu] *m* antidépresseur *m*.

antídoto [ãn'tʃidotu] *m* antidote *m*.

antigamente [ãntʃiga'mẽntʃi] *adv* autrefois.

antigo, ga [ãn'tʃigu, ga] *adj* ancien(enne).

antiguidade [ãntʃigwi'dadʒi] *f* ancienneté *f* ; **a Antiguidade** l'Antiquité *f*. ◆ **antiguidades** *fpl* antiquités *fpl*.

antipatia [ãntʃipa'tʃa] *f* antipathie *f*.

antipático, ca [ãntʃi'patʃiku, ka] *adj* antipathique.

antipatizar [ɐ̃ntʃipati'za(x)] *vi* : **eu antipatizo com ele** il m'est antipathique.

antiquado, **da** [ɐ̃ntʃi'kwadu, da] *adj* [pessoa] vieux jeu ; [objeto] démodé(e) ; [idéia] dépassé(e).

antiquário [ɐ̃ntʃi'kwarju] *m* antiquaire *m*.

antisséptico, **ca** [,ɐ̃ntʃi'sɛptʃiku] *adj* antiseptique.

antologia [ɐ̃ntolo'ʒia] *f* anthologie *f*.

anual [a'nwaw] (*pl* -ais) *adj* annuel(elle).

anuir [a'nwi(x)] *vi* acquiescer.

anulação [anula'sɐ̃w] (*pl* -ões) *f* annulation *f*.

anular [anu'la(x)] ◇ *vt* annuler. ◇ *m* annulaire *m*.

anunciar [anũ'sja(x)] *vt* annoncer ; [produto] faire de la publicité pour.

anúncio [a'nũsju] *m* [aviso] annonce *f* ; [de produto] publicité *f*.

ânus ['ɐ̃nuʃ] *m* anus *m* ; *fam* cul *m*.

anzol [ɐ̃'zɔw] (*pl* -óis) *m* hameçon *m*.

ao [aw] = **a** + **o**, ► **a**.

aonde [a'õndʒi] *adv* où ; **aonde quer que...** où que...

aos [awʃ] = **a** + **os**, ► **a**.

apagado, **da** [apa'gadu, da] *adj* éteint(e) ; [escrita, pessoa] effacé(e).

apagar [apa'ga(x)] *vt* éteindre ; [escrita, desenho] effacer.

apaixonado, **da** [apajʃo'nadu, da] *adj* [enamorado] amoureux(euse) ; [exaltado] passionné(e) ; **estar apaixonado por** être amoureux de.

apaixonante [apajʃo'nɐ̃ntʃi] *adj* passionnant(e).

apaixonar [apajʃo'na(x)] *vt* passionner. ◆ **apaixonar-se** *vp* tomber amoureux(euse) ; **apaixonar-se por** tomber amoureux de.

apalermado, **da** [apalex'madu, da] *adj* abruti(e).

apalpar [apaw'pa(x)] *vt* tâter ; **apalpar o terreno** tâter le terrain.

apanhar [apa'ɲa(x)] *vt* [levantar do chão] ramasser ; [agarrar, contrair] attraper ; [surpreender, pescar] prendre ; **apanhar chuva** prendre la pluie ; **apanhar sol** prendre le soleil.

aparador [apara'do(x)] (*pl* -es) *m* buffet *m*.

aparar [apa'ra(x)] *vt* retenir ; [barba] tailler ; [sebe, lápis] tailler.

aparecer [apare'se(x)] *vi* [apresentar-se] venir ; [surgir] apparaître ; [algo perdido] réapparaître.

aparelhagem [apare'ʎaʒẽ] (*pl* -ns) *f* : **aparelhagem (de som)** chaîne *f* (hi-fi).

aparelho [apa'reʎu] *m* appareil *m* ; **aparelho digestivo** appareil digestif ; **aparelho para os dentes** appareil dentaire.

aparência [apa'rẽsja] *f* apparence *f*.

aparentar [aparẽn'ta(x)] *vt* avoir l'air ; **ele não aparenta ter a idade que tem** il ne fait pas son âge.

aparente [apa'rẽntʃi] *adj* apparent(e).

apartamento [apaxta'mẽntu] *m* appartement *m*.

apatia [apa'tʃia] *f* apathie *f*.

apavorado, **da** [apavo'radu, da] *adj* épouvanté(e).

apear-se [a'pjaxsi] *vp* : **apear-se de** [veículo] descendre de.

apelar [ape'la(x)] *vi* : **apelar para** JUR faire appel en ; [compreensão, bondade] faire appel à.

apelido [ape'lidu] *m* sobriquet *m*.

apelo [a'pelu] *m* appel *m* ; **fazer um apelo a** faire un appel à.

apenas [a'penaʃ] ◇ *adv* [somente] juste. ◇ *conj* [logo que] dès que.

apêndice [a'pẽndʒisi] *m* appendice *m* *(organe)*.

apendicite [apẽndʒi'sitʃi] *f* appendicite *f*.

aperceber-se [apexse'bexsi] *vp* : **aperceber-se de algo** se rendre compte de qqch ; **aperceber-se de que** se rendre compte que.

aperfeiçoamento [apexfejswa'mẽntu] *m* perfectionnement *m*.

aperfeiçoar [apexfej'swa(x)] *vt* perfectionner.

aperitivo [aperi'tʃivu] *m* apéritif *m*.

apertado, **da** [apex'tadu, da] *adj* serré(e).

apertar [apex'ta(x)] *vt* [interruptor] appuyer sur ; [casaco, vestido] fermer ; [cordões] attacher ; [comprimir] serrer.

aperto [a'pextu] *m* [de parafuso] serrage *m* ; [aglomeração] foule *f* ; *fig* [dificuldade] situation *f* difficile ; **aperto de mão** poignée *f* de main.

apesar [ape'za(x)] ◆ **apesar de** *prep* bien que.

apetecer [apete'se(x)] *vt* avoir envie de ; **apetece-me um bolo** j'ai envie d'un gâteau.

apetite [ape'tʃitʃi] *m* appétit *m* ; **bom apetite!** bon appétit !

apetitoso, **osa** [apetʃi'tozu, ɔza] *adj* [gostoso] délicieux(euse) ; [tentador] appétissant(e).

apetrecho [ape'treʃu] *m* attirail *m* ; **apetrechos de pesca** attirail de pêche.

apimentado, **da** [apimẽn'tadu, da] *adj* [com pimenta] poivré(e) ; [picante] relevé(e).

apinhado, **da** [api'ɲadu, da] *adj* : **apinhado de** bourré de.

apitar [api'ta(x)] *vi* [trem, árbitro] siffler.

apito [a'pitu] *m* sifflet *m*.

aplaudir [aplaw'di(x)] *vt* & *vi* applaudir.

aplauso [a'plawzu] *m* applaudissements *mpl*.

aplicação [aplika'sɑ̃w] (*pl* -ões) *f* application *f*.

aplicado, **da** [apli'kadu, da] *adj* appliqué(e).

aplicar [apli'ka(x)] *vt* appliquer ; [curativo] administrer ; [injeção] faire.

aplique [apli'ki] *m* moumoute *f*.

apoderar-se [apode'raxsi] ◆ **apoderar-se de** *vp* + *prep* s'emparer de.

apodrecer [apodre'se(x)] *vt* & *vi* pourrir.

apoiar [apo'ja(x)] *vt* soutenir ; [idéia] défendre ; **apoiar algo em algo** appuyer qqch sur qqch. ◆ **apoiar-se** *vp* s'appuyer ; **apoiar-se em** s'appuyer sur.

apoio [a'poju] *m* [físico] support *m* ; [verbal, econômico] soutien *m* ; [de cadeira] accoudoir *m* ; [para a cabeça] appui-tête *m* ; [de escadas] rampe *f*.

apólice [a'pɔlisi] *f* : **apólice (de seguro)** police *f* d'assurance.

apontador [apõnta'do(x)] (*pl* -es) *m* [de lápis] taille-crayon *m*.

apontamento [apõnta'mẽntu] *m* note *f* ; **fazer apontamentos** prendre des notes.

apontar [apõn'ta(x)] *vt* [arma] pointer ; [com dedo, ponteiro] montrer ; [tomar nota de] noter ; [razões, argumentos] avancer.

aporrinhação [apoxiɲa'sɑ̃w] (*pl* -ões) *f* *fam* [aborrecimento] : **é uma aporrinhação** c'est embêtant.

após [a'pɔjʃ] ◇ *prep* [depois de] après. ◇ *adv* [depois] après.

aposentado, **da** [apozẽn'tadu, da] *adj* & *m, f* retraité(e).

aposentadoria [apozẽntado'ria] *f* retraite *f*.

aposento [apo'zẽntu] *m* [de casa] chambre *f* ; [do Rei] appartements *mpl.*

aposta [a'pɔʃta] *f* pari *m.*

apostar [apoʃ'ta(x)] *vt* parier.

apostila [apoʃ'tʃila] *f* [em universidade] polycopié *m.*

apóstrofo [a'pɔʃtrofu] *m* apostrophe *f.*

aprazível [apra'zivɛw] (*pl* -eis) *adj* plaisant(e).

apreciação [apresja'sɑ̃w] (*pl* -ões) *f* appréciation *f.*

apreciar [apresi'a(x)] *vt* [avaliar] estimer ; [observar] observer ; [gostar] apprécier.

apreender [apriẽn'de(x)] *vt* saisir.

apreensão [apriẽ'sɑ̃w] (*pl* -ões) *f* [de bens, produtos] saisie *f* ; [de novos conhecimentos] acquisition *f* ; [preocupação] appréhension *f.*

apreensivo, va [apriẽ'sivu, va] *adj* inquiet(ète).

aprender [aprẽn'de(x)] *vt* & *vi* apprendre ; **aprender a fazer algo** apprendre à faire qqch.

aprendiz [aprẽn'dʒiʒ] (*pl* -es) *m* apprenti *m.*

aprendizagem [aprẽndʒi'zaʒẽ] *f* apprentissage *m.*

apresentação [aprezẽnta'sɑ̃w] (*pl* -ões) *f* présentation *f.*

apresentador, ra [aprezẽnta'do(x), ra] (*mpl* -es, *fpl* -s) *m, f* présentateur *m*, -trice *f.*

apresentar [aprezẽn'ta(x)] *vt* présenter. ◆ **apresentar-se** *vp* se présenter ; **apresentar-se a alguém** se présenter à qqn.

apressado, da [apre'sadu, da] *adj* [pessoa] pressé(e) ; [decisão] hâtif(ive) ; [conclusão] hâtif(ive).

apressar-se [apre'saxsi] *vp* se presser.

aprofundar [aprofũn'da(x)] *vt* approfondir.

aprovação [aprova'sɑ̃w] (*pl* -ões) *f* [consentimento] approbation *f* ; [em exame] réussite *f.*

aprovado, da [apro'vadu, da] *adj* : **ser aprovado** EDUC être reçu.

aprovar [apro'va(x)] *vt* [autorizar] approuver ; [em exame] recevoir.

aproveitador, ra [aprovejta'do(x), ra] (*mpl* -es, *fpl* -s) ◇ *adj pej* [abusador] profiteur(euse). ◇ *m, f* profiteur *m*, -euse *f.*

aproveitamento [aprovejta'mẽntu] *m* CULIN *utilisation des restes* ; EDUC : **ter bom/mau aproveitamento** bien/mal travailler *(à l'école).*

aproveitar [aprovej'ta(x)] *vt* [ocasião, férias] profiter de ; [utilizar] se servir de. ◆ **aproveitar-se de** *vp* + *prep pej* profiter de.

aproximadamente [aprosi,mada'mẽntʃi] *adv* à peu près.

aproximado, da [aprosi'madu, da] *adj* approximatif(ive).

aproximar [aprosi'ma(x)] *vt* rapprocher. ◆ **aproximar-se** *vp* s'approcher ; **aproximar-se de** s'approcher de.

aptidão [aptʃi'dɑ̃w] (*pl* -ões) *f* aptitude *f.*

apto, ta ['aptu, ta] *adj* apte.

apto. (*abrev de* **apartamento**) appt.

apunhalar [apuɲa'la(x)] *vt* poignarder.

apuração [apura'sɑ̃w] (*pl* -ões) *f* [em prova] sélection *f* ; [de votos] décompte *m.*

apurado, da [apu'radu, da] *adj* sélectionné(e).

apurar [apu'ra(x)] *vt* [selecionar] sélectionner ; [contas, fatos] éplucher.

apuro [a'puru] *m* *fig* [dificuldade]

problème *m* ; **estar em apuros** être dans le pétrin ; **meter-se em apuros** se mettre dans le pétrin.

aquarela [akwa'rɛla] *f* aquarelle *f*.

aquário [a'kwarju] *m* aquarium *m*. ◆ **Aquário** *m* Verseau *m*.

aquático, **ca** [a'kwatʃiku, ka] *adj* aquatique.

aquecedor [akese'do(x)] (*pl* -es) *m* radiateur *m*.

aquecer [ake'se(x)] *vt* & *vi* réchauffer. ◆ **aquecer-se** *vp* se réchauffer.

aquecimento [akesi'mẽntu] *m* chauffage *m* ; **aquecimento central** chauffage central.

aqueduto [ake'dutu] *m* aqueduc *m*.

àquela ['akɛla] = **a** + **aquela**, ► **aquele**.

aquele, **aquela** [a'keli, a'kɛla] ◇ *adj* ce(celle). ◇ *pron* celui(celle) ; **aquele que** celui qui ; **peça àquele homem/àquela mulher** demande à cet homme-là/cette femme-là.

àquele ['akeli] = **a** + **aquele**, ► **aquele**.

aqui [a'ki] *adv* ici ; **até aqui** jusqu'ici ; **logo aqui** juste ici ; **por aqui** par ici.

aquilo [a'kilu] *pron* cela ; **aquilo que** ce que.

àquilo ['akilu] = **a** + **aquilo**, ► **aquilo**.

aquisição [akizi'sãw] (*pl* -ões) *f* acquisition *f*.

ar [a(x)] (*pl* -es) *m* air *m* ; **ter ar de** avoir l'air ; **ele tem ar de estar doente** il a l'air malade ; **ar condicionado** air conditionné ; **ao ar** en l'air ; **ao ar livre** en plein air ; **por ar** par la voie des airs. ◆ **ares** *mpl* : **mudar de ares** changer d'air.

árabe ['arabi] ◇ *adj* arabe. ◇ *mf* Arabe *mf*.

aragem [a'raʒẽ] (*pl* -ns) *f* brise *f*.

arame [a'rami] *m* fil *m* de fer ; **arame farpado** fil de fer barbelé.

aranha [a'raɲa] *f* araignée *f*.

arara [a'rara] *f* ara *m*.

arbitragem [axbi'traʒẽ] (*pl* -ns) *f* arbitrage *m*.

arbitrar [axbi'tra(x)] *vt* arbitrer.

árbitro ['axbitru] *m* arbitre *m*.

arborizado, **da** [axbori'zadu, da] *adj* [área] boisé(e) ; [rua, alameda] bordé(e) d'arbres ; [jardim] planté(e) d'arbres.

arbusto [ax'buʃtu] *m* arbuste *m*.

arca ['axka] *f* coffre *m*.

arcaico, **ca** [ax'kajku, ka] *adj* archaïque.

archote [ar'ʃɔti] *m* flambeau *m*.

arco ['axku] *m* arc *m* ; [brinquedo] cerceau *m*.

arco-íris [ax'kwiriʃ] (*pl* **arcos-íris**) *m* arc-en-ciel *m*.

ardência [ax'dẽnsja] *f* [paixão] ardeur *m* ; [no estômago] brûlure *f*.

ardente [ax'dẽntʃi] *adj* ardent(e).

arder [ax'de(x)] *vi* brûler.

ardor [ax'do(x)] (*pl* -es) *m* [de pele] brûlure *f* ; [de estômago] brûlure *f* d'estomac ; *fig* [paixão] ardeur *f*.

ardósia [ax'dɔzja] *f* ardoise *f*.

árduo, **dua** ['axdwu, dwa] *adj* ardu(e).

área ['arja] *f* zone *f* ; *fig* [campo de ação] domaine *m* ; **área de campismo** camping *m* ; **área para piquenique** *aire de repos aménagée pour pique-niquer* ; **área de serviço** aire *f* de repos.

areal [a'rejw] (*pl* -ais) *m* grève *f* *(rivage)*.

areia [a'reja] *f* sable *m*.

arejar [are'ʒa(x)] ◇ *vt* aérer. ◇ *vi* prendre l'air.

arena [a'rena] *f* [de circo] piste *f* ; [de praça de touros] arène *f*.

arenoso, **osa** [are'nozu, ɔza] *adj* sablonneux(euse).

arenque [a'rẽŋki] *m* hareng *m.*

ares ['ariʃ] ► **ar.**

Argentina [axʒẽn'tʃina] *f*: **a Argentina** l'Argentine *f.*

argila [ax'ʒila] *f* argile *f.*

argola [ax'gɔla] *f* [anel] anneau *m* ; [de porta] heurtoir *m.* ◆ **argolas** *fpl* anneaux *mpl.*

argumentação [axgumẽnta'sɐ̃w] (*pl* -ões) *f* argumentation *f.*

argumentar [axgumẽn'ta(x)] ◇ *vt* soutenir. ◇ *vi* discuter.

argumento [axgu'mẽntu] *m* argument *m* ; [de filme] scénario *m.*

ária ['arja] *f* aria *f.*

árido, da ['aridu, da] *adj* aride.

Áries ['ariʃ] *m* Bélier *m.*

arma ['axma] *f* arme *f* ; **arma branca** arme blanche ; **arma de fogo** arme à feu.

armação [axma'sɐ̃w] (*pl* -ões) *f* armature *f* ; [de animal] bois *mpl* ; [de óculos] monture *f.*

armadilha [axma'diʎa] *f* piège *m.*

armado, da [az'madu, da] *adj* armé(e).

armadura [axma'dura] *f* [de cavaleiro] armure *f* ; [de edifício] ossature *f* ; [em cimento] armature *f.*

armamento [axma'mẽntu] *m* armement *m.*

armar [ax'ma(x)] *vt* [munir de armas] armer ; [tenda] monter.

armário [ax'marju] *m* armoire *f.*

armazém [axma'zẽ] (*pl* -ns) *m* [de mercadorias] magasin *m* ; [de venda no varejo] halle *f.*

aro ['aru] *m* [de janela] montant *m* ; [de roda] jante *f.*

aroma [a'roma] *m* arôme *m* ; **com aroma de** aromatisé à.

arpão [ax'pɐ̃w] (*pl* -ões) *m* harpon *m.*

arqueologia [axkjolo'ʒia] *f* archéologie *f.*

arquibancada [axkibɐ̃ŋ'kada] *f* [de estádio] gradins *mpl.*

arquipélago [axki'pɛlagu] *m* archipel *m.*

arquiteto, ta [axki'tɛtu, ta] *m, f* architecte *mf.*

arquitetura [axki'tɛtura] *f* architecture *f.*

arquivo [ax'kivu] *m* [local] archives *fpl* ; [móvel] classeur *m* à tiroirs ; INFORM fichier *m.*

arraial [axa'jaw] (*pl* -ais) *m* fête *f* foraine.

arrancar [axɐ̃ŋ'ka(x)] ◇ *vt* arracher. ◇ *vi* démarrer ; **arrancar algo das mãos de alguém** arracher qqch des mains à qqn.

arranha-céu [a,xaɲa'sɛw] *m* gratte-ciel *m inv.*

arranhão [axa'ɲɐ̃w] (*pl* -ões) *m* [em pele] égratignure *f* ; [em carro] éraflure *f.*

arranhar [axa'ɲa(x)] *vt* [pele] égratigner ; [parede, carro] érafler ; *fig* [instrumento] gratter ; *fig* [língua] baragouiner. ◆ **arranhar-se** *vp* s'égratigner.

arranhões ► **arranhão.**

arranjar [axɐ̃'ʒa(x)] *vt* [quarto] ranger ; [dinheiro] se procurer de.

arranque [a'xɐ̃ŋki] *m* ► **motor.**

arrasar [axa'za(x)] *vt* [destruir] ravager ; *fig* [emocionalmente] anéantir.

arrastar [axaʃ'ta(x)] *vt* traîner.

arrecadar [axeka'da(x)] *vt* [objeto] ranger ; [dinheiro] ramasser.

arredondado, da [axedõn'dadu, da] *adj* [forma] arrondi(e) ; *fig* [valor] rond(e).

arredondar [axedõn'da(x)] *vt* arrondir.

arredores [axe'dɔriʃ] *mpl* environs *mpl*.

arrefecer [axefe'se(x)] *vi* [tempo, ar] se rafraîchir ; *fig* [entusiasmo] retomber.

arregaçar [axega'sa(x)] *vt* retrousser.

arreios [a'xejuʃ] *mpl* harnais *m*.

arremedar [axeme'da(x)] *vt* singer.

arremessar [axeme'sa(x)] *vt* lancer.

arrendamento [axẽnda'mẽntu] *m* location *f*.

arrendar [axẽn'da(x)] *vt* louer.

arrendatário, ria [axẽnda'tarju, rja] *m, f* locataire *mf*.

arrepender-se [axepẽn'dexsi] *vp* : **arrepender-se de (ter feito) algo** regretter (d'avoir fait) qqch.

arrepiar [axe'pja(x)] *vt* [pêlo] hérisser. ◆ **arrepiar-se** *vp* frissonner.

arrepio [axe'piu] *m* frisson *m*.

arriscado, da [axiʃ'kadu, da] *adj* [perigoso] risqué(e) ; [corajoso] audacieux(euse).

arriscar [axiʃ'ka(x)] *vt* [pôr em risco] risquer. ◆ **arriscar-se** *vp* : **arriscar-se** a prendre le risque de, risquer de.

arroba [a'xoba] *f* INFORM arobase *f*.

arrogância [axo'gɑ̃sja] *f* arrogance *f*.

arrogante [axo'gɑ̃ntʃi] *adj* arrogant(e).

arrombar [axõm'ba(x)] *vt* forcer *(une porte)*.

arrotar [axo'ta(x)] *vi* roter ; [bebê] faire un rot.

arroto [a'xotu] *m* rot *m*.

arroz [a'xoʒ] *m* riz *m*.

arroz-doce [axoʒ'dosi] *m* riz *m* au lait.

arruaça [a'xwasa] *f* chahut *m*.

arruaceiro, ra [axwa'sejru, ra] *m, f* chahuteur *m*, -euse *f*.

arrumado, da [axu'madu, da] *adj* [pessoa] ordonné(e) ; [em ordem] rangé(e) ; *fig* [resolvido] classé(e).

arrumar [axu'ma(x)] *vt* ranger.

arte ['axtʃi] *f* art *m* ; **artes marciais** arts martiaux ; **a sétima arte** le septième art.

artéria [ax'tɛrja] *f* artère *f*.

arterial [axte'rjaw] (*pl* -ais) *adj* ► **pressão, tensão.**

artesanato [axteza'natu] *m* artisanat *m*.

articulação [axtʃikula'sɑ̃w] (*pl* -ões) *f* articulation *f*.

artificial [axtʃifi'sjaw] (*pl* -ais) *adj* artificiel(elle).

artigo [ax'tʃigu] *m* article *m* ; **'artigos a declarar'** 'marchandises à déclarer' ; **artigos de primeira necessidade** articles de première nécessité ; **artigo de fundo** article de fond.

artista [ax'tʃiʃta] *mf* artiste *mf*.

artístico, ca [ax'tʃiʃtʃiku, ka] *adj* artistique.

artrite [ax'tritʃi] *f* arthrite *f*.

árvore ['axvori] *f* arbre *m*.

as [aʃ] ► **a.**

ás ['ajʃ] (*pl* **ases**) *m* as *m* ; **ser um ás** être un as.

às [ajʃ] = **a + as,** ► **a.**

asa ['aza] *f* [de ave, avião] aile *f* ; [de utensílio] anse *f*.

asa-delta [ˌaza'dɛwta] (*pl* **asas-delta**) *f* delta-plane *m*.

asco ['aʃku] *m* dégoût *m*.

ases ► **ás.**

asfalto [aʃ'fawtu] *m* asphalte *m*.

asfixia [aʃfik'sia] *f* asphyxie *f*.

Ásia ['azja] *f* : **a Ásia** l'Asie *f*.

asiático, ca [a'zjatʃiku, ka] ◇ *adj* asiatique. ◇ *m, f* Asiatique *mf*.

asilo [a'zilu] *m* asile *m* ; **asilo político** asile politique.

asma ['aʒma] *f* asthme *m*.

asmático, **ca** [aʒ'matʃiku, ka] *adj* & *m, f* asthmatique.

asneira [aʒ'nejra] *f* [tolice] ânerie *f* ; [obscenidade] grossièreté *f*.

asno ['aʒnu] ◇ *m* [burro] âne *m*. ◇ *adj fig* [estúpido] bête.

aspargo [aʃ'paxgu] *m* asperge *f*.

aspecto [aʃ'pɛktu] *m* aspect *m*.

áspero, **ra** ['aʃperu, ra] *adj* [pele, superfície] rugueux(euse) ; [tecido] rêche.

aspirador [aʃpira'do(x)] (*pl* -es) *m* aspirateur *m*.

aspirar [aʃpi'ra(x)] *vt* aspirer. ◆ **aspirar a** *v + prep* [desejar] aspirer à.

aspirina® [aʃpi'rina] *f* aspirine *f* ; **aspirina efervescente** aspirine effervescente.

asqueroso, **osa** [aʃke'rozu, ɔza] *adj* répugnant(e).

assado, **da** [a'sadu, da] ◇ *adj* CULIN rôti(e) ; [pele de bebê] irrité(e). ◇ *m* [de carne] rôti *m* ; [de peixe] poisson *m* au four.

assadura [asa'dura] *f* grillade *f*.

assalariado, **da** [asala'rjadu, da] *m, f* salarié *m*, -e *f*.

assaltante [asaw'tɑ̃ntʃi] *mf* cambrioleur *m*.

assaltar [asaw'ta(x)] *vt* [pessoa, banco] attaquer ; [casa] cambrioler.

assalto [a'sawtu] *m* [a pessoa, banco] attaque *f* ; [a casa] cambriolage *m* ; [em boxe] round *m* ; **assalto à mão armada** attaque *f* à main armée.

assar [a'sa(x)] *vt* rôtir.

assassinar [asasi'na(x)] *vt* assassiner.

assassinato [asa'sinatu] *m* assassinat *m*.

assassino, **na** [asa'sinu, na] *m, f* assassin *m*.

assediar [ase'dʒa(x)] *vt* harceler.

assédio [a'sɛdʒju] *m* harcèlement *m* ; **assédio sexual** harcèlement sexuel.

assegurar [asegu'ra(x)] *vt* assurer. ◆ **assegurar-se** *vp* : **assegurar-se de que** s'assurer que.

asseio [a'seju] *m* [limpeza] propreté *f*.

assembléia [asẽm'blɛja] *f* assemblée *f* ; **assembléia geral** assemblée générale.

assemelhar-se [aseme'ʎaxsi] ◆ **assemelhar-se a** *vp + prep* ressembler à.

assento [a'sẽntu] *m* siège *m*.

assim [a'sĩ] *adv* & *conj* ainsi ; **assim, sim!** là, oui ! ; **como assim?** comment çà ? ; **assim mesmo** comme ça ; **assim, assim** comme ci, comme ça ; **assim que** dès que.

assimilar [asimi'la(x)] *vt* assimiler.

assinar [asi'na(x)] ◇ *vt* s'abonner à. ◇ *vi* signer ; **assinar o nome** signer.

assinatura [asina'tura] *f* [nome escrito] signature *f* ; [de revista] abonnement *m*.

assistência [asiʃ'tẽsja] *f* assistance *f* ; **assistência médica** soins *mpl*.

assistir [asiʃ'tʃi(x)] *vt* assister. ◆ **assistir a** *v + prep* assister à.

assoalho [a'soaʎu] *m* parquet *m*.

assoar [asw'a(x)] *vt* moucher. ◆ **assoar-se** *vp* se moucher.

assobiar [asobi'a(x)] *vi* siffler.

assobio [aso'biu] *m* [som] sifflement *m* ; [apito] sifflet *m*.

associação [asosja'sɑ̃w] (*pl* -ões) *f* association *f* ; **associação de idéias** association d'idées.

assombrado, **da** [asõm'bradu, da] *adj* hanté(e).

assombro [a'sõmbru] *m* étonnement *m*.

assunto [a'sũntu] *m* sujet *m* ; **assunto encerrado!** c'est une affaire classée !

assustador, ra [asuʃta'do(x), ra] (*mpl* -es, *fpl* -s) *adj* effrayant(e).

assustar [asuʃ'ta(x)] *vt* faire peur. ◆ **assustar-se** *vp* avoir peur.

asterisco [aʃte'riʃku] *m* astérisque *m*.

astral [aʃ'traw] (*pl* -ais) *m fam* moral *m*.

astro ['aʃtru] *m* astre *m*.

astrologia [aʃtrolo'ʒia] *f* astrologie *f*.

astronauta [aʃtro'nawta] *mf* astronaute *mf*.

astronomia [aʃtrono'mia] *f* astronomie *f*.

astúcia [aʃ'tusja] *f* astuce *f*.

atacadista [ataka'diʃta] *mf* grossiste *mf*.

atacado [ata'kadu] *m* : **por atacado** en gros.

atacante [ata'kɑ̃ntʃi] *adj* & *mf* attaquant(e).

atacar [ata'ka(x)] *vt* attaquer.

atadura [ata'dura] *f* bandage *m*.

atalho [a'taʎu] *m* raccourci *m* ; INFORM raccourci *m*.

ataque [a'taki] *m* attaque *f* ; [de doença] crise *f* ; **ataque cardíaco** crise cardiaque.

atar [a'ta(x)] *vt* attacher ; [sapatos] lacer.

atarracado, da [ataxa'kadu, da] *adj* trapu(e).

até [a'tɛ] ◇ *prep* jusque. ◇ *adv* même ; **vá até a igreja** va jusqu'à l'église ; **até o meio-dia** jusqu'à midi ; **até agora** jusqu'à présent ; **até amanhã!** à demain ! ; **até logo!** à tout à l'heure ! ; **até mais!** à plus tard ! ; **até que enfim!** enfin ! ; **até porque** pour la bonne raison que.

atear [ate'a(x)] *vt* attiser ; **atear fogo a** mettre le feu à.

atéia [a'tɛja] ➤ **ateu**.

ateliê [ate'lje] *m* atelier *m*.

atemorizar [atemori'za(x)] *vt* effrayer.

atenção [atẽ'sɑ̃w] (*pl* -ões) ◇ *f* attention *f* ; [cortesia] attentions *fpl*. ◇ *interj* attention ! ; **chamar a atenção de alguém para algo** attirer l'attention de qqn sur qqch ; **prestar atenção** être attentif.

atender [atẽn'de(x)] ◇ *vt* [telefone] répondre à ; [em loja] servir ; [em hospital] s'occuper de. ◇ *vi* répondre.

atendimento [atẽndʒi'mẽntu] *m* accueil *m* ; [em hospital] prise *f* en charge.

atentado [atẽn'tadu] *m* attentat *m*.

atenuante [ate'nwɑ̃ntʃi] *f* circonstance *f* atténuante.

atenuar [ate'nwa(x)] *vt* atténuer.

aterrar [ate'xa(x)] ◇ *vi* atterrir. ◇ *vt* épouvanter.

aterrissagem [atexi'saʒẽj] (*pl* -ns) *f* atterrissage *m*.

aterrissar [atexi'sa(x)] *vi* atterrir.

aterro [a'texu] *m* remblai *m*.

aterrorizar [atexori'za(x)] *vt* terroriser.

atestado [ateʃ'tadu] *m* [declaração escrita] attestation *f* ; **atestado médico** certificat *m* médical ; **atestado de óbito** certificat *m* de décès.

ateu, atéia [a'tew, a'tɛja] *m, f* athée *mf*.

atiçar [atʃi'sa(x)] *vt* attiser.

atingir [atʃĩ'ʒi(x)] *vt* atteindre ; [afetar] toucher ; [compreender] saisir ; [abranger] concerner.

atirar [atʃi'ra(x)] ◇ *vt* lancer. ◇ *vi* tirer.

atitude [atʃi'tudʒi] *f* attitude *f*.

atividade [atʃivi'dadʒi] *f* activité *f* ; [cultural] animation *f*.

ativo, va [a'tivu, va] *adj* actif(ive).

Atlântico [at'lɑ̃ntʃiku] *m* : **o Atlântico** l'Atlantique *m*.

atlas ['atlaʃ] *m inv* atlas *m*.

atleta [at'lɛta] *mf* athlète *mf*.

atletismo [atle'tʃiʒmu] *m* athlétisme *m*.

atmosfera [atmoʃ'fɛra] *f* atmosphère *f*.

ato ['atu] *m* acte *m*.

atômico, ca [a'tomiku, ka] *adj* atomique.

ator, atriz [a'to(x), a'triʒ] (*mpl* -es, *fpl* -es) *m, f* acteur *m*, -trice *f*.

atordoado, da [atox'dwadu, da] *adj* étourdi(e).

atores ► **ator**.

atormentado, da [atoxmẽn'tadu, da] *adj* tourmenté(e).

atração [atra'sɑ̃w] (*pl* -ões) *f* [de ímã] attraction *f* ; [de local, espetáculo] attrait *m* ; *fig* [simpatia] attirance *f*.

atrações ► **atração**.

atraente [atra'ẽntʃi] *adj* [bonito] attirant(e) ; [agradável] attrayant(e).

atraiçoar [atraj'swa(x)] *vt* trahir. ◆ **atraiçoar-se** *vp* se trahir.

atrair [atra'i(x)] *vt* attirer.

atrapalhar [atrapa'ʎa(x)] *vt* [confundir] perturber ; [dificultar] gêner. ◆ **atrapalhar-se** *vp* [em discurso] se troubler ; [face ao perigo] s'affoler.

atrás [a'trajʃ] *adv* derrière ; **atrás de** [no espaço] derrière ; [no tempo] après ; **ficar de pé atrás** *fig* se tenir sur ses gardes.

atrasado, da [atra'zadu, da] *adj* arriéré(e) ; [trem, ônibus] en retard ; **chegar atrasado** arriver en retard ; **estar atrasado** être en retard.

atrasar [atra'za(x)] ◇ *vi* avoir du retard. ◇ *vt* [trabalho] prendre du retard dans ; *fig* [prejudicar] retarder. ◆ **atrasar-se** *vp* être en retard.

atraso [a'trazu] *m* retard *m*.

atrativo, va [atra'tʃivu, va] ◇ *adj* [pessoa] séduisant(e) ; [local] attrayant(e). ◇ *m* [encanto] attrait *m*.

através [atra'vɛjʃ] ◆ **através de** *prep* [pelo meio de] à travers ; [por meio de] par.

atravessar [atrave'sa(x)] *vt* traverser ; [pôr de través] mettre en travers.

atrelado, da [atre'ladu, da] ◇ *adj* attelé(e). ◇ *m* attelage *m*.

atrever-se [atre'vexsi] ◆ **atrever-se a** *vp + prep* oser.

atrevido, da [atre'vidu, da] *adj* [audaz] hardi(e) ; [malcriado] effronté(e).

atrevimento [atrevi'mẽntu] *m* effronterie *f*.

atribuir [atri'bwi(x)] *vt* attribuer.

atributo [atri'butu] *m* attribut *m*.

átrio ['atriu] *m* entrée *f* ; [de estação de metrô] salle *f* des guichets.

atrito [a'tritu] *m* frottement *m*. ◆ **atritos** *mpl* frictions *fpl*.

atriz [a'triʒ] ► **ator**.

atropelamento [atropela'mẽntu] *m* : **houve um atropelamento na rua** quelqu'un a été renversé par une voiture.

atropelar [atrope'la(x)] *vt* renverser.

attachment [a'taʃment] *m* INFORM fichier *m* joint.

atuação [atwa'sɑ̃w] (*pl* -ões) *f* [procedimento] action *f* ; [em espetáculo] jeu *m*.

atual [a'twaw] (*pl* -ais) *adj* actuel(elle).

atualizar [atwali'za(x)] *vt* actualiser ; INFORM mettre à jour.

atualmente [atwaw'mẽntʃi] *adv* actuellement.

atuar [atw'a(x)] *vi* [agir] agir ; [representar] jouer.

atum [a'tũ] *m* thon *m*.

aturdido, **da** [atur'dʒidu, da] *adj* étourdi(e).

audácia [aw'dasja] *f* audace *f*.

audição [awdʒi'sɑ̃w] (*pl* -ões) *f* audition *f*.

audiência [aw'dʒjẽsja] *f* JUR audience *f*.

audiovisual [ˌawdʒjovi'zwaw] (*pl* -ais) *adj* audiovisuel(elle).

auditório [awdʒi'tɔrju] *m* [público ouvinte] auditoire *m* ; [casa de espetáculos] auditorium *m*.

auge ['awʒi] *m* [de carreira] sommet *m* ; **no auge da festa** quand la fête battait son plein.

aula ['awla] *f* cours *m (leçon)*.

aumentar [awmẽn'ta(x)] *vt* & *vi* augmenter.

aumento [aw'mẽntu] *m* [de preço] hausse *f* ; [de ordenado] augmentation *f* ; [de trabalho] surcroît *m*.

auréola [aw'rɛwla] *f* auréole *f*.

aurora [aw'rɔra] *f* aurore *f* ; **aurora boreal** aurore boréale.

ausência [aw'zẽsja] *f* absence *f*.

ausentar-se [awzẽn'taxsi] *vp* s'absenter.

ausente [aw'zẽntʃi] *adj* absent(e).

Austrália [awʃ'tralja] *f* : **a Austrália** l'Australie *f*.

australiano, **na** [awʃtra'ljɑ̃nu, na] ◇ *adj* australien(enne). ◇ *m, f* Australien *m*, -enne *f*.

Áustria ['awʃtria] *f* : **a Áustria** l'Autriche *f*.

austríaco, **ca** [awʃ'triaku, ka] ◇ *adj* autrichien(enne). ◇ *m, f* Autrichien *m*, -enne *f*.

autenticação [awtẽntʃika'sɑ̃w] authentification *f*.

autenticar [awtẽntʃi'ka(x)] *vt* JUR [documento, assinatura] certifier.

autêntico, **ca** [aw'tẽntʃiku, ka] *adj* [verdadeiro] authentique ; JUR certifié(e).

autocolante [ˌawtoko'lɑ̃ntʃi] ◇ *adj* autocollant(e). ◇ *m* autocollant *m*.

autodomínio [ˌawtodo'minju] *m* maîtrise *f* de soi.

autódromo [aw'tɔdromu] *m* circuit *m* automobile.

auto-escola [ˌawtoiʃ'kɔla] *f* auto-école *m*.

auto-estima [ˌawtoeʃ'tʃima] *f* amour-propre *m*.

auto-estrada [ˌawtoʃ'trada] *f* autoroute *f*.

autografar [awtogra'fa(x)] *vt* signer un autographe sur.

autógrafo [aw'tɔgrafu] *m* autographe *m*.

autolocadora [ˌawtoloka'dora] *f* agence *f* de location de véhicules.

automático, **ca** [awto'matʃiku, ka] *adj* automatique.

automatização [awtomatʃiza'sɑ̃w] (*pl* -ões) *f* automatisation *f*.

automobilismo [awtomobi'liʒmu] *m* sport *m* automobile.

automobilista [awtomobi'liʃta] *mf* automobiliste *mf*.

automotriz [awtomo'tri] *f* autorail *m*.

automóvel [awto'mɔvɛw] (*pl* -eis) *m* automobile *f*.

autópsia [aw'tɔpsja] *f* MED autopsie *f*.

autor, **ra** [aw'to(x), ra] (*mpl* -es, *fpl* -s) *m, f* auteur *m*.

auto-retrato [ˌawtoxe'tratu] *m* autoportrait *m*.

autoridade [awtori'dadʒi] *f* autorité *f*.

autorização [awtoriza'sɑ̃w] (*pl* -ões) *f* autorisation *f*.

autorizar [awtori'za(x)] *vt* autoriser.

auto-serviço [ˌawtusex'visu] *m* self-service *m*.

auxiliar [awsili'a(x)] (*pl* -es) ◇ *adj* auxiliaire. ◇ *mf* auxiliaire *mf* ; [em hospital] aide-soignant *m*, -e *f*. ◇ *vt* aider.

auxílio [aw'silju] *m* aide *f*.

auxílio-desemprego [awˌsiljudʒi-zẽn'pregu] (*pl* **auxílios-desemprego**) *m* allocation *f* chômage.

auxílio-doença [awˌsilju'dwẽnsa] (*pl* **auxílios-doença**) *m* assurance *f* maladie.

auxílio-enfermidade [awˌsil-juẽnfexmi'dadʒi] (*pl* **auxílios-enfermidade**) *m* assurance *f* maladie.

Av. (*abrev de* **avenida**) av.

avalanche [ava'lɑ̃ʃi] *f* avalanche *f*.

avaliação [avalja'sɑ̃w] (*pl* -ões) *f* évaluation *f*.

avaliar [ava'lja(x)] *vt* évaluer ; **a avaliar por** [a julgar por] à en juger par.

avançado, **da** [avɑ̃'sadu, da] *adj* [país] en avance ; [método, sistema] avancé(e) ; [pessoa] évolué(e).

avançar [avɑ̃'sa(x)] *vi* [ir para a frente] avancer ; [aproximar-se] s'avancer.

avarento, **ta** [ava'rẽntu, ta] *adj* avare.

avaria [ava'ria] *f* panne *f*.

avariado, **da** [ava'rjadu, da] *adj* en panne.

ave ['avi] *f* oiseau *m*.

aveia [a'veja] *f* avoine *f*.

avelã [ave'lɑ̃] *f* noisette *f*.

avenca [avẽŋka] *f* cheveu-de-Vénus *m (fougère)*.

avenida [ave'nida] *f* avenue *f*.

avental [avẽn'taw] (*pl* -ais) *m* tablier *m*.

aventura [avẽn'tura] *f* aventure *f* ; **partir para a aventura** partir à l'aventure.

aventureiro, **ra** [avẽntu'rejru, ra] *m*, *f* aventurier *m*, -ère *f*.

averiguação [averigwa'sɑ̃w] (*pl* -ões) *f* [investigação] recherche *f* ; [inquérito policial] enquête *f*.

averiguar [averi'gwa(x)] *vt* [investigar] enquêter sur ; [verdade] vérifier.

avesso [a'vesu] ◇ *m* envers *m*. ◇ *adj* : **avesso a** hostile à ; **pelo avesso** à l'envers.

avestruz [aveʃ'truʃ] (*pl* -es) *f* autruche *f*.

avião [a'vjɑ̃w] (*pl* -ões) *m* avion *m* ; **'por avião'** 'par avion'.

ávido, **da** ['avidu, da] *adj* : **ávido de** avide de.

aviões ▶ **avião**.

avisar [avi'za(x)] *vt* avertir.

aviso [a'vizu] *m* [sinal, letreiro] écriteau *m* ; [advertência] avertissement *m* ; [notificação] avis *m* ; **aviso de recepção** accusé *m* de réception ; **aviso prévio** préavis *m*.

avistar [aviʃ'ta(x)] *vt* apercevoir.

avô, **avó** [a'vo, a'vɔ] *m*, *f* grand-père *m*, grand-mère *f*.

avós [a'vɔʃ] *mpl* [avó e avô] grands-parents *mpl*.

avulso, **sa** [a'vuwsu, sa] ◇ *adj* détaché(e). ◇ *adv* en vrac.

axila [ak'sila] *f* aisselle *f*.

azálea ▶ **azaléia**.

azaléia [aza'lɛja] *f* azalée *f*.

azar [a'za(x)] (*pl* -es) *m* [falta de sorte] malchance *f* ; [acaso] hasard *m* ; **estar com azar** ne pas avoir de chance ; **por azar** par malchance.

azarado, **da** [aza'radu, da] *adj* malchanceux(euse).

azares ► **azar**.

azedar [aze'da(x)] *vi* tourner *(lait)*.

azedo, **da** [a'zedu, da] *adj* [sopa] aigre ; [laranja] acide.

azeite [a'zejtʃi] *m* huile *f* d'olive.

azeitona [azej'tona] *f* olive *f* ; **azeitonas pretas** olives noires ; **azeitonas recheadas** olives farcies.

azevinho [aze'viɲu] *m* houx *m*.

azul [a'zuw] (*pl* **azuis**) ◇ *adj* bleu(e). ◇ *m* bleu *m*.

azul-claro, **azul-clara** [a'zuwklaru, ra] (*mpl* **azul-claros**, *fpl* **azul-claras**) *adj* bleu clair *inv*.

azulejo [azu'lejʒu] *m* azulejo *m*.

azul-escuro, **azul-escura** [a'zuwiʃkuru, ra] (*mpl* **azul-escuros**, *fpl* **azul-escuras**) *adj* bleu foncé *inv*.

azul-marinho [aˌzuwma'riɲu] *adj inv* bleu marine.

azul-turquesa [aˌzuwtux'keza] *adj inv* turquoise.

B

baba ['baba] *f* bave *f*.

babá [ba'ba] *f* nourrice *f*.

babar-se [ba'baxsi] *vp* baver.

baby-sitter [ˌbejbi'site(x)] *f* baby-sitter *f*.

bacalhau [baka'ʎaw] *m* morue *f* ; **bacalhau assado (na brasa)** morue grillée ; **bacalhau à Brás** *hachis de morue et de frites* ; **bacalhau à Gomes de Sá** *hachis de morue, de pommes de terre à l'eau et d'œufs durs en rondelles* ; **bacalhau com creme** morue à la crème.

bacia [ba'sia] *f* bassin *m* ; [recipiente] bassine *f*.

backup [ba'kapi] (*pl* -s) *m* INFORM sauvegarde *f*.

baço, **ça** ['basu, sa] *adj* [metal] terni(e) ; [sem brilho] mat(e) ; **o vidro está baço** on ne voit pas à travers la vitre.

bacon ['bejkõ] *m* bacon *m*.

bactéria [bak'tɛrja] *f* bactérie *f*.

badejo [ba'deʒu] *m* merlan *m*.

badminton [bad'mĩnten] *m* badminton *m*.

bafo ['bafu] *m* haleine *f*.

bafômetro [ba'fometru] *m* alcootest *m*.

baforada [bafo'rada] *f* bouffée *f*.

bagaço [ba'gasu] *m* marc *m* (de raisin).

bagageiro [baga'ʒejru] *m* bagagiste *m*.

bagagem [ba'gaʒẽ] (*pl* -ns) *f* bagage *m* ; **depositar a bagagem** déposer les bagages ; **despachar a bagagem** enregistrer les bagages.

bagatela [baga'tɛla] *f* bagatelle *f*.

bago ['bagu] *m* grain *m*.

bagunça [ba'gũsa] *f* pagaille *f*.

bagunçado, **da** [bagũn'sadu, da] *adj* bordélique.

bagunçar [bagũn'sa(x)] *vt* mettre en désordre.

Bahia [ba'ia] *f* Bahia.

baía [ba'ia] *f* baie *f*.

bailado [baj'ladu] *m* ballet *m*.

bailarino, **na** [bajla'rinu, na] *m, f* danseur *m*, -euse *f*.

baile ['bajli] *m* bal *m*.

bainha [ba'iɲa] *f* [de calças, saia] ourlet *m* ; [de espada] fourreau *m*.

bairro ['bajxu] *m* quartier *m*.

baixa ['bajʃa] *f* [de cidade] ville *f* basse ; [médica] congé *m* (de) maladie ; [de preço] baisse *f* ; [durante os saldos] réduction *f*.

baixar [baj'ʃa(x)] ◇ *vt* baisser ; **baixar um arquivo** INFORM télécharger un fichier. ◇ *vi* baisser. ◆ **baixar-se** *vp* se baisser.

baixo, **xa** ['bajʃu, ʃa] ◇ *adj* bas(basse) ; [pessoa] petit(e). ◇ *adv* [falar, rir] tout bas ; [relativo a posição] bas. ◇ *m* [instrumento] basse *f* ; **em baixo** en bas ; **mais baixo** plus bas ; [pessoa, objeto] plus petit ; [falar] moins fort ; **o mais baixo/a mais baixa** le plus petit/la plus petite ; [preço, valor] le plus bas/la plus basse ; **para baixo** en bas ; [mais abaixo] plus bas ; **por baixo de** sous.

bajulador, **ra** [baʒula'do(x), ra] (*mpl* -es, *fpl* -s) *adj* flatteur(euse).

bajular [baʒu'la(x)] *vt* flatter.

bala ['bala] *f* [de arma] balle *f* ; [doce] bonbon *m* ; **à prova de bala** pare-balles.

balança [ba'lɑ̃sa] *f* balance *f*. ◆ **Balança** *f* Balance *f*.

balançar [balɑ̃'sa(x)] ◇ *vt* balancer. ◇ *vi* [balanço] se balancer ; [barco] tanguer.

balanço [ba'lɑ̃su] *m* [de criança] balançoire *f* ; [ação] bilan *m*.

balão [ba'lɑ̃w] (*pl* -ões) *m* [de borracha] ballon *m* ; [de transporte] ballon *m* dirigeable ; **soprar no balão** *fam* souffler dans le ballon.

balbuciar [bawbu'sja(x)] *vt* & *vi* balbutier.

balbúrdia [baw'buxdʒja] *f* [desordem] bazar *m* ; [barulho] vacarme *m*.

balcão [baw'kɑ̃w] (*pl* -ões) *m* [de bar, loja] comptoir *m* ; [de teatro, casa] balcon *m* ; **balcão nobre** [de teatro] loge *f* ; **balcão simples** [de teatro] balcon *m*.

balde ['bawdʒi] *m* seau *m*.

baldeação [bawdʒja'sɑ̃w] (*pl* -ões) *f* correspondance *f* ; **fazer baldeação** prendre une correspondance.

balé [ba'lɛ] *m* ballet *m*.

baleia [ba'leja] *f* baleine *f*.

baliza [ba'liza] *f* buts *mpl*.

balneário [baw'njarju] *m* station *f* balnéaire.

balões [ba'lõjʃ] ➤ **balão**.

balofo, **fa** [ba'lofu, fa] ◇ *adj* bouffi(e). ◇ *m, f* gross *m*, -e *f*.

bálsamo ['bawsamu] *m* baume *m*.

bambu [bɑ̃n'bu] *m* bambou *m*.

banal [ba'naw] (*pl* -ais) *adj* banal(e).

banana [ba'nana] *f* banane *f*.

bananada [bana'nada] *f* *pâte de fruit à la banane*.

bananeira [bana'nejra] *f* bananier *m*.

banca ['bɑ̃ŋka] *f* [de cozinha] plan *m* de travail ; [de trabalho] établi *m* ; [de mercado] étal *m* ; FIN banque *f* ; **banca de jornais** kiosque *m* à journaux.

bancada [bɑ̃ŋ'kada] *f* paillasse *f*.

bancário, **ria** [bɑ̃ŋ'karju, rja] ◇ *adj* bancaire. ◇ *m, f* employé *m*, -e *f* de banque.

banco ['bɑ̃ŋku] *m* [de cozinha] tabouret *m* ; [de carro] siège *m* ; FIN banque *f* ; **banco de areia** banc *m* de sable ; **banco de dados** banque de données ; **banco de jardim** banc *m*.

banda ['bɑ̃nda] *f* [lado] côté *m* ; [margem] rive *f* ; [filarmônica] fanfare *f* ; [de rock] groupe *m* ; **pôr de banda** *fig* mettre de côté ; **banda larga** INFORM large bande.

bandarilha [bɑ̃nda'riʎa] *f* banderille *f*.

bandeira [bɑ̃n'dejra] *f* drapeau *m* ; [em transporte público] *panonceau actionné par le chauffeur du bus pour indiquer la direction* ; **rir a bandeiras despregadas** rire à gorge déployée.

bandeirinha [bãn'dejriɲa] *m* juge *m* de touche.

bandeja [bãn'deʒa] *f* plateau *m*.

bandejão [bãnde'ʒãw] (*pl* -ões) *f* plateau-repas *m*.

bandido, da [bãn'dʒidu, da] *m, f* bandit *m*.

bando ['bãndu] *m* [de aves] volée *f* ; [de criminosos] bande *f*.

bandolim [bãndo'lĩ] (*pl* -ns) *m* mandoline *f*.

bangalô [bãŋga'lo] *m* bungalow *m*.

banha ['baɲa] *f*: **banha (de porco)** saindoux *m*.

banheira [ba'ɲejra] *f* baignoire *f*.

banheiro [ba'ɲejru] *m* salle *f* de bains.

banhista [ba'ɲiʃta] *mf* baigneur *m*, -euse *f*.

banho ['baɲu] *m* bain *m* ; **tomar banho** prendre un bain ; **tomar banho de sol** prendre un bain de soleil.

banho-maria [ˌbaɲuma'ria] *m* bain-marie *m* ; **cozer em banho-maria** cuire au bain-marie.

banir [ba'ni(x)] *vt* bannir *m*.

banjo ['bãnʒu] *m* banjo *m*.

banner ['banex] (*pl* **banners**) *m* INFORM bannière *f*.

banquete [bãŋ'ketʃi] *m* banquet *m*.

bar ['ba(x)] (*pl* -es) *m* bar *m*.

baralhar [bara'ʎa(x)] *vt* [cartas de jogar] battre ; [confundir] brouiller. ◆ **baralhar-se** *vp* s'embrouiller.

baralho [ba'raʎu] *m*: **baralho (de cartas)** jeu *m* de cartes.

barão [ba'rãw] (*pl* -ões) *m* baron *m*.

barata [ba'rata] *f* cafard *m*.

barato, ta [ba'ratu, ta] ◇ *adj* pas cher(pas chère). ◇ *adv* [comprar] bon marché ; [vender] à bas prix. ◇ *m fam* **foi o maior barato** ça a été super ; **o mais barato** le moins cher.

barba ['baxba] *f* barbe *f* ; **fazer a barba** se raser.

barbante [bax'bãntʃi] *m* ficelle *f*.

barbatana [baxba'tana] *f* [de peixe] nageoire *f*.

barbeador [barbja'do(x)] (*pl* -es) *m* : **barbeador (elétrico)** rasoir *m (électrique)*.

barbear-se [bax'bjaxsi] *vp* se raser.

barbeiro [bax'bejru] *m* coiffeur *m* pour hommes.

barca ['baxka] *f* barque *f* ; [de travessia] bac *m*.

barco ['baxku] *m* bateau *m* ; **barco a motor** bateau à moteur ; **barco a remo** bateau à rames ; **barco a vela** bateau à voile.

bares ► **bar**.

barman ['baxmɛ] (*pl* -s) *m* barman *m*.

barões [ba'rõjʃ] ► **barão**.

baronesa [baro'neza] *f* baronne *f*.

barra ['baxa] *f* barre *f* ; [de rio] embouchure *f* ; *fam* [situação] galère *f*.

barraca [ba'xaka] *f* [de feira] baraque *f* ; [de campismo] bungalow *m*.

barraco [ba'xaku] *m* taudis *m*.

barragem [ba'xaʒẽ] (*pl* -ns) *f* barrage *m*.

barranco [ba'xãŋku] *m* ravin *m*.

barreira [ba'xejra] *f* [de rio, estrada] bord *m* ; DESP haie *f* ; *fig* [obstáculo] embûche *f*.

barrento, ta [ba'xẽntu, ta] *adj* boueux(euse).

barrete [ba'xetʃi] *m* bonnet *m*.

barriga [ba'xiga] *f* ventre *m* ; **barriga da perna** mollet *m* ; **de barriga para cima** sur le dos ; **de barriga para baixo** sur le ventre.

barril [ba'xiw] (*pl* -is) *m* [de cerveja] baril *m* ; [de vinho] tonneau *m*.

barro ['baxu] *m* terre *f* glaise.

barroco, ca [ba'xoku, ka] <> *adj* baroque. <> *m* baroque *m*.

barulhento, ta [baru'ʎẽntu, ta] *adj* bruyant(e).

barulho [ba'ruʎu] *m* [ruído] bruit *m* ; [confusão] raffut *m*.

base ['bazi] *f* [suporte] base *f* ; [centro de operações] base *f* (militaire) ; [de maquiagem] fond *m* de teint ; **base em creme** fond *m* de teint ; **base de dados** base de données.

básico, ca ['baziku, ka] *adj* [ensino] obligatoire ; [produto] de base ; [fundamental] essentiel(elle).

basílica [ba'zilika] *f* basilique *f*.

basquete ['baʃkɛtʃi] *m* basket-ball *m*.

basta ['baʃta] *interj* ça suffit !

bastante [baʃ'tãntʃi] *adj & adv* [muito] beaucoup ; [suficiente] assez ; **tenho bastante frio** j'ai très froid ; **bastantes vezes** souvent.

bastar [baʃ'ta(x)] *vi* suffire.

bastidores [baʃti'doreʃ] *mpl* coulisses *fpl*.

bata ['bata] *f* blouse *f*.

batalha [ba'taʎa] *f* bataille *f* ; **batalha naval** bataille navale.

batata [ba'tata] *f* pomme *f* de terre ; **batatas assadas** pommes de terre rissolées ; **batatas cozidas** pommes de terre bouillies ; **batatas fritas** frites *fpl* ; **batata palha** pommes *fpl* allumettes.

batata-doce [ba,tata'dosi] (*pl* **batatas-doces**) *f* patate douce *f*.

batedeira [bate'dejra] *f* : **batedeira (elétrica)** batteur *m* (électrique).

batelada [bate'lada] *f* batelée *f*, tripotée *f fam*.

batente [ba'tẽntʃi] *m* [meia-porta] battant *m* ; [aldraba] heurtoir *m*.

bate-papo [,batʃi'papu] (*pl* **bate-papos**) *m* causette *f*.

bater [ba'te(x)] *vt & vi* battre ; **bater a** [porta, janela] frapper à ; **bater com algo contra/em algo** frapper qqch contre/sur qqch ; **bati com a cabeça na parede** je me suis cognée la tête contre le mur ; **bater os dentes** claquer des dents ; **bater em** [agredir] frapper ; [ir de encontro a] rentrer dans ; **bater à máquina** taper à la machine ; **bater papo** discuter ; **bater o pé** taper du pied ; **bater com o pé** donner un coup de pied ; **bater a porta** claquer la porte ; **bater a bota** *fam* casser sa pipe.

bateria [bate'ria] *f* batterie *f* ; **bateria de cozinha** batterie *f* de cuisine.

baterista [bate'riʃta] *mf* batteur *m*, -euse *f*.

batida [ba'tʃida] *f* [de veículo] accident *m* ; [de polícia] descente *f* ; [bebida] batida *f cocktail à base d'eau-de-vie et de sucre de canne.*

batismo [ba'tʃiʒmu] *m* baptême *m (cérémonie).*

batizado [batʃi'zadu] *m* baptême *m (réception).*

batom [ba'tõ] (*pl* -ns) *m* rouge *m* à lèvres.

batucada [batu'kada] *f genre de musique percussive traditionnelle du Brésil.*

batucar [batu'ka(x)] *vi produire des battements, en frappant de manière rythmée et répétée les tambours.*

batuque [ba'tuki] *m accompagnement de percussions dans la samba ou lors des cérémonies religieuses du candomblé.*

baú [ba'u] *m* coffre *m*.

baunilha [baw'niʎa] *f* vanille *f*.

bazar [ba'za(x)] (*pl* -es) *m* bazar *m*.

BCG *m* BCG *m*.

bê-á-bá [bea'ba] *m* B.A.-Ba *m*.

beata [bea'ta] *f fam* mégot *m*.

bêbado, da ['bebadu, da] <> *adj* ivre. <> *m, f* ivrogne *mf*.

bebê [be'be] *m* bébé *m* ; **'bebê a bordo'** 'bébé à bord'.

bebedeira [bebe'dejra] *f* ivresse *f* ; **apanhar uma bebedeira** se soûler.

beber [be'be(x)] *vt* & *vi* boire.

bebida [be'bida] *f* boisson *f* ; **bebida alcoólica** boisson alcoolisée.

beça ['bɛsa] ◆ **à beça** *adv fam* vachement.

beco ['beku] *m* ruelle *f* ; **beco sem saída** impasse *f*.

bege ['bɛʒi] *adj inv* beige.

begônia [be'gonja] *f* bégognia *m*.

beija-flor [ˌbejʒa'flo(x)] (*pl* **beija-flores**) *m* colibri *m*.

beijar [bej'ʒa(x)] *vt* embrasser. ◆ **beijar-se** *vp* s'embrasser.

beijo ['bejʒu] *m* baiser *m*.

beira ['bejra] *f* bord *m* ; **à beira de** au bord de.

beira-mar [ˌbejra'ma(x)] *f* bord *m* de mer ; **à beira-mar** au bord de la mer.

beira-rio [ˌbejra'xiu] *f* : **à beira-rio** [pequeno] au bord de la rivière ; [grande] au bord du fleuve.

beisebol [bejze'bɔw] *m* base-ball *m*.

belas-artes [ˌbɛla'zaxtʃiʃ] *fpl* beaux-arts *mpl*.

beldade [bew'dadʒi] *f* beauté *f*.

beleza [be'leza] *f* beauté *f* ; [festa] merveille *f* ; [comida] régal *m* ; **que beleza!** que c'est beau !

belga ['bɛwga] ◇ *adj* belge. ◇ *mf* Belge *mf*.

Bélgica ['bɛwʒika] *f* : **a Bélgica** la Belgique.

beliche [be'liʃi] *m* [cama] lits *mpl* superposés ; [em trem] couchette *f*.

beliscão [beliʃ'kãw] (*pl* -ões) *m* pincement *m*.

beliscar [beliʃ'ka(x)] *vt* pincer.

beliscões ➤ **beliscão**.

belo, la ['bɛlu, la] *adj* beau(belle).

bem ['bẽj] ◇ *m* bien *m* ; **praticar o bem** faire le bien. ◇ *adv* **1.** [ger] bien ; **dormiu bem?** tu as bien dormi ? ; **fez bem!** tu as bien fait ! ; **sente-se bem?** tu te sens bien ? ; **estar bem** être bien ; [de saúde] aller bien ; **queria uma bebida bem gelada** je voudrais une boisson bien glacée ; **quero um quarto bem quente** je veux une chambre bien chaude ; **é um quarto bem grande** c'est une chambre bien grande ; **é um lugar bem bonito** c'est un endroit bien beau ; **foi bem ali** c'était bien là ; **não é bem assim** ce n'est pas tout à fait ça ; **não é bem aqui, é mais para baixo** ce n'est pas tout à fait ici, c'est un peu plus bas - **2.** [suficiente] : **estar bem** suffire - **3.** [com cheirar, saber] bon - **4.** [com passar] bon(bonne) ; **passem bem, meus senhores!** bonne continuation, messieurs ! ; **passou bem, senhor Costa?** comment allez-vous, monsieur Costa ? - **5.** [em locuções] : **por bem ou por mal** bon gré, mal gré ; **eu bem que te avisei** je t'avais bien prévenu ; **bem como** ainsi que ; **bem feito!** bien fait ! ; **está bem!** ça suffit ! ; **muito bem!** très bien ! ; **ou bem... ou bem...** ou bien... ou bien... ; **se bem que** bien que. ◇ *adj inv pej* : **gente bem** des gens bien ; **menino bem** fils à papa. ◆ **bens** *mpl* biens *mpl* ; **bens imóveis** ou **de raiz** biens immobiliers ; **bens de consumo** biens de consommation.

bem-disposto, osta [bẽjdʒiʃ'poʃtu, ɔʃta] *adj* : **estar bem-disposto** être de bonne humeur.

bem-estar [bẽjʃ'ta(x)] *m* bien-être *m*.

bem-vindo, da [bẽj'vĩndu, da] *adj* bienvenu(e).

bendizer [bẽndʒi'ze(x)] *vt* faire les louanges de.

beneficência [benefi'sẽsja] *f* bienfaisance *f*.

beneficiar [benefi'sja(x)] *vt* avantager.

benefício [bene'fisju] *m* avantage *m*.

benéfico, **ca** [be'nɛfiku, ka] *adj* [vantajoso] avantageux(euse) ; [saudável] bénéfique.

benevolência [benevu'lẽnsja] *f* bienveillance *f*.

benévolo, **la** [benɛ'volu, la] *adj* bénévole.

bengala [bẽŋ'gala] *f* canne *f*.

benigno, **gna** [be'nignu, na] *adj* bénin(igne).

benzer [bẽ'ze(x)] *vt* bénir. ◆ **benzer-se** *vp* se signer.

berbigão [bexbi'gɑ̃w] (*pl* -ões) *m* coque *f*.

berço ['bexsu] *m* berceau *m*.

beringela *f* = **berinjela**.

berinjela [berĩ'ʒɛla] *f* aubergine *f*.

berloque [bex'lɔki] *m* breloque *f*.

bermuda [bex'muda] *f* = **bermudas**.

bermudas [bex'mudaʃ] *fpl* bermuda *m*.

berrante [bex'ɑ̃ntʃi] *adj* criard(e).

besouro [be'zoru] *m* hanneton *m*.

besta ['beʃta] *f* bête *f* (de somme) ; **que besta!** quel idiot !

besteira [beʃ'tejra] *f fam* [asneira] bêtise *f* ; [insignificância] broutille *f*.

bestial [beʃ'tjaw] (*pl* -ais) *adj* bestial(e).

besuntar [bezũn'ta(x)] *vt* [untar] enduire ; [sujar com gordura] tacher de graisse ; **besuntar algo com algo** enduire qqch de qqch.

beterraba [bete'xaba] *f* betterave *f*.

betoneira [beto'nejra] *f* bétonnière *f*.

bexiga [be'ʃiga] *f* vessie *f*.

bezerro, **a** [be'zexu] *m, f* veau *m*, génisse *f*.

Bíblia ['biblia] *f* Bible *f*.

biblioteca [bibljo'tɛka] *f* bibliothèque *f* ; **biblioteca itinerante** ≃ bibliobus *m*.

bibliotecário, **ria** [bibljote'karju, rja] *mf* bibliothécaire *m*.

bica ['bika] *f* [de água] fontaine *f*.

bicar [bi'ka(x)] *vt* & *vi* picorer.

bicha ['biʃa] *f fam* pédé *m*.

bicho ['biʃu] *m* bestiole *f*.

bicho-da-seda [ˌbiʃuda'seda] *m* ver *m* à soie.

bicicleta [bisi'klɛta] *f* bicyclette *f* ; **andar de bicicleta** faire du vélo.

bico ['biku] *m* pointe *f* ; [de ave] bec *m* ; [de sapato] bout *m* ; [de fogão] feu *m* ; [de mamadeira] tétine *f*.

bidê [bi'de] *m* bidet *m*.

bife ['bifi] *m* [de vaca] bifteck *m*.

bifurcação [bifuxka'sɑ̃w] (*pl* -ões) *f* bifurcation *f*.

bigode [bi'gɔdʒi] *m* moustache *f*.

bijuteria [biʒute'ria] *f* bijou *f*.

bilhão [bi'ʎɑ̃w] (*pl* -ões) *num* [mil milhões] milliard *m*.

bilhar [bi'ʎa(x)] (*pl* -es) *m* billard *m* ; **jogar bilhar** jouer au billard.

bilhete [bi'ʎetʃi] *m* billet *m*.

bilheteria [biʎete'ria] *f* guichet *m*.

bilhões [bi'ʎõjʃ] ► **bilhão**.

bilíngüe [bi'lĩŋgwi] *adj* bilingue.

bílis ['biliʃ] *f* bile *f*.

bingo ['bĩŋgu] *m* bingo *m*.

binóculo [bi'nɔkulu] *m* jumelles *fpl*.

biografia [bjogra'fia] *f* biographie *f*.

biologia [bjolo'ʒia] *f* biologie *f*.

biólogo, **ga** ['bjɔlogu, ga] *m, f* biologiste *mf*.

biombo ['bjõmbu] *m* paravent *m*.

biópsia [bjɔp'sia] *f* biopsie *f*.

biqueira [bi'kejra] *f* pointe *f*.

biquíni [bi'kini] *m* bikini *m*.

birra ['bixa] *f* moue *f* ; **fazer birra** bouder.

bis [biʃ] *interj* bis !

bisavô, **vó** [biza'vo, vɔ] *m, f* arrière-grand-père *m*, arrière-grand-mère *f*.

bisavós [biza'vɔʃ] *mpl* [bisavô e bisavó] arrière-grands-parents *mpl*.

biscoito [biʃ'kojtu] *m* biscuit *m*.

bisnaga [biʒ'naga] *f* tube *m*.

bisneto, **ta** [biʒ'nɛtu, ta] *m, f* arrière-petit-fils *m*, arrière-petite-fille *f*.

bispo ['biʃpu] *m* évêque *m*.

bissexto [bi'sejʃtu, ta] *adj m* ► **ano**.

bisteca [biʃ'tɛka] *f* bifteck *m*.

bisturi [biʃtu'ri] *m* bistouri *m*.

bit ['bitʃi] *m* bit *m*.

bizarro, **a** [bi'zaxu, a] *adj* bizarre.

blasfemar [blaʃfe'ma(x)] *vi* blasphémer.

blasfêmia [blaʃ'femja] *f* blasphème *m*.

blazer ['blejzɛ(x)] (*pl* -es) *m* blazer *m*.

bloco ['blɔku] *m* bloc *m* ; [de apontamentos, notas] bloc-notes *m* ; [de apartamentos] immeuble *m*.

bloquear [blo'kja(x)] *vt* bloquer.

blusa ['bluza] *f* chemisier *m*.

blusão [blu'zãw] (*pl* -ões) *m* blouson *m*.

boa[1] ['boa] ► **bom**.

boa[2] ['boa] *f* boa *m*.

boa-noite [ˌboa'nojtʃi] ◇ *interj* bonne nuit ! ◇ *f* : **dar boa-noite** souhaiter bonne nuit.

boas-entradas [ˌboaʃˌẽn'tradaʃ] *interj* bonne année !

boas-festas [ˌboaʒ'fɛʃtaʃ] *fpl* : **desejar boas-festas** adresser ses vœux.

boas-vindas [ˌboaʒ'vĩndaʃ] *fpl* : **dar as boas-vindas a alguém** souhaiter la bienvenue à qqn.

boa-tarde [ˌboa'taxdʒi] *interj* bonne après-midi !

boate ['bwatʃi] *f* boîte *f* (de nuit).

boato ['bwatu] *m* bruit *m* *(rumeur)*.

bobagem [bo'baʒẽ] (*pl* -ns) *f* [tolice] bêtise *f*.

bobina [bɔ'bina] *f* bobine *f*.

bobo, **ba** ['bobu, ba] *adj* idiot(e).

boca ['boka] *f* [de pessoa] bouche *f* ; [de animal] gueule *f* ; [de túnel] entrée *f* ; [de rua, caminho] début *m* ; [de rio] embouchure *f* ; [de forno, fogão] feu *m*.

bocado [bo'kadu] *m* bout *m*.

bocal [bo'kaw] (*pl* -ais) *m* embouchure *f* *(d'instrument)*.

bocejar [bose'ʒa(x)] *vi* bailler.

bochecha [bu'ʃeʃa] *f* joue *f*.

bochechar [boʃe'ʃa(x)] *vi* se gargariser.

boda ['boda] *f* [de casamento] mariage *m* *(réception)* ; **bodas de ouro** noces *fpl* d'or ; **bodas de prata** noces *fpl* d'argent.

bode ['bɔdʒi] *m* bouc *m* ; **bode expiatório** bouc émissaire.

bofetada [bofe'tada] *f* gifle *f*.

boi ['boj] *m* bœuf *m*.

bóia ['bɔja] *f* [de natação, barco] bouée *f* ; [de pesca, carburador] flotteur *m*.

boiada [bo'jada] *f* troupeau *m* de bœufs.

boiar [bo'ja(x)] *vi* faire la planche.

boina ['bɔjna] *f* casquette *f* ; [basca] béret *m*.

bola[1] ['bɔla] *f* : **bola de carne** *pain à la viande.*

bola[2] ['bɔla] *f* [de tênis] balle *f* ; [de futebol, rúgbi] ballon *m* ; [de bilhar] boule *f* ; [de sabão] bulle *f* ; **não estar bom da bola** *fam* ne pas tourner rond.

bolacha [bo'laʃa] *f* biscuit *m* ; **bolacha de água e sal** biscuit salé.

bolbo ['bowbu] *m* bulbe *m*.

boléia [bo'lɛja] *f* [do motorista] cabine *f* ; [parte traseira] plateforme *f*.

boletim [bole'tʃĩ] (*pl* -ns) *m* [de notícias] bulletin *m (d'informations)* ; [revista] bulletin *m* ; **boletim meteorológico** bulletin météorologique.

bolha ['boʎa] *f* [em pele] ampoule *f* ; [em líquido] bulle *f*.

bolinho [bo'liɲu] *m* petit gâteau *m* ; **bolinho de arroz** *croquette à base de riz, fromage, œufs* ; **bolinho de bacalhau** croquette *m* de morue ; **bolinho de carne** boulette *f* de viande.

Bolívia [bo'livja] *f* : **a Bolívia** la Bolivie.

bolo ['bolu] *m* gâteau *m* ; **bolo inglês** cake *m* ; **bolo rei** ≃ galette *f* des Rois.

bolo-podre [ˌbolu'podri] (*pl* **bolos-podres**) *m gâteau au tapioca fait à base de farine de manioc ou de blé.*

bolor [bo'lo(x)] *m* moisissure *f*.

bolota [bo'lɔta] *f* gland *m*.

bolsa ['bowsa] *f* [para dinheiro] bourse *f* ; [mala] sac *m* (à main) ; **bolsa de água quente** bouillotte *f* ; **bolsa de estudos** bourse d'études ; **bolsa de valores** bourse de valeurs.

bolso ['bowsu] *m* poche *f*.

bom, **boa** ['bõ, 'boa] (*mpl* **bons**, *fpl* **boas**) *adj* bon(bonne) ; [gesto, tempo] beau(belle) ; **o doente já está bom** le malade est guéri ; **é bom para a saúde** c'est bon pour la santé ; **sapatos bons para dançar** des chaussures bien pour danser ; **seria bom se você pudesse ficar** ce serait bien si tu pouvais rester ; **tudo bom?** ça va ?

bomba ['bõmba] *f* [de ar] pompe *f* ; [de água] pompe *f* (à eau) ; [explosivo] bombe *f* ; **bomba atômica** bombe atomique ; **bomba de gasolina** pompe à essence.

bombardear [bõmbax'dʒja(x)] *vt* bombarder.

bombeiro [bõm'bejru] *m* pompier *m* ; **os bombeiros** les pompiers.

bombo ['bõmbu] *m* grosse caisse *f*.

bombom [bõm'bõ] (*pl* -ns) *m* bonbon *m*.

bondade [bõn'dadʒi] *f* bonté *f*.

bonde ['bõndʒi] *m* tramway *m* ; **andar de bonde** prendre le tramway.

bondoso, **osa** [bõn'dozu, ɔza] *adj* bon(bonne).

boné [bɔ'nɛ] *m* casquette *f*.

boneca [bo'nɛka] *f* poupée *f* ; **boneca de trapos** poupée de chiffon.

boneco [bo'nɛku] *m* [brinquedo] jouet *m* ; [desenho] dessin *m* ; **boneco de neve** bonhomme *m* de neige.

bonito, **ta** [bo'nitu, ta] ◇ *adj* beau(belle) ; [objeto, mulher] joli(e) ; [momento] bon(bonne). ◇ *m* thon *m*.

bons ['bõjʃ] ➤ **bom**.

bônus ['bonuʃ] *m inv* [de empresa] prime *f* ; [de loja] cadeau *m*.

bookmark ['bukmark] *m* signet *m*.

boot ['buti] (*pl* **boots**) *m* INFORM [inicialização] réinitialisation *f* ; **dar boot** réinitialiser.

borboleta [boxbo'leta] *f* papillon *m*.

borbulhar [boxbu'ʎa(x)] *vi* [líquido] pétiller.

borda ['bɔxda] *f* bord *m*.

bordado, **da** [box'dadu, da] ◇ *adj* brodé(e). ◇ *m* broderie *f*.

bordar [box'da(x)] *vt* & *vi* broder.

bordel [box'dɛw] (*pl* -eis) *m* maison *f* close.

bordo ['boxdu] *m* bord *m* ; **a bordo** à bord.

borra ['boxa] *f* [de café] marc *m* ; [de vinho] lie *f*.

borracha [bo'xaʃa] *f* [caucho] caoutchouc *m* ; [de apagar] gomme *f*.

borracheiro [boxa'ʃejru] *m garagiste spécialisé dans la réparation de pneus.*

borrão [bo'xɑ̃w] (*pl* -ões) *m* tache *f*.

borrasca [bo'xaʃka] *f* bourrasque *f*.

borrego, **ga** [bo'xegu, ga] *m, f* agneau *m*.

borrifar [boxi'fa(x)] *vt* : **borrifar algo com algo** asperger qqch de qqch.

borrões [bo'xõjʃ] ➤ **borrão**.

bosque ['bɔʃki] *m* bois *m*.

bossa ['bɔsa] *f* bosse *f* ; **bossa nova** bossa-nova *f*.

bota ['bɔta] *f* [calçado] bottine *f* ; [de cano alto] botte *f*.

botânica [bo'tɑ̃nika] *f* [ciência] botanique *f*, ➤ **botânico**.

botânico, **ca** [bo'tɑ̃niku, ka] ◇ *m, f* botaniste *mf*. ◇ *adj* ➤ **jardim**.

botão [bo'tɑ̃w] (*pl* -ões) *m* bouton *m* ; **botão de punho** bouton de manchette.

botar [bo'ta(x)] *vt* : **botar banca** *fam* miser le gros lot.

bote ['bɔtʃi] *m* canot *m* ; **bote salva-vidas** canot de sauvetage.

boteco [bo'tɛku] *m* bistrot *m*.

botequim [botʃi'kĩ] (*pl* -ns) *m* bistrot *m*.

botijão [botʃi'ʒɑ̃w] (*pl* -ões) *m* : **botijão de gás** bonbonne *f* de gaz.

botões [bo'tõjʃ] ➤ **botão**.

boxe ['bɔksi] *m* boxe *f*.

bps [bepe'esi] (*abrev de* **bit por segundo**) INFORM bit par seconde *m*.

braçadeira [brasa'dejra] *f* [de cano, mangueira] collier *m* de serrage ; [de cortina] embrasse *f*.

bracelete [brase'letʃi] *m* & *f* bracelet *m*.

braço ['brasu] *m* [de pessoa, rio, mar] bras *m* ; [de árvore] branche *f* ; [de viola, violino, violoncelo] manche *m* ; **ver-se** OU **estar a braços com** se trouver OU être aux prises avec ; **de braço dado** bras dessus, bras dessous.

bradar [bra'da(x)] ◇ *vt* crier. ◇ *vi* hurler.

braguilha [bra'giʎa] *f* braguette *f*.

branco, **ca** ['brɑ̃ŋku, ka] ◇ *adj* blanc(blanche). ◇ *m, f* Blanc *m*, Blanche *f*. ◇ *m* blanc *m* ; **em branco** en blanc.

brandir [brɑ̃n'di(x)] *vt* brandir.

brando, **da** ['brɑ̃ndu, da] *adj* conciliant(e) ; **cozinhar em fogo brando** cuire à feu doux.

brasa ['braza] *f* braise *f*.

brasão [bra'zɑ̃w] (*pl* -ões) *m* blason *m*.

Brasil [bra'ziw] *m* : **o Brasil** le Brésil.

brasileiro, **ra** [brazi'lejru, ra] ◇ *adj* brésilien(enne). ◇ *m, f* Brésilien *m*, -enne *f*.

Brasília [bra'zilja] *s* Brasilia.

brasões [bra'zõjʃ] ➤ **brasão**.

bravio, **via** [bra'viu, via] *adj* [terreno] en friche ; [terra] en jachère ; [animal] farouche.

bravo, **va** ['bravu, va] ◇ *adj* [pessoa] vaillant(e) ; [animal] sauvage ; [mar] démonté(e) ; *fig* [furioso] furieux(euse). ◇ *interj* bravo !

brejo ['brɛʒu] *m* marais *m*.

breve ['brɛvi] *adj* bref(ève) ; **em breve** bientôt ; **até breve!** à bientôt !

brevemente [ˌbrɛvi'mẽntʃi] *adv* bientôt.

briga ['briga] *f* bagarre *f*.

brigada [bri'gada] *f* [militar] brigade *f* ; [de trabalhadores] équipe *f*.

brilhante [bri'ʎãntʃi] ◇ *adj* brillant(e). ◇ *m* brillant *m*.

brilhar [bri'ʎa(x)] *vi* briller.

brilho ['briʎu] *m* éclat *m*.

brincadeira [brĩŋka'dejra] *f* [jogo] jeu *m* ; [gracejo] blague *f*.

brincalhão, **lhona** [brĩŋka'ʎãw, ɔna] (*mpl* -ões, *fpl* -s) *adj* & *m, f* blagueur(euse).

brincar [brĩŋ'ka(x)] *vi* [criança] jouer ; [gracejar] plaisanter.

brinco ['brĩŋku] *m* boucle *f* d'oreille.

brincos-de-princesa [ˌbrĩŋkuʒde-prĩn'seza] *mpl* fuchsia *m*.

brindar [brĩn'da(x)] ◇ *vt* offrir. ◇ *vi* porter un toast ; **brindar à saúde de alguém** boire à la santé de qqn.

brinde ['brĩndʒi] *m* cadeau *m* ; **fazer um brinde** porter un toast.

brinquedo [brĩŋ'kedu] *m* jouet *m*.

brisa ['briza] *f* brise *f*.

britânico, **ca** [bri'taniku, ka] ◇ *adj* britannique. ◇ *m, f* Britannique *mf*.

broa ['broa] *f* pain *m* de maïs ; **broas de mel** *petits gâteaux au miel*.

broca ['brɔka] *f* fraise *f* *(outil)*.

brocha ['brɔʃa] *f* brosse *f* de peintre.

broche ['brɔʃi] *m* broche *f*.

brochura [bro'ʃura] *f* brochure *f*.

brócolis ['brɔkoliʃ] *mpl* brocoli *m*.

bronca ['brõŋka] *f fam* [confusão] histoire *f* ; [repreensão] leçon *f*.

bronquite [brõŋ'kitʃi] *f* bronchite *f*.

bronze ['brõzi] *m* bronze *m*.

bronzeado, **da** [brõ'zeadu, da] ◇ *adj* bronzé(e). ◇ *m* bronzage *m*.

bronzeador [brõzea'do(x)] (*pl* -es) *m* crème *f* solaire.

bronzear-se [brõ'zjaxsi] *vp* bronzer.

brotar [bro'ta(x)] *vi* [água] jaillir ; [flor, planta] pousser.

broto ['brotu] *m fam fig* [jovem] adolescent *m*.

browser ['brãwze(x)] INFORM navigateur *m*.

bruços ['brusuʃ] *mpl* brasse *f* ; **de bruços** sur le ventre.

bruma ['bruma] *f* brume *f*.

brusco, **ca** ['bruʃku, ka] *adj* brusque.

brushing ['braʃĩŋ] *m* brushing *m*.

brutal [bru'taw] (*pl* -ais) *adj* brutal(e).

bruto, **ta** ['brutu, ta] *adj* brut(e) ; [estúpido] abruti(e) ; **em bruto** brut(e).

bruxa ['bruʃa] *f* sorcière *f*.

bucho ['buʃu] *m* *panse de porc farcie*.

búfalo ['bufalu] *m* buffle *m*.

bufê [bu'fe] *m* buffet *m* ; [de teatro] buvette *f*.

buffer ['bufe(x)] (*pl* **buffers**) *m* INFORM mémoire *f* tampon.

bug ['bugi] (*pl* **bugs**) *m* INFORM bogue *f*.

bugigangas [buʒi'gaŋgaʃ] *fpl* bricoles *fpl*.

bujão [bu'ʒãw] *m* [de gás] bonbonne *f*.

bula ['bula] *f* [de medicamento] notice *f* ; [papal] bulle *f*.

bulbo ['buwbu] *m* bulbe *m*.

buldôzer [buw'doze(x)] (*pl* -es) *m* bulldozer *m*.

bule ['buli] *m* théière *f*.

Bulgária [buw'garja] *f* : **a Bulgária** la Bulgarie.

búlgaro, **ra** ['buwgaru, ra] ◇ *adj* bulgare. ◇ *m, f* Bulgare *mf*. ◇ *m* [língua] bulgare *m*.

bunda ['bũnda] *f fam* fesses *fpl*.

buraco [bu'raku] *m* trou *m*.

burla ['burla] *f* escroquerie *f*.

burlão, **lona** [bur'lãw, ona] (*mpl* -ões, *fpl* -s) *m, f* farceur *m*, -euse *f*.

burocracia [burokra'sia] *f* bureaucratie *f*.

burro, **a** ['buxu, a] ◇ *m, f* âne *m*, ânesse *f*. ◇ *adj* âne.

busca ['buʃka] *f* recherche *f* ; **em busca de** à la recherche de.

buscador [buʃka'do(x)] *m* & INFORM moteur *m* de recherche.

buscar [buʃ'ka(x)] *vt* chercher ; **ir buscar** aller chercher.

bússola ['busola] *f* boussole *f*.

bustiê [buʃ'tʃje] *m* bustier *m*.

busto ['buʃtu] *m* buste *m*.

butique [bu'tʃiki] *f* boutique *f*.

buzina [bu'zina] *f* klaxon *m*.

buzinar [buzi'na(x)] *vi* klaxonner.

búzio ['buzju] *m* bulot *m*.

C

cá ['ka] *adv* ici ; **andar de cá para lá** faire les cent pas.

cabana [ka'bana] *f* cabane *f*.

cabeça [ka'besa] *f* tête *f* ; *fig* [dirigente] chef *m* ; **por cabeça** par personne ; **à cabeça de** à la tête de ; **de cabeça para baixo** sens dessus dessous ; **não ter pé nem cabeça** n'avoir ni queue ni tête ; **perder a cabeça** perdre la tête.

cabeçada [kabe'sada] *f* [pancada] coup *m* de tête ; [em futebol] tête *f*.

cabeçalho [kabe'saʎu] *m* chapeau *m* *(dans un journal)*.

cabeceira [kabe'sejra] *f* [de cama] chevet *m* ; [de mesa] bout *m*.

cabeçudo, **da** [kabe'sudu, da] *adj* têtu(e).

cabeleira [kabe'lejra] *f* [verdadeira] chevelure *f* ; [postiça] perruque *f*.

cabeleireiro, **ra** [kabelej'rejru, ra] ◇ *m, f* coiffeur *m*, -euse *f*. ◇ *m* salon *m* de coiffure ; **ir ao cabeleireiro** aller chez le coiffeur.

cabelo [ka'belu] *m* cheveu *m* ; **o cabelo** les cheveux ; **ir cortar o cabelo** aller se faire couper les cheveux.

caber [ka'be(x)] *vi* tenir ; **a mala não cabe no armário** la valise ne rentre pas dans l'armoire ; **não cabe mais ninguém** il n'y a plus de place. ◆ **caber a** *v + prep* : **cabe a mim fazer esse trabalho** c'est à moi de faire ce travail.

cabide [ka'bidʒi] *m* porte-manteau *m*.

cabidela [kabi'dɛla] *f poulet cuit dans son sang*.

cabine [ka'bini] *f* cabine *f* ; [de avião] cabine *f* de pilotage.

cabisbaixo, **xa** [kabiʒ'bajʃu, ʃa] *adj fig* abattu(e).

cabo ['kabu] *m* [de utensílio] manche *m* ; [de terra] cap *m* ; [de eletricidade] câble *m* ; [corda grossa] corde *f* ; [de exército] caporal *m* ; **ao cabo de** au bout de ; **dar cabo de algo** *fam* mettre qqch en l'air.

Cabo Verde [ˌkabu'vexdʒi] *s* Cap-Vert *m*.

cabo-verdiano, **na** [ˌkabuvex'dʒianu, na] ◇ *adj* cap-verdien(enne). ◇ *m, f* Cap-verdien *m*, -enne *f*.

cabra ['kabra] *f* chèvre *f*.

cabrito [ka'britu] *m* chevreau *m* ; **cabrito assado** chevreau rôti.

caça ['kasa] ◇ *f* [ação] chasse *f* ; [animal caçado] gibier *m*. ◇ *m* avion *m* de chasse ; **caça submarina** pêche *f* sous-marine.

caçador, **ra** [kasa'do(x), ra] (*mpl* -es, *fpl* -s) *m, f* chasseur *m*, -euse *f*.

cação [ka'sãw] *m* roussette *f*.

caçar [ka'sa(x)] *vt* chasser.

caçarola [kasa'rɔla] *f* [de barro] marmite *f* ; [tacho] casserole *f*.

cacau [ka'kaw] *m* cacao *m*.

cacetada [kase'tada] *f* coup *m* de bâton.

cacete [ka'setʃi] *m* [pau] trique *f*.

cachaça [ka'ʃasa] *f eau-de-vie de canne à sucre*.

cachê [ka'ʃe] *m* cachet *m*.

cachecol [kaʃe'kɔw] (*pl* -óis) *m* écharpe *f*.

cachimbo [ka'ʃĩmbu] *m* pipe *f*.

cacho ['kaʃu] *m* [de uvas] grappe *f* ; [de flores] gerbe *f* ; [de cabelo] mèche *f* ; [de banana] régime *m*.

cachorro [ka'ʃoxu, ra] *m* chien *m* ; **cachorro-quente** hot-dog *m*.

cacto ['ka(k)tu] *m* cactus *m*.

cada ['kada] *adj* chaque ; [com regularidade] tous les(toutes les) ; **cada dois dias** tous les deux jours ; **uma pessoa em cada dez** une personne sur dix ; **cada qual** chacun(e) ; **cada um/uma** chacun/chacune ; **um/uma de cada vez** un/une à la fois ; **cada vez mais** de plus en plus ; **cada vez que** chaque fois que ; **cada um por si** chacun pour soi.

cadarço [ka'daxsu] *m* lacet *m*.

cadastro [ka'daʃtru] *m* cadastre *m*.

cadáver [ka'davɛ(x)] (*pl* -es) *m* cadavre *m*.

cadê [ka'de] *adv fam* **cadê...?** où est passé... ?

cadeado [ka'dʒjadu] *m* cadenas *m*.

cadeia [ka'deja] *f* [prisão] prison *f* ; [fila] chaîne *f*.

cadeira [ka'dejra] *f* [assento] chaise *f* ; [disciplina] chaire *f* ; **cadeira de rodas** fauteuil *m* roulant.

cadela [ka'dɛla] *f* chienne *f*.

cadência [ka'dẽsja] *f* cadence *f*.

caderneta [kadex'neta] *f* carnet *m* ; **caderneta de poupança** livret d'épargne *m*.

caderno [ka'dɛrnu] *m* cahier *m*.

caducar [kadu'ka(x)] *vi* [passaporte, visto] être périmé(e) ; [prazo] expirer.

caduco, ca [ka'duku, ka] *adj* gâteux(euse).

cães ['kãjʃ] ► **cão**.

café [ka'fɛ] *m* café *m* ; **café forte** café serré ; **café fraco** café allongé ; **café com leite** café au lait ; **café da manhã** petit déjeuner *m* ; **café moído** café moulu ; **café solúvel** café soluble.

cafeína [kafe'ina] *f* caféine *f*.

cafeteira [kafe'tejra] *f* cafetière *f*.

cafezinho [kafe'ziɲu] *m* express *m*.

cágado ['kagadu] *m* tortue *f*.

cagar ['kaga(x)] ◇ *vi vulg* chier. ◇ *vt fam* dégueulasser.

caiar [ka'ja(x)] *vt* blanchir à la chaux.

caibo ['kajbu] ► **caber**.

cãibra ['kãjmbra] *f* crampe *f*.

caipira [kaj'pira] ◇ *adj* plouc. ◇ *mf* péquenaud *m*, -e *f*.

caipirinha [kajpi'riɲa] *f boisson à base d'alcool de canne à sucre et de citron*.

cair [ka'i(x)] *vi* [objeto, pessoa] tomber ; [roupa] aller ; [água, luz] tomber ; **cair bem** plaire ; **cair mal** ne pas plaire ; [comida] ne pas digérer ; **cair na realidade** se rendre à l'évidence ; **cair em si** reprendre ses esprits ; **nessa eu não caio!** on ne m'y prendra pas !

cais ['kajʃ] *m inv* quai *m* ; **cais de embarque** quai d'embarquement.

caixa ['kajʃa] ◇ *f* caisse *f* ; [de papel] boîte *f* ; [de arma] chargeur *m*. ◇ *mf* caissier *m*, -ère *f* ; **caixa alta** majuscule *f* ; **caixa baixa** bas-de-casse *m* ; **caixa de câmbio** boîte de vitesses ; **caixa craniana** boîte crânienne ; **caixa de coleta** boîte *f* aux lettres ; **caixa do correio**

boîte aux lettres ; **caixa de diálogo** boîte de dialogue ; **caixa eletrônico** caisse automatique ; **caixa de fósforos** boîte d'allumettes ; **caixa de pagamento** caisse ; **caixa postal** boîte postale ; **caixa registradora** caisse (enregistreuse) ; **caixa torácica** cage *f* thoracique.

caixão [kaj'ʃɐ̃w] (*pl* -ões) *m* cercueil *m*.

caixeiro [kaj'ʃejru] *m* : **caixeiro-viajante** représentant *m* (de commerce).

caixilho [kaj'ʃiʎu] *m* cadre *m*.

caixões [kaj'ʃõjʃ] ► **caixão**.

caixote [kaj'ʃɔtʃi] *m* caisse *f*.

caju [ka'ʒu] *m* noix *f* de cajou.

cal ['kaw] *f* chaux *f*.

calado, da [ka'ladu, da] *adj* silencieux(euse) ; **fique calado!** tais-toi !

calafrio [kala'friw] *m* frisson *m*.

calamidade [kalami'dadʒi] *f* calamité *f*.

calão [ka'lɐ̃w] *m* argot *m*.

calar-se [ka'laxsi] *vp* se taire ; **cale-se!** tais-toi !

calç. (*abrev de* **calçada**) rue *f*.

calça ['kawsa] *f* pantalon *m*.

calçada [kaw'sada] *f* [rua calcetada] rue *f* pavée.

calçadeira [kawsa'dejra] *f* chausse-pied *m*.

calçado, da [kaw'sadu, da] ◇ *adj* [pessoa] chaussé(e) ; [rua] pavé(e). ◇ *m* chaussure *f*.

calcanhar [kawka'ɲa(x)] (*pl* -es) *m* talon *m*.

calção [kaw'sɐ̃w] (*pl* -ões) *m* short *m* ; **calção de banho** maillot de bain *m*.

calcar [kaw'ka(x)] *vt* [pisar] piétiner, tasser.

calçar [kaw'sa(x)] *vt* [sapatos] mettre ; [meias, luvas] enfiler ; [rua, passeio] paver ; **que número você calça?** quelle est ta pointure ? ; **calço 37** je chausse du 37.

calcário [kaw'karju] *m* calcaire *m*.

calcinha [kaw'siɲa] *f* culotte *f*.

cálcio ['kawsju] *m* calcium *m*.

calço ['kawsu] *m* [cunha] cale *f* ; **calço de freio** plaquette *f* (de frein).

calções [kal'sõiʃ] ► **calção**.

calculadora [kawkula'dora] *f* machine *f* à calculer ; **calculadora de bolso** calculette *f*.

calcular [kawku'la(x)] *vt* [número, valor] calculer ; [conjecturar] **supposer**.

cálculo ['kawkulu] *m* calcul *m* ; **pelos meus cálculos** d'après mes calculs.

calda ['kawda] *f* sirop *m*.

caldeira [kaw'dejra] *f* chaudière *f*.

caldeirada [kawdej'rada] *f* ≃ bouillabaisse *f*.

caldo ['kawdu] *m* bouillon *m* ; [suco de fruto, planta] jus *m* ; **caldo de cana** sirop *m* de canne à sucre ; **caldo verde** soupe *f* au chou.

calendário [kalẽn'darju] *m* calendrier *m*.

calhamaço [kaʎa'masu] *m fam* pavé *m (livre)*.

calhar [ka'ʎa(x)] *vi* tomber bien ; **calhou viajarmos juntos** il se trouve que nous avons voyagé ensemble ; **se calhar** si ça se trouve ; **vir a calhar** tomber à pic.

calhau [ka'ʎaw] *m* grosse pierre *f*.

calibragem [kali'braʒẽ] (*pl* -ns) *f* équilibrage *m* des roues.

calibre [ka'libri] *m* calibre *m* ; *fig* envergure *f*.

cálice ['kalisi] *m* [sagrado] calice *m* ; [copo] verre *m* à pied.

calista [ka'liʃta] *mf* pédicure *mf*.

calma ['kawma] ◇ *f* calme *m*. ◇ *interj* du calme ! ; **ter calma** être calme.

calmante [kaw'mɑ̃ntʃi] ◇ *m* calmant *m*. ◇ *adj* calmant(e).

calmo, **ma** ['kawmu, ma] *adj* calme.

calo ['kalu] *m* [de pé] cor *m* ; [de mão] durillon *m*.

calor [ka'lo(x)] *m* chaleur *f* ; **estar com calor** avoir chaud.

caloria [kalo'ria] *f* calorie *f*.

calorífero, **ra** [kalu'riferu, ra] ◇ *adj* calorifère. ◇ *m* calorifère *m*.

calouro, **ra** [ka'loru, ra] *m, f* bizut *m*.

calúnia [ka'lunja] *f* calomnie *f*.

calvo, **va** ['kawvu, va] *adj* chauve.

cama ['kama] *f* lit *m* ; **cama de bebê** berceau *m* ; **cama de casal** lit double.

camada [ka'mada] *f* couche *f* ; **a camada de ozônio** la couche d'ozone.

camaleão [kama'ljɑ̃w] (*pl* -ões) *m* caméléon *m*.

câmara ['kɑ̃mara] *f*: **câmara escura** chambre *f* noire ; **câmara fotográfica** appareil *m* photo ; **câmara municipal** municipalité *f* ; [edifício] mairie *f* ; **câmara de vídeo** Camescope® *m*.

camarada [kama'rada] *mf* camarade *mf*.

câmara-de-ar [ˌkɑ̃mara'dʒia(x)] (*pl* **câmaras-de-ar**) *f* chambre *f* à air.

camarão [kama'rɑ̃w] (*pl* -ões) *m* crevette *f*.

camarim [kama'rĩ] (*pl* -ns) *m* loge *f*.

camarões ➤ **camarão**.

camarote [kama'rɔtʃi] *m* [de navio] cabine *f* ; [de teatro] loge *f*.

cambalear [kɑ̃mba'lja(x)] *vi* tituber.

cambalhota [kɑ̃mba'ʎɔta] *f* [intencional] galipette *f* ; [reviravolta] bouleversement *m* ; **dar uma cambalhota** faire des galipettes.

câmbio ['kɑ̃mbju] *m* change *m* ; [de veículo] vitesse *f*.

cambraia [kɑ̃m'braja] *f* batiste *f*.

camelo [ka'melu] *m* [animal] chameau *m*.

camelô [kame'lo] *m* camelot *m*.

caminhada [kami'ɲada] *f* [caminho percorrido] : **fazer uma caminhada** marcher.

caminhão [kami'ɲɑ̃w] (*pl* -ões) *m* [viatura] camion *m*.

caminhar [kami'ɲa(x)] *vi* [andar] marcher.

caminho [ka'miɲu] *m* chemin *m* ; **a caminho** en route ; **a caminho de** en route pour ; **de caminho** [seguidamente] dans la foulée ; [ao mesmo tempo] au passage ; **pelo caminho** en chemin.

caminhoneiro, **ra** [kamiɲo'nejru, ra] *m, f* camionneur *m*, -euse *f*.

caminhonete [kamjɲo'nɛtʃi] *f* camionette *f* ; [para passageiros] car *m*.

camisa [ka'miza] *f* chemise *f*.

camisa-de-força [kaˌmizadʒi'foxsa] (*pl* **camisas-de-força**) *f* camisole *f* de force.

camisa-de-vênus [kaˌmizaʒdʒi'venuʃ] (*pl* **camisas-de-vênus**) *f* préservatif *m*.

camiseta [kami'zeta] *f* chemisette *f*.

camisinha [kami'ziɲa] *f fam* capote *f* (anglaise).

camisola [kami'zɔla] *f* chemise *f* de nuit.

camomila [kamo'mila] *f* camomille *f*.

campainha [kɑ̃mpa'iɲa] *f* [de porta, alarme] sonnette *f* ; [sino pequeno] clochette *f*.

campanário [kɑ̃mpa'narju] *m* clocher *m*.

campanha [kɑ̃m'paɲa] *f* campagne *f* ; **campanha eleitoral** campagne électorale.

campeão, ã [kãm'pjãw, pjã] (*mpl* -ões, *fpl* -s) *m, f* champion *m*, -onne *f*.

campeonato [kãmpjo'natu] *m* championnat *m*.

campestre [kãm'pɛʃtri] *adj* [cenário] champêtre ; [flor] des champs ; [vida] à la campagne.

camping [kãm'pĩŋ] *m* camping *m*.

campista [kãm'piʃta] *mf* campeur *m*, -euse *f*.

campo ['kãmpu] *m* [zona rural] campagne *f* ; [de esporte] terrain *m* ; [terreno] champ *m* ; **campo de futebol** terrain de football ; **campo de golfe** terrain de golf ; **campo de tiro** champ de tir.

camponês, esa ['kãnpo'neʃ, eza] (*mpl* -eses, *fpl* -s) *m, f* paysan *m*, -anne *f*.

camuflagem [kamu'flaʒẽ] (*pl* -ns) *f* camouflage *m*.

camuflar [kamu'fla(x)] *vt* camoufler.

camurça [ka'muxsa] *f* daim *m*.

cana ['kana] *f* canne *f*.

Canadá [kana'da] *m* : **o Canadá** le Canada.

cana-de-açúcar [,kãnadʒja'suka(x)] (*pl* **canas-de-açúcar**) *f* canne *f* à sucre.

canadense [kana'dẽnsi] ◇ *adj* canadien(enne). ◇ *m, f* Canadien *m*, -enne *f*.

canal [ka'naw] (*pl* -ais) *m* canal *m* ; [de televisão] chaîne *f* ; **o Canal da Mancha** la Manche.

canalha [ka'naʎa] *mf* canaille *f*.

canalização [kanaliza'sãw] (*pl* -ões) *f* canalisation *f*.

canalizar [kanali'za(x)] *vt* canaliser.

canapé [kana'pɛ] *m* [sofá] canapé *m* *(siège)* ; [aperitivo] canapé *m* *(apéritif)*.

canário [ka'narju] *m* canari *m*.

canastra [ka'naʃtra] *f* corbeille *f*.

canção [kã'sãw] (*pl* -ões) *f* chanson *f*.

cancela [kã'sɛla] *f* [de casa, jardim] grille *f* ; [de passagem de nível] barrière *f*.

cancelamento [kãsela'mẽntu] *m* annulation *f*.

cancelar [kãse'la(x)] *vt* annuler.

câncer ['kãse(x)] (*pl* -es) *m* cancer *m*. ◆ **Câncer** *m* [signo do Zodíaco] Cancer *m*.

cancerígeno, na [kãse'riʒenu, na] *adj* cancérigène.

canções [kãn'sõjʃ] ► **canção**.

candeeiro [kãn'djejru] *m* lustre *m* ; [de mesa] lampe *f* ; **candeeiro a petróleo** lampe à pétrole.

candelabro [kãnde'labru] *m* candélabre *m*.

candidato, ta [kãndʒi'datu, ta] *m, f* candidat *m*, -e *f* ; **ser candidato a algo** être candidat à qqch.

candomblé [kãndõm'blɛ] *m* candomblé *m*, *culte d'origine africaine, surtout pratiqué dans la région de Bahia, au Brésil*.

caneca [ka'nɛka] *f* chope *f*.

canela [ka'nɛla] *f* [condimento] cannelle *f* ; [da perna] tibia *m*.

caneta [ka'neta] *f* stylo *m* ; **caneta hidrográfica** stylo feutre.

caneta-tinteiro [ka,netatʃĩn'tejru] (*pl* **canetas-tinteiros**) *f* stylo-plume *m*.

canga ['kãŋga] *f* [de praia] couverture de plage *f*.

canguru [kãŋgu'ru] *m* kangourou *m*.

canhão [ka'ɲãw] (*pl* -ões) *m* canon *m* *(arme)*.

canhoto, ota [ka'ɲotu, ɔta] ◇ *adj* & *m, f* gaucher(ère). ◇ *m* [de formulário] partie *f* détachable.

canibal [kani'baw] (*pl* -ais) *mf* cannibale *mf*.

caniço [ka'nisu] *m* jonc *m*.

canil [ka'niw] (*pl* -is) *m* chenil *m*.

caninha [ka'niɲa] *f* tafia *m* *eau-de-vie de canne à sucre.*

canis ► **canil**.

canivete [kani'vɛtʃi] *m* canif *m*.

canja ['kɑ̃ʒa] *f*: **canja (de galinha)** bouillon *m* de poule ; **é canja!** c'est du gâteau !

cano ['kanu] *m* [de água, gás] conduite *f* ; [de arma] canon *m* ; [de bota] tige *f* ; **cano de escapamento** pot *m* d'échappement ; **cano de esgoto** conduite d'égout.

canoa [ka'noa] *f* canot *m*.

canoagem [ka'nwaʒẽ] *f* canoë *m* ; **fazer canoagem** faire du canoë.

cansaço [kɑ̃'sasu] *m* fatigue *f*.

cansado, **da** [kɑ̃'sadu, da] *adj* : **estar cansado** être fatigué.

cansar [kɑ̃'sa(x)] *vt* fatiguer. ◆ **cansar-se** *vp* se fatiguer.

cansativo, **va** [kɑ̃sa'tʃivu, va] *adj* fatigant(e).

cantar [kɑ̃n'ta(x)] *vt* & *vi* chanter.

cantarolar [kɑ̃ntaro'la(x)] *vt* & *vi* chantonner.

cantiga [kɑ̃n'tʃiga] *f* chanson *f*.

cantil [kɑ̃n'tʃiw] (*pl* -is) *m* gourde *f*.

cantina [kɑ̃n'tʃina] *f* cantine *f*.

cantis ► **cantil**.

canto ['kɑ̃ntu] *m* [esquina] coin *m* ; [forma de cantar] chant *m*.

cantor, **ra** [kɑ̃n'to(x), ra] (*mpl* -es, *fpl* -s) *m, f* chanteur *m*, -euse *f*.

canudinho [kanu'diɲu] *m* paille *f*.

canudo [ka'nudu] *m* [tubo] tuyau *m* ; [para beber] paille *f* ; *fam* [diploma de curso] parchemin *m*.

cão ['kɑ̃w] (*pl* **cães**) *m* chien *m* ; **cão de guarda** chien de garde.

caos ['kawʃ] *m* chaos *m*.

caótico, **ca** [ka'ɔtiku, ka] *adj* chaotique.

capa ['kapa] *f* [peça de vestuário] cape *f* ; [de livro, caderno] couverture *f* ; [dossiê escolar] classeur *m* ; [de plástico] pochette *f* ; **capa impermeável** cape imperméable.

capacete [kapa'setʃi] *m* [de proteção] casque *m*.

capacidade [kapasi'dadʒi] *f* capacité *f*.

capar [ka'pa(x)] *vt* châtrer.

capaz [ka'paʃ] (*pl* -es) *adj* capable ; **ser capaz de fazer algo** être capable de faire qqch ; **é capaz de chover** il se peut qu'il pleuve ; **sou capaz de não sair hoje** aujourd'hui, il se peut que je ne sorte pas.

capela [ka'pɛla] *f* chapelle *f*.

capitã ► **capitão**.

capitães ► **capitão**.

capital [kapi'taw] (*pl* -ais) ◇ *f* capitale *f*. ◇ *m* capital *m*.

capitalismo [kapita'liʒmu] *m* capitalisme *m*.

capitalista [kapita'liʃta] *adj* & *mf* capitaliste.

capitão, **ã** [kapi'tɑ̃w, tɑ̃] (*mpl* -ães, *fpl* -s) *m, f* capitaine *m*.

capítulo [ka'pitulu] *m* chapitre *m*.

capô [ka'po] *m* capot *m*.

capoeira [ka'pwejra] *f* [prática desportiva] *combat-danse de Bahia* ; [para galinhas] poulailler *m*.

capota [ka'pɔta] *f* [de carro] capote *f*.

capotar [kapo'ta(x)] *vi* se renverser *(une voiture)*.

capote [ka'pɔti] *m* houppelande *f*.

cappuccino [kapu'tʃinu] *m* cappuccino *m*.

capricho [ka'priʃu] *m* caprice *m*.

Capricórnio [kapri'kɔrnju] *m* Capricorne *m*.

cápsula ['kapsula] *f* capsule *f*.

captar [kap'ta(x)] *vt* capter.

capuz [ka'puʃ] (*pl* -es) *m* capuche *f*.

caqui [ka'ki] *m* kaki *m (fruit)*.

cáqui ['kaki] *m* kaki *m (couleur)*.

cara ['kara] ◇ *f* [de pessoa] visage *m* ; [aspecto] air *m*. ◇ *m fam* type *m* ; **cara ou coroa?** pile ou face ? ; **cara a cara** face à face ; **dar de cara com** *fig* tomber sur ; **não vou com a cara dele** il ne me revient pas ; **ter cara de poucos amigos** avoir une sale tête.

carabina [kara'bina] *f* carabine *f*.

caracol [kara'kɔw] (*pl* -óis) *m* [animal] escargot *m* ; [de cabelo] boucle *f*.

característica [kara(k)te'riʃtʃika] *f* caractéristique *f*.

característico, **ca** [kara(k)te'riʃtʃiku, ka] *adj* caractéristique.

carambola [karãm'bɔla] *f* carambole *f (fruit)*.

caramelo [kara'mɛlu] *m* caramel *m*.

caranguejo [karãŋ'geʒu] *m* crabe *m*.

caranguejo-aranha [karãŋ'geʒu'arãɲa] *m* araignée *f* de mer.

carapau [kara'paw] *m* chinchard *m* ; **carapaus assados** chinchards grillés ; **carapaus de escabeche** chinchards à l'escabèche.

caratê [kara'te] *m* = **karaté**.

caráter [ka'rate(x)] (*pl* **caracteres**) *m* caractère *m*.

caravana [kara'vana] *f* [de pessoas] caravane *f*.

carbonizado, **da** [kaxboni'zadu, da] *adj* carbonisé(e).

carbono [kax'bonu] *m* carbone *m*.

carburador [kaxbura'do(x)] (*pl* -es) *m* carburateur *m*.

cardápio [kax'dapju] *m* menu *m* ; **cardápio turístico** menu touristique.

cardíaco, **ca** [kax'dʒiaku, ka] *adj* cardiaque.

cardo ['kaxdu] *m* chardon *m*.

cardume [kax'dumi] *m* banc *m* de poissons.

careca [ka'rɛka] ◇ *adj* [pessoa] chauve ; [pneu] lisse. ◇ *f* calvitie *f*.

carecer [kare'se(x)] ◆ **carecer de** *v + prep* manquer de ; [precisar de] avoir besoin de.

carência [ka'rẽsja] *f* [falta] carence *f* ; [necessidade] manque *m*.

careta [ka'reta] *f* grimace *f* ; **fazer caretas** faire des grimaces.

carga ['kaxga] *f* charge *f* ; [de veículo] cargaison *f* ; **carga máxima** charge maximum.

cargo ['kaxgu] *m* [função] poste *m* ; [responsabilidade] charge *f* ; **estar/deixar a cargo de** être/laisser à la charge de ; **ter a cargo** avoir à charge.

cariado, **da** [ka'rjadu, da] *adj* carié(e).

caricatura [karika'tura] *f* caricature *f*.

carícia [ka'risja] *f* caresse *f*.

caridade [kari'dadʒi] *f* charité *f*.

cárie ['kari] *f* carie *f*.

carimbar [karĩm'ba(x)] *vt* tamponner *(un passeport)*.

carimbo [ka'rĩmbu] *m* tampon *m*.

carinho [ka'riɲu] *m* tendresse *f*.

carioca [ka'rjɔka] *mf* carioca *mf*.

carisma [ka'riʒma] *m* charisme *m*.

carnal [kax'naw] (*pl* -ais) *adj* charnel(elle).

Carnaval [kaxna'vaw] *m* carnaval *m*.

carne ['kaxni] *f* [tecido muscular] chair *f* ; [de comer] viande *f* ; **carne de cordeiro** agneau *m* ; **carne fria** viande froide ; **em carne e osso** en chair et en os ; **carne picada** viande hachée ; **carne de porco** viande de porc ; **carne de vaca** viande de bœuf.

carnê [kax'ne] *m* carnet *m*.

carneiro [kax'nejru] *m* [animal] bélier *m* ; [carne] mouton *m*. ◆ **Carneiro** *m* Bélier *m*.

carnudo, **da** [kax'nudu, da] *adj* charnu(e).

caro, **ra** ['karu, ra] *adj* cher(ère).

carochinha [karɔ'ʃiɲa] *f* ► **história**.

caroço [ka'rosu] *m* [de fruto] noyau *m* ; [em corpo] kyste *m*.

carona [ka'rona] *f* auto-stop *m* ; **pegar uma carona** être pris en stop ; **dar uma carona** prendre en stop ; [suj: um conhecido] raccompagner ; **pedir carona** faire du stop.

carpete [kax'pɛtʃi] *f* tapis *m*.

carpinteiro [kaxpĩn'tejru] *m* charpentier *m*.

carrapato [kaxa'patu] *m* tique *f*.

carregado, **da** [kaxe'gadu, da] *adj* chargé(e) ; [cor] foncé(e) ; [tempo] lourd(e).

carregador [kaxega'do(x)] (*pl* -es) *m* porteur *m*.

carregar [kaxe'ga(x)] ◇ *vt* charger ; [transportar] porter. ◇ *vi* [pesar] peser ; [fazer pressão em] appuyer ; **carregar em algo** appuyer sur qqch.

carreira [ka'xejra] *f* [profissão] carrière *f* ; [fileira] rangée *f* ; [pequena corrida] course *f*.

carrinho [ka'xiɲu] *m* : **carrinho de bebê** landau *m* ; **carrinho de supermercado** chariot *m* ; **carrinhos de choque** autos *fpl* tamponneuses.

carro ['kaxu] *m* voiture *f* ; **carro alegórico** char *m (de carnaval)* ; **carro de aluguel** voiture de location ; **carro de corrida** voiture de course ; **carro de praça** taxi *m*.

carroça [ka'xɔsa] *f* charrette *f*.

carroceria [kaxosɛ'ria] *f* carrosserie *f*.

carrossel [kaxɔ'sɛw] (*pl* -éis) *m* manège *m*.

carruagem [ka'xwaʒẽ] (*pl* -ns) *f* carrosse *f*.

carta ['kaxta] *f* [epístola] lettre *f* ; [mapa] carte *f* ; [de baralho] carte *f* (à jouer) ; [em restaurante] menu *m* ; **carta de apresentação** lettre de motivation ; **carta (de motorista)** permis *m* de conduire ; **carta registrada** lettre recommandée.

cartão [kax'tɑ̃w] (*pl* -ões) *m* carte *f* ; [papelão] carton *m* ; **cartão bancário** carte bancaire ; **cartão de crédito** carte de crédit ; **cartão de embarque/desembarque** carte d'embarquement/de débarquement ; **cartão telefônico** carte téléphonique ; **cartão de visita** carte de visite.

cartão-postal [kax,tɑ̃wpoʃtaw] (*pl* **cartões-postais**) *m* carte-postale *f*.

cartaz [kax'taʃ] (*pl* -es) *m* [de publicidade] affiche *f*.

carteira [kax'tejra] *f* [de dinheiro] portefeuille *m* ; [bolsa de senhora] sac *m* à main ; [de sala de aula] pupitre *m* ; [de identificação, profissional] carte *f* ; **carteira de identidade** carte d'identité ; **carteira de motorista** permis *m* de conduire.

carteiro [kax'tejru] *m* facteur *m*.

cárter ['kaxtɛr] (*pl* -es) *m* carter *m*.

cartões ► **cartão**.

cartolina [kaxto'lina] *f* bristol *m*.

cartório [kax'tɔrju] *m* étude *f (de notaire)* ; **Cartório Notarial** Étude *f*.

cartucho [kax'tuʃu] *m* [para mercadoria] cornet *m* ; [munição] cartouche *f* ; [embrulho] paquet *m*.

caruru [kaxu'ru] *m* CULIN *gombos et crevettes sautées à la sauce piquante*.

carvalho [kax'vaʎu] *m* chêne *m*.

carvão [kax'vɑ̃w] *m* charbon *m* ; **carvão de lenha** charbon de bois.

casa ['kaza] *f* maison *f* ; [de botão] boutonnière *f* ; **casa de câmbio** bureau *m* de change ; **casa de fado** *petit restaurant où l'on écoute du fado* ; **casa de frios** charcuterie *f* ; **casa de saúde** maison de santé ; **casa lotérica** ≃ la Française des Jeux ; **faça como se estivesse em sua casa!** faites comme chez vous !

casaco [ka'zaku] *m* veste *f* ; **casaco comprido** manteau *m* ; **casaco de malha** gilet *m*.

casado, **da** [ka'zadu, da] *adj* marié(e).

casal [ka'zaw] (*pl* -ais) *m* [macho e fêmea] couple *m*.

casamento [kaza'mẽntu] *m* mariage *m*.

casar [ka'za(x)] ◇ *vt* marier. ◇ *vi* se marier. ◆ **casar-se** *vp* se marier.

casca ['kaʃka] *f* [de fruto] peau *f* ; [de árvore, laranja] écorce *f* ; [de ovo] coquille *f* ; [de cebola] pelure *f* ; [de ervilha, feijão-verde] cosse *f*.

cascalho [kaʃ'kaʎu] *m* gravier *m*.

cascata [kaʃ'kata] *f* cascade *f*.

cascavel [kaʃka'vɛw] (*pl* -éis) *f* serpent *m* à sonnette.

casco ['kaʃku] *m* [de vinho] fût *m* ; [de navio] coque *f* ; [de animal] sabot *m*.

caseiro, **ra** [ka'zejru, ra] ◇ *adj* [doce, comida, pão] (fait) maison ; [pessoa] casanier(ère). ◇ *m, f* métayer *m*, -ère *f*.

caso ['kazu] ◇ *m* [circunstância] cas *m* ; [acontecimento] affaire *f*. ◇ *conj* : **no caso de** au cas où ; **'em caso de emergência...'** 'en cas d'urgence...' ; **'em caso de incêndio...'** 'en cas d'incendie...' ; **em todo o caso** en tout cas ; **em último caso** en dernier ressort ; **não fazer caso de algo/alguém** ne pas faire cas de qqch/qqn.

caspa ['kaʃpa] *f* pellicule *f*.

casquinha [kaʃ'kiɲa] *f* [de prata, ouro] plaqué *m* ; [de sorvete] cornet *m*.

cassete [ka'sɛtʃi] *f* [áudio] cassette *f* ; **cassete (de vídeo)** cassette vidéo.

cassetete [kase'tɛtʃi] *m* matraque *f*.

cassino [ka'sinu] *m* casino *m*.

castanha [kaʃ'taɲa] *f* [fruto do castanheiro] châtaigne *f* ; [fruto do cajueiro] noix *f* de cajou ; **castanhas assadas** marrons *mpl* chauds.

castanha-do-pará [-pa'ra] (*pl* castanhas-do-pará) *f* noix *f* du Para.

castanheira [kaʃtɑ̃'ɲejra] *f* châtaignier *m*.

castanheiro [kaʃtɑ̃'ɲejru] *m* châtaignier *m*.

castanho, **nha** [kaʃ'taɲu, ɲa] ◇ *adj* [olhos, roupa] marron ; [cabelo] châtain. ◇ *m* [madeira] châtaignier *m* ; [cor] marron *m*.

castelo [kaʃ'tɛlu] *m* château *m*.

castiçal [kaʃtʃi'saw] (*pl* -ais) *m* chandelier *m*.

castidade [kaʃtʃi'dadʒi] *f* chasteté *f*.

castigar [kaʃti'ga(x)] *vt* punir.

castigo [kaʃ'tʃigu] *m* [punição] punition *f* ; [divino] châtiment *m*.

casto, **ta** ['kaʃtu, ta] *adj* chaste.

castor [kaʃ'to(x)] (*pl* -es) *m* castor *m*.

castrar [kaʃ'tra(x)] *vt* castrer.

casual [ka'zwaw] (*pl* -ais) *adj* fortuit(e).

casualidade [kazwali'dadʒi] *f* hasard *m* ; **por casualidade** par hasard.

casulo [ka'zulu] *m* cocon *m*.

catacumbas [kata'kũmbaʃ] *fpl* catacombes *fpl*.

catálogo [ka'talogu] *m* [de vendas, produtos] catalogue *m* ; [de livros] catalogue *m* (de bibliothèque) ; **catálogo (de telefones)** annuaire *m* (téléphonique).

catamarã [katama'ra] *m* catamaran *m*.

catarata [kata'rata] *f* cataracte *f* ; **as cataratas do Iguaçu** les chutes *fpl* d'Iguaçu.

catarro [ka'taxu] *m* catarrhe *m*.

catástrofe [ka'taʃtrofi] *f* catastrophe *f*.

catatua [kata'tua] *f* cacatoès *m*.

cata-vento [kata'vẽntu] (*pl* **cata-ventos**) *m* girouette *f*.

catedral [kate'draw] (*pl* -ais) *f* cathédrale *f*.

categoria [katego'ria] *f* [grupo, posição] catégorie *f* ; [qualidade] classe *f* ; **de categoria** de qualité.

cativar [katʃi'va(x)] *vt* captiver.

cativeiro [katʃi'vejru] *m* : **em cativeiro** en captivité.

catolicismo [katoli'siʒmu] *m* catholicisme *m*.

católico, ca [ka'tɔliku, ka] *adj* & *m, f* catholique.

catorze [ka'toxzi] *num* quatorze, ► **seis**.

caução [kaw'sãw] (*pl* -ões) *f* caution *f* ; **pagar caução** payer une caution.

cauda ['kawda] *f* [de animal, fila] queue *f* ; [de manto, vestido] traîne *f*.

caudal [kaw'daw] (*pl* -ais) *m* débit *m*.

caule ['kawli] *m* tige *f*.

causa ['kawza] *f* cause *f* ; JUR [ação judicial] affaire *f* ; **por causa de** à cause de.

causar [kaw'za(x)] *vt* causer ; **causar danos** faire des dégâts.

cautela [kaw'tɛla] *f* [cuidado] précaution *f* ; **ter cautela com** faire attention à ; **com cautela** avec prudence ; **à** OU **por cautela** par prudence.

cauteloso, osa [kawte'lozu, ɔza] *adj* prudent(e).

cavala [ka'vala] *f* maquereau *m*.

cavalaria [kavala'ria] *f* cavalerie *f*.

cavaleiro [kava'lejru] *m* [que monta a cavalo] cavalier *m* ; [em tourada] torero *m* à cheval ; [medieval] chevalier *m*.

cavalete [kava'letʃi] *m* chevalet *m*.

cavalgar [kavaw'ga(x)] ◇ *vi* chevaucher. ◇ *vt* [égua, ginete] chevaucher ; [obstáculo, barreira] sauter.

cavalheiro [kava'ʎejru] *m* gentleman *m*.

cavalo [ka'valu] *m* cheval *m* ; **cavalo de Tróia** cheval de Troie.

cavalo-de-pau [kavaludʒi'paw] (*pl* **cavalos-de-pau**) *m* cheval *m* à bascule.

cavanhaque [kava'ɲaki] *m* bouc *m* *(barbe)*.

cavaquinho [kava'kiɲu] *m* petite guitare *f*.

cavar [ka'va(x)] ◇ *vt* bêcher. ◇ *vi fam* filer.

caveira [ka'vejra] *f* tête *f* de mort.

caverna [ka'vɛxna] *f* caverne *f*.

caviar [ka'vja(x)] *m* caviar *m*.

cavidade [kavi'dadʒi] *f* cavité *f*.

caxemira [kaʃe'mira] *f* cachemire *m*.

caxumba [ka'ʃũmba] *f* oreillons *mpl*.

c/c (*abrev de* **conta corrente**) c.c.

CD [se'de] *m* (*abrev de* **compact disc**) CD *m*.

CD-i *m* (*abrev de* **compact disc-interativo**) CD-I *m*.

CD-ROM *m* CD-ROM *m*.

CE *f* (*abrev de* **Comunidade Européia**) CE *f*.

cear ['sea(x)] ◇ *vi* souper. ◇ *vt* prendre au souper.

cebola [se'bola] *f* oignon *m*.

cebolinha [sebo'liɲa] *f* petit oignon *m* ; ciboulette *f*.

ceder [se'de(x)] ◇ *vt* céder. ◇ *vi*

céder ; [chuva] se calmer ; [vento] tomber ; **'ceder a passagem'** 'céder le passage'.

cedilha [se'diʎa] *f* cédille *f*.

cedo ['sedu] *adv* tôt ; [depressa] vite ; **muito cedo** très tôt ; **desde cedo** depuis longtemps ; **mais cedo ou mais tarde** tôt ou tard.

cedro ['sɛdru] *m* [árvore] cèdre *m* ; [madeira] bois *m* de cèdre.

cegar [se'ga(x)] ◇ *vt* [suj: luz, raiva] aveugler ; [suj: doença] rendre aveugle. ◇ *vi* devenir aveugle.

cego, **ga** ['sɛgu, ga] ◇ *adj* [pessoa] aveugle ; [faca] émoussé(e). ◇ *m, f* aveugle *mf* ; **às cegas** à l'aveuglette.

cegonha [se'goɲa] *f* cigogne *f*.

ceia ['seja] *f* souper *m*.

cela ['sɛla] *f* cellule *f*.

celebração [selebra'sɐ̃w] (*pl* -ões) *f* célébration *f*.

celebrar [sele'bra(x)] *vt* célébrer ; [contrato] passer.

célebre ['sɛlebri] *adj* célèbre.

celebridade [selebri'dadʒi] *f* célébrité *f*.

celeiro [se'lejru] *m* grenier *m (à grain)*.

celibatário, **ria** [seliba'tarju, rja] *adj* célibataire.

celibato [seli'batu] *m* célibat *m*.

celofane [selo'fɐ̃ni] *m* Cellophane® *f*.

célula ['sɛlula] *f* ANAT cellule *f*.

celular [selu'la(x)] (*pl* -es) *m* téléphone *m* mobile.

cem [sẽ] *num* cent, ► **seis**.

cemitério [semi'tɛrju] *m* cimetière *m*.

cena ['sena] *f* scène *f* ; **estar em cena** être à l'affiche ; **entrar em cena** entrer en scène.

cenário [se'narju] *m* [de peça teatral, programa televisivo] décor *m* ; [panorama] cadre *m*.

cenoura [se'nora] *f* carotte *f*.

censo ['sẽsu] *m* recensement *m*.

censura [sẽ'sura] *f* censure *f*.

centavo [sẽn'tavu] *m* ≃ centime *m*.

centeio [sẽn'teju] *m* seigle *m*.

centelha [sẽn'teʎa] *f* étincelle *f*.

centena [sẽn'tena] *f* centaine *f*.

centenário [sẽnte'narju] *m* centenaire *m*.

centésimo, **ma** [sẽn'tɛzimu, ma] *num* centième, ► **sexto**.

centígrado [sẽn'tʃigradu] *adj m* ► **grau**.

centímetro [sẽn'tʃimetru] *m* centimètre *m*.

cento ['sẽntu] *m* cent *m inv* ; **por cento** pour cent.

centopéia [sẽnto'pɛja] *f* mille-pattes *m*.

central [sẽn'traw] (*pl* -ais) ◇ *adj* central(e) ; [problema] principal(e). ◇ *f* [de eletricidade, energia atômica] centrale *f* ; **central elétrica** centrale électrique ; **central nuclear** centrale nucléaire ; **central telefônica** central *m* téléphonique.

centrar [sẽn'tra(x)] *vt* [atenção] fixer ; [esforço] concentrer ; [texto, página] centrer.

centro ['sẽntru] *m* centre *m* ; **centro da cidade** centre-ville *m* ; **centro comercial** centre commercial ; **centro de saúde** dispensaire *m*.

centroavante [ˌsẽntroa'vɐ̃ntʃi] *m* avant-centre *m*.

CEP *m* (*abrev de* **código de endereçamento postal**) code *m* postal.

cera ['sera] *f* [de vela, chão] cire *f* ; [de ouvido] cérumen *m* ; **cera depilatória** cire dépilatoire.

cerâmica [se'rɐ̃mika] *f* céramique *f*.

ceramista [sera'miʃta] *mf* céramiste *mf*.

cerca ['sexka] ◇ *f* clôture *f*. ◇ *adv* : **cerca de** environ ; **há cerca de uma semana** il y a environ une semaine.

cercar [sex'ka(x)] *vt* entourer.

cereal [se'real] (*pl* -ais) *m* céréale *f*.

cérebro ['sɛrebru] *m* cerveau *m*.

cereja [se'reʒa] *f* cerise *f*.

cerimônia [seri'monja] *f* cérémonie *f*.

cerrado, **da** [se'xadu, da] *adj* [nevoeiro] épais(aisse).

certeza [sex'teza] *f* certitude *f* ; **dar certeza** confirmer ; **ter certeza de que** être certain(e) que ; **com certeza** certainement ; **com certeza!** certainement !

certidão [sextʃi'dãw] (*pl* -ões) *f* acte *m* *(document)*.

certificado [sextʃifi'kadu] *m* certificat *m*.

certificar-se [sextʃifi'kaxsi] *vp* s'assurer.

certo, **ta** ['sɛxtu, ta] ◇ *adj* [conta, resposta] bon(bonne) ; [horas] juste ; [resultado, vitória] sûr(e) ; [determinado] certain(e). ◇ *adv* correctement. ◇ *m* : **o certo é que...** ce qui est sûr, c'est que... ; **ao certo** [exatamente] au juste ; [provavelmente] certainement ; **dar certo** marcher ; **não bater certo** [conta] ne pas tomber juste ; [história] ne pas tenir debout.

cerveja [sex'veʒa] *f* bière *f* ; **cerveja preta** bière brune.

cervejaria [sexveʒa'ria] *f* brasserie *f*.

cervical [sexvi'kaw] (*pl* -ais) *adj* cervical(e).

cessar [se'sa(x)] ◇ *vi* s'achever. ◇ *vt* cesser.

cesta ['seʃta] *f* panier *m*.

cesto ['seʃtu] *m* corbeille *f* ; **cesto de lixo** poubelle *f* ; **cesto de papéis** corbeille à papier ; **cesto de vime** panier *m* en osier.

cético, **ca** ['sɛtʃiku, ka] *adj* & *m, f* sceptique.

cetim [se'tʃĩ] *m* satin *m*.

céu ['sɛw] *m* ciel *m* ; **céu da boca** palais *m* ; **a céu aberto** *fig* à ciel ouvert.

cevada [se'vada] *f* [planta] orge *f*.

chá [ʃa] *m* thé *m* ; **chá dançante** thé dansant ; **chá com limão** thé citron ; **chá de limão** thé au citron.

chacal [ʃa'kaw] (*pl* -ais) *m* chacal *m*.

chacota [ʃa'kɔta] *f* moquerie *f*.

chafariz [ʃafa'riʃ] (*pl* -es) *m* fontaine *f* publique.

chafurdar [ʃafux'da(x)] *vi* patauger.

chaga ['ʃaga] *f* plaie *f*.

chalé [ʃa'lɛ] *m* chalet *m*.

chaleira [ʃa'lejra] *f* bouilloire *f*.

chama ['ʃama] *f* flamme *f*.

chamada [ʃa'mada] *f* [de telefone] appel *m* ; [de exame] session *f* ; **fazer a chamada** faire l'appel ; **chamada a cobrar** appel en PCV ; **chamada interurbana** communication *f* interurbaine ; **chamada local** communication *f* locale.

chamar [ʃa'ma(x)] ◇ *vt* appeler. ◇ *vi* sonner. ◆ **chamar-se** *vp* s'appeler ; **como você se chama?** comment t'appelles-tu ? ; **chamo-me...** je m'appelle...

chaminé [ʃami'nɛ] *f* [de casa, lareira] cheminée *f* ; [de fogão] conduit *m* ; [de candeeiro] verre *m* de lampe.

champanhe [ʃãm'paɲi] *m* champagne *m*.

chamuscar [ʃamuʃ'ka(x)] *vt* flamber.

chance ['ʃãnsi] *f* occasion *f*.

chantagear [ʃãnta'ʒja(x)] *vt* faire du chantage à.

chantagem [ʃɑ̃n'taʒẽ] (*pl* -ns) *f* chantage *m*.

chantili [ʃɑ̃nti'li] *m* chantilly *f*.

chão ['ʃɑ̃w] *m* sol *m (terre)*.

chapa ['ʃapa] *f* [metal] tôle *f* ; [placa, matrícula] plaque *f* d'immatriculation.

chapéu [ʃa'pɛw] *m* [de homem, senhora] chapeau *m* ; **é de se tirar o chapéu** chapeau !

chapéu-coco [ʃa,pɛw'koku] (*pl* **chapéus-cocos**) *m* chapeau melon *m*.

charco ['ʃaxku] *m* [poça de água] flaque *f* ; [lamaçal] bourbier *m*.

charcutaria [ʃaxkuta'ria] *f* charcuterie *f (produits)*.

charme ['ʃaxmi] *m* charme *m*.

charneca [ʃax'nɛka] *f* lande *f*.

charrete [ʃa'xɛtʃi] *f* charrette *f*.

charter ['ʃartɛ(x)] (*pl* -es) *m* : **(vôo) charter** (vol) charter *m*.

charuto [ʃa'rutu] *m* cigare *m*.

chassi [ʃa'si] *m* châssis *m*.

chat ['ʃat] chat *m*.

chatear [ʃa'tʃja(x)] *vt* embêter.

chatice [ʃa'tʃisi] *f fam* barbe *f* ; **que chatice !** quelle barbe !

chato, **ta** ['ʃatu, ta] *adj* [prato, pé] plat(e) ; *fam* [aborrecido] casse-pieds *(inv)*.

chauvinista [ʃovi'niʃta] *mf* chauvin *m*, -e *f*.

chave ['ʃavi] *f* clé *f* ; **chave de fenda** tournevis *m* ; **chave de ignição** clé de contact ; **chave inglesa** clé anglaise.

chaveiro [ʃa'vejru] *m* porte-clés *m inv*.

chávena ['ʃavena] *f* tasse *f*.

check-in [tʃɛ'kin] (*pl* **check-ins**) *m* enregistrement *m* des bagages ; **fazer o check-in** enregistrer.

check-up [tʃɛ'kapi] (*pl* **check-ups**) *m* check-up *m inv*.

chefe, **fa** ['ʃɛfi] *m*, *f* chef *m* ; **chefe de estação** chef de gare.

chegada [ʃe'gada] *f* arrivée *f*.

chegado, **da** [ʃe'gadu, da] *adj* [amigo, parente] proche.

chegar [ʃe'ga(x)] *vi* [a lugar] arriver ; [momento, altura, hora] venir ; [ser suficiente] suffire ; **chegar bem** être bien arrivé(e) ; **chegar ao fim** toucher à sa fin. ◆ **chegar-se** *vp* [aproximar-se] s'approcher ; [afastar-se] se pousser ; **chegar-se a** [aproximar-se de] s'approcher de.

cheia ['ʃeja] *f* crue *f*.

cheio, **cheia** ['ʃeju, 'ʃeja] *adj* plein(e) ; **cheio de** plein de ; **estou cheio** *fig* [de situação, problema] j'en ai assez.

cheirar [ʃej'ra(x)] *vt* & *vi* sentir ; **cheirar bem** sentir bon ; **cheirar mal** sentir mauvais.

cheiro ['ʃejru] *m* odeur *f*.

cheiroso, **osa** [ʃej'rosu, ɔza] *adj* odorant(e) ; **ser** OU **estar cheiroso** être parfumé.

cheiro-verde [,ʃeju'vexdʒi] *m* fines herbes *fpl*.

cheque ['ʃɛki] *m* [de banco] chèque *m* ; [em xadrez] échec *m* ; **cheque em branco** chèque en blanc ; **cheque sem fundos** OU **sem provisão** chèque sans provision ; **cheque pré-datado** chèque antidaté ; **cheque de viagem** chèque de voyage ; **cheque visado** chèque certifié.

chiar [si'a(x)] *vi* [porta, portão] grinçer ; [pneu] crisser ; [rato, porco] couiner.

chiclete [ʃi'klɛtʃi] *m* chewing-gum *m*.

chicória [ʃi'kɔrja] *f* chicorée *f*.

chicote [ʃi'kɔtʃi] *m* fouet *m*.

chifre ['ʃifri] *m* corne *f*.

Chile ['ʃili] *m* : **o Chile** le Chili.

chimarrão [ʃima'xɑ̃w] *m* *maté corsé sans sucre*.

chimpanzé [ʃĩmpɑ̃'zɛ] *m* chimpanzé *m*.

China ['ʃina] *f* : **a China** la Chine.

chinelo [ʃi'nɛlu] *m* mule *m* ; **chinelos (de quarto)** chaussons *mpl*.

chinês, esa [ʃi'neʃ, eza] (*mpl* -es, *fpl* -s) ◇ *adj* chinois(e). ◇ *m, f* Chinois *m*, -e *f*. ◇ *m* [língua] chinois *m* ; **isso para mim é chinês** ça, pour moi, c'est du chinois.

chique ['ʃiki] *adj* chic.

chiqueiro [ʃi'kejru] *m* porcherie *f*.

chita ['ʃita] *f* percale *f*.

chocalhar [ʃoka'ʎa(x)] ◇ *vt* agiter. ◇ *vi* tinter.

chocalho [ʃo'kaʎu] *m* sonnaille *f* ; [de bebê] hochet *m*.

chocante [ʃo'kɑ̃ntʃi] *adj* choquant(e).

chocar [ʃo'ka(x)] ◇ *vi* se heurter ; [veículos] se rentrer dedans ; [galinha] couver. ◇ *vt* choquer ; *fam* [doença] couver ; **chocar com** heurter ; [veículo] rentrer dans.

chocho, cha ['ʃoʃu, ʃa] *adj* desséché(e).

chocolate [ʃoko'latʃi] *m* chocolat *m* ; **chocolate branco** chocolat blanc ; **chocolate ao leite** chocolat au lait ; **chocolate preto** OU **negro** chocolat noir ; **chocolate em pó** chocolat en poudre.

chofer [ʃo'fɛ(x)] (*pl* -es) *m* chauffeur *m*.

chope ['ʃopi] *m* demi *m* (*bière*).

choque ['ʃɔki] *m* choc *m*.

choramingar [ʃoramĩŋ'ga(x)] *vi* pleurnicher.

chorão [ʃo'rɑ̃w] (*pl* -ões) *m* [árvore] saule *m* pleureur.

chorar [ʃo'ra(x)] *vt* & *vi* pleurer ; **chorar de rir** pleurer de rire.

chorinho [ʃo'riɲu] *m* *musique instrumentale de Rio, au Brésil*.

choro ['ʃoru] *m* pleurs *mpl*.

chorões ► **chorão**.

choupana [ʃo'pana] *f* cabane *f*.

choupo ['ʃopu] *m* peuplier *m*.

chouriço [ʃo'risu] *m* chorizo *m*.

chover [ʃo've(x)] *v impess* pleuvoir ; **chover a cântaros** pleuvoir des cordes ; **chover a potes** pleuvoir à verse.

chuchu [ʃu'ʃu] *m* cristophine *f* (*légume tropical*) ; **pra chuchu** *fam* vachement.

chulé [ʃu'lɛ] *m fam* frometon *m*.

chulo ['ʃulu, la] *adj* vulgaire.

chumaço [ʃu'masu] *m* épaulette *f*.

chumbar [ʃũm'ba(x)] *vt* plomber.

chumbo ['ʃũmbu] *m* [material] plomb *m*.

chupar [ʃu'pa(x)] *vt* sucer.

chupeta [ʃu'peta] *f* tétine *f*.

churrascaria [ʃuxaʃka'ria] *f* grill *m* (*restaurant*).

churrasco [ʃu'xaʃku] *m* grillade *f*.

churrasquinho [ʃuxaʃ'kiɲu] *m* brochette *f*.

churro ['ʃuxu] *m long beignet cylindrique*.

chutar [ʃu'ta(x)] ◇ *vt* shooter dans. ◇ *vi* shooter.

chuteira [ʃu'tejra] *f* chaussure *f* de football.

chuva ['ʃuva] *f* pluie *f*.

chuveiro [ʃu'vejru] *m* douche *f*.

chuviscar [ʃuviʃ'ka(x)] *vi* pleuviner.

chuvoso, osa [ʃu'vozu, ɔza] *adj* pluvieux(euse).

Cia. (*abrev de* **companhia**) Cie.

cibercafé [sibex'kafe] *m* cybercafé *m*.

ciberespaço [ˌsibereʃ'pasu] *m* cyberespace *m*.

cibernética [sibex'nɛtʃika] *f* cybernétique *f*.

cibernético, ca [sibex'netʃiku, ka] *adj* cybernétique.

cicatriz [sika'triʃ] (*pl* -es) *f* cicatrice *f*.

cicatrizar [sikatri'za(x)] *vi* [ferida] cicatriser.

cicatrizes ► **cicatriz**.

cicerone [sise'roni] *m* guide *m*.

ciclismo [si'kliʒmu] *m* cyclisme *m* ; **fazer ciclismo** faire du cyclisme.

ciclista [si'kliʃta] *mf* cycliste *mf*.

ciclo ['siklu] *m* cycle *m*.

ciclomotor [ˌsiklɔmu'tox] (*pl* -es) *m* cyclomoteur *m*.

ciclone [si'klɔni] *m* cyclone *m*.

cidadã [sida'dɑ̃] ► **cidadão**.

cidadania [sidada'nia] *f* citoyenneté *f*.

cidadão, ã [sida'dɑ̃w, dɑ̃] (*mpl* -ãos, *fpl* -s) *m, f* citoyen *m*, -enne *f*.

cidade [si'dadʒi] *f* ville *f* ; **cidade universitária** cité *f* universitaire.

ciência ['sjẽsja] *f* science *f* ; **ciências físico-químicas** physique-chimie *f* ; **ciências naturais** sciences naturelles ; **ciências da Terra e da vida** sciences de la vie et de la Terre.

ciente ['sjẽntʃi] *adj* conscient(e) ; **estar ciente de** être conscient de.

científico, ca [sjẽn'tʃifiku, ka] *adj* scientifique.

cientista [sjẽn'tʃiʃta] *mf* scientifique *mf*.

cifra ['sifra] *f* [número] chiffre *m* ; [cômputo total] nombre *m*.

cigano, na [si'ganu, na] *m, f* Gitan *m*, -e *f*.

cigarra [si'gaxa] *f* cigale *f*.

cigarreira [siga'xejra] *f* porte-cigarettes *m inv*.

cigarrilha [siga'xiʎa] *f* cigarillo *m*.

cigarro [si'gaxu] *m* cigarette *f* ; **cigarros com filtro/sem filtro** cigarettes filtre/sans filtre ; **cigarros fortes/suaves** cigarettes fortes /légères ; **cigarros longos** cigarettes longues ; **cigarros mentolados** cigarettes mentholées.

cilada [si'lada] *f* traquenard *m* ; **cair na cilada** tomber dans un traquenard.

cilindro [si'lĩndru] *m* [forma geométrica] cylindre *m* ; [rolo] rouleau *m*.

cílio ['silju] *m* cil *m*.

cima ['sima] *f* : **de cima** d'en haut ; [vizinho] du dessus ; **de cima a baixo** de haut en bas ; **de cima de** de ; **saia de cima da mesa** descends de la table ; **em cima** en haut ; **em cima de** sur ; **mais para cima** plus haut ; **para cima de** [no espaço] sur ; [quantidade] plus de ; **por cima de** par-dessus.

cimeira [si'mejra] *f* sommet *m*.

cimentar [simẽn'ta(x)] *vt* cimenter.

cimento [si'mẽntu] *m* ciment *m*.

cimo ['simu] *m* haut *m*.

cinco ['sĩŋku] *num* cinq, ► **seis**.

cineasta [si'njaʃta] *mf* cinéaste *mf*.

cinema [si'nema] *m* cinéma *m*.

cinemateca [sinema'tɛka] *f* cinémathèque *f*.

cinematográfico, ca [sinemato'grafiku, ka] *adj* cinémathographique.

cínico, ca ['siniku, ka] *adj* cynique.

cinismo [si'niʒmu] *m* cynisme *m*.

cinqüenta [sĩŋ'kwẽnta] *num* cinquante, ► **seis**.

cinta ['sĩnta] *f* [de pessoa, vestido] taille *f* ; [peça de vestuário] gaine *f*.

cintilar [sĩntʃi'la(x)] *vi* scintiller.

cinto ['sĩntu] *m* ceinture *f* ; **cinto de segurança** ceinture de sécurité.

cintura [sĩn'tura] *f* taille *f*.

cinturão [sĩntu'rɑ̃w] *m* ceinturon *m* ; **cinturão industrial** zone *f* industrielle ; **cinturão verde** ceinture *f* verte.

cinza ['sĩza] ◇ *f* cendre *f*. ◇ *adj* gris(e). ◇ *m* gris *m*. ◆ **cinzas** *fpl* cendres *fpl*.

cinzeiro [sĩ'zejru] *m* cendrier *m*.

cinzel [sĩ'zɛw] (*pl* -éis) *m* ciseau *m*.

cinzento, **ta** [sĩ'zẽntu, ta] ◇ *adj* gris(e). ◇ *m* gris *m*.

cio ['siu] *m* rut *m*.

cipreste [si'prɛʃtʃi] *m* cyprès *m*.

circo ['sixku] *m* cirque *m*.

circuito [six'kwitu] *m* circuit *m* ; **circuito elétrico** circuit électrique ; **circuito turístico** circuit touristique.

circulação [sixkula'sɑ̃w] *f* circulation *f*.

circular [sixku'la(x)] (*pl* -es) ◇ *adj* [redondo] circulaire. ◇ *f* [carta, documento] circulaire *f*. ◇ *vi* circuler ; **'circule pela direita'** 'serrez à droite'.

círculo ['sixkulu] *m* cercle *m* ; **círculo polar** cercle polaire.

circunferência [sixkũfe'rẽsja] *f* circonférence *f*.

circunflexo [sixkũn'flɛksu] *adj m* ► **acento**.

circunstância [sixkũʃ'tɑ̃sja] *f* circonstance *f* ; **nessas circunstâncias** dans ces circonstances.

círio ['sirju] *m* cierge *m*.

cirurgia [sirux'ʒia] *f* chirurgie *f* ; **cirurgia plástica** chirurgie plastique.

cirurgião, **ã** [sirux'ʒjɑ̃w, ʒjɑ̃] (*mpl* -ões, *fpl* -s) *m, f* chirurgien *m*, -enne *f*.

cirúrgico, **ca** [si'ruxʒiku, ka] *adj* chirurgical(e).

cirurgiões ► **cirurgião**.

cisco ['siʃku] *m* poussière *f* *(dans l'œil)*.

cisma ['siʒma] *f* fixation *f*.

cisne ['siʒni] *m* cygne *m*.

cisterna [siʃ'tɛxna] *f* citerne *f*.

cistite [siʃ'tʃitʃi] *f* cystite *f*.

citação [sita'sɑ̃w] (*pl* -ões) *f* citation *f*.

citar [si'ta(x)] *vt* citer.

cítrico ['sitriku, ka] *adj* ► **ácido**.

cítricos ['sitrikuʃ] *mpl* agrumes *mpl*.

ciúme ['sjumi] *m* jalousie *f* ; **ter ciúmes de alguém** être jaloux de qqn.

ciumento, **ta** [sju'mẽntu, ta] *adj* jaloux(ouse).

cívico, **ca** ['siviku, ka] *adj* civique.

civil [si'viw] (*pl* -is) *adj* civil(e).

civilização [siviliza'sɑ̃w] (*pl* -ões) *f* civilisation *f*.

civilizar [sivili'za(x)] *vt* civiliser.

civis ► **civil**.

cl (*abrev de* **centilitro**) cl.

clamar [kla'ma(x)] *vi* [protestar] réclamer ; [bradar] crier.

clamor [kla'mo(x)] (*pl* -es) *m* clameur *f*.

clandestino, **na** [klɑ̃ndeʃ'tʃinu, na] *adj* & *m, f* clandestin(e).

claque ['klaki] *f* supporters *mpl*.

clara ['klara] *f* blanc *m* d'œuf.

clarabóia [klara'bɔja] *f* œil *m* de bœuf.

clarão [kla'rɑ̃w] (*pl* -ões) *m* lueur *f*.

clarear [kla'rja(x)] *vi* s'éclaircir.

clarete [kla'reti] *m* clairette *f*.

clareza [kla'reza] *f*: **falar com clareza** parler clairement.

claridade [klari'dadʒi] *f* clarté *f*.

clarinete [klari'netʃi] *m* clarinette *f*.

claro, **ra** ['klaru, ra] ◇ *adj* clair(e). ◇ *adv* clairement ; **claro que sim!** bien sûr que oui ! ; **é claro!** c'est sûr ! ; **passar a noite em claro** passer une nuit blanche.

clarões [kla'rõjʃ] ► **clarão**.

classe ['klasi] *f* EDUC [turma] classe *f* ; [categoria] catégorie *f* ; **ter classe** [pessoa, carro] avoir de la classe ; **de primeira/segunda classe** première /deuxième classe ; **classe social** classe sociale ; **classe turística** classe loisirs.

clássico, **ca** ['klasiku, ka] *adj* classique.

classificação [klasifika'sãw] (*pl* -ões) *f* classement *m*.

classificado, **da** [klasifi'kadu, da] ◇ *adj* [em exame, competição] reçu(e). ◇ *m* [em jornal] classé(e) *(annonce classée)*.

classificados [klasifi'kaduʃ] *mpl* annonces *fpl* classées.

classificar [klasifi'ka(x)] *vt* classer. ◆ **classificar-se** *vp* se qualifier.

claustro ['klawʃtru] *m* cloître *m*.

cláusula ['klawzula] *f* clause *f*.

clave ['klavi] *f* clé *f* ; **clave de sol** clé de sol.

clavícula [kla'vikula] *f* clavicule *f*.

clemência [kle'mẽnsja] *f* clémence *f*.

clero ['klɛru] *m* clergé *m*.

clichê [kli'ʃe] *m* cliché *m*.

cliente [kli'ẽntʃi] *mf* client *m*, -e *f*.

clientela [kliẽn'tɛla] *f* clientèle *f*.

clima ['klima] *m* climat *m*.

clímax ['klimaks] *m inv* apogée *f* ; **atingir o clímax** [carreira] atteindre son apogée ; [festa] battre son plein.

clínica ['klinika] *f* clinique *f* ; **clínica dentária** cabinet *m* dentaire ; **clínica geral** médecine *f* générale.

clínico ['kliniku] *m* : **clínico (geral)** médecin *m* généraliste.

clipe ['klipi] *m* trombone *m*.

cloro ['klɔru] *m* chlore *m*.

clube ['klubi] *m* club *m* ; **clube de futebol** club de football ; **clube de vídeo** vidéoclub *m*.

cm (*abrev de* **centímetro**) cm.

coador [kwa'do(x)] (*pl* -es) *m* [utensílio] passoire *f*.

coagir [kwa'ʒi(x)] *vt* [obrigar] contraindre.

coagular [kwagu'la(x)] *vt* & *vi* coaguler.

coágulo ['kwagulu] *m* caillot *m*.

coalhada [kwa'ʎada] *f* lait *m* caillé.

coalhar [kwa'ʎa(x)] *vt* & *vi* cailler.

coar ['kwa(x)] *vt* [líquido] filtrer ; [leite] passer.

cobaia [ko'baja] *f* cobaye *m*.

coberta [ko'bɛxta] *f* [de cama] couvre-lit *m* ; [de navio] pont *m*.

coberto, **ta** [ko'bɛxtu, ta] ◇ *adj* couvert(e). ◇ *m* auvent *m* ; **pôr a coberto** mettre à l'abri.

cobertor [kobex'to(x)] (*pl* -es) *m* couverture *f*.

cobertura [kobex'tura] *f* couverture *f* ; [apartamento] *appartement avec terrasse au dernier étage d'un immeuble.*

cobiça [ko'bisa] *f* convoitise *f*.

cobiçar [kobi'sa(x)] *vt* convoiter.

cobra ['kɔbra] *f* serpent *m*.

cobrador, **ra** [kobra'do(x)] (*mpl* -es, *fpl* -s) *m*, *f* receveur *m*, -euse *f*.

cobrança [ko'brãsa] *f* recouvrement *m* ; **enviar algo para cobrança** envoyer qqch contre remboursement.

cobrar [ko'bra(x)] *vt* [dinheiro] encaisser ; [impostos] prélever ; [dívida] recouvrer.

cobre ['kɔbri] *m* cuivre *m*.

cobrir [ko'bri(x)] *vt* couvrir.

cocada [ko'kada] *f gâteau à la noix de coco,* ≃ congolais *m.*

coçado, da [ko'sadu, da] *adj* râpé(e).

cocaína [koka'ina] *f* cocaïne *f.*

coçar [ko'sa(x)] *vt* gratter. ◆ **coçar-se** *vp* se gratter.

cóccix ['kɔksis] *m inv* coccyx *m.*

cócegas ['kɔsigaʃ] *fpl* chatouilles *fpl* ; **fazer cócegas** faire des chatouilles ; **ter cócegas** être chatouilleux(euse).

coceira [ko'sejra] *f* démangeaison *f.*

coche ['koʃi] *m* carrosse *m.*

cochichar [koʃi'ʃa(x)] *vt* & *vi* chuchoter.

cochilo [ko'ʃilu] *m* : **tirar um cochilo** faire un somme.

coco ['koku] *m* noix *f* de coco.

cocô [ko'ko] *m fam* caca *m.*

cócoras ['kɔkoraʃ] *fpl* : **de cócoras** accroupi(e) ; **pôr-se de cócoras** s'accroupir.

côdea ['kodja] *f* croûte *f (de pain).*

código ['kɔdʒigu] *m* code *m* ; **código de barras** code-barres *m* ; **código civil** code civil ; **código postal** code postal ; **código rodoviário** code de la route.

código-fonte ['kɔdʒigu'fõntʃi] (*pl* **códigos-fonte**) *m* INFORM code source *m.*

codorna [ko'dɔxna] *f* caille *f.*

coelho ['kweʎu] *m* lapin *m* ; **coelho à caçadora** *lapin sauté au vin blanc et à la tomate.*

coentro [ko'ẽntru] *m* coriandre *f.*

coerência [koe'rẽsja] *f* cohérence *f.*

coerente [koe'rẽntʃi] *adj* cohérent(e).

cofre ['kɔfri] *m* coffre *m.*

cofre-forte [ˌkofri'foxtʃi] (*pl* **cofres-fortes**) *m* coffre-fort *m.*

cogitar [koʒi'ta(x)] ◇ *vt* réfléchir à. ◇ *vi* réfléchir.

cogumelo [kogu'mɛlu] *m* champignon *m* ; **cogumelos salteados** champignons sautés à la poêle.

coice ['kojsi] *m* [de cavalo, burro] ruade *f* ; [de arma] recul *m.*

coincidência [koĩsi'dẽsja] *f* coïncidence *f* ; **por coincidência** par coïncidence.

coincidir [kwĩsi'di(x)] *vi* coïncider. ◆ **coincidir com** *v + prep* coïncider avec.

coisa ['kojza] *f* chose *f* ; **(deseja) mais alguma coisa?** vous désirez autre chose ? ; **não ser grande coisa** ne pas valoir grand-chose ; **alguma coisa** quelque chose ; **coisa nenhuma** rien du tout ; **coisa de** l'affaire de.

coitado, da [koj'tadu, da] ◇ *adj* pauvre. ◇ *interj* le pauvre !

cola ['kɔla] *f* colle *f.*

colaborar [kolabo'ra(x)] *vi* collaborer.

colapso [ko'lapsu] *m* collapsus *m.*

colar [ko'la(x)] (*pl* -es) ◇ *m* collier *m.* ◇ *vt* & *vi* coller. ◆ **colar de** *v + prep* copier sur.

colarinho [kola'riɲu] *m* col *m.*

colcha ['kowʃa] *f* dessus-de-lit *m inv.*

colchão [kow'ʃɑ̃w] (*pl* -ões) *m* matelas *m* ; **colchão de molas** matelas à ressorts ; **colchão de palha** paillasse *f.*

colcheia [kow'ʃeja] *f* croche *f.*

colchete [kow'ʃetʃi] *m* [de vestuário] crochet *m* ; [de pressão] pression *f* ; [sinal de pontuação] accolade *f.*

colchões [kow'ʃõjʃ] → **colchão.**

coleção [kole'sɑ̃w] (*pl* -ões) *f* collection *f* ; **coleção de selos** collection de timbres ; **fazer coleção de** faire la collection de.

colecionador, ra [kolesjona'do(x), ra] (*mpl* -es, *fpl* -s) *m, f* collectionneur *m*, -euse *f.*

colecionar [kolesjo'na(x)] *vt* collectionner.

coleções ► **coleção.**

colega [ko'lɛga] *mf* collègue *mf* ; **colega de carteira** voisin *m*, -e *f* de table ; **colega de trabalho** collègue de travail ; **colega de turma** camarade *mf* de classe.

colégio [ko'lɛʒju] *m* collège *m* ; **colégio interno** internat *m*.

coleira [ko'lejra] *f* collier *m*.

cólera ['kɔlera] *f* [raiva] colère *f* ; MED choléra *m*.

colérico, ca [ko'lɛriku, ka] *adj* colérique.

colesterol [koleʃte'rɔw] *m* cholestérol *m*.

coleta [ko'lɛta] *f* [de lixo, passageiros] ramassage *m*.

colete [ko'letʃi] *m* gilet *m* ; **colete salva-vidas** gilet de sauvetage.

coletivo, va [kole'tʃivu, va] *adj* [decisão] collectif(ive) ; [transporte] en commun.

colheita [ko'ʎejta] *f* [de vinho] cru *m* ; [de cereal] récolte *f*.

colher[1] [ko'ʎe(x)] *vt* cueillir.

colher[2] [ko'ʎɛ(x)] (*pl* -es) *f* [utensílio doméstico] cuiller *f* ; [quantidade] cuillerée *f* ; **colher de café** cuiller à café ; **colher de chá** [utensílio] petite cuiller ; [quantidade] cuiller à café ; **colher de pau** cuiller en bois ; **colher de sopa** cuiller à soupe.

colibri [koli'bri] *m* colibri *m*.

cólica ['kɔlika] *f* colique *f*.

colidir [koli'dʒi(x)] *vi* se heurter ; **colidir com** heurter.

coligação [koliga'sɑ̃w] (*pl* -ões) *f* coalition *f*.

colina [ko'lina] *f* colline *f*.

colírio [ko'lirju] *m* collyre *m*.

colisão [koli'zɑ̃w] (*pl* -ões) *f* collision *f*.

collant [ko'lɑ̃] (*pl* -s) *m* collant *m*.

colmeia [kow'meja] *f* ruche *f*.

colo ['kɔlu] *m* giron *m* ; **no colo** dans les bras.

colocação [koloka'sɑ̃w] (*pl* -ões) *f* [emprego] affectation *f*.

colocar [kolo'ka(x)] *vt* poser ; [pôr num lugar] mettre ; [empregar pessoa] placer.

Colômbia [ko'lõmbja] *f* : **a Colômbia** la Colombie.

cólon ['kɔlõ] *m* côlon *m*.

colônia [ko'lonja] *f* colonie *f* ; [perfume] eau *f* de Cologne ; **colônia de férias** colonie de vacances.

coloquial [kolo'kjaw] (*pl* -ais) *adj* familier(ère).

colóquio [ko'lɔkju] *m* colloque *m*.

colorante [kolo'rɑ̃ntʃi] *m* colorant *m*.

colorau [kolo'raw] *m* paprika *m*.

colorido, da [kolo'ridu, da] *adj* coloré(e).

colorir [kolo'ri(x)] *vt* [dar cor a] colorer ; [desenho, livro] colorier.

coluna [ko'luna] *f* colonne *f* ; **coluna vertebral** colonne vertébrale.

com [kõ] *prep* avec ; **estar com dor de cabeça** avoir mal à la tête ; **estar com fome** avoir faim ; **estar com pressa** être pressé(e).

coma ['koma] *m* & *f* coma *m*.

comadre [ko'madri] *f* bassin *m* (*urinoir*).

comandante [komɑ̃n'dɑ̃ntʃi] *m* commandant *m*.

comandar [komɑ̃n'da(x)] *vt* commander.

comando [ko'mɑ̃ndu] *m* commande *f* ; [de exército, navio] commandement *m* ; **estar no comando de algo** être aux commandes de qqch ; **comando automático** ouverture des portes automatique ; **comando manual das portas** ouverture manuelle des portes.

combate [kõm'batʃi] *m* combat *m*.

combater [kõmba'te(x)] *vi* combattre.

combinação [kõmbina'sɑ̃w] (*pl* -ões) *f* combinaison *f* ; [acordo] arrangement *m* ; [plano] plan *m*.

combinar [kõmbi'na(x)] ◇ *vt* [unir, misturar] combiner ; [planejar] prévoir. ◇ *vi* [cores, roupas] être assorti(e) ; **está combinado!** c'est entendu ! ; **combinar com** être assorti à ; **combinar algo com alguém** s'arranger avec qqn sur qqch.

comboio [kõn'boju] *m* convoi *m*.

combustível [kõnbuʃ'tʃivɛw] (*pl* -eis) *m* combustible *m*.

começar [kome'sa(x)] *vt* & *vi* commencer ; **começar a fazer algo** commencer à faire qqch ; **começar de** commencer (en partant) de ; **começar por** commencer par ; **começar por fazer algo** commencer par faire qqch ; **para começar** pour commencer.

começo [ko'mesu] *m* début *m*.

comédia [ko'mɛdʒja] *f* comédie *f*.

comediante [kome'dʒjɑ̃ntʃi] *mf* comédien *m*, -enne *f*.

comemorar [komemo'ra(x)] *vt* commémorer.

comentar [komẽn'ta(x)] *vt* dire ; [analisar] commenter.

comentário [komẽn'tarju] *m* commentaire *m*.

comentarista [komẽta'riʃta] *mf* commentateur *m*, -trice *f* ; **comentarista esportivo** commentateur sportif.

comer [ko'me(x)] ◇ *vt* [alimento] manger ; [em xadrez, damas] souffler. ◇ *vi* [alimentar-se] manger.

comercial [komexsi'aw] (*pl* -ais) *adj* commercial(e).

comercialização [komexsjaliza'sɑ̃w] *f* commercialisation *f*.

comercializar [komexsjali'za(x)] *vt* commercialiser.

comerciante [komex'sjɑ̃ntʃi] *mf* commerçant *m*, -e *f*.

comércio [ko'mɛxsju] *m* commerce *m*.

comestível [komeʃ'tʃivɛw] (*pl* -eis) *adj* comestible.

cometer [kome'te(x)] *vt* commettre.

comichão [komi'ʃɑ̃w] (*pl* -ões) *f* démangeaison *f*.

comício [ko'misju] *m* meeting *m*.

cômico, **ca** ['komiku, ka] *adj* comique.

comida [ko'mida] *f* [alimento] nourriture *f* ; [refeição] repas *m* ; **comida para bebê** aliments *mpl* pour bébés ; **comida congelada** produits *mpl* surgelés.

comigo [ko'migu] *pron* avec moi.

comilão, **lona** [komi'lɑ̃w, lona] (*mpl* -ões, *fpl* -s) *m*, *f* *fam* goinfre *mf*.

cominho [ko'miɲu] *mpl* cumin *m*.

comissão [komi'sɑ̃w] (*pl* -ões) *f* commission *f*.

comissário [komi'sarju] *m* [de polícia] commissaire *m* ; [de navio] commissaire *m* de la Marine ; **comissário de bordo** steward *m*.

comissões ► **comissão**.

comitê [komi'te] *m* comité *m*.

como ['komu] ◇ *adv* **1.** [ger] comme ; **como quem não quer nada** mine de rien ; **como se de nada fosse** comme si de rien n'était ; **como ele é inteligente!** comme il est intelligent ! ; **como é difícil arranjar lugar para estacionar!** comme il est difficile de trouver une place pour stationner ! ; **como você se engana!** comme tu te trompes ! ;

como o tempo passa depressa! que le temps passe vite ! - **2.** [de que maneira] comment ; **como?** comment ? ; **como vai?** comment vas-tu? ; **como se nada estivesse acontecendo** comme si de rien n'était ; **fiz como você** j'ai fait comme toi. <> *conj* comme ; **é bonita como a mãe** elle est jolie comme sa mère ; **é tão alto como o irmão** il est aussi grand que son frère ; **como queira!** comme tu veux ! ; **seja como for** n'importe comment ; **as cidades grandes como Paris...** les grandes villes comme Paris... ; **como entrada quero uma sopa** je veux une soupe en entrée ; **que tem como sobremesa?** qu'avez-vous en dessert ? ; **como pai tenho uma opinião diferente** en tant que père, j'ai un avis différent ; **como estávamos atrasados fomos de táxi** comme nous étions en retard, nous avons pris un taxi ; **como não atendiam pensamos que não estavam** comme ils ne répondaient pas, nous avons pensé qu'ils n'étaient pas là ; **como deve ser** comme il se doit.

comoção [komo'sãw] (*pl* -ões) *f* émoi *m*.

cômoda ['komoda] *f* commode *f*.

comodidade [komodʒi'dadʒi] *f* commodité *f*.

comodismo [komo'dʒiʒmu] *m* : **ele age por comodismo** il ne fait que ce qui l'arrange.

comodista [komo'dʒiʃta] *mf* : **é um comodista** il ne fait que ce qui l'arrange.

cômodo, da ['komodu, da] *adj* confortable.

comovedor, ra [komove'do(x), ra] (*mpl* -es, *fpl* -s) *adj* émouvant(e).

comovente [komo'vẽntʃi] *adj* émouvant(e).

comover [komo've(x)] *vt* émouvoir. ◆ **comover-se** *vp* s'émouvoir.

comovido, da [komo'vidu, da] *adj* ému(e).

compactador [kõmpak'tado(x)] *m* INFORM compresseur *m*.

compactar [kõmpzk'ta(x)] *vt* INFORM : **compactar arquivos** compresser des fichiers.

compacto, ta [kõm'paktu, ta] <> *adj* compact(e) ; [denso] épais(aisse). <> *m* [CD] Compact Disc® *m* ; [disco de vinil] microsillon *m*.

compaixão [kõnpaj'ʃɑ̃w] *f* compassion *f*.

companheiro, ra [kõmpa'ɲejru, ra] *m, f* compagnon *m*, compagne *f* ; [de turma, carteira] camarade *mf*.

companhia [kõmpa'ɲia] *f* compagnie *f* ; [de teatro, circo] troupe *f* ; **fazer companhia a alguém** tenir compagnie à qqn ; **companhia de aviação** compagnie aérienne ; **companhia de navegação** compagnie maritime ; **companhia de seguros** compagnie d'assurance ; **em companhia de alguém** en compagnie de qqn.

comparação [kõmpara'sãw] (*pl* -ões) *f* comparaison *f* ; **não ter comparação com** être sans comparaison avec ; **em comparação com** par rapport à.

comparar [kõmpa'ra(x)] *vt* comparer ; **comparar algo a** OU **com algo** comparer qqch à OU avec qqch.

comparecer [kõmpare'se(x)] *vi* venir ; [perante o juiz] comparaître ; **comparecer a algo** assister à qqch.

compartilhar [kõmpaxtʃi'ʎa(x)] *vt* : **compartilhar algo com alguém** partager qqch avec qqn.

compartimento [kõmpaxtʃi'mẽntu] *m* [de vagão] compartiment *m* ; [de casa] pièce *f*.

compartir [kõmpax'tʃi(x)] *vt* répartir.

compasso [kõm'pasu] *m* [objeto] compas *m* ; MÚS mesure *f*.

compatível [kõmpa'tʃivɛw] (*pl* -eis) *adj* : **compatível (com)** compatible (avec).

compatriota [kõmpatrj'ɔta] *mf* compatriote *mf*.

compensação [kõmpẽsa'sɑ̃w] (*pl* -ões) *f* [vantagem] compensation *f* ; [indenização] dédommagement *m*.

compensar [kõmpẽ'sa(x)] *vt* [indenizar] dédommager ; [recompensar] récompenser ; **não compensa o esforço** le jeu n'en vaut pas la chandelle.

competência [kõmpe'tẽsja] *f* [aptidão] compétence *f* ; [responsabilidade] compétences *fpl*.

competente [kõmpe'tẽntʃi] *adj* compétent(e).

competição [kõmpetʃi'sɑ̃w] (*pl* -ões) *f* concurrence *f* ; [esportiva] compétition *f*.

competir [kõmpe'tʃi(x)] *vi* [em competição esportiva] être en compétition ; [economicamente] se faire concurrence ; **competir com** [pessoas] rivaliser avec ; [empresas] être en concurrence avec.

competitivo, **va** [kõmpetʃi'tʃivu, va] *adj* [preço] compétitif(ive).

compilar [kõmpi'la(x)] *vt* compiler.

complacente [kõnpla'sẽntʃi] *adj* complaisant(e).

complementar [kõmplemẽn'ta(x)] (*pl* -es) *adj* complémentaire.

complemento [kõmple'mẽntu] *m* complément *m*.

completamente [kõm,pleta'mẽntʃi] *adv* complètement.

completar [kõmple'ta(x)] *vt* [preencher] compléter ; [terminar] finir.

completo, **ta** [kõm'plɛtu, ta] *adj* complet(ète) ; [terminado] fini(e) ; **'completo'** 'complet'.

complexo, **xa** [kõm'plɛksu, ksa] ◇ *adj* complexe. ◇ *m* [turístico, industrial *etc.*] complexe *m*.

complicação [kõmplika'sɑ̃w] (*pl* -ões) *f* complication *f*.

complicado, **da** [kõmpli'kadu, da] *adj* compliqué(e).

complicar [kõmpli'ka(x)] *vt* compliquer. ◆ **complicar-se** *vp* se compliquer.

componente [kõnpo'nẽntʃi] ◇ *m* composant *m*. ◇ *f* composante *f*.

compor [kõm'po(x)] *vt* composer ; [consertar] réparer ; [arrumar] ranger. ◆ **compor-se** *vp* s'arranger. ◆ **compor-se de** *vp* + *prep* se composer de.

comporta [kõn'pɔxta] *f* vanne *f*.

comportamento [kõmpoxta'mẽntu] *m* comportement *m*.

comportar [kõmpox'ta(x)] *vt* [conter em si] comporter ; [admitir] permettre. ◆ **comportar-se** *vp* bien se conduire.

composição [kõmpozi'sɑ̃w] (*pl* -ões) *f* composition *f*.

compositor, **ra** [kõmpozi'to(x), ra] (*mpl* -es, *fpl* -s) *m, f* compositeur *m*, -trice *f*.

composto, **osta** [kõm'poʃtu, ɔʃta] ◇ *adj* composé(e). ◇ *m* composé *m* ; **ser composto por** être composé de.

compostura [kõmpoʃ'tura] *f* tenue *f* *(éducation)*.

compota [kõn'pɔta] *f* compote *f*.

compra ['kõmpra] *f* achat *m* ; **fazer compras** faire des courses ; **ir às compras** aller faire les courses.

comprar [kõm'pra(x)] *vt* acheter.

compreender [kõmprjẽn'de(x)] *vt* comprendre.

compreensão [kõmprjẽ'sɑ̃w] *f* compréhension *f*.

compreensivo, va [kõmprjẽ'sivu, va] *adj* compréhensif(ive).

compressa [kõm'prɛsa] *f* compresse *f* ; **compressa esterilizada** compresse stérile.

comprido, da [kõm'pridu, da] *adj* long(longue) ; **ao comprido** en long.

comprimento [kõmpri'mẽntu] *m* longueur *f*.

comprimido, da [kõmpri'midu, da] ◇ *adj* [reduzido] comprimé(e) ; [apertado] serré(e). ◇ *m* comprimé *m* ; **comprimido para dormir** somnifère *m* ; **comprimido para as dores** antalgique *m* ; **comprimido para o enjôo** antinauséeux *m*.

comprimir [kõmpri'mi(x)] *vt* [apertar] compresser ; [reduzir de volume] comprimer.

comprometer [kõmprome'te(x)] *vt* compromettre. ◆ **comprometer-se** *vp* se compromettre ; **comprometer-se a fazer algo** s'engager à faire qqch.

compromisso [kõmpro'misu] *m* [obrigação] engagement *m* ; [acordo] compromis *m* ; **tenho um compromisso** je ne suis pas libre.

comprovação [kõmprova'sɑ̃w] (*pl* -ões) *f* [prova] preuve *f* ; [confirmação] confirmation *f*.

comprovante [kõnpro'vantʃi] *adj* & *m* probant(e).

comprovar [kõmpro'va(x)] *vt* [provar] prouver ; [confirmar] confirmer.

computador [kõmputa'do(x)] (*pl* -es) *m* ordinateur *m* ; **computador pessoal** PC *m*.

comum [ko'mũ] (*pl* -ns) *adj* [freqüente] courant(e) ; [vulgar] ordinaire ; [partilhado] commun(e).

comunhão [komu'ɲɑ̃w] (*pl* -ões) *f* RELIG communion *f* ; [em casamento] : **comunhão (de bens)** communauté *f* (de biens) ; **comunhão parcial de bens** communauté légale OU réduite aux acquêts.

comunicação [komunika'sɑ̃w] (*pl* -ões) *f* communication *f* ; [comunicado] communiqué *m*.

comunicado [komuni'kadu] *m* communiqué *m*.

comunicar [komuni'ka(x)] *vt* & *vi* communiquer ; **comunicar algo a alguém** communiquer qqch à qqn ; **comunicar com** communiquer avec.

comunidade [komuni'dadʒi] *f* [grupo de pessoas] communauté *f* ; [local] foyer *m* ; **a Comunidade Européia** la Communauté européenne.

comunismo [komu'niʒmu] *m* communisme *m*.

comunista [komu'niʃta] *adj* & *mf* communiste.

comuns ► **comum**.

comutar [komu'ta(x)] *vt* [pena] commuer.

conceber [kõse'be(x)] *vt* concevoir.

conceder [kõse'de(x)] *vt* accorder ; [prêmio] décerner.

conceito [kõ'sejtu] *m* concept *m*.

conceituado, da [kõsej'twadu, da] *adj* reconnu(e).

concentração [kõsẽntra'sɑ̃w] (*pl* -ões) *f* concentration *f* ; [de pessoas] tas *m*.

concentrado, da [kõsẽn'tradu, da] ◇ *adj* concentré(e). ◇ *m* : **concentrado de tomate** concentré *m* de tomate.

concentrar [kõsẽn'tra(x)] *vt* concentrer ; [atenção] fixer. ◆ **concentrar-se** *vp* se concentrer ; [agrupar-se] se rassembler ; **concentrar-se em algo** [estudo, trabalho] se concentrer sur qqch ; [lugar] se regrouper sur.

concepção [kõsep'sɑ̃w] (*pl* -ões) *f* conception *f*.

concerto [kõ'sextu] *m* concert *m*.

concessão [kõnse'sɑ̃w] (*pl* -ões) *f* [de prêmio, bolsa] attribution *f* ; [de desconto] accord *m* ; [permissão] autorisation *f*.

concessionária [kõsesjo'narja] *m* concessionnaire *m* ; **concessionária de automóvel** concessionnaire automobile.

concessões ► **concessão.**

concha ['kõʃa] *f* [molusco] coquillage *m* ; [de sopa] louche *f*.

conciliação [kõnsilja'sɑ̃w] (*pl* -ões) *f* conciliation *f*.

conciliar [kõsi'lja(x)] *vt* concilier ; **conciliar o sono** trouver le sommeil.

concluir [kõŋklu'i(x)] *vt* conclure.

conclusão [kõŋklu'zɑ̃w] (*pl* -ões) *f* conclusion *f* ; **em conclusão** pour conclure.

concordância [kõŋkox'dɑ̃sja] *f* concordance *f* ; **em concordância com** en accord avec.

concordar [kõŋkox'da(x)] *vi* être d'accord ; **concordar em fazer algo** être d'accord pour faire qqch ; **concordar com** être d'accord avec.

concorrência [kõŋko'xẽsja] *f* concurrence *f*.

concorrente [kõŋko'xẽntʃi] ◇ *adj* concurrent(e). ◇ *mf* [em concurso, competição] concurrent *m*, -e *f* ; [em disputa] adversaire *mf*.

concorrer [kõŋko'xe(x)] *vi* concourir ; **concorrer a algo** [a emprego] postuler à.

concretizar [kõŋkreti'za(x)] *vt* concrétiser.

concreto, **ta** [kõŋ'krɛtu, ta] ◇ *adj* concret(ète). ◇ *m* béton *m*.

concurso [kõŋ'kuxsu] *m* concours *m* ; [de televisão, rádio] jeu *m*.

conde ['kõndʒi, dʒesa] *m* comte *m*.

condenação [kõndena'sɑ̃w] (*pl* -ões) *f* condamnation *f*.

condenar [kõnde'na(x)] *vt* condamner.

condensação [kõndẽsa'sɑ̃w] *f* condensation *f*.

condensado [kõndẽ'sadu] *adj m* ► **leite.**

condensar [kõndẽ'sa(x)] *vt* condenser.

condescendência [kõndesẽn'dẽnsja] *f* condescendance *f*.

condescendente [kõndesẽn'dẽntʃi] *adj* condescendant(e).

condescender [kõndesẽn'de(x)] *vi* : **condescender em fazer algo** condescendre à faire qqch.

condessa [kõn'desa] *f* comtesse *f*.

condição [kõndʒi'sɑ̃w] (*pl* -ões) *f* condition *f* ; **estar em boas/más condições** être en bon/mauvais état.

condicionado, **da** [kõndʒisjo'nadu, da] *adj* réglementé(e).

condicionador [kõndʒisjo'nado(x)] (*pl* -es) *m* [de cabelo] après-shampooing *m* ; [para roupa] assouplissant *m*.

condicional [kõndʒisjo'naw] *m* conditionnel *m*.

condicionar [kõndʒisjo'na(x)] *vt* conditionner.

condições ► **condição.**

condimentar [kõndʒimẽn'ta(x)] *vt* assaisonner.

condimento [kõndʒi'mẽntu] *m* condiment *m*.

condizer [kõndʒi'ze(x)] *vi* être assorti(e) ; **condizer com** être assorti à.

condolências [kõndo'lẽsjaʃ] *fpl* condoléances *fpl* ; **as minhas condolências** toutes mes condoléances.

condomínio [kõndo'minju] *m* [em prédio de andares] syndicat *m* des copropriétaires ; [taxas] charges *fpl*.

condômino [kõn'dominu, na] *m* copropriétaire *m*.

condor [kõn'do(x)] (*pl* -es) *m* condor *m*.

condução [kõndu'sɑ̃w] *f* conduite *f*.

conduta [kõn'duta] *f* [comportamento] conduite *f*.

conduto [kõn'dutu] *f* [tubo, cano] conduit *m* ; **conduto de gás** conduite de gaz ; **conduto de lixo** vide-ordures *m inv*.

condutor, ra [kõndu'to(x), ra] (*mpl* -es, *fpl* -s) *adj* & *m, f* conducteur(trice).

conduzir [kõndu'zi(x)] *vt* & *vi* conduire ; **conduzir a** conduire à.

cone ['kɔni] *m* [forma geométrica] cône *m*.

conectar [konek'ta(x)] *vt* connecter. ◆ **conectar-se** *vp* se connecter ; **conectarse à Internet** se connecter à Internet.

conexão [konek'sɑ̃w] (*pl* -ões) *f* connexion *f* ; [de ônibus, trem, avião] correspondance *f*.

confecção [kõfɛk'sɑ̃w] (*pl* -ões) *f* [de peça de vestuário] confection *f* ; [de prato culinário] préparation *f*.

confeccionar [kõfɛksjo'na(x)] *vt* [peça de vestuário] confectionner ; [prato culinário] préparer.

confecções ► **confecção**.

confeitaria [kõfejta'ria] *f* confiserie *f* ; salon *m* de thé.

conferência [kõfe'rẽsja] *f* conférence *f*.

conferir [kõfe'ri(x)] ◇ *vt* vérifier. ◇ *vi* coïncider.

confessar [kõfe'sa(x)] *vt* avouer. ◆ **confessar-se** *vp* se confesser.

confessionário [kõfesjo'narju] *m* confessionnal *m*.

confiança [kõ'fjɑ̃sa] *f* confiance *f* ; [familiaridade] familiarité *f* ; **ter confiança em** avoir confiance en ; **ele é de confiança** c'est quelqu'un de confiance.

confiar [kõfi'a(x)] *vt* : **confiar algo/alguém a alguém** confier qqch/qqn à qqn. ◆ **confiar em** *v + prep* [pessoa] avoir confiance en, faire confiance à ; [futuro] avoir confiance en ; [resultados] avoir confiance dans.

confidência [kõfi'dẽsja] *f* confidence *f*.

confidencial [kõfidẽ'sjaw] (*pl* -ais) *adj* confidentiel(elle).

confirmação [kõfixma'sɑ̃w] (*pl* -ões) *f* confirmation *f*.

confirmar [kõfix'ma(x)] *vt* confirmer. ◆ **confirmar-se** *vp* se confirmer.

confiscar [kõfiʃ'ka(x)] *vt* confisquer.

confissão [kõnfi'sɑ̃w] (*pl* -ões) *f* confession *f*.

conflito [kõ'flitu] *m* conflit *m* ; [desavença] démêlé *m*.

conformar-se [kõfox'maxsi] *vp* se résigner ; **conformar-se com** se résigner à.

conforme [kõ'fɔxmi] ◇ *conj* comme. ◇ *prep* [dependendo de como] selon, d'après ; [de acordo com] conformément à.

conformidade [kõfoxmi'dadʒi] *f* conformité *f* ; **em conformidade com** en conformité avec.

confortar [kõfox'ta(x)] *vt* réconforter.

confortável [kõfox'tavɛw] (*pl* -eis) *adj* confortable.

conforto [kõ'foxtu] *m* [bem-estar] confort *m* ; [consolo] réconfort *m*.

confraternizar [kõfraterni'za(x)] *vi* fraterniser ; **confraternizar com** fraterniser avec.

confrontação [kõfrõnta'sɑ̃w] (*pl* -ões) *f* confrontation *f*.

confrontar [kõfrõn'ta(x)] *vt* [enfrentar] être confronté(e) à ; [comparar] confronter. ◆ **confrontar-se** *vp* se confronter ; **confrontar-se com** se confronter à.

confronto [kõ'frõntu] *m* [encontro conflituoso] affrontement *m* ; [comparação] confrontation *f*.

confundir [kõfũn'di(x)] *vt* confondre. ◆ **confundir-se** *vp* se tromper ; **confundir-se com** se confondre avec.

confusão [kõfu'zɑ̃w] (*pl* -ões) *f* confusion *f* ; **armar confusão** causer des problèmes ; **fazer confusão** confondre.

confuso, **sa** [kõ'fuzu, za] *adj* confus(e).

confusões ► **confusão**.

congelado, **da** [kõʒe'ladu, da] *adj* congelé(e).

congelador [kõnʒela'do(x)] (*pl* -es) *m* congélateur *m*.

congelar [kõʒe'la(x)] *vt* & *vi* congeler.

congestão [kõʒeʃ'tɑ̃w] (*pl* -ões) *f* congestion *f*.

congestionado, **da** [kõnʒeʃtjo'nadu, da] *adj* congestionné(e).

congestionamento [kõʒeʃtʃjona'mẽntu] *m* [de trânsito] encombrement *m*.

congestionar [kõʒeʃtʃjo'na(x)] *vt* [trânsito] congestionner.

congestões ► **congestão**.

congratular [kõŋgratu'la(x)] *vt* féliciter.

congresso [kõŋ'gresu] *m* congrès *m*.

conhaque [ko'ɲaki] *m* cognac *m*.

conhecedor, **ra** [koɲese'do(x), ra] (*mpl* -es, *fpl* -s) *m*, *f* connaisseur *m*, -euse *f*.

conhecer [koɲe'se(x)] *vt* connaître ; [reconhecer] reconnaître.

conhecido, **da** [koɲe'sidu, da] ◇ *adj* connu(e). ◇ *m*, *f* connaissance *f*.

conhecimento [koɲesi'mẽntu] *m* connaissance *f* ; **dar conhecimento de algo a alguém** faire part de qqch à qqn ; **tomar conhecimento de algo** prendre connaissance de qqch ; **é do conhecimento de todo mundo que...** il est connu que... ◆ **conhecimentos** *mpl* [contatos] relations *fpl* ; [cultura] connaissances *fpl*.

conjugado [kõʒu'gadu] *m* studio *m*.

cônjuge ['kõʒuʒi] *mf* conjoint *m*.

conjunção [kõʒũ'sɑ̃w] (*pl* -ões) *f* conjonction *f*.

conjuntiva [kõʒũn'tʃiva] *f* conjonctive *f*.

conjuntivite [kõʒũntʃi'vitʃi] *f* conjonctivite *f*.

conjunto [kõ'ʒũntu] *m* ensemble *m* ; [de rock] groupe *m* ; [de copos, pratos] service *m*.

conosco [ko'noʃku] *pron* avec nous.

conquanto [kõŋ'kwɑ̃ntu] *conj* quoique.

conquista [kõŋ'kiʃta] *f* conquête *f*.

conquistar [kõŋkiʃ'ta(x)] *vt* conquérir ; [posição, trabalho] obtenir.

consciência [kõʃ'sjẽsja] *f* conscience *f* ; **ter consciência de algo** avoir conscience de qqch ; **tomar consciência de algo** prendre conscience de qqch ; **ter a consciência pesada** avoir mauvaise conscience.

consciente [kõʃ'sjẽntʃi] ◇ *adj* conscient(e). ◇ *m* : **o consciente** le conscient ; **estar consciente de algo** être conscient de qqch.

consecutivo, **va** [kõnseku'tʃivu, va] *adj* consécutif(ive).

conseguinte [kõse'gĩntʃi] ◆ **por conseguinte** *conj* par conséquent.

conseguir [kõse'gi(x)] *vt* obtenir ; **conseguir fazer algo** réussir à faire qqch.

conselho [kõ'seʎu] *m* conseil *m* ; **dar conselhos** donner des conseils.

consenso [kõ'sẽsu] *m* consensus *m*.

consentimento [kõsẽntʃi'mẽntu] *m* consentement *m*.

consentir [kõsẽn'ti(x)] *vt* consentir.

conseqüência [kõse'kwẽsja] *f* conséquence *f* ; **em** OU **como conseqüência** par conséquent.

consertar [kõsex'ta(x)] *vt* réparer.

conserto [kõ'sextu] *m* réparation *f*.

conserva [kõ'sɛrva] *f* : **em conserva** en conserve.

conservação [kõsexva'sɑ̃w] *f* conservation *f* ; [da natureza, animais] protection *f*.

conservante [kõser'vɑ̃tʃi] *m* conservateur *m*.

conservar [kõsex'va(x)] *vt* [natureza, animais] protéger ; [objeto, monumento, alimento] conserver.

conservatório [kõnsexva'tɔrju] *m* conservatoire *m*.

consideração [kõsidera'sɑ̃w] (*pl* -ões) *f* considération *f* ; **levar algo em consideração** prendre qqch en considération.

considerar [kõside'ra(x)] *vt* considérer ; **considerar que** considérer que. ◆ **considerar-se** *vp* se considérer comme.

considerável [kõside'ravɛw] (*pl* -eis) *adj* considérable.

consigo [kõ'sigu] *pron* [com ele, ela] avec lui(avec elle) ; [com você] avec toi ; [com eles, elas] avec eux(avec elles) ; **consigo mesmo** OU **próprio** [com ele] avec lui ; **ter dinheiro consigo** avoir de l'argent sur soi ; **ele traz uma arma consigo** il a une arme sur lui.

consistência [kõsiʃ'tẽsja] *f* consistance *f*.

consistente [kõsiʃ'tẽntʃi] *adj* consistant(e).

consistir [kõsiʃ'ti(x)] ◆ **consistir em** *v + prep* [ser composto por] consister en ; [basear-se em] consister à.

consoante [kõ'swɑ̃ntʃi] ◇ *f* consonne *f*. ◇ *prep* selon.

consolar [kõso'la(x)] *vt* consoler. ◆ **consolar-se** *vp* se régaler.

console [kõn'soli] *f* console *f*.

consomê [kõnso'me] *m* consommé *m*.

conspícuo, **cua** [kõnʃ'pikwu, kwa] *adj* manifeste.

conspiração [kõnʃpira'sɑ̃w] (*pl* -ões) *f* conspiration *f*.

constante [kõʃ'tɑ̃ntʃi] *adj* constant(e).

constar [kõʃ'ta(x)] *v impess* : **constar que** dire que. ◆ **constar de** *v + prep* [consistir em] consister en ; [figurar em] figurer dans.

constatar [kõʃta'ta(x)] *vt* : **constatar que** constater que.

consternado, **da** [kõʃter'nadu, da] *adj* consterné(e).

constipação [kõʃtʃipa'sɑ̃w] (*pl* -ões) *f* rhume *m*.

constipado, **da** [kõʃtʃi'padu, da] *adj* : **estar constipado** [resfriado] être enrhumé.

constipar-se [kõʃti'paxi] *vp* [resfriar-se] s'enrhumer.

constituição [kõʃtʃitwi'sɑ̃w] (*pl* -ões) *f* constitution *f*.

constituir [kõʃtʃi'twi(x)] *vt* constituer.

constranger [kõʃtrɑ̃'ʒe(x)] *vt* [obrigar] contraindre ; [embaraçar] gêner. ◆ **constranger-se** *vp* se sentir gêné(e).

constrangimento [kõʃtrɑ̃ʒi'mẽntu] *m* [obrigação] contrainte *f* ; [embaraço] gêne *f*.

construção [kõʃtru'sɑ̃w] (*pl* -ões) *f* construction *f*.

construir [kõʃtru'i(x)] *vt* construire.

construtivo, **va** [kõʃtru'tivu, va] *adj* constructif(ive).

construtor [kõnʃtru'to(x), ra] (*pl* -es) *m* constructeur *m*.

cônsul ['kõsuw] (*pl* -es) *mf* consul *m*.

consulado [kõsu'ladu] *m* consulat *m*.

cônsules ['kõnsuliʃ] ► **cônsul**.

consulta [kõ'suwta] *f* consultation *f*.

consultar [kõsuw'ta(x)] *vt* consulter.

consultoria [kõsuwto'ria] *f* bureau *m* de consultation.

consultório [kõsuw'tɔrju] *m* cabinet *m (de consultation)*.

consumidor, **ra** [kõsumi'do(x), ra] (*mpl* -es, *fpl* -s) *m, f* consommateur *m*, -trice *f*.

consumir [kõsu'mi(x)] ◇ *vt* consommer. ◇ *vi* [gastar dinheiro] dépenser (de l'argent). ◆ **consumir-se** *vp* se tourmenter.

consumir [kõsu'mi(x)] ◇ *vt* [gastar] consommer ; [destruir] consumer. ◇ *vi* consommer.

consumo [kõ'sumu] *m* consommation *f*.

conta ['kõnta] *f* [de restaurante, café] addition *f* ; [de banco] compte *m* ; [de colar] perle *f* ; **a conta, por favor** l'addition, s'il vous plaît ; **abrir uma conta** ouvrir un compte ; **dar-se conta de** se rendre compte que ; **fazer de conta que** faire comme si ; **ter em conta** tenir compte de ; **tomar conta de** surveiller ; **conta bancária** compte bancaire ; **conta corrente** compte courant ; **por conta de** aux frais de ; **vezes sem conta** à plusieurs reprises.

contabilidade [kõntabili'dadʒi] *f* comptabilité *f*.

contabilista [kõntabi'liʃta] *mf* comptable *mf*.

contador [kõnta'do(x), ra] (*pl* -es) *m* [aparelho] compteur *m* ; [profissional] comptable *mf*.

contagem [kõn'taʒẽ] (*pl* -ns) *f* [de gasto de água, de luz] relevé *m* ; [de votos] dépouillement *m*.

contagiar [kõnta'ʒja(x)] *vt* contaminer.

contágio [kõn'taʒju] *m* contagion *f*.

contagioso, **osa** [kõnta'ʒjozu, ɔza] *adj* contagieux(euse).

conta-gotas [ˌkõnta'gotaʃ] *m inv* compte-gouttes *m inv*.

contaminação [kõntamina'sɑ̃w] (*pl* -ões) *f* contamination *f*.

contaminar [kõntami'na(x)] *vt* contaminer.

contar [kõn'ta(x)] ◇ *vt* compter ; [narrar, explicar] raconter. ◇ *vi* compter ; **contar algo a alguém** raconter qqch à qqn ; **contar fazer algo** compter faire qqch ; **contar com** compter sur.

contatar [kõnta'ta(x)] *vt* contacter.

contato [kõn'tatu] *m* contact *m* ; **entrar em contato com** prendre contact avec.

contêiner [kõn'tejne(x)] (*pl* -es) *m* container *m*.

contemplar [kõntẽm'pla(x)] *vt* [paisagem, pintura] contempler ; [idéia, possibilidade] envisager ; **contemplar alguém com algo** récompenser qqn de qqch.

contemporâneo, **nea** [kõntẽmpo'ranju, nja] *adj & m, f* contemporain(e).

contentamento [kõntẽnta'mẽntu] *m* joie *f*.

contentar [kõntẽn'ta(x)] *vt* faire

plaisir. ◆ **contentar a** *v + prep* faire plaisir à. ◆ **contentar-se com** *vp + prep* se contenter de.

contente [kõn'tẽntʃi] *adj* content(e).

conter [kõn'te(x)] *vt* contenir. ◆ **conter-se** *vp* se retenir.

conterrâneo, **nea** [kõnte'xɑ̃nju, nja] *m, f* concitoyen *m*, -enne *f*.

contestação [kõnteʃta'sɑ̃w] (*pl* -ões) *f* [resposta] réponse *f* ; [polêmica] contestation *f*.

contestar [kõnteʃ'ta(x)] *vt* [replicar] répondre ; [refutar, JUR] contester.

conteúdo [kõn'tjudu] *m* [de recipiente] contenu *m* ; [de carta, texto] teneur *f*.

contexto [kõn'teʃtu] *m* contexte *m*.

contigo [kõn'tigu] *pron* avec toi.

continente [kõntʃi'nẽntʃi] *m* continent *m*.

continuação [kõntʃinwa'sɑ̃w] (*pl* -ões) *f* suite *f*.

continuamente [kõn,tʃinwa'mẽntʃi] *adv* continuellement.

continuar [kõntʃi'nwa(x)] *vt* & *vi* continuer ; **continuar a fazer algo** continuer à faire qqch ; **continuar com algo** continuer qqch.

contínuo, **nua** [kõn'tʃinwu, nwa] ◇ *adj* [sem interrupção] continu(e) ; [repetido] continuel(elle). ◇ *m, f* ≃ appariteur *m*.

conto ['kõntu] *m* conte *m*.

conto-do-vigário ['kõntuduvi'garju] *m* : **passar o conto-do-vigário** duper ; **cair no conto-do-vigário** tomber dans le panneau.

contornar [kõntox'na(x)] *vt* contourner.

contra ['kõntra] ◇ *prep* contre. ◇ *m* : **pesar** OU **ver os prós e os contras** peser le pour et le contre.

contra-ataque [,kõntra'taki] (*pl* **contra-ataques**) *m* contre-attaque *f*.

contrabaixo [,kõntra'bajʃu] *m* contrebasse *f*.

contrabando [kõntra'bɑ̃ndu] *m* [de mercadorias] contrebande *f* ; [mercadoria] produit *m* de contrebande.

contracepção [,kõntrasɛp'sɑ̃w] *f* contraception *f*.

contraceptivo, **va** [,kõntrasɛp'tʃivu, va] ◇ *adj* contraceptif(ive). ◇ *m* contraceptif *m*.

contradição [,kõntradʒi'sɑ̃w] (*pl* -ões) *f* contradiction *f*.

contradizer [,kõntradʒi'ze(x)] *vt* contredire.

contrafilé [kõntrafi'lɛ] *m* faux-filet *m*.

contra-indicação [,kõntraĩndʒika'sɑ̃w] (*pl* **contra-indicações**) *f* [de medicamento] contre-indication *f*.

contrair [kõntra'i(x)] *vt* contracter ; [vício, hábito] prendre ; **contrair matrimônio** se marier.

contramão [kõntra'mɑ̃w] *f* sens *m* inverse ; **ir contramão** rouler en sens inverse.

contrapartida [,kõntrapar'tʃida] *f* contrepartie *f* ; **em contrapartida** en contrepartie.

contrariar [kõntrari'a(x)] *vt* [contradizer] contredire ; [aborrecer] contrarier.

contrariedade [kõntrarje'dadʒi] *f* contrariété *f*.

contrário, **ria** [kõn'trarju, rja] ◇ *adj* [oposto] contraire ; [adversário] adverse. ◇ *m* : **o contrário** le contraire ; **ser contrário a algo** être opposé à qqch ; **do contrário** sinon ; **muito pelo contrário** bien au contraire ; **em sentido contrário** en sens inverse.

contra-senso [,kõntra'sẽsu] (*pl* **contra-sensos**) *m* [absurdo] non-sens *m* ; [em tradução] contresens *m*.

contrastar [kõntraʃ'ta(x)] ◇ *vt* mettre en contraste. ◇ *vi* contraster ; **contrastar com** contraster avec.

contraste [kõn'traʃtʃi] *m* contraste *m* ; **em contraste com** en contraste avec.

contratar [kõntra'ta(x)] *vt* [pessoa] engager ; [serviço] passer un contrat pour.

contratempo [ˌkõntra'tẽmpu] *m* contretemps *m*.

contrato [kõn'tratu] *m* contrat *m*.

contribuinte [kõntri'bwĩntʃi] *mf* contribuable *mf*.

contribuir [kõntri'bwi(x)] *vi* apporter (une contribution) ; **contribuir para algo** contribuer à qqch ; **contribuir com dinheiro (para)** participer financièrement (à).

controlar [kõntro'la(x)] *vt* contrôler. ◆ **controlar-se** *vp* se contrôler.

controle [kõn'troli] *m* contrôle *m* ; [comando] commande *f* ; **controle remoto** télécommande *f*.

controvérsia [kõntro'vɛrsja] *f* controverse *f*.

controverso, sa [kõntro'vɛrsu, sa] *adj* controversé(e).

contudo [kõn'tudu] *conj* cependant.

contusão [kõntu'zãw] (*pl* -ões) *f* contusion *f*.

convalescença [kõvaleʃ'sẽsa] *f* convalescence *f*.

convenção [kõvẽ'sãw] (*pl* -ões) *f* convention *f*.

convencer [kõvẽ'se(x)] *vt* convaincre ; **convencer alguém a fazer algo** convaincre qqn de faire qqch ; **convencer alguém de algo** convaincre qqn de qqch. ◆ **convencer-se** *vp* être convaincu(e) ; **convencer-se de que** être convaincu que.

convencido, da [kõvẽ'sidu, da] *adj* prétentieux(euse).

convencional [kõvẽsjo'naw] (*pl* -ais) *adj* [pessoa] conformiste ; [regra, atitude, sinal] conventionnel(elle).

convenções ► **convenção**.

conveniente [kõve'njẽntʃi] *adj* [hora, momento] opportun(e) ; **é conveniente ir à reunião** il vaut mieux aller à la réunion.

convento [kõ'vẽntu] *m* couvent *m*.

conversa [kõ'vɛxsa] *f* conversation *f* ; **conversa fiada** parlote *f* ; **não ir na conversa** ne pas marcher (dans la combine).

conversar [kõvex'sa(x)] *vi* discuter ; **conversar com** discuter avec.

conversível [kõvex'sivew] (*pl* -eis) *m* décapotable *f*.

converter [kõvex'te(x)] *vt* : **converter algo em** convertir qqch en ; **converter alguém em algo** faire de qqn qqch. ◆ **converter-se** *vp* se convertir ; **converter-se a** se convertir à ; **converter-se em** devenir.

convés [kõ'vɛʃ] (*pl* -eses) *m* pont *m* supérieur.

convidado, da [kõvi'dadu, da] *adj* & *m, f* invité(e).

convidar [kõvi'da(x)] *vt* inviter.

convir [kõ'vi(x)] *vi* convenir ; [admitir] reconnaître ; **convém analisar a situação** il serait bon d'analyser la situation.

convite [kõ'vitʃi] *m* invitation *f*.

convivência [kõvi'vẽsja] *f* [vida em comum] cohabitation *f* ; [familiaridade] convivialité *f*.

conviver [kõvi've(x)] ◆ **conviver com** *v + prep* [ter convivência com] vivre avec ; [amigos, colegas] fréquenter.

convívio [kõ'vivju] *m* [convivência] convivialité *f*.

convocar [kõvo'ka(x)] *vt* convoquer ; **convocar alguém para algo** convoquer qqn à qqch.

convosco [kõn'voʃku] *pron* avec vous.

convulsão [kõnvuw'sɑ̃w] (*pl* -ões) *f* [física] convulsion *f* ; [social] agitation *f*.

cookie ['koki] (*pl* **cookies**) *m* INFORM cookie *m*.

cooperação [kwopera'sɑ̃w] (*pl* -ões) *f* coopération *f*.

cooperar [kwope'ra(x)] *vi* coopérer.

cooperativa [kwopera'tiva] *f* coopérative *f*.

coordenar [kworde'na(x)] *vt* coordonner.

copa ['kɔpa] *f* [divisão de casa] office *m* ; [de árvore] cime *f* ; [de chapéu] calotte *f* ; [torneio esportivo] coupe *f*. ◆ **copas** *fpl* [naipe de cartas] cœur *m*.

cópia ['kɔpja] *f* copie *f*.

copiar [ko'pja(x)] *vt* & *vi* copier.

copo ['kɔpu] *m* verre *m* ; **tomar** OU **beber um copo** prendre OU boire un verre.

copo-d'água [ˌkɔpu'dagwa] (*pl* **copos-d'água**) *m* vin *m* d'honneur.

coqueiro [ko'kejru] *m* cocotier *m*.

coquetel [koke'tɛw] (*pl* -éis) *m* cocktail *m*.

cor[1] ['kɔ(x)] ◆ **de cor** *adv* : **aprender/saber algo de cor** apprendre/savoir qqch par cœur ; **saber algo de cor e salteado** savoir qqch sur le bout des doigts.

cor[2] ['ko(x)] (*pl* -es) *f* couleur *f* ; **mudar de cor** changer de couleur ; **perder a cor** déteindre.

coração [kora'sɑ̃w] (*pl* -ões) *m* cœur *m* ; **ter bom coração** avoir bon cœur.

corado, da [ko'radu, da] *adj* doré(e) ; **ficar corado** [pessoa] rougir.

coragem [ko'raʒẽ] ◇ *f* courage *m*. ◇ *interj* bon courage !

corais ► **coral**.

corajoso, osa [kora'ʒozu, ɔza] *adj* courageux(euse).

coral [ko'raw] (*pl* -ais) *m* [organismo] chorale *f* ; [substância] corail *m*.

corante [ko'rɑ̃ntʃi] *m* colorant *m* ; **'sem corantes nem conservantes'** 'sans colorant ni conservateur'.

corar [ko'ra(x)] ◇ *vi* [ruborizar-se] rougir. ◇ *vt* [frango, assado **etc.**] faire dorer.

Corcovado [koxko'vadu] *m* : **o Corcovado** le Corcovado.

corda ['kɔrda] *f* corde *f* ; [de relógio, brinquedo] ressort *m* ; **corda de saltar** corde à sauter ; **cordas vocais** cordes vocales ; **dar corda a** remonter.

cordão [kor'dɑ̃w] (*pl* -ões) *m* [de sapatos] lacet *m* ; [jóia] chaîne *f* ; **cordão umbilical** cordon *m* ombilical.

cordeiro [kor'dejru] *m* agneau *m*.

cordel [kor'dɛw] (*pl* -éis) *m* ficelle *f*.

cor-de-rosa [ˌkordʒi'xɔza] *adj inv* rose.

cordial [kor'dʒjaw] (*pl* -ais) *adj* cordial(e).

cordilheira [kordʒi'ʎejra] *f* cordillère *f*.

cordões ► **cordão**.

cores ► **cor**.

coreto [ko'retu] *m* kiosque *m*.

corinto [ko'rĩntu] *m* raisin *m* de Corinthe.

córnea ['kɔxnja] *f* cornée *f*.

corneta [kox'neta] *f* cornet *m* (à pistons).

cornflakes® [kɔrn'flejks] *mpl* corn flakes *mpl*.

coro ['koru] *m* chœur *m* ; **em coro** en chœur.

coroa [ko'roa] *f* couronne *f*.

corpo ['koxpu] *m* corps *m*.

corporal [koxpo'raw] (*pl* -ais) *adj* ► odor.

correção [koxe'sãw] (*pl* -ões) *f* correction *f*.

correções ► **correção**.

corredor, **ra** [koxe'do(x), ra] (*mpl* -es, *fpl* -s) ◇ *m, f* coureur *m*, -euse *f*. ◇ *m* couloir *m*.

correia [ko'xeja] *f* courroie *f* ; **correia da ventoinha** courroie du ventilateur.

correio [ko'xeju] *m* poste *f* ; [pessoa] facteur *m* ; [correspondência] courrier *m* ; **correio eletrônico** courrier électronique ; **correio expresso** courrier express ; **pelo correio** par courrier, par la poste.

corrente [ko'xẽntʃi] ◇ *adj* courant(e). ◇ *f* courant *m* ; [de ar] courant *m* d'air ; [cadeia de metal, de bicicleta] chaîne *f* ; **estar ao corrente de algo** être au courant de qqch ; **pôr alguém ao corrente de algo** mettre qqn au courant de qqch ; **corrente alternada** courant alternatif.

correr [ko'xe(x)] ◇ *vi* courir ; [água, lágrimas, rio] couler ; [tempo] s'écouler. ◇ *vt* courir ; **correr as cortinas** tirer les rideaux ; **correr com alguém** mettre qqn à la porte ; **fazer algo correndo** faire qqch en vitesse.

correspondência [koxeʃpõn'dẽsja] *f* correspondance *f*.

correspondente [koxeʃpõn'dẽntʃi] *adj* & *mf* correspondant(e).

corresponder [koxeʃpõn'de(x)] *vi* [equivaler] correspondre ; [retribuir] remercier ; **corresponder a** correspondre à. ◆ **corresponder-se** *vp* correspondre ; **corresponder-se com alguém** correspondre avec qqn.

corretamente [ko'xɛta'mẽntʃi] *adv* correctement.

correto, **ta** [ko'xɛtu, ta] *adj* correct(e).

corretor, **ra** [koxe'to(x), ra] (*mpl* -es, *fpl* -s) *m, f* courtier *m*, -ère *f*.

corrida [ko'xida] *f* [de velocidade, táxi] course *f* ; [tourada] corrida *f* ; **corrida de automóveis** course automobile ; **corrida de cavalos** course de chevaux ; **de corrida** [à pressa] à toute vitesse ; [por alto] à la va-vite.

corrigir [koxi'ʒi(x)] *vt* corriger. ◆ **corrigir-se** *vp* se corriger.

corrimão [koxi'mãw] (*pl* -s OU -ões) *m* [de escada] rampe *f* ; [de varanda] balustrade *f*.

corrimento [koxi'mẽntu] *m* [de vagina] pertes *fpl*.

corrimões ► **corrimão**.

corroborar [koxobo'ra(x)] *vt* corroborer.

corromper [koxõm'pe(x)] *vt* corrompre.

corrupção [koxup'sãw] (*pl* -ões) *f* corruption *f* ; **corrupção de menores** détournement *m* de mineur.

corrupto, **ta** [ko'xuptu, ta] *adj* corrompu(e).

cortar [kox'ta(x)] ◇ *vt* couper ; [rua, estrada] barrer. ◇ *vi* couper ; **cortar relações (com alguém)** couper les ponts (avec qqn). ◆ **cortar-se** *vp* se couper.

corte ['kɔxtʃi] *m* coupure *f* ; [redução] réduction *f* ; **corte de cabelo** coupe *f* de cheveux.

cortejar [koxte'ʒa(x)] *vt* courtiser.

cortejo [kox'teʒu] *m* cortège *m* ; **cortejo fúnebre** cortège funèbre.

cortesia [koxte'zia] *f* courtoisie *f*.

cortiça [kox'tʃisa] *f* liège *m*.

cortiço [kox'tʃisu] *m* ruche *f*.

cortina [kox'tʃina] *f* rideau *m*.

cortinado [koxtʃi'nadu] *m* rideau *m*.

coruja [ko'ruʒa] *f* chouette *f*.

corvina [kox'vina] *f* sciène *f (poisson)*.

corvo ['koxvu] *m* corbeau *m*.

cós ['kɔʃ] *m inv* ceinture *f*.

coser [ko'ze(x)] *vt* & *vi* coudre.

cosmético [koʒ'mɛtʃiku, ka] *m* cosmétique *m*.

cosmopolita [koʒmopo'lita] *adj* cosmopolite.

costa ['kɔʃta] *f* [junto ao mar] côte *f* ; [de montanha] pente *f* ; **dar à costa** accoster. ◆ **costas** *fpl* [de pessoa, mão] dos *m* ; [de cadeira] dossier *m*.

costela [koʃ'tɛla] *f* côte *f*.

costeleta [koʃte'leta] *f* côtelette *f*.

costumar [koʃtu'ma(x)] *vt* : **costumar fazer algo** avoir l'habitude de faire qqch ; **costuma chover no inverno** en général, il pleut en hiver.

costume [koʃ'tumi] *m* [hábito] habitude *f* ; [uso social] coutume *f* ; **como de costume** comme d'habitude ; **por costume** par habitude.

costura [koʃ'tura] *f* couture *f* ; [de operação cirúrgica] cicatrice *f*.

costurar [koʃtu'ra(x)] *vt* coudre.

cotação [kota'sɑ̃w] (*pl* -ões) *f* [de mercadoria, moeda, título] cours *m* ; [atividade na Bolsa] cotation *f*.

cotidiano [kotʃi'dʒjanu] ◇ *adj* quotidien(enne). ◇ *m* quotidien *m*.

cotonete [koto'nɛʃi] *m* Coton-Tige® *m*.

cotovelada [kotove'lada] *f* coup *m* de coude.

cotovelo [koto'velu] *m* coude *m*.

cotovia [koto'via] *f* alouette *f*.

coube ['kobi] ➤ **caber**.

couchette [ko'ʃɛtʃi] *f* couchette *f*.

couraça [ko'rasa] *f* [de tartaruga, cágado] carapace *f*.

couro ['koru] *m* cuir *m* ; **couro cabeludo** cuir chevelu.

couve ['kovi] *f* chou *m* ; **couve à mineira** *chou en lanière frit à l'ail* ; **couve roxa** chou rouge.

couve-de-bruxelas [ˌkovedebru'ʃɛlaʃ] (*pl* **couves-de-bruxelas**) *f* chou *m* de Bruxelles.

couve-flor [ˌkove'flo(x)] (*pl* **couves-flores**) *f* chou-fleur *m*.

couve-galega [ˌkovega'lega] (*pl* **couves-galegas**) *f* chou *m* cavalier.

couvert [ku'vɛ(x)] *m* hors-d'œuvre *m inv*.

cova ['kɔva] *f* trou *m* ; [sepultura] fosse *f*.

covarde [ko'vaxdʒi] ◇ *adj* lâche. ◇ *mf* lâche *mf*.

covardia [kovax'dʒia] *f* lâcheté *f*.

coveiro [ko'vejru] *m* fossoyeur *m*.

coxa ['koʃa] *f* cuisse *f* ; **coxa de galinha** cuisse de poulet.

coxia [ko'ʃia] *f* [em casa de espetáculos] allée *f* ; [cavalariça] box *m*.

coxo, xa ['koʃu, ʃa] *adj* boîteux(euse).

cozer [ko'ze(x)] *vt* cuire.

cozido, da [ko'zidu, da] ◇ *adj* cuit(e). ◇ *m* : **cozido (à portuguesa)** *sorte de pot-au-feu*.

cozinha [ko'ziɲa] *f* cuisine *f*.

cozinhar [kozi'ɲa(x)] ◇ *vt* cuisiner. ◇ *vi* cuisiner, faire la cuisine.

cozinheiro, ra [kozi'ɲejru, ra] *m, f* cuisinier *m*, -ère *f*.

crachá [kra'ʃa] *m* badge *m*.

crack ['kraki] *m* crack *m*.

cracker ['krake(x)] (*pl* **crackers**) *m* INFORM mordu d'informatique *m*, pirate informatique *m*.

crânio ['kranju] *m* crâne *m*.

craque ['kraki] *mf fam* bête *f*.

cratera [kra'tɛra] *f* cratère *m*.

cravar [kra'va(x)] *vt* [unhas, dentes] planter ; **cravar os olhos em** fixer son regard sur.

cravo ['kravu] *m* [flor] œillet *m* ; [em pele] comédon *m*.

cravo-da-índia ['kravuda'ĩndʒja] *m* clou *m* de girofle.

creche ['krɛʃi] *f* crèche *f*.

credencial [kredẽnsjaw] (*pl* -ais) *f* accréditation *f*.

crediário [kre'dʒjarju] *m* paiement *m* à crédit.

crédito ['krɛdʃitu] *m* crédit *m* ; **compra/venda a crédito** achat/vente à crédit.

credor, **ra** [kre'do(x), ra] (*mpl* -es, *fpl* -s) *m, f* créancier *m*, -ère *f*.

crédulo, **la** ['krɛdulu, la] *adj* crédule.

cremar [kre'ma(x)] *vt* incinérer.

crematório [krema'tɔrju] *m* crématorium *m*.

creme ['kremi] *m* crème *f* ; **creme de barbear** crème à raser ; **creme hidratante** crème hydratante ; **creme de leite** crème ; **creme de leite fresco** crème fraîche ; **creme de limpeza** lait *m* démaquillant ; **creme de noite** crème de nuit ; **creme rinse** après-shampooing *m inv*.

cremoso, **osa** [kre'mozu, ɔza] *adj* crémeux(euse).

crença ['krẽsa] *f* croyance *f*.

crendice [krẽn'diʃi] *f* croyance absurde *f*.

crente ['krẽntʃi] *mf* croyant *m*, -e *f*.

crepe ['krɛpi] *m* CULIN crêpe *f* ; [tecido] crêpe *m*.

crepúsculo [kre'puʃkulu] *m* crépuscule *m*.

crer ['kre(x)] *vt* : **crer que** croire que, croire ; **é de crer que** il se peut que ; **ver para crer** voir pour croire.

crescente [kre'sẽntʃi] *m* [fase da Lua] croissant *m*.

crescer [kre'se(x)] *vi* [plantas] pousser ; [pessoas] grandir ; [subir] augmenter ; [aumentar] monter.

crespo, **pa** ['kreʃpu, pa] *adj* [cabelo] crépu(e) ; [rugoso] rèche.

cretino, **na** [kre'tinu, na] *m, f* crétin *m*, -e *f*.

cria ['kria] *f* petit *m (d'un animal)*.

criado, **da** [kri'adu, da] *m, f* valet *m*, bonne *f* ; **os criados** les domestiques ; **criado de quarto** valet de chambre.

criador, **ra** [kria'do(x), ra] (*mpl* -es, *fpl* -s) *m, f* [inventor] créateur *m*, -trice *f* ; [de animais] éleveur *m*, -euse *f*.

criança [kri'ɑ̃sa] *f* enfant *mf* ; **criança de colo** enfant en bas âge ; **em criança, eu...** [na infância] quand j'étais petit, je... ; **ser uma criança** se conduire comme un enfant.

criar [kri'a(x)] ◇ *vt* élever ; [inventar] créer. ◇ *vi* s'infecter. ◆ **criar-se** *vp* [produzir-se] se former ; [fundar-se] se créer ; [crescer] grandir.

criatividade [kriatʃivi'dadʒi] *f* créativité *f*.

criativo, **va** [kria'tʃivu, va] *adj* créatif(ive).

criatura [kria'tura] *f* créature *f*.

crime ['krimi] *m* crime *m*.

criminalidade [kriminali'dadʒi] *f* criminalité *f*.

criminoso, **osa** [krimi'nozu, ɔza] *m, f* criminel *m*, -elle *f*.

crina ['krina] *f* crinière *f*.

criptografar [kriptogra'fa(x)] *vt* INFORM crypter.

criptografia [kriptogra'fia] *f* INFORM cryptage *m*.

crisântemo [kri'zɑ̃ntemu] *m* chrysanthème *m*.

crise ['krizi] *f* crise *f*.

crista ['kriʃta] *f* crête *f* ; **estar na crista da onda** être dans le vent.

cristã ► **cristão**.

cristal [kriʃ'taw] (*pl* -ais) *m* cristal *m*.

cristaleira [kriʃta'lejra] *f* vitrine *f* *(meuble)*.

cristão, ã [kriʃ'tɑ̃w, ɑ̃] *adj* & *m, f* chrétien(enne).

critério [kri'tɛrju] *m* critère *m*.

crítica ['kritika] *f* critique *f*.

criticar [kriti'ka(x)] *vt* critiquer.

crivo ['krivu] *m* [de farinha, areia *etc.*] crible *m* ; [de regador] pomme *f* d'arrosoir.

crocante [kro'kɑ̃ntʃi] *adj* croustillant(e).

crochê [kro'ʃe] *m* crochet *m* *(tricot)*.

crocodilo [kroko'dilu] *m* crocodile *m*.

cromo ['kromu] *m* image *f*.

crônica ['kronika] *f* chronique *f*.

crônico, ca ['kroniku, ka] *adj* [doença] chronique.

cronológico, ca [krono'lɔʒiku, ka] *adj* chronologique.

cronometrar [kronome'tra(x)] *vt* chronométrer.

cronômetro [kro'nometru] *m* chronomètre *m*.

croquete [kro'kɛtʃi] *m* croquette *f*.

crosta ['kroʃta] *f* [de ferida] croûte *f* ; [da Terra] écorce *f*.

cru, crua ['kru, 'krua] *adj* cru(e).

crucial [kru'sjaw] (*pl* -ais) *adj* crucial(e).

crucifixo [krusi'fiksu] *m* crucifix *m*.

cruel [kru'ɛw] (*pl* -éis) *adj* cruel(elle).

cruz [kruʃ] (*pl* -es) *f* croix *f* ; **a Cruz Vermelha** la Croix-Rouge.

cruzamento [kruza'mẽntu] *m* croisement *m* ; [na cidade] carrefour *m*.

cruzar [kru'za(x)] *vt* traverser ; [pernas, braços] croiser ; **cruzar com alguém** croiser qqn. ◆ **cruzar-se** *vp* se croiser.

cruzeiro [kru'zejru] *m* [de navio] croisière *f* ; [antiga unidade monetária] cruzeiro *m*.

cu ['ku] *m vulg* cul *m*.

cuba-libre [,kuba'libri] *f* rhum-Coca *m*.

cúbico, ca ['kubiku, ka] *adj* [metro] cube ; [raiz, forma] cubique.

cubículo [ku'bikulu] *m* réduit *m*.

cubo ['kubu] *m* cube *m* ; **cubo de gelo** glaçon *m*.

cuco ['kuku] *m* coucou *m*.

cueca ['kwɛka] *f* slip *m*.

cuidado, da [kui'dadu, da] ◇ *adj* soigné(e). ◇ *m* attention *f*. ◇ *interj* attention ! ; **ter cuidado** faire attention ; **aos cuidados de alguém** à l'attention de qqn ; [responsabilidade] confié à qqn ; **com cuidado** en faisant attention ; [conduzir] prudemment ; [trabalhar] soigneusement.

cuidar [kui'da(x)] ◆ **cuidar de** *v + prep* prendre soin de. ◆ **cuidar-se** *vp* prendre soin de soi.

cujo, ja ['kuʒu, ʒa] *pron* dont ; **o livro cuja capa...** le livre dont la couverture...

culinária [kuli'narja] *f* art *m* culinaire.

culminar [kuwmi'na(x)] ◆ **culminar em** *v + prep* être couronné(e) par.

culpa ['kuwpa] *f* faute *f* ; **ter culpa de algo** être coupable de qqch ; **tenho a culpa** c'est de ma faute ; **por culpa de** à cause de.

culpado, da [kuw'padu, da] *adj* coupable.

cultivar [kuwti'va(x)] *vt* cultiver. ◆ **cultivar-se** *vp* se cultiver.

culto, ta ['kuwtu, ta] ◇ *adj* cultivé(e). ◇ *m* culte *m*.

cultura [kuw'tura] *f* culture *f*.

cultural [kuwtu'raw] (*pl* -ais) *adj* culturel(elle).

culturismo [kuwtu'riʒmu] *m* bodybuilding *m*.

cume ['kumi] *m* sommet *m*.

cúmplice ['kũnplisi] *mf* complice *mf*.

cumplicidade [kũmplisi'dadʒi] *f* complicité *f*.

cumprimentar [kũmprimẽn'ta(x)] *vt* saluer.

cumprimento [kũmpri'mẽntu] *m* salut *m*. ◆ **cumprimentos** *mpl* salutations *fpl* ; **com os melhores cumprimentos** [em carta] sincères salutations ; **apresentar cumprimentos a alguém** présenter ses respects à qqn.

cumprir [kũm'pri(x)] ◇ *vt* [tarefa, missão] accomplir ; [ordem] exécuter ; [promessa] tenir ; [pena] purger ; [lei] respecter. ◇ *v impess* : **cumpre-lhe fazer as contas** c'est à lui de faire les comptes.

cúmulo ['kumulu] *m* comble *m* ; **é o cúmulo!** c'est le comble ! ; **para cúmulo** qui plus est.

cunha ['kuɲa] *f* coin *m*.

cunhado, **da** [ku'ɲadu, da] *m, f* beau-frère *m*, belle-sœur *f*.

cunhar [ku'ɲa(x)] *vt* frapper *(la monnaie)*.

cupom [ku'põ] (*pl* -ns) *m* [de compra] bon *m* d'achat ; [de ação, obrigação] coupon *m*.

cúpula ['kupula] *f* [abóbada] coupole *f* ; [telhado] dôme *m*.

cura ['kura] *f* [de doença] guérison *f* ; [de queijo] affinage *m* ; [pelo fumo] fumage *m* ; [no sal] salage *m* ; [pelo calor] séchage *m*.

curar [ku'ra(x)] ◇ *vt* [doença, ferida] guérir ; [queijo] affiner ; [secar] faire sécher ; [fumar] fumer ; [salgar] saler. ◇ *vi* guérir. ◆ **curar-se** *vp* guérir.

curativo [kura'tʃivu] *m* pansement *m* ; **curativo adesivo** pansement adhésif.

curinga [ku'rĩŋga] *m* [de jogo de cartas] joker *m* ; [em futebol] polyvalent *m* ; **(caractere) curinga** INFORM caractère *m* générique.

curiosidade [kurjozi'dadʒi] *f* curiosité *f*.

curioso, **osa** [ku'rjozu, ɔza] *adj* & *m, f* curieux(euse).

curral [ku'xaw] (*pl* -ais) *m* étable *f*.

currículo [ku'xikulu] *m* CV *m*.

curriculum vitae [kuˌxikulũn'vitaj] *m* curriculum *m* vitae.

curso ['kursu] *m* [de especialização, universidade etc.] année *f* ; [alunos de um curso] promotion *f* ; [de rio] cours *m* ; **ter um curso de algo** avoir un diplôme de qqch ; **curso intensivo** stage *m* intensif ; **curso superior** études *fpl* supérieures ; **em curso** en cours.

cursor [kux'so(x)] (*pl* -es) *m* curseur *m*.

curta-metragem [ˌkuxtame'traʒẽ] (*pl* **curtas-metragens**) *m* court-métrage *m*.

curtido, **da** [kux'tʃidu, da] *adj fam* tanné(ée).

curtir [kux'ti(x)] ◇ *vt* [peles, couros] tanner ; *fam* [gostar] s'éclater. ◇ *vi fam* s'éclater.

curto, **ta** ['kuxtu, ta] *adj* court(e) ; **a curto prazo** à court terme.

curto-circuito [ˌkuxtusix'kujtu] (*pl* **curtos-circuitos**) *m* court-circuit *m*.

curva ['kuxva] *f* [de estrada, caminho] virage *m* ; [de corpo] forme *f*, rondeur *f*.

curvar [kux'va(x)] *vt* courber ; [flexionar] plier. ◆ **curvar-se** *vp* se courber ; *fig* s'incliner.

cuscuz [kuʃ'kuʃ] *m* [tipo de massa alimentícia] semoule *f* ; [prato árabe] couscous *m* ; [prato brasileiro] *gâteau salé à la farine de maïs cuit à la vapeur.*

cuspe ['kuʃpi] *m* salive *f*.

cuspir [kuʃ'pi(x)] *vt* & *vi* cracher.

custa ['kuʃta] ◆ **à custa de** *prep* [de sacrifícios] au prix de ; [do Estado] aux frais de. ◆ **custas** *fpl* frais *mpl*.

custar [kuʃ'ta(x)] *vt* coûter ; **custa muito a fazer** c'est pénible à faire ; **quanto custa?** combien ça coûte ? ; **custe o que custar** coûte que coûte.

custo ['kuʃtu] *m* coût *m* ; *fig* peine *f* ; **custo de vida** coût de la vie ; **a custo** avec peine.

cutia [ku'tʃia] *f* agouti *m*.

cutícula [ku'tʃikula] *f* cuticule *f*.

c.v. *m* (*abrev de* **curriculum vitae**) CV *m*.

D

da [da] = **de + a**, ► **de**.

dá ['da] ► **dar**.

dádiva ['dadiva] *f* don *m*.

dado, **da** ['dadu, da] ◇ *adj* [sociável] ouvert(e) ; [determinado] donné(e). ◇ *m* donnée *f* ; [de jogar] dé *m* ; **dado que** étant donné que. ◆ **dados** *mpl* [jogo] dés *mpl* ; INFORM données *fpl* ; **jogar dados** jouer aux dés.

daí [da'i] *adv* **1.** = **de + aí** - **2.** : **daí em** OU **por diante** depuis ; **saia daí!** sors de là ! ; **daí a um mês/ano** un mois/an après ; **e daí?** et alors ?

dali [da'li] *adv* **1.** *(de + ali)* de là-bas - **2.** : **dali a uma semana** une semaine plus tard ; **dali em** OU **por diante** depuis.

daltônico, **ca** [daw'toniku, ka] *adj* & *m, f* daltonien(enne).

dama ['dama] *f* dame *f* ; **dama de honra** demoiselle *f* d'honneur. ◆ **damas** *fpl* dames *fpl* ; **jogar damas** jouer aux dames.

damasco [da'maʃku] *m* abricot *m*.

dança ['dãsa] *f* danse *f* ; **danças folclóricas** danses folkloriques.

dançar [dã'sa(x)] *vt* & *vi* danser.

danceteria [dãsete'ria] *f* dancing *m*.

danificar [danifi'ka(x)] *vt* endommager.

dano ['danu] *m* dommage *m*.

dantes ['dãnteʃ] *adv* autrefois.

dão ['dãw] ► **dar**.

daquela [da'kɛla] = **de + aquela**, ► **de**.

daquele [da'keli] = **de + aquele**, ► **de**.

daqui [da'ki] *adv* **1.** *(de + aqui)* d'ici - **2.** : **daqui a um ano/mês** d'ici un an/mois ; **daqui a pouco** d'ici peu ; **daqui em** OU **por diante** à partir de maintenant, dorénavant.

daquilo [da'kilu] = **de + aquilo**, ► **aquilo**.

dar [da(x)] ◇ *vt* **1.** [ger] donner ; **dar algo a alguém** donner qqch à qqn ; **ela dá aulas numa escola** elle donne des cours dans une école ; **dar prazer/pena/medo** faire plaisir/de la peine/peur ; **isto vai dar muito que fazer** ça va donner beaucoup de travail ; **o passeio me deu fome** la promenade m'a donné faim ; **ele dá muitos problemas** il pose beaucoup de problèmes ; **ainda não deu sinal de si** il n'a pas encore donné signe de vie ; **ele começa a dar sinais de cansaço** il commence à donner des signes de fatigue ; **dar um berro** pousser un cri ; **dar um pontapé em alguém** donner un coup de pied à qqn ; **dar um passeio** faire une promenade ; **dar uma festa** faire une fête ; **dar um**

empurrão em alguém bousculer qqn - **2.** [lucros, ganhos] rapporter - **3.** [dizer] dire ; **ele me deu boa-noite** il m'a dit bonsoir. ◇ *vi* **1.** [horas] sonner ; **já deram as cinco** cinq heures ont déjà sonné - **2.** [condizer] : **dar com** aller avec ; **as cores não dão umas com as outras** les couleurs ne vont pas ensemble - **3.** [proporcionar] : **dar de beber a** donner à boire à ; **dar de comer a** donner à manger à - **4.** [em locuções] : **dá no mesmo** c'est du pareil au même ; **dá no mesmo se ele viu ou não** qu'il l'ait vu ou pas, ça n'a aucune importance ; **dar-se ares de importante** faire l'important ; **dar com a língua nos dentes** [desvendar segredo] ne pas savoir tenir sa langue ; [falar] bavarder ; **dar de si** [roupa] se détendre ; [sapatos] s'élargir ; [terreno] céder ; **dar na vista** se faire remarquer. ◆ **dar com** *v + prep* [encontrar, descobrir] trouver ; **nunca darei com o lugar** je ne trouverai jamais l'endroit. ◆ **dar em** *v + prep* [resultar] se terminer ; [tornar-se] devenir. ◆ **dar para** *v + prep* [servir para, ser útil para] servir à ; [suj: varanda, janela] donner sur ; [ser suficiente para] (y) avoir assez de ; [ser possível] pouvoir ; **o pão não dá para todos** il n'y a pas assez de pain pour tout le monde ; **não vai dar para eu chegar na hora** je ne pourrai pas être à l'heure. ◆ **dar por** *v + prep* [aperceber-se de] s'apercevoir ; **dei por mim a gritar** je me suis surpris à crier ; **não dei por nada** je ne m'en suis pas rendu compte. ◆ **dar-se** *vp* : **dar-se bem/mal com algo** aimer/ne pas aimer qqch ; **dar-se bem/mal com alguém** s'entendre bien/mal avec qqn ; **dar-se por vencido** se considérer comme vaincu.

dardo ['daxdu] *m* javelot *m*. ◆ **dardos** *mpl* fléchettes *fpl* ; **jogar dardos** jouer aux fléchettes.

das [daʃ] = **de + as**, ► **de**.

DAT (*abrev de* **digital audio tape**) *f* lecteur audio digital *m*.

data ['data] *f* date *f* ; **data de nascimento** date de naissance.

datilografar [datʃilogra'fa(x)] *vt* dactylographier.

datilógrafo, fa [datʃi'lɔgrafu, fa] *m, f* dactylo *mf*.

d.C. (*abrev de* **depois de Cristo**) apr.J-C.

de [dʒi] *prep* **1.** [ger] de ; **o carro daquele rapaz** la voiture de ce garçon ; **a recepção do hotel** la réception de l'hôtel ; **a casa é dela** la maison est à elle ; **um copo de água** un verre d'eau ; **fale-me de você** parle-moi de toi ; **um livro de inglês** un livre d'anglais ; **os passageiros do avião** les passagers de l'avion ; **um produto do Brasil** un produit du Brésil ; **sou do Porto** je suis de Porto ; **chegamos de madrugada** nous sommes arrivés de bonne heure ; **partimos às três da tarde** nous sommes partis à trois heures de l'après-midi ; **trabalho das nove às cinco** je travaille de neuf heures à cinq heures ; **chorar de alegria** pleurer de joie ; **morrer de frio** mourir de froid ; **cheio de gente** plein de monde ; **digno de atenção** digne d'attention ; **lindo de morrer** beau à en mourir ; **difícil de esquecer** difficile à oublier ; **o melhor de todos** le meilleur de tous ; **um destes dias volto** un de ces jours, je reviendrai ; **um desses hotéis serve** l'un de ces hôtels fera l'affaire ; **uma daquelas cadeiras é para mim** l'une de ces chaises est pour moi ; **um filme de Walter Salles** un film de Walter Salles ; **o último livro de Saramago** le dernier livre de Saramago - **2.** [indica matéria] en ; **um relógio de ouro** une montre en or ; **um bolinho de bacalhau** une croquette de morue ; **um bolo de chocolate** un gâteau au chocolat - **3.** [usado em descrições, determinações] en ; **o senhor de preto** le monsieur en noir ;

um pulôver de manga curta un pull à manches courtes ; **uma nota de dez euros** un billet de dix euros - **4.** [indica uso] à ; **uma máquina de calcular** une machine à calculer ; **a sala de espera** la salle d'attente ; **a porta de entrada** la porte d'entrée - **5.** [indica modo] en ; **viajou de jipe** il a voyagé en Jeep ; **deitou-se de lado** il s'est couché sur le côté ; **está tudo de pernas para o ar** tout est sens dessus dessous ; **morreu de repente** il est mort subitement - **6.** [introduz complemento direto] **: desconfiar de alguém** se méfier de qqn ; **gostar de algo/alguém** aimer qqch/qqn ; **tenho de ir às compras** je dois aller faire des courses - **7.** [em superlativos] **: é mais rápido do que este** il est plus rapide que celui-ci - **8.** [indica série] tout(toute) ; **de dois em dois dias** tous les deux jours ; **de quinze em quinze minutos** toutes les quinze minutes ; **de três em três metros** tous les trois mètres.

debaixo [de'bajʃu] *adv* dessous ; **debaixo de** sous.

debate [de'batʃi] *m* débat *m*.

debater [deba'te(x)] *vt* débattre. ◆ **debater-se** *vp* se débattre.

débil ['dɛbiw] (*pl* -beis) ◇ *adj* faible. ◇ *mf* **: débil mental** débile *mf* mental, -e *f*.

debitar [debi'ta(x)] *vt* débiter.

débito ['dɛbitu] *m* débit *m*.

debruçar-se [debru'saxsi] *vp* se pencher ; **debruçar-se sobre algo** se pencher sur qqch.

década ['dɛkada] *f* décennie *f* ; **na década de oitenta/noventa** dans les années quatre-vingts/quatre-vingt-dix.

decadência [deka'dẽnsja] *f* décadence *f*.

decadente [deka'dẽntʃi] *adj* décadent(e).

decapitar [dekapi'ta(x)] *vt* décapiter.

decência [de'sẽsja] *f* décence *f*.

decente [de'sẽntʃi] *adj* décent(e).

decepar [dese'pa(x)] *vt* tronquer.

decepção [dese'sɑ̃w] (*pl* -ões) *f* déception *f*.

decidido, **da** [desi'dʒidu, da] *adj* décidé(e).

decidir [desi'dʒi(x)] *vt* décider ; **decidir fazer algo** décider de faire qqch. ◆ **decidir-se** *vp* se décider ; **decidir-se a fazer algo** se décider à faire qqch.

decifrar [desi'fra(x)] *vt* déchiffrer.

decimal [desi'maw] (*pl* -ais) *adj* décimal(e).

décimo, **ma** ['dɛsimu, ma] ◇ *num* dixième. ◇ *m dixième billet d'une série de 10 grâce auquel on peut gagner le dixième du gros lot,* ► **sexto.**

decisão [desi'zɑ̃w] (*pl* -ões) *f* décision *f*.

declamar [dekla'ma(x)] ◇ *vt* réciter. ◇ *vi* déclamer.

declaração [deklara'sɑ̃w] (*pl* -ões) *f* déclaration *f*.

declarar [dekla'ra(x)] *vt* déclarer ; **'nada a declarar'** 'rien à déclarer'. ◆ **declarar-se** *vp* se déclarer.

declínio [de'klinju] *m* déclin *m*.

declive [de'klivi] *m* pente *f*.

decolagem [deko'laʒẽ] (*pl* -ns) *f* décollage *m*.

decolar [deko'la(x)] *vt* & *vi* décoller.

decomposição [dekõnpozi'sɑ̃w] (*pl* -ões) *f* décomposition *f*.

decoração [dekora'sɑ̃w] (*pl* -ões) *f* décoration *f*.

decorar [deko'ra(x)] *vt* [ornamentar] décorer ; [memorizar] apprendre par cœur.

decorativo, **va** [dekora'tʃivu, va] *adj* décoratif(ive).

decorrente [deko'xẽntʃi] *adj* : **decorrente de** qui résulte de.

decotado, **da** [deko'tadu, da] *adj* décolleté(ée).

decote [de'kɔtʃi] *m* décolleté *m* ; **decote em bico** OU **em V** col *m* en V ; **decote redondo** col *m* rond.

decrescer [dekre'se(x)] *vi* décroître.

decretar [dekre'ta(x)] *vt* décréter.

decreto [de'krɛtu] *m* décret *m*.

decreto-lei [de,krɛtu'lej] (*pl* **decretos-lei**) *m* ordonnance *f*.

decurso [de'kursu] *m* : **no decurso de** au cours de.

dedal [de'daw] (*pl* -ais) *m* dé *m* à coudre.

dedão [de'dɑ̃w] (*pl* -ões) *m* gros orteil *m*.

dedicação [dedʒika'sɑ̃w] (*pl* -ões) *f* dévouement *m*.

dedicar [dedʒi'ka(x)] *vt* [livro, música, obra] dédier ; [tempo, atenção, energias] consacrer. ◆ **dedicar-se a** *vp + prep* se consacrer à.

dedo ['dedu] *m* doigt *m* ; [do pé] doigt *m* de pied ; **levantar o dedo no ar** lever le doigt.

dedões [de'dõjʃ] ➤ **dedão**.

dedução [dedu'sɑ̃w] (*pl* -ões) *f* déduction *f*.

deduzir [dedu'zi(x)] *vt* déduire.

default [de'fawtʃ] (*pl* **defaults**) *m* INFORM par défaut *m*.

defeito [de'fejtu] *m* défaut *m*.

defeituoso, **osa** [defej'twozu, ɔza] *adj* [produto] défectueux(euse).

defender [defẽn'de(x)] *vt* défendre. ◆ **defender-se** *vp* se défendre ; **defender-se de** se défendre de.

defensor, **ra** [defẽ'so(x), ra] (*mpl* -es, *fpl* -s) *m, f* défenseur *m*.

deferimento [deferi'mẽntu] *m* autorisation *f* ; **pede deferimento** *formule utilisée à la fin d'une demande administrative*.

defesa [de'feza] *f* défense *f* ; [de tese] soutenance *f*.

deficiência [defi'sjẽsja] *f* [de máquina] défaillance *f* ; [de vitaminas, renal] déficience *f* ; [física] handicap *m*.

deficiente [defi'sjẽntʃi] ◇ *adj* [máquina] défaillant(e) ; [pessoa] handicapé(e). ◇ *mf* handicapé *m*, -e *f* ; **deficiente físico** handicapé physique ; **deficiente mental** handicapé mental ; **deficiente motor** handicapé moteur.

deficit ['dɛfisitʃ] *m* déficit *m*.

definição [defini'sɑ̃w] (*pl* -ões) *f* définition *f*.

definir [defi'ni(x)] *vt* définir. ◆ **definir-se** *vp* se définir.

definitivamente [defini,tʃiva'mẽntʃi] *adv* [para sempre] définitivement ; [sem dúvida] décidément.

definitivo, **va** [defini'tʃivu, va] *adj* définitif(ive).

deformação [defoxma'sɑ̃w] (*pl* -ões) *f* déformation *f* ; **deformação profissional** déformation professionnelle.

deformar [defox'ma(x)] *vt* déformer.

defrontar [defrõn'ta(x)] *vt* affronter. ◆ **defrontar-se** *vp* [deparar-se] se mettre en face de, être vis à vis.

defronte [de'frõntʃi] *adv* en face ; **defronte de** en face de.

defumado, **da** [defu'madu, da] *adj* fumé(e).

defumar [defu'ma(x)] *vt* fumer.

degelo [de'ʒelu] *m* dégel *m*.

degolar [dego'la(x)] *vt* égorger.

degradante [degra'dɑ̃ntʃi] *adj* dégradant(e).

degradar [degra'da(x)] *vt* avilir. ◆ **degradar-se** *vp* [danificar-se] se dégrader ; [aviltar-se] s'avilir.

degrau [de'graw] *m* marche *f*.

degustação [deguʃta'sɑ̃w] *f* dégustation *f*.

degustar [deguʃ'ta(x)] *vt* déguster.

dei ['dej] ► **dar**.

deitar [dej'ta(x)] ◇ *vt* [estender] étendre ; [pessoa] allonger ; [para dormir] coucher ; [verter] fuir ; [lançar] lancer ; [líquido] verser ; [sal] mettre. ◇ *vi* [na cama] se coucher. ◆ **deitar-se** *vp* [na cama] se coucher ; [no chão] s'allonger.

deixa ['dejʃa] *f* réplique *f*.

deixar [dej'ʃa(x)] ◇ *vt* laisser ; [casa, mulher] quitter ; [estudos] arrêter ; [esperar] attendre ; **deixar algo por fazer** ne pas faire qqch ; **deixar algo para** [adiar] remettre qqch à ; [guardar] garder qqch pour ; **deixar algo de parte** laisser qqch de côté ; **deixar alguém/algo em paz** laisser qqn/qqch tranquille ; **deixar alguém para trás** devancer qqn ; **deixar algo para trás** laisser qqch de côté. ◇ *vi* : **deixar de fazer algo** arrêter de faire qqch ; **não deixar de fazer algo** ne pas oublier de faire qqch ; **deixar alguém fazer algo** laisser qqn faire qqch ; **deixar cair** laisser tomber. ◆ **deixar-se** *vp* : **deixar-se fazer algo** se laisser ; **deixar-se levar por** [emoção] se laisser aller à ; [enganar] se faire avoir par.

dela ['dɛla] = **de + ela**, ► **de**.

dele ['deli] = **de + ele**, ► **de**.

delegacia [delega'sia] *f* ≃ commissariat *m* (de police).

delegado, **da** [dele'gadu, da] *m, f* [de polícia] commissaire *m* ; [de turma] délégué *m*, -e *f* ; [de país, governo, instituição] représentant *m*, -e *f*.

deleitar [delej'ta(x)] *vt* apprécier. ◆ **deleitar-se com** *vp + prep* [com comida] se délecter de ; [com música] prendre du plaisir à.

deles ['deliʃ] = **de + eles**, ► **de**.

delgado, **da** [dɛw'gadu, da] *adj* mince.

deliberação [delibera'sɑ̃w] (*pl* -ões) *f* délibération *f*.

deliberar [delibe'ra(x)] ◇ *vt* délibérer sur. ◇ *vi* délibérer.

delicadeza [delika'deza] *f* délicatesse *f*.

delícia [de'lisja] *f* délice *m*.

delicioso, **osa** [deli'sjozu, ɔza] *adj* délicieux(euse).

delinear [deli'nja(x)] *vt* ébaucher.

delinqüência [delĩŋ'kwẽsja] *f* délinquance *f* ; **delinqüência juvenil** délinquance juvénile.

delinqüente [delĩŋ'kwẽntʃi] *mf* délinquant *m*, -e *f*.

delirante [deli'rɑ̃ntʃi] *adj fig* délirant(e).

delirar [deli'ra(x)] *vi* délirer.

delírio [de'lirju] *m* délire *m*.

delito [de'litu] *m* délit *m*.

demais [de'majʃ] ◇ *adv* trop. ◇ *pron* : **os/as demais** les autres ; **isto já é demais!** trop, c'est trop ! ; **ser demais** être super.

demasia [dema'zia] ◆ **em demasia** *adv* trop.

demasiado, **da** [dema'zjadu, da] ◇ *adj* trop de. ◇ *adv* trop ; **demasiados livros** trop de livres ; **demasiada comida** trop à manger.

demência [de'mẽsja] *f* démence *f*.

demente [de'mẽntʃi] *adj* & *mf* dément(e).

demissão [demi'sɑ̃w] (*pl* -ões) *f* démission *f* ; **pedir demissão** donner sa démission.

demitir [demi'tʃi(x)] *vt* démettre. ◆ **demitir-se** *vp* démissionner.

democracia [demokra'sia] *f* démocratie *f*.

democrata [demo'krata] *adj* & *mf* démocrate.

democrático, **ca** [demo'kratʃiku, ka] *adj* démocratique.

demolição [demoli'sɑ̃w] (*pl* -ões) *f* démolition *f*.

demolir [demo'li(x)] *vt* démolir.

demônio [de'monju] *m* démon *m*.

demonstração [demõʃtra'sɑ̃w] (*pl* -ões) *f* [exposição] démonstration *f* ; [prova] preuve *f* ; [manifestação] manifestation *f*.

demonstrar [demõʃ'tra(x)] *vt* [explicar] montrer ; [provar] demontrer ; [revelar] faire preuve de.

demora [de'mɔra] *f* retard *m* ; **sem demora** tout de suite.

demorado, **da** [demo'radu, da] *adj* [longo] long(longue) ; [lento] lent(e).

demorar [demo'ra(x)] ◇ *vi* [levar tempo] durer ; [tardar] tarder ; [ocupar] prendre du temps. ◇ *vt* [tardar] mettre ; [atrasar] retenir. ◆ **demorar-se** *vp* [atrasar-se] s'attarder ; [levar tempo] mettre longtemps ; [ficar] rester ; **você vai demorar muito?** tu en as pour longtemps ? ; **não vou demorar** je ne serai pas long.

dendê [dẽn'de] *m* huile *f* de palme.

denegrir [dene'gri(x)] *vt fig* dénigrer.

dengo ['dẽgu] *m* coquetterie *f*.

dengue ['dẽŋgi] *f* dengue *f* ; **dengue hemorrágica** dengue hémorragique.

denominação [denomina'sɑ̃w] (*pl* -ões) *f* [designação] dénomination *f* ; [para vinho] appellation *f*.

denotar [deno'ta(x)] *vt* témoigner de.

densidade [dẽsi'dadʒi] *f* densité *f*.

denso, **sa** ['dẽsu, sa] *adj* dense.

dentada [dẽn'tada] *f* : **dar uma dentada** croquer ; [em pessoa] mordre *f*.

dentadura [dẽnta'dura] *f* [natural] dentition *f* ; [postiça] dentier *m*.

dente ['dẽntʃi] *m* dent *f* ; [de elefante, elefante-marinho] défense *f* ; **dente de alho** gousse *f* d'ail ; **dentes postiços** dentier *m* ; **dente do siso** dent de sagesse.

dentifrício [dẽtʃi'frisju] *m* dentifrice *m*.

dentista [dẽn'tʃiʃta] *mf* dentiste *mf*.

dentre ['dẽntri] = **de** + **entre**, ► **entre**.

dentro ['dẽntru] *adv* dedans, à l'intérieur ; **dentro de algo** dans qqch ; **aí dentro** là-dedans ; **dentro em pouco** ou **em breve** d'ici peu ; **por dentro** à l'intérieur ; **lavar o carro por dentro** laver l'intérieur de la voiture ; **por dentro de casa** par la maison ; **estar por dentro de algo** s'y connaître en qqch.

denúncia [de'nũsja] *f* dénonciation *f* ; [de roubo] déclaration *f*.

denunciar [denũ'sja(x)] *vt* dénoncer ; [roubo] déclarer.

deparar [depa'ra(x)] ◆ **deparar com** *v* + *prep* rencontrer. ◆ **deparar-se com** *vp* + *prep* se trouver face à.

departamento [departa'mẽntu] *m* département *m*.

dependência [depẽn'dẽsja] *f* dépendance *f*.

dependente [depẽn'dẽntʃi] *adj* dépendant(e).

depender [depẽn'de(x)] *vi* : **depende...** ça dépend... ◆ **depender de** *v* + *prep* être dépendant(e) de ; [de circunstâncias, tempo] dépendre de.

depilar [depi'la(x)] *vt* épiler.

depilatório, **ria** [depila'tɔrju, rja] ◇ *adj* dépilatoire. ◇ *m* dépilatoire *m*.

depoimento [depoj'mẽntu] *m* déposition *f*.

depois [de'pojʃ] *adv* après ; **depois de**

après ; **depois se vê!** on verra plus tard ! ; **e depois?** et alors ? ; **deixar algo para depois** remettre qqch à plus tard ; **ficar para depois** laisser pour plus tard ; **dias depois** quelques jours après ; **semanas/anos depois** des semaines/des années après ; **depois de amanhã** après-demain ; **logo depois** tout de suite après ; **depois que** depuis que.

depor [de'po(x)] ◇ *vi* faire une déposition. ◇ *vt* démettre.

depositar [depozi'ta(x)] *vt* déposer ; **depositar confiança em alguém** placer sa confiance en qqn. ◆ **depositar-se** *vp* se déposer.

depósito [de'pɔzitu] *m* dépôt *m* ; [reservatório] réservoir *m* ; **depósito de bagagens** consigne *f* automatique ; **depósito a prazo** dépôt à terme.

depravação [deprava'sɑ̃w] (*pl* -ões) *f* dépravation *f*.

depreciação [depresja'sɑ̃w] (*pl* -ões) *f* dépréciation *f*.

depressa [de'prɛsa] ◇ *adv* vite. ◇ *interj* vite ! ; **é preciso andar depressa com isso** il faut faire vite.

depressão [depre'sɑ̃w] (*pl* -ões) *f* dépression *f* ; **depressão econômica** crise *f* économique.

deprimente [depri'mẽntʃi] *adj* déprimant(e).

deprimir [depri'mi(x)] *vt* déprimer.

deputado, **da** [depu'tadu, da] *m, f* député *m*, -e *f*.

deriva [de'riva] *f* : **andar à deriva** aller à la dérive.

derivar [deri'va(x)] *vi* dériver. ◆ **derivar de** *v + prep* dériver de.

dermatologista [dermatolo'ʒiʃta] *mf* dermatologue *mf*.

derramamento [dexama'mẽntu] *m* [de líquido] déversement *m* ; [de lágrimas, sangue] effusion *f*.

derramar [dexa'ma(x)] *vt* [líquido] renverser ; [lágrimas, sangue] verser ; [farinha, feijão, batatas] répandre.

derrame [de'xami] *m* hémorragie *f* cérébrale.

derrapagem [dexa'paʒẽ] (*pl* -ns) *f* dérapage *m*.

derrapar [dexa'pa(x)] *vi* déraper.

derreter [dexe'te(x)] *vt* faire fondre. ◆ **derreter-se** *vp* fondre.

derrota [de'xɔta] *f* défaite *f*.

derrotar [dexo'ta(x)] *vt* [vencer] battre ; MIL vaincre.

derrubar [dexu'ba(x)] *vt* renverser.

desabafar [dʒizaba'fa(x)] *vi* se confier.

desabamento [dʒizaba'mẽntu] *m* [de terra] glissement *m* ; [de pedras] éboulis *m* ; [de edifício] effondrement *m*.

desabar [dʒiza'ba(x)] *vi* s'effondrer.

desabitado, **da** [dʒizabi'tadu, da] *adj* [edifício] inhabité(e) ; [região] dépeuplé(e).

desabotoar [dʒizabo'twa(x)] *vt* déboutonner.

desabrigado, **da** [dʒizabri'gadu, da] *adj* [sem casa, lar] sans abri ; [local] inabrité(e), exposé(e).

desabrochar [dʒizabro'ʃa(x)] *vi* éclore.

desacompanhado, **da** [dʒizakõmpa'ɲadu, da] *adj* seul(e).

desaconselhar [dʒizakõse'ʎa(x)] *vt* : **desaconselhar algo (a alguém)** déconseiller qqch (à qqn).

desaconselhável [dʒizakõse'ʎavɛw] (*pl* -eis) *adj* déconseillé(e).

desacordado, **da** [dʒizakor'dadu, da] *adj* inconscient(e).

desacostumado, **da** [dʒizakoʃtu'madu, da] *adj* : **estar desacostumado de fazer algo** perdre l'habitude de faire qqch.

desacreditar [dʒizakredi'ta(x)] *vt* discréditer. ◆ **desacreditar-se** *vp* se discréditer.

desafinado, **da** [dʒizafi'nadu, da] *adj* [instrumento musical] désaccordé(e) ; [voz] faux(fausse).

desafinar [dʒizafi'na(x)] *vi* [pessoa] chanter faux ; [instrumento] sonner faux.

desafio [dʒiza'fiu] *m* défi *m*.

desafortunado, **da** [dʒizafoxtu'nadu, da] *adj* malheureux(euse).

desagradar [dʒizagra'da(x)] ◆ **desagradar a** *v + prep* déplaire à.

desaguar [dʒiza'gwa(x)] *vi* : **desaguar em** se jeter dans.

desajeitado, **da** [dʒizaʒej'tadu, da] *adj* maladroit(e).

desalinhado, **da** [dʒizali'ɲadu, da] *adj* [pessoa] négligé(e) ; [em desordem] désordonné(e).

desalinho [dʒiza'liɲu] *m* [em forma de vestir] négligence *f* ; [desordem] désordre *m* ; **em desalinho** en désordre.

desalojar [dʒizalo'ʒa(x)] *vt* déloger.

desamarrar [dʒizama'xa(x)] *vt* détacher.

desamparado, **da** [dezɑ̃mpa'radu, da] *adj* délaissé(e).

desamparar [dʒizɑ̃mpa'ra(x)] *vt* délaisser.

desanimado, **da** [dʒizani'madu, da] *adj* découragé(e).

desanimar [dʒizani'ma(x)] ◇ *vt* décourager. ◇ *vi* se décourager. ◆ **desanimar-se** *vp* se décourager.

desânimo [dʒi'zanimu] *m* découragement *m*.

desanuviar [dʒizanu'vja(x)] *vi* [céu] se dégager ; *fig* [espairecer] se changer les idées ; **desanuviar o espírito** *fig* s'aérer l'esprit.

desaparafusar [dʒizaparafu'za(x)] *vt* dévisser.

desaparecer [dʒizapare'se(x)] *vi* disparaître.

desaparecido, **da** [dʒizapare'sidu, da] *adj* & *m, f* disparu(e).

desaparecimento [dʒizaparesi'mẽntu] *m* disparition *f*.

desapertar [dʒizaper'ta(x)] *vt* [cinto, sapatos] desserrer ; [casaco] déboutonner ; [nó] dénouer.

desapontado, **da** [dʒizapõn'tadu, da] *adj* déçu(e).

desapontamento [dʒizapõnta'mẽntu] *m* déception *f*.

desapontar [dʒizapõn'ta(x)] *vt* décevoir.

desarmamento [dʒizaxma'mẽntu] *m* désarmement *m*.

desarmar [dʒizax'ma(x)] *vt* désarmer ; [barraca, cama, estante] démonter.

desarranjado, **da** [dʒizaxɑ̃'ʒadu, da] *adj* [desordenado] désordonné(e) ; [transtornado] dérangé(e).

desarranjar [dʒizaxɑ̃'ʒa(x)] *vt* déranger.

desarrumado, **da** [dʒizaxu'madu, da] *adj* [pessoa] désordonné(e) ; [em desordem] dérangé(e).

desarrumar [dʒizaxu'ma(x)] *vt* déranger.

desarticulado, **da** [dʒizaxtʃiku'ladu, da] *adj* démis(e).

desassossego [dʒizaso'segu] *m* [inquietação] tourment *m* ; [perturbação] trouble *m*.

desastrado, **da** [dʒizaʃ'tradu, da] *adj* gauche.

desastre [dʒi'zaʃtri] *m* [de automóvel] accident *m* ; [desgraça] malheur *m*.

desatar [dʒiza'ta(x)] ◇ *vt* défaire. ◇ *vi* : **desatar a fazer algo** se mettre à faire qqch.

desatento, **ta** [dʒiza'tẽntu, ta] *adj* inattentif(ive).

desatino [dʒiza'tʃinu] *m fam* poisse *f*.

desatualizado, **da** [dʒizatwali'zadu, da] *adj* dépassé(e).

desavença [dʒiza'vẽsa] *f* dispute *f*.

desavergonhado, **da** [dʒizavexgo'ɲadu, da] *adj* & *m, f* effronté(e).

desbaratar [dʒiʒbara'ta(x)] *vt* gaspiller.

desbastar [dʒiʒbaʃ'ta(x)] *vt* [cabelo] désépaissir.

desbotado, **da** [dʒiʒbo'tadu, da] *adj* défraîchi(e).

desbotar [dʒiʒbo'ta(x)] ◇ *vt* faire déteindre. ◇ *vi* déteindre.

desbravar [dʒiʒbra'va(x)] *vt* défricher.

descabido, **da** [dʒiʃka'bidu, da] *adj* déplacé(e).

descafeinado, **da** [dʒiʃkafej'nadu, da] *adj* décaféiné(e).

descalçar [dʒiʃkaw'sa(x)] *vt* déchausser.

descalço, **ça** [dʒiʃ'kawsu, sa] ◇ *pp* ► **descalçar**. ◇ *adj* nu-pieds, pieds nus.

descampado, **da** [dʒiʃkɑ̃m'padu, da] ◇ *adj* découvert(e). ◇ *m* terrain *m* vague.

descansado, **da** [dʒiʃkɑ̃'sadu, da] *adj* tranquille ; **fique descansado!** sois tranquille ! ; **dormir descansado** dormir sur ses deux oreilles.

descansar [dʒiʃkɑ̃'sa(x)] *vi* se reposer.

descanso [dʒiʃ'kɑ̃su] *m* repos *m* ; dessous-de-plat *m inv*.

descarado, **da** [dʒiʃka'radu, da] *adj* effronté(e).

descaramento [dʒiʃkara'mẽntu] *m* effronterie *f*.

descarga [dʒiʃ'kaxga] *f* [de vaso sanitário] chasse *f* d'eau ; [descarregamento] déchargement *m* ; [de arma] décharge *f* ; **dar a descarga** tirer la chasse ; **descarga elétrica** décharge électrique.

descarregar [dʒiʃkaxe'ga(x)] *vt* décharger. ◆ **descarregar-se** *vp* se décharger.

descarrilamento [dʒiʃkaxila'mẽntu] *m* déraillement *m*.

descarrilar [dʒiʃkaxi'la(x)] *vi* dérailler.

descartar-se [dʒiʃkax'tasi] ◆ **descartar-se de** *vp* + *prep* se débarrasser de.

descartável [dʒiʃkax'tavɛw] (*pl* -eis) *adj* jetable.

descascar [dʒiʃkaʃ'ka(x)] *vt* éplucher.

descendência [desẽn'dẽsja] *f* descendance *f*.

descendente [desẽn'dẽntʃi] *mf* descendant *m*, -e *f*.

descender [desẽn'de(x)] ◆ **descender de** *v* + *prep* descendre de.

descentralizar [dʒiʃsẽntrali'za(x)] *vt* décentraliser.

descer [de'se(x)] ◇ *vt* [escadas, rua, montanha] descendre ; [persianas, cortinas] baisser. ◇ *vi* [temperatura, preço] baisser ; [de cavalo, carro, ônibus] descendre ; **descer de** descendre de.

descida [de'sida] *f* descente *f* ; [de preço, valor] baisse *f* ; **'descida perigosa'** 'descente dangereuse'.

descoberta [dʒiʃko'bɛxta] *f* découverte *f*.

descobrimento [dʒiʃkobri'mẽntu] *m* découverte *f* ; **os Descobrimentos** les grandes découvertes.

descobrir [dʒiʃko'bri(x)] *vt* découvrir ; [achar] trouver.

descolar [deʃku'lar] *vt* & *vi* décoller.

descoloração [dʒiʃkolora'sɑ̃w] (*pl* -ões) *f* décoloration *f*.

descompor [dʒiʃkõm'po(x)] *vt* réprimander.

descompostura [dʒiʃkõmpoʃ'tura] *f* réprimande *f* ; **passar uma descompostura em alguém** tirer les oreilles à qqn.

descomunal [dʒiʃkomu'naw] (*pl* -ais) *adj* immense.

desconcentrar [dʒiʃkõsẽn'tra(x)] *vt* déconcentrer.

desconectar [dʒiʃkõ'ekta(x)] *vt* débrancher.

desconfiar [dʒiʃkõfi'a(x)] *vt* : **desconfiar que** [suspeitar que] douter que. ◆ **desconfiar de** *v + prep* [não ter confiança em] se méfier de ; [suspeitar de] douter de.

desconfortável [dʒiʃkõfor'tavɛw] (*pl* -eis) *adj* inconfortable.

desconforto [dʒiʃkõ'fortu] *m* inconfort *m*.

descongelar [dʒiʃkõʒe'la(x)] *vt* décongeler.

desconhecer [dʒiʃkoɲe'se(x)] *vt* ignorer.

desconhecido, da [dʒiʃkoɲe'sidu, da] *adj* & *m, f* inconnu(e).

desconsolado, da [dʒiʃkõso'ladu, da] *adj* morose ; *fam* fade.

descontar [dʒiʃkõn'ta(x)] *vt* [deduzir] décompter ; [cheque, letra] escompter.

descontentamento [dʒiʃkõntẽnta'mẽntu] *m* mécontentement *m*.

desconto [dʒiʃ'kõntu] *m* [dedução] décompte *m* ; [para aposentadoria] cotisation *f*.

descontraído, da [dʒiʃkõntra'idu, da] *adj* détendu(e).

descontrair [dʒiʃkõntra'i(x)] *vt* détendre. ◆ **descontrair-se** *vp* se détendre.

descontrolado, da [dʒiʃkõntro'ladu, da] *adj* [agitado] déchaîné(e) ; [furioso] hors-de-soi ; [máquina] déréglé(e).

descontrolar-se [dʒiʃkõntru'laxsi] *vp* s'emporter.

desconversar [dʒiʃkõvex'sa(x)] *vi* détourner la conversation.

descortinar [dʒiʃkoxti'na(x)] *vt* distinguer.

descoser [dʒiʃko'ze(x)] *vt* découdre. ◆ **descoser-se** *vp* se découdre.

descrever [dʒiʃkre've(x)] *vt* décrire.

descrição [dʒiʃkri'sãw] (*pl* -ões) *f* description *f*.

descuidado, da [dʒiʃkuj'dadu, da] *adj* négligé(e).

descuidar [dʒiʃkui'da(x)] *vt* négliger. ◆ **descuidar-se** *vp* [distrair-se] ne pas faire attention ; [esquecer-se de] oublier.

descuido [dʒiʃ'kuidu] *m* moment *m* d'inattention.

desculpa [dʒiʃ'kuwpa] *f* excuse *f* ; **pedir desculpa a alguém de** OU **por algo** s'excuser auprès de qqn de qqch.

desculpar [dʒiʃkuw'pa(x)] *vt* excuser ; **desculpe! magoei-o?** excusez-moi! je vous ai fait mal ? ; **desculpe, pode dizer-me as horas?** excusez-moi, pouvez-vous me donner l'heure ? ◆ **desculpar-se** *vp* s'excuser ; **desculpar-se com** prétexter.

desde ['deʒdʒi] *prep* de ; [relativamente a tempo] depuis ; **desde que** [a partir do momento em que] depuis que ; [se] à condition que.

desdém [deʒ'dẽ] *m* dédain *m*.

desdenhar [deʒde'ɲa(x)] ◇ *vt* dédaigner. ◇ *vi* : **desdenhar de algo** critiquer qqch.

desdentado, da [dʒiʒdẽn'tadu, da] *adj* édenté(e).

desdizer [dziʒdi'ze(x)] *vt* contredire. ◆ **desdizer-se** *vp* se dédire.

desdobrar [dziʒdo'bra(x)] *vt* [jornal, roupa, tecido] déplier ; [subdividir] dédoubler.

desejar [deze'ʒa(x)] *vt* désirer ; [ansiar] souhaiter ; **o que é que você deseja?** que désires-tu ? ; **você deseja mais alguma coisa?** tu désires autre chose ? ; **desejo-lhe boa sorte!** je te souhaite bonne chance !

desejo [de'zeʒu] *m* [vontade] envie *f* ; [anseio] souhait *m* ; [apetite sexual] désir *m*.

deselegante [dʒizele'gɑ̃ntʃi] *adj* [comportamento] inélégant(e) ; [pessoa] grossier(ère).

desembaciar [dʒizẽmba'sja(x)] *vt* [vidro] désembuer ; [óculos] nettoyer.

desembaraçado, da [dʒizẽmbara'sadu, da] *adj* [expedito] efficace.

desembaraçar [dʒizẽmbara'sa(x)] *vt* [cabelo] démêler. ◆ **desembaraçar-se** *vp* se dépêcher ; **desembaraçar-se de algo** se débarasser de qqch.

desembaraço [dʒizẽmba'rasu] *m* aisance *f*.

desembarcar [dʒizẽmbax'ka(x)] *vt* & *vi* débarquer.

desembarque [dʒizẽm'baxki] *m* [de carga, passageiros] débarquement *m* ; [de estação, aeroporto] arrivées *fpl* ; **'desembarque'** 'arrivées'.

desembocar [dʒizẽmbo'ka(x)] *vi* : **desembocar em** [rua, caminho] déboucher sur ; [rio] se jeter dans.

desembolsar [dʒizẽmbow'sa(x)] *vt* *fam* débourser.

desembrulhar [dʒizẽmbru'ʎa(x)] *vt* déballer.

desempatar [dezẽmpa'ta(x)] *vt* départager.

desempenhar [dʒizẽmpe'ɲa(x)] *vt* [trabalho, tarefa] accomplir ; [função] remplir ; [papel em peça, filme] jouer.

desempenho [dʒizẽm'peɲu] *m* [de função, obrigação, trabalho] accomplissement *m* ; [de pessoa em filme, peça] jeu *m* ; [de máquina] fonctionnement *m*.

desemperrar [dʒizẽmpe'xa(x)] *vt* débloquer.

desempregado, da [dʒizẽmpre'gadu, da] *m, f* chômeur *m*, -euse *f*.

desemprego [dʒizẽm'pregu] *m* chômage *m* ; **estar no desemprego** être au chômage.

desencadear [dʒizẽŋka'dʒja(x)] *vt* déclencher. ◆ **desencadear-se** *vp* se déchaîner.

desencaixar [dʒizẽŋkaj'ʃa(x)] *vt* retirer. ◆ **desencaixar-se** *vp* se déboîter.

desencaixotar [dʒizẽŋkajʃo'ta(x)] *vt* dépaqueter.

desencantar [dʒizẽŋkɑ̃n'ta(x)] *vt fig* [achar] dénicher ; [desiludir] décevoir.

desencontrar-se [dʒizẽŋkõn'traxsi] *vp* se manquer.

desencorajar [dʒizẽŋkora'ʒa(x)] *vt* décourager.

desencostar [dʒizẽŋkoʃ'ta(x)] *vt* écarter. ◆ **desencostar-se** *vp* : **desencostar-se de** s'écarter de.

desenferrujar [dʒizẽfexu'ʒa(x)] *vt* [tirar a ferrugem de] dérouiller ; *fig* [desentorpecer] dégourdir ; *fig* [língua] délier.

desenfreado, da [dʒizẽnfre'adu, da] *adj* effréné(e).

desenganado, da [dʒizẽŋga'nadu, da] *adj* [doente] détrompé(e).

desenganar [dʒizẽŋga'na(x)] *vt* [doente] enlever tout espoir de guérison à ; [tirar ilusões a] détromper, ouvrir les yeux à.

desengano [dʒizẽ'ganu] *m* [sair do engano] désabusement *m* ; [falta de esperança] désillusion *f*.

desengonçado, **da** [dʒizẽŋgõ'sadu, da] *adj* [pessoa] dégingandé(e) ; [desarticulado] disloqué(e).

desenhar [deze'ɲa(x)] *vt* dessiner. ◆ **desenhar-se** *vp* se dessiner.

desenho [de'zeɲu] *m* dessin *m* ; **desenho animado** dessin animé.

desenlace [dʒizẽ'lasi] *m* dénouement *m*.

desenrolar [dʒizẽxo'la(x)] *vt* dérouler. ◆ **desenrolar-se** *vp* se dérouler.

desentendido, **da** [dʒizẽntẽn'dʒidu, da] *adj* : **fazer-se de desentendido** faire celui qui ne comprend pas.

desenterrar [dʒizẽnte'xa(x)] *vt* déterrer.

desentupir [dʒizẽntu'pi(x)] *vt* déboucher.

desenvolver [dʒizẽvow've(x)] *vt* [país, economia] développer ; [esforço, capacidades] déployer. ◆ **desenvolver-se** *vp* se développer.

desenvolvido, **da** [dʒizẽvow'vidu, da] *adj* développé(e).

desenvolvimento [dʒizẽvowvi'mẽntu] *m* développement *m*.

desequilibrar-se [dʒizekili'braxsi] *vp* perdre l'équilibre.

deserto, **ta** [de'zɛxtu, ta] ◇ *adj* [despovoado] désert(e). ◇ *m* désert *m*.

desesperado, **da** [dʒizeʃpe'radu, da] *adj* désespéré(e).

desesperar [dʒizeʃpe'ra(x)] *vt* [encolerizar] exaspérer ; [levar ao desespero] désespérer.

desfalecer [dʒiʃfale'se(x)] *vi* défaillir.

desfavorável [dʒiʃfavo'ravɛw] (*pl* -eis) *adj* défavorable.

desfazer [dʒiʃfa'ze(x)] *vt* défaire ; [dúvida, engano] dissiper ; [contrato, noivado] rompre ; [reduzir a polpa] écraser. ◆ **desfazer-se** *vp* se défaire ; **desfazer-se em** [em pedaços] se casser en ; [em desculpas] se confondre en. ◆ **desfazer-se de** *vp* + *prep* se débarrasser de.

desfecho [dʒiʃ'feʃu] *m* issue *f*.

desfeita [dʒiʃ'fejta] *f* offense *f*.

desfeito, **ta** [dʒiʃ'fejtu, ta] *adj* défait(e) ; [em polpa] écrasé(e) ; *fig* [pessoa] décomposé(e) ; *fig* [amassado] cabossé(e).

desfiar [dʒiʃ'fja(x)] *vt* [bacalhau] effeuiller. ◆ **desfiar-se** *vp* s'effilocher.

desfigurar [dʒiʃfigu'ra(x)] *vt* [feições de pessoa] défigurer ; *fig* [verdade] déformer.

desfiladeiro [dʒiʃfila'dejru] *m* défilé *m*.

desfilar [dʒiʃfi'la(x)] *vi* défiler.

desfile [dʒiʃ'fili] *m* défilé *m* ; **desfile de modas** défilé de mode.

desforra [dʒiʃ'fɔxa] *f* revanche *f*.

desfrutar [dʒiʃfru'ta(x)] ◆ **desfrutar de** *v* + *prep* [possuir] disposer de ; [tirar proveito de] jouir de.

desgastante [dʒiʒgaʃ'tãntʃi] *adj* épuisant(e).

desgastar [dʒiʒgaʃ'ta(x)] *vt fig* [cansar] épuiser ; [gastar] user. ◆ **desgastar-se** *vp* s'user.

desgostar [dʒiʒgoʃ'ta(x)] *vt* décevoir ; **desgostar a** déplaire à ; **não desgostar de** aimer bien. ◆ **desgostar-se com** *vp* + *prep* ne pas plaire à ; **desgostei-me com o que ele fez** ce qu'il a fait ne m'a pas plu.

desgosto [dʒiʒ'goʃtu] *m* [infelicidade] chagrin *m* ; [mágoa] peine *f*.

desgraça [dʒiʒ'grasa] *f* malheur *m*.

desgrenhado, **da** [dʒiʒgre'ɲadu, da] *adj* ébouriffé(e).

desidratação [deʒizidrata'sãw] (*pl* -ões) *f* déshydratation *f*.

desidratado, **da** [dʒizidra'tadu, da] *adj* déshydraté(e).

desidratar [dʒizidra'ta(x)] *vt* déshydrater. ◆ **desidratar-se** *vp* se déshydrater.

design [dʒi'zajni] *m* design *m*.

designação [dʒizigna'sw] (*pl* -ões) *f* désignation *f*.

designar [dʒizig'na(x)] *vt* désigner.

designer [dʒi'zajnɛ(x)] *mf* designer *m*.

desiludir [dʒizilu'di(x)] *vt* décevoir. ◆ **desiludir-se com** *vp* + *prep* être déçu(e) de.

desilusão [dʒizilu'zãw] (*pl* -ões) *f* désillusion *f*.

desimpedido, **da** [dʒizĩmpe'dʒidu, da] *adj* libre.

desimpedir [dʒizĩmpe'dʒi(x)] *vt* dégager.

desinchar [dʒizĩ'ʃa(x)] *vi* dégonfler.

desinfetante [dʒizĩfɛ'tãntʃi] ◇ *adj* désinfectant(e). ◇ *m* désinfectant *m*.

desinfetar [dʒizĩfe'ta(x)] *vt* désinfecter.

desinibido, **da** [dʒizini'bidu, da] *adj* sans complexes.

desintegrar-se [dʒizĩnte'graxsi] *vp* se désintégrer.

desinteressado, **da** [dʒizĩntere'sadu, da] *adj* désintéressé(e).

desinteressar-se [dʒizĩntere'saxsi] ◆ **desinteressar-se de** *vp* + *prep* se désintéresser de.

desinteresse [dʒizĩnte'resi] *m* [falta de interesse] indifférence *f* ; [abnegação] désintérêt *m* ; [pelo dinheiro] désintéressement *m*.

desistência [deziʃ'tẽsja] *f* [de reserva, de vôo] annulation *f* ; [de corrida] désistement *m*.

desistir [deziʃ'tʃi(x)] *vi* renoncer ; **desistir de algo** annuler qqch ; **desistir de fazer algo** arrêter de faire qqch ; **desistir de estudar** abandonner les études.

desleal [dʒiʒ'ljaw] (*pl* -ais) *adj* déloyal(e).

desleixado, **da** [dʒiʒlej'ʃadu, da] *adj* négligé(e).

desleixo [dʒiʒ'lejʃu] *m* négligence *f*.

desligado, **da** [dʒiʒli'gadu, da] *adj* [da corrente] débranché(e) ; [apagado] éteint(e) ; [pessoa] détaché(e).

desligar [dʒiʒli'ga(x)] *vt* [telefone] raccrocher ; [da corrente] débrancher ; [apagar] éteindre.

deslizar [dʒiʒli'za(x)] *vi* glisser.

deslize [dʒiʒ'lizi] *m fig* maladresse *f*.

deslocado, **da** [dʒiʒlo'kadu, da] *adj* [perna, pulso, osso] démis(e) ; [desambientado] décalé(e).

deslocar [dʒiʒlo'ka(x)] *vt* [membro] se démettre. ◆ **deslocar-se** *vp* [suj: membro] se démettre ; **deslocar-se a** se rendre à ; **deslocar-se com** se déplacer avec ; **deslocar-se de** se déplacer en.

deslumbrante [dʒiʒlũm'brãntʃi] *adj* éblouissant(e).

deslumbrar [dʒiʒlũm'bra(x)] *vt* éblouir.

desmaiado, **da** [dʒiʒma'jadu, da] *adj* [desfalecido] évanoui(e) ; [desbotado] passé(e).

desmaiar [dʒiʒma'ja(x)] *vi* s'évanouir.

desmaio [dʒiʒ'maju] *m* évanouissement *m*.

desmamar [dʒiʒma'ma(x)] *vt* sevrer.

desmancha-prazeres [dʒiʒ,mãʃapra'zeriʃ] *mf inv* rabat-joie *m inv*.

desmanchar [dʒiʒmã'ʃa(x)] *vt* [desmontar] défaire ; [máquina] démonter ; [suéter] détricoter ; [bainha] découdre ; [penteado] décoiffer ; [casamento, noivado] rompre. ◆ **desmanchar-se** *vp* [multidão] se disperser ; [mecanismo] se démonter.

desmarcar [dʒiʒmax'ka(x)] *vt* [consulta, reserva] annuler ; [encontro] décommander.

desmedido, da [dʒiʒme'dʒidu, da] *adj* démesuré(e).

desmentido [dʒiʒmẽn'tidu] *m* démenti *m*.

desmentir [dʒiʒmẽn'tʃi(x)] *vt* [negar] démentir ; [contradizer] infirmer.

desmesurado, da [dʒiʒmezu'radu, da] *adj* démesuré(e).

desmontar [dʒiʒmõn'ta(x)] *vt* démonter ; *fig* dénouer. ◆ **desmontar de** *v + prep* descendre de.

desmoralizar [dʒiʒmorali'za(x)] *vt* démoraliser.

desmoronamento [dʒiʒmorona'mẽntu] *m* [de terra] éboulement *m* ; [de casa] écroulement *m*.

desmoronar [dʒiʒmoro'na(x)] *vt* démolir. ◆ **desmoronar-se** *vp* s'écrouler.

desnatado [dʒiʒna'tadu, da] *adj m* ► **leite.**

desnecessário, ria [dʒiʒnese'sarju, rja] *adj* [dispensável] superflu(e) ; [inútil] inutile.

desnível [dʒiʒ'nivɛw] (*pl* -eis) *m* [de terreno] dénivellation *f* ; [de valor] écart *m* ; [cultural, social] différence *f*.

desobedecer [dʒizobede'se(x)] ◆ **desobedecer a** *v + prep* [pai, mãe, superior] désobéir à ; [leis, regras, ordens] enfreindre.

desobediência [dʒizobe'dʒjẽsja] *f* [a pai, mãe, superior] désobéissance *f* ; [a leis, regras, ordens] infraction *f*.

desobediente [dʒizobe'dʒjẽntʃi] *adj* désobéissant(e).

desobstruir [dʒizobʃtru'i(x)] *vt* [desimpedir] dégager ; [cano] déboucher.

desocupado, da [dʒizoku'padu, da] *adj* inoccupé(e).

desocupar [dʒizoku'pa(x)] *vt* libérer.

desodorante [dʒizodo'rãtʃi] *m* déodorant *m*.

desodorizador [dʒizodo'rizado(x)] (*pl* -es) *m* parfum *m* d'ambiance ; [vaporizador] désodorisant *m*.

desodorizante [dʒizodo'rizãntʃi] *adj* déodorant(e).

desonesto, ta [dʒizo'nɛʃtu, ta] *adj* malhonnête.

desordem [dʒi'zoxdẽ] *f* désordre *m* ; **em desordem** en désordre.

desorganizado, da [dʒizoxgani'zadu, da] *adj* [pessoa] désordonné(e) ; [papéis, quarto] en désordre ; [serviço] désorganisé(e).

desorientação [dʒizorjẽnta'sãw] *f* désorientation *f*.

desorientado, da [dʒizorjẽn'tadu, da] *adj* [sem saber a direção] perdu(e) ; [desnorteado] désorienté(e).

despachar [dʒiʃpa'ʃa(x)] *vt* expédier. ◆ **despachar-se** *vp* se dépêcher.

despedida [dʒiʃpe'dʒida] *f* adieux *mpl* ; **é a hora da despedida** c'est le moment de se dire au revoir.

despedir [dʒiʃpe'dʒi(x)] *vt* renvoyer. ◆ **despedir-se** *vp* [dizer adeus] dire au revoir ; [demitir-se] démissionner.

despejar [dʒiʃpe'ʒa(x)] *vt* [de casa, apartamento] expulser ; [líquido, lixo] vider.

despejo [dʒiʃ'peʒu] *m* [de apartamento, casa] expulsion *f*.

despensa [dʒiʃ'pẽnsa] *f* office *m* ; [pequena] cagibi *m*.

despenteado, da [dʒiʃpẽn'tʒjadu, da] *adj* décoiffé(e).

despentear [dʒiʃpẽn'tja(x)] *vt* décoiffer. ◆ **despentear-se** *vp* se décoiffer.

despercebido, da [dʒiʃpexse'bidu, da] *adj* inaperçu(e) ; **fazer-se de despercebido** faire semblant de ne pas comprendre ; **passar despercebido** passer inaperçu.

desperdiçar [dʒiʃpexdʒi'sa(x)] *vt* gaspiller ; [oportunidade] rater ; [talento] gâcher ; [tempo] perdre ; [saúde] user.

desperdício [dʒiʃpex'dʒisju] *m* gaspillage *m* ; [de oportunidade, talento] gâchis *m* ; [de tempo] perte *f*. ◆ **desperdícios** *mpl* déchets *mpl*.

despertador [dʒiʃpexta'do(x)] (*pl* -es) *m* réveil *m*.

despertar [dʒiʃpex'ta(x)] ◇ *vt* [acordar] réveiller ; *fig* [estimular] éveiller ; *fig* [dar origem a] déclencher. ◇ *vi* se réveiller.

despesa [dʒiʃ'peza] *f* dépense *f*. ◆ **despesas** *fpl* [de empresa, organismo] dépenses *fpl* ; [de deslocação] frais *mpl*.

despido, da [dʒiʃ'pidu, da] *adj* [nu] nu(e).

despir [dʒiʃ'pi(x)] *vt* déshabiller. ◆ **despir-se** *vp* se déshabiller.

desportista [dʒiʃpur'tiʃta] *mf* sportif *m*, -ive *f*.

despregar [dʒiʃpre'ga(x)] *vt* arracher. ◆ **despregar-se** *vp* tomber.

desprender [dʒiʃprẽn'de(x)] *vt* détacher. ◆ **desprender-se** *vp* se détacher.

despreocupado, da [dʒiʃpreoku'padu, da] *adj* détendu(e).

desprevenido, da [dʒiʃpreve'nidu, da] *adj* pris(e) au dépourvu.

desprezar [dʒiʃpre'za(x)] *vt* mépriser.

desproporcionado, da [dʒiʃpropoxsjo'nadu, da] *adj* disproportionné(e).

desqualificar [dʒiʃkwalifi'ka(x)] *vt* disqualifier.

desquitado, da [dʒiʃki'tadu, da] *adj* séparé(e).

dessa ['dɛsa] = **de + essa**, ► **de**.

desse ['desi] = **de + esse**, ► **de**.

desta ['dɛʃta] = **de + esta**, ► **de**.

destacar [dʒiʃta'ka(x)] *vt* [separar] détacher ; [enfatizar] souligner. ◆ **destacar-se** *vp* [distinguir-se] ressortir ; [pessoa] se distinguer.

destacável [dʒiʃta'kavɛw] (*pl* -eis) *adj* détachable.

destapar [dʒiʃta'pa(x)] *vt* [frasco] ouvrir ; [pescoço, panela] découvrir.

destaque [dʒiʃ'taki] *m* [ênfase] importance *f* ; **de destaque** marquant(e).

deste ['deʃtʃi] = **de + este**, ► **de**.

destemido, da [dʒiʃte'midu, da] *adj* intrépide.

destilada [dʒiʃti'lada] *adj f* ► **água**.

destilar [dʒiʃti'la(x)] *vt* distiller.

destinar [deʃtʃi'na(x)] *vt* : **destinar dinheiro para** mettre de l'argent de côté pour ; **destinar algo para** garder qqch pour. ◆ **destinar-se a** *vp + prep* [ter por fim] être destiné(e) à ; [ser endereçado a] s'adresser à.

destinatário, ria [deʃtʃina'tarju, rja] *m, f* destinataire *mf*.

destino [deʃ'tʃinu] *m* [de viagem] destination *f* ; [fim] but *m* ; **o destino** le destin ; **com destino a** à destination de.

destituir [deʃtʃitw'i(x)] *vt* destituer.

destrancar [dʒiʃtrãŋ'ka(x)] *vt* ouvrir.

destreza [deʃ'treza] *f* adresse *f*.

destro, tra ['deʃtru, tra] *adj* adroit(e) ; [que usa a mão direita] droitier(ère).

destroço [dʒiʃ'trɔsu] *m* [de naufrágio] débris *mpl* ; [de edifício] gravats *mpl*.

destruição [dʒiʃtrui'sãw] *f* destruction *f*.

destruir [dʒiʃtru'i(x)] *vt* détruire.

desuso [dʒi'zuzu] *m* : **em desuso** vieilli(e).

desvalorização [dʒiʒvaloriza'sɑ̃w] (*pl* -ões) *f* dévalorisation *f*.

desvalorizar [dʒiʃvalori'za(x)] *vt* dévaluer. ◆ **desvalorizar-se** *vp* se dévaluer.

desvantagem [dʒiʒvɑ̃n'taʒẽ] (*pl* -ns) *f* désavantage *m*.

desviar [dʒiʒ'vja(x)] *vt* dévier ; [dinheiro] détourner. ◆ **desviar-se** *vp* [afastar-se do caminho] faire un détour ; **desviar-se de** [perigo] éviter ; [assunto] s'écarter de.

desvio [dʒiʒ'viu] *m* [estrada secundária] déviation *f* ; [de caminho] détour *m* ; [de dinheiro] détournement *m*.

detalhe [de'taʎi] *m* détail *m*.

detectar [dete'ta(x)] *vt* détecter.

detector [dete'to(x)] (*pl* -es) *m* détecteur *m* ; **detector de incêndios** détecteur d'incendie.

detenção [detẽ'sɑ̃w] (*pl* -ões) *f* détention *f*.

deter [de'te(x)] *vt* [parar, prender] arrêter ; [conter] retenir. ◆ **deter-se** *vp* [parar] s'arrêter ; [conter-se] se retenir.

detergente [detex'ʒẽntʃi] *m* [para louça] liquide *m* vaisselle ; [para roupa] lessive *f*.

deterioração [deterjora'sɑ̃w] *f* détérioration *f*.

deteriorar [deterjo'ra(x)] *vt* détériorer. ◆ **deteriorar-se** *vp* se détériorer.

determinação [determina'sɑ̃w] (*pl* -ões) *f* détermination *f* ; [resolução] résolution *f* ; [ordem] ordre *m*.

determinar [determi'na(x)] *vt* [calcular] déterminer ; [decidir] décider ; [ordenar] ordonner.

detestar [deteʃ'ta(x)] *vt* détester.

detrás [de'trajʃ] *adv* derrière ; **detrás de** derrière ; **por detrás de** derrière.

detrito [de'tritu] *m* [lixo, restos, resíduos] détritus *mpl* ; [de comida] restes *mpl*, reliefs *mpl*. ◆ **detritos** *fpl* [de edifício] gravats *mpl* ; [lixo] déchets *mpl*.

deturpar [detux'pa(x)] *vt* déformer.

deu ['dew] ► **dar**.

deus, sa ['dewʃ, za] (*mpl* -es, *fpl* -s) *m, f* dieu *m*, déesse *f*. ◆ **Deus** *m* Dieu *m*.

devagar [dʒiva'ga(x)] *adv* lentement.

dever [de've(x)] (*pl* -es) ◇ *m* devoir *m*. ◇ *vt* : **dever algo a alguém** devoir qqch à qqn ; **dever fazer algo** devoir faire qqch ; **você deve escovar os dentes** tu dois te brosser les dents ; **ele deve estar atrasado** il doit être en retard ; **dever de casa** [na escola] devoirs *mpl* ; **dever cívico** devoir civique.

devidamente [de,vida'mẽntʃi] *adv* dûment.

devido, da [de'vidu, da] *adj* dû(due) ; **devido a** à cause de.

devolução [devulu'sɑ̃w] (*pl* -ões) *f* [de dinheiro] remboursement *m* ; [de cheque] refus *m* ; [de compra] reprise *f* ; [de produto, objeto perdido, emprestado] retour *m*.

devolver [devow've(x)] *vt* [dinheiro] rembourser ; [cheque] refuser ; [produto] retourner ; [compra] reprendre ; [objeto perdido, emprestado] rendre.

devorar [devo'ra(x)] *vt* dévorer.

dez ['dɛʒ] *num* dix, ► **seis**.

dezembro [de'zẽmbru] *m* décembre *m*, ► **setembro**.

dezena [de'zena] *f* dizaine *f*.

dezenove [deze'nɔvi] *num* dix-neuf, ► **seis**.

dezesseis [deze'seiʃ] *num* seize, ► **seis**.

dezessete [deze'sɛtʃi] *num* dix-sept, ► **seis**.

dezoito [de'zɔitu] *num* dix-huit, ► seis.

DF (*abrev de* **Distrito Federal**) DF.

dia ['dʒia] *m* jour *m* ; **bom dia!** bonjour ! ; **do dia** du jour ; **durante o dia** pendant la journée ; **estar em dia** être à jour ; **já é de dia** il fait jour ; **qualquer dia** un de ces jours ; **no dia seguinte** le lendemain ; **no dia vinte** le vingt ; **nos nossos dias** de nos jours ; **por dia** par jour ; **pôr algo em dia** [atualizar] mettre qqch à jour ; [em conversa] faire le point sur qqch ; **pôr-se em dia** se mettre à jour ; **todos os dias** tous les jours ; **um dia destes** un de ces jours ; **dia de anos** anniversaire *m* ; **o dia-a-dia** le quotidien ; **dia de folga** jour de congé ; **dia da mentira** 1er avril ; **dia santo** jour saint ; **dia de semana** jour de la semaine ; **dia de Todos os Santos** Toussaint *f* ; **dia útil** jour ouvrable.

diabetes [dʒja'bɛtʃiʃ] *f inv* diabète *m*.

diabético, **ca** [dʒja'bɛtʃiku, ka] *adj & m, f* diabétique.

diabo ['dʒjabu] *m* diable *m* ; **por que diabos?** *fam* pourquoi donc ?

diafragma [dʒja'fragma] *m* diaphragme *m* ; [contraceptivo] stérilet *m*.

diagnóstico [dʒjag'nɔʃtʃiku] *m* diagnostic *m*.

dialeto [dʒja'lɛtu] *m* dialecte *m*.

dialogar [dʒjalo'ga(x)] *vi* dialoguer.

diálogo ['dʒjalogu] *m* dialogue *m*.

diamante [dʒja'mãntʃi] *m* diamant *m*.

diâmetro ['dʒjãmetru] *m* diamètre *m*.

diante ['dʒjãntʃi] ◆ **diante de** *prep* [à frente de em tempo] avant ; [à frente de em espaço] devant ; [perante] face à.

dianteira [dʒjãn'tejra] *f* avant *m* ; **tomar a dianteira** prendre de l'avance ; [antecipar-se] prendre les devants.

diapositivo [dʒjapozi'tʃivu] *m* diapositive *f*.

diária ['dʒjarja] *f prix d'une nuit d'hôtel*.

diariamente [ˌdʒjarja'mẽntʃi] *adv* tous les jours.

diário, **ria** ['dʒjarju, rja] ◇ *adj* quotidien(enne). ◇ *m* journal *m* (intime).

diarréia [dʒja'xɛja] *f* diarrhée *f*.

dica ['dʒika] *f fam* piste *f*.

dicionário [dʒisjo'narju] *m* dictionnaire *m* ; **dicionário de bolso** dictionnaire de poche.

didático, **ca** [dʒi'datʃiku, ka] *adj* didactique.

diesel ['dʒizɛw] *adj inv* diesel.

dieta ['dʒjɛta] *f* régime *m*.

dietético, **ca** [dʒje'tɛtʃiku, ka] *adj* diététique.

difamar [dʒifa'ma(x)] *vt* diffamer.

diferença [dʒife'rẽsa] *f* différence *f*.

diferenciar [dʒiferẽ'sja(x)] *vt* différencier.

diferente [dʒife'rẽntʃi] *adj* différent(e).

difícil [di'fisiw] (*pl* -ceis) *adj* difficile.

dificuldade [dʒifikuw'dadʒi] *f* difficulté *f*.

dificultar [dʒifikuw'ta(x)] *vt* rendre difficile.

difundir [dʒifũn'di(x)] *vt* diffuser.

difusão [dʒifu'zãw] *f* diffusion *f*.

digerir [dʒiʒe'ri(x)] *vt* digérer.

digestão [dʒiʒeʃ'tãw] *f* digestion *f*.

digestivo, **va** [dʒiʒeʃ'tʃivu, va] ◇ *adj* digestif(ive). ◇ *m* digestif *m*.

digital [dʒiʒi'taw] (*pl* -ais) *adj* digital(e), numérique.

digitar [dʒiʒi'ta(x)] *vt* [palavra] taper ; [número] composer.

dígito ['dʒiʒitu] *m* chiffre *m*.

dignidade [dʒigni'dadʒi] *f* dignité *f*.

dilatar [dila'ta(x)] *vt* [metal] dilater ; [prazo] prolonger. ◆ **dilatar-se** *vp* se dilater.

dilema [dʒi'lema] *m* dilemme *m*.

diluir [dʒi'lwi(x)] *vt* diluer.

dimensão [dʒimẽ'sɐ̃w] (*pl* -ões) *f* dimension *f*.

diminuir [dʒimi'nwi(x)] ◇ *vi* diminuer. ◇ *vt* [preço, som] baisser ; [velocidade, despesas] réduire.

diminutivo [dʒiminu'tʃivu] *m* diminutif *m*.

Dinamarca [dʒina'marka] *f* : **a Dinamarca** le Danemark.

dinamarquês, esa [dʒinamax'keʃ, eza] (*mpl* -eses, *fpl* -s) ◇ *adj* danois(e). ◇ *m, f* Danois *m*, -e *f*. ◇ *m* [língua] danois *m*.

dinâmico, ca [dʒi'namiku, ka] *adj* dynamique.

dinamismo [dʒina'miʒmu] *m fig* dynamisme.

dinamite [dʒina'mitʃi] *f* dynamite *f*.

dínamo ['dʒinamu] *m* dynamo *f*.

dinastia [dʒinaʃ'tʃia] *f* dynastie *f*.

dinheiro [dʒi'ɲejru] *m* argent *m* ; **ter dinheiro** avoir de l'argent ; **dinheiro miúdo** monnaie *f* ; **dinheiro trocado** monnaie *f*.

dinossauro [dʒino'sawru] *m* dinosaure *m*.

diploma [dʒi'ploma] *m* diplôme *m*.

dique ['dʒiki] *m* digue *f*.

direção [dʒire'sɐ̃w] (*pl* -ões) *f* direction *f*.

direções ► **direção**.

direita [dʒi'rejta] *f* : **a direita** la droite ; **à direita** à droite ; **virar à direita** tourner à droite ; **pela direita** à droite ; **ser de direita** être de droite.

direito, ta [dʒi'rejtu, ta] ◇ *adj* droit(e). ◇ *m* droit *m*. ◇ *adv* correctement ; **pôr-se direito** se tenir droit ; **os direitos humanos** les droits de l'homme.

direto, ta [dʒi'rɛtu, ta] ◇ *adj* direct(e). ◇ *adv* : **ir direto a** aller droit à.

diretor, ra [dʒire'to(x), ra] (*mpl* -es, *fpl* -s) *m, f* directeur *m*, -trice *f*.

diretório [dʒire'tɔriuw] *m* **1.** [conselho] directoire m ; **diretório acadêmico** conseil académique *m* - **2.** INFORM répertoire *m* ; **diretório raiz** répertoire racine.

dirigente [dʒiri'ʒẽntʃi] *mf* dirigeant *m*, -e *f*.

dirigir [dʒiri'ʒi(x)] ◇ *vt* diriger ; [veículo] conduire. ◇ *vi* conduire ; **dirigir algo a alguém** adresser qqch à qqn ; **dirigir algo para** diriger qqch vers. ◆ **dirigir-se a** *vp + prep* [falar diretamente com] s'adresser à ; [local] se diriger vers ; **dirigir-se para** se diriger vers ; **'este aviso dirige-se a todos os usuários'** 'avis à tous les usagers'.

dirigível [diri'ʒivew] (*pl* -eis) *m* dirigeable *m*.

discar [dʒiʃ'ka(x)] ◇ *vt* composer (*un numéro*). ◇ *vi* faire le numéro.

disciplina [dʒisi'plina] *f* EDUC matière *f* ; [ordem e respeito] discipline *f*.

disc-jóquei [dʒisk'ʒɔkej] (*pl* **disc-jóqueis**) *mf* disc-jockey *mf*.

disco ['dʒiʃku] *m* disque *m* ; [de telefone] cadran *m* ; **discos de algodão** disques démaquillants ; **disco compacto** Compact Disc® *m* ; **disco rígido** disque dur ; **disco voador** soucoupe *f* volante.

discordar [dʒiʃkox'da(x)] *vi* ne pas être d'accord ; **discordar de alguém em algo** ne pas être d'accord avec qqn sur qqch.

discórdia [dʒiʃ'kɔrdʒja] *f* [desarmonia] discorde *f*.

discoteca [dʒiʃko'tɛka] *f* discothèque *f*.

discreto, **ta** [dʒiʃ'krɛtu, ta] *adj* discret(ète).

discriminação [dʒiʃkrimina'sɑ̃w] *f* discrimination *f*.

discriminar [dʒiʃkrimi'na(x)] *vt* [distinguir] différencier, faire une discrimination entre ; [detalhar] détailler.

discurso [dʒiʃ'kuxsu] *m* discours *m* ; **discurso direto/indireto** discours direct/indirect.

discussão [dʒiʃku'sɑ̃w] (*pl* -ões) *f* [debate] discussion *f* ; [briga] dispute *f*.

discutir [dʒiʃku'ti(x)] ◇ *vt* discuter de. ◇ *vi* se disputer.

disenteria [dʒizẽnte'ria] *f* dysenterie *f*.

disfarçar [dʒiʃfax'sa(x)] ◇ *vt* [encobrir] masquer ; [medo] cacher. ◇ *vi* faire comme si de rien n'était ; **isso, disfarce!** c'est ça, fait l'innocent ! ◆ **disfarçar-se** *vp* se déguiser ; **disfarçar-se de** se déguiser en.

disfarce [dʒiʃ'faxsi] *m* déguisement *m*.

dislexia [dʒiʒlɛk'sia] *f* dyslexie *f*.

disléxico, **ca** [dʒiʒ'lɛksiku, ka] *adj* & *m, f* dyslexique.

disparador [dʒiʃpara'do(x)] (*pl* -es) *m* [de máquina fotográfica] déclencheur *m* ; [de arma] gachette *f*.

disparar [dʒiʃpa'ra(x)] ◇ *vt* tirer. ◇ *vi* [arma] tirer ; [máquina fotográfica] déclencher.

disparatado, **da** [dʒiʃpara'tadu, da] *adj* insensé(e).

disparate [dʒiʃpa'ratʃi] *m* bêtise *f*.

dispensar [dʒiʃpẽ'sa(x)] *vt* se passer de ; **dispensar alguém de algo** dispenser qqn de qqch ; **dispensar algo a alguém** donner qqch à qqn ; [emprestar] prêter qqch à qqn.

dispersar [dʒiʃper'sa(x)] ◇ *vt* disperser. ◇ *vi* se disperser. ◆ **dispersar-se** *vp* se disperser.

disperso, **sa** [dʒiʃ'pɛrsu, sa] *pp* ► dispersar.

disponível [dʒiʃpo'nivɛw] (*pl* -eis) *adj* disponible.

dispor [dʒiʃ'po(x)] *vt* disposer. ◆ **dispor de** *v + prep* disposer de ; [de posição, influência] jouir de. ◆ **dispor-se a** *vp + prep* se proposer de.

dispositivo [dʒiʃpozi'tʃivu] *m* dispositif *m*.

disposto, **osta** [dʒiʃ'poʃtu, ɔʃta] *adj* prêt(e) ; **estar disposto a fazer algo** être prêt à faire qqch.

disputa [dʒiʃ'puta] *f* [competição] lutte *f* ; [discussão] dispute *f*.

disputar [dʒiʃpu'ta(x)] *vt* disputer.

disquete [dʒiʃ'kɛtʃi] *f* disquette *f*.

dissimular [dʒisimu'la(x)] *vt* dissimuler.

dissipar [dʒisi'pa(x)] *vt* dissiper. ◆ **dissipar-se** *vp* se dissiper.

disso ['dʒisu] = **de + isso**, ► **isso**.

dissolver [dʒisow've(x)] *vt* dissoudre. ◆ **dissolver-se** *vp* se dissoudre.

dissuadir [dʒiswa'di(x)] *vt* dissuader.

distância [dʒiʃ'tɑ̃sja] *f* distance *f* ; **a que distância fica?** est-ce que c'est loin ? ; [cidade] c'est à combien de kilomètres ? ; **fica a um quilômetro de distância** c'est à un km.

distanciar [dʒiʃtɑ̃si'a(x)] *vt* [separar] éloigner ; [por intervalos] espacer. ◆ **distanciar-se** *vp* s'éloigner ; **distanciar-se de** [afastar-se de] s'éloigner de ; [de pelotão] se détacher de ; [diferenciar-se de] être éloigné de.

distante [dʒiʃ'tɑ̃ntʃi] *adj* [local] éloigné(e) ; [tempo] reculé(e) ; [pessoa] distant(e).

distinção [dʒiʃtĩ'sɑ̃w] (*pl* -ões) *f* distinction *f* ; [em exame, estudos] mention *f*.

distinguir [dʒiʃtĩŋ'gi(x)] *vt* distinguer. ◆ **distinguir-se** *vp* se distinguer.

distinto, **ta** [dʒiʃ'tʃintu, ta] *adj* distinct(e) ; [pessoa] distingué(e).

disto ['dʒiʃtu] = **de + isto**, ► **isto**.

distorção [dʒiʃox'sɑ̃w] (*pl* -ões) *f* [de imagem, som] distorsion *f* ; [de verdade] déformation *f*.

distração [dʒiʃtra'sɑ̃w] (*pl* -ões) *f* distraction *f*.

distrações ► **distração**.

distraído, **da** [dʒiʃtra'idu, da] *adj* distrait(e).

distrair [dʒiʃtra'i(x)] *vt* distraire. ◆ **distrair-se** *vp* [divertir-se] se distraire ; [descuidar-se] se laisser distraire.

distribuição [dʒiʃtribwi'sɑ̃w] (*pl* -ões) *f* distribution *f*.

distribuidor, **ra** [dʒiʃtribwi'do(x), ra] (*mpl* -es, *fpl* -s) ◇ *m, f* distributeur *m*, -trice *f*. ◇ *m* distributeur *m*.

distrito [dʒiʃ'tritu] *m* district *m* ; **Distrito Federal** *nom donné à Brasilia, capitale administrative du Brésil*.

distúrbio [dʒiʃ'tuxbju] *m* trouble *m*.

ditado [dʒi'tadu] *m* [de texto, frase] dictée *f* ; [provérbio] dicton *m*.

ditador, **ra** [dʒita'do(x), ra] (*mpl* -es, *fpl* -s) *m, f* dictateur *m*.

ditadura [dʒita'dura] *f* dictature *f*.

ditafone® [dʒita'foni] *m* dictaphone *m*.

ditar [dʒi'ta(x)] *vt* dicter.

dito, **ta** ['dʒitu, ta] *pp* ► **dizer**.

ditongo [dʒi'tõŋgu] *m* diphtongue *f*.

diurno, **na** ['dʒjuxnu, na] *adj* pendant la journée.

divã [dʒi'vɑ̃] *m* divan *m*.

divagar [dʒiva'ga(x)] *vi* [afastar-se do assunto] faire des digressions ; [devanear] divaguer ; [caminhar ao acaso] errer.

diversão [dʒivex'sɑ̃w] (*pl* -ões) *f* [distração] distraction *f* ; [em parque] attraction *f*.

diverso, **sa** [dʒi'vɛxsu, sa] *adj* différent(e). ◆ **diversos**, **sas** *adj pl* [vários] divers(e) ; [muitos] plusieurs.

diversões ► **diversão**.

divertido, **da** [dʒivex'tʃidu, da] *adj* drôle.

divertimento [dʒivextʃi'mẽntu] *m* divertissement *m*.

divertir [dʒivex'tʃi(x)] *vt* amuser. ◆ **divertir-se** *vp* s'amuser.

dívida ['dʒivida] *f* dette *f*.

dividendo [dʒivi'dẽndu] *m* dividende *m*.

dividir [dʒivi'di(x)] ◇ *vt* diviser ; [repartir] partager. ◇ *vi* diviser. ◆ **dividir-se** *vp* [separar-se] se séparer ; [ramificar-se] se diviser.

divino, **na** [dʒi'vinu, na] *adj* divin(e) ; [sublime] exquis(e).

divisão [dʒivi'zɑ̃w] (*pl* -ões) *f* division *f* ; [de casa] pièce *f* ; [de comida, bens, trabalho] partage *m*.

divisas [dʒi'vizaʃ] *fpl* devises *fpl*.

divisões ► **divisão**.

divorciado, **da** [dʒivox'sjadu, da] *adj* divorcé(e).

divorciar-se [dʒivox'sjaxsi] *vp* divorcer ; **divorciar-se de alguém** divorcer de qqn.

divórcio [dʒi'vɔxsju] *m* divorce *m*.

divulgar [dʒivuw'ga(x)] *vt* [informação, idéia] divulguer ; [produto, serviço] promouvoir.

dizer [dʒi'ze(x)] *vt* dire ; **dizer algo a alguém** dire qqch à qqn ; **dizer a alguém que** dire à qqn de OU que ; **eu lhe disse que se calasse** je lui ai dit de se taire ; **como se diz...?** comment dit-on... ?

DJ [di'ʒej] *mf* (*abrev de* **disc-jóquei**) DJ.

do [du] = **de + o**, ► **o.**

doação [dwa'sɑ̃w] (*pl* -ões) *f* donation *f*.

doar ['dwa(x)] *vt* faire don de.

dobra ['dɔbra] *f* pli *m*.

dobrada [do'brada] *f* tripes *fpl*.

dobradiça [dobra'disa] *f* charnière *f*.

dobrado, **da** [do'bradu, da] *adj* [papel, peça de roupa] plié(e).

dobrar [do'bra(x)] ◇ *vt* plier ; [costas] courber. ◇ *vi* doubler ; **dobrar a esquina** tourner au coin de la rue. ◆ **dobrar-se** *vp* se courber.

dobro ['dobru] *m* : **o dobro** le double.

doca ['dɔka] *f* dock *m*.

doce ['dosi] ◇ *adj* [bebida, comida] sucré(e) ; [pessoa] doux(douce). ◇ *m* sucrerie *f* ; **doce de ovos** *crème riche en jaune d'œuf*.

dóceis ► **dócil**.

docente [do'sẽntʃi] *adj* & *mf* enseignant(e).

doceria [do'serja] *f* pâtisserie *f*.

dócil ['dɔsiw] (*pl* -ceis) *adj* [animal] docile ; [pessoa] facile.

documentação [dokumẽnta'sɑ̃w] *f* papiers *mpl*.

documentário [dokumẽn'tarju] *m* documentaire *m*.

documento [doku'mẽntu] *m* [de identificação] papier *m* ; [testemunho escrito] document *m*.

doçura [do'sura] *f fig* douceur *f*.

doença ['dwẽnsa] *f* maladie *f* ; **doença venérea** maladie vénérienne.

doente ['dwẽntʃi] *adj* & *mf* malade ; **doente mental** malade mental.

doentio, **tia** [dwẽn'tʃiu, tʃia] *adj* [lugar, atmosfera] malsain(e) ; [pessoa] maladif(ive).

doer ['dwe(x)] *vi* faire mal.

doido, **da** ['dojdu, da] *adj* & *m, f* fou(folle) ; **ser doido por** être fou de ; **doido varrido** fou à lier.

dois, **duas** ['dojʃ, 'duaʃ] *num* deux ; **dois a dois** deux par deux, ► **seis.**

dólar ['dɔla(x)] (*pl* -es) *m* dollar *m*.

doleiro [do'lejru] *m revendeur de dollars au marché noir*.

dolorido, **da** [dolo'ridu, da] *adj* courbattu(e).

doloroso, **osa** [dolo'rozu, ɔza] *adj* douloureux(euse).

dom [dõ] (*pl* -ns) *m* don *m (qualité)*.

domador, **ra** [doma'do(x), ra] (*mpl* -es, *fpl* -s) *m, f* dompteur *m*, -euse *f*.

doméstica [do'mɛʃtʃika] *f* domestique *f*.

domesticado, **da** [domeʃtʃi'kadu, da] *adj* apprivoisé(e).

domesticar [domeʃtʃi'ka(x)] *vt* apprivoiser.

doméstico, **ca** [dɔ'mɛʃtʃiku, ka] *adj* domestique ; [tarefa] ménager(ère).

domicílio [domi'silju] *m* domicile *m*.

dominar [domi'na(x)] *vt* maîtriser ; [país] dominer. ◆ **dominar-se** *vp* se maîtriser.

domingo [do'mĩŋgu] *m* dimanche *m*, ► **sexta-feira.**

domínio [do'minju] *m* **1.** [dominação] : **domínio (sobre)** domination *f* - **2.** [posse] pouvoir *m* - **3.** [território] domaine *m* - **4.** [controle] commandement *m* - **5.** [conhecimento] maîtrise *f* - **6.** INFORM domaine *m*.

dominó [dɔmi'nɔ] *m* domino *m* ; **jogar dominó** jouer aux dominos.

dona ['dona] *f* : **dona Isabel X** Madame X ; **dona de casa** maîtresse *f* de maison ► **dono**.

donde ['dõnde] *adv* = **de + onde** ; [de que lugar] d'où.

dono, **na** ['donu, na] *m, f* propriétaire *mf* ; [de cão] maître *m*, -esse *f*.

dons ► **dom**.

dopar [do'pa(x)] *vt* doper.

dor [do(x)] (*pl* -es) *f* douleur *f* ; **dor de barriga** mal *m* de ventre ; **dor de cabeça** mal *m* de tête ; **dor nas costas** mal *m* au dos ; **dor de dente** mal *m* de dents ; **dor-de-cotovelo** *fig* jalousie *f* ; **dor de estômago** douleur d'estomac ; **dor de garganta** mal *m* de gorge ; **ter dor de ouvido** avoir mal aux oreilles.

dormente [dor'mẽntʃi] *adj* engourdi(e).

dormir [dor'mi(x)] *vi* dormir.

dormitório [dormi'tɔrju] *m* dortoir *m*.

dosagem [du'zaʒɑ̃j] (*pl* -ns) *f* dose *f* ; [operação] dosage *m*.

dose ['dɔzi] *f* dose *f*.

dossiê [do'sje] *m* dossier *m* ; **dossiê (escolar)** classeur *m*.

dotado, **da** [do'tadu, da] *adj* doué(e).

dou [do] ► **dar**.

dourado, **da** [do'radu, da] *adj* doré(e).

doutor, **ra** [do'to(x), ra] (*mpl* -es, *fpl* -s) *m, f* [pessoa doutorada] docteur *m* ; [médico] docteur *m*.

Doutor, **ra** [do'to(x), ra] *m, f* [forma de tratamento] Docteur *m*.

doutrina [do'trina] *f* doctrine *f*.

download [dawn'lowdʒi] (*pl* **downloads**) *m* INFORM téléchargement *m* ; **fazer (um) download** télécharger.

doze ['dozi] *num* douze, ► **seis**.

Dr. (*abrev de* **Doutor**) *titre donné à tous les licenciés* ; **Dr. João X** Monsieur X.

Dra. (*abrev de* **Doutora**) *titre donné à toutes les licenciées* ; **Dra. Isabel X** Madame X.

dragão [dra'gɑ̃w] (*pl* -ões) *m* dragon *m*.

dragar [dra'ga(x)] *vt* draguer *(une rivière)*.

drágea ['draʒja] *f* dragée *f*.

dragões ► **dragão**.

drama ['drama] *m* drame *m*.

dramatizar [dramatʃi'za(x)] *vt* faire un drame de.

dramaturgo, **ga** [drama'turgu, ga] *m, f* dramaturge *mf*.

drástico, **ca** ['draʃtʃiku, ka] *adj* [solução] radical(e) ; [medida] draconien (enne).

drenar [dre'na(x)] *vt* drainer.

dreno ['drenu] *m* drain *m*.

driblar [dri'bla(x)] *vt* & *vi* dribbler.

drinque ['drĩŋki] *m* drink *m*.

drive ['drajvi] (*pl* **drives**) *m* INFORM unité de disque *f*.

driver ['drajve(x)] (*pl* **drivers**) *m* INFORM pilote *m*, gestionnaire de périphérique *m* ; **driver de vídeo** driver du magnétoscope *m* ; **driver de impressora** pilote de l'imprimante *m*.

droga ['drɔga] ◇ *f* drogue *f* ; [coisa de má qualidade] cochonnerie *f*. ◇ *interj* : **que droga!** mince !

drogado, **da** [dro'gadu, da] *m, f* drogué *m*, -e *f*.

drogar [dro'ga(x)] *vt* droguer. ◆ **drogar-se** *vp* se droguer.

drogaria [droga'ria] *f* droguerie *f*.

dto. (*abrev de* **direito**) dte.

duas ['duaʃ] ► **dois**.

dublado, **da** [du'bladu, da] *adj* [filme, programa de TV] doublé(e).

dublar [du'blax] *vt* [filme, programa de TV] doubler.

ducha ['duʃa] *m* douche *f* ; **tomar uma ducha** prendre une douche.

duende ['dwẽndi] *m* lutin *m*.

dum = **de** + **um**, ► **um**.

duma = **de** + **uma**, ► **um**.

dumas = **de** + **umas**, ► **um**.

duna ['duna] *f* dune *f*.

duns = **de** + **uns**, ► **um**.

dupla ['dupla] *f* [par] couple *m* ; [em esporte] double *m*.

dúplex ['duplɛks] *m inv* duplex *m*.

duplicado [dupli'kadu] *m* double *m*.

duplicar [dupli'ka(x)] *vt* & *vi* doubler.

duplo, **pla** ['duplu, pla] ◇ *adj* double. ◇ *m* : **o duplo** le double.

duração [dura'sɐ̃w] *f* durée *f*.

duradouro, **ra** [dura'doru, ra] *adj* durable.

durante [du'rɐ̃ntʃi] *prep* pendant.

durar [du'ra(x)] *vi* durer.

durex [du'rɛks] *adj* ► **fita**.

dureza [du'reza] *f* dureté *f*.

durmo ['durmu] ► **dormir**.

duro, **ra** ['duru, ra] *adj* dur(e).

dúvida ['duvida] *f* doute *m* ; **estar em dúvida** se demander ; **pôr em dúvida** mettre en doute ; **sem dúvida!** bien sûr ! ; **tirar dúvidas** expliquer.

duvidoso, **osa** [duvi'dozu, ɔza] *adj* louche ; [oferta] douteux(euse).

duzentos, **tas** [du'zẽntuʃ, taʃ] *num* deux cents, ► **seis**.

dúzia ['duzja] *f* douzaine *f* ; **uma dúzia de ovos** une douzaine d'œufs ; **vender à dúzia** vendre à la douzaine ; **meia dúzia** une demi-douzaine.

E

e [i] *conj* et.

E (*abrev de* **Este**) E.

é [ɛ] ► **ser**.

ébano ['ɛbanu] *m* [árvore] ébénier *m* ; [madeira] ébène *f*.

ébrio, **ébria** ['ɛbriu, 'ɛbria] *adj* ivre.

ebulição [ibuli'sɐ̃w] *f* ébullition *f*.

echarpe [e'ʃaxpi] *f* écharpe *f*.

eclipse [e'klipsi] *m* éclipse *f*.

eco ['ɛku] *m* écho *m*.

ecoar [e'kwa(x)] *vi* résonner.

ecografia [ekogra'fia] *f* échographie *f*.

ecologia [ekolo'ʒia] *f* écologie *f*.

ecológico, **ca** [eko'lɔʒiku, ka] *adj* écologique.

economia [ekono'mia] *f* économie *f*. ◆ **economias** *fpl* économies *fpl*.

econômico, **ca** [eko'nomiku, ka] *adj* économique ; [pessoa] économe.

economista [ekono'miʃta] *mf* économiste *mf*.

economizar [ekonomi'za(x)] *vt* & *vi* économiser.

ecoturismo [ekotu'riʒmu] *m* écotourisme *m*.

écran ['ekrɐ̃n] *m* écran *m*.

ECT *f* (*abrev de* **Empresa Brasileira de Correios e Telégrafos**) ≃ La Poste.

eczema [ek'zema] *m* eczéma *m*.

edição [edʒi'sɐ̃w] (*pl* -ões) *f* édition *f*.

edifício [edʒi'fisju] *m* immeuble *m*.

edifício-garagem [edʒifisjuga'raʒẽ] (*pl* **edifícios-garagens**) *m* parking *m*.

editar [edʒi'ta(x)] *vt* éditer.

editor, **ra** [edʒi'to(x), ra] (*mpl* -es, *fpl* -s) *m, f* éditeur *m*, -trice *f*.

editora [edʒi'tora] *f* maison *f* d'édition, ► **editor**.

editores ► **editor**.

edredom [edre'dõ] (*pl* -ns) *m* édredon *m* ; [espesso] couette *f*.

educação [eduka'sɑ̃w] *f* éducation *f*.

educado, **da** [edu'kadu, da] *adj* bien élevé(e) ; **ser bem-educado** être bien élevé.

educar [edu'ka(x)] *vt* éduquer.

efeito [e'fejtu] *m* effet *m* ; **com efeito** en effet ; **sem efeito** sans effet ; [contrato] non avenu.

efervescente [eferve'sẽntʃi] *adj* ► **aspirina**.

efetivamente [efɛˌtʃiva'mẽntʃi] *adv* effectivement.

efetivo, **va** [efe'tʃivu, va] ◇ *adj* [real] effectif(ive) ; [funcionário, empregado] titulaire. ◇ *m* [categoria de professor] professeur *m* titulaire.

efetuar [efe'twa(x)] *vt* effectuer.

eficácia [efi'kasja] *f* efficacité *f*.

eficaz [efi'kaʃ] (*pl* -es) *adj* efficace.

eficiência [efi'sjẽsja] *f* efficacité *f*.

eficiente [efi'sjẽntʃi] *adj* efficace.

efusivo, **va** [efu'zivu, va] *adj* expansif(ive).

egoísmo [e'gwiʒmu] *m* égoïsme *m*.

egoísta [e'gwiʃta] *adj* & *mf* égoïste.

égua ['ɛgwa] *f* jument *f*.

eis ['ejʃ] *adv* voilà ; **eis senão quando** et voilà que.

eixo ['ejʃu] *m* [de roda] essieu *m* ; [de máquina] axe *m*.

ejaculação [eʒakula'sɑ̃w] (*pl* -ões) *f* éjaculation *f*.

ejacular [eʒaku'la(x)] *vt* & *vi* éjaculer.

ela ['ɛla] ► **ele**.

elaboração [elabora'sɑ̃w] *f* élaboration *f*.

elaborar [elabo'ra(x)] *vt* élaborer ; [lista] établir.

elasticidade [elaʃtisi'dadʒi] *f* élasticité *f*.

elástico, **ca** [e'laʃtʃiku, ka] ◇ *adj* élastique. ◇ *m* élastique *m*.

ele, **ela** ['eli] *pron* il(elle) ; [com preposição] lui(elle) ; **é ele/ela** c'est lui/elle ; **e ele/ela?** et lui/elle ? ; **ele mesmo** OU **próprio/ela mesma** OU **própria** lui-même/elle-même ; **para eles/elas** pour eux/elles.

elefante [ele'fɑ̃ntʃi] *m* éléphant *m*.

elegância [ele'gɑ̃sja] *f* élégance *f*.

elegante [ele'gɑ̃ntʃi] *adj* [esbelto] mince ; [distinto] élégant(e).

eleger [ele'ʒe(x)] *vt* [deputado, diretor] élire ; [sistema, método, manual] choisir.

eleição [elej'sɑ̃w] (*pl* -ões) *f* [de deputado, diretor] élection *f* ; [sistema, método, manual] choix *m*. ◆ **eleições** *fpl* élections *fpl*.

eleito, **ta** [e'lejtu, ta] ◇ *pp* ► **eleger**. ◇ *adj* élu(e).

eleitor, **ra** [elej'to(x), ra] (*mpl* -es, *fpl* -s) *m, f* électeur *m*, -trice *f*.

elementar [elemẽn'ta(x)] (*pl* -es) *adj* élémentaire.

elemento [ele'mẽntu] *m* élément *m* ; [de equipe, grupo] membre *m*. ◆ **elementos** *mpl* éléments *mpl*.

eletricidade [eletrisi'dadʒi] *f* électricité *f*.

eletricista [eletri'siʃta] *mf* électricien *m*, -enne *f*.

elétrico, **ca** [e'lɛtriku, ka] *adj* électrique.

eletrizar [eletri'za(x)] *vt fig* [público] chauffer.

eletrodoméstico [eˌletrodo'mɛʃtʃiku] *m* électroménager *m*.

eletrônica [ele'tronika] *f* électronique *f*.

eletrônico, ca [ele'troniku, ka] *adj* électronique.

elevação [eleva'sãw] (*pl* -ões) *f* hauteur *f (en géographie)*.

elevado, da [ele'vadu, da] *adj* élevé(e).

elevador [eleva'do(x)] (*pl* -es) *m* ascenseur *m*.

elevar [ele'va(x)] *vt* élever ; [preço, imposto] augmenter. ◆ **elevar-se** *vp* s'élever ; **elevar-se nos ares** s'envoler.

eliminar [elemi'na(x)] *vt* éliminer ; [possibilidade, hipótese] écarter.

elite [e'litʃi] *f* élite *f*.

elo ['ɛlu] *m* chaînon *m* ; **elo de ligação** *fig* lien *m*.

elogiar [elo'ʒja(x)] *vt* faire l'éloge de.

elogio [elo'ʒiu] *m* éloge *m*.

eloqüência [elo'kwẽsja] *f* éloquence *f*.

eloqüente [elo'kwẽntʃ'i] *adj* éloquent(e).

em [ẽ] *prep* **1.** [no interior de] dans ; **vivo no norte** je vis dans le nord ; **os papéis estão naquela gaveta** les papiers sont dans ce tiroir ; **a chave está na fechadura** la clé est dans la serrure ; **fica no nordeste** c'est au nord-est ; **estou na cama** je suis au lit - **2.** [em certo ponto de] dans ; **na rua** dans la rue ; **em casa** à la maison ; **no trabalho** au travail ; **em minha casa** chez moi - **3.** [sobre] sur ; **coloque uma jarra nesta mesa** mets un vase sur cette table ; **a chave está na porta** la clé est sur la porte ; **ponha isso no chão** mets cela par terre - **4.** [relativo a cidade, país] à ; **em Londres/Paris** à Londres/Paris ; **no Brasil** au Brésil ; **nos Estados Unidos** aux États-Unis ; **em Portugal/França** au Portugal/en France - **5.** [indica tempo] en ; [dia] le ; [época] à ; **ele nasceu em 1970/num sábado** il est né en 1970/un samedi ; **no dia 25** le 25 ; **saio de férias no verão/Natal** je pars en vacances en été/à Nöel ; **estou de volta numa semana** je suis de retour dans une semaine ; **leio muito nas férias** je lis beaucoup pendant les vacances ; **nos nossos dias** de nos jours - **6.** [indica modo] en ; **paguei em euros** j'ai payé en euros ; **respondi-lhe em português** je lui ai répondu en portugais ; **ele respondeu-me num tom muito seco** il m'a répondu d'un ton très sec ; **em voz baixa** à voix basse ; **sardinha grelhada na brasa** sardine grillée sur la braise - **7.** [indica assunto] en ; **é um perito em economia** c'est un expert en économie ; **nisso de computadores, é o melhor** en matière d'ordinateurs, c'est le meilleur ; **sou licenciada em Letras/Direito** je suis licenciée ès lettres/en droit ; **doutorado em Medicina** docteur en médecine - **8.** [indica estado] en ; **não descer com o trem em movimento** ne pas descendre du train en marche - **9.** [introduz complemento] en ; **cair em desuso** tomber en désuétude ; **não pense nele** ne pense pas à lui.

emagrecer [emagre'se(x)] *vi* maigrir.

e-mail ['imejw] *m* e-mail *m*, courriel *m*.

emancipado, da [emãsi'padu, da] *adj* émancipé(e).

emaranhado, da [emara'ɲadu, da] *adj* [cabelo, fios] emmêlé(e) ; [vegetação] enchevêtré(e).

embaçado, da [ẽnba'sadu, da] *adj* embué(e).

embaçar [ẽmba'sa(x)] *vt* [lentes] embuer ; [ofuscar] offusquer.

embaciado, da [ẽmba'sjadu, da] *adj* embué(e).

embaciar [ẽmba'sja(x)] *vt* embuer.

embaixada [ẽmbaj'ʃada] *f* ambassade *f*.

embaixador, ra [ẽmbajʃa'do(x), ra] (*mpl* -es, *fpl* -s) *m, f* ambassadeur *m*, -drice *f*.

embaixatriz [ẽmbajʃa'triʃ] (*pl* -es) *f* ambassadrice *f*.

embaixo [ẽm'bajʃu] *adv* [em espaço] en bas ; [em lista] en dernier ; **embaixo de** sous.

embalagem [ẽmba'laʒẽ] (*pl* -ns) *f* emballage *m*.

embalar [ẽmba'la(x)] *vt* [produto] emballer ; [bebê] bercer.

embaraçar [ẽmbara'sa(x)] *vt* gêner. ◆ **embaraçar-se** *vp* être gêné(e).

embaraço [ẽnba'rasu] *m* gêne *f*.

embarcação [ẽmbaxka'sɑ̃w] (*pl* -ões) *f* embarcation *f*.

embarcar [ẽmbax'ka(x)] *vi* embarquer ; **embarcar em** [navio, avião] embarquer à bord de ; [trem] monter dans ; [aventura, negócio] s'embarquer dans.

embarque [ẽm'baxki] *m* embarquement *m* ; **zona/local de embarque** zone/salle d'embarquement.

embebedar-se [ẽmbebe'daxsi] *vp* se saoûler.

embeber [ẽmbe'be(x)] *vt* imbiber ; **embeber algo em algo** imbiber qqch de qqch.

embelezar [ẽmbele'za(x)] *vt* embellir.

emblema [ẽm'blema] *m* emblême *m*.

embora [ẽm'bɔra] ◇ *conj* bien que. ◇ *adv* : **ir embora** s'en aller ; **ir-se embora** s'en aller ; **ele foi-se embora** il est parti.

emboscada [ẽnboʃ'kada] *f* embuscade *f*.

EMBRATUR [ẽmbra'tu(x)] *f* (*abrev de* **Empresa Brasileira de Turismo**) *Office du tourisme brésilienne*.

embreagem [ẽmbre'aʒẽ] (*pl* -ns) *f* embrayage *m*.

embriagar-se [ẽmbria'gaxsi] *vp* se saoûler.

embrulhar [ẽmbru'ʎa(x)] *vt* [presente, produto] emballer ; [agasalhar] couvrir ; [misturar] emmêler.

embrulho [ẽm'bruʎu] *m* paquet *m*.

embutido, da [ẽmbu'tʃidu, da] *adj* encastré(e). ◆ **embutidos** *fpl* charcuterie *f*.

emendar [emẽn'da(x)] *vt* corriger. ◆ **emendar-se** *vp* se corriger.

emergência [emex'ʒẽsja] *f* urgence *f*. ◆ **Emergências** *fpl* urgences *fpl*.

emigração [emigra'sɑ̃w] *f* émigration *f*.

emigrante [emi'grɑ̃ntʃi] *mf* émigrant *m*, -e *f*.

emigrar [emi'gra(x)] *vi* émigrer ; **emigrar para** émigrer en.

emissão [emi'sɑ̃w] (*pl* -ões) *f* émission *f*.

emissor, ra [emi'so(x), ra] (*mpl* -es, *fpl* -s) ◇ *adj* émetteur(trice). ◇ *m* émetteur *m*.

emissora [emi'sora] *f* station *f* (*de radio et de télévision*).

emissores ► **emissor**.

emitir [emi'tʃi(x)] *vt* émettre.

emoção [emo'sɑ̃w] (*pl* -ões) *f* émotion *f*.

emoldurar [emowdu'ra(x)] *vt* encadrer.

emoticon [emotʃi'cõn] emoticon *f*.

emotivo, va [emo'tʃivu, va] *adj* émotif(ive).

empacotar [ẽmpako'ta(x)] *vt* emballer.

empada [ẽm'pada] *f pâté en croûte farci aux coeurs de palmier, crevettes, poulet etc.* ; **empada de galinha** *pâté en croûte au poulet*.

empadão [ẽnpa'dɑ̃w] (*pl* -ões) *m gros pâté en croûte farci aux coeurs de palmier, crevettes etc.*

empadinha [ẽmpa'dʒiɲa] *f* **1.** = **empada** - **2.** : **empadinha de camarão** *petit pâté en croûte farci aux crevettes* ; **empadinha de palmito** *petit pâté en croûte farci aux cœurs de palmier* ; **empadinha de queijo** *petit pâté en croûte farci au fromage.*

empadões ► **empadão.**

empalhar [ẽmpa'ʎa(x)] *vt* empailler.

empanturrar [ẽmpɑ̃ntu'xa(x)] *vt* : **empanturrar alguém com algo** gaver qqn de qqch. ◆ **empanturrar-se** *vp* se gaver.

empatar [ẽmpa'ta(x)] ◇ *vi* être à égalité. ◇ *vt* [estorvar] gêner ; [dinheiro] immobiliser.

empate [ẽm'patʃi] *m* match *m* nul.

empenado, da [ẽmpe'nadu, da] *adj* [porta] qui a joué ; [roda] voilé(e).

empenhar [ẽmpe'ɲa(x)] *vt* mettre en gage. ◆ **empenhar-se** *vp* [esforçar-se] se mettre en quatre ; [endividar-se] s'endetter ; **empenhar-se em algo** s'investir dans qqch.

empestar [ẽmpeʃ'ta(x)] *vt* empester.

empilhar [ẽmpi'ʎa(x)] *vt* empiler.

empinar-se [ẽmpi'naxsi] *vp* se cabrer.

emplastro [ẽn'plaʃtru] *m* emplâtre *m.*

empobrecer [ẽmpobre'se(x)] ◇ *vt* appauvrir. ◇ *vi* s'appauvrir.

empolgante [ẽmpow'gɑ̃ntʃi] *adj* prenant(e).

empreender [ẽmpriẽn'de(x)] *vt* entreprendre.

empreendimento [ẽmpriẽndʒi'mẽntu] *m* entreprise *f.*

empregado, da [ẽmpre'gadu, da] *m, f* [em casa] employé *m*, -e *f* de maison ; [em restaurante] serveur *m*, -euse *f* ; [em empresa] employé *m*, -e *f* ; **empregado de balcão** vendeur *m (au comptoir)* ; **empregado de bar** serveur ; **empregado doméstico** domestique *m* ; **empregado de mesa** serveur.

empregar [ẽmpre'ga(x)] *vt* employer. ◆ **empregar-se** *vp* [arranjar emprego] trouver un emploi ; [utilizar-se] s'employer.

emprego [ẽm'pregu] *m* emploi *m* ; **o emprego** l'emploi.

empregue [ẽm'prɛgi] *pp* ► **empregar.**

empresa [ẽm'preza] *f* entreprise *f.*

emprestado, da [ẽmpreʃ'tadu, da] *adj* prêté(e) ; **pedir algo emprestado** emprunter qqch.

emprestar [ẽmpreʃ'ta(x)] *vt* : **emprestar algo a alguém** prêter qqch à qqn.

empréstimo [ẽm'prɛʃtʃimu] *m* prêt *m* ; **fazer um empréstimo** [cliente] faire un emprunt ; [banco] faire un prêt.

empunhar [ẽmpu'ɲa(x)] *vt* empoigner.

empurrão [ẽmpu'xɑ̃w] (*pl* -ões) *m* coup *m* ; **dar um empurrão** pousser.

empurrar [ẽmpu'xa(x)] *vt* pousser ; **'empurre'** 'poussez'.

empurrões ► **empurrão.**

encabeçar [ẽŋkabe'sa(x)] *vt* être à la tête de.

encadernação [ẽŋkadexna'sɑ̃w] (*pl* -ões) *f* reliure *f.*

encaixar [ẽŋkaj'ʃa(x)] *vt* [meter em encaixe] s'emboîter ; *fig* [meter na cabeça] se mettre dans la tête. ◆ **encaixar-se** *vp* [em encaixe] s'emboîter ; [enquadrar-se] s'intégrer.

encaixe [ẽŋ'kajʃi] *m* jointure *f.*

encaixotar [ẽŋkajʃo'ta(x)] *vt* emballer.

encalhar [ẽŋka'ʎa(x)] ◇ *vt* faire échouer. ◇ *vi* s'échouer.

encaminhar [ẽŋkami'ɲa(x)] *vt fig*

guider ; **encaminhar algo/alguém para** orienter qqch/qqn vers ; **encaminhar um pedido para alguém** faire parvenir une demande à qqn. ◆ **encaminhar-se para** *vp + prep* se diriger vers.

encanador, ra [ẽŋkana'do(x), ra] (*mpl* -es, *fpl* -s) *m, f* plombier *m*.

encanamento [ẽŋkana'mẽntu] *m* tuyauterie *f*.

encantador, ra [ẽŋkɑ̃nta'do(x), ra] (*mpl* -es, *fpl* -s) *adj* charmant(e).

encantar [ẽŋkɑ̃n'ta(x)] *vt* enchanter.

encaracolado, da [ẽŋkarako'ladu, da] *adj* bouclé(e).

encarar [ẽŋka'ra(x)] *vt* [pessoa] dévisager ; [problema, situação, possibilidade] affronter. ◆ **encarar com** *v + prep* tomber sur.

encardido, da [ẽŋkar'dʒidu, da] *adj* jauni(e).

encarnado, da [ẽŋkax'nadu, da] *adj* rouge.

encarregado, da [ẽŋkaxe'gadu, da] *m, f* responsable *mf*.

encarregar [ẽŋkaxe'ga(x)] *vt* : **encarregar alguém de fazer algo** charger qqn de faire qqch.

encarte [ẽŋ'kaxtʃi] *m* [de revista, jornal] supplément *m*.

encenação [ẽsena'sɑ̃w] (*pl* -ões) *f* mise *f* en scène.

encenar [ẽse'na(x)] *vt* mettre en scène.

encerar [ẽse'xa(x)] *vt* cirer.

encerrado, da [ẽse'xadu, da] *adj* clos(e).

encerramento [ẽsexa'mẽntu] *m* [de concerto, espetáculo] clôture *f*.

encerrar [ẽse'xa(x)] *vt* clore.

encharcar [ẽʃax'ka(x)] *vt* inonder. ◆ **encharcar-se** *vp* [espaço] s'inonder ; [pessoa] se tremper.

enchente [ẽ'ʃẽntʃi] *f* inondation *f* ; [de rio] crue *f* ; [de gente, coisas] flot *m*.

enchova [ẽn'ʃova] *f* tassergal *m (poisson)*.

encoberto, ta [ẽŋko'bɛxtu, ta] *adj* [céu, tempo] couvert(e) ; [oculto] caché(e).

encolher [ẽŋko'ʎe(x)] ◇ *vt* [ombros] hausser ; [pernas] plier ; [barriga] rentrer. ◇ *vi* [roupa] rétrécir. ◆ **encolher-se** *vp* [retrair-se] être intimidé(e) ; [para fazer algo] ne pas oser ; **encolher-se no seu canto** rester dans son coin.

encomenda [ẽŋko'mẽnda] *f* commande *f* ; **encomenda postal** colis *m* postal.

encomendar [ẽŋkomẽn'da(x)] *vt* commander ; **encomendar algo a alguém** commander qqch à qqn.

encontrar [ẽŋkõn'tra(x)] *vt* [objeto procurado] trouver ; [pessoa por acaso] rencontrer. ◆ **encontrar-se** *vp* se retrouver ; **encontrar-se com alguém** rencontrer qqn.

encontro [ẽŋ'kõntru] *m* [esportivo] rencontre *f* ; [compromisso] rendez-vous *m*.

encorajar [ẽŋkora'ʒa(x)] *vt* encourager.

encorpado, da [ẽŋkor'padu, da] *adj* [pessoa] corpulent(e) ; [vinho] corsé(e).

encosta [ẽŋ'kɔʃta] *f* versant *m*.

encostar [ẽŋkoʃ'ta(x)] *vt* [cabeça] appuyer ; [carro] ranger ; [porta] pousser ; **encostar algo em algo** adosser qqch contre qqch. ◆ **encostar-se** *vp* : **encostar-se a** s'adosser à.

encosto [ẽŋ'koʃtu] *m* dossier *m*.

encruzilhada [ẽŋkruzi'ʎada] *f* carrefour *m*.

endereço [ẽnde'resu] *m* adresse *f*.

endereço eletrônico adresse électronique *f*.

endireitar [ẽndirej'ta(x)] *vt* redresser ; [pernas] déplier ; [objeto caído] relever. ◆ **endireitar-se** *vp* se redresser.

endívia [ẽn'divja] *f* endive *f*.

endoidecer [ẽndojde'se(x)] ◇ *vt* rendre fou(folle). ◇ *vi* devenir fou(folle).

endossar [ẽndo'sa(x)] *vt* endosser.

endurecer [ẽndure'se(x)] *vt* & *vi* durcir.

energia [enɛx'ʒia] *f* énergie *f* ; **energia eólica** énergie éolienne ; **energia nuclear** énergie nucléaire ; **energia solar** énergie solaire.

enevoado, da [ene'vwadu, da] *adj* nuageux(euse).

enfarte [ẽ'faxtʃi] *m* infarctus *m*.

ênfase ['ẽfazi] *f* emphase *f*.

enfatizar [ẽfatʃi'za(x)] *vt* souligner.

enfeitar [ẽfej'ta(x)] *vt* agrémenter, parer, embellir. ◆ **enfeitar-se** *vp* se parer.

enfeitiçar [ẽfejtʃi'sa(x)] *vt* ensorceler.

enfermagem [ẽfex'maʒẽ] *f* : **ela fez um curso de enfermagem** elle a fait des études d'infirmière.

enfermaria [ẽfexma'ria] *f* infirmerie *f*.

enfermeiro, ra [ẽfex'mejru, ra] *m, f* infirmier *m*, -ère *f*.

enferrujar [ẽfexu'ʒa(x)] *vt* & *vi* rouiller.

enfiar [ẽ'fja(x)] *vt* [peça de vestuário] passer ; **enfiar algo em algo** enfiler. ◆ **enfiar-se** *vp* s'engager.

enfim [ẽ'fĩ] *adv* [finalmente] enfin ; [em conclusão] finalement.

enforcar [ẽfox'ka(x)] *vt* pendre. ◆ **enforcar-se** *vp* se pendre.

enfraquecer [ẽfrake'se(x)] ◇ *vt* affaiblir. ◇ *vi* s'affaiblir.

enfrentar [ẽfrẽn'ta(x)] *vt* affronter.

enfurecer [ẽfure'se(x)] *vt* mettre en colère. ◆ **enfurecer-se** *vp* se mettre en colère.

enganado, da [ẽŋga'nadu, da] *adj* : **estar enganado** se tromper ; **ser enganado** être trompé.

enganar [ẽŋga'na(x)] *vt* tromper. ◆ **enganar-se** *vp* se tromper ; **enganar-se em algo** se tromper de qqch.

engano [ẽŋ'ganu] *m* erreur *f*.

engarrafado, da [ẽŋgaxa'fadu, da] *adj* [líquido] en bouteille ; [trânsito] embouteillé(e).

engarrafamento [ẽŋgaxafa'mẽntu] *m* [de líquido] mise *f* en bouteille ; [de trânsito] embouteillage *m*.

engasgar-se [ẽŋgaʒ'gaxsi] *vp* [ao comer, beber] s'étrangler ; [ao falar] bafouiller.

engenharia [ẽʒeɲa'ria] *f* ingénierie *f*.

engenheiro, ra [ẽʒe'ɲejru, ra] *m, f* ingénieur *m*.

engenhoso, osa [ẽʒe'ɲozu, ɔza] *adj* ingénieux(euse).

engessar [ẽʒe'sa(x)] *vt* plâtrer.

englobar [ẽŋglo'ba(x)] *vt* englober.

engodo [ẽŋ'godu] *m* appât *m*.

engolir [ẽŋgo'li(x)] *vt* avaler.

engomar [ẽŋgo'ma(x)] *vt* repasser.

engordar [ẽŋgor'da(x)] ◇ *vi* [pessoa] grossir ; [alimento] faire grossir. ◇ *vt* engraisser.

engordurado, da [ẽŋgordu'radu, da] *adj* gras(grasse).

engraçado, da [ẽŋgra'sadu, da] *adj* drôle.

engravidar [ẽŋgravi'da(x)] ◇ *vi* tomber enceinte. ◇ *vt* mettre enceinte.

engraxar [ẽŋgra'ʃa(x)] *vt* [calçado] cirer.

engraxate [ẽŋgra'ʃatʃi] *m* cireur *m* de chaussures.

engrenagem [ẽŋgre'naʒẽ] (*pl* -ns) *f* engrenage *m*.

engrossar [ẽŋgro'sa(x)] ◇ *vt* [sopa] épaissir ; [molho] lier. ◇ *vi* épaissir.

enguia [ẽŋ'gia] *f* anguille *f*.

enguiçar [ẽŋgi'sa(x)] *vi* tomber en panne.

enigma [e'nigma] *m* énigme *f*.

enjoado, da [ẽ'ʒwadu, da] *adj* qui a mal au cœur.

enjoar [ẽ'ʒwa(x)] ◇ *vi* [em avião, ônibus] avoir mal au cœur ; [em barco] avoir le mal de mer. ◇ *vt* [comida] écœurer.

enjôo [ẽ'ʒou] *m* nausée *f* ; [em barco] mal *m* de mer.

enlatado, da [ẽla'tadu, da] *adj* [comida] en boîte ; [cultura, filme] *se dit des séries télévisées et de la culture d'importation de bas étage.* ◆ **enlatados** *mpl* conserves *fpl*.

enlouquecer [ẽloke'se(x)] ◇ *vt* rendre fou(folle). ◇ *vi* devenir fou(folle).

enorme [e'nɔrmi] *adj* énorme.

enquanto [ẽŋ'kwantu] *conj* pendant que ; **enquanto (que)** tandis que ; **por enquanto** pour l'instant.

enraivecer [ẽxajve'se(x)] *vt* enrager.

enraivecido, da [ẽxajve'sidu, da] *adj* enragé(e).

enredo [ẽ'xedu] *m* intrigue *f*.

enriquecer [ẽxike'se(x)] ◇ *vt* [tornar rico] enrichir ; [melhorar] améliorer. ◇ *vi* s'enrichir.

enrolar [ẽxo'la(x)] *vt* rouler ; [cabelo] mettre en plis.

enroscar [ẽxoʃ'ka(x)] *vt* visser. ◆ **enroscar-se** *vp* [cobra, gato, cão] se mettre en boule ; [enrodilhar-se] se recroqueviller.

enrugar [ẽxo'ga(x)] ◇ *vt* [roupa, papel] chiffonner ; [pele] rider. ◇ *vi* se rider.

ensaiar [ẽsa'ja(x)] *vt* [peça, dança] répéter ; [sistema] essayer.

ensaio [ẽ'saju] *m* essai *m* ; [de peça, dança] répétition *f*.

enseada [ẽ'sjada] *f* anse *f (baie)*.

ensinamento [ẽsina'mẽntu] *m* enseignement *m*.

ensinar [ẽsi'na(x)] *vt* [em escola, universidade] enseigner ; [caminho, direção] indiquer ; **ensinar alguém a fazer algo** apprendre à qqn à faire qqch ; **ensinar algo a alguém** apprendre qqch à qqn.

ensino [ẽ'sinu] *m* enseignement *m*.

ensolarado, da [ẽsola'radu, da] *adj* ensoleillé(e).

ensopado [ẽso'padu] *m* ragoût *m*.

ensopar [ẽso'pa(x)] *vt* tremper. ◆ **ensopar-se** *vp* se tremper.

ensurdecedor, ra [ẽsurdese'do(x), ra] (*mpl* -es, *fpl* -s) *adj* assourdissant(e).

ensurdecer [ẽsurde'se(x)] ◇ *vt* assourdir. ◇ *vi* devenir sourd(e).

entalar [ẽnta'la(x)] *vt* [dedo, pé] se pincer.

entanto [ẽn'tãntu] ◆ **no entanto** *conj* cependant.

então [ẽn'tãw] ◇ *adv* [naquele tempo] à l'époque ; [nesse caso] alors. ◇ *interj* alors ! ; **desde então** depuis.

entardecer [ẽtaxdʒi'se(x)] ◇ *vi* se faire tard. ◇ *m* : **ao entardecer** à la tombée du jour.

enteado, da [ẽn'tʒjadu, da] *m, f* beau-fils *m*, belle-fille *f*.

entender [ẽntẽn'de(x)] ◇ *vt* [perceber] comprendre ; [ser da opinião que] penser ; [ouvir] entendre. ◇ *vi* comprendre ; **dar a entender que** faire comprendre que. ◆ **entender de** *v + prep* [ter experiência em] s'y connaître en. ◆ **entender-se** *vp* [chegar a acordo] s'entendre ; **entender-se com alguém** s'entendre avec qqn ; **entender-se com algo** se débrouiller avec qqch.

enternecedor, ra [ẽnternese'do(x), ra] (*mpl* -es, *fpl* -s) *adj* attendrissant(e).

enternecer [ẽnterne'se(x)] *vt* attendrir.

enterrar [ẽnte'xa(x)] *vt* enterrer. ◆ **enterrar-se** *vp* s'enfoncer.

enterro [ẽn'texu] *m* enterrement *m*.

entoação [ẽntwa'sɑ̃w] (*pl* -ões) *f* intonation *f*.

entonação [ẽntona'sɑ̃w] (*pl* -ões) *f* intonation *f*.

entornar [ẽntor'na(x)] *vt* renverser.

entorse [ẽn'tɔxsi] *f* entorse *f*.

entortar [ẽntor'ta(x)] *vt* tordre.

entrada [ẽn'trada] *f* entrée *f* ; [ingresso para espetáculo] place *f* ; [pagamento inicial] acompte *m*, arrhes *fpl* ; **boas entradas!** bonne année ! ; **'entrada'** 'entrée' ; **'entrada livre'** 'entrée libre' ; **'entrada proibida'** 'entrée interdite' ; **como entrada, o que deseja?** que désirez-vous en entrée ?

entranha [ẽn'traɲa] *f* entrailles *fpl* ; **não ter entranhas** être insensible.

entrar [ẽn'tra(x)] *vi* rentrer ; **entrar em algo** entrer dans qqch ; [no carro] monter dans qqch ; [participar de] participer à qqch ; [ingressar em] rentrer dans qqch ; **entrar com algo** donner qqch ; **entro em férias amanhã** je suis en vacances à partir de demain.

entre ['ẽntri] *prep* entre ; [no meio de muitos] parmi ; [reciprocidade] à nous tous ; **aqui entre nós** entre nous ; **entre si** entre eux ; **entre os franceses** chez les Français.

entreaberto, ta [ˌẽntria'bɛxtu, ta] *adj* entrouvert(e).

entrecosto [ẽntri'koʃtu] *m* entrecôte *f*.

entrega [ẽn'trɛga] *f* [de encomenda, mercadoria, carta] livraison *f* ; [rendição] reddition *f* ; [de prêmio, teste] remise *f* ; **entrega em domicílio** livraison à domicile.

entregar [ẽntre'ga(x)] *vt* : **entregar algo a alguém** remettre qqch à qqn ; [encomenda] livrer qqch à qqn. ◆ **entregar-se** *vp* se rendre ; **entregar-se a** [abandonar-se a] se livrer à ; [dedicar-se a] se consacrer à.

entrelinha [ẽntre'liɲa] *f* interligne *m*.

entretanto [ẽntri'tɑ̃ntu] ◇ *adv* entre-temps. ◇ *conj* cependant.

entreter [ẽntre'te(x)] *vt* distraire. ◆ **entreter-se** *vp* [divertir-se] se distraire ; [ocupar-se] s'occuper.

entrevado, da [ẽn'trevadu, da] *adj* paralysé(e).

entrevista [ẽntre'viʃta] *f* [conversa] entretien *m* ; [na imprensa] interview *f*.

entrevistador, ra [ẽntre'viʃtado(x), ra] (*mpl* -es, *fpl* -s) *m, f* interviewer *m*.

entristecer [ẽntriʃte'se(x)] ◇ *vt* attrister. ◇ *vi* s'attrister.

entroncamento [ẽntrõŋka'mẽntu] *m* [de vias férreas] poste *m* d'aiguillage ; [de estrada] embranchement *m*.

Entrudo [ẽn'trudu] *m* : **o Entrudo** Mardi *m* gras.

entupido, da [ẽntu'pidu, da] *adj* bouché(e).

entupir [ẽntu'pi(x)] *vt* boucher. ◆ **entupir-se** *vp* se boucher.

entusiasmar [ẽntuzjaʒ'ma(x)] *vt* enthousiasmer. ◆ **entusiasmar-se** *vp* s'enthousiasmer.

entusiasmo [ẽntu'zjaʒmu] *m* enthousiasme *m*.

entusiasta [ẽntu'zjaʃta] *adj* enthousiaste ; **ser entusiasta de algo** être un passionné de qqch.

enumeração [inumera'sɐ̃w] (*pl* -ões) *f* énumération *f*.

enumerar [inume'ra(x)] *vt* énumérer.

enunciado [enũ'sjadu, da] *m* énoncé *m*.

enunciar [enũ'sja(x)] *vt* énoncer.

envelhecer [ẽveʎe'se(x)] *vt* & *vi* vieillir.

envelope [ẽve'lɔpi] *m* enveloppe *f*.

envenenamento [ẽvenena'mẽntu] *m* empoisonnement *m*.

envenenar [ẽvene'na(x)] *vt* empoisonner. ◆ **envenenar-se** *vp* s'empoisonner.

enveredar [ẽvere'da(x)] ◆ **enveredar por** *v* + *prep* [caminho] prendre ; *fig* [estudos] opter pour.

envergonhado, **da** [ẽvergo'ɲadu, da] *adj* timide ; **ficar envergonhado** avoir honte.

envergonhar [ẽvergo'ɲa(x)] *vt* faire honte à. ◆ **envergonhar-se** *vp* [ter vergonha] avoir honte ; [intimidar-se] être intimidé(e).

envernizar [ẽverni'za(x)] *vt* vernir.

enviar [ẽ'vja(x)] *vt* envoyer.

envidraçado, **da** [ẽvidra'sadu, da] *adj* vitré(e).

envio [ẽ'viu] *m* envoi *m*.

enviuvar [ẽvju'va(x)] *vi* devenir veuf(veuve).

envolver [ẽvow've(x)] *vt* [incluir] englober ; [embrulhar] envelopper ; [misturar] mélanger ; [rodear] entourer. ◆ **envolver-se em** *vp* + *prep* être mêlé(e) à.

enxada [ẽn'ʃada] *f* pioche *f*.

enxaguar [ẽʃa'gwa(x)] *vt* rincer.

enxame [ẽ'ʃami] *m* essaim *m*.

enxaqueca [ẽʃa'keka] *f* migraine *f*.

enxergar [ẽʃex'ga(x)] *vt* [descortinar] entrevoir ; [avistar] apercevoir. ◆ **enxergar-se** *vp* [julgar-se] se croire.

enxerto [ẽ'ʃextu] *m* greffe *f*.

enxofre [ẽ'ʃofri] *m* soufre *m*.

enxotar [ẽʃo'ta(x)] *vt* chasser *(faire fuir)*.

enxugar [ẽʃu'ga(x)] ◇ *vt* [roupa] faire sécher ; [mãos] se sécher. ◇ *vi* sécher.

enxurrada [ẽʃu'xada] *f* torrent *m*.

enxuto, **ta** [ẽ'ʃutu, ta] *adj* sec(sèche).

enzima [ẽ'zima] *f* enzyme *m*.

eólica [e'ɔlika] *adj f* ► **energia**.

epicentro [epi'sẽntru] *m* épicentre *m*.

epidemia [epide'mia] *f* épidémie *f*.

epilepsia [epilɛp'sia] *f* épilepsie *f*.

epílogo [e'pilugu] *m* épilogue *m*.

episódio [epi'zɔdju] *m* épisode *m*.

epitáfio [epi'tafju] *m* épitaphe *f*.

época ['ɛpoka] *f* époque *f*.

equação [ekwa'sɐ̃w] (*pl* -ões) *f* équation *f*.

Equador [ekwa'do(x)] *m* : **o Equador** l'Équateur *m*.

equilibrar [ekili'bra(x)] *vt* équilibrer. ◆ **equilibrar-se** *vp* s'équilibrer.

equilíbrio [eki'libriu] *m* équilibre *m*.

equipamento [ekipa'mẽntu] *m* équipement *m*.

equipar [eki'pa(x)] *vt* équiper. ◆ **equipar-se** *vp* DESP s'équiper.

equiparar [ekipa'ra(x)] *vt* comparer. ◆ **equiparar-se** *vp* : **equiparar-se a** se comparer à.

equipe [e'kipi] *f* [em esporte] équipe *f*.

equitação [ekita'sɐ̃w] *f* équitation *f*.

equivalente [ekiva'lẽntʃi] ◇ *adj* équivalent(e). ◇ *m* : **o equivalente** l'équivalent.

equivocar-se [ekivo'kaxsi] *vp* se tromper.

equívoco [e'kivoku] *m* erreur *f*.

era[1] ['ɛra] *f* ère *f*.

era[2] ['ɛra] ► **ser**.

ereto, **ta** [e'rɛtu, ta] *adj* [em pé] dressé(e) ; [direito] raide.

erguer [ex'ge(x)] *vt* lever. ◆ **erguer-se** *vp* [pessoa] se lever ; [edifício] se dresser.

eriçado, **da** [eri'sadu, da] *adj* [pêlo] hérissé(e) ; [cabelo] emmêlé(e).

erigir [eri'ʒi(x)] *vt* ériger.

ermida [ex'mida] *f* petite église *f*.

erosão [ero'zɑ̃w] *f* érosion *f*.

erótico, **ca** [i'rɔtiku, ka] *adj* érotique.

erotismo [ero'tiʒmu] *m* érotisme *m*.

erradicar [exadʒi'ka(x)] *vt* éradiquer.

errado, **da** [e'xadu, da] *adj* [conta] faux(fausse) ; [decisão, estrada] mauvais(e) ; [raciocínio] erroné(e).

errar [e'xa(x)] <> *vt* [em contas] se tromper dans ; [no caminho] se tromper de. <> *vi* [enganar-se] faire une erreur ; [vaguear] errer.

erro ['exu] *m* [engano] erreur *f* ; [ortográfico] faute *f*.

errôneo, **nea** [e'xonju, nja] *adj* erroné(e).

erudição [erudʒi'sɑ̃w] *f* érudition *f*.

erudito, **ta** [eru'dʒitu, ta] *adj* érudit(e).

erupção [erup'sɑ̃w] (*pl* -ões) *f* éruption *f*.

erva ['ɛxva] *f* herbe *f*.

erva-cidreira [ˌɛxva'sidrejra] *f* mélisse *f*.

erva-doce [ˌɛxva'dosi] *f* [para peixe] fenouil *m* ; [para bolos] anis *m*.

erva-mate [ˌɛxva'matʃi] *f* maté *m*.

ervanário [exva'narju] *m* herboriste *m*.

ervilha [ex'viʎa] *f* petit pois *m*.

ervilha-de-cheiro [exˌviʎade'ʃeju] *f* poi *m* de senteur.

és ► **ser**.

esbaforido, **da** [iʒbafu'ridu, da] *adj* essoufflé(e).

esbanjar [iʒbɑ̃'ʒa(x)] *vt* [dinheiro] gaspiller.

esbarrar [iʒba'xa(x)] *vi* : **esbarrar com** [chocar com] se heurter à ; [deparar-se com] se trouver face à ; **esbarrar em algo** [chocar com algo] heurter qqch ; [deparar-se com] affronter.

esbelto, **ta** [iʒ'bɛwtu, ta] *adj* svelte.

esboço [iʒ'bosu] *m* esquisse *f*.

esbofetear [iʒbufe'tʃja(x)] *vt* gifler.

esburacar [iʒbura'ka(x)] *vt* trouer ; [parede, rua] faire des trous dans. ◆ **esburacar-se** *vp* se remplir de trous.

escabeche [iʃka'bɛʃi] *m* escabèche *f*.

escada [iʃ'kada] *f* [de casa, edifício *etc.*] escalier *m* ; [portátil] échelle *f* ; **escada em caracol** escalier en colimaçon ; **escada rolante** escalator *m*.

escala [iʃ'kala] *f* échelle *f* ; [de avião, navio] escale *f* ; MÚS gamme *f* ; **fazer escala** faire escale ; **em grande escala** à grande échelle.

escalada [iʃka'lada] *f* escalade *f*.

escalão [iʃka'lɑ̃w] (*pl* -ões) *m* échelon *m*.

escalar [iʃka'la(x)] *vt* escalader.

escaldar [iʃkaw'da(x)] <> *vt* blanchir. <> *vi* brûler. ◆ **escaldar-se** *vp* se brûler.

escalões ► **escalão**.

escalope [iʃka'lɔpi] *m* escalope *f*.

escama [iʃ'kama] *f* écaille *f*.

escamar [iʃka'ma(x)] *vt* écailler.

escandalizar [iʃkãndali'za(x)] ◇ *vt* scandaliser. ◇ *vi* choquer. ◆ **escandalizar-se** *vp* être scandalisé(e).

escândalo [iʃ'kãndalu] *m* scandale *m*.

escanear [iʃka'nea(x)] *vt* INFORM scanner.

escangalhar [iʃkãŋga'ʎa(x)] *vt* [desmanchar] démonter. ◆ **escangalhar-se** *vp* s'écrouler.

escaninho [iʃka'niɲu] *m* casier *m*.

escanteio [iʃkãn'teju] *m* corner *m*.

escapamento [iʃkapa'mẽntu] *m* pot *m* d'échappement.

escapar [iʃka'pa(x)] *vi* [prisioneiro] s'échapper ; [gás, água] fuir ; **escapar a** échapper à. ◆ **escapar-se** *vp* [escoar-se] fuir ; [fugir] s'échapper.

escapulir *vi* fuir. ◆ **escapulir-se** *vp* [fugir] s'échapper ; [de um aborrecimento] se défiler.

escaravelho [iʃkara'veʎu] *m* scarabée *m*.

escarlate [eʃkar'latʃi] *adj* écarlate.

escarlatina [iʃkaxla'tʃina] *f* scarlatine *f*.

escárnio [iʃ'karnju] *m* raillerie *f*.

escarpado, **da** [iʃkar'padu, da] *adj* escarpé(e).

escarrar [iʃka'xa(x)] *vi* cracher.

escassez [iʃka'seʒ] *f* pénurie *f*.

escasso, **a** [iʃ'kasu, a] *adj* [pouco] rare ; [produção, recursos] limité(e).

escavação [iʃkava'sãw] (*pl* -ões) *f* fouilles *fpl*.

escavar [iʃka'va(x)] *vt* creuser.

esclarecer [iʃklare'se(x)] *vt* [pessoa] comprendre, éclairer ; [mistério] éclaircir ; [ponto] clarifier.

esclarecimento [iʃklaresi'mẽntu] *m* [informação] renseignement *m* ; [explicação] éclaircissement *m*.

escoar [iʃkw'a(x)] *vt* [líquido] faire couler ; [produtos] écouler. ◆ **escoar-se** *vp* s'écouler.

escocês, **esa** [iʃko'seʒ, eza] (*mpl* -eses, *fpl* -s) ◇ *adj* écossais(e). ◇ *m, f* Écossais *m*, -e *f*.

Escócia [iʃ'kɔsja] *f* : **a Escócia** l'Écosse *f*.

escola [iʃ'kɔla] *f* école *f* ; **escola politécnica** *école supérieure d'enseignement technique* ; **escola primária** école primaire ; **escola pública** école publique ; **escola de samba** école de samba ; **escola secundária** lycée *m*.

escolar [iʃko'la(x)] (*pl* -es) *adj* scolaire.

escolha [iʃ'koʎa] *f* choix *m* ; **à escolha** au choix.

escolher [iʃko'ʎe(x)] *vt* & *vi* choisir.

escombros [iʃ'kõmbruʃ] *mpl* décombres *mpl*.

esconder [iʃkõn'de(x)] *vt* cacher. ◆ **esconder-se** *vp* se cacher.

esconderijo [iʃkõnde'riʒu] *m* cachette *f*.

escondidas [iʃkõn'dʒidaʃ] ◆ **às escondidas** *adv* en cachette.

escondido, **da** [iʃkõn'dʒidu, da] *adj* caché(e).

escorar [iʃkɔ'ra(x)] *vt* étayer.

escorpião [iʃkox'pjãw] (*pl* -ões) *m* scorpion *m*. ◆ **Escorpião** *m* Scorpion *m*.

escorregadio, **dia** [iʃkoxega'dʒiu, dʒia] *adj* glissant(e).

escorregador [iʃkoxega'do(x)] *m* toboggan *m*.

escorregar [iʃkoxe'ga(x)] *vi* glisser.

escorrer [iʃko'xe(x)] ◇ *vt* égoutter. ◇ *vi* goutter.

escoteiro, **ra** [iʃkõ'tejru, ra] *m, f* scout *m*, -e *f*.

escotilha [iʃko'tiʎa] *f* écoutille *f*.

escova [iʃ'kova] *f* brosse *f* ; **escova de dentes** brosse à dents ; **escova de unhas** brosse à ongles.

escovar [iʃko'va(x)] *vt* brosser ; **escovar os dentes** brosser les dents.

escravatura [iʃkrava'tura] *f* esclavage *m*.

escravidão [iʃkravi'dɑ̃w] *f* esclavage *m*.

escravo, **va** [iʃ'kravu, va] *m, f* esclave *mf*.

escrever [iʃkre've(x)] *vt* & *vi* écrire ; **escrever à máquina** taper à la machine. ◆ **escrever-se** *vp* s'écrire.

escrevinhar [iʃkrevi'ɲa(x)] *vt* griffonner.

escrita [iʃ'krita] *f* [caligrafia] écriture *f*.

escrito, **ta** [iʃ'kritu, ta] <> *pp* ► escrever. <> *adj* écrit(e) ; **por escrito** par écrit.

escritor, **ra** [iʃkri'to(x), ra] (*mpl* -es, *fpl* -s) *m, f* écrivain *m*.

escritório [iʃkri'tɔrju] *m* bureau *m* ; [de advogado] cabinet *m*.

escritura [iʃkri'tura] *f* acte *m (notarié)*.

escrivaninha [iʃkriva'niɲa] *f* secrétaire *m*.

escrúpulo [iʃ'krupulu] *m* scrupule *m* ; **não ter escrúpulos** ne pas avoir de scrupules.

escudo [iʃ'kudu] *m* [unidade monetária] escudo *m* ; [arma] bouclier *m*.

esculpir [iʃkuw'pi(x)] *vt* sculpter.

escultor, **ra** [iʃkuw'to(x), ra] (*mpl* -es, *fpl* -s) *m, f* sculpteur *m*, -trice *f*.

escultura [iʃkuw'tura] *f* sculpture *f*.

escuras [iʃ'kuraʃ] ◆ **às escuras** *adv* dans le noir.

escurecer [iʃkure'se(x)] <> *vi* [céu] s'assombrir ; [noite] tomber. <> *vt* [cor] foncer ; [quarto] faire le noir dans ; **começa a escurecer** il commence à faire nuit.

escuridão [iʃkuri'dɑ̃w] *f* obscurité *f*.

escuro, **ra** [iʃ'kuru, ra] <> *adj* sombre ; [cor] foncé(e) ; [sem luz] obscur(e). <> *m* obscurité *f* ; **ficar no escuro** *fig* ne rien comprendre.

escutar [iʃku'ta(x)] *vt* écouter.

esfaquear [iʃfa'kja(x)] *vt* donner un coup de couteau à.

esfarelar [iʃfare'la(x)] *vt* émietter. ◆ **esfarelar-se** *vp* s'émietter.

esfarrapado, **da** [iʃfaxa'padu, da] *adj* déchiré(e).

esfera [iʃ'fɛra] *f* sphère *f*.

esférico, **ca** [iʃ'fɛriku, ka] *adj* sphérique.

esferográfica [iʃfero'grafika] *f* stylo *m*.

esfoladela [iʃfola'dɛla] *f* écorchure *f*.

esfolar [iʃfo'la(x)] *vt* écorcher.

esfomeado, **da** [iʃfɔ'mjadu, da] *adj* affamé(e).

esforçado, **da** [iʃfox'sadu, da] *adj* travailleur(euse).

esforçar-se [iʃfox'saxsi] *vp* faire des efforts.

esfregão [iʃfre'gɑ̃w] (*pl* -ões) *m* [de louça] tampon *m* à récurer.

esfregar [iʃfre'ga(x)] *vt* frotter ; [louça] récurer.

esfregões ► **esfregão**.

esfriar [iʃfri'a(x)] *vi* refroidir ; [tempo] se refroidir.

esfuziante [iʃfu'zjɑ̃ntʃi] *adj* débordant(e).

esganar [iʒga'na(x)] *vt* étrangler.

esganiçado, **da** [iʒgani'sadu, da] *adj* [voz] perçant(e) ; [som] strident(e).

esgotado, **da** [iʒgo'tadu, da] *adj* épuisé(e).

esgotamento [iʒgota'mẽntu] *m* épuisement *m*.

esgotar [iʒgo'ta(x)] *vt* épuiser. ◆ **esgotar-se** *vp* [produto] être épuisé(e) ; [extenuar-se] s'épuiser.

esgoto [iʒ'gotu] *m* égoût *m*.

esgrima [iʒ'grima] *f* escrime *f*.

esgueirar-se [iʒgej'raxsi] *vp* [partir] s'éclipser ; [de um aborrecimento] se défiler.

esguichar [iʒgi'ʃa(x)] ◇ *vt* asperger de. ◇ *vi* gicler.

esguicho [iʒ'giʃu] *m* [jato de água] jet *m* d'eau ; [repuxo] fontaine *f* ; [de mangueira] jet *m*.

esguio, **guia** [iʒ'giu, gia] *adj* élancé(e).

eslavo, **va** [iʒ'lavu, va] ◇ *adj* slave. ◇ *m, f* Slave *mf*.

esmagador, **ra** [iʒmaga'do(x), ra] (*mpl* -es, *fpl* -s) *adj* écrasant(e).

esmagar [iʒma'ga(x)] *vt* écraser.

esmalte [iʒ'mawtʃi] *m* émail *m*.

esmeralda [iʒme'rawda] *f* émeraude *f*.

esmerar-se [iʒme'raxsi] *vp* s'appliquer.

esmigalhar [iʒmiga'ʎa(x)] *vt* [pão, broa, bolo] émietter ; [vidro, porcelana] briser. ◆ **esmigalhar-se** *vp* [pão, broa, bolo] s'émietter ; [vidro, porcelana] se briser.

esmola [iʒ'mɔla] *f* aumône *f*.

esmurrar [iʒmu'xa(x)] *vt* donner des coups de poing à ; *fam* esquinter.

espaçar [iʃpa'sa(x)] *vt* espacer.

espacial [iʃpa'sjaw] (*pl* -ais) *adj* spatial(e).

espaço [iʃ'pasu] *m* espace *m* ; **o espaço** l'espace ; **há espaço para muitas pessoas** il y a beaucoup de place.

espaçoso, **osa** [iʃpa'sozu, ɔza] *adj* spacieux(euse).

espada [iʃ'pada] *f* épée *f*. ◆ **espadas** *fpl* pique *m*.

espadarte [iʃpa'daxti] *m* espadon *m*.

espaguete [iʃpa'gɛtʃi] *m* spaghetti *m*.

espairecer [iʃpajre'se(x)] *vi* se changer les idées.

espalhar [iʃpa'ʎa(x)] *vt* [dispersar] éparpiller ; [notícia] répandre ; [boato] faire courir ; [massa, manteiga] étaler. ◆ **espalhar-se** *vp* [dispersar-se] s'éparpiller ; *fam* [estatelar-se] s'étaler ; [notícia] se répandre ; [boato] courir.

espanador [iʃpana'do(x)] (*pl* -es) *m* plumeau *m (à poussière)*.

espancar [iʃpãŋ'ka(x)] *vt* rouer de coups.

Espanha [iʃ'paɲa] *f* : **a Espanha** l'Espagne *f*.

espanhol, **la** [iʃpã'ɲɔw] (*mpl* -óis, *fpl* -s) ◇ *adj* espagnol(e). ◇ *m, f* Espagnol *m*, -e *f*. ◇ *m* [língua] espagnol *m*.

espantalho [iʃpãn'taʎu] *m* épouvantail *m*.

espantar [iʃpãn'ta(x)] *vt* [causar espanto] étonner ; [afugentar] faire fuir ; *fig* [perturbar o sono] faire perdre ; [combater o sono] lutter contre. ◆ **espantar-se** *vp* [admirar-se] s'étonner ; [fugir] fuir.

espanto [iʃ'pãntu] *m* [admiração] étonnement *m* ; [susto] frayeur *f*.

esparadrapo [iʃpara'drapu] *m* sparadrap *m*.

espartilho [iʃpax'tiʎu] *m* corset *m*.

espasmo [iʃ'paʒmu] *m* spasme *m*.

espátula [iʃ'patula] *f* spatule *f*.

especial [iʃpe'sjaw] (*pl* -ais) *adj* [interesse, sabor, cor] particulier(ère) ; [edição, enviado, efeito] spécial(e) ; [pessoa, obra de arte] extraordinaire ; **em especial** en particulier, particulièrement.

especialidade [iʃpesjali'dadʒi] *f* spécialité *f*.

especialista [iʃpesja'liʃta] *adj* & *mf* spécialiste.

especiarias [iʃpesja'riaʃ] *fpl* épices *fpl*.

espécie [iʃ'pɛsji] *f* espèce *f* ; **a espécie humana** l'espèce humaine ; **uma espécie de** une espèce de.

especificar [iʃpesifi'ka(x)] *vt* [explicar] spécifier ; [ponto] préciser.

espécime [iʃ'pɛsimi] *m* spécimen *m*.

espectador, ra [iʃpɛkta'do(x), ra] (*mpl* -es, *fpl* -s) *m, f* spectateur *m*, -trice *f*.

espectro [iʃ'pɛktru] *m* spectre *m*.

especulação [iʃpɛkula'sau] (*pl* -ões) *f* spéculation *f*.

especular [iʃpɛku'la(x)] *vi* spéculer ; **especular sobre** spéculer sur.

espelho [iʃ'peʎu] *m* glace *f*, miroir *m* ; **espelho retrovisor** rétroviseur *m*.

espera [iʃ'pɛra] *f* attente *f* ; **estar à espera de algo** s'attendre à qqch ; **estar à espera de alguém** attendre qqn.

esperança [iʃpe'rɑ̃sa] *f* [confiança] espoir *m* ; [expectativa] espérance *f*.

esperar [iʃpe'ra(x)] ◇ *vt* [aguardar] attendre ; [ter esperança em] espérer. ◇ *vi* attendre ; **como era de esperar** comme il fallait s'y attendre ; **esperar que** espérer que ; **fazer alguém esperar** faire attendre qqn ; **ir esperar alguém** aller attendre qqn.

esperma [iʃ'pɛxma] *m* sperme *m*.

espertalhão, lhona [iʃpexta'ʎɑ̃w, ʎona] (*mpl* -ões, *fpl* -s) *m, f* malin *m*, -igne *f*.

esperteza [iʃpex'teza] *f* ruse *f*.

esperto, ta [iʃ'pɛxtu, ta] *adj* [astuto] rusé(e) ; [ativo] éveillé(e).

espesso, a [iʃ'pesu, a] *adj* épais(aisse).

espessura [iʃpe'sura] *f* épaisseur *f*.

espetacular [iʃpɛtaku'la(x)] (*pl* -es) *adj* spectaculaire.

espetáculo [iʃpe'takulu] *m* spectacle *m* ; **espetáculo de luzes e som** spectacle son et lumière ; **espetáculo de variedades** spectacle de variétés.

espetar [iʃpe'ta(x)] *vt* enfoncer. ◆ **espetar-se** *vp* se piquer.

espeto [iʃ'petu] *m* [de ferro] broche *f* ; [de pau] pieu *m* ; [comida] brochette *f*.

espevitado, da [iʃpevi'tadu, da] *adj* vif(vive).

espezinhar [iʃpezi'ɲa(x)] *vt* piétiner.

espia [iʃ'pia] *f* hauban *m*.

espião, piã [iʃ'pjɑ̃w, pjɑ̃] (*mpl* -ões, *fpl* -s) *m, f* espion *m*, -onne *f*.

espiar [iʃ'pja(x)] *vt* épier.

espiga [iʃ'piga] *f* épi *m*.

espinafre [iʃpi'nafri] *m* épinard *m*.

espingarda [iʃpĩŋ'garda] *f* fusil *m*.

espinha [iʃ'piɲa] *f* [de pele] bouton *m* ; [de pessoa] dos *m* ; [de peixe] arête *f* ; **espinha dorsal** colonne *f* vertébrale.

espinho [iʃ'piɲu] *m* [de rosa, silva] épine *f* ; [de porco-espinho] piquant *m*.

espiões ► **espião**.

espiral [iʃpi'raw] (*pl* -ais) *f* spirale *f* ; **em espiral** en spirale.

espírito [iʃ'piritu] *m* esprit *m*.

espiritual [iʃpiri'twaw] (*pl* -ais) *adj* spirituel(elle).

espirrar [iʃpi'xa(x)] *vi* [dar espirros] éternuer ; [esguichar] gicler.

esplanada [iʃpla'nada] *f* esplanade *f*.

esplêndido, da [iʃ'plẽndidu, da] *adj* splendide.

esplendor [iʃplẽn'do(x)] *m* splendeur *f*.

espoleta [iʃpo'leta] *f* amorce *f (d'explosif)*.

esponja [iʃ'põʒa] *f* éponge *f* ; **passar uma esponja sobre algo** *fig* passer l'éponge sur qqch.

espontaneidade [iʃpõntanei'dadʒi] *f* spontanéité *f*.

espontâneo, nea [iʃpõn'tanju, nja] *adj* spontané(e).

espora [iʃ'pɔra] *f* éperon *m*.

esporádico, ca [iʃpo'radʒiku, ka] *adj* sporadique.

esporte [iʃ'pɔxtʃi] *m* sport *m*.

esportista [iʃpox'tʃiʃta] *mf* sportif *m*, -ive *f*.

esportivo, va [iʃpox'tʃivu, va] *adj* & *m, f* sportif(ive).

esposo, sa [iʃ'pozu, za] *m, f* époux *m*, épouse *f*.

espreguiçar-se [iʃpregi'saxsi] *vp* s'étirer.

espreita [iʃ'prejta] ◆ **à espreita** *adv* aux aguets.

espreitar [iʃprej'ta(x)] *vt* [espiar] épier ; [presa] guetter.

espremedor [iʃpreme'do(x)] (*pl* -es) *m* [de limão, laranja] presse-citron *m*.

espremer [iʃpre'me(x)] *vt* presser.

espuma [iʃ'puma] *f* [de mar] écume *f* ; [de sabão, banho] mousse *f*.

espumante [iʃpu'mãntʃi] ◇ *adj* [vinho] mousseux(euse). ◇ *m* mousseux *m*.

espumoso, osa [iʃpu'mozu, za] *adj* & *m* = **espumante**.

esq. (*abrev de* **esquerdo**) gauche.

esquadra [eʃ'kwadra] *f* flotte *f*.

esquadro [iʃ'kwadru] *m* équerre *f*.

esquecer [iʃke'se(x)] *vt* oublier. ◆ **esquecer-se** *vp* oublier ; **esquecer-se de algo/fazer algo** oublier qqch/de faire qqch.

esquecido, da [iʃke'sidu, da] *adj* & *m, f* étourdi(e).

esquecimento [iʃkesi'mẽntu] *m* oubli *m*.

esqueleto [iʃke'letu] *m* [de pessoa, animal] squelette *m* ; [armação] ossature *f*.

esquema [iʃ'kema] *m* [diagrama] schéma *m* ; [sistema] moyen *m*.

esquentar [iʃkẽn'ta(x)] *vt* chauffer.

esquerda [iʃ'kexda] *f* : **a esquerda** la gauche ; **à esquerda** à gauche ; **virar à esquerda** tourner à gauche ; **pela esquerda** à gauche ; **ser de esquerda** être de gauche.

esquerdo, da [iʃ'kexdu, da] *adj* gauche.

esqui [iʃ'ki] *m* ski *m* ; **esqui aquático** ski nautique.

esquiar [iʃki'a(x)] *vi* skier.

esquilo [iʃ'kilu] *m* écureuil *m*.

esquina [iʃ'kina] *f* coin *m* ; **fazer esquina (com)** faire l'angle (avec).

esquisito, ta [iʃki'zitu, ta] *adj* [estranho] bizarre.

esquivar-se [iʃki'vaxsi] *vp* s'esquiver ; **esquivar-se de fazer algo** s'arranger pour ne pas faire qqch.

esquivo, va [iʃ'kivu, va] *adj* farouche.

essa ➤ **esse**.

esse, essa ['esi, 'ɛsa] ◇ *adj* ce(cette). ◇ *pron* celui-là(celle-là) ; **essa é boa!** elle est bien bonne celle-là ! ; **só faltava mais essa!** il ne manquait plus que ça !

essência [e'sẽsja] *f* essence *f*.

essencial [esẽ'sjaw] (*pl* -ais) ◇ *adj* essentiel(elle). ◇ *m* : **o essencial** l'essentiel *m*.

esses ➤ **esse**.

esta ['ɛʃta] ➤ **este**[1].

está [iʃ'ta] ➤ **estar**.

estabelecer [iʃtable'se(x)] *vt* fixer. ◆ **estabelecer-se** *vp* s'installer.

estabelecimento [iʃtabelesi'mẽntu] *m* établissement *m* ; **estabelecimento de ensino** établissement *m* (scolaire).

estabilidade [iʃtabili'dadʒi] *f* stabilité *f*.

estabilizador [iʃtabiliza'do(x)] (*pl* -es) *m* : **estabilizador (de corrente)** stabilisateur *m* de courant.

estábulo [iʃ'tabulu] *m* étable *f*.

estaca [iʃ'taka] *f* piquet *m*.

estação [iʃta'sɑ̃w] (*pl* -ões) *f* [de trem, ônibus] gare *f* ; [do ano, turismo, vendas] saison *f* ; **estação de águas** cure *f* thermale ; [cidade] station *f* thermale.

estacionamento [iʃtasjona'mẽntu] *m* [ato] stationnement *m* ; [lugar] place *f* ; **'estacionamento privado'** 'parking privé' ; **'estacionamento proibido'** 'défense de stationner'.

estacionar [iʃtasjo'na(x)] ◇ *vt* garer. ◇ *vi* se garer ; [inflação] stagner.

estações ► **estação**.

estada [iʃ'tada] *f* séjour *m (temps passé)*.

estadia [iʃta'dʒia] *f* séjour *m (temps passé)*.

estádio [iʃ'tadʒju] *m* [de futebol, atletismo] stade *m* ; [fase] période *f*.

estadista [iʃta'dʒiʃta] *mf* homme *m* d'État.

estado [iʃ'tadu] *m* état *m* ; **em bom/mau estado** en bon/mauvais état ; **estado civil** état civil ; **estado físico** état de santé. ◆ **Estado** *m* : **o Estado** l'État *m* ; **os Estados Unidos** les États-Unis *mpl*.

estalagem [iʃta'laʒẽ] (*pl* -ns) *f* hôtel-restaurant *m*.

estalar [iʃta'la(x)] ◇ *vi* [porcelana, vidro, barro] se fendre ; [osso, lenha] craquer ; [fogo] crépiter. ◇ *vt* : **estalar a língua** faire claquer sa langue ; **estalar os dedos** claquer des doigts.

estalido [iʃta'lidu] *m* [estalo agudo] claquement *m* ; [crepitação] crépitement *m*.

estalo [iʃ'talu] *m* craquement *m* ; *fam* baffe *f*.

estampado, da [iʃtɑ̃m'padu, da] *adj* imprimé(e).

estancar [iʃtɑ̃ŋ'ka(x)] ◇ *vt* [líquido] étancher. ◇ *vi* [sangue] arrêter de couler.

estância [iʃ'tɑ̃sja] *f* [fazenda] *grande exploitation agricole* ; **estância hidromineral** station *f* thermale ; **estância termal** station *f* thermale.

estande [iʃ'tandʒi] *m* [em exposições] stand *m*.

estanho [iʃ'taɲu] *m* étain *m*.

estante [iʃ'tɑ̃ntʃi] *f* étagère *f*.

estão [iʃ'tɑ̃w] ► **estar**.

estapafúrdio, dia [iʃtapa'furdʒju, dʒja] *adj* [excêntrico] extravagant(e) ; [esquisito] biscornu(e).

estar [iʃ'ta(x)] *vi* **1.** [ger] être ; [em casa] être là ; **ele estará lá à hora certa** il sera là à l'heure ; **estarei no emprego às dez** je serai au bureau à dix heures ; **o João não está** João n'est pas là ; **não estou para ninguém** je n'y suis pour personne ; **está avariado** il est en panne ; **estar bem/mal de saúde** être en bonne/mauvaise santé ; **está muito calor/frio** il fait très chaud/froid ; **como está?** comment vas-tu? ; **estou com fome/medo/febre** j'ai faim/peur/de la fièvre ; **ele estará de férias por duas semanas** il sera en vacances pendant deux semaines ; **estive em casa toda a tarde** je suis resté chez moi tout l'après-midi ; **estive à espera uma hora** j'ai attendu pendant une heure - **2.** [em locuções] : **está certo!** c'est ça ! ; **está bem!** d'accord ! ◆ **estar a** *v + prep* : **a gasolina está a 1 euro o litro** l'essence est à 1 euro le litre ; **estou trabalhando** je travaille. ◆ **estar de** *v + prep* : **estar de licença/férias** être en congé de maladie/en vacances ; **estar de barriga** être enceinte ; **estar de calças** être en pantalon ; **estar de vigia** monter la garde. ◆ **estar para** *v + prep* être sur le point de ; **ele está para chegar** il est sur le point d'arriver ; **estou para sair** je suis sur le point de sortir ; **não estou para brincadeiras** je ne suis pas d'humeur à plaisanter ; **estava para telefonar para você, mas esqueci-me** je comptais te téléphoner mais j'ai oublié. ◆ **estar perante** *v + prep* être face à. ◆ **estar por** *v + prep* [apoiar] être pour ; [por realizar] **: a cama está por fazer** le lit n'est pas fait. ◆ **estar sem** *v + prep* ne pas avoir.

estardalhaço [iʃtaxda'ʎasu] *m* tapage *m*.

estarrecer [iʃtaxe'se(x)] *vt* terrifier.

estatal [iʃta'taw] (*pl* -ais) *adj* d'État.

estático, ca [iʃ'tatʃiku, ka] *adj* [imóvel] statique.

estátua [iʃ'tatwa] *f* statue *f*.

estatura [iʃta'tura] *f* [tamanho de pessoa] stature *f* ; [valor] envergure *f*.

estatuto [iʃta'tutu] *m* statut *m*.

este[1], esta ['eʃtʃi, 'ɛʃta] ◇ *adj* ce(cette). ◇ *pron* celui-ci(celle-ci) ; **este mês/ano** ce mois-ci/cette année.

este[2] ['ɛʃtʃi] *m* Est *m* ; **a este** à l'est ; **a este de** à l'est de ; **no este** à l'est.

esteira [iʃ'tejra] *f* natte *f* ; **esteira rolante** tapis roulant.

estender [iʃtẽn'de(x)] *vt* [braços, pernas] tendre ; [jornal] ouvrir ; [peça de roupa] étendre ; [prazo, estadia] prolonger. ◆ **estender-se** *vp* s'étendre.

estenografia [iʃtenogra'fia] *f* sténo *f*.

estepe [iʃ'tɛpi] *f* steppe *f*.

estéreis ► **estéril**.

estereofônico, ca [iʃterjo'foniku, ka] *adj* stéréophonique.

estéril [iʃ'tɛriw] (*pl* -reis) *adj* stérile.

esterilizar [iʃterili'za(x)] *vt* [desinfetar] stériliser.

estes ► **este**.

estética [iʃ'tɛtika] *f* esthétique *f*.

estetoscópio [iʃtɛtoʃ'kɔpju] *m* stéthoscope *m*.

esteve [iʃ'tevi] ► **estar**.

estiar [iʃ'tja(x)] *vi* [parar de chover] arrêter de pleuvoir ; [tempo] se lever.

estibordo [iʃtʃi'bɔxdu] *m* tribord *m*.

esticar [iʃtʃi'ka(x)] *vt* [braço, perna] étendre ; [elástico, corda, fio] tendre ; **ir esticar as pernas** se dégourdir les jambes. ◆ **esticar-se** *vp* s'étirer.

estigma [iʃ'tʃigma] *m* stigmate *m*.

estilhaçar [iʃtiʎa'sa(x)] *vt* briser. ◆ **estilhaçar-se** *vp* se briser.

estilhaço [iʃtʃi'ʎasu] *m* éclat *m*.

estilo [iʃ'tʃilu] *m* style *m*.

estima [iʃ'tʃima] *f* estime *f*.

estimar [iʃtʃi'ma(x)] *vt* estimer.

estimativa [iʃʃtima'tʃiva] *f* estimation *f*.

estimulante [iʃtʃimu'lãntʃi] ◇ *adj* [incentivador] encourageant(e) ; [excitante] stimulant(e). ◇ *m* stimulant *m*.

estimular [iʃtʃimu'la(x)] *vt* stimuler.

estipular [eʃtipu'la(x)] *vt* [determinar] fixer ; [suj: lei] stipuler.

estivador, ra [iʃtʃiva'do(x), ra] (*mpl* -es, *fpl* -s) *m, f* arrimeur *m*.

estive [iʃ'tivi] ► **estar**.

estofo [iʃ'tofu] *m* rembourrage *m*.

estojo [iʃ'toʒu] *m* étui *m* ; **estojo (de lápis)** trousse *f* ; **estojo de primeiros-socorros** trousse de secours.

estômago [iʃ'tomagu] *m* estomac *m*.

estontear [iʃtõn'tja(x)] *vt* tourner la tête.

estoque [iʃ'tɔki] *m* stock *m*.

estore [iʃ'tɔri] *m* store *m*.

estorninho [iʃtox'niɲu] *m* étourneau *m*.

estou [iʃ'to] ► **estar**.

estourado, da [iʃto'radu, da] *adj fam* crevé(e).

estourar [iʃto'ra(x)] ◇ *vt* [balão, bola] crever ; *fam* [gastar] claquer. ◇ *vi* [balão, bola, pneu] crever ; [bomba, explosivo] éclater.

estouro [iʃ'toru] *m* [de bola, balão, pneu] éclatement *m* ; [detonação] détonation *f* ; **de estouro** *fam* du tonnerre.

estrábico, ca [iʃ'trabiku, ka] *adj* : **ser estrábico** loucher.

estrabismo [iʃtra'biʒmu] *m* strabisme *m*.

estrada [iʃ'trada] *f* route *f* ; **estrada de ferro** chemin *m* de fer ; **estrada secundária** route secondaire.

estrado [iʃ'tradu] *m* estrade *f*.

estragado, da [iʃtra'gadu, da] *adj* [leite] tourné(e) ; [carne] avarié(e) ; [iogurte] périmé(e) ; [fruta] gâté(e) ; [aparelho, máquina] abîmé(e).

estragão [iʃtra'gɑ̃w] *m* estragon *m*.

estragar [iʃtra'ga(x)] *vt* [aparelho, máquina] abîmer ; [desperdiçar] gâcher. ◆ **estragar-se** *vp* [comida] se gâter ; [leite] tourner.

estrangeiro, ra [iʃtrɑ̃'ʒejru, ra] ◇ *adj* & *m, f* étranger(ère). ◇ *m* : **o estrangeiro** l'étranger *m* ; **no estrangeiro** à l'étranger.

estrangular [iʃɑ̃ŋgu'la(x)] *vt* étrangler.

estranhar [iʃtra'ɲa(x)] *vt* sentir la différence de.

estranho, nha [iʃ'traɲu, ɲa] ◇ *adj* étrange. ◇ *m, f* étranger *m*, -ère *f (un inconnu)*.

estratégia [iʃtra'tɛʒja] *f* stratégie *f*.

estrear [iʃtre'a(x)] *vt* étrenner ; **a peça estréia no sábado** la première de la pièce aura lieu samedi. ◆ **estrear-se** *vp* [filme] sortir sur les écrans ; **a peça estréia-se no sábado** la première de la pièce aura lieu samedi.

estréia [iʃ'trɛja] *f* [de ator] premier rôle *m* ; [de peça teatral, filme] première *f*.

estreitar [iʃtrej'ta(x)] ◇ *vt* [roupa] faire rétrécir. ◇ *vi* rétrécir.

estreito, ta [iʃ'trejtu, ta] ◇ *adj* étroit(e) ; [roupa] serré(e). ◇ *m* détroit *m*.

estrela [iʃ'trela] *f* étoile *f* ; [de cinema, teatro] star *f* ; **estrela cadente** étoile filante ; **ver estrelas** voir trente-six chandelles.

estremecer [iʃtreme'se(x)] ◇ *vt* faire trembler. ◇ *vi* [tremer] trembler ; [assustar-se] frémir.

estresse [iʃ'trɛʃi] *m* stress *m*.

estria [iʃ'tria] *f* [em quadris] vergeture *f* ; [em superfície] strie *f*.

estribo [iʃ'tribu] *m* étrier *m*.

estridente [iʃtri'dẽntʃi] *adj* strident(e).

estrofe [iʃ'trɔfi] *f* strophe *f*.

estrondo [iʃ'trõndu] *m* fracas *m* ; **de estrondo** *fig* du tonnerre.

estropiar [iʃtro'pja(x)] *vt* estropier.

estrume [iʃ'trumi] *m* fumier *m*.

estrutura [iʃtru'tura] *f* structure *f*.

estuário [iʃ'twarju] *m* estuaire *m*.

estudante [iʃtu'dɑ̃ntʃi] *mf* étudiant *m*, -e *f*.

estudar [iʃtu'da(x)] *vt* & *vi* étudier.

estúdio [iʃ'tudʒju] *m* studio *m* ; [de pintor, escultor, arquiteto] atelier *m*.

estudioso, osa [iʃtu'dʒjozu, ɔza] *adj* studieux(euse).

estudo [iʃ'tudu] *m* : **os estudos** les études *fpl* ; [análise] étude *f* ; **em estudo** à l'étude.

estufa [iʃ'tufa] *f* [de jardim] serre *f* ; [de fogão] chauffe-assiettes *m inv* ; [tipo de fogão] poêle *m*.

estupefação [iʃtupefa'sɐ̃w] *f* stupéfaction *f*.

estupefaciente [iʃtupefa'sjẽnti] *m* stupéfiant *m*.

estupefato, ta [iʃtupe'fatu, ta] *adj* stupéfait(e).

estupendo, da [iʃtu'pẽndu, da] *adj* [extraordinário] formidable ; [ótimo] parfait(e).

estupidez [iʃtupi'deʃ] *f* stupidité *f*.

estúpido, da [iʃ'tupidu, da] *m, f* idiot *m*, -e *f*.

estupro [iʃ'tupru] *m* stupre *m*.

estuque [iʃ'tuki] *m* stuc *m*.

esvaziar [iʒva'zja(x)] *vt* vider.

esvoaçar [iʒvwa'sa(x)] *vi* [ave] voltiger.

etapa [i'tapa] *f* étape *f* ; [de doença, estudo] stade *m* ; **fazer algo por etapas** faire qqch par étapes.

éter ['ɛte(x)] *m* éther *m*.

eternidade [etexni'dadʒi] *f* éternité *f* ; **demorar uma eternidade** durer une éternité ; **esperar uma eternidade** attendre une éternité.

eterno, na [e'texnu, na] *adj* éternel(elle).

Ethernet [etex'neti] *f* INFORM Ethernet®.

ética ['ɛtʃika] *f* éthique *f*.

ético, ca ['ɛtʃiku, ka] *adj* éthique.

etílico [i'tiliku] *adj m* ► **álcool**.

etiqueta [etʃi'keta] *f* [social] bienséance *f* ; [rótulo] étiquette *f*.

étnico, ca ['ɛtniku, ka] *adj* ethnique.

eu ['ew] *pron* [sujeito] je ; [complemento] moi ; **sou eu** c'est moi ; **e eu?** et moi ? ; **eu mesmo** OU **próprio** moi-même.

E.U.A. *mpl* (*abrev de* **Estados Unidos da América**) USA *mpl*.

eucalipto [ewka'liptu] *m* eucalyptus *m*.

eufemismo [ewfe'miʒmu] *m* euphémisme *m*.

euforia [ewfo'ria] *f* euphorie *f*.

Eurocheque® [ewrɔ'ʃɛki] *m* eurochèque *m*.

Europa [ew'rɔpa] *f* : **a Europa** l'Europe *f*.

europeu, péia [ewru'pew, pɛja] ◇ *adj* européen(enne). ◇ *m, f* Européen *m*, -enne *f*.

evacuação [evakwa'sɐ̃w] (*pl* -ões) *f* évacuation *f*.

evacuar [eva'kwa(x)] *vt* évacuer.

evadir-se [eva'dixsi] *vp* s'évader.

Evangelho [evɐ̃'ʒɛʎu] *m* : **o Evangelho** l'Évangile *m*.

evaporar [evapo'ra(x)] *vt* évaporer. ◆ **evaporar-se** *vp* [líquido] s'évaporer ; *fig* [desaparecer] disparaître.

evasão [eva'zɐ̃w] (*pl* -ões) *f* évasion *f* ; [evasiva] détour *m*.

evasiva [eva'ziva] *f* échappatoire *f*.

evasivo, va [eva'zivu, va] *adj* évasif(ive).

evasões ► **evasão**.

evento [e'vẽntu] *m* événement *m*.

eventual [evẽn'twaw] (*pl* -ais) *adj* éventuel(elle).

evidência [evi'dẽsja] *f* évidence *f*.

evidenciar [evidẽ'sja(x)] *vt* mettre en évidence. ◆ **evidenciar-se** *vp* [tornar-se claro] être évident(e) ; [destacar-se] se distinguer.

evidente [evi'dẽntʃi] *adj* évident(e) ; **como é evidente** évidemment.

evitar [evi'ta(x)] *vt* éviter ; **evitar que algo aconteça** éviter que qqch n'arrive.

evocar [evo'ka(x)] *vt* évoquer.

evolução [evolu'sɐ̃w] *f* évolution *f*.

evoluir [evo'lwi(x)] *vi* évoluer.

exagerar [ezaʒe'ra(x)] *vt* exagérer.

exagero [eza'ʒeru] *m* exagération *f* ; **sem exagero** sans exagérer ; **é um exagero!** c'est exagéré !

exalar [eza'la(x)] *vt* exhaler.

exaltado, **da** [ezaw'tadu, da] *adj* en colère.

exaltar [ezaw'ta(x)] *vt* [elogiar] faire l'éloge de ; [irritar] énerver. ◆ **exaltar-se** *vp* s'emporter.

exame [e'zami] *m* examen *m*.

examinar [ezami'na(x)] *vt* examiner.

exatamente [eˌzata'mẽntʃi] ◇ *adv* exactement. ◇ *interj* tout à fait !

exatidão [ezatʃi'dɑ̃w] *f* exactitude *f* ; **com exatidão** avec précision.

exato, **ta** [e'zatu, ta] *adj* précis(e) ; [correto] exact(e).

exaustão [ezawʃ'tɑ̃w] *f* épuisement *m*.

exausto, **ta** [e'zawʃtu, ta] *adj* épuisé(e).

exaustor [ezawʃ'to(x)] (*pl* -es) *m* hotte *f (de cuisine)*.

exceção [eʃse'sɑ̃w] (*pl* -ões) *f* exception *f* ; **à** OU **com exceção de** à l'exception de ; **sem exceção** sans exception.

exceções ► **exceção**.

excedente [ese'dẽntʃi] *m* excédent *m*.

exceder [ese'de(x)] *vt* dépasser. ◆ **exceder-se** *vp* [exagerar] exagérer ; [enfurecer-se] s'emporter ; **exceder-se no sal** mettre trop de sel ; **exceder-se na bebida** boire trop.

excelente [ese'lẽntʃi] *adj* excellent(e).

excelentíssimo, **ma** [eselẽn'tʃisimu, ma] *adj titre d'honneur donné aux professeurs universitaires, députés, gouverneurs etc.*

excêntrico, **ca** [e'sẽntriku, ka] *adj* excentrique.

excepcional [esepsju'naw] (*pl* -ais) *adj* exceptionnel(elle).

excerto [e'sextu] *m* extrait *m*.

excessivo, **va** [ese'sivu, va] *adj* excessif(ive).

excesso [e'sɛsu] *m* excès *m* ; **em excesso** trop ; **excesso de peso** [relativo a bagagem] surcharge *f* ; [relativo a pessoa] excès de poids ; **excesso de velocidade** excès de vitesse.

exceto [e'sɛtu] *prep* excepté ; **todos os dias exceto aos domingos** tous les jours sauf les dimanches.

excitação [esita'sɑ̃w] *f* excitation *f*.

excitado, **da** [esi'tadu, da] *adj* excité(e).

excitante [esi'tɑ̃ntʃi] *adj* excitant(e).

exclamação [iʃklama'sɑ̃w] (*pl* -ões) *f* exclamation *f*.

exclamar [iʃkla'ma(x)] *vi* s'exclamer, s'écrier.

excluir [iʃklu'i(x)] *vt* exclure.

exclusividade [iʃkluzivi'dadʒi] *f* exclusivité *f* ; **ter a exclusividade de** avoir l'exclusivité de.

exclusivo, **va** [iʃklu'zivu, va] *adj* exclusif(ive).

excursão [iʃkux'sɑ̃w] (*pl* -ões) *f* excursion *f*.

execução [ezeku'sɑ̃w] *f* [de objeto] fabrication *f* ; [de trabalho, plano, projeto] exécution *f* ; [de prato culinário] confection *f* ; **pôr algo em execução** mettre qqch à exécution.

executar [ezeku'ta(x)] *vt* exécuter ; [música, cena teatral] interpréter.

executivo, **va** [ezeku'tivu, va] *m, f* cadre *mf*.

exemplar [ezẽm'pla(x)] (*pl* -es) ◇ *adj* exemplaire. ◇ *m* [de espécie, raça] spécimen *m* ; [de planta] variété *f* ; [de livro, revista] exemplaire *m* ; [de coleção] pièce *f*.

exemplo [e'zẽmplu] *m* exemple *m* ; **por exemplo** par exemple ; **a título de exemplo** à titre d'exemple.

exercer [ezex'se(x)] *vt* exercer.

exercício [ezex'sisju] *m* exercice *m*.

exercitar [ezexsi'ta(x)] *vt* [cão] dresser ; [pernas, braços] faire bouger. ◆ **exercitar-se** *vp* [fazer exercício físico] faire de l'exercice ; [músculos] faire travailler ; [esportista] s'entraîner ; [músico] s'exercer.

exército [e'zɛxsitu] *m* armée *f*.

exibição [ezebi'sɑ̃w] (*pl* -ões) *f* représentation *f* ; [de quadros, esculturas] exposition *f* ; [ostentação] spectacle *m*.

exibir [ezi'bi(x)] *vt* [filme] projeter ; [peça teatral] représenter ; [quadro, escultura] exposer ; [dotes, capacidades] montrer. ◆ **exibir-se** *vp* s'exhiber.

exigência [ezi'ʒẽsja] *f* exigence *f*.

exigir [ezi'ʒi(x)] *vt* exiger.

existência [eziʃ'tẽsja] *f* existence *f*.

existir [eziʃ'ti(x)] *vi* exister.

êxito ['ezitu] *m* succès *m* ; **ter êxito** avoir du succès.

Exma. (*abrev de* **excelentíssima**) **Exma. Senhora Diretora** Madame la Directrice.

Exmo. (*abrev de* **excelentíssimo**) **Exmo. Senhor Diretor** Monsieur le Directeur.

exorcismo [ezox'siʒmu] *m* exorcisme *m*.

exorcista [ezox'siʃta] *mf* exorciste *m*.

exortação [ezoxta'sɑ̃w] (*pl* -ões) *f* exhortation *f*.

exótico, ca [e'zɔtʃiku, ka] *adj* exotique.

expansão [iʃpɑ̃'sɑ̃w] (*pl* -ões) *f* [progresso] expansion *f* ; [alegria] débordement *m* ; [alargamento] extension *f*.

expansivo, va [iʃpɑ̃'sivu, va] *adj* expansif(ive).

expansões ► **expansão**.

expectativa [iʃpɛkta'tʃiva] *f* expectative *f* ; **estar/ficar na expectativa** être dans l'expectative.

expediente [iʃpe'dʒjẽntʃi] *m* [de repartição, estabelecimento comercial] service *m* ; [correspondência] correspondance *f*.

expedir [iʃpe'dʒi(x)] *vt* expédier.

expelir [iʃpe'li(x)] *vt* [alguém] expulser, chasser ; [algo] jeter, lancer.

experiência [iʃpe'rjẽsja] *f* expérience *f* ; **com experiência** expérimenté(e).

experiente [iʃpe'rjẽntʃi] *adj* expérimenté(e).

experimentar [iʃperimẽn'ta(x)] *vt* essayer ; [comida, bebida] goûter ; [emoção] connaître ; [sensação] avoir.

expirar [iʃpi'ra(x)] *vt* & *vi* expirer.

explicação [iʃplika'sɑ̃w] (*pl* -ões) *f* explication *f*.

explicar [iʃpli'ka(x)] *vt* expliquer. ◆ **explicar-se** *vp* s'expliquer.

explícito, ta [iʃ'plisitu, ta] *adj* explicite.

explodir [iʃplo'di(x)] *vi* exploser.

exploração [iʃplora'sɑ̃w] *f* exploitation *f* ; [investigação] exploration *f*.

explorar [iʃplo'ra(x)] *vt* [investigar] explorer ; [abusar de] exploiter.

explosão [iʃplo'zɑ̃w] (*pl* -ões) *f* explosion *f*.

expor [iʃ'po(x)] *vt* exposer. ◆ **expor-se a** *vp* + *prep* s'exposer à.

exportação [iʃpoxta'sɑ̃w] (*pl* -ões) *f* exportation *f*.

exportar [iʃpox'ta(x)] *vt* exporter.

exposição [iʃpozi'sɑ̃w] (*pl* -ões) *f* exposition *f* ; **em exposição** en exposition.

exposto, osta [iʃ'poʃtu, ta] *adj* exposé(e).

expressão [iʃpre'sɑ̃w] (*pl* -ões) *f* expression *f* ; **expressão escrita/oral** expression écrite/orale.

expressar [iʃpre'sa(x)] *vt* exprimer. ◆ **expressar-se** *vp* s'exprimer.

expressivo, **va** [iʃpre'sivu, va] *adj* expressif(ive).

expresso, **a** [iʃ'prɛsu, a] ◇ *adj* [correio] express ; [ordem] formel(elle) ; [vontade, desejo, idéia] exprimé(e). ◇ *m* [trem] express *m* ; [ônibus] autobus *m* direct.

expressões ► **expressão**.

exprimir [iʃpri'mi(x)] *vt* exprimer. ◆ **exprimir-se** *vp* s'exprimer.

expropriar [iʃprupri'a(x)] *vt* exproprier.

expulsar [iʃpuw'sa(x)] *vt* expulser.

expulso, **sa** [iʃ'puwsu, sa] ◇ *pp* ► **expulsar**. ◇ *adj* expulsé(e).

extensão [iʃtẽ'sɑ̃w] *f* [dimensão espacial] étendue *f* ; [dimensão temporal] durée *f* ; [aumento espacial] agrandissement *m* ; [aumento temporal] prolongation *f* ; [elétrica] rallonge *f*.

extenso, **sa** [iʃ'tẽsu, sa] *adj* long(longue) ; [vasto] étendu(e) ; **escrever algo por extenso** écrire qqch en toutes lettres.

extensões ► **extensão**.

extenuado, **da** [iʃte'nwadu, da] *adj* exténué(e).

extenuante [iʃte'nwɑ̃ntʃi] *adj* exténuant(e).

exterior [iʃte'rjo(x)] (*pl* -es) ◇ *adj* extérieur(e). ◇ *m* [parte exterior] extérieur *m* ; [aparência] dehors *mpl* ; **o exterior** l'étranger *m*.

externo, **na** [iʃ'tɛxnu, na] *adj* extérieur(e).

extinção [iʃtĩn'sɑ̃w] *f* disparition *f* ; **em vias de extinção** en voie de disparition.

extinguir [iʃtĩŋ'gi(x)] *vt* [fogo] éteindre ; [lei, norma] abolir. ◆ **extinguir-se** *vp* [apagar-se] s'éteindre ; [desaparecer] disparaître.

extinto, **ta** [iʃ'tʃĩntu, ta] ◇ *pp* ► **extinguir**. ◇ *adj* [fogo] éteint(e) ; [norma, lei] aboli(e) ; [espécie animal, vegetal] disparu(e).

extintor [iʃtʃĩn'to(x)] (*pl* -es) *m* extincteur *m*.

extra ['ejʃtra] ◇ *adj* supplémentaire. ◇ *pref* extra. ◇ *m* [em despesa] extra *m* ; [em emprego] prime *f*.

extração [iʃtra'sɑ̃w] (*pl* -ões) *f* extraction *f* ; [de loteria] tirage *m* au sort.

extrações ► **extração**.

extraditar [iʃtradʒi'ta(x)] *vt* extrader.

extrair [iʃtra'i(x)] *vt* extraire ; [dente] arracher ; [órgão] retirer ; [número de loteria] tirer au sort ; **extrair algo de algo** tirer qqch de qqch.

extraordinário, **ria** [iʃtraordʒi'narju, rja] *adj* extraordinaire.

extrato [iʃ'tratu] *m* extrait *m* ; [de conta bancária] relevé *m*.

extravagância [iʃtrava'gɑ̃nsja] *f* [capricho] lubie *f*.

extraviado, **da** [iʃtra'vjadu, da] *adj* égaré(e).

extraviar [iʃtravi'a(x)] *vt* égarer. ◆ **extraviar-se** *vp* s'égarer.

extremidade [iʃtremi'dadʒi] *f* extrémité *f*.

extremo, **ma** [iʃ'tremu, ma] ◇ *adj* extrême. ◇ *m* extrême *m* ; **de um extremo ao outro** d'un bout à l'autre ; **chegar aos extremos de** en arriver à.

extrovertido, **da** [iʃtrovex'tʃidu, da] *adj* extraverti(e).

exuberante [ezube'rɑ̃ntʃi] *adj* exubérant(e) ; [roupa] excentrique.

exumar [ezu'ma(x)] *vt* exhumer.

ex-voto [ɛks'vɔtu] *m* ex-voto *m inv*.

F

fábrica ['fabrika] *f* usine *f*.

fabricante [fabri'kãntʃi] *m* fabricant *m*.

fabricar [fabri'ka(x)] *vt* fabriquer.

fabrico [fa'briku] *m* fabrication *f*.

fabuloso, **osa** [fabu'lozu, ɔza] *adj* fabuleux(euse).

faca ['faka] *f* couteau *m*.

face ['fasi] *f* [rosto] visage *m* ; [de poliedro] face *f* ; [superfície] surface *f* ; **fazer face a** faire face à ; **em face** en face ; **em face de** face à ; **face a face** face à face ; **à face da Terra** à la surface de la terre.

fáceis ['fasejʃ] ► **fácil**.

fachada [fa'ʃada] *f* façade *f*.

fácil ['fasiw] (*pl* -ceis) *adj* facile.

facilidade [fasili'dadʒi] *f* facilité *f* ; **com facilidade** facilement.

facilitar [fasili'ta(x)] *vt* [tornar fácil] faciliter ; [tornar possível] entraîner ; **facilitar algo a alguém** fournir qqch à qqn.

faço ['fasu] ► **fazer**.

factual [fak'twaw] (*pl* -ais) *adj* basé(e) sur les faits.

faculdade [fakuw'dadʒi] *f* faculté *f*.

facultativo, **va** [fakuwta'tʃivu, va] *adj* facultatif(ive).

fada ['fada] *f* fée *f*.

fadiga [fa'dʒiga] *f* fatigue *f*.

fadista [fa'diʃta] *mf* chanteur *m*, -euse *f* de fado.

fado ['fadu] *m* [música] fado *m* ; [destino] destin *m*.

fagulha [fa'guʎa] *f* étincelle *f*.

faia ['faja] *f* hêtre *m*.

faiança [fa'jãsa] *f* faïence *f*.

faisão [faj'zãw] (*pl* -ões) *m* faisan *m*.

faísca [fa'iʃka] *f* [de metal, fogo] étincelle *f* ; [raio] foudre *f*.

faisões ► **faisão**.

faixa ['fajʃa] *f* [em estrada] voie *f* ; [para cintura] ceinture *f (en tissu)* ; [ligadura] bandage *m* ; [de idades] tranche *f* ; **faixa (de pedestres)** passage *m* clouté ; **faixa de rodagem** chaussée *f*.

fala ['fala] *f* [dom de falar] parole *f* ; [em teatro] réplique *f* ; **ser de poucas falas** ne pas être très bavard.

falador, **ra** [fala'do(x), dejra] (*mpl* -es, *fpl* -s) *adj* & *m, f* bavard(e).

falar [fa'la(x)] ◇ *vi* parler. ◇ *vt* [língua] parler ; [dizer] dire ; **falar com alguém** parler à qqn ; **falar de** parler de ; **para falar a verdade** à vrai dire ; **sem falar em** sans parler de ; **falar claro** parler clairement ; **falar a sério** parler sérieusement ; **falar pelos cotovelos** avoir la langue bien pendue.

falcão [faw'kãw] (*pl* -ões) *m* faucon *m*.

falecer [fale'se(x)] *vi* décéder.

falecido, **da** [fale'sidu, da] *m, f* défunt *m*, -e *f*.

falecimento [falesi'mẽntu] *m* décès *m*.

falência [fa'lẽsja] *f* faillite *f* ; **ir à falência** faire faillite.

falha ['faʎa] *f* [lacuna] manque *m* ; [de luz] coupure *f* ; [de terreno] faille *f* ; [em sistema, programa] défaillance *f*.

falhar [fa'ʎa(x)] ◇ *vt* [tentativa, tiro] rater ; [encontro] manquer. ◇ *vi* [não acertar] rater son coup ; [errar] se tromper ; [máquina] ne plus marcher ; [freios] lâcher ; [motor] avoir des ratés.

falido, da [fa'lidu, da] *adj* : **ele está falido** il a fait faillite.

falir [fa'li(x)] *vi* faire faillite.

falsário, ria [faw'sarju, rja] *m, f* faussaire *mf*.

falsidade [fawsi'dadʒi] *f* fausseté *f*.

falsificar [fawsifi'ka(x)] *vt* falsifier.

falso, sa ['fawsu, sa] ◇ *adj* faux(fausse). ◇ *adv* [jurar] faire un faux serment.

falta ['fawta] *f* faute *f* ; [carência] manque *m* ; [de assistência, pontualidade] absence *f* ; [infração] infraction *f* ; **falta de apetite** manque d'appétit ; **falta de ar** manque d'air ; **falta de atenção** inattention *f* ; **fazer falta** manquer ; **ter falta de algo** avoir besoin de qqch ; **ele me faz falta** il me manque ; **sinto falta da minha família** ma famille me manque ; **à falta de melhor** faute de mieux ; **fazer algo sem falta** faire qqch sans faute ; **por falta de** faute de.

faltar [faw'ta(x)] *vi* [não haver] manquer ; [estar ausente] être absent(e) ; **falta muito para as férias** les vacances sont encore loin ; **falta pouco para o trem chegar** le train va bientôt arriver ; **faltam 5 km para chegar lá** il reste 5 km à faire ; **era só o que faltava!** il ne manquait plus que ça ! ; **faltar às aulas** ne pas aller en cours ; **faltar ao emprego** ne pas aller travailler.

fama ['fama] *f* [reputação] réputation *f* ; [notoriedade] célébrité *f* ; **ter fama de** avoir la réputation de.

família [fa'milja] *f* famille *f* ; **em família** en famille.

familiar [famili'a(x)] (*pl* -es) ◇ *adj* familial(e) ; [conhecido] familier(ère). ◇ *m* membre *m* de la famille.

faminto, ta [fa'mĩntu, ta] *adj* affamé(e).

famoso, osa [fa'mozu, ɔza] *adj* célèbre.

fanático, ca [fa'natʃiku, ka] *adj* & *m, f* fanatique.

fantasia [fãnta'zia] *f* fantaisie *f* ; [disfarce] déguisement *m*.

fantasiar [fãntazi'a(x)] *vi* rêver. ◆ **fantasiar-se** *vp* se déguiser ; **fantasiar-se de** se déguiser en.

fantasma [fãn'taʒma] *m* fantôme *m*.

fantástico, ca [fãn'taʃtʃiku, ka] ◇ *adj* fantastique. ◇ *interj* fantastique !

fantoche [fãn'tɔʃi] *m* marionnette *f*.

farda ['faxda] *f* uniforme *m*.

farei ['fa'rej] ► **fazer**.

farelo [fa'rɛlu] *m* son *m (céréale)*.

faringe [fa'rĩʒi] *f* pharynx *m*.

faringite [farĩ'ʒiti] *f* pharyngite *f*.

farinha [fa'riɲa] *f* farine *f* ; **farinha de centeio** farine de seigle ; **farinha integral** farine complète ; **farinha de milho** farine de maïs ; **farinha de rosca** chapelure *f* ; **farinha de trigo** farine de blé.

farmacêutico, ca [farma'sewtiku, ka] ◇ *adj* pharmaceutique. ◇ *m, f* pharmacien *m*, -enne *f*.

farmácia [fax'masja] *f* pharmacie *f*.

faro ['faru] *m* flair *m*.

farofa [fa'rɔfa] *f farine de manioc grillée ou cuite dans du beurre, souvent mélangée avec des œufs, des olives et de la viande.*

farol [fa'rɔw] (*pl* -óis) *m* phare *m* ; **farol alto** feux *mpl* de route ; **farol baixo** feux *mpl* de croisement.

farpa ['faxpa] *f* [de agulha] pointe *f* ; [em tourada] banderille *f* ; [em pele] écharde *f*.

farpado [fax'padu, da] *adj m* ► **arame**.

farra ['faxa] *f fam* [divertimento] foire *f*.

farrapo [fa'xapu] *m* chiffon *m*.

farsa ['faxsa] *f* farce *f*.

fartar-se [fax'taxsi] *vp* [cansar-se] se lasser ; **fartar-se de** [comida] se gaver de ; [trabalho] en avoir assez de.

farto, ta ['faxtu, ta] *adj* rassasié(e) ; **estar farto de** en avoir assez de.

fartura [fax'tura] *f* abondance *f*.

fascículo [fa'sikulu] *m* fascicule *m*.

fascinante [fasi'nãntʃi] *adj* fascinant(e).

fascinar [fasi'na(x)] *vt* fasciner.

fascismo [fa'siʒmu] *m* fascisme *m*.

fascista [fa'siʃta] *adj* & *mf* fasciste.

fase ['fazi] *f* phase *f*.

fastidioso, osa [faʃtʃi'dʒjozu, ɔza] *adj* fastidieux(euse).

fatal [fa'taw] (*pl* -ais) *adj* fatal(e).

fatalidade [fatali'dadʒi] *f* fatalité *f*.

fatia [fa'tʃia] *f* tranche *f*.

fatigante [fati'gãntʃi] *adj* fatigant(e).

fatigar [fati'ga(x)] *vt* fatiguer, lasser, se donner du mal.

fato ['fatu] *m* fait *m* ; **ser fato consumado** être un fait accompli ; **de fato** effectivement ; **pelo fato de** du fait que.

fator [fa'to(x)] (*pl* -es) *m* facteur *m*.

fatura [fa'tura] *f* facture *f*.

fauna ['fawna] *f* faune *f*.

fava ['fava] *f* fève *f*.

favela [fa'vɛla] *f* bidonville *m*.

favor [fa'vo(x)] (*pl* -es) *m* service *m* ; [do público] faveur *f* ; **'é favor fechar a porta'** 'prière de fermer la porte' ; **faça o favor de entrar** entrez, je vous en prie ; **fazer um favor a alguém** rendre service à qqn ; **estar a** OU **em favor de** être en faveur de ; [partidário de] être pour ; **por favor** s'il vous plaît.

favorável [favo'ravɛw] (*pl* -eis) *adj* [resposta] favorable ; [tempo] propice.

favores ► **favor**.

favorito, ta [favo'ritu, ta] *adj* favori(ite).

fax ['faksi] (*pl* -es) *m* fax *m* ; **enviar** OU **mandar um fax** envoyer un fax.

fax-modem [ˌfaksi'modẽ] (*pl* -dens) *m* fax-modem *m*.

faz [faʃ] ► **fazer**.

fazenda [fa'zẽnda] *f* [quinta] exploitation *f* agricole ; [tecido] tissu *m*.

fazendeiro, ra [fazẽn'dejru, ra] *m, f* exploitant *m*, -e *f* agricole.

fazer [fa'ze(x)] ◇ *vt* **1.** [ger] faire ; **fazer barulho** faire du bruit ; **fazer uma pergunta** poser une question ; **fazer planos/um vestido** faire des projets/une robe ; **vamos fazer uma festa** nous allons faire une fête ; **fazer o papel de** jouer ; **devias fazer mais exercício** tu devrais faire plus d'exercice ; **fazer alguém rir/chorar** faire rire/pleurer qqn ; **o chocolate faz borbulhas** le chocolat donne des boutons - **2.** [transformar] mettre, rendre ; **fazer algo em pedaços** mettre qqch en pièces ; **fazer alguém feliz** rendre qqn heureux - **3.** [anos] : **faço anos amanhã** demain, c'est mon anniversaire ; **fazemos cinco anos de casados** ça fait cinq ans que nous sommes mariés. ◇ *vi* **1.** [aparentar] : **fazer como se** faire comme si - **2.** [causar] : **fazer bem/mal a algo/alguém** faire du bien/du mal à qqch/qqn - **3.** [obrigar] : **fazer (com) que** faire (en sorte) que. ◇ *v impess* **1.** : **faz frio/calor** il fait froid/chaud - **2.** [exprime tempo] faire ; **faz um ano que não o vejo** ça fait un an que je ne le vois pas ; **faz tempo que estou à espera** ça fait longtemps que j'attends ; **ele partiu faz três meses** ça fait trois mois qu'il est parti - **3.** [importar] : **não faz mal se está partido** ça ne fait rien si c'est cassé ;

não te preocupes, não faz mal! ne t'inquiète pas, ça ne fait rien ! ; **tanto faz** c'est pareil. ◆ **fazer-se** *vp* se faire ; **fazer-se com** se faire avec. ◆ **fazer-se de** *vp + prep* faire ; **fazer-se de tolo/esperto** faire l'idiot/le malin ; **fazer-se de desentendido** faire semblant de ne pas comprendre.

fé [fɛ] *f* foi *f* ; **de boa/má fé** de bonne/mauvaise foi ; **à falsa fé** en traître.

febra ['fɛbra] *f* maigre *m* ; **febras de porco** tranches *fpl* de porc.

febre ['fɛbri] *f* fièvre *f* ; **febre do feno** rhume *m* des foins.

fechado, da [fe'ʃadu, da] *adj* fermé(e) ; [luz] éteint(e) ; [couve] pommé(e) ; [negócio] conclu(e) ; **'fechado para balanço'** 'fermé pour cause d'inventaire' ; **'fechado para férias'** 'fermeture annuelle' ; **'fechado para obras'** 'fermé pour travaux'.

fechadura [feʃa'dura] *f* serrure *f*.

fechar [fe'ʃa(x)] ◇ *vt* fermer ; [luz] éteindre ; [negócio] conclure. ◇ *vi* [ferida] se cicatriser ; [estabelecimento] fermer ; **fechar algo à chave** fermer qqch à clef. ◆ **fechar-se** *vp* [encerrar-se] s'enfermer ; [calar-se] se fermer.

fecho ['feʃu] *m* [de porta] loquet *m* ; [de mala] fermeture *f* ; [de janela] poignée *f* ; [de colar] fermoir *m* ; [de peça de vestuário] : **fecho (ecler)** fermeture *f* Éclair® ; [de espetáculo, acontecimento] fin *f*.

fécula ['fɛkula] *f* fécule *f* ; **fécula de batata** fécule de pomme de terre.

fecundar [fekũn'da(x)] *vt* féconder.

feder [fe'de(x)] *vi* empester.

federação [federa'sɑ̃w] (*pl* -ões) *f* fédération *f*.

fedor [fe'do(x)] *m* puanteur *f*.

feijão [fej'ʒɑ̃w] (*pl* -ões) *m* haricot *m*.

feijão-fradinho [fejʒɑ̃wfra'dʒiɲu] (*pl* **feijões-fradinhos**) *m* dolic *m sorte de haricot blanc.*

feijão-mulatinho [fej,ʒɑ̃wmula'tiɲu] (*pl* **feijões-mulatinhos**) *m sorte de haricot rouge.*

feijão-preto [fejʒɑ̃w'pretu] (*pl* **feijões-pretos**) *m* haricot *m* noir.

feijão-tropeiro [fejʒɑ̃wtro'pejru] (*pl* **feijões-tropeiros**) *m plat de haricots noirs accompagné de farine de manioc.*

feijão-verde [fejʒɑ̃w'vexdi] (*pl* **feijões-verdes**) *m* haricot *m* vert.

feijoada [fej'ʒwada] *f plat de haricots noirs servi avec du chou en lamelles, du porc et de la farine de manioc.*

feijões ► **feijão**.

feio, feia ['fejo, 'feja] *adj* [rosto, forma, objeto] laid(e) ; [atitude, comportamento] vilain(e) ; [situação, caso, problema] sale.

feira ['fejra] *f* [de gado] foire *f* ; [de automóvel, livro] salon *m* ; **feira popular** fête *f* foraine.

feitiçaria [fejtisa'ria] *f* sorcellerie *f*.

feiticeiro, ra [fejtʃi'sejru] *m, f* sorcier *m*, -ère *f*.

feitiço [fej'tʃisu] *m* sort *m* ; **lançar um feitiço** jeter un sort.

feitio [fej'tʃiu] *m* [caráter] caractère *m* ; [de peça de vestuário] modèle *m*.

feito, ta ['fejtu, ta] ◇ *pp* ► **fazer**. ◇ *adj* fait(e). ◇ *m* exploit *m* ; **está um homem feito** c'est devenu un homme ; **feito à mão** fait à la main ; **feito sob medida** fait sur mesure ; **feito de** fait à base de ; **dito e feito** aussitôt dit, aussitôt fait.

feixe ['fejʃi] *m* [de palha] botte *f* ; [de lenha] fagot *m* ; [de luz] faisceau *m*.

fel ['fɛw] *m* [bile] bile *f* ; [sabor amargo] goût *m* amer.

felicidade [felisi'dadʒi] *f* [contentamento] bonheur *m* ; [boa sorte] chance *f* ; **felicidades!** bonne chance ! ; [para os noivos] tous nos vœux de bonheur !

felicitar [felisi'ta(x)] *vt* féliciter ; **felicitar alguém por algo** féliciter qqn pour qqch.

felino, **na** [fe'linu, na] *adj* félin(e). ◆ **felinos** *mpl* félins *mpl*.

feliz [fe'liʒ] (*pl* -es) *adj* heureux(euse) ; [bem executado] réussi(e) ; **feliz Ano-Novo!** bonne année ! ; **feliz Natal!** joyeux Noël !

felizmente [feliʒ'mẽntʃi] *adv* heureusement.

felpudo, **da** [fɛw'pudu, da] *adj* [toalha] moelleux(euse) ; [tapete, cão] à poils longs.

feltro ['fewtru] *m* feutre *m*.

fêmea ['femja] *f* femelle *f* ; [objeto] prise *f* femelle.

feminino, **na** [femi'ninu, na] ◇ *adj* féminin(e). ◇ *m* féminin *m*.

feminismo [feme'niʒmu] *m* féminisme *m*.

feminista [femi'niʃta] *mf* féministe *mf*.

fenda ['fẽnda] *f* [em terra, chão] crevasse *f* ; [em parede] fente *f*.

fender [fẽn'de(x)] *vt* fendre. ◆ **fender-se** *vp* se fendre.

feno ['fenu] *m* foin *m*.

fenomenal [fenome'naw] (*pl* -ais) *adj* phénoménal(e).

fenômeno [fe'nomenu] *m* phénomène *m*.

fera ['fɛra] *f* fauve *m*.

feriado [fe'rjadu] *m* jour *m* férié ; **feriado nacional** fête *f* nationale.

férias ['fɛrjaʃ] *fpl* vacances *fpl* ; **ir/estar de** ou **em férias** partir/être en vacances.

ferida [fe'rida] *f* blessure *f*, ► **ferido**.

ferido, **da** [fe'ridu, da] *adj* & *m, f* blessé(e).

ferimento [feri'mẽntu] *m* blessure *f*.

ferir [fe'ri(x)] *vt* blesser. ◆ **ferir-se** *vp* se blesser.

fermentar [fexmẽn'ta(x)] *vi* fermenter.

fermento [fex'mẽntu] *m* levain *m* ; **fermento em pó** levure *f*.

feroz [fe'rɔʃ] (*pl* -es) *adj* féroce.

ferradura [fexa'dura] *f* [de cavalo] fer *m* à cheval.

ferragens [fe'xaʒẽʃ] *fpl* ► **loja**.

ferramenta [fexa'mẽnta] *f* outil *m* ; [conjunto de instrumentos] outils *mpl*.

ferrão [fe'xɑ̃w] (*pl* -ões) *m* dard *m*.

ferreiro [fe'xejru] *m* forgeron *m*.

ferro ['fɛxu] *m* [de passar roupa] fer *m* à repasser ; [metal] fer *m*.

ferrões [fe'xõjʃ] ► **ferrão**.

ferrolho [fe'xoʎu] *m* verrou *m*.

ferro-velho [ˌfɛxu'vɛʎu] (*pl* **ferros-velhos**) *m* ferrailleur *m*.

ferrovia [fexo'via] *f* chemin *m* de fer.

ferrugem [fe'xuʒẽ] *f* rouille *f*.

ferryboat [ˌfɛxi'bout] (*pl* **ferryboats**) *m* ferry-boat *m*.

fértil ['fɛxtiw] (*pl* -teis) *adj* fertile.

fertilidade [fextʃili'dadʒi] *f* fertilité *f*.

fertilizante [fextʃili'zɑ̃ntʃi] *m* engrais *m*.

ferver [fex've(x)] ◇ *vt* faire bouillir. ◇ *vi* bouillir.

fervor [fex'vo(x)] *m* ferveur *f*.

fervura [fex'vura] *f* ébullition *f* ; **até levantar fervura** jusqu'à ébullition.

festa ['fɛʃta] *f* fête *f* ; **Boas festas!** joyeuses fêtes ! ; **festas juninas** *fêtes religieuses célébrées au mois de juin (Saint-Antoine, Saint-Jean, Saint-Pierre).* ◆ **festas** *fpl* caresses *fpl* ; **fazer festas a** caresser.

festejar [feʃte'ʒa(x)] *vt* fêter.

festim [feʃ'tʃĩ] (*pl* -ns) *m* festin *m*.

festival [feʃtʃi'vaw] (*pl* -ais) *m* festival *m*.

fétido, **da** ['fɛtʃidu, da] *adj* fétide.

feto ['fɛtu] *m* [planta] fougère *f* ; [embrião] fœtus *m*.

fevereiro [feve'reiru] *m* février *m*, ► **setembro**.

fez ['fɛʒ] ► **fazer**.

fezes ['fɛziʃ] *fpl* selles *fpl*.

fiação [fja'sɐ̃w] (*pl* -ões) *f* filature *f*.

fiado ['fjadu] *adv* : **vender fiado** vendre à crédit ; **comprar fiado** acheter à crédit.

fiambre ['fjɐ̃nbri] *m* jambon *m* blanc.

fiar [fi'a(x)] ◇ *vt* filer. ◇ *vi* faire crédit. ◆ **fiar-se em** *vp + prep* se fier à.

fiasco ['fjaʃku] *m* fiasco *m*.

fibra ['fibra] *f* fibre *f* ; *fig* [coragem] cran *m* ; **fibra (acrílica)** fibre acrylique ; **fibra óptica** fibre optique.

ficar [fi'ka(x)] *vi* rester ; [estar situado] être ; [tornar-se] devenir ; **ficou corado** il est devenu tout rouge ; **ficou triste com a notícia** la nouvelle l'a rendu triste ; **ficou surpreendido** il a été surpris ; **ficar bem/mal** [maneiras] être bien/mal ; [roupa] aller bien/mal ; **ficar lendo** lire ; **ficar trabalhando** travailler ; **ficar com algo** [adquirir] prendre qqch ; [guardar] garder qqch ; **ficar de fazer algo** devoir faire qqch ; **ficar por** [limitar-se a] se contenter de ; **eu fico por aqui** j'en reste là ; **ficar em primeiro lugar** arriver en premier ; **ficar sem algo** perdre qqch.

ficção [fik'sɐ̃w] *f* fiction *f*.

ficha ['fiʃa] *f* fiche *f*.

fichário [fi'ʃarju] *m* fichier *m*.

fictício, **cia** [fik'tʃisju, sja] *adj* fictif(ive).

fidelidade [fideli'dadʒi] *f* fidélité *f* ; **fidelidade (conjugal)** fidélité.

fiel ['fjɛw] (*pl* -éis) *adj* & *m* fidèle.

figa ['figaʃ] *f* amulette *f (en forme de main)* ; **fazer figas** croiser les doigts.

fígado ['figadu] *m* foie *m*.

figo ['figu] *m* figue *f* ; **figos secos** figues sèches.

figueira [fi'gejra] *f* figuier *m*.

figura [fi'gura] *f* [forma exterior] silhouette *f* ; [desenho, imagem] figure *f* ; **fazer boa/má figura** bien/mal s'en sortir.

figurante [figu'rɐ̃ntʃi] *mf* figurant *m*, -e *f*.

figurar [figu'ra(x)] ◆ **figurar em** *v + prep* [em filme, peça teatral] être figurant(e) dans ; [em livro, dicionário] figurer dans ; [em lista] figurer sur.

figurino [figu'rinu] *m* magazine *m* de mode.

fila ['fila] *f* file *f* ; [de pessoas] queue *f* ; **em fila (indiana)** en file indienne.

filarmônica [filax'monika] *f* orchestre *m* philharmonique.

filatelia [filate'lia] *f* philatélie *f*.

filé [fi'lɛ] *m* [de peixe] filet *m* ; [de carne] steack *m*.

fileira [fi'lejra] *f* rangée *f*.

filho, **lha** ['fiʎu, ʎa] *m, f* fils *m*, fille *f* ; **os filhos** les enfants ; **filho da puta** *vulg* fils de pute.

filhote [fi'ʎɔtʃi] *m* petit *m (d'un animal)*.

filial [fi'ljaw] (*pl* -ais) *f* filiale *f*.

filigrana [fili'grana] *f* filigrane *f*.

filmadora [fiwma'dora] *f* : **filmadora (de vídeo)** Caméscope® *m*.

filmar [fiw'ma(x)] *vt* filmer.

filme ['fiwmi] *m* [de cinema] film *m* ; [de máquina fotográfica] pellicule *f* ; **filme aderente** film adhésif.

filosofia [filozo'fia] *f* philosophie *f*.

filósofo, **fa** [fi'lɔzofu, fa] *m, f* philosophe *mf*.

filtrar [fiw'tra(x)] *vt* filtrer.

filtro ['fiwtru] *m* filtre *m*.

fim ['fĩ] (*pl* -ns) *m* [de filme, ação] fin *f* ; [de estrada] **bout** *m* ; [objetivo] **but** *m* ; **ter por fim** avoir pour but ; **ter um fim em vista** avoir un objectif en vue ; **fim de semana** week-end *m* ; **o fim do mundo** le bout du monde ; RELIG la fin du monde ; **a fim de** afin de ; **no fim** finalement ; **ao fim e ao cabo** tout compte fait ; **um sem-fim de** une infinité de ; **está a fim de ir ao cinema?** ça te dit d'aller au cinéma ?

Finados [fi'naduʃ] *mpl* : **os Finados** le Jour des Morts.

final [fi'naw] (*pl* -ais) ◇ *adj* final(e) ; [esforço] ultime. ◇ *m* fin *f*. ◇ *f* finale *f*.

finalidade [finali'dadʒi] *f* [objetivo] but *m* ; [de máquina] fonction *f*.

finalista [fina'liʃta] *mf* élève *mf* de dernière année.

finanças [fi'nɑ̃saʃ] *fpl* finances *fpl*.

fingir [fĩ'ʒi(x)] *vt* faire semblant de.

finlandês, **esa** [fĩnlɑ̃'dejʃ, eza] (*mpl* -eses, *fpl* -s) ◇ *adj* finlandais(e). ◇ *m, f* Finlandais *m*, -e *f*. ◇ *m* [língua] finois *m*.

Finlândia [fĩn'lɑ̃ndʒja] *f* : **a Finlândia** la Finlande.

fino, **na** ['finu, na] *adj* fin(e) ; [roupa de verão] léger(ère) ; [roupa, hotel, restaurante] raffiné(e) ; [educado] distingué(e).

fins [fĩʃ] ➤ **fim**.

fio ['fiu] *m* fil *m* ; [de líquido] filet *m* ; **fio dental** fil dentaire ; **fios de ovos** *jaune d'œuf servant à décorer les pâtisseries* ; **perder o fio da meada** perdre le fil.

firewall ['fajex'uɔw] (*pl* **firewalls**) *m* INFORM pare-feu *m*.

firma ['fixma] *f* société *f*.

firme ['fixmi] *adj* [estável] stable ; [sólido] solide ; [fixo] ferme.

firmeza [fix'meza] *f* fermeté *f* ; [estabilidade] stabilité *f* ; [solidez] solidité *f*.

fiscal [fiʃ'kaw] (*pl* -ais) ◇ *adj* fiscal(e). ◇ *mf* contrôleur *m*, -euse *f* ; [da Receita] inspecteur *m*, -trice *f* des impôts ; **fiscal aduaneiro** douanier *m*.

fisco ['fiʃku] *m* fisc *m*.

fisgada [fiʒ'ʃgada] *f* saisie *f*.

física ['fizika] *f* physique *f*, ➤ **físico**.

físico, **ca** ['fiziku, ka] ◇ *adj* physique. ◇ *m* physique *m*. ◇ *m, f* physicien *m*, -enne *f*.

fisionomia [fizjono'mia] *f* physionomie *f*.

fisioterapia [ˌfizjotera'pia] *f* physiothérapie *f*.

fita ['fita] *f* [tira de tecido] ruban *m* ; [fingimento] feinte *f* ; [filme] film *m* ; **fita adesiva** ruban adhésif ; **fita (de cabelo)** ruban *m* ; **fita durex**® Scotch® *m* ; **fita isolante** ruban isolant ; **fita (para máquina de escrever)** ruban ; **fita métrica** mètre *m (de couturière)* ; **fita de vídeo** cassette *f* vidéo ; **fazer fita** faire semblant.

fitar [fi'ta(x)] *vt* regarder fixement.

fivela [fi'vɛla] *f* boucle *f*.

fixador [fiksa'do(x)] (*pl* -es) *m* fixateur *m*.

fixar [fik'sa(x)] *vt* [tornar fixo] fixer ; [aprender de cor] retenir. ◆ **fixar-se** *vp* se fixer.

fixo, **xa** ['fiksu, ksa] *adj* fixe.

fixo ['fiksu, ksa] ➤ **fixar**.

fiz [fiʒ] ➤ **fazer**.

flagrante [fla'grɑ̃ntʃi] *adj* flagrant(e) ; **apanhar em flagrante** prendre en flagrant délit.

flamingo [fla'mĩŋgu] *m* flamant *m*.

flanco ['flɑ̃ŋku] *m* flanc *m*.

flanela [fla'nɛla] *f* flanelle *f*.

flash ['flaʃi] *m* flash *m*.

flauta ['flawta] *f* flûte *f* ; **flauta de bisel** flûte à bec ; **flauta de Pã** flûte de Pan.

flecha ['flɛʃa] *f* flèche *f*.

fleuma ['flewma] *f* flegme *m*.

flexível [flɛk'sivɛw] (*pl* -eis) *adj* [maleável] flexible ; [plástico, pessoa] souple.

flíper ['flipe(x)] *m* flipper *m*.

fliperama [flipe'rama] *m* flipper *m*.

floco ['flɔku] *m* touffe *f* ; **floco de neve** flocon de neige ; **flocos de aveia** flocons d'avoine ; **flocos de milho** flocons de maïs.

flor [flo(x)] (*pl* -es) *f* fleur *f* ; **em flor** en fleur ; **à flor da pele** à fleur de peau ; **na flor da idade** dans la fleur de l'âge.

floresta [flo'rɛʃta] *f* forêt *f*.

florido, da [flo'ridu, da] *adj* [árvores, campos, jardins] fleuri(e) ; [tecido, papel] à fleurs.

florista [flo'riʃta] *mf* fleuriste *mf*.

fluência [flu'ẽsja] *f* aisance *f*.

fluentemente [flu,ẽntʃi'mẽntʃi] *adv* couramment.

fluido, da ['fluidu, da] ◇ *adj* fluide. ◇ *m* fluide *m*.

fluminense [flumi'nẽsi] *adj* de l'État de Rio de Janeiro.

flúor ['fluɔ(x)] *m* fluor *m*.

fluorescente [fluref'sẽntʃi] *adj* fluorescent(e).

flutuante [flu'twɑ̃ntʃi] *adj* [objeto] flottant(e) ; [preço, inflação] fluctuant(e).

flutuar [flu'twa(x)] *vi* flotter.

fluvial [flu'vjaw] (*pl* -ais) *adj* fluvial(e).

fluxo ['fluksu] *m* flux *m* ; [de imigração, emigração] vague *f*.

fobia [fo'bia] *f* phobie *f*.

focinho [fo'siɲu] *m* [de animal] museau *m* ; [de porco] groin *m*.

foco ['fɔku] *m* foyer *m* ; [de atenção] centre *m* ; [lâmpada] spot *m*.

foder [fo'de(x)] *vt vulg* baiser. ◆ **foder-se** *vp* : **foda-se!** *vulg* putain ! ; **vá se foder!** *vulg* vas te faire foutre !

fofo, fa ['fofu, fa] *adj* [tecido, material] doux(douce) ; [colchão] douillet(ette) ; [bolo] moelleux(euse) ; [bibelô] mignon(onne).

fofoca [fo'fɔka] *f* ragots *mpl*.

fogão [fo'gɑ̃w] (*pl* -ões) *m* cuisinière *f*.

foge ['fɔʒi] ➤ **fugir**.

fogem ['fɔʒẽ] ➤ **fugir**.

fogo ['fogu] *m* feu *m* ; **fogo posto** incendie *m* d'origine criminelle ; **fogo de artifício** feu d'artifice.

fogões [fo'gõjʃ] ➤ **fogão**.

fogueira [fo'gejra] *f* feu *m*.

foguete [fo'getʃi] *m* [espacial] fusée *f*.

foi ['foj] ➤ **ser**, ➤ **ir**.

foice ['fojsi] *f* faucille *f*.

folclore [fow'klɔri] *m* folklore *m*.

folclórico, ca [fow'klɔriku, ka] *adj* folklorique.

fôlego ['folegu] *m* souffle *m* ; **tomar fôlego** prendre son souffle.

folga ['fowga] *f* [de trabalho] coupure *f* ; [espaço livre] jeu *m* ; **estar de folga** être en congé.

folha ['foʎa] *f* [de planta, árvore] feuille *f* ; [de jornal, livro, revista] page *f* ; [de serra, serrote] lame *f* ; **folha de alumínio** feuille d'aluminium ; **folha de cálculo** feuille de calcul ; **folha pautada** feuille de papier rayé ; **folha lisa** feuille blanche ; **folha quadriculada** feuille quadrillée ; **folha (de papel)** feuille (de papier).

folha-de-flandres [ˌfoʎade'flɑ̃ndreʃ] (*pl* **folhas-de-flandres**) *f* fer-blanc *m*.

folhado, **da** [fu'ʎadu, da] ◇ *adj* feuilleté(e). ◇ *m* feuilleté *m*.

folhagem [fo'ʎaʒẽ] *f* feuillage *f*.

folhear [fo'ʎja(x)] *vt* feuilleter.

folheto [fo'ʎetu] *m* prospectus *m* ; [livro] brochure *f*.

folia [fo'lia] *f* fête *f*.

folião, **liona** [fo'ljɑ̃w, ɔna] (*mpl* -ões, *fpl* -s) *m, f* fêtard *m*, -e *f*.

fome ['fɔmi] *f* faim *f* ; **passar fome** connaître la faim.

fone ['fɔni] *m* écouteur *m* ; **fone de ouvido** casque *m*.

fonética [fo'nɛtʃika] *f* phonétique *f*.

fonte ['fõntʃi] *f* [chafariz] fontaine *f* ; [de cabeça] tempe *f* ; *fig* [de texto, trabalho, informação] source *f*.

fora ['fɔra] ◇ *adv* [no exterior] dehors ; [no estrangeiro] à l'étranger. ◇ *prep* [exceto] excepté ; [além de] en dehors de. ◇ *interj* dehors ! ; **amanhã vou estar fora** demain, je ne serai pas là ; **conduzir fora de mão** mordre sur la ligne blanche ; **estar/ficar fora de si** être hors de soi ; **ficar de fora de** ne pas prendre part à ; **fora de série** hors du commun ; **lá fora** [no exterior] dehors ; [no estrangeiro] à l'étranger ; **dar um fora em alguém** *fam* envoyer promener qqn.

foram [fo'rɑ̃w] ► **ser, ir.**

força ['foxsa] *f* force *f* ; **forças armadas** forces armées ; **força de vontade** volonté *f* ; **à força** par la force ; **de força maior** de force majeure ; **por força** à tout prix.

forçar [fox'sa(x)] *vt* forcer.

forjar [fox'ʒa(x)] *vt* contrefaire.

forma[1] ['fɔxma] *f* forme *f* ; [maneira] façon *f* ; **de forma que** si bien que ; **de qualquer forma** de toute façon ; **em forma de** en forme de ; **estar em forma** être en forme.

forma[2] ['fɔxma] *f* [de bolos] moule *m* ; [de sapatos] forme *f*.

formação [foxma'sɑ̃w] (*pl* -ões) *f* formation *f*.

formal [fox'maw] (*pl* -ais) *adj* [cerimonioso] solennel(elle) ; [categórico] formel(elle) ; [sério] sérieux(euse) ; [linguagem] soutenu(e).

formalidade [foxmali'dadʒi] *f* formalité *f*.

formar [fox'ma(x)] *vt* former. ◆ **formar-se** *vp terminer ses études (à l'université)* ; **formarse em** être diplômé en.

formatar [foxma'ta(x)] *vt* formater.

formidável [foxmi'davɛw] (*pl* -eis) *adj* formidable.

formiga [fox'miga] *f* fourmi *f*.

formoso, **osa** [fox'mozu, ɔza] *adj* beau(belle).

fórmula ['fɔxmula] *f* formule *f*. ◆ **Fórmula 1** *f* Formule 1.

formular [foxmu'la(x)] *vt* formuler.

formulário [foxmu'larju] *m* formulaire *m*.

fornecedor, **ra** [foxnese'do(x), ra] (*mpl* -es, *fpl* -s) *m, f* fournisseur *m*.

fornecer [foxne'se(x)] *vt* fournir ; **fornecer algo a alguém** fournir qqch à qqn. ◆ **fornecer-se** *vp* s'approvisionner.

fornecimento [foxnesi'mẽntu] *m* approvisionnement *m*.

forno ['fornu] *m* four *m*.

forquilha [fox'kiʎa] *f* fourche *f*.

forrar [fo'xa(x)] *vt* [peça de vestuário] doubler ; [livro] couvrir ; [gaveta] recouvrir.

forró [fo'xɔ] *m* bal *m* populaire.

fortalecer [foxtale'se(x)] *vt* fortifier.

fortaleza [foxta'leza] *f* forteresse *f*.

forte ['fɔxtʃi] <> *adj* fort(e) ; [corda] solide ; [comida] lourd(e). <> *m* fort *m* ; **essa é forte!** elle est bien bonne !

fortuna [fox'tuna] *f* [riqueza] fortune *f*.

fósforo ['fɔʃforu] *m* allumette *f*.

fossa ['fɔsa] *f* fosse *f* ; **estar na fossa** *fig* avoir le moral à zéro.

fóssil ['fɔsiw] (*pl* -eis) *m* fossile *m*.

fosso ['fosu] *m* fossé *m*.

foste ['foʃtʃi] ▶ **ser, ir.**

foto ['fɔtu] *f* photo *f*.

fotocópia [foto'kɔpja] *f* photocopie *f*.

fotografar [fotogra'fa(x)] *vt* photographier.

fotografia [fotogra'fia] *f* photographie *f* ; **fotografia 3 X 4** photo *f* d'identité.

fotógrafo, fa [fo'tɔgrafu, fa] *m, f* photographe *mf*.

fotômetro [fo'tɔmetru] *m* posemètre *m*.

foz [fɔʃ] *f* embouchure *f*.

fração [fra'sɑ̃w] (*pl* -ões) *f* fraction *f*.

fracasso [fra'kasu] *m* échec *m*.

fraco, ca ['fraku, ka] *adj* faible ; [pessoa] chétif(ive) ; [corda] fin(e) ; [chuva] fin(e) ; [bebida] léger(ère) ; [qualidade] mauvais(e) ; **ter um fraco por** *fig* [paixão] avoir un faible pour.

frações ▶ **fração.**

frade ['fradʒi] *m* frère *m*.

frágil ['fraʒiw] (*pl* -geis) *adj* fragile.

fragmento [frag'mẽntu] *m* [pedaço] fragment *m* ; [de obra literária, manuscrito] extrait *m*.

fragrância [fra'grɑ̃sja] *f* senteur *f*.

fralda ['frawda] *f* couche *f* ; **fraldas descartáveis** couches-culottes *fpl*.

framboesa [frɑ̃m'bweza] *f* framboise *f*.

frame ['frejmi] cadre *m*.

França ['frɑ̃sa] *f* : **a França** la France.

francamente [ˌfrɑ̃ŋka'mẽntʃi] <> *adv* franchement. <> *interj* franchement !

francês, esa [frɑ̃'seʃ, eza] (*mpl* -eses, *fpl* -s) <> *adj* français(e). <> *m, f* Français *m*, -e *f*. <> *m* [língua] français *m*.

franco, ca ['frɑ̃ŋku, ka] *adj* [sincero] franc(franche) ; **para ser franco** pour être franc.

frango ['frɑ̃ŋgu] *m* [ave] poulet *m* ; *fam* [em futebol] but *m* facile ; **frango assado** poulet rôti.

franja ['frɑ̃ʒa] *f* frange *f*.

franqueza [frɑ̃ŋ'keza] *f* franchise *f* ; **com franqueza** franchement.

franquia [frɑ̃ŋ'kia] *f* affranchissement *m*.

franzino, na [frɑ̃'zinu, na] *adj* chétif(ive).

fraqueza [fra'keza] *f* faiblesse *f* ; [fome] faim *f* ; [cansaço] coup *m* de barre.

frasco ['fraʃku] *m* flacon *m*.

frase ['frazi] *f* phrase *f*.

fratura [fra'tura] *f* fracture *f*.

fraude ['frawdʒi] *f* fraude *f*.

frear [fre'a(x)] *vi* freiner.

freeware [fri'wari] (*pl* **freewares**) *m* INFORM logiciel gratuit *m*.

freezer ['frizɛx] (*pl* -s) *m* [de geladeira] freezer *m* ; [congelador] congélateur *m*.

freguês, **esa** [frɛ'geʃ, eza] (*mpl* -eses, *fpl* -s) *m, f* client *m*, -e *f*.

freio ['fraju] *m* [de veículo] frein *m* ; [de cavalo] mors *m* ; **freio de mão** frein à main.

freixo ['frejʃu] *m* frêne *m*.

frenético, **ca** [fre'nɛtʃiku, ka] *adj* frénétique.

frente ['frẽntʃi] *f* [parte dianteira] devant *m* ; [de veículo] avant *m* ; [em meteorologia] front *m* ; **dar de frente com** tomber sur ; **fazer frente** [a um problema] faire face ; [a uma pessoa] tenir tête ; **ir para a frente com** faire avancer ; **frente fria/quente** front froid/chaud ; **à frente** en tête ; **à frente de** [no espaço] devant ; [no tempo] avant ; **de frente** [olhar] en face ; [foto] de face ; [encontro] nez à nez ; **em frente** en face ; **em frente de** en face de ; **frente a** en face de ; **frente a frente** face à face.

freqüência [fre'kwẽsja] *f* fréquence *f* ; **com freqüência** fréquemment.

freqüentar [frekwẽn'ta(x)] *vt* fréquenter ; [curso] assister à.

freqüentemente [fre,kwẽntʃi'mẽntʃi] *adv* fréquemment.

frescão [freʃ'kɑ̃w] (*pl* -ões) *m* autocar *m* climatisé.

fresco, **ca** ['freʃku, ka] ◇ *adj* frais(fraîche). ◇ *m* fresque *f* ; **casado de fresco** jeune marié.

frescobol [freʃko'bɔw] *m* tennis *m* de plage.

frescões [freʃ'kõjʃ] ➤ **frescão**.

frescura [freʃ'kura] *f* fraîcheur *f*.

fressura [fre'ʃura] *f* abats *mpl*.

frete ['frɛtʃi] *m* fret *m* ; *fam* corvée *f*.

frevo ['frevu] *m musique et danse du carnaval de Pernambouc*.

friagem ['frjaʒẽ] *f inv* froidure *f*.

fricção [frik'sɑ̃w] (*pl* -ões) *f* [esfregação] friction *f* ; [atrito] frottement *m*.

frieira [fri'ejra] *f* engelure *f*.

frieza [fri'eza] *f* froideur *f*.

frigideira [friʒi'dejra] *f* poêle *f (à frire)*.

frigorífico [frigo'rifiku] *m* réfrigérateur *m*.

frio, **fria** ['friu, 'fria] ◇ *adj* froid(e). ◇ *m* froid *m* ; **estar frio** faire froid ; **ter frio** avoir froid ; **um frio de rachar** *fam* un froid de canard. ◆ **frios** *mpl* [carnes frias] charcuterie *f*.

frisar [fri'za(x)] *vt* [cabelo] friser ; *fig* [enfatizar] souligner.

fritar [fri'ta(x)] *vt* frire.

frito, **ta** ['fritu, ta] *adj* frit(e) ; **estar frito** *fam* être dans de beaux draps.

fritura [fri'tura] *f* friture *f*.

fronha ['froɲa] *f* taie *f* d'oreiller.

fronte ['frõntʃi] *f* [testa] front *m*.

fronteira [frõn'tejra] *f* frontière *f* ; **além-fronteiras** au-delà des frontières.

frota ['frɔta] *f* [de navios, aviões] flotte *f* ; [de veículos] parc *m*.

frustrado, **da** [fruʃ'tradu, da] *adj* [pessoa] frustré(e) ; [tentativa] avorté(e).

frustrante [fruʃ'trɑ̃ntʃi] *adj* frustrant(e).

fruta ['fruta] *f* fruit *m* ; **fruta em calda** fruits au sirop ; **fruta da época** fruits de saison.

fruta-do-conde [,frutadu'kõndʒi] (*pl* **frutas-do-conde**) *f* anone *f*.

frutaria [fruta'rja] *f* : **ir à frutaria** aller chez le marchand de fruits.

fruto ['frutu] *m* fruit *m* ; **frutos secos** fruits secs.

FTP (*abrev de* **File Transmission Protocol**) *m* FTP *m (protocole de transfert de fichiers) m*.

fubá [fu'ba] *m farine de maïs ou de riz*.

fuga ['fuga] *f* fuite *f* ; **pôr-se em fuga** prendre la fuite ; **em fuga** en fuite.

fugir [fu'ʒi(x)] *vi* fuir ; **fugir de fazer algo** éviter de faire qqch ; **fugir de alguém** échapper à qqn ; **fugir a algo** [pergunta] éluder qqch ; **fugir de** s'enfuir de.

fugitivo, **va** [fuʒi'tʃivu, va] *adj* & *m, f* fugitif(ive).

fui ['fuĩ] ➤ **ser**, ➤ **ir**.

fulano, **na** [fu'lanu, na] *m, f* Untel *m*, Unetelle *f*.

fuligem [fu'liʒẽ] *f* suie *f*.

fulo, **la** ['fulu, la] *adj fam* furax ; **ficar fulo da vida** être en pétard.

fumaça [fu'masa] *f* fumée *f* épaisse.

fumado, **da** [fu'madu, da] *adj* fumé(e).

fumante [fu'mɑ̃ntʃi] *mf* fumeur *m*, -euse *f*.

fumar [fu'ma(x)] *vt* & *vi* fumer.

fumo ['fumu] *m* fumée *f*.

função [fũ'sɑ̃w] (*pl* -ões) *f* fonction *f* ; **exercer a função de** exercer la fonction de ; **função pública** fonction publique.

funcho ['fũʃu] *m* fenouil *m*.

funcionamento [fũsjona'mẽntu] *m* [de máquina] fonctionnement *m* ; [de estabelecimento] ouverture *f* ; **em funcionamento** en marche.

funcionar [fũsjo'na(x)] *vi* [máquina] fonctionner ; [estabelecimento] ouvrir ; **funcionar a pilha** marcher à piles.

funcionário, **ria** [fũsjo'narju, rja] *m, f* employé *m*, -e *f* ; **funcionário público** fonctionnaire *m*.

funções [fũn'sõjʃ] ➤ **função**.

fundação [fũnda'sɑ̃w] (*pl* -ões) *f* [instituição] fondation *f* ; [alicerce] fondations *fpl*.

fundamental [fũndamẽn'taw] (*pl* -ais) *adj* fondamental(e).

fundamento [fũnda'mẽntu] *m* [motivo] motif *m* ; [justificação] fondement *m* ; **sem fundamento** sans fondement.

fundar [fũn'da(x)] *vt* fonder ; **fundar algo em algo** fonder qqch sur qqch.

fundido, **da** [fũn'dʒidu, da] *adj* fondu(e).

fundir [fũn'dʒi(x)] *vt* [metal] fondre ; [empresas] fusionner. ◆ **fundir-se** *vp* fondre ; [lâmpada] griller.

fundo, **da** ['fũndu, da] ◇ *adj* profond(e). ◇ *m* [de rio, piscina, poço] fond *m* ; [em economia] fonds *m* ; **ir ao fundo da questão** aller au fond du problème ; **sem fundo** sans fond.

fúnebre ['funebri] *adj* funèbre.

funeral [fune'raw] (*pl* -ais) *m* funérailles *fpl*.

fungo ['fũŋgu] *m* [em pele, mucosa] champignon *m* ; [organismo vegetal] moisissure *f*.

funil [fu'niw] (*pl* -is) *m* entonnoir *m*.

funileiro [fu'nileijru] *m* carrossier *m*.

furacão [fura'kɑ̃w] (*pl* -ões) *m* ouragan *m*.

furadeira [fura'dejra] *f* perceuse *f*.

furado, **da** [fu'radu, da] *adj* [pneu] crevé(e) ; [saco, orelha] percé(e).

furador [fura'do(x)] (*pl* -es) *m* perforeuse *f*.

furar [fu'ra(x)] *vt* [folha] perforer ; [pneu] crever ; [saco, orelhas] percer ; **furar a fila** resquiller.

furgão [fux'gɑ̃w] (*pl* -ões) *m* fourgon *m*.

fúria ['furja] *f* fureur *f*.

furo ['furu] *m* [em pneu] crevaison *f* ; [em saco, orelha] trou *m*.

furtar [fux'ta(x)] *vt* voler. ◆ **furtar-se a** *vp* + *prep* se dérober à.

furúnculo [fu'rũŋkulu] *m* furoncle *m*.

fusão [fu'zɑ̃w] (*pl* -ões) *f* fusion *f*.

fusíveis *mpl* plombs *mpl*.

fusível [fu'zivɛw] (*pl* -eis) *m* fusible *m*.

fuso ['fuzu] *m* : **fuso horário** fuseau *m* horaire.

fusões [fu'zõjʃ] ► **fusão**.

futebol [futʃi'bɔw] *m* football *m*.

fútil ['futʃiw] (*pl* -teis) *adj* futile ; [vão] vain(e).

futilidade [futʃili'dadʒi] *f* futilité *f* ; [inutilidade] inutilité *f*.

futuro, **ra** [fu'turu, ra] ◇ *adj* futur(e). ◇ *m* futur *m* ; [perspectivas] avenir *m* ; **de futuro** dorénavant ; **no futuro** à l'avenir ; **para o futuro** pour plus tard ; **ter futuro** avoir de l'avenir.

fuzil [fu'ziw] (*pl* -is) *m* fusil *m*.

fuzileiro [fuzi'lejru] *m* fusilier *m*.

fuzis ► **fuzil**.

G

g (*abrev de* **grama**) g.

gabar [ga'ba(x)] *vt* vanter. ◆ **gabar-se** *vp* : **gabar-se de algo** se vanter de qqch.

gabardina [gabax'dina] *f* gabardine *f*.

gabinete [gabi'netʃi] *m* [compartimento] bureau *m* ; [escritório] cabinet *m*.

gado ['gadu] *m* bétail *m*.

gaélico [ga'ɛliku] *m* gaélique *m*.

gafanhoto [gafa'ɲotu] *m* sauterelle *f*.

gafe ['gafi] *f* gaffe *f*.

gagueira [ga'gejra] *f* bégaiement *m*.

gaguejar [gage'ʒa(x)] *vi* bégayer.

gaguez [ga'geʃ] *f* bégaiement *m*.

gaiato, **ta** [ga'jatu, ta] *m, f* gamin *m*, -e *f*.

gaiola [ga'jɔla] *f* cage *f (à oiseaux)*.

gaita ['gajta] *f* pipeau *m*.

gaita-de-foles [ˌgajtadʒi'fɔliʃ] (*pl* **gaitas-de-foles**) *f* cornemuse *f*.

gaivota [gaj'vɔta] *f* [ave] mouette *f*.

gala ['gala] *f* gala *m*.

galáxia [ga'laksja] *f* galaxie *f*.

galera [ga'lɛra] *f fam* compagnie *f*.

galeria [gale'ria] *f* galerie *f* ; [local para compras] galerie *f* marchande ; **galeria de arte** galerie d'art.

galês, **esa** [ga'leʃ, eza] (*mpl* -eses, *fpl* -s) ◇ *adj* gallois(e). ◇ *m, f* Gallois *m*, -e *f*. ◇ *m* [língua] gallois *m*.

galeto [ga'letu] *m* coquelet *m*.

galgo ['gawgu] *m* lévrier *m*.

galheteiro [gaʎe'tejru] *m* huilier *m*.

galho ['gaʎu] *m* [de árvore] branche *f* ; [de veado] corne *f*.

galinha [ga'liɲa] *f* poule *f*.

galinheiro [gali'ɲejru] *m* poulailler *m*.

galo ['galu] *m* coq *m* ; *fam* bosse *f*.

galocha [ga'lɔʃa] *f* botte *m* en caoutchouc.

galopar [galo'pa(x)] *vi* galoper.

gama ['gama] *f* gamme *f*.

gambá [gɑ̃n'ba] *m* opposum *m (animal)*.

gamela [ga'mɛla] *f* [de porcos] auge *f*.

gamo ['gamu] *m* daim *m*.

gana ['gɑ̃na] *f* [fome] fringale *f* ; [ódio] rage *f* ; [desejo] envie *f* ; **ter ganas de** avoir envie de.

ganância [ga'nɑ̃nsja] *f* cupidité *f*.

ganancioso, **osa** [ganɑ̃'sjozu, ɔza] *adj* cupide.

gancho ['gɑ̃ʃu] *m* [peça curva] crochet *m* ; [de cabelo] épingle *f* à cheveux.

gangorra [gɑ̃ŋ'goxa] *f* balançoire *f*.

gangrena [gɑ̃ŋ'grena] *f* gangrène *f*.

gangue ['gãŋgi] *f fam* bande *f (de copains)*.

ganhar [ga'ɲa(x)] ◇ *vt* gagner ; [peso, velocidade] prendre ; [prêmio] remporter ; [bolsa] recevoir. ◇ *vi* gagner ; **ganhar de alguém** battre qqn ; **ganhar com algo** y gagner ; **isso vai fazer com que ele ganhe juízo** cela va lui mettre du plomb dans la cervelle ; **ganhar respeito** respecter ; **ganhar a vida** OU **o pão** gagner sa vie.

ganho ['gaɲu] *m* gain *m*.

ganir [ga'ni(x)] *vi* glapir.

ganso ['gãsu] *m* [fêmea] oie *f* ; [macho] jars *m*.

garagem [ga'raʒẽ] (*pl* -ns) *f* garage *m*.

garanhão [gara'ɲãw] (*pl* -ões) *m* étalon *m*.

garantia [garãn'tʃia] *f* garantie *f*.

garantir [garãn'tʃi(x)] *vt* garantir ; **garantir que** assurer que.

garça ['gaxsa] *f* héron *m*.

garçom [gax'sõ] (*pl* -ns) *m* serveur *m*.

garçonete [garso'nɛtʃi] *f* serveuse *f*.

garçons ► **garçon**.

garfo ['gaxfu] *m* [utensílio] fourchette *f* ; [de bicicleta] fourche *f* ; **ser um bom garfo** avoir un bon coup de fourchette.

gargalhada [gaxga'ʎada] *f* éclat *m* de rire ; **dar uma gargalhada** éclater de rire.

gargalo [gax'galu] *m* goulot *m*.

garganta [gax'gãnta] *f* gorge *f*.

gargarejar [gaxgare'ʒa(x)] *vi* se gargariser.

gari [ga'ri] *m* balayeur *m*.

garoto, ta [ga'rotu, ta] *m, f* [criança] gamin *m*, -e *f* ; [namorado] petit ami *m*, petite amie *f*.

garoupa [ga'ropa] *f* mérou *m*.

garra ['gaxa] *f* [de animal] griffe *f* ; *fig* [talento, tenacidade] trempe *f* ; **ter garra** en vouloir.

garrafa [ga'xafa] *f* bouteille *f* ; **garrafa térmica** Thermos® *m*.

garrafão [gaxa'fãw] (*pl* -ões) *m* bonbonne *f*.

garrote [ga'xɔtʃi] *m* garrot *m*.

garupa [ga'rupa] *f* croupe *f*.

gás [gajʃ] (*pl* **gases**) *m* gaz *m* ; **gás butano** butane *m* ; **gás lacrimogêneo** gaz lacrymogène. ◆ **gases** *fpl* gaz *mpl*.

gaseificada [gazejfi'kada] *adj f* ► **água**.

gases ► **gás**.

gasolina [gazo'lina] *f* essence *f* ; **gasolina super** super *m*.

gasosa [ga'zɔza] *f* limonade *f*.

gastar [gaʃ'ta(x)] *vt* consommer ; [dinheiro] dépenser ; [tempo] mettre ; [produto] utiliser ; [sola de sapato] user. ◆ **gastar-se** *vp* s'user.

gasto, ta ['gaʃtu, ta] ◇ *pp* ► **gastar**. ◇ *adj* [dinheiro] dépensé(e) ; [calças, sapatos] usé(e) ; [água, eletricidade] consommé(e). ◇ *m* dépense *f*.

gástrico, ca ['gaʃtriku, ka] *adj* gastrique.

gastrite [gaʃ'tritʃi] *f* gastrite *f*.

gastrônomo, ma [gaʃ'tronomu, ma] *m, f* gastronome *mf*.

gateway [gejtʃi'wej] (*pl* **gateways**) *m* INFORM passerelle *f*.

gatilho [ga'tʃiʎu] *m* gâchette *f*.

gatinhar *vi* marcher à quatre pattes.

gato, ta ['gatu, ta] *m, f* chat *m*, chatte *f* ; *fam* beau mec *m*, belle nana *f*.

gatuno, na [ga'tunu, na] *m, f* voleur *m*, -euse *f*.

gaveta [ga'veta] *f* tiroir *m*.

gaze ['gazi] *f* gaze *f*.

gazela [ga'zɛla] *f* gazelle *f*.

gazeta [ga'zeta] *f* gazette *f*.

geada ['ʒjada] *f* [camada] givre *m* ; [baixa de temperatura] gel *m*.

geladeira [ʒela'deira] *f* réfrigérateur *m*.

gelado, **da** [ʒe'ladu, da] *adj* [mãos, pés] gelé(e) ; [sobremesa] glacé(e) ; **gelada ou natural?** tu désires de l'eau glacée ou pas ?

gelar [ʒe'la(x)] *vt* & *vi* geler.

gelatina [ʒela'tʃina] *f* gélatine *f*.

geléia [ʒe'lɛja] *f* gelée *f*.

gelo ['ʒelu] *m* glace *f* ; [de bebida] glaçon *m* ; [de água] gel *m* ; [na estrada] verglas *m* ; **de gelo** de glace ; **quebrar o gelo** *fig* briser la glace.

gema ['ʒema] *f* jaune *m* d'œuf ; **de gema** de souche.

gêmeo, **mea** ['ʒemju, mja] ◇ *adj* jumeau(elle). ◇ *m*, *f* : **os gêmeos** les jumeaux ; **o meu irmão gêmeo** mon frère jumeau. ◆ **Gêmeos** *m inv* Gémeaux *mpl*.

gemer [ʒe'me(x)] *vi* gémir.

gemido [ʒe'midu] *m* gémissement *m*.

gene ['ʒɛni] *m* gène *m*.

genebra [ʒe'nɛbra] *f* liqueur *f* de genièvre.

general [gene'raw] (*pl* -ais) *m* général *m*.

generalizar [generali'za(x)] *vt* & *vi* généraliser. ◆ **generalizar-se** *vp* se généraliser.

gênero ['ʒeneru] *m* genre *m* ; **o gênero humano** le genre humain. ◆ **gêneros** *mpl* denrées *fpl* ; **gêneros alimentícios** denrées alimentaires.

generosidade [ʒenerozi'dadʒi] *f* générosité *f*.

generoso, **osa** [ʒene'rozu, ɔza] *adj* généreux(euse).

genética [ʒe'nɛtʃika] *f* génétique *f*.

gengibre [ʒẽ'ʒibri] *m* gingembre *m*.

gengiva [ʒẽ'ʒiva] *f* gencive *f*.

genial [ʒe'njaw] (*pl* -ais) *adj* génial(e).

gênio ['ʒenju] *m* [pessoa] génie *m* ; [irascibilidade] caractère *m* ; **ter mau gênio** avoir mauvais caractère.

genital [ʒeni'taw] (*pl* -ais) *adj* génital(e).

genro ['ʒẽxu] *m* gendre *m*.

gente ['ʒẽntʃi] *f* gens *mpl* ; *fam* [família] famille *f* ; **a gente vai comer** on va manger ; **toda a gente** tout le monde. ◆ **gentes** *fpl* : **as gentes** les habitants *mpl*.

gentil [ʒẽn'tʃiw] (*pl* -is) *adj* gentil(ille).

genuíno, **na** [ʒe'nwinu, na] *adj* véritable.

geografia [ʒjogra'fia] *f* géographie *f*.

geologia [ʒjolo'ʒia] *f* géologie *f*.

geometria [ʒjome'tria] *f* géométrie *f* ; **geometria descritiva** géométrie descriptive.

geração [ʒɛra'sãw] (*pl* -ões) *f* génération *f*.

gerador [ʒɛra'do(x)] (*pl* -es) *m* générateur *m*.

geral [ʒe'raw] (*pl* -ais) ◇ *adj* général(e). ◇ *f* *places les moins chères*, ≃ poulailler *m* ; **de um modo geral** en général ; **em geral** en général ; **no geral** en général.

geralmente [ʒeraw'mẽntʃi] *adv* généralement.

gerânio [ʒe'rãnju] *m* géranium *m*.

gerar [ʒe'ra(x)] *vt* engendrer. ◆ **gerar-se** *vp* s'engager.

gerência [ʒe'rẽsja] *f* gérance *f*.

gerente [ʒe'rẽntʃi] *mf* gérant *m*, -e *f*.

gerir [ʒe'ri(x)] *vt* gérer.

germe ['ʒɛxmi] *m* germe *m*.

gesso ['ʒesu] *m* plâtre *m*.

gesticular [ʒeʃtiku'la(x)] *vi* gesticuler.
gesto ['ʒɛʃtu] *m* geste *m*.
gibi [ʒi'bi] *m* BD *f*.
gigabyte [giga'baijtʃi] (*pl* -gigabytes) *m* INFORM gigaoctet *m*.
gigante [ʒi'gɑ̃ntʃi] ◇ *adj* géant(e). ◇ *m* géant *m*.
gigolô [ʒigo'lo] *m fam* maquereau *m*.
gilete [ʒi'lɛti] *f* rasoir *m* (jetable).
gim [ʒĩ] (*pl* -ns) *m* gin *m* ; **um gim-tônica** gin tonic.
ginásio [ʒi'nazju] *m* gymnase *m*.
ginasta [ʒi'naʃta] *mf* gymnaste *mf*.
ginástica [ʒi'naʃtʃika] *f* gymnastique *f* ; **fazer ginástica** faire de la gymnastique.
gincana [ʒĩŋ'kana] *f* gymkhana *m*.
ginecologia [ˌʒinɛkolo'ʒia] *f* gynécologie *f*.
ginecologista [ˌʒinɛkulu'ʒiʃta] *mf* gynécologue *mf*.
ginja ['ʒĩʒa] *f* griotte *f*.
ginjinha [ʒĩ'ʒiɲa] *f* kirsch *m*.
gins ► **gim**.
girafa [ʒi'rafa] *f* girafe *f*.
girar [ʒi'ra(x)] *vt* & *vi* tourner.
girassol [ˌʒira'sɔw] (*pl* -óis) *m* tournesol *m*.
gíria ['ʒirja] *f* [calão] argot *m* ; [médica, acadêmica] jargon *m*.
giro, **ra** ['ʒiru] *m* [passeio] tour *m*.
giz [ʒiʒ] *m* craie *f*.
glacial [gla'sjaw] (*pl* -ais) *adj* glacial(e).
gladíolo [gla'dʒiulu] *m* glaïeul *m*.
glândula ['glɑ̃ndula] *f* glande *f*.
glaucoma [glaw'koma] *m* glaucome *m*.
glicerina [glise'rina] *f* glycérine *f*.
global [glo'baw] (*pl* -ais) *adj* global(e).
globo ['globu] *m* globe *m*.
glóbulo ['glɔbulu] *m* globule *m*.
glória ['glɔrja] *f* gloire *f*.
glossário [glo'sarju] *m* glossaire *m*.
glutão, **tona** [glu'tɑ̃w, tona] (*mpl* -ões, *fpl* -s) *m*, *f* glouton *m*, -onne *f*.
goela ['gwɛla] *f* gosier *m*.
goiaba [go'jaba] *f* goyave *f*.
goiabada [goja'bada] *f pâte de fruit à la goyave*.
gol ['gow] (*pl* -s) *m* but *m*.
gola ['gɔla] *f* col *m*.
gole ['gɔli] *m* gorgée *f*.
goleiro [go'leiru] *m* gardien *m* de but.
golfe ['gowfi] *m* golf *m*.
golfinho [gow'fiɲu] *m* dauphin *m*.
golfo ['gowfu] *m* golfe *m*.
golpe ['gɔwpi] *m* coup *m* ; [incisão] coupure *f* ; [ferimento] blessure *f* ; **golpe de Estado** coup d'État ; **golpe de mestre** coup de maître.
gols ► **gol**.
goma ['goma] *f* [de certos vegetais] gomme *f* ; [para roupa] amidon *m*.
gomo ['gomu] *m* quartier *m*.
gôndola ['gõndula] *f* gondole *f*.
gongo ['gõŋgu] *m* gong *m*.
gordo, **da** ['gordu, da] *adj* [pessoa, animal] gros(grosse) ; [substância, alimento] gras(grasse).
gordura [gox'dura] *f* graisse *f*.
gorduroso, **osa** [goxdu'rozu, ɔza] *adj* gras(grasse).
gorila [go'rila] *m* gorille *m*.
gorjeta [gox'ʒeta] *f* pourboire *m*.
gorro ['goxu] *m* bonnet *m*.
gostar [guʃ'ta(x)] ◆ **gostar de** *v + prep* aimer ; **gostar de fazer algo** aimer faire qqch.
gosto ['goʃtu] *m* [sabor] goût *m* ; [apreciação] plaisir *m* ; **com todo o gosto!** avec plaisir ! ; **gostos não se discutem** des goûts et des couleurs, on ne discute pas ; **muito gosto em conhecê-lo** enchanté de faire votre connaissance ; **dar gosto ver** faire

plaisir ; **fazer gosto em** être heureux de ; **ter gosto de** avoir un goût de ; **tomar gosto por algo** prendre goût à qqch ; **bom/mau gosto** bon/mauvais goût.

gota ['gota] *f* goutte *f* ; **gotas para os olhos** gouttes pour les yeux ; **gotas para o nariz** gouttes pour le nez ; **gota a gota** goutte à goutte.

goteira [go'tejra] *f* [cano] gouttière *f* ; [fenda] fuite *f*.

gotejar [gote'ʒa(x)] *vi* goutter.

governo [go'vexnu] *m* gouvernement *m*.

gozar [go'za(x)] ◇ *vt* profiter de. ◇ *vi* : **está gozando?** *fam* tu veux rire ? ; **gozar com** *fam* se moquer de ; **gozar de** jouir de, bénéficier de.

Grã-Bretanha [ˌgrãmbre'taɲa] *f* : **a Grã-Bretanha** la Grande-Bretagne.

graça ['grasa] *f* [gracejo] plaisanterie *f* ; [humor] humour *m* ; [elegância, atratividade] grâce *f* ; **achar graça** trouver drôle ; **deixar sem graça** décontenancer ; **ter graça** être drôle ; **graças a** grâce à ; **de graça** gratuitement.

gracejar [grase'ʒa(x)] *vi* plaisanter.

gracejo [gra'seʒu] *m* plaisanterie *f*.

gracioso, osa [grasi'ozu, ɔza] *adj* gracieux(euse).

grade ['gradʒi] *f* [vedação] grille *f* ; [de televisão, rádio] grille *f* de programmes ; [de cerveja, Coca-Cola] caisse *f* ; **estar atrás das grades** être derrière les barreaux.

graduação [gradwa'sãw] (*pl* -ões) *f* graduation *f* ; [em universidade] *diplôme de fin d'études universitaires*, ≃ licence *f* ; [de bebida] degré *m*.

graduado, da [gra'dwadu, da] ◇ *adj* gradué(e). ◇ *m, f* diplômé *m*, -e *f* ; MIL gradé *m*.

gradual [gra'dwaw] (*pl* -ais) *adj* graduel(elle).

graduar-se [gra'dwaxsi] *vp* obtenir un diplôme universitaire.

grafia [gra'fia] *f* [maneira de escrever] écriture *f* ; [ortografia] graphie *f*.

gráfico ['grafiku, ka] *m* graphique *m*.

gralha ['graʎa] *f* [ave] corneille *f* ; [erro tipográfico] coquille *f*.

grama[1] ['grama] *m* gramme *m*.

grama[2] ['grama] *f* gazon *m*.

gramado [gra'madu] *m* pelouse *f*.

gramar [gra'ma(x)] *vt fam* [agüentar] encaisser.

gramática [gra'matʃika] *f* grammaire *f*.

gramofone [gramo'foni] *m* phonographe *m*.

grampeador [grãmpja'do(x)] (*pl* -es) *m* agrafeuse *f*.

grampear [grãm'pja(x)] *vt* [folhas, papéis] agrafer ; [telefone] mettre sur écoute.

grampo ['grãmpu] *m* [de cabelo] barrette *f* ; [para grampeador] agrafe *f*.

granada [gra'nada] *f* grenade *f (arme)*.

grande ['grãndʒi] *adj* grand(e).

granito [gra'nitu] *m* granite *m*.

granizo [gra'nizu] *m* grêle *f*.

granulado, da [granu'ladu, da] *adj* granulé(e).

grão ['grãw] *m* [de arroz, trigo, cevada, café] grain *m* ; [grão-de-bico] pois *m* chiche.

grão-de-bico [ˌgrãwdʒi'biku] *m* pois *m* chiche.

grapefruit [ˌgreip'frutʃi] *f* pamplemousse *m*.

grasnar [graʒ'na(x)] *vi* [corvo] croasser ; [ganso] cacarder ; [pato] cancaner.

gratidão [gratʃi'dãw] *f* gratitude *f*.

gratificação [gratʃifika'sãw] (*pl* -ões) *f* [gorjeta] gratification *f* ; [remuneração] prime *f*.

gratificante [gratʃifi'kãntʃi] *adj* gratifiant(e).

gratificar [gratʃifi'ka(x)] *vt* gratifier.

gratinado, **da** [gratʃi'nadu, da] *adj* gratiné(e).

gratinar [gratʃi'na(x)] *vi* gratiner.

grátis ['gratʃiʃ] ◇ *adv* gratuitement. ◇ *adj inv* gratuit(e).

grato, **ta** ['gratu, ta] *adj* reconnaissant(e).

grau ['graw] *m* [medida] degré *m* ; [título acadêmico] titre *m* ; **primeiro/segundo grau** premier/deuxième cycle ; **graus centígrados** degrés centigrades.

gravação [grava'sɐ̃w] (*pl* -ões) *f* enregistrement *m*.

gravador [grava'do(x)] (*pl* -es) *m* magnétophone *m*.

gravar [gra'va(x)] *vt* [música, conversa] enregistrer ; [em metal, jóia] graver.

gravata [gra'vata] *f* cravate *f*.

gravata-borboleta [graˌvatabox-bo'leta] (*pl* **gravatas-borboletas**) *f* noeud-papillon *m*.

grave ['gravi] *adj* grave.

grávida ['gravida] *adj f* enceinte.

gravidade [gravi'dadʒi] *f* gravité *f*.

gravidez [gravi'deʒ] *f* grossesse *f*.

gravura [gra'vura] *f* gravure *f*.

graxa ['graʃa] *f* cirage *m*.

Grécia ['grɛsja] *f* : **a Grécia** la Grèce.

grego, **ga** ['gregu, 'ga] ◇ *adj* grec(grecque). ◇ *m, f* Grec *m*, Grecque *f*. ◇ *m* [língua] grec *m*.

grelha ['greʎa] *f* [de fogão, assar] grille *f*.

grelhado, **da** [gre'ʎadu, da] ◇ *adj* grillé(e). ◇ *m* grillade *f*.

grelhar [gre'ʎa(x)] *vt* griller.

grená [gre'na] *adj* grenat *(inv)*.

greta ['greta] *f* fissure *f*. ◆ **gretas** *fpl* gerçures *fpl*.

gretado, **da** [gre'tadu, da] *adj* gercé(e).

greve ['grɛvi] *f* grève *f* ; **fazer greve** faire la grève ; **em greve** en grève ; **greve de fome** grève de la faim.

grid ['grid] *m* grille *m* ; **grid de largada** grille de départ.

grilo ['grilu] *m* grillon *m*.

grinalda [gri'nawda] *f* guirlande *f*.

gripe ['gripi] *f* grippe *f*.

grisalho, **lha** [gri'zaʎu, ʎa] *adj* grisonnant(e).

gritar [gri'ta(x)] *vt* & *vi* crier ; **gritar com alguém** crier sur qqn.

grito ['gritu] *m* cri *m*.

groselha [gro'zeʎa] *f* groseille *f*.

grosseiro, **ra** [gro'sejru, ra] *adj* grossier(ère).

grosso, **ossa** ['grosu, sa] *adj* épais(aisse) ; [livro, voz] gros(grosse) ; [mal-educado] grossier(ère).

grotesco, **ca** [gro'teʃku, ka] *adj* grotesque.

grua ['grua] *f* grue *f*.

grunhido [gru'ɲidu] *m* grognement *m*.

grunhir [gru'ɲi(x)] *vi* grogner.

grupo ['grupu] *m* groupe *m* ; **em grupo** en groupe ; **grupo de discussão** groupe de discussion ; **grupo sanguíneo** groupe sanguin ; **grupos de risco** population *f* à risque.

gruta ['gruta] *f* grotte *f*.

guache ['gwaʃi] *m* gouache *f*.

guaraná [gwara'na] *m* guarana *m* ; **guaraná natural** guarana naturel ; **guaraná em pó** guarana en poudre.

guarda ['gwaxda] ◇ *mf* agent *m* de police ; **guarda fluvial** garde-pêche *m*. ◇ *f* garde *f*.

guarda-chuva [ˌgwaxda'ʃuva] (*pl* **guarda-chuvas**) *m* parapluie *m*.

guarda-costas [ˌgwaxda'kɔʃtaʃ] *mf inv* garde *m* du corps.

guarda-florestal [ˌgwaxdafloreʃ'taw] (*pl* **guardas-florestais**) *mf* garde *m* forestier.

guarda-louça [ˌgwaxda'losa] (*pl* **guarda-louças**) *m* buffet *m*.

guardanapo [gwaxda'napu] *m* serviette *f* (de table) ; **guardanapos de papel** serviettes en papier.

guarda-noturno [ˌgwaxdano'tuxnu] (*pl* **guardas-noturnos**) *m* gardien *m* de nuit.

guardar [gwax'da(x)] *vt* garder ; [em algum lugar, reservar] conserver ; [roupa] rentrer ; [vigiar] surveiller. ◆ **guardar-se** *vp* s'abstenir, se garder de.

guarda-roupa [ˌgwaxda'xopa] (*pl* **guarda-roupas**) *m* [móvel] penderie *f* ; [de peça teatral, filme] costumes *mpl*.

guarda-sol [ˌgwaxda'sɔw] (*pl* **guarda-sóis**) *m* parasol *m*.

guarnecido, **da** [gwaxne'sidu, da] *adj* garni(e).

guarnição [gwaxni'sɑ̃w] (*pl* -ões) *f* garniture *f*.

Guatemala [gwate'mala] *f*: **a Guatemala** le Guatemala.

gude ['gudʒi] *m jeu d'enfant qui se joue avec des billes*.

guelra ['gɛwxa] *f*: **as guelras** les branchies *fpl*.

guerra ['gɛxa] *f* guerre *f* ; **fazer guerra a** faire la guerre à ; **em pé de guerra** sur le pied de guerre.

guia ['gia] ◇ *mf* guide *mf*. ◇ *m* guide *m* ; **guia intérprete** guide *mf* interprète ; **guia turístico** guide *m*.

guiar ['gja(x)] ◇ *vt* guider ; [automóvel, ônibus] conduire. ◇ *vi* conduire.

guichê [gi'ʃe] *m* guichet *m*.

guidom [gi'dõ] (*pl* -ns) *m* [de bicicleta] guidon *m*.

guilhotina [giʎo'tʃina] *f* guillotine *f*.

guincho ['gĩʃu] *m* [som] couinement *m* ; [máquina] treuil *m*.

guindaste [gĩn'daʃtʃi] *m* grue *f*.

Guiné-Bissau [giˌnɛbi'sau] *f* : **a Guiné-Bissau** la Guinée-Bissau.

guineense [gi'njẽsi] ◇ *adj* guinéen(enne). ◇ *mf* Guinéen *m*, -enne *f*.

guisado, **da** [gi'zadu, da] ◇ *adj* mijoté(e). ◇ *m* ragoût *m*.

guisar [gi'za(x)] *vt* faire mijoter.

guitarra [gi'taxa] *f* guitare *f* ; **guitarra portuguesa** guitare de fado.

guitarrista [gita'xiʃta] *mf* guitariste *mf*.

gula ['gula] *f* gourmandise *f*.

guloseima [gulo'zejma] *f* friandise *f*.

guloso, **osa** [gu'lozu, ɔza] *adj* & *m, f* gourmand(e).

gume ['gumi] *m* tranchant *m*.

guri, **ria** [gu'ri, ria] *m, f* enfant *mf*.

H

h (*abrev de* **hora**) h.

há [a] ► **haver**.

hábil ['abiw] (*pl* -beis) *adj* habile.

habilidade [abili'dadʒi] *f* habileté *f*. ◆ **habilidades** *fpl* tours *mpl*.

habilitação [abilita'sɑ̃w] *f* aptitude *f*. ◆ **habilitações** *fpl* diplômes *mpl*.

habitação [abita'sɑ̃w] (*pl* -ões) *f* habitation *f*.

habitante [abi'tɑ̃ntʃi] *mf* habitant *m*, -e *f*.

habitar [abi'ta(x)] *vt* & *vi* habiter ; **habitar em** habiter à ; **habito na rua Brasil** j'habite rue Brasil.

hábito ['abitu] *m* habitude *f* ; [de religioso] habit *m* ; **como é hábito** comme d'habitude ; **ter o hábito de fazer algo** avoir l'habitude de faire qqch ; **por hábito** par habitude.

habitual [abi'twaw] (*pl* -ais) *adj* habituel(elle).

habitualmente [abitwaw'mẽntʃi] *adv* d'habitude.

habituar [abi'twa(x)] *vt* : **habituar alguém a algo/a fazer algo** habituer qqn à qqch/à faire qqch. ◆ **habituar-se** *vp* s'habituer ; **habituar-se a** s'habituer à.

hacker [xake(x)] (*pl* -hackers) *m* INFORM pirate *m* informatique.

hálito ['alitu] *m* haleine *f* ; **mau hálito** mauvaise haleine.

hall ['ɔw] *m* [de casa] entrée *f* ; [de teatro, hotel] hall *m* ; **hall (de entrada)** hall (d'entrée).

haltere [aw'tɛra] *m* haltère *f*.

halterofilia [awtɛrɔfi'lja] *f* haltérophilie *f*.

hambúrguer [ãn'buxge(x)] (*pl* -es) *m* steack *m* haché ; [sanduíche] hamburger *m*.

hangar [ãŋ'ga(x)] (*pl* -es) *m* hangar *m*.

hardware [ax'dwɛri] *m* matériel *m*.

harmonia [axmo'nia] *f* harmonie *f*.

harmônica [ax'monika] *f* harmonica *m*.

harpa ['axpa] *f* harpe *f*.

haste ['aʃtʃi] *f* [de bandeira] hampe *f*.

haver [a've(x)] ◇ *v aux* **1.** [antes de verbos transitivos] avoir ; **como ele não havia comido estava com fome** comme il n'avait pas mangé, il avait faim ; **havíamos reservado antes** nous avions réservé avant - **2.** [antes de verbos de movimento, estado ou permanência] être ; **ele havia chegado há pouco** il était arrivé depuis peu. ◇ *v impess* **1.** [ger] y avoir ; **há um café muito bom ao fim da rua** il y a un très bon café au bout de la rue ; **não há ninguém na rua** il n'y a personne dans la rue ; **não há correio amanhã** il n'y a pas de courrier demain - **2.** [exprime tempo] faire ; **estou à espera há dez minutos** ça fait dix minutes que j'attends ; **há séculos que não vou lá** ça fait des siècles que je n'y vais pas ; **há três dias que não o via** ça faisait trois jours que je ne le voyais pas - **3.** [exprime obrigação] : **há que fazer algo** il faut faire qqch - **4.** [em locuções] : **haja o que houver** quoiqu'il arrive ; **não há de quê!** il n'y a pas de quoi ! ◆ **haver-se com** *vp + prep* : **haver-se com alguém** avoir affaire à qqn. ◆ **haver de** *v + prep* : **ele havia de ter chegado mais cedo** il aurait dû arriver plus tôt ; **um dia, hei de ir ao Brasil** un jour, j'irai au Brésil. ◆ **haveres** *mpl* [pertences] affaires *fpl* ; [bens] biens *mpl*.

haxixe [a'ʃiʃi] *m* haschich *m*.

HD (*abrev de* **Hard Disk**) *m* disque dur *m*.

hectare [ɛk'tari] *m* hectare *m*.

hélice ['ɛlisi] *f* hélice *f*.

helicóptero [eli'kɔpteru] *m* hélicoptère *m*.

hélio ['ɛlju] *m* hélium *m*.

hematoma [ema'toma] *m* hématome *m*.

hemofílico, ca [ɛmo'filiku, ka] *m, f* hémophile *mf*.

hemorragia [emoxa'ʒia] *f* hémorragie *f* ; **hemorragia cerebral** hémorragie cérébrale ; **hemorragia nasal** saignement *m* de nez.

hemorróidas [emo'xɔidaʃ] *fpl* hémorroïdes *fpl*.

hepatite [epa'tʃitʃi] *f* hépatite *f*.

hera ['ɛra] *f* lierre *m*.

herança [e'rãsa] *f* héritage *m*.

herbicida [exbi'sida] *m* désherbant *m*.

herdar [ex'da(x)] *vt* hériter de.

herdeiro, ra [ex'dejru, ra] *m, f* héritier *m*, -ère *f*.

hermético, ca [ex'mɛtʃiku, ka] *adj* hermétique.

hérnia ['ɛxnja] *f* hernie *f*.

herói [e'rɔi] *m* héros *m*.

heroína [e'rwina] *f* héroïne *f*.

hesitação [ezita'sɑ̃w] (*pl* -ões) *f* hésitation *f*.

hesitar [ezi'ta(x)] *vi* hésiter.

heterossexual [eterosɛk'swaw] (*pl* -ais) *adj* & *mf* hétérosexuel(elle).

hibernar [ibex'na(x)] *vi* hiberner.

híbrido, da ['ibridu, da] *adj* hybride.

hidrante [i'drɑ̃ntʃi] *m* bouche *f* d'incendie.

hidratante [idra'tɑ̃ntʃi] *adj* hydratant(e).

hidroavião [ˌidroa'vjɑ̃w] (*pl* -ões) *m* hydravion *m*.

hidrófilo [i'drɔfilu] *adj m* hydrophile.

hidrogênio [idro'ʒenju] *m* hydrogène *m*.

hierarquia [jerar'kia] *f* hiérarchie *f*.

hífen ['ifɛn] (*pl* -es) *m* tiret *m*.

hifenização [ifeniza'sɑ̃w] *f* césure *f*.

hi-fi [aj'faj] *m* (*abrev de* **high-fidelity**) hi-fi *f*.

higiene [i'ʒjɛni] *f* hygiène *f*.

hilariante [ila'rjɑ̃ntʃi] *adj* hilarant(e).

hino ['inu] *m* hymne *m*.

hiperdocumento [ˌipexdocu'mẽntu] hypertexte *m*.

hiperlynk [ipex'linki] *m* INFORM hyperlien *m*.

hipermercado [ˌipexmex'kadu] *m* hypermarché *m*.

hipermídia [ˌipex'midʒja] hypermédia *m*.

hipertensão [ˌipextẽ'sɑ̃w] *f* hypertension *f*.

hipertexto [ipex'tejʃtu] *m* INFORM hypertexte *m*.

hípico, ca ['ipiku, ka] *adj* hippique.

hipismo [i'piʒmu] *m* hippisme *m*.

hipnotismo [ipnɔ'tʃiʒmu] *m* hypnotisme *m*.

hipocondríaco, ca [ˌipokõn'driaku, ka] *m, f* hypocondriaque *mf*.

hipocrisia [ipokri'zia] *f* hypocrisie *f*.

hipócrita [i'pɔkrita] *mf* hypocrite *mf*.

hipódromo [i'pɔdrumu] *m* hippodrome *m*.

hipopótamo [ipo'pɔtamu] *m* hippopotame *m*.

hipoteca [ipo'tɛka] *f* hypothèque *f*.

hipótese [i'pɔtezi] *f* [suposição] hypothèse *f* ; [possibilidade] chance *f* ; **não ter hipótese** n'avoir aucune chance ; **em hipótese alguma** en aucun cas ; **na melhor das hipóteses** dans le meilleur des cas ; **por hipótese** par exemple.

histeria [iʃte'ria] *f* hystérie *f*.

histérico, ca [iʃ'tɛriku, ka] *adj* hystérique.

história [iʃ'tɔrja] *f* histoire *f* ; **história da Arte** histoire de l'Art ; **história da carochinha** histoire à dormir debout ; **história em quadrinhos** bande *f* dessinée.

hit ['iti] *m* INFORM occurrence *f*.

hobby ['ɔbi] (*pl* **hobbies**) *m* hobby *m*.

hodômetro [o'dʒometru] *m inv* compteur *m*, odomètre *m*.

hoje ['oʒi] *adv* aujourd'hui ; **hoje em dia** à l'heure actuelle ; **até hoje** jusqu'à présent ; **de hoje** d'aujourd'hui ; **de hoje a oito/quinze dias** d'ici huit/quinze jours ; **de hoje em diante** dorénavant ; **por hoje** aujourd'hui.

Holanda [o'lɑ̃nda] *f*: **a Holanda** la Hollande.

holandês, esa [olãn'deʃ, eza] (*mpl* -eses, *fpl* -s) ◇ *adj* hollandais(e). ◇ *m, f* Hollandais *m*, -e *f*.

holofote [olo'fɔtʃi] *m* projecteur *m*.

home banking ['xomibãnkĩn] *m* INFORM banque à domicile *f*.

homem ['ɔmẽ] (*pl* -ns) *m* homme *m*. ◆ **Homem** *m* : **o Homem** l'Homme ; **'homens'** 'messieurs'.

homenagear [omena'ʒja(x)] *vt* rendre hommage à.

homenagem [ome'naʒẽ] (*pl* -ns) *f* hommage *m*.

homens ► **homem**.

homicida [omi'sida] *mf* meurtrier *m*, -ère *f*.

homicídio [omi'sidʒju] *m* homicide *m* ; **homicídio involuntário** homicide involontaire.

homossexual [omosek'swaw] (*pl* -ais) *adj* & *mf* homosexuel(elle).

honestidade [oneʃtʃi'dadʒi] *f* honnêteté *f*.

honesto, ta [o'nɛʃtu, ta] *adj* honnête.

honorário [ono'rarju] *adj* honoraire. ◆ **honorários** *mpl* honoraires *mpl*.

honra ['õxa] *f* honneur *m* ; **ter a honra de fazer algo** avoir l'honneur de faire qqch ; **em honra de** en l'honneur de.

honrado, da [õ'xadu, da] *adj* honnête.

honrar [õ'xa(x)] *vt* [dívida] honorer. ◆ **honrar-se de** *vp + prep* avoir l'honneur de.

honroso, osa [õ'xozu, ɔza] *adj* honorable.

hóquei ['ɔkej] *m* hockey *m* ; **hóquei em patins** hockey sur patins ; **hóquei sobre o gelo** hockey sur glace.

hora ['ɔra] *f* heure *f* ; **meia hora** demi-heure ; **que horas são?** quelle heure est-il ? ; **a que horas é...?** à quelle heure est... ? ; **é hora de...** il est l'heure de... ; **está na hora de...** il est temps de... ; **na hora H** à l'heure H ; **horas extraordinárias** heures supplémentaires ; **hora de pico** heure de pointe ; **horas vagas** temps *m* libre ; **hora a hora** à toute heure ; **de hora em hora** toutes les heures ; **horas e horas** des heures et des heures ; **em cima da hora** juste ; [na hora certa] pile ; **à última hora** au dernier moment.

horário [o'rarju] *m* horaire *m* ; **horário de atendimento** heures *fpl* d'ouverture ; **horário de funcionamento** heures *fpl* d'ouverture ; **horário nobre** heures *fpl* de grande écoute.

horizontal [orizõn'taw] (*pl* -ais) *adj* horizontal(e).

horizonte [ori'zõntʃi] *m* horizon *m*.

horóscopo [o'rɔʃkopu] *m* horoscope *m*.

horrendo, da [o'xẽndu, da] *adj* affreux(euse).

horripilante [oxipi'lãntʃi] *adj* terrifiant(e).

horrível [o'xivɛw] (*pl* -eis) *adj* horrible.

horror [o'xo(x)] (*pl* -es) *m* horreur *f* ; **que horror!** quelle horreur ! ; **ter horror a algo** avoir horreur de qqch ; **um horror de** un tas de ; **dizer horrores de alguém** raconter des horreurs sur qqn.

horta ['ɔxta] *f* potager *m*.

hortaliça [oxta'lisa] *f* légumes *mpl* (verts).

hortelã [oxte'lã] *f* menthe *f*.

hortelã-pimenta [oxte,lãpi'mẽnta] *f* menthe *f* poivrée.

hortênsia [ox'tẽnsja] *f* hortensia *m*.

horticultor, ra [oxtʃikuw'to(x), ra] (*mpl* -es, *fpl* -s) *m, f* horticulteur *m*, -trice *f*.

hortigranjeiros [oxtʃigrãn'ʒeiruʃ] *mpl produits horticoles et de l'élevage.*

hospedagem [oʃpe'daʒẽ] *f* hébergement *m*.

hospedar [oʃpe'da(x)] *vt* héberger, accueillir. ◆ **hospedar-se em** *vp + prep* descendre (chez qqn ou à l'hôtel).

hóspede ['ɔʃpedʒi] *mf* hôte *m*.

hospício [oʃ'pisju] *m* hospice *m*.

hospital [oʃpi'taw] (*pl* -ais) *m* hôpital *m*.

hospitaleiro, ra [oʃpita'lejru, ra] *adj* hospitalier(ère).

hospitalidade [oʃpitali'dadʒi] *f* hospitalité *f*.

host ['xoʃtʃi] *m* INFORM hébergeur *m*.

hostil [oʃ'tiw] (*pl* -is) *adj* hostile.

hotel [o'tɛw] (*pl* -éis) *m* hôtel *m*.

houve ['ovi] ▶ **haver**.

hovercraft [ˌovɛx'kraftʃi] *m* hovercraft *m*.

HTML (*abrev de* **Hypertext Markup Language**) *m* HTML *m (langage de description de pages Internet)*.

HTTP (*abrev de* **Hypertext Transfer Protocol**) *m* HTTP *m*.

humanidade [umani'dadʒi] *f* humanité *f* ; **a humanidade** l'humanité. ◆ **humanidades** *fpl* lettres *fpl* classiques.

humanitário, ria [umani'tarju, rja] *adj* humanitaire.

humano, na [u'manu, na] ◇ *adj* humain(e). ◇ *m* humain *m*.

humildade [umiw'dadʒi] *f* humilité *f*.

humilde [u'miwdʒi] *adj* humble.

humilhação [umiʎa'sɐ̃w] (*pl* -ões) *f* humiliation *f*.

humilhante [umi'ʎɐ̃ntʃi] *adj* humiliant(e).

humilhar [umi'ʎa(x)] *vt* humilier. ◆ **humilhar-se** *vp* s'humilier.

humor [u'mo(x)] *m* humour *m* ; **estar de bom/mau humor** être de bonne/mauvaise humeur.

humorista [umo'riʃta] *mf* humoriste *mf*.

húngaro, ra ['ũŋgaru, ra] ◇ *adj* hongrois(e). ◇ *m, f* Hongrois *m*, -e *f*. ◇ *m* [língua] hongrois *m*.

Hungria [ũŋ'gria] *f*: **a Hungria** la Hongrie.

hurra ['uxa] *interj* hourra !

ia ['ia] ▶ **ir**.

iate ['jatʃi] *m* yacht *m*.

Ibama [i'bama] *m* (*abrev de* **Instituto Brasileiro do Meio Ambiente e dos Recursos Renováveis**) *organisme brésilien pour la défense de l'environnement*, ≃ SNPN.

ibérico, ca [i'bɛriku, ka] *adj* ibérique.

ibero-americano, na [iˌbɛrxwameri'kanu, na] ◇ *adj* latino-américain(e). ◇ *m, f* Latino-Américain *m*, -e *f*.

içar [i'sa(x)] *vt* hisser.

ICM/S *m* (*abrev de* **Imposto sobre a Circulação de Mercadorias e Serviços**) ≃ TVA *f*.

ícone ['ikɔni] *m* icône *f*.

icterícia [ikte'risja] *f* jaunisse *f*.

ida ['ida] *f* [partida] allée *f* ; [jornada] voyage *m*.

idade [i'dadʒi] *f* âge *m* ; **de idade** âgé(e) ; **de meia-idade** d'âge mûr.

ideal [i'dʒjaw] (*pl* -ais) ◇ *adj* idéal(e). ◇ *m* idéal *m*.

idealista [idʒja'liʃta] *adj* & *mf* idéaliste.

idéia [i'dʒɛja] *f* idée *f* ; **que idéia!** quelle idée ! ; **mudar de idéia** changer d'avis ; **não fazer idéia** n'en avoir aucune idée.

idêntico, **ca** [i'dʒẽntʃiku, ka] *adj* identique.

identidade [idʒẽntʃi'dadʒi] *f* identité *f*.

identificação [idʒẽntʃifika'sɑ̃w] *f* identification *f*.

identificar [idʒẽntʃifi'ka(x)] *vt* identifier. ◆ **identificar-se** *vp* s'identifier.

ideologia [idʒjolo'ʒia] *f* idéologie *f*.

idílico, **ca** [i'dʒiliku, ka] *adj* idyllique.

idioma [i'dʒjoma] *m* langue *f*.

idiota [i'dʒjɔta] *adj* & *mf* idiot(e).

ídolo ['idulu] *m* idole *f*.

idôneo, **nea** [i'donju, nja] *adj* de confiance.

idoso, **osa** [i'dozu, ɔza] ◇ *adj* âgé(e). ◇ *m, f* personne *f* âgée ; **os idosos** les personnes âgées.

Iemanjá [jemɑ̃n'ʒa] *f déesse de la mer du candomblé.*

igarapé [igara'pɛ] *m* bras *m* de rivière.

ignição [igni'sɑ̃w] *f* contact *m (allumage).*

ignorado, **da** [igno'radu, da] *adj* ignoré(e).

ignorância [igno'rɑ̃sja] *f* ignorance *f*.

ignorante [igno'rɑ̃ntʃi] *mf* ignorant *m*, -e *f*.

ignorar [igno'ra(x)] *vt* : **ignorar algo** ignorer qqch ; **ignorar alguém** ignorer qqn.

igreja [i'greʒa] *f* église *f*.

igual [i'gwaw] (*pl* -ais) ◇ *adj* [quantidade, preço, proporção] égal(e) ; [idêntico] pareil(eille) ; [parecido] pareil(eille). ◇ *m* égal *m* ; **igual a** pareil à ; **sem igual** sans pareil.

igualar [igwa'la(x)] *vt* [a alguém] égaler ; [um terreno] égaliser. ◆ **igualar-se** *vp* se valoir ; **os candidatos igualam-se** les candidats se valent ; **igualar-se a** égaler.

igualdade [igwaw'dadʒi] *f* égalité *f*.

igualmente [igwaw'mẽntʃi] ◇ *adv* également. ◇ *interj* vous de même !

ilegal [ile'gaw] (*pl* -ais) *adj* illégal(e).

ilegalidade [ilegali'dadʒi] *f* illégalité *f*.

ilegítimo, **ma** [ile'ʒitʃimu, ma] *adj* illégitime.

ilegível [ile'ʒivɛw] (*pl* -eis) *adj* illisible.

ileso, **sa** [i'lezu, za] *adj* indemne ; **sair ileso de um acidente** sortir indemne d'un accident.

ilha ['iʎa] *f* île *f*.

ilícito, **ta** [i'lisitu, ta] *adj* illicite.

ilimitado, **da** [ilemi'tadu, da] *adj* illimité(e).

Ilma. = **Ilustríssima**.

Ilmo. = **Ilustríssimo**.

ilógico, **ca** [i'lɔʒiku, ka] *adj* illogique.

iludir [ilu'di(x)] *vt* tromper. ◆ **iludir-se** *vp* se faire des illusions.

iluminação [ilumina'sɑ̃w] *f* éclairage *m*.

iluminado, **da** [ilumi'nadu, da] *adj* [rua] éclairé(e) ; [árvore de Natal] illuminé(e).

iluminar [ilumi'na(x)] *vt* [sala, rua] éclairer ; [monumento] illuminer.

ilusão [ilu'zɑ̃w] (*pl* -ões) *f* illusion *f* ; **não ter ilusões** ne pas se faire d'illusions ; **perder as ilusões** perdre ses illusions.

ilustração [iluʃtra'sɑ̃w] (*pl* -ões) *f* illustration *f*.

ilustrado, da [iluʃ'tradu, da] *adj* illustré(e).

ilustrar [iluʃ'tra(x)] *vt* [exemplificar] illustrer.

ilustre [i'luʃtri] *adj* illustre.

ilustríssimo, ma [iluʃ'trisimu, ma] *adj* [para senhores] Monsieur ; [para senhoras] Madame.

imã ['imɑ̃] *m* imam *m*.

ímã ['imɑ̃] *m* aimant *m*.

imaculado, da [imaku'ladu, da] *adj* immaculé(e).

imagem [i'maʒẽ] (*pl* -ns) *f* image *f*.

imaginação [imaʒina'sɑ̃w] *f* imagination *f*.

imaginar [imaʒi'na(x)] *vt* imaginer. ◆ **imaginar-se** *vp* s'imaginer.

imaginativo, va [imaʒina'tʃivu, va] *adj* imaginatif(ive).

imaturo, ra [ima'turu, ra] *adj* immature.

imbatível [ĩmba'tʃivɛw] (*pl* -eis) *adj* imbattable.

imbecil [ĩnbe'siw] (*pl* -is) *adj* & *mf* imbécile.

imediações [imedʒja'sõiʃ] *fpl* alentours *mpl* ; **nas imediações de** aux alentours de.

imediatamente [imeˌdʒjata'mẽntʃi] *adv* immédiatement.

imediato, ta [ime'dʒjatu, ta] *adj* immédiat(e) ; **de imediato** [imediatamente] immédiatement ; [neste momento] dans l'immédiat.

imenso, sa [i'mẽsu, sa] ◇ *adj* immense. ◇ *adv* énormément.

imergir [imex'ʒi(x)] *vt* immerger.

imigração [imigra'sɑ̃w] *f* immigration *f*.

imigrante [imi'grɑ̃ntʃi] *mf* immigrant *m*, -e *f*.

imigrar [imi'gra(x)] *vi* immigrer.

iminente [imi'nẽntʃi] *adj* imminent(e).

imitação [imita'sɑ̃w] (*pl* -ões) *f* imitation *f*.

imitar [imi'ta(x)] *vt* imiter.

imobiliária [imobi'ljarja] *f* [vendedor] agence *f* immobilière ; [construtor] promoteur *m*.

imobilizar [imobili'za(x)] *vt* immobiliser. ◆ **imobilizar-se** *vp* s'immobiliser.

imoral [imo'raw] (*pl* -ais) *adj* immoral(e).

imóvel [i'mɔvɛw] (*pl* -eis) ◇ *adj* [parado] immobile ; [bem] immobilier(ère). ◇ *m* [prédio] immeuble *m* ; [valor] bien *m* immobilier.

impaciência [ĩmpa'sjẽsja] *f* impatience *f*.

impaciente [ĩmpa'sjẽntʃi] *adj* impatient(e).

impacto [ĩm'paktu] *m* impact *m*.

ímpar ['ĩmpa(x)] (*pl* -es) *adj* [número] impair(e) ; [objeto, ação] unique.

imparcial [ĩmpax'sjaw] (*pl* -ais) *adj* imparcial(e).

impasse [ĩm'pasi] *m* impasse *f*.

impecável [ĩmpe'kavɛw] (*pl* -eis) *adj* impeccable.

impedido, da [ĩmpe'dʒidu, da] *adj* [caminho, estrada] coupé(e).

impedimento [ĩmpedʒi'mẽntu] *m* empêchement *m*.

impedir [ĩmpe'dʒi(x)] *vt* couper ; **impedir alguém de fazer algo** empêcher qqn de faire qqch.

impelir [ĩmpe'li(x)] *vt* pousser.

impenetrável [ĩmpene'travɛw] (*pl* -eis) *adj* impénétrable.

impensável [ĩmpẽ'savɛw] (*pl* -eis) *adj* impensable.

imperador [ĩnpera'do(x)] (*pl* -es) *m* empereur *m*.

imperativo, **va** [ĩmpera'tʃivu, va] ◇ *adj* impératif(ive). ◇ *m* impératif *m*.

imperatriz [ĩnpera'triʃ] (*pl* -es) *f* impératrice *f*.

imperdoável [ĩmpex'dwavɛw] (*pl* -eis) *adj* impardonnable.

imperfeição [ĩnpexfej'sɑ̃w] (*pl* -ões) *f* [defeito] imperfection *f*.

imperfeito, **ta** [ĩmpex'fejtu, ta] ◇ *adj* imparfait(e). ◇ *m* imparfait *m*.

imperial [ĩnpe'rjaw] (*pl* -ais) *adj* impérial(e).

impermeável [ĩmpex'mjavɛw] (*pl* -eis) *adj* & *m* imperméable.

impertinente [ĩmpextʃi'nẽntʃi] *adj* impertinent(e).

imperturbável [ĩmpextux'bavɛw] (*pl* -eis) *adj* imperturbable.

impessoal [ĩmpe'swaw] (*pl* -ais) *adj* impersonnel(elle).

impetuoso, **osa** [ĩmpe'twozu, ɔza] *adj* impétueux(euse).

impiedade [ĩnpje'dadʒi] *f* impiété *f*.

implacável [ĩmpla'kavɛw] (*pl* -eis) *adj* implacable.

implantação [ĩmplɑ̃nta'sɑ̃w] *f* implantation *f*.

implementar [ĩmplemẽn'ta(x)] *vt* [lei] mettre en application ; [regime, sistema] mettre en place.

implicar [ĩmpli'ka(x)] *vt* impliquer. ◆ **implicar com** *v* + *prep* titiller.

implícito, **ta** [ĩm'plisitu, ta] *adj* implicite.

implorar [ĩmplo'ra(x)] *vt* implorer.

imponente [ĩmpo'nẽntʃi] *adj* imposant(e).

impopular [ĩmpopu'la(x)] (*pl* -es) *adj* impopulaire.

impor [ĩm'po(x)] *vt* imposer. ◆ **impor-se** *vp* s'imposer ; **impor algo a alguém** imposer qqch à qqn.

importação [ĩmpoxta'sɑ̃w] (*pl* -ões) *f* importation *f*.

importado, **da** [ĩmpox'tadu, da] *adj* importé(e).

importância [ĩmpox'tɑ̃sja] *f* importance *f*.

importante [ĩmpox'tɑ̃ntʃi] ◇ *adj* important(e). ◇ *m* : **o importante é...** l'important c'est...

importar [ĩmpox'ta(x)] ◇ *vt* [mercadoria, produto] importer ; [idéia] prendre. ◇ *vi* avoir de l'importance. ◆ **importar-se** *vp* : **importa-se de...** ça ne vous dérange pas de... ; **não importa** ça n'a pas d'importance ; **não me importa** ça m'est égal ; **pouco importa** peu importe.

imposição [ĩmpozi'sɑ̃w] (*pl* -ões) *f* imposition *f*.

impossibilitar [ĩmposibilita(x)] *vt* rendre impossible.

impossível [ĩmpo'sivɛw] (*pl* -eis) ◇ *adj* impossible. ◇ *m* : **o impossível** l'impossible *m* ; **querer o impossível** vouloir l'impossible.

imposto [ĩm'poʃtu] *m* impôt *m* ; **imposto de renda** impôt sur le revenu ; **imposto sobre o valor agregado** taxe *f* sur la valeur ajoutée.

impostor, **ra** [ĩmpoʃ'to(x), ra] (*mpl* -es, *fpl* -s) *m, f* imposteur *m*.

impotente [ĩmpo'tẽntʃi] *adj* impuissant(e).

impraticável [ĩmpratʃi'kavɛw] (*pl* -eis) *adj* [estrada, caminho] impraticable.

impreciso, **sa** [ĩmpre'sizu, za] *adj* imprécis(e).

impregnar [ĩmpreg'na(x)] *vt* imprégner. ◆ **impregnar-se de** *vp* + *prep* s'imprégner de.

imprensa [ĩm'prẽsa] *f* presse *f*.

imprescindível [ĩnpresĩn'dʒivɛw] (*pl* -eis) *adj* indispensable.

impressão [ĩmpre'sɑ̃w] (*pl* -ões) *f* impression *f* ; **ter a impressão que** avoir l'impression que ; **impressão digital** empreinte *f* digitale ; **causar boa impressão** faire bonne impression.

impressionante [ĩmpresju'nɑ̃ntʃi] *adj* impressionnant(e).

impressionar [ĩmpresju'na(x)] *vt* impressionner.

impresso, a [ĩm'prɛsu, a] ◇ *adj* imprimé(e). ◇ *m* formulaire *m*.

impressões ► **impressão**.

impressora [ĩmpre'sora] *f* imprimante *f*.

imprestável [ĩnpreʃ'tavɛw] (*pl* -eis) *adj* [não prestativo] désobligeant(e) ; [inútil] inutilisable.

imprevisível [ĩmprevi'zivɛw] (*pl* -eis) *adj* imprévisible.

imprevisto, ta [ĩmpre'viʃtu, ta] ◇ *adj* imprévu(e). ◇ *m* imprévu *m*.

imprimir [ĩmpri'mi(x)] *vt* imprimer.

impróprio, pria [ĩm'prɔpriu, pria] *adj* : **impróprio para beber** non potable ; **impróprio para comer** impropre à la consommation ; **impróprio para morar** insalubre.

improvável [ĩmpro'vavɛw] (*pl* -eis) *adj* improbable.

improvisar [ĩmprovi'za(x)] *vt* & *vi* improviser.

improviso [ĩmpro'vizu] *m* improvisation *f* ; **de improviso** à l'improviste.

imprudente [ĩmpru'dẽntʃi] *adj* imprudent(e).

impulsionar [ĩmpuwsju'na(x)] *vt* stimuler.

impulsivo, va [ĩmpuw'sivu, va] *adj* impulsif(ive).

impulso [ĩm'puwsu] *m* [incitamento] impulsion *f*.

impune [ĩn'puni] *adj* impuni(e).

impureza [ĩmpu'reza] *f* impureté *f*.

impuro, ra [ĩm'puru, ra] *adj* impur(e).

imundície [ĩmũn'dʒisji] *f* [sujidade] crasse *f* ; [lixo] immondices *fpl*.

imune [i'muni] *adj* : **imune a** [à doença] immunisé(e) contre ; [a ataques] insensible à.

inábil [i'nabiw] (*pl* -beis) *adj* malhabile.

inabitado, da [inabi'tadu, da] *adj* inhabité(e).

inacabado, da [inaka'badu, da] *adj* inachevé(e).

inaceitável [inasej'tavɛw] (*pl* -eis) *adj* inacceptable.

inacessível [inase'sivɛw] (*pl* -eis) *adj* inaccessible.

inacreditável [inakredʒi'tavɛw] (*pl* -eis) *adj* incroyable.

inadequado, da [inade'kwadu, da] *adj* inadéquat(e).

inadiável [ina'djavɛw] (*pl* -eis) *adj* [problema] urgent(e) ; [encontro, reunião] qui ne peut être reporté(e).

inadvertido, da [inadver'tʃidu, da] *adj* involontaire.

inalador [inala'do(x)] (*pl* -es) *m* inhalateur *m*.

inalar [ina'la(x)] *vt* inhaler.

inalcançável [inawkɑ̃'savɛw] (*pl* -eis) *adj* inaccessible.

inanimado, da [inani'madu, da] *adj* inanimé(e).

inaptidão [inaptʃi'dɑ̃w] *f* inaptitude *f*.

inapto, pta [i'naptu, ta] *adj* inapte.

inarticulado, da [inaxtʃiku'ladu, da] *adj* inarticulé(e).

inatingível [inatʃĩ'ʒivɛw] (*pl* -eis) *adj* inaccessible.

inatividade [inatʃivi'dadʒi] *f* inactivité *f*.

inativo, va [ina'tʃivu, va] *adj* [máquina] à l'arrêt ; [vulcão] éteint(e) ; [pessoa] inactif(ive).

inato, ta ['inatu, ta] *adj* inné(e).

inauguração [inawgura'sɑ̃w] (*pl* -ões) *f* inauguration *f*.

inaugurar [inawgu'ra(x)] *vt* inaugurer.

incansável [ĩŋkɑ̃'savɛw] (*pl* -eis) *adj* infatigable.

incapacidade [ĩŋkapasi'dadʒi] *f* incapacité *f*.

incapaz [ĩŋka'paʃ] (*pl* -es) *adj* incapable.

incendiar [ĩsẽn'dʒja(x)] *vt* mettre le feu à. ◆ **incendiar-se** *vp* prendre feu.

incêndio [ĩ'sẽndʒju] *m* incendie *m*.

incenso [ĩn'sẽnsu] *m* encens *m*.

incentivar [ĩsẽntʒi'va(x)] *vt* encourager.

incentivo [ĩsẽn'tʒivu] *m* encouragement *m* ; [dinheiro] prime *f*.

incerteza [ĩsex'teza] *f* incertitude *f* ; **ficar na incerteza** être perplexe.

incerto, ta [ĩ'sɛxtu, ta] *adj* incertain(e).

incesto [ĩn'sɛʃtu] *m* inceste *m*.

inchação [ĩnʃa'sɑ̃w] *f* = **inchaço**.

inchaço [ĩ'ʃasu] *m* boursouflure *f*.

inchado, da [ĩ'ʃadu, da] *adj* [tumefato] enflé(e) ; *fig* [envaidecido] infatué(e).

inchar [ĩ'ʃa(x)] *vi* enfler.

incidência [ĩnsi'dẽnsja] *f* incidence *f*.

incidente [ĩsi'dẽntʃi] *m* incident *m*.

incineração [ĩsinera'sɑ̃w] (*pl* -ões) *f* incinération *f*.

incisivo, va [ĩsi'zivu, va] ◇ *adj* incisif(ive). ◇ *m* incisive *f*.

incitar [ĩsi'ta(x)] *vt* inciter.

inclemente [ĩŋkle'mẽntʃi] *adj* sévère.

inclinação [ĩŋklina'sɑ̃w] (*pl* -ões) *f* [de objeto, linha, edifício] inclinaison *f* ; *fig* [propensão] inclination *f*, penchant *m*.

inclinado, da [ĩŋkli'nadu, da] *adj* incliné(e).

inclinar [ĩŋkli'na(x)] *vt* incliner. ◆ **inclinar-se** *vp* s'incliner.

incluir [ĩŋklu'i(x)] *vt* inclure ; [conter] comprendre.

inclusive [ĩŋklu'zivɛ] *adv* y compris.

incoerente [ĩŋkwe'rẽntʃi] *adj* incohérent(e).

incógnita [ĩŋ'kɔgnita] *f* inconnue *f*.

incógnito, ta [ĩŋ'kɔgnitu, ta] *adj* inconnu(e).

incolor [ĩŋko'lo(x)] (*pl* -es) *adj* incolore.

incomodar [ĩŋkomo'da(x)] *vt* [importunar] déranger ; [afligir] affecter ; **'não incomodar'** 'ne pas déranger'. ◆ **incomodar-se** *vp* s'inquiéter ; **incomoda-se se eu fumar?** cela vous dérange si je fume ?

incômodo, da [ĩŋ'komodu, da] ◇ *adj* pas confortable. ◇ *m* dérangement *m*.

incomparável [ĩŋkõmpa'ravɛw] (*pl* -eis) *adj* incomparable.

incompatível [ĩŋkõmpa'tʃivɛw] (*pl* -eis) *adj* incompatible.

incompetente [ĩŋkõmpe'tẽntʃi] *adj* & *mf* incompétent(e).

incompleto, ta [ŋkõm'plɛtu, ta] *adj* incomplet(ète).

incomum [ĩŋko'mũ] (*pl* -ns) *adj* hors du commun.

incomunicável [ĩŋkomuni'kavɛw] (*pl* -eis) *adj* [isolado] injoignable ; [bens] intransmissible.

incomuns ► **incomum**.

inconcebível [ĩŋkõse'bivɛw] (*pl* -eis) *adj* inconcevable.

incondicional [ĩŋkõndʒisjo'naw] (*pl* -ais) *adj* [proposta, contrato] sans condition ; [apoio, rendição, partidário] inconditionnel(elle).

inconfidência [ĩŋkõfi'dẽsja] *f* indiscrétion *f*, infidélité *f*.

inconfidente [ĩŋkõfi'dẽtʃi] *adj* indiscret(te), infidèle.

inconformado, da [ĩŋkõfox'madu, da] *adj* : **estar inconformado** ne pas se faire à l'idée de.

inconfundível [ĩŋkõfũn'dʒivɛw] (*pl* -eis) *adj* [voz, cheiro] caractéristique ; [casa, rua] facilement repérable.

inconsciência [ĩŋkõʃ'sjẽsja] *f* inconscience *f*.

inconsciente [ĩŋkõʃ'sjẽntʃi] ◇ *adj* inconscient(e). ◇ *m* inconscient *m*.

incontestável [ĩŋkõnteʃ'tavɛw] (*pl* -eis) *adj* incontestable.

inconveniência [ĩŋkõve'njẽsja] *f* [problema, desvantagem] inconvénient *m* ; [grosseria] grossièreté *f*.

inconveniente [ĩŋkõve'njẽntʃi] ◇ *adj* [pessoa] grossier(ère) ; [assunto] déplacé(e). ◇ *m* inconvénient *m* ; **não ver inconveniente em que** ne pas voir d'inconvénient à ce que.

incorporar [ĩŋkoxpo'ra(x)] *vt* [unir] ajouter ; [juntar] incorporer.

incorreto, ta [ĩŋko'xɛtu, ta] *adj* incorrect(e).

incorrigível [ĩŋkoxi'ʒivɛw] (*pl* -eis) *adj* incorrigible.

incrédulo, la [ĩŋ'krɛdulu, la] *adj* incrédule.

incrível [ĩŋ'krivɛw] (*pl* -eis) *adj* incroyable ; [pessoa] étonnant(e) ; [lugar, espetáculo, paisagem] fantastique.

incubadora [ĩŋkuba'dora] *f* couveuse *f*.

inculto, ta [ĩŋ'kuwtu, ta] *adj* inculte.

incumbir [ĩŋkũm'bi(x)] *vt* charger, confier ; **incumbir alguém de fazer algo** charger qqn de faire qqch. ◆ **incumbir a** *v + prep* : **incumbir a alguém fazer algo** être à qqn de faire qqch. ◆ **incumbir-se de** *vp + prep* : **incumbir-se de fazer algo** se charger de faire qqch.

incurável [ĩŋku'ravɛw] (*pl* -eis) *adj* incurable.

indagar [ĩnda'ga(x)] *vi* rechercher.

indecente [ĩnde'sẽntʃi] *adj* indécent(e).

indecisão [ĩndesi'zɑ̃w] (*pl* -ões) *f* indécision *f*.

indeciso, sa [ĩnde'sizu, za] *adj* indécis(e) ; **estar indeciso** hésiter.

indecisões ► **indecisão**.

indecoroso, osa [ĩndeku'rozo, ɔza] *adj* indécent(e).

indefeso, sa [ĩnde'fezu, za] *adj* sans défense.

indefinido, da [ĩndefi'nidu, da] *adj* [prazo] indéterminé(e) ; GRAM indéfini(e).

indelicado, da [ĩndeli'kadu, da] *adj* impoli(e).

indenização [ĩndeniza'sɑ̃w] (*pl* -ões) *f* indemnisation *f* ; [pagamento] indemnité *f* ; **indenização por perdas e danos** dommages et intérêts.

indenizar [ĩndeni'zar] *vt* indemniser.

independência [ĩndepẽn'dẽsja] *f* indépendance *f*.

independente [ĩndepẽn'dẽntʃi] *adj* indépendant(e).

independentemente [ĩndepẽn,dẽntʃi'mẽntʃi] ◆ **independentemente de** *prep* indépendamment de.

indescritível [ĩndeʃkri'tʃivɛw] (*pl* -eis) *adj* indescriptible.

indesejável [ĩndeze'ʒavɛw] (*pl* -eis) *adj* [pessoa] indésirable ; [situação] gênant(e).

indestrutível [ĩndeʃtru'tʃivɛw] (*pl* -eis) *adj* [construção] indestructible ; *fig* [argumento] irréfutable.

indeterminado, **da** [ĩndetexmi'nadu, da] *adj* indéterminé(e).

indevido, **da** [ĩnde'vidu, da] *adj* [comportamento] déplacé(e) ; [hora] indu(e).

Índia ['ĩndʒja] *f* : **a Índia** l'Inde *f*.

indiano, **na** [ĩn'dʒjanu, na] ◇ *adj* indien(enne). ◇ *m, f* Indien *m*, -enne *f* *(d'Inde)*.

indicação [ĩndʒika'sãw] (*pl* -ões) *f* indication *f*.

indicador [ĩndʒika'do(x)] (*pl* -es) *m* [dedo] index *m* ; [de temperatura, hodômetro] indicateur *m*.

indicar [ĩndʒi'ka(x)] *vt* indiquer.

indicativo, **va** [ĩndʒika'tʃivu, va] ◇ *adj* indicatif(ive). ◇ *m* indicatif *m*.

índice ['ĩndʒisi] *m* [em livro] table *f* des matières ; [por ordem alfabética, dedo] index *m* ; [nível] indice *m* ; **índice de inflação** taux *m* d'inflation.

indício [in'dʒisju] *m* indice *m*, indication *f*.

indiferença [ĩndʒife'rẽsa] *f* indifférence *f*.

indiferente [ĩndʒife'rẽntʃi] *adj* indifférent(e) ; **é-me indiferente** ça m'est égal.

indígena [ĩn'dʒiʒena] *adj* & *mf* indigène.

indigestão [ĩndʒiʒeʃ'tãw] *f* indigestion *f*.

indigesto, **ta** [ĩndʒi'ʒɛʃtu, ta] *adj* indigeste.

indignação [ĩndʒigna'sãw] (*pl* -ões) *f* indignation *f*.

indigno, **gna** [ĩn'dʒignu, gna] *adj* indigne.

índio, **dia** ['ĩndʒju, dʒja] ◇ *adj* indien(enne). ◇ *m, f* Indien *m*, -enne *f* *(d'Amérique)*.

indireta [ĩndʒi'rɛta] *f* *fig* sous-entendu *m* ; **soltar uma indireta** [criticar] lancer une pique ; [insinuar] faire une allusion.

indireto, **ta** [ĩndʒi'rɛtu, ta] *adj* indirect(e).

indisciplinado, **da** [ĩndʒiʃsipli'nadu, da] *adj* indiscipliné(e).

indiscreto, **ta** [ĩndʒiʃ'krɛtu, ta] *adj* indiscret(ète).

indiscutível [ĩndʒiʃku'tʃivɛw] (*pl* -eis) *adj* indiscutable.

indispensável [ĩndʒiʃpẽ'savɛw] (*pl* -eis) ◇ *adj* indispensable. ◇ *m* : **o indispensável** l'indispensable *m*.

indisposição [ĩndʒiʃpozi'sãw] (*pl* -ões) *f* malaise *m*.

indisposto, **osta** [ĩndʒiʃ'poʃtu, ɔʃta] *adj* indisposé(e).

indistinto, **ta** [ĩndʒiʃ'tʃĩntu, ta] *adj* indistinct(e).

individual [ĩndʒivi'dwaw] (*pl* -ais) *adj* individuel(elle).

indivíduo [ĩnde'vidwu] *m* [pessoa] individu *m* ; *fam* [homem] type *m*.

índole ['ĩndoli] *f* nature *f* *(caractère)*.

indolência [ĩndo'lẽnsja] *f* indolence *f*.

indolente [ĩndo'lẽntʃi] *adj* indolent(e).

indolor [ĩndo'lo(x)] (*pl* -es) *adj* indolore.

Indonésia [ĩndo'nɛzja] *f* : **a Indonésia** l'Indonésie *f*.

indulgência [ĩnduw'ʒẽsja] *f* indulgence *f*.

indulgente [ĩnduw'ʒẽntʃi] *adj* indulgent(e).

indumentária [ĩndumẽn'tarja] *f pej* accoutrement *m*.

indústria [ĩn'duʃtria] *f* industrie *f*.

induzir [ĩndu'zi(x)] *vt* : **induzir alguém a fazer algo** pousser qqn à faire qqch ; **induzir alguém em erro** induire qqn en erreur.

inédito, **ta** [i'nɛdʒitu, ta] *adj* [filme, peça de teatro, livro] inédit(e) ; [acontecimento] inouï(e).

ineficaz [inefi'kaʃ] (*pl* -es) *adj* inefficace.

inegável [ine'gavɛw] (*pl* -eis) *adj* indéniable.

inércia [i'nɛxsja] *f* inertie *f*.

inerte [i'nɛxtʃi] *adj* inerte.

inesgotável [ineʒgo'tavɛw] (*pl* -eis) *adj* inépuisable.

inesperado, **da** [ineʃpe'radu, da] *adj* inattendu(e).

inesquecível [ineʃkɛ'sivɛw] (*pl* -eis) *adj* inoubliable.

inestimável [ineʃtʃi'mavɛw] (*pl* -eis) *adj* inestimable.

inevitável [inevi'tavɛw] (*pl* -eis) *adj* inévitable.

inexequível [ineze'kwivɛw] (*pl* -eis) *adj* irréalisable.

inexistência [ineziʃ'tẽnsja] *f* inexistence *f*.

inexperiência [ineʃpe'rjẽsja] *f* inexpérience *f*, manque *m* d'expérience.

inexperiente [ineʃpe'rjẽntʃi] *adj* [sem experiência] inexpérimenté(e) ; *fig* [inocente] novice.

infalível [ĩfa'livɛw] (*pl* -eis) *adj* [método, sistema, plano] infaillible ; [inevitável] garanti(e).

infâmia [ĩ'famja] *f* calomnie *f*.

infância [ĩ'fɑ̃sja] *f* enfance *f*.

infantil [ĩfɑ̃n'tiw] (*pl* -is) *adj* [literatura, programa] pour enfants ; *pej* [imaturo] infantile ; [jogo, linguagem] enfantin(e).

infecção [ĩfɛ'sɑ̃w] (*pl* -ões) *f* infection *f*.

infeccioso, **osa** [ĩfɛ'sjozu, ɔza] *adj* infectieux(euse).

infecções ► **infecção**.

infectado, **da** [ĩfek'tadu, da] *adj* infecté(e).

infectar [ĩfek'ta(x)] *vt* infecter.

infelicidade [ĩfelisi'dadʒi] *f* malheur *m* ; **mas que infelicidade!** quel malheur ! ; **tive a infelicidade de** j'ai eu le malheur de.

infeliz [ĩfe'liʒ] (*pl* -es) *adj* & *mf* malheureux(euse) ; **ser infeliz** être malheureux.

infelizmente [ĩfeliʒ'mẽntʃi] *adv* malheureusement.

inferior [ĩfe'rjo(x)] (*pl* -es) *adj* inférieur(e) ; **um número inferior de** moins de ; **piso** OU **andar inferior** étage du dessous.

inferno [ĩ'fɛxnu] *m* : **o Inferno** l'enfer *m* ; **isto é um inferno!** c'est l'enfer ! ; **vá para o inferno!** *fam* allez au diable !

infertilidade [ĩfextʃili'dadʒi] *f* infertilité *f*.

infestar [ĩfeʃ'ta(x)] *vt* infester.

infiel [ĩ'fjɛw] (*pl* -éis) *adj* infidèle.

infiltrar-se [ĩfiw'traxsi] *vp* s'infiltrer.

ínfimo, **ma** ['ĩfimu, ma] *adj* [muito pequeno] infime ; *fig* [reles, sem importância] misérable.

infindável [ĩfĩn'davɛw] (*pl* -eis) *adj* interminable.

infinidade [ĩfini'dadʒi] *f* infinité *f*.

infinitivo [ĩfini'tʃivu] *m* infinitif *m*.

infinito, **ta** [ĩfi'nitu, ta] ◇ *adj* infini(e). ◇ *m* infini *m*.

inflação [ĩfla'sɑ̃w] *f* inflation *f*.

inflamação [ĩflama'sɑ̃w] (*pl* -ões) *f* inflammation *f*.

inflamado, **da** [ĩfla'madu, da] *adj* enflammé(e).

inflamar [ĩfla'ma(x)] *vt* enflammer.

inflamável [ĩfla'mavɛw] (*pl* -eis) *adj* inflammable ; **'inflamável'** 'inflammable'.

inflável [ĩ'flavɛw] (*pl* -eis) *adj* gonflable.

inflexível [ĩflɛk'sivɛw] (*pl* -eis) *adj* inflexible.

influência [ĩflu'ẽsja] *f* influence *f* ; **ter influência** avoir de l'influence.

influente [ĩflu'ẽntʃi] *adj* influent(e).

influir [ĩflu'i(x)] ◆ **influir em** *v + prep* influer sur.

informação [ĩfoxma'sɑ̃w] (*pl* -ões) *f* information *f*. ◆ **informações** *fpl* renseignements *mpl* ; **'informações'** 'informations'.

informal [ĩfox'maw] (*pl* -ais) *adj* [linguagem] courant(e) ; [roupa] décontracté(e).

informar [ĩfox'ma(x)] *vt* informer ; **informar alguém de** OU **sobre algo** informer qqn de OU au sujet de qqch. ◆ **informar-se** *vp* s'informer ; **informar-se sobre** se renseigner sur.

informática [ĩfox'matʃika] *f* informatique *f*.

informativo, **va** [ĩfoxma'tʃivu, va] *adj* d'information.

informatizar [ĩfurmati'za(x)] *vt* informatiser.

infortúnio [ĩnfox'tunju] *m* malheur *m*.

infração [ĩfra'sɑ̃w] (*pl* -ões) *f* infraction *f*.

infrações ➤ **infração**.

infrator, **ra** [ĩnfra'to(x), ra] (*mpl* -es, *fpl* -s) *m, f* contrevenant *m*, -e *f*.

infravermelho, **lha** [ĩfravex'meʎu, ʎa] *adj* infrarouge.

infringir [ĩfrĩ'ʒir] *vt* enfreindre.

infrutífero, **ra** [ĩnfru'tʃiferu, ra] *adj* infructueux(euse).

infundado, **da** [ĩfũn'dadu, da] *adj* infondé(e).

ingenuidade [ĩʒenwi'dadʒi] *f* naïveté *f*.

ingênuo, **nua** [ĩ'ʒenwu, nwa] *adj* & *m, f* naïf(naïve).

ingerir [ĩʒe'ri(x)] *vt* absorber.

Inglaterra [ĩŋgla'tɛxa] *f* : **a Inglaterra** l'Angleterre *f*.

inglês, **esa** [ĩŋ'gleʃ, eza] (*mpl* -eses, *fpl* -s) ◇ *adj* anglais(e). ◇ *m, f* Anglais *m*, -e *f*. ◇ *m* [língua] anglais *m* ; **para inglês ver** en mettre plein la vue.

ingratidão [ĩŋgratʃi'dɑ̃w] *f* ingratitude *f*.

ingrato, **ta** [ĩŋ'gratu, ta] *adj* ingrat(e).

ingrediente [ĩŋgre'djẽntʃi] *m* ingrédient *m*.

íngreme [ĩŋgremi] *adj* [rua, encosta] escarpé(e) ; [escadas] raide.

ingresso [ĩŋ'grɛsu] *m* entrée *f* ; [admissão] admission *f*.

inhame [i'ɲami] *m* igname *f*.

inibição [inibi'sɑ̃w] (*pl* -ões) *f* timidité *f*.

inibido, **da** [ini'bidu, da] *adj* timide.

inicial [ini'sjaw] (*pl* -ais) ◇ *adj* initial(e). ◇ *f* initiale *f*.

iniciar [ini'sja(x)] *vt* commencer ; **iniciar alguém em algo** initier qqn à qqch. ◆ **iniciar-se** *vp* commencer ; **iniciar-se em** débuter dans.

iniciativa [inisja'tʃiva] *f* initiative *f* ; **ter iniciativa** avoir de l'initiative.

início [i'nisju] *m* début *m* ; **no início** au début ; **desde o início** depuis le début.

inimigo, **ga** [ini'migu, ga] *adj* & *m, f* ennemi(e).

ininterruptamente [inĩnte,xupta'mẽntʃi] *adv* sans arrêt.

injeção [ĩʒe'sãw] (*pl* -ões) *f* MED piqûre *f* ; **dar uma injeção** faire une piqûre.

injeções ► **injeção.**

injetar [ĩʒe'ta(x)] *vt* injecter. ◆ **injetar-se** *vp fam* se piquer.

injúria [ĩ'ʒurja] *f* injure *f.*

injuriar [ĩʒu'rja(x)] *vt* injurier.

injustiça [ĩʒuʃ'tʃisa] *f* injustice *f.*

injusto, **ta** [ĩ'ʒuʃtu, ta] *adj* injuste.

inocência [ino'sẽsja] *f* innocence *f.*

inocentar [inosẽn'ta(x)] *vt* : **inocentar alguém (de algo)** innocenter qqn (de qqch).

inocente [ino'sẽntʃi] *adj* innocent(e) ; **ser** OU **estar inocente** être innocent.

inoculação [inɔkula'sãw] (*pl* -ões) *f* inoculation *f.*

inócuo, **cua** [i'nɔkwu, kwa] *adj* inoffensif(ive).

inofensivo, **va** [inofẽ'sivu, va] *adj* inoffensif(ive).

inoportuno, **na** [inopox'tunu, na] *adj* inopportun(e).

inovação [inova'sãw] (*pl* -ões) *f* innovation *f.*

inox [i'nɔksi] *m* Inox® *m.*

inoxidável [inoksi'davɛw] (*pl* -eis) *adj* inoxydable.

inquérito [ĩŋ'kɛritu] *m* enquête *f.*

inquietação [ĩŋkjeta'sãw] *f* [agitação] agitation *f* ; [preocupação] inquiétude *f.*

inquietante [ĩŋkje'tãntʃi] *adj* inquiétant(e).

inquilino, **na** [ĩŋki'linu, na] *m, f* locataire *mf.*

insaciável [ĩnsa'sjavɛw] (*pl* -eis) *adj* insatiable.

insalubre [ĩnsa'lubri] *adj* insalubre.

insanidade [ĩnsani'dadʒi] *f* insanité *f (mentale).*

insatisfação [ĩnsatʃiʃfa'sãw] (*pl* -ões) *f* insatisfaction *f.*

insatisfatório, **ria** [ĩsatʃiʃfa'tɔrju, rja] *adj* insatisfaisant(e).

insatisfeito, **ta** [ĩsatʃiʃ'fejtu, ta] *adj* insatisfait(e).

inscrever [ĩʃkre've(x)] *vt* inscrire ; **inscrever alguém em algo** inscrire qqn à qqch. ◆ **inscrever-se** *vp* : **inscrever-se em** s'inscrire à.

inscrição [ĩʃkri'sãw] (*pl* -ões) *f* inscription *f.*

insegurança [isegu'rãsa] *f* insécurité *f.*

inseguro, **ra** [ĩse'guru, ra] *adj* dangereux(euse) ; **ele é inseguro** il n'est pas sûr de lui.

inseminação [ĩnsemina'sãw] (*pl* -ões) *f* : **inseminação (artificial)** insémination *f* (artificielle).

insensato, **ta** [ĩsẽ'satu, ta] *adj* [pessoa] pas raisonnable ; [decisão, comportamento] insensé(e).

insensibilidade [ĩsẽsibili'dadʒi] *f* insensibilité *f.*

insensível [ĩsẽ'sivɛw] (*pl* -eis) *adj* [pessoa] insensible ; [dedos] engourdi(e).

inseparável [ĩsepa'ravɛw] (*pl* -eis) *adj* inséparable.

inserir [ĩse'ri(x)] *vt* [colocar] introduire ; INFORM [disquete] insérer. ◆ **inserir-se em** *vp + prep* s'intégrer à.

inseticida [ĩsetʃi'sida] *m* insecticide *f.*

inseto [ĩ'sɛtu] *m* insecte *m.*

insidioso, **osa** [ĩsi'dʒjozu, ɔza] *adj* [pessoa] sournois(e) ; [comportamento, resposta] insidieux(euse).

insígnia [ĩ'signja] *f* insigne *f.*

insignificante [ĩsignifi'kãntʃi] *adj* insignifiant(e).

insincero, **ra** [ĩnsĩ'sɛru, ra] *adj* hypocrite.

insinuar [ĩsi'nwa(x)] *vt* insinuer. ◆ **insinuar-se** *vp* s'insinuer.

insípido, da [ĩ'sipidu, da] *adj* insipide.

insistência [ĩsiʃ'tẽsja] *f* insistance *f*.

insistente [ĩsiʃ'tẽntʃi] *adj* insistant(e).

insistir [ĩsiʃ'ti(x)] *vi* insister ; **insistir com alguém** insister auprès de qqn ; **insistir em fazer algo** insister pour faire qqch.

insociável [ĩnso'sjavɛw] (*pl* -eis) *adj* peu sociable.

insolação [ĩsola'sɑ̃w] (*pl* -ões) *f* insolation *f*.

insolente [ĩso'lẽntʃi] *adj* & *mf* insolent(e).

insólito, ta [ĩ'sɔlitu, ta] *adj* [acontecimento] insolite ; [pessoa] original(e).

insônia [ĩ'sonja] *f* insomnie *f*.

insosso, a [ĩ'sosu, a] *adj* fade.

inspeção [ĩʃpe'sɑ̃w] (*pl* -ões) *f* [vistoria] inspection *f* ; [de carro] contrôle *m* technique.

inspecionar [ĩʃpesjo'na(x)] *vt* [revistar] inspecter.

inspeções ► **inspeção**.

inspetor, ra [ĩʃpe'to(x), ra] (*mpl* -es, *fpl* -s) *m, f* inspecteur *m*, -trice *f*.

inspiração [ĩʃpira'sɑ̃w] (*pl* -ões) *f* inspiration *f*.

inspirador, ra [ĩʃpira'do(x), ra] (*mpl* -es, *fpl* -s) *adj* inspirateur(trice).

inspirar [ĩʃpi'ra(x)] *vt* inspirer.

instabilidade [ĩʃtabili'dadʒi] *f* instabilité *f*.

instalação [ĩʃtala'sɑ̃w] (*pl* -ões) *f* installation *f* ; **instalação elétrica** installation électrique. ◆ **instalações** *fpl* locaux *mpl*.

instalar [ĩʃta'la(x)] *vt* installer. ◆ **instalar-se** *vp* s'installer.

instantâneo, nea [ĩʃtɑ̃n'tanju, nja] ◇ *adj* instantané(e). ◇ *m* cliché *m*.

instante [ĩʃ'tɑ̃ntʃi] *m* instant *m* ; **um instante!** un instant ! ; **dentro de instantes** dans un instant ; **de um instante para o outro** d'un seul coup ; **nesse instante** aussitôt ; **num instante** en un instant ; **por instantes** par moments ; **a todo o instante** à tout instant.

instintivo, va [ĩʃtʃĩn'tʃivu, va] *adj* instinctif(ive).

instinto [ĩʃ'tʃĩntu] *m* instinct *m*.

instituição [ĩʃtʃitwi'sɑ̃w] (*pl* -ões) *f* institution *f*.

instituto [ĩʃtʃi'tutu] *m* institut *m* ; **instituto de beleza** institut de beauté ; **instituto de línguas** école *f* de langues.

instrução [ĩʃtru'sɑ̃w] (*pl* -ões) *f* instruction *f*. ◆ **instruções** *fpl* instructions *fpl* ; **'instruções'** 'mode d'emploi'.

instruir [ĩʃtru'i(x)] *vt* instruire.

instrumental [ĩʃtrumẽn'taw] (*pl* -ais) *adj* instrumental(e).

instrumento [ĩʃtru'mẽntu] *m* instrument *m*.

instrutivo, va [ĩʃtru'tʃivu, va] *adj* instructif(ive).

instrutor, ra [ĩʃtru'to(x), ra] (*mpl* -es, *fpl* -s) *m, f* [de tropa] instructeur *m* ; [de condução] moniteur *m*, -trice *f* d'auto-école.

insubordinação [ĩsuboxdʒina'sɑ̃w] (*pl* -ões) *f* [mau comportamento] indiscipline *f* ; [rebelião] insubordination *f*.

insubstituível [ĩsubʃtʃi'twivɛw] (*pl* -eis) *adj* irremplaçable.

insucesso [ĩsu'sɛsu] *m* échec *m* ; **insucesso escolar** échec scolaire.

insuficiência [ĩsufi'sjẽsja] *f* insuffisance *f* ; **insuficiência cardíaca** insuffisance cardiaque.

insuficiente [ĩsufi'sjẽntʃi] ◇ *adj* insuffisant(e). ◇ *m* EDUC mention *f* insuffisant.

insuflável [ĩsu'flavɛw] (*pl* -eis) *adj* gonflable.

insulina [ĩsu'lina] *f* insuline *f*.

insultar [ĩsuw'ta(x)] *vt* insulter.

insuperável [ĩsupe'ravɛw] (*pl* -eis) *adj* insurmontable.

insuportável [ĩsupox'tavɛw] (*pl* -eis) *adj* insupportable.

intato, **ta** [ĩn'tatu, ta] *adj* intact(e).

íntegra ['ĩntegra] *f* : **na íntegra** intégralement.

integral [ĩnte'graw] (*pl* -ais) *adj* [total] intégral(e) ; [pão, arroz] complet(ète).

integrar [ĩnte'gra(x)] *vt* intégrer. ◆ **integrar-se** *vp* s'intégrer.

integridade [ĩntegri'dadʒi] *f* intégrité *f*.

íntegro, **gra** ['ĩntegru, gra] *adj* intègre.

inteiramente [ĩn,tejra'mẽntʃi] *adv* entièrement.

inteirar-se [ĩntej'raxsi] ◆ **inteirar-se de** *vp* + *prep* [informar-se de] se renseigner sur ; [descobrir] apprendre.

inteiro, **ra** [ĩn'tejru, ra] *adj* entier(ère) ; **o bolo inteiro** tout le gâteau ; **a cidade inteira** toute la ville.

intelectual [ĩntelek'twaw] (*pl* -ais) *adj* & *mf* intellectuel(elle).

inteligência [ĩnteli'ʒẽsja] *f* intelligence *f*.

inteligente [ĩnteli'ʒẽntʃi] *adj* intelligent(e).

intenção [ĩntẽ'sɑ̃w] (*pl* -ões) *f* intention *f* ; **ter intenção de fazer algo** avoir l'intention de faire qqch ; **ter segundas intenções** avoir des arrière-pensées ; **sem intenção** sans le faire exprès ; **com a** OU **na melhor das intenções** avec les meilleures intentions.

intensidade [ĩntẽsi'dadʒi] *f* intensité *f*.

intensivo, **va** [ĩntẽ'sivu, va] *adj* intensif(ive).

intenso, **sa** [ĩn'tẽsu, sa] *adj* intense.

interativo, **va** [ĩntera'tʃivu, va] *adj* intéractif(ive).

intercâmbio [,ĩnter'kɑ̃mbju] *m* échange *m*.

interceder [ĩntexse'de(x)] *vi* : **interceder por alguém** intercéder en faveur de qqn.

interceptar [ĩntexsep'ta(x)] *vt* intercepter.

interdição [ĩntexdʒi'sɑ̃w] (*pl* -ões) *f* interdiction *f*.

interditar [ĩntexdʒi'ta(x)] *vt* interdire.

interessado, **da** [ĩntere'sadu, da] *adj* intéressé(e).

interessante [ĩntere'sɑ̃ntʃi] *adj* intéressant(e).

interessar [ĩntere'sa(x)] *vi* être intéressant(e) ; **interessar a alguém** intéresser qqn. ◆ **interessar-se por** *vp* + *prep* s'intéresser à.

interesse [ĩnte'resi] *m* intérêt *m* ; **no interesse de** dans l'intérêt de ; **por interesse** par intérêt ; **sem interesse** sans intérêt.

interface [,ĩntex'fasi] *f* interface *f*.

interferência [ĩntexfe'rẽsja] *f* interférence *f*. ◆ **interferências** *fpl* interférences *fpl*.

interferir [ĩntexfe'ri(x)] ◆ **interferir em** *v* + *prep* intervenir dans.

interfone [,ĩntex'fɔni] *m* Interphone ® *m*.

interior [ĩnte'rjo(x)] (*pl* -es) ◇ *adj* [porta] intérieur(e) ; [quarto] aveugle. ◇ *m* intérieur *m*.

interjeição [ĩntexʒej'sɑ̃w] (*pl* -ões) *f* interjection *f*.

interlocutor, **ra** [ĩntexloku'to(x), ra] (*mpl* -es, *fpl* -s) *m, f* interlocuteur *m*, -trice *f*.

interlúdio [ĩntex'ludʒju] *m* interlude *m* ; [pausa] intermède *m*.

intermediário, **ria** [ĩntexme'dʒjarju, rja] *m, f* intermédiaire *mf*.

intermédio [ĩnter'mɛdju] *m* : **por intermédio de** par l'intermédiaire de.

interminável [ĩntexmi'navɛw] (*pl* -eis) *adj* interminable.

intermitente [ĩntexmi'tẽntʃi] *adj* intermittent(e).

internacional [ĩntexnasju'naw] (*pl* -ais) *adj* international(e).

internar [ĩntex'na(x)] *vt* MED hospitaliser ; [doentes mentais] interner.

internato [ĩntex'natu] *m* internat *m*.

Internet [ĩntex'nɛtʃi] *f* : **na Internet** sur Internet.

interno, **na** [ĩn'tɛxnu, na] *adj* interne.

interpretação [ĩntexpreta'sɑ̃w] (*pl* -ões) *f* interprétation *f*.

interpretar [ĩntexpre'ta(x)] *vt* interpréter.

intérprete [ĩn'tɛxpretʃi] *mf* interprète *mf*.

interrogação [ĩntexoga'sɑ̃w] (*pl* -ões) *f* interrogation *f* ; [pergunta] question *f* ; [interrogatório] interrogatoire *m*.

interrogar [ĩntexo'ga(x)] *vt* interroger.

interrupção [ĩntexup'sɑ̃w] (*pl* -ões) *f* interruption *f* ; **sem interrupção** sans interruption.

interruptor [ĩntexup'to(x)] (*pl* -es) *m* interrupteur *m*.

interurbano, **na** [ˌĩntexux'banu, na] *adj* interurbain(e).

intervalo [ĩntex'valu] *m* [de espetáculo] entracte *m* ; [de programa] pause *f* ; [de aula] récréation *f* ; [em universidade] interclasse *m*.

intervenção [ĩntexvẽ'sɑ̃w] (*pl* -ões) *f* intervention *f* ; **intervenção cirúrgica** intervention chirurgicale.

intervir [ĩntex'vi(x)] *vi* [participar] participer ; [interferir] intervenir ; **intervir em** [interferir em] intervenir dans ; [participar em] participer à.

intestino [ĩnteʃ'tʃinu] *m* intestin *m* ; **intestino delgado** intestin grêle ; **intestino grosso** gros intestin.

intimar [ĩntʒi'ma(x)] *vt* : **intimar a comparecer** appeler à comparaître ; **intimar alguém a fazer algo** intimer à qqn de faire qqch.

intimidação [ĩntʃimida'sɑ̃w] (*pl* -ões) *f* intimidation *f*.

intimidade [ĩntʃimi'dadʒi] *f* intimité *f*.

intimidar [ĩntʃimi'da(x)] *vt* intimider.
◆ **intimidar-se** *vp* être intimidé(e).

íntimo, **ma** ['ĩntʃimu, ma] ◇ *adj* intime. ◇ *m* for *m* intérieur ; **ser íntimo de alguém** être un intime de qqn ; **no íntimo** au fond.

intolerância [ĩntole'rɑ̃sja] *f* intolérance *f*.

intolerante [ĩntole'rɑ̃ntʃi] *adj* [pessoa] intolérant(e) ; [lei, atitude] intransigeant(e).

intoxicação [ĩntoksika'sɑ̃w] (*pl* -ões) *f* intoxication *f* ; **intoxicação alimentar** intoxication alimentaire.

Intranet [ĩntra'netʃi] Intranet *m*.

intransigente [ĩntrɑ̃zi'ʒẽntʃi] *adj* intransigeant(e).

intransitável [ĩntrɑ̃zi'tavɛw] (*pl* -eis) *adj* impraticable.

intransitivo [ĩntrɑ̃nzi'tʃivu, va] *adj m* intransitif.

intransponível [ĩntrɑ̃ʃpo'nivɛw] (*pl* -eis) *adj* [rio, obstáculo] infranchissable ; [problema] insurmontable.

intratável [ĩntra'tavɛw] (*pl* -eis) *adj* impossible.

intravenoso, **osa** [ĩntrave'nozu, ɔza] *adj* intraveineux(euse).

intrépido, **da** [ĩn'trɛpidu, da] *adj* intrépide.

intriga [ĩn'triga] *f* intrigue *f*.

intrigante [ĩntri'gɑ̃ntʃi] *adj* intrigant(e).

introdução [ĩntrodu'sɑ̃w] (*pl* -ões) *f* introduction *f* ; [de dados] saisie *f* ; [de tema] présentation *f*.

introduzir [ĩntrodu'zi(x)] *vt* [inserir] introduire ; [dados] saisir.

intrometer-se [ĩntrome'texsi] ◆ **intrometer-se em** *vp + prep* se mêler de.

intrometido, **da** [ĩntrome'tʃidu, da] *adj* indiscret(ète).

intromissão [ĩntromi'sɑ̃w] (*pl* -ões) *f* intrusion *f*.

introvertido, **da** [ĩntrovex'tʃidu, da] *adj* renfermé(e).

intruso, **sa** [ĩn'truzu, za] *m, f* intrus *m*, -e *f*.

intuição [ĩntwi'sɑ̃w] (*pl* -ões) *f* intuition *f* ; **por intuição** par intuition.

intuito [ĩn'twitu] *m* objectif *m* ; **com o intuito de fazer algo** dans le but de.

inumano, **na** [inu'manu, na] *adj* inhumain(e).

inúmero, **ra** [i'numeru, ra] *adj* : **inúmeras vezes** nombreuses fois.

inundação [inũnda'sɑ̃w] (*pl* -ões) *f* inondation *f*.

inundar [inũn'da(x)] *vt* inonder.

inútil [i'nutʃiw] (*pl* -teis) *adj* inutile.

inutilmente [iˌnutʃiwmẽntʃi] *adv* inutilement.

invadir [ĩva'di(x)] *vt* envahir.

invalidez [ĩvali'deʒ] *f* invalidité *f*.

inválido, **da** [ĩ'validu, da] *adj* & *m, f* invalide.

invariável [invarj'avew] (*pl* -eis) *adj* invariable.

invasão [ĩva'zɑ̃w] (*pl* -ões) *f* invasion *f* ; [de privacidade] atteinte *f*.

inveja [ĩ'vɛʒa] *f* envie *f* ; **ter inveja de alguém** envier qqn.

invejar [ĩve'ʒa(x)] *vt* envier.

invejoso, **osa** [ĩve'ʒozu, ɔza] *adj* envieux(euse).

invenção [ĩvẽ'sɑ̃w] (*pl* -ões) *f* invention *f*.

inventar [ĩvẽn'ta(x)] *vt* inventer.

inventário [ĩvẽn'tarju] *m* inventaire *m*.

inventor, **ra** [ĩvẽn'to(x), ra] (*mpl* -es, *fpl* -s) *m, f* inventeur *m*, -trice *f*.

inverno [ĩ'vɛxnu] *m* hiver *m* ; **no inverno** en hiver.

inverossímil [ĩvero'simiw] (*pl* -meis) *adj* invraisemblable.

inversão [ĩvex'sɑ̃w] (*pl* -ões) *f* [troca] inversion *f* ; [mudança] changement *m*.

inverso, **sa** [ĩ'vɛxsu, sa] ◇ *adj* inverse. ◇ *m* : **o inverso** l'inverse *m*.

inversões ► **inversão**.

inverter [ĩvex'te(x)] *vt* [ordem, posição] inverser ; [sentido, marcha] changer de.

invés [ĩ'vɛʃ] *m* : **ao invés de** au lieu de.

investida [ĩveʃ'tʃida] *f* [de tropa, touro] charge *f* ; [tentativa] essai *m*.

investigação [ĩveʃtʃiga'sɑ̃w] (*pl* -ões) *f* [policial] enquête *f* ; [científica] recherche *f*.

investigar [ĩveʃtʃi'ga(x)] *vt* [acontecimento, crime] enquêter sur ; [cientificamente] faire des recherches sur.

investimento [ĩveʃtʃi'mẽntu] *m* investissement *m* ; **um mau investimento** un mauvais placement.

investir [ĩveʃ'tʃi(x)] *vt* & *vi* investir ; **investir em algo** investir dans qqch.

inviável [ĩn'vjavɛw] (*pl* -eis) *adj* infaisable.

invisível [ivi'zivɛw] (*pl* -eis) *adj* invisible.

invocar [ĩvo'ka(x)] *vt* invoquer.

invólucro [ĩ'vɔlukru] *m* enveloppe *f*.

involuntário, **ria** [ĩvolũn'tarju, rja] *adj* involontaire.

iodo ['jodu] *m* iode *m*.

ioga ['jɔga] *f* & *m* yoga *m*.

iogurte [ju'guxtʃi] *m* yaourt *m*.

ioiô [jo'jo] (*pl* **ioiôs**) *m* yo-yo *m inv*.

ipê [i'pe] *m arbre tropical à fleurs jaunes, roses ou blanches*.

ir [i(x)] *vi* **1.** [ger] aller ; **fomos de ônibus** nous sommes allés en autocar ; **iremos a pé** nous irons à pied ; **vamos** on y va ; **ele nunca vai às reuniões** il ne va jamais aux réunions ; **você não vai à aula?** tu ne vas pas en cours? ; **como vai?** comment vas-tu? ; **isto não vai nada bem** ça ne va pas du tout ; **vou falar com ele** je vais lui parler ; **não vou fazer nada** je ne vais rien faire ; **você vai gostar** tu vas aimer - **2.** [funcionar] marcher - **3.** [exprime duração gradual] : **vou andando** j'y vais ; **vou tentando, algum dia consigo** j'essaie et un jour je réussirai - **4.** [em locuções] : **ir ao chão** tomber ; **ele ia morrendo** il a failli mourir ; **quem vai ao ar perde o lugar** qui va à la chasse perd sa place. ◆ **ir a** *v + prep* aller à ; **vou ao cinema** je vais au cinéma. ◆ **ir de** *v + prep* **1.** [ir disfarçado] être en ; **ir de branco/calças** être en blanc/en pantalon - **2.** [partir de] partir en ; **vou de férias/viagem** je pars en vacances/en voyage. ◆ **ir por** *v + prep* prendre ; **vá pela esquerda/pelas escadas** prends à gauche/les escaliers. ◆ **ir-se** *vp* s'en aller ; **ir-se abaixo** se laisser aller ; **ir-se embora** s'en aller ; **vamo-nos embora** allons-nous en.

ira ['ira] *f* colère *f*.

irascível [iraʃ'sivɛw] (*pl* -eis) *adj* irascible.

íris ['iriʃ] *f inv* iris *m*.

Irlanda [ix'lɑ̃nda] *f* : **a Irlanda** l'Irlande *f* ; **a Irlanda do Norte** l'Irlande du Nord.

irlandês, **esa** [ixlɑ̃n'deʃ, eza] (*mpl* -eses, *fpl* -s) ◇ *adj* irlandais(e). ◇ *m, f* Irlandais *m*, -e *f*. ◇ *m* [língua] irlandais *m*.

irmã [ix'mɑ̃] *f* [freira] sœur *f*, ► irmão.

irmão, **ã** [ix'mɑ̃w, mɑ̃] *m, f* frère *m*, sœur *f*.

ironia [iro'nia] *f* ironie *f*.

irra ['ixa] *interj* nom d'un chien !

irracional [ixasjo'naw] (*pl* -ais) *adj* irrationnel(elle).

irradiação [ixadʒja'sɑ̃w] (*pl* -ões) *f* irradiation *f*.

irradiar [ixa'dʒja(x)] *vt* émettre ; **irradiar luz** rayonner.

irreal [i'xjew] (*pl* -ais) *adj* irréel(elle).

irreconciliável [ixekõnsi'ljavɛw] (*pl* -eis) *adj* irréconciliable.

irreconhecível [ixekoɲe'sivɛw] (*pl* -eis) *adj* méconnaissable.

irrecuperável [ixekupe'ravɛw] (*pl* -eis) *adj* irrécupérable ; [doente, viciado] incurable.

irregular [ixegu'la(x)] (*pl* -es) *adj* irrégulier(ère) ; [horário] variable.

irrelevante [ixele'vɑ̃ntʃi] *adj* non pertinent(e).

irremediável [ixeme'dʒjavɛw] (*pl* -eis) *adj* irrémédiable.

irreprimível [ixepri'mivɛw] (*pl* -eis) *adj* [desejo] irrépressible ; [alegria] débordant(e).

irrequieto, **ta** [ixe'kjɛtu, ta] *adj* [criança] turbulent(e).

irresistível [ixeziʃ'tʃivɛw] (*pl* -eis) *adj* irrésistible.

irresponsável [ixeʃpõ'savɛw] (*pl* -eis) *adj* irresponsable.

irrigação [ixiga'sãw] (*pl* -ões) *f* [de terreno] irrigation *f*.

irrisório, ria [ixi'zɔrju, rja] *adj* dérisoire.

irritação [ixita'sãw] (*pl* -ões) *f* irritation *f* ; **irritação de pele** ou **cutânea** irritation cutanée.

irritante [ixi'tãntʃi] *adj* agaçant(e).

irritar [ixi'ta(x)] *vt* [chatear] agacer ; [pele, garganta, nariz *etc.*] irriter. ◆ **irritar-se** *vp* s'énerver.

isca ['iʃka] *f* appât *m*. ◆ **iscas** *fpl* émincé *m* ; **isca (de fígado)** *émincé de foie frit à la poêle*.

isenção [izẽn'sãw] (*pl* -ões) *f* exonération *f*.

isento, ta [i'zẽntu, ta] *adj* exonéré(e) ; **isento de** [de imposto] exonéré de ; [de propinas] dispensé de.

isolado, da [izo'ladu, da] *adj* isolé(e) ; [pessoa] seul(e).

isolamento [izola'mẽntu] *m* isolement *m*.

isolar [izo'la(x)] *vt* isoler.

isopor® [izo'pox] *m* polystyrène *m*.

isqueiro [iʃ'kejru] *m* [de cigarro] briquet *m*.

isso ['isu] ◇ *pron* ça, cela. ◇ *interj* voilà ! ; **como vai isso?** comment ça va? ; **isso não!** ça non ! ; **isso de** cette histoire de ; **nem por isso** pas tellement ; **não gosto disso** je n'aime pas ça ; **não mexa nisso** laisse ça tranquille ; **para isso** pour cela ; **por isso** c'est pourquoi ; **é por isso mesmo que...** c'est pour ça que...

istmo ['iʃtʃimu] *m* isthme *m*.

isto ['iʃtu] *pron* ceci ; **disto não quero** je ne veux pas de ça ; **isto é** c'est-à-dire ; **isto de** cette histoire de ; **isto é que é!** ça c'est bien ! ; **escreva nisto** ecris là-dessus.

Itália [i'talja] *f* : **a Itália** l'Italie *f*.

italiano, na [ita'ljanu, na] ◇ *adj* italien(enne). ◇ *m, f* Italien *m*, -enne *f*. ◇ *m* [língua] italien *m*.

itálico [i'taliku] *m* italique *m* ; **em itálico** en italique.

itinerário [itʃine'rarju] *m* itinéraire *m* ; **itinerário turístico** circuit *m* touristique.

iúca ['juka] *f* yucca *m*.

Iugoslávia [iwgoʒ'lavja] *f* : **a Iugoslávia** la Yougoslavie.

J

já ['ʒa] *adv* tout de suite ; **até já!** à tout de suite ! ; **é para já!** oui, tout de suite ! ; **desde já** par avance ; **já acabei** j'ai fini ; **já agora** tant qu'à faire ; **já era** c'est du passé ! ; **já esteve em Lisboa?** tu es déjà allé à Lisbonne ? ; **já foi a Lisboa?** tu es déjà allé à Lisbonne ? ; **já não sei o que fazer** je ne sais plus quoi faire ; **já não há quartos** il n'y a plus de chambres ; **já que** puisque ; **já mentir, isso ele não faz** mentir, ça, il ne le fait pas.

jabuti [ʒabu'tʃi] *m* tortue *f* géante.

jabuticaba [ʒabutʃi'kaba] *f* baie *f (du myrte)*.

jacarandá [ʒakarãn'da] *m* jacaranda *m*.

jacaré [ʒaka'rɛ] *m* caïman *m*.

jacinto [ʒa'sĩntu] *m* jacinthe *f*.

Jacuzzi® [ʒaku'zi] *m* Jacuzzi® *m*.

jade ['ʒadʒi] *m* jade *m*.

jaguar [ʒa'gwa(x)] (*pl* -es) *m* jaguar *m*.

jamais [ʒa'majʃ] *adv* jamais.

janeiro [ʒa'nejru] *m* janvier *m*, ► **setembro**.

janela [ʒa'nɛla] *f* fenêtre *f*.

jangada [ʒɑ̃ŋ'gada] *f* radeau *m*.

jantar [ʒɑ̃n'ta(x)] (*pl* -es) ◇ *m* dîner. ◇ *vi* dîner. ◇ *vt* manger (au dîner).

jante ['ʒɑ̃ntʃi] *f* jante *f*.

Japão [ʒa'pɑ̃w] *m* : **o Japão** le Japon.

japonês, esa [ʒapo'neʃ, eza] (*mpl* -eses, *fpl* -s) ◇ *adj* japonais(e). ◇ *m, f* Japonais *m*, -e *f*. ◇ *m* [língua] japonais *m*.

jaqueta [ʒa'keta] *f* veste *f*.

jararaca [ʒara'raka] *f serpent venimeux*.

jardim [ʒax'dʒĩ] (*pl* -ns) *m* jardin *m* ; **jardim botânico** jardin botanique ; **jardim zoológico** zoo *m*.

jardim-de-infância [ʒaxdʒĩndʒĩnfɑ̃nsja] (*pl* **jardins-de-infância**) *m* école *f* maternelle.

jardineira [ʒaxdi'nejra] *f* jardinière *f* de légumes, ► **jardineiro**. ◆ **jardineiras** *fpl* salopette *f*.

jardineiro, ra [ʒaxdʒi'nejru, ra] *m, f* jardinier *m*, -ère *f*.

jardins ► **jardim**.

jarra ['ʒaxa] *f* [para flores] vase *m* ; [para vinho] pichet *m*.

jarrão [ʒa'xɑ̃w] (*pl* -ões) *m* vase *m*.

jarro ['ʒaxu] *m* [para bebida] pichet *m* ; [flor] arum *m*.

jarrões ► **jarrão**.

jasmim [ʒaʒ'mĩ] (*pl* -ns) *m* jasmin *m*.

jato ['ʒatu] *m* jet *m*.

jaula ['ʒawla] *f* cage *f*.

Java ['ʒava] *s* INFORM Java *m*, Java®.

javali [ʒava'li] *m* sanglier *m*.

jazer [ʒa'ze(x)] *vi* gésir ; **aqui jaz** ci-gît.

jazigo [ʒa'zigu] *m* caveau *m*.

jazz ['ʒajʃ] *m* jazz *m*.

jeans ['dʒiniʃ] ◇ *mpl* jean *m*. ◇ *m inv* jean *m*.

jeito ['ʒejtu] *m* [modo] façon *f* ; [comportamento] comportement *m* ; **com jeito** délicatement ; [agir] avec tact ; **dar um jeito no pé** se tordre la cheville ; **dar um jeito em algo** arranger qqch ; **sem jeito** déconcerté ; **ter jeito para algo** avoir un don pour qqch ; **ter falta de jeito para algo** ne pas être doué pour qqch ; **de jeito nenhum!** sûrement pas ! ; **tomar jeito** s'assagir.

jejum [ʒe'ʒũ] (*pl* -ns) *m* jeûne *m* ; **em jejum** à jeun.

jesuíta [ʒe'zwita] *m* jésuite *m*.

jet ski [dʒɛt'ski] *m* scooter *m* des mers.

jibóia [ʒi'bɔja] *f* boa *m*.

jipe ['ʒipi] *m* Jeep® *f*.

joalheria [ʒwaʎe'ria] *f* bijouterie *f*.

joanete [ʒwa'netʃi] *m* oignon *m (sur le pied)*.

joaninha [ʒwa'niɲa] *f* coccinelle *f*.

joelheira [ʒwe'ʎeira] *f* genouillère *f*.

joelho ['ʒweʎu] *m* genou *m* ; **de joelhos** à genoux.

jogada [ʒo'gada] *f* coup *m* ; [em futebol, basquetebol] action *f*.

jogar [ʒo'ga(x)] ◇ *vi* jouer. ◇ *vt* [futebol, tênis, jogo de azar] jouer à ; [arriscar no jogo] miser ; [atirar] lancer ; **jogar cartas** jouer aux cartes ; **jogar bola** jouer au ballon ; **jogar fora** jeter. ◆ **jogar-se a** *vp + prep* se jeter sur ; **jogou-se no chão** il s'est jeté par terre.

jogo ['ʒogu] (*pl* **jogos**) *m* [de xadrez] partie *f* ; [de futebol, rúgbi, tênis] match *m* ; [de cama, mesa] parure *f* ; [jogos de azar] jeu *m* ; **os Jogos Olímpicos** les jeux Olympiques ; **jogo do bicho** *loterie clandestine dont les derniers chiffres correspondent à des animaux*.

jogo-da-velha [ˌʒoguda'vɛʎa] (*pl* **jogos-da-velha**) *m* morpion *m*.

jóia ['ʒɔja] *f* [brincos, anel] bijou *m* ; [pagamento] droit *m* d'entrée.

jóquei ['ʒɔkej] *m* jockey *m*.

jornada [ʒox'nada] *f* [caminhada] excursion *f* ; [ciclo de conferências] journée *f*.

jornal [ʒox'naw] (*pl* -ais) *m* journal *m*.

jornaleiro, **ra** [ʒoxna'lejru, ra] ◇ *m, f* [vendedor] vendeur *m*, -euse *f* de journaux. ◇ *m* [local de venda] kiosque *m* à journaux.

jornalista [ʒoxna'liʃta] *mf* journaliste *mf*.

jorrar [ʒo'xa(x)] *vi* jaillir.

jovem ['ʒɔvẽ] (*pl* -ns) *adj* & *mf* jeune.

jovial [ʒo'vjaw] (*pl* -ais) *adj* jovial(e).

joystick [ʒɔj'ʃtʃik] (*pl* **joysticks**) *m* INFORM joystick *m*, manette de jeu *f*.

juba ['ʒuba] *f* crinière *f*.

judaico, **ca** [ʒu'dajku, ka] *adj* juif(ive).

judeu, **dia** [ʒu'dew, dʃia] *m, f* Juif *m*, -ive *f*.

judicial [ʒudʃi'sjaw] (*pl* -ais) *adj* judiciaire.

judiciário, **ria** [ʒudʒi'sjarju, rja] *adj* judiciaire ; **o poder judiciário** le pouvoir judiciaire.

judô [ʒu'do] *m* judo *m*.

juiz, **juíza** ['ʒwiʃ, 'ʒwiza] (*mpl* -es, *fpl* -s) *m, f* juge *m*.

juizado [ʒuj'zadu, da] *m* charge de juge *f* ; **Juizado de Menores** Tribunal des mineurs.

juízo ['ʒwizu] ◇ *m* jugement *m*. ◇ *interj* fais attention ! ; **perder o juízo** perdre la tête ; **ter juízo** être raisonnable.

jujuba [ʒu'ʒuba] *f* pâte *f* de fruit.

julgamento [ʒuwga'mẽntu] *m* [ato] jugement *m* ; [audiência em tribunal] procès *m*.

julgar [ʒuw'ga(x)] *vt* JUR juger ; [achar, opinar] croire. ◆ **julgar-se** *vp* : **ele julga-se o maior** il se croît le meilleur.

julho ['ʒuʎu] *m* juillet *m*, ► **setembro**.

juliana [ʒu'ljana] *f* julienne *f*.

jumento [ʒu'mẽntu] *m* âne *m*.

junco ['ʒũŋku] *m* jonc *m*.

junho ['ʒuɲu] *m* juin *m*, ► **setembro**.

júnior ['ʒunjɔ(x)] (*pl* **juniores**) ◇ *adj* cadet(ette). ◇ *mf* junior *mf*.

junta ['ʒũnta] *f* joint *m*.

juntamente [ˌʒũnta'mẽntʃi] ◆ **juntamente com** *prep* avec.

juntar [ʒũn'ta(x)] *vt* [reunir] rassembler ; [dinheiro] mettre de côté ; [adicionar] ajouter ; **juntar o útil ao agradável** joindre l'utile à l'agréable. ◆ **juntar-se** *vp* [reunir-se] se rassembler ; [amigar-se] vivre ensemble.

junto, **ta** ['ʒũntu, ta] ◇ *pp* ► **juntar**. ◇ *adj* & *adv* ensemble ; **com as mãos juntas** les mains jointes ; **junto com** avec.

jura ['ʒura] *f* : **fazer uma jura** jurer.

juramento [ʒura'mẽntu] *m* serment *m*.

jurar [ʒu'ra(x)] *vt* & *vi* jurer.

júri ['ʒuri] *m* jury *m*.

jurídico, **ca** [ʒu'ridʒiku, ka] *adj* juridique.

juros ['ʒuruʃ] *mpl* intérêts *mpl*.

justeza [ʒuʃ'teza] *f* [precisão] justesse *f* ; [imparcialidade] justice *f*.

justiça [ʒuʃ'tʃisa] *f* justice *f*.

justificação [ʒuʃtʃifika'sɐ̃w] (*pl* -ões) *f* [razão] justification *f* ; [declaração escrita] attestation *f*.

justificar [ʒuʃtʃifi'ka(x)] *vt* justifier. ◆ **justificar-se** *vp* se justifier.

justificativa [ʒuʃtʃifika'tiva] *f* excuse *f*.

justo, **ta** ['ʒuʃtu, ta] *adj* juste ; [cingido] serré(e).

juvenil [ʒuve'niw] (*pl* -is) *adj* [moda, centro, literatura] pour les jeunes ; [delinqüente, comportamento] juvénile.

juventude [ʒuvẽn'tudʒi] *f* [época] jeunesse *f* ; [jovens] jeunes *mpl*.

K

karaokê [karao'ke] *m* karaoké *m*.

karatê [kaxa'tɛ] *m* karaté *m*.

kart ['kaxtʃi] *m* kart *m*.

karting ['kaxtʃĩŋ] *m* karting *m*.

ketchup [kɛ'tʃupi] *m* ketchup *m*.

kg (*abrev de* **quilograma**) kg.

kit ['kitʃi] *m* kit *m*.

kitchenette [kitʃe'nɛtʃi] *f* kitchenette *f*.

kiwi ['kiwi] *m* kiwi *m*.

km (*abrev de* **quilômetro**) km.

km/h (*abrev de* **quilômetro por hora**) km/h.

KO (*abrev de* **knock-out**) K-O.

L

-la [la] *pron* [ela] la ; [você] te.

lá [la] *adv* là-bas ; **lá está ele chorando outra vez** le voilà qui pleure à nouveau ; **para lá de** au-delà de ; **quero lá saber** ça m'est bien égal ; **sei lá!** je n'en sais rien ! ; **vá lá!** allez !

lã [lɑ̃] *f* [de ovelha] laine *f*.

labareda [laba'reda] *f* flamme *f*.

lábio ['labju] *m* lèvre *f*.

labirinto [labi'rĩntu] *m* labyrinthe *m*.

laboratório [labora'tɔrju] *m* laboratoire *m*.

laca ['laka] *f* laque *f*.

laço ['lasu] *m* nœud *m* ; [de homem] nœud *m* papillon ; [de parentesco, amizade] lien *m*.

lacônico, **ca** [la'kɔniku, ka] *adj* laconique.

lacrar [la'kra(x)] *vt* cacheter.

lacrimogêneo [lakrimo'ʒenju, nja] *adj m* ► **gás**.

lácteo, **tea** ['laktʃju, tʃja] *adj* [produto] laitier(ère).

lacuna [la'kuna] *f* lacune *f*.

ladeira [la'dejra] *f* côte *f*.

lado ['ladu] *m* côté *m* ; **andar de um lado para o outro** faire les cent pas ; **ao lado de** à côté de ; **deixar** ou **pôr de lado** laisser ou mettre de côté ; **lado a lado** côte à côte ; **de lado** [foto] de profil ; [deitar-se] sur le côté ; **de lado a lado** de long en large ; **de um lado para o outro** de droite à gauche ; **em qualquer lado** partout ; **por todo(s) o(s) lado(s)** partout ; **por um lado... por outro lado...** d'une part... d'autre part... ; **o lado fraco** le point faible ; **o vizinho do lado** le voisin d'à côté.

ladrão, **ladra** [la'drɑ̃w, 'ladra] (*mpl* -ões, *fpl* -s) *m, f* voleur *m*, -euse *f*.

ladrilho [la'driʎu] *m* carreau *m*.

ladrões [la'drõjʃ] ► **ladrão**.

lagarta [la'gaxta] *f* chenille *f*.

lagartixa [lagax'tʃiʃa] *f* lézard *m*.

lagarto [la'gaxtu] *m* lézard *m*.

lago ['lagu] *m* [natural] lac *m* ; [de jardim] bassin *m*.

lagoa [la'goa] *f* lagon *m*.

lagosta [la'goʃta] *f* langouste *f*.

lagostim [laguʃ'tʃĩ] (*pl* -ns) *m* langoustine *f* ; [de rio] écrevisse *f*.

lágrima ['lagrima] *f* larme *f*.

laje ['laʒi] *f* [de pavimento] dalle *f* ; [de construção] revêtement *m*.

lama ['lama] *f* boue *f*.

lamacento, ta [lama'sẽntu, ta] *adj* boueux(euse).

lambada [lãn'bada] *f* [dança] lambada *f* ; [bofetada] claque *f*.

lamber [lãm'be(x)] *vt* lécher ; **lamber tudo** tout avaler. ◆ **lamber-se** *vp* se lécher.

lamentar [lamẽn'ta(x)] *vt* regretter. ◆ **lamentar-se** *vp* se lamenter.

lamentável [lamẽn'tavɛw] (*pl* -eis) *adj* regrettable.

lâmina ['lamina] *f* lame *f* ; **lâmina de barbear** lame de rasoir.

lâmpada ['lãmpada] *f* ampoule *f*.

lampião [lãm'pjãw] (*pl* -ões) *m* lanterne *f* ; [de rua] réverbère *m*.

lampreia [lãn'preja] *f* lamproie *f*.

LAN (*abrev de* **Local Area Network**) *f* réseau local *m*.

lança ['lãsa] *f* lance *f*.

lançar [lã'sa(x)] *vt* lancer. ◆ **lançar-se** *vp* : **lançar-se a** [à água] se jeter à ; [à comida] se jeter sur ; **lançar-se sobre** se jeter sur.

lance ['lãsi] *m* lancer *m* ; [em licitação] offre *f* ; **lance de escadas** volée *f*.

lancha ['lãʃa] *f* [a remo] barque *f* ; [a motor] hors-bord *m inv*.

lanchar [lã'ʃa(x)] *vi* goûter.

lanche ['lãʃi] *m* goûter *m*.

lanchonete [lãʃo'nɛtʃi] *f* fast-food *m*.

lancinante [lãnsi'nãntʃi] *adj* lancinant(e).

lânguido, da ['lãŋgidu, da] *adj* [voluptuoso] langoureux(euse).

lantejoula [lãnte'ʒola] *f* paillette *f*.

lanterna [lãn'tɛxna] *f* [de mão] lanterne *f* ; **lanterna de bolso** lampe *f* de poche ; [de veículo] feu *m* arrière.

lapela [la'pɛla] *f* revers *m (de veste)*.

lápide ['lapidʒi] *f* [em monumento, estátua] plaque *f* ; [em túmulo] pierre *f* tombale.

lápis ['lapiʃ] *m inv* crayon *m* ; **lápis de cor** crayon de couleur ; **lápis de cera** pastel *m* ; **lápis para os olhos** crayon pour les yeux.

lapiseira [lapi'zejra] *f* portemine *m*.

lapso ['lapsu] *m* [de tempo] laps *m* ; [esquecimento] trou *m* de mémoire ; **por lapso** par mégarde.

laptop ['lapitopi] (*pl* **laptops**) *m* [comput] ordinateur portable *m*.

laquê [la'ke] *m* laque *f*.

lar ['la(x)] (*pl* -es) *m* foyer *m* ; **lar (de idosos)** maison *f* de retraite.

laranja [la'rãʒa] *f* orange *f*.

laranjada [larãn'ʒada] *f* orangeade *f*.

laranjeira [larãn'ʒejra] *f* oranger *m*.

lareira [la'rejra] *f* cheminée *f*.

lares ► **lar**.

largada [lax'gada] *f* départ *m*.

largar [lax'ga(x)] *vt* lâcher ; [tinta] déteindre ; [pêlo] perdre ; [velas] larguer ; [abandonar] laisser.

largo, ga ['laxgu, ga] ◇ *adj* [roupa, estrada] large ; [quarto, cama] grand(e). ◇ *m* [praça] place *f* ; **por largos dias/meses/anos** pour plusieurs jours/mois/années.

largura [lax'gura] *f* largeur *f* ; **ter 3 metros de largura** faire 3 mètres de large ; **largura de banda** largeur de bande.

laringe [la'rĩnʒi] *f* larynx *m*.

larva ['laxva] *f* larve *f*.

-las [laʃ] *pron pl* [elas] les ; [vocês] vous.

lasanha [la'zaɲa] *f* lasagnes *fpl*.

lasca ['laʃka] *f* éclat *m*.

laser ['lejzɛ(x)] (*pl* -es) *m* laser *m*.

lástima ['laʃtʃima] *f* [pena] dommage *m* ; [miséria] misère *f*.

lastimável [laʃtʃi'mavɛw] (*pl* -eis) *adj* [acontecimento, situação] regrettable ; [erro] fâcheux(euse) ; [estado] piteux(euse).

lata ['lata] *f* [material] métal *m* ; [objeto] boîte *f* ; **lata de conserva** boîte de conserve ; **lata de lixo** poubelle *f*.

latão [la'tɑ̃w] (*pl* -ões) *m* [metal] laiton *m* ; [vasilha] bidon *m*.

latejar [late'ʒa(x)] *vi* palpiter.

latente [la'tẽntʃi] *adj* latent(e).

lateral [late'raw] (*pl* -ais) *adj* latéral(e).

laticínios [latʃi'sinjuʃ] *mpl* produits *mpl* laitiers.

latido [la'tʃidu] *m* aboiement *m*.

latifúndio [latʃi'fũndʒju] *m* latifundium *m grand domaine agricole*.

latim [la'tʃĩ] *m* latin *m*.

latino, **na** [la'tʃinu, na] *adj* latin(e).

latino-americano, **na** [laˌtʃinwameri'kanu, na] ◇ *adj* latino-américain(e). ◇ *m, f* Latino-Américain *m*, -e *f*.

latir [la'tʃi(x)] *vi* aboyer.

latitude [latʃi'tudʒi] *f* latitude *f*.

latões ► **latão**.

lava ['lava] *f* lave *f*.

lavabo [la'vabu] *m* [lavatório] lavabo *m* ; [banheiro] toilettes *fpl*.

lavagante [lava'gɑ̃ntʃi] *m* homard *m*.

lavagem [la'vaʒẽ] (*pl* -ns) *f* lavage *m* ; **lavagem automática** lavage automatique ; **lavagem a seco** nettoyage *m* à sec ; **lavagem cerebral** lavage de cerveau.

lava-louça [ˌlava'losa] (*pl* **lava-louças**) *m* lave-vaisselle *m inv*.

lavanda [la'vɑ̃nda] *f* lavande *f*.

lavanderia [lavɑ̃nde'ria] *f* pressing *m* ; **lavanderia automática** laverie *f* automatique ; **lavanderia a seco** pressing.

lavar [la'va(x)] *vt* laver ; **lavar a louça** faire la vaisselle ; **lavar a roupa** laver le linge. ◆ **lavar-se** *vp* se laver.

lavatório [lava'tɔrju] *m* lavabo *m*.

lavável [la'vavɛw] (*pl* -eis) *adj* lavable.

lavrador, **ra** [lavra'do(x), ra] (*mpl* -es, *fpl* -s) *m, f* paysan *m*, -anne *f*.

laxante [la'ʃɑ̃ntʃi] ◇ *adj* laxatif(ive). ◇ *m* laxatif *m*.

lazer [la'ze(x)] *m* loisirs *mpl*.

lê ['le] ► **ler**.

leal [le'aw] (*pl* -ais) *adj* [pessoa] loyal(e) ; [animal] fidèle.

leão [le'ɑ̃w] (*pl* -ões) *m* lion *m*. ◆ **Leão** *m* Lion *m*.

lebre ['lɛbri] *f* lièvre *m* ; **comer gato por lebre** se faire avoir.

lecionar [lesjo'na(x)] *vt* & *vi* enseigner.

lêem ['leẽ] ► **ler**.

legal [le'gaw] (*pl* -ais) *adj* [segundo a lei] légal(e) ; *fam* sympa.

legalidade [legali'dadʒi] *f* légalité *f*.

legalizar [legali'za(x)] *vt* [atividade] légaliser ; [documento, assinatura] certifier conforme.

legenda [le'ʒẽnda] *f* légende *f*. ◆ **legendas** *fpl* sous-titres *mpl*.

legislação [leʒiʒla'sɑ̃w] *f* législation *f*.

legitimar [leʒiti'ma(x)] *vt* légitimer ; [atividade] légaliser.

legítimo, **ma** [le'ʒitʃimu, ma] *adj* légitime ; [autêntico] authentique.

legível [le'ʒivɛw] (*pl* -eis) *adj* lisible.

légua ['lɛgwa] *f* lieue *f* ; **ficar a léguas de distância de** être très loin de.

legume [le'gume] *m* légume *m*.

lei ['lej] *f* loi *f* ; **a lei do menor esforço** la loi du moindre effort ; **segundo a lei** d'après la loi.

leilão [lej'lɑ̃w] (*pl* -ões) *m* vente *f* aux enchères.

leio ['leju] ► **ler**.

leitão [lej'tɑ̃w] (*pl* -ões) *m* cochon *m* de lait.

leite ['lejtʃi] *m* lait *m* ; **leite achocolatado** lait chocolaté ; **leite condensado** lait concentré ; **leite em pó** lait en poudre ; **leite pasteurizado** lait pasteurisé ; **leite ultrapasteurizado** lait UHT ; **leite de coco** lait de coco ; **leite integral/desnatado/semidesnatado** lait entier/écrémé/demi-écrémé.

leite-de-onça [ˌleitʃ'i'djõsa] *m cocktail d'eau-de-vie de canne à sucre et de lait concentré.*

leiteira [lej'tejra] *f* pot *m* à lait.

leiteiro, ra [lej'tejru, ra] *m, f* laitier *m*, -ère *f*.

leiteria [lejte'ria] *f* crémerie *f*.

leito ['lejtu] *m* lit *m*.

leitões ► **leitão**.

leitor, ra [lej'to(x), ra] (*mpl* -es, *fpl* -s) ◇ *m, f* lecteur *m*, -trice *f*. ◇ *m* [aparelho] lecteur *m*.

leitura [lej'tura] *f* lecture *f*.

lema ['lema] *m* devise *f*.

lembrança [lẽm'brɑ̃sa] *f* souvenir *m* ; **dê lembranças minhas ao seu pai** dis bonjour à ton père de ma part.

lembrar [lẽm'bra(x)] *vt* [recordar] se souvenir de ; [assemelhar-se a] rappeler ; **lembrar algo a alguém** rappeler qqch à qqn ; **lembrar alguém de fazer algo** rappeler à qqn de faire qqch. ◆ **lembrar-se** *vp* se souvenir ; **lembrar-se de** se souvenir de ; **lembrar-se de fazer algo** penser à faire qqch.

leme ['lɛmi] *m* gouvernail *m*.

lenço ['lẽsu] *m* mouchoir *m* ; **lenço de cabeça** foulard *m* ; **lenço de papel** mouchoir en papier ; **lenço (de pescoço)** écharpe *f*.

lençol [lẽ'sɔw] (*pl* -óis) *m* [de cama] drap *m* ; [de água, petróleo] nappe *f*.

lenha ['leɲa] *f* bois *m*.

lente ['lẽntʃi] *f* [de câmara de filmar] objectif *m* ; [de óculos] verre *m* ; **lentes de contato** lentilles *fpl* de contact ; **lentes de contato rígidas/gelatinosas** lentilles dures/souples.

lentidão [lẽntʃi'dɑ̃w] *f* lenteur *f*.

lentilha [lẽn'tʃiʎa] *f* lentille *f (légumes)*.

lento, ta ['lẽntu, ta] *adj* lent(e).

leoa [le'oa] *f* lionne *f*.

leões [le'õjʃ] ► **leão**.

leopardo [leo'paxdu] *m* léopard *m*.

lepra ['lɛpra] *f* lèpre *f*.

leque ['lɛki] *m* éventail *m*.

ler ['le(x)] *vt* & *vi* lire.

lesão [le'zɑ̃w] (*pl* -ões) *f* [ferida, contusão] lésion *f* ; [prejuízo] dommage *m* ; [de direito] atteinte *f*.

lesar [le'za(x)] *vt* [ferir] blesser ; [prejudicar] porter préjudice à.

lésbica ['lɛʒbika] *f* lesbienne *f*.

lesma ['leʒma] *f* [animal] limace *f* ; *fig* [pessoa lenta] traînard *m*, -e *f*.

lesões ► **lesão**.

leste ['lɛʃtʃi] *m* est *m* ; **a leste (de)** à l'est (de) ; **no leste** à l'est ; **os países do Leste** les pays de l'Est.

letal [le'taw] (*pl* -ais) *adj* mortel(elle).

letivo, va [le'tʃivu, va] *adj* [ano] scolaire ; [horas] de cours.

letra ['letra] *f* [do alfabeto] lettre *f* ; [maneira de escrever] écriture *f* ; [título de crédito] traite *f* ; [de canção] paroles *fpl* ; **letra maiúscula** majuscule *f* ; **letra de imprensa** caractères *mpl* d'imprimerie ; **letra de forma** caractères *mpl* d'imprimerie. ◆ **letras** *fpl* EDUC lettres *fpl*.

letreiro [le'trejru] *m* [aviso] écriteau *m* ; [de loja] enseigne *f*.

leu ['lew] ► **ler**.

léu ['lɛu] *m* : **ao léu** nu(e).

leucemia [lewse'mia] *f* leucémie *f*.

levantamento [levɐ̃nta'mẽntu] *m* [de preços] relevé *m* ; [de peso] lever *m* ; [de dinheiro] retrait *m* ; [de cheque] encaissement *m*.

levantar [levɐ̃n'ta(x)] *vt* [erguer] lever ; [peso] soulever ; **levantar dinheiro** retirer de l'argent ; **levantar um cheque** encaisser un chèque ; **levantar vôo** décoller. ◆ **levantar-se** *vp* se lever.

levar [le'va(x)] *vt* [peso, roupa] porter ; [transportar] transporter ; [acompanhar] emmener ; [dar] apporter ; [utilizar, cobrar] prendre ; [poder conter] contenir ; *fam* [porrada, bofetada] prendre ; **levar alguém a fazer algo** conduire qqn à faire qqch ; **levar a cabo algo** mener à bien qqch ; **levar a mal algo** mal prendre qqch ; **levar tempo** prendre du temps ; **ele levou muito tempo para se decidir** il a mis longtemps à se décider ; **deixar-se levar** se faire avoir.

leve ['lɛvi] *adj* léger(ère).

leviandade [levjɐ̃n'dadʒi] *f* imprudence *f*.

leviano, na [le'vjanu, na] *adj* [pessoa] léger(ère) ; [ato] inconsidéré(e).

léxico ['lɛksiku] *m* lexique *m*.

Lgo. (*abrev de* **largo**) pl.

lhe [ʎi] *pron* [ele, ela] lui ; [você] te ; **a folha? já lhe dei** la feuille? je la lui ai déjà donnée ; **a roupa? ela deu-lhe** les vêtements? elle les lui a donnés ; **o livro? já lhe dei** le livre? je le lui ai déjà donné ; **o presente? ela deu-lhe** le cadeau? elle te l'a donné ; **os bilhetes? já lhes dei** les billets? je les lui ai déjà donnés ; **os jornais? dei-lhes há pouco** les journaux? je les lui ai donnés il n'y a pas longtemps ; **as maçãs? já lhes dei** les pommes? je les lui ai déjà données.

lhes [ʎeʃ] *pron pl* [eles, elas] leur ; [vocês] vous.

li ['li] ► **ler**.

libélula [li'bɛlula] *f* libellule *f*.

liberação [libera'sɐ̃w] *f* libération *f*.

liberal [libe'raw] (*pl* -ais) *adj* & *mf* libéral(e).

liberalização [libexaliza'sɐ̃w] *f* libéralisation *f*.

liberar [libe'ra(x)] *vt* libérer ; [consumo] légaliser.

liberdade [libex'dadʒi] *f* liberté *f* ; **pôr em liberdade** mettre en liberté ; **tomar a liberdade de fazer algo** prendre la liberté de faire qqch.

libertar [libex'ta(x)] *vt* libérer.

liberto, ta [li'bɛxtu, ta] *pp* ► **libertar**.

libra ['libra] *f* livre *f*. ◆ **Libra** *f* Balance *f*.

lição [li'sɐ̃w] (*pl* -ões) *f* leçon *f* ; **dar uma lição em alguém** donner une leçon à qqn ; **servir de lição** servir de leçon.

licença [li'sẽsa] *f* autorisation *f* ; **com licença** pardon.

licença-maternidade [li'sẽnsa'matexni'dadʒi] *f* congé *m* de maternité.

licenciado, da [lisẽ'sjadu, da] *m, f* licencié *m*, -e *f* ; **licenciado pela Universidade de São Paulo** diplômé *m* de l'Université de São Paulo.

licenciatura [lisẽsja'tura] *f* ≃ licence *f*.

liceu [li'seu] *m* lycée *m*.

lições [li'sõiʃ] ► **lição**.

licor [li'ko(x)] (*pl* -es) *m* liqueur *f*.

lidar [li'da(x)] ◆ **lidar com** *v + prep* [tratar com] avoir affaire à ; [conviver com] côtoyer ; [produtos, máquina] manipuler ; **não sei lidar com ele** je ne sais pas m'y prendre avec lui.

líder ['lidɛ(x)] (*pl* -es) *mf* leader *m*.

lido, **da** ['lidu, da] *pp* ► **ler**.

liga ['liga] *f* [associação] ligue *f* ; [de meias] jarretière *f*.

ligação [liga'sãw] (*pl* -ões) *f* [de amor, amizade] liaison *f* ; [telefônica] ligne *f* ; [de ônibus, trem, avião] correspondance *f*.

ligado, **da** [li'gadu, da] *adj* [luz, televisão] allumé(e) ; [na tomada] branché(e).

ligadura [liga'dura] *f* bandage *m*.

ligamento [liga'mẽntu] *m* ligament *m*.

ligar [li'ga(x)] ◇ *vt* [ferida] panser ; [luz, televisão] allumer ; [em tomada] brancher. ◇ *vi* [telefonar] : **ligar para** appeler ; **não ligue que ele é doido!** ne fais pas attention, il est fou !

ligeiro, **ra** [li'ʒejru, ra] *adj* léger(ère).

lilás [li'laʃ] (*pl* -ases) ◇ *m* lilas *m*. ◇ *adj* parme.

lima ['lima] *f* lime *f*.

limão [li'mãw] (*pl* -ões) *m* citron *m* vert.

limão-galego [li,mãwga'legu] (*pl* **limões-galegos**) *m* citron *m*.

limiar [limi'a(x)] *m* seuil *m* ; **no limiar de algo** à l'aube de qqch.

limitação [limita'sãw] (*pl* -ões) *f* [de desemprego, natalidade] limitation *f* ; [de direitos, movimentos] entrave *f* ; [de terreno] délimitation *f*. ◆ **limitações** *fpl* limites *fpl* ; **ter algumas limitações** être un peu limité.

limitar [limi'ta(x)] *vt* [despesas] limiter ; [terreno] délimiter ; [movimento] entraver. ◆ **limitar-se a** *vp + prep* se borner à.

limite [li'mitʃi] *m* limite *f* ; **limite de velocidade** limitation *f* de vitesse ; **sem limites** sans limite ; **passar dos limites** *fig* dépasser les bornes.

limo ['limu] *m* limon *m*.

limoeiro [li'mwejru] *m* citronnier *m*.

limões [li'mõiʃ] ► **limão**.

limonada [limo'nada] *f* citronnade *f*.

limpador [lĩmpa'do(x)] (*pl* -es) *m* : **limpador de pára-brisa** essuie-glace *m*.

limpar [lĩm'pa(x)] *vt* nettoyer ; [pratos] essuyer ; [boca, mãos] s'essuyer ; *fam* [roubar] dévaliser ; **limpar o pó** enlever la poussière.

limpa-vidros [,lĩmpa'vidruʃ] *m inv* [instrumento] raclette *f* ; [detergente] produit *m* pour les vitres ; [para carro] lave-glace *m*.

limpeza [lĩm'peza] *f* [ação] nettoyage *m* ; [qualidade] propreté *f* ; **fazer a limpeza** faire le ménage.

limpo, **pa** ['lĩmpu, pa] ◇ *pp* ► **limpar**. ◇ *adj* [sem sujidade] propre ; [céu] dégagé(e) ; **estar** OU **ficar limpo** *fam* être fauché ; **tirar algo a limpo** tirer qqch au clair.

limusine [limu'zini] *f* limousine *f*.

lince ['lĩsi] *m* lynx *m*.

lindo, **da** ['lĩndu, da] *adj* [pessoa, local] beau(belle).

lingerie [lãʒe'xi] *f* lingerie *f*.

lingote [lĩŋ'gɔtʃi] *m* lingot *m*.

língua ['lĩŋgwa] *f* langue *f* ; **bater com a língua nos dentes** *fam* vendre la mèche ; **dar à língua** *fam* ne pas tenir sa langue ; [falar] papoter ; **dobrar a língua** faire attention à ce que l'on dit ; **ter algo na ponta da língua** avoir qqch sur le bout de la langue.

língua-de-gato [,lĩŋgwadʒi'gatu] *f* langue-de-chat *f*.

linguado [lĩŋ'gwadu] *m* sole *f*.

linguagem [lĩŋ'gwaʒẽ] (*pl* -ns) *f* langage *m*.

linguarudo, **da** [lĩŋgwa'rudu, da] *adj* : **ser linguarudo** ne pas savoir tenir sa langue.

lingüeta [lĩŋ'gweta] *f* pêne *m*.

lingüiça [lĩŋ'gwisa] *f saucisse piquante*.

linha ['liɲa] *f* **1.** ligne *f* ; [fio] [ger] fil *m* ; **linha jovem** ligne jeune ; **manter a linha** garder la ligne ; **em linha** aligné(e) - **2.** INFORM : **linha de comando** listage ; **linha dedicada** ligne dédiée.

linho ['liɲu] *m* lin *m*.

link ['liɲnki] (*pl* **links**) *m* INFORM lien *m*.

linóleo [li'nɔlju] *m* linoléum *m*.

liquidação [likida'sɑ̃w] (*pl* -ões) *f* règlement *m* ; **liquidação total** liquidation *f* totale.

liquidar [liki'da(x)] *vt* [dívida] régler ; [mercadoria] liquider ; [matar] éliminer.

liquidificador [likwidʒifika'do(x)] (*pl* -es) *f* centrifugeuse *f*.

líquido, **da** ['likidu, da] <> *adj* liquide ; COM net(nette). <> *m* liquide *m*.

lírio ['lirju] *m* lys *m*.

Lisboa [liʒ'boa] *s* Lisbonne.

lisboeta [liʒ'bweta] <> *adj* lisbonnais(e). <> *mf* Lisbonnais *m*, -e *f*.

liso, **sa** ['lizu, za] *adj* [superfície] lisse ; [cabelo] raide ; [folha] blanc(blanche) ; **estar/ficar liso** *fam* être fauché.

lista ['liʃta] *f* [de compras, tarefas] liste *f* ; **lista de preços** tarifs *mpl* ; **lista de discussão** liste de discussion ; **lista telefônica** annuaire *m*.

listra ['liʃtra] *f* rayure *f*.

literal [lite'raw] (*pl* -ais) *adj* littéral(e).

literário, **ria** [lite'rarju, rja] *adj* littéraire.

literatura [litera'tura] *f* littérature *f* ; **literatura de cordel** *littérature de colportage au nord-est du Brésil*.

litígio [li'tʃiʒju] *m* litige *m*.

litogravura [ˌlitogra'vura] *f* lithographie *f*.

litoral [lito'raw] (*pl* -ais) <> *adj* littoral(e). <> *m* : **o litoral** le littoral.

litro ['litru] *m* litre *m*.

lívido, **da** ['lividu, da] *adj* livide.

livrar [li'vra(x)] ◆ **livrar-se de** *vp* + *prep* se débarrasser de.

livraria [livra'ria] *f* librairie *f*.

livre ['livri] *adj* libre ; **'livre'** 'libre'.

livro ['livru] *m* livre *m* ; **livro de bolso** livre de poche.

lixa ['liʃa] *f* papier *m* de verre ; **lixa de unhas** lime *f* à ongles.

lixeira [li'ʃejra] *f* décharge *f* (*à ordures*).

lixo ['liʃu] *m* ordures *fpl*.

-lo [lu] *pron* [ele] le ; [você] te.

lobo ['lobu] *m* loup *m*.

lóbulo ['lɔbulu] *m* lobe *m*.

local [lo'kaw] (*pl* -ais) <> *m* endroit *m*. <> *adj* local(e).

localidade [lokali'dadʒi] *f* localité *f*.

localização [lokaliza'sɑ̃w] (*pl* -ões) *f* localisation *f* ; [de empresa] emplacement *m*.

loção [lo'sɑ̃w] (*pl* -ões) *f* lotion *f* ; **loção capilar** lotion capillaire ; **loção pós-barba** after-shave *m inv*.

locatário, **ria** [loka'tarju, rja] *m, f* locataire *mf*.

loções ► **loção**.

locomotiva [lokomo'tʃiva] *f* locomotive *f*.

locução [loku'sɑ̃w] (*pl* -ões) *f* [de filme, programa] commentaire *m* ; GRAM locution *f*.

locutor, **ra** [loku'to(x), ra] (*mpl* -es, *fpl* -s) *m, f* [de televisão] présentateur *m*, -trice *f* ; [de rádio] animateur *m*, -trice *f*.

lodo ['lodu] *m* vase *f*.

lógica ['lɔʒika] *f* logique *f*.

logo ['lɔgu] *adv* [imediatamente] tout de suite ; [em breve, mais tarde] tout à l'heure ; **logo em seguida** juste après ; **logo que** dès que ; **logo agora que** juste au moment où.

logotipo [logo'tʃipu] *m* logo *m*.

loja ['lɔʒa] *f* magasin *m* ; **loja de artigos esportivos** magasin de sport ; **loja de artigos fotográficos** magasin de photographie ; **loja de brinquedos** magasin de jouets ; **loja de ferragens** quincaillerie *f* ; **loja de lembranças** boutique *f* de souvenirs ; **loja de produtos dietéticos** magasin de produits diététiques.

lombada [lõm'bada] *f* tranche *f (de livre)*.

lombinho [lõm'biɲu] *m* filet *m* mignon.

lombo ['lõmbu] *m* longe *f* ; **lombo assado** *longe de porc grillée*.

lombriga [lõm'briga] *f* ver *m*.

lona ['lona] *f* toile *f*.

Londres ['lõndriʃ] *s* Londres.

londrino, **na** ['lõn'drinu, na] <> *adj* londonien(enne). <> *m, f* Londonien *m*, -enne *f*.

longa-metragem [ˌlõŋgame'traʒẽ] (*pl* **longas-metragens**) *f* long-métrage *m*.

longe ['lõʒi] *adv* loin ; **longe disso!** bien au contraire ! ; **ao longe** au loin ; **de longe** de loin ; **de longe em longe** de temps en temps ; **ir longe demais** aller trop loin.

longitude [lõʒi'tudʒi] *f* longitude *f*.

longo, **ga** ['lõŋgu, ga] *adj* long(longue) ; **ao longo dos tempos** au fil des temps ; **ao longo de** le long de.

lontra ['lõntra] *f* loutre *f*.

loop ['lupi] (*pl* **loops**) *m* INFORM boucle *f*.

-los [luʃ] *pron pl* [eles] les ; [vocês] vous.

losango [lo'zãŋgu] *m* losange *m*.

lotação [lota'sãw] (*pl* -ões) *f* [de cinema, teatro] capacité *f* ; [de ônibus] nombre *m* de places ; **'lotação esgotada'** 'complet'.

lote ['lɔtʃi] *m* [de terreno] lot *m* ; [de prédios] bâtiment *m*.

loteria [lote'ria] *f* **1.** loterie *f* - **2.** : **loteria esportiva** loto *m* sportif.

loto ['lɔtu] *m* loto *m*.

louça ['losa] *f* [pratos, xícaras, pires] vaisselle *f* ; [porcelana] porcelaine *f*.

louco, **ca** ['loku, ka] *adj* & *m, f* fou(folle) ; **estar/ficar louco de alegria** être fou de joie ; **ser louco por** être fou de ; [comida] raffoler de.

loucura [lo'kura] *f* folie *f*.

louro, **ra** ['loru, ra] <> *adj* blond(e). <> *m* laurier *m*.

louva-a-deus [ˌlova'deuʃ] *m inv* mante *f* religieuse.

louvar [lo'va(x)] *vt* chanter les louanges de.

louvável [lo'vavɛw] (*pl* -eis) *adj* louable.

LP *m* (*abrev de* **long-play**) 33 tours *m*.

Lt. (*abrev de* **Lote**) bat.

Ltda. (*abrev de* **limitada**) SARL *f*.

lua ['lua] *f* lune *f* ; **estar de lua** être de mauvaise humeur ; **viver no mundo da lua** être dans la lune.

lua-de-mel [ˌluadʒi'mɛw] (*pl* **luas-de-mel**) *f* lune *f* de miel.

luar ['lwa(x)] *m* clair *m* de lune.

lubrificante [lubrifi'kãntʃi] *m* lubrifiant *m*.

lubrificar [lubrifi'ka(x)] *vt* lubrifier.

lucidez [lusi'deʃ] *f* lucidité *f*.

lúcido, **da** ['lusidu, da] *adj* lucide.

lúcio ['lusju] *m* brochet *m*.

lucrar [lu'kra(x)] ◆ **lucrar com** *v+prep* gagner ; **o que é que você lucra com isso?** qu'est-ce que tu y gagnes?

lucrativo, **va** [lukra'tʃivu, va] *adj* [negócio, investimento] **qui rapporte** ; [fim] lucratif(ive).

lucro ['lukru] *m* bénéfice *m* ; **lucros e perdas** profits et pertes.

lúdico, **ca** ['ludʒiku, ka] *adj* ludique.

lugar [lu'ga(x)] (*pl* -es) *m* [espaço, assento] place *f* ; [sítio] endroit *m* ; **em primeiro lugar** [em esporte] à la première place ; [antes] d'abord ; **ter lugar** avoir lieu ; **em lugar de** au lieu de ; **dar o lugar a alguém** céder sa place à qqn ; **tomar o lugar de alguém** prendre la place de qqn.

lugar-comum [lu,gaxku'mũ] (*pl* **lugares-comuns**) *m* lieu *m* commun.

lugares ► **lugar**.

lúgubre ['lugubri] *adj* lugubre.

lula ['lula] *f* calamar *m* ; **lulas grelhadas** *calamars grillés*.

lume ['lumi] *m* [chama] feu *m* ; [fogueira] feu *m* de cheminée.

luminária [lumi'narja] *f* lampe *f* ; **luminária de mesa** lampe *f* ; **luminária de pé** lampadaire *m*.

luminosidade [luminozi'dadʒi] *f* lumière *f*.

luminoso, **osa** [lumi'nozu, ɔza] *adj* lumineux(euse).

lunar [lu'na(x)] (*pl* -es) *adj* lunaire.

lunático, **ca** [lu'natʃiku, ka] *m, f* désaxé *m*, -e *f*.

luneta [lu'neta] *f* lunette *f*.

lupa ['lupa] *f* loupe *f*.

lustre ['luʃtri] *m* lustre *m* ; **dar lustre a algo** faire briller qqch.

luta ['luta] *f* lutte *f*.

lutar [lu'ta(x)] *vi* lutter ; **lutar contra** se battre avec ; **lutar por** se battre pour.

luto ['lutu] *m* deuil *m* ; **estar de luto** être en deuil.

luva ['luva] *f* [roupa] gant *m*.

Luxemburgo [luʃẽn'buxgu] *m* le Luxembourg.

luxo ['luʃu] *m* luxe *m* ; **de luxo** de luxe.

luxuoso, **osa** [lu'ʃwozu, ɔza] *adj* luxueux(euse).

luxúria [lu'ʃurja] *f* luxure *f*.

luxuriante [luʃu'rjɐ̃ntʃi] *adj* luxuriant(e).

luz ['luʃ] (*pl* -es) *f* [de sol, lâmpada, fogo] lumière *f* ; [de carro] phare *m* ; [de casa] électricité *f* ; [de rua] éclairage *m* ; **luz do sol** lumière du soleil ; **dar à luz** accoucher ; **luzes de alerta** warnings *mpl* ; **luzes de presença** veilleuses *fpl*.

luzir [lu'zi(x)] *vi* luire.

Lycra® ['likra] *f* Lycra® *m*.

M

ma [ma] = **me** + **a**, ► **me**.

má [ma] ► **mau**.

maca ['maka] *f* brancard *m*.

maçã [ma'sɐ̃] *f* pomme *f* ; [do rosto] pommette *f* ; **maçã assada** pomme au four.

macabro, **bra** [ma'kabru, bra] *adj* macabre.

macacão [maka'kɐ̃w] (*pl* -ões) *m* [roupa] bleu *m* de travail ; [calças] salopette *f*.

macaco, **ca** [ma'kaku, ka] ◇ *m, f* singe *m*. ◇ *m* cric *m*.

macacões ► **macacão**.

maçaneta [masa'neta] *f* poignée *f (de porte)*.

maçante [ma'sɐ̃ntʃi] *adj* pénible, ennuyeux.

maçapão [masa'pɐ̃w] *m* massepain *m*.

maçarico [masa'riku] *m* chalumeau *m*.

maçaroca [masa'rɔka] *f* épi *m* de maïs.

macarrão [maka'xɑ̃w] *m* [tipo de massa] macaronis *mpl* ; [massa] nouilles *fpl*.

Macau [ma'kaw] *s* Macao.

macedônia [mase'dɔnja] *f* macédoine *f* de légumes ; **macedônia (de frutas)** salade *f* de fruits.

macete [ma'setʃi] *m* maillet *m*.

machado [ma'ʃadu] *m* hache *f*.

machismo [ma'ʃiʒmu] *m* machisme *m*.

machista [ma'ʃiʃta] *adj* & *m* machiste.

macho ['maʃu] *adj* & *m* mâle ; **um homem macho** un homme, un vrai.

machucado, **da** [maʃu'kadu, da] *adj* blessé(e).

machucar [maʃu'kax] *vt* blesser. ◆ **machucar-se** *vp* se blesser.

maciço, **ça** [ma'sisu, sa] *adj* massif(ive).

macieira [ma'sjejra] *f* pommier *m*.

macio, **cia** [ma'siu, sia] *adj* doux(douce).

maço ['masu] *m* maillet *m* ; **maço (de cigarros)** paquet *m* de cigarettes ; **maço de folhas** tas *m* de feuilles.

macro ['makru] *f* INFORM macro *f*.

macumba [ma'kũmba] *f* macumba *f* *culte proche du vaudou pratiqué au Brésil*.

madeira [ma'dejra] ◇ *f* bois *m*. ◇ *m* [vinho] madère *m*. ◆ **Madeira** *f* : **a Madeira** Madère.

madeirense [madej'rẽsi] ◇ *adj* de Madère. ◇ *mf* Madérien *m*, -enne *f*.

madeixa [ma'dejʃa] *f* mèche *f*.

madrasta [ma'draʃta] *f* belle-mère *f*.

madrepérola [ˌmadre'pɛrola] *f* nacre *f*.

madressilva [ˌmadre'siwva] *f* chèvrefeuille *m*.

madrinha [ma'driɲa] *f* [de batismo] marraine *f*.

madrugada [madru'gada] *f* [alvorada] aube *f* ; [manhã] matin *m* ; **uma da madrugada** une heure du matin ; **de madrugada** *fig* très tôt.

madrugar [madru'ga(x)] *vi* se lever de bonne heure.

maduro, **ra** [ma'duru, ra] *adj* mûr(e) ; [vinho] *fait avec du raisin arrivé à maturité par opposition au vin vert*.

mãe ['mɑ̃j] *f* mère *f*.

maestro [ma'ɛʃtru] *m* chef *m* d'orchestre.

magia [ma'ʒia] *f* magie *f*.

mágico, **ca** ['maʒiku, ka] ◇ *adj* magique. ◇ *m, f* magicien *m*, -enne *f*.

magistrado, **da** [maʒiʃ'tradu, da] *m, f* magistrat *m*.

magnético, **ca** [mag'nɛtʃiku, ka] *adj* magnétique.

magnífico, **ca** [mag'nifiku, ka] *adj* magnifique.

magnitude [magni'tudʒi] *f* grandeur *f*.

magnólia [mag'nɔlja] *f* magnolia *m*.

mago, **ga** ['magu, ga] *m, f* magicien *m*, -enne *f*.

mágoa ['magwa] *f* peine *f*.

magoado, **da** [ma'gwadu, da] *adj* blessé(e) ; **ficou magoado** ça lui a fait de la peine.

magoar [ma'gwa(x)] *vt* : **magoar alguém** [fisicamente] blesser qqn ; [moralmente] faire de la peine à qqn. ◆ **magoar-se** *vp* se blesser.

magro, **gra** ['magru, gra] *adj* [pessoa, animal] maigre ; [leite] écrémé(e).

mail [mejo] (*pl* **mails**) *m* INFORM mail *m*, courrier électronique *m*.

mainframe [mej'frejmi] *m* INFORM ordinateur *m* centrale.

maio ['maju] *m* mai *m*, ► **setembro**.

maiô [ma'jo] *m* [de ginástica] justaucorps *m* ; [de banho] maillot *m* de bain.

maionese [majɔ'nɛzi] *f* mayonnaise *f*.

maior [ma'jɔ(x)] (*pl* -es) <> *adj* plus grand(e). <> *mf* : **o/a maior** le plus grand/la plus grande ; **em maior número** plus nombreux(euses) ; **ser maior de idade** être majeur(e) ; **a maior parte** la plupart.

maioria [majo'ria] *f* majorité *f* ; **a maioria de** la plupart de.

maioridade [majori'dadʒi] *f* majorité *f (âge)*.

mais ['majʃ] <> *adv* **1.** [em comparações] plus ; **a Ana é mais alta/bonita** Ana est plus grande/jolie ; **mais... do que...** plus... que... ; **ela tem mais um ano do que eu** elle a un an de plus que moi ; **a mais** de ou en trop - **2.** [como superlativo] : **o/a mais** le/la plus ; **o mais inteligente/engraçado** le plus intelligent/drôle - **3.** [indica adição] encore ; **quero mais pão** je veux encore du pain ; **não quero mais nada** je ne veux plus rien - **4.** [indica intensidade] : **que dia mais bonito!** quelle belle journée ! ; **que lugar mais feio!** quel endroit horrible ! - **5.** [indica preferência] : **mais vale não ir** il vaut mieux ne pas y aller ; **mais vale que você fique em casa** il vaut mieux que tu restes à la maison - **6.** [em locuções] : **de mais a mais** en plus ; **mais ou menos** plus ou moins ; [de saúde] comme ci, comme ça ; **por mais que** avoir beau ; **por mais esperto que seja, não consegue fazê-lo** il a beau être adroit, il n'arrive pas à le faire ; **sem mais nem menos** comme ça, sans raison ; **uma vez mais, mais uma vez** une fois de plus ; **cada vez mais** de plus en plus ; **e que mais, minha senhora?** et avec ça, madame ? <> *adj inv* **1.** [em comparações] plus ; **eles têm mais dinheiro** ils ont plus d'argent ; **está mais calor hoje** il fait plus chaud aujourd'hui - **2.** [como superlativo] le plus de ; **a pessoa que mais discos vendeu** la personne qui a vendu le plus de disques ; **os que mais dinheiro têm** ceux qui ont le plus d'argent ; **quanto mais cedo melhor** le plus tôt sera le mieux ; **o mais tardar** au plus tard - **3.** [indica adição] encore ; **mais água, por favor** encore de l'eau, s'il vous plaît ; **mais alguma coisa?** vous désirez autre chose ? ; **tenho mais três dias de férias** j'ai encore trois jours de vacances. <> *conj* : **vou eu mais o seu pai** nous y allons, ton père et moi. <> *prep* [indica soma] plus ; **dois mais dois, quatro** deux plus deux, quatre.

maître ['mɛtre] *m* maître *m* d'hôtel.

major [ma'ʒɔ(x)] (*pl* -es) *m* commandant *m*.

mal ['maw] (*pl* -es) <> *m* mal *m*. <> *adv* mal. <> *conj* [assim que] dès que ; **mal cheguei, telefonei logo** dès que je suis arrivé, j'ai téléphoné ; **fazer mal** [a pessoa] faire du mal ; **não faz mal** ça n'est pas grave ; **cheirar mal** sentir mauvais ; **ouvir/ver mal** entendre/voir mal ; **saber mal** avoir un mauvais goût ; **o mal** le mal.

mala ['mala] *f* [de mão] sac *m* ; [de roupa] valise *f* ; **mala do carro** coffre *m* ; **mala de viagem** valise *f* ; **fazer as malas** faire ses bagages.

malabarismo [malaba'riʒmu] *m* : **fazer malabarismos** jongler.

malabarista [malaba'riʃta] *mf* jongleur *m*, -euse *f*.

mal-acabado, **da** [,mawaka'badu, da] *adj* bâclé(e) ; [pessoa] mal fait(e).

malagueta [mala'geta] *f* piment *m*.

malandro, **dra** [ma'lɐ̃ndru, dra]

<> *adj* [preguiçoso] paresseux(euse) ; [matreiro] fripon(onne). <> *m, f* canaille *f*.

malária [ma'larja] *f* malaria *f*.

malcriado, da [mawkri'adu, da] *adj* mal élevé(e).

maldade [maw'dadʒi] *f* méchanceté *f*.

maldição [mawdi'sɐ̃w] (*pl* -ões) *f* malédiction *f*.

maldisposto, ta [mawdʒiʃ'poʃtu, ta] *adj* [de mau humor] de mauvaise humeur ; [mau do estômago] indisposé(e).

maldito, ta*adj* maudit(e).

maldizer [mawdʒi'ze(x)] *vt* [amaldiçoar] maudire ; [dizer mal de] dire du mal de.

maldoso, osa [maw'dozu, ɔza] *adj* méchant(e).

mal-educado, da [ˌmaledu'kadu, da] *adj* mal élevé(e).

malefício [male'fisju] *m* maléfice *m*.

mal-entendido [ˌmalĩntẽn'dʒidu] (*pl* **mal-entendidos**) *m* malentendu *m*.

males ['maliʃ] ► **mal**.

mal-estar [maleʃ'ta(x)] (*pl* **mal-estares**) *m* malaise *m*.

maleta [ma'leta] *f* mallette *f*.

malfeitor, ra [mawfej'to(x), ra] (*mpl* -es, *fpl* -s) *m, f* malfaiteur *m*.

malha ['maʎa] *f* [tecido] jersey *m* ; [em meia, camisola, rede] maille *f* ; [mancha em animal] tache *f*.

malhado, da [ma'ʎadu, da] *adj* tacheté(e).

malhar [ma'ʎa(x)] <> *vt* battre. <> *vi fam* se casser la figure.

mal-humorado, da [malumo'radu, da] *adj* de mauvaise humeur.

malícia [ma'lisja] *f* malice *f*.

maligno, gna [ma'lignu, gna] *adj* malin(igne).

malmequer [mawmi'kɛ(x)] (*pl* -es) *m* marguerite *f*.

malpassado, da [mawpa'sadu, da] *adj* [bife, carne] saignant(e).

malta ['mawta] *f fam* bande *f* (*de copains*).

maltratar [mawtra'ta(x)] *vt* [bater em] maltraiter ; [descuidar, estragar] abîmer.

maluco, ca [ma'luku, ka] *adj* & *m, f* fou(folle).

malva ['mawva] *f* mauve *f*.

malvadez [mawva'deʃ] *f* cruauté *f*.

malvado, da [maw'vadu, da] *adj* méchant(e).

mama ['mama] *f* sein *m*.

mamadeira [mama'deira] *f* biberon *m*.

mamãe [mɐ̃'mɐ̃j] (*pl* -ães) *f fam* m'man.

mamão [ma'mɐ̃w] (*pl* -ões) *m* papaye *f*.

mamar [ma'ma(x)] <> *vi* téter. <> *vt* : **dar de mamar** [amamentar] donner à téter ; [com mamadeira] donner le biberon.

mamífero [ma'miferu] *m* mammifère *m*.

mamilo [ma'milu] *m* mamelon *m*.

maminha [ma'miɲa] *f* ≃ filet *m*.

mamões ► **mamão**.

manada [ma'nada] *f* troupeau *m*.

mancar [mɐ̃ŋ'ka(x)] *vi* boiter.

mancha ['mɐ̃ʃa] *f* tache *f*.

Mancha ['mɐ̃ʃa] *f* : **o canal da Mancha** la Manche.

manchar [mɐ̃'ʃa(x)] *vt* tacher.

manchete [mɐ̃'ʃɛtʃi] *f* manchette *f* (*d'un journal*).

manco, ca ['mɐ̃ŋku, ka] *adj* boiteux(euse).

mandar [mɐ̃n'da(x)] <> *vi* commander. <> *vt* envoyer ; **mandar alguém**

fazer algo envoyer qqn faire qqch ; **mandar fazer algo** faire faire qqch ; **mandar alguém passear** *fam* envoyer qqn promener ; **mandar vir** [encomendar] commander ; **mandar à merda** *vulg* envoyer chier ; **mandar em** [empresa] diriger ; [casa] commander, faire la loi.

mandioca [mɑ̃n'dʒjɔka] *f* manioc *m* ; **(farinha de) mandioca** tapioca *m*.

maneira [ma'nejra] *f* manière *f* ; **de uma maneira geral** d'une manière générale ; **à maneira de** comme ; **de maneira alguma** OU **nenhuma** pas du tout ; **de maneira que** si bien que ; **de qualquer maneira** de toute façon ; **desta maneira** comme ça ; **de todas as maneiras** sous toutes ses formes ; **de tal maneira... que** tellement... que ; **de uma maneira ou de outra** d'une manière ou d'une autre. ◆ **maneiras** *fpl* : **ter maneiras** savoir se tenir.

manejar [mane'ʒa(x)] *vt* manier.

manejável [mane'ʒavɛw] (*pl* -eis) *adj* maniable.

manequim [mane'kĩ] (*pl* -ns) ◇ *m* [em vitrine] mannequin *m*. ◇ *mf* [pessoa] mannequin *m*.

maneta [ma'neta] *adj* manchot(e).

manga ['mɑ̃ŋga] *f* [de peça de vestuário] manche *f* ; [fruto] mangue *f* ; **em mangas de camisa** en manches de chemise.

mangueira [mɑ̃ŋ'gejra] *f* [para regar, lavar] tuyau *m* d'arrosage ; [árvore] manguier *m*.

manha ['maɲa] *f* ruse *f*.

manhã [ma'ɲɑ̃] *f* matin *m* ; [período] matinée *f* ; **de manhã** de bonne heure ; **toda a manhã** toute la matinée.

mania [ma'nia] *f* manie *f*.

manicômio [mani'komju] *m* asile *m*.

manicure [mani'kuri] *f* manucure *f*.

manifestação [manifeʃta'sɑ̃w] (*pl* -ões) *f* manifestation *f*.

manifestar [manifeʃ'ta(x)] *vt* manifester. ◆ **manifestar-se** *vp* [protestar] manifester ; [pronunciar-se] s'exprimer.

manipular [manipu'la(x)] *vt* manipuler.

manivela [mani'vɛla] *f* manivelle *f*.

manjericão [mɑ̃ʒeri'kɑ̃w] *m* basilic *m*.

manobra [ma'nɔbra] *f* manœuvre *f*.

mansão [mɑ̃'sɑ̃w] (*pl* -ões) *f* villa *f*.

mansidão [mɑ̃si'dɑ̃w] *f* douceur *f*.

manso, sa ['mɑ̃su, sa] *adj* [animal] docile ; [mar] calme.

mansões ➤ **mansão**.

manta ['mɑ̃nta] *f* couverture *f (de lit)*.

manteiga [mɑ̃n'tejga] *f* beurre *m* ; **manteiga de cacau** beurre de cacao.

manteigueira [mɑ̃ntej'gejra] *f* beurrier *m*.

manter [mɑ̃n'te(x)] *vt* entretenir ; [conservar] conserver ; [palavra, conversa] tenir. ◆ **manter-se em** *vp + prep* [em local] rester à ; [em forma] rester en.

manual [ma'nwaw] (*pl* -ais) ◇ *adj* manuel(elle). ◇ *m* manuel *m* ; **manual (escolar)** manuel scolaire.

manuscrito, ta [manuʃ'kritu, ta] ◇ *adj* manuscrit(e). ◇ *m* manuscrit *m*.

manusear [manu'zea(x)] *vt* manier.

manutenção [manutẽ'sɑ̃w] *f* entretien *m (de la maison)*.

mão ['mɑ̃w] *f* ANAT main *f* ; [de estrada] sens *m* ; **apertar a mão** serrer la main ; **dar a mão a alguém** donner la main à qqn ; *fig* aider qqn ; **de mãos dadas** main dans la main ; **à mão** à la main ; **dar uma mão a alguém** donner un coup de main à qqn ; **estar à mão** être tout près ; **ter algo à mão** avoir qqch sous la main.

mão-de-obra [mɑ̃w'dʒiɔbra] *f* main-d'œuvre *f*.

mapa ['mapa] *m* carte *f* ; **mapa das estradas** carte routière.

mapa-múndi [ˌmapa'mũndʒi] (*pl* **mapas-múndi**) *m* mappemonde *f*.

maquete [ma'kɛtʃi] *f* maquette *f*.

maquiagem [maki'aʒɑ̃j] (*pl* -ns) *f* maquillage *m*.

maquiar [ma'kja(x)] *vt* maquiller. ◆ **maquiar-se** *vp* se maquiller.

maquilagem [maki'laʒẽ] (*pl* -ns) *f* maquillage *m*.

máquina ['makina] *f* machine *f* ; **máquina de barbear** rasoir *m* électrique ; **máquina de busca** moteur de recherche ; **máquina de costura** machine à coudre ; **máquina de escrever** machine à écrire ; **máquina de filmar** caméra *f* ; **máquina fotográfica** appareil *m* photo ; **máquina de lavar** [roupa] lave-linge *m inv* ; [louça] lave-vaisselle *m inv* ; **máquina de secar** sèche-linge *m inv*.

maquinaria [makina'ria] *f* machinerie *f*.

mar ['ma(x)] (*pl* -es) *m* mer *f* ; **mar alto, alto-mar** haute mer ; **por mar** par bateau.

maracujá [maraku'ʒa] *m* fruit *m* de la passion.

maravilha [mara'viʎa] *f* merveille *f* ; **que maravilha!** quelle merveille ! ; **fazer maravilhas** faire des merveilles ; **dizer maravilhas de** dire des merveilles de ; **correr às mil maravilhas** se dérouler à merveille.

maravilhoso, osa [maravi'ʎozu, ɔza] *adj* merveilleux(euse).

marca ['maxka] *f* marque *f* ; [vestígio] trace *f* ; **marca registrada** nom *m* déposé ; **de marca** de marque.

marcação [maxka'sɑ̃w] (*pl* -ões) *f* [de consulta] rendez-vous *m* ; [de lugar] réservation *f*.

marcar [max'ka(x)] *vt* [consulta] prendre ; [lugar] réserver ; [hora] fixer ; DESP marquer ; **marcar encontro** fixer un rendez-vous ; **marcar uma hora** prendre rendez-vous.

marcha ['maxʃa] *f* [desfile] marche *f* ; **marcha a ré** marche arrière.

marchar [max'ʃa(x)] *vi* [pessoa] marcher ; [tropa] marcher au pas.

marcial [maxsi'aw] (*pl* -ais) *adj* martial(e).

marco ['maxku] *m* [em estrada, caminho] borne *f* ; [moeda] mark *m*.

março ['marsu] *m* mars *m*, ► setembro.

maré [ma'rɛ] *f* marée *f* ; **estar em maré de sorte** avoir la chance avec soi ; **maré alta** marée haute ; **maré baixa** marée basse.

maremoto [mare'motu] *m* raz-de-marée *m*.

mares ► **mar**.

marfim [max'fĩ] *m* ivoire *m*.

margarida [maxga'rida] *f* marguerite *f*.

margarina [maxga'rina] *f* margarine *f*.

margem ['maxʒẽ] (*pl* -ns) *f* [de rio] rive *f* ; [em texto, livro, documento] marge *f* ; **à margem** en marge ; **pôr à margem** *fig* mettre à l'écart ; **pôr-se à margem** se tenir à l'écart.

marginal [maxʒi'naw] (*pl* -ais) *mf* marginal *m*, -e *f*.

marido [ma'ridu] *m* mari *m*.

marimbondo [marĩm'bõndu] *m* guêpe *f*.

marina [ma'rina] *f* marina *f*.

marinada [mari'nada] *f* marinade *f*.

marinado, da [mari'nadu, da] *adj* mariné(e).

marinar [mari'nax] *vt* mariner.

marinha [ma'riɲa] *f* marine *f*.

marinheiro, ra [mari'ɲejru, ra] *m, f* marin *m*.

marionete [marjo'nɛtʃi] *f* marionnette *f*.

mariposa [mari'poza] *f* papillon *m (nage)*.

marisco [ma'riʃku] *m* fruits *mpl* de mer.

marítimo, ma [ma'ritʃimu, ma] *adj* maritime.

marketing ['maxketʃĩŋ] *m* marketing *m*.

marmelada [maxme'lada] *f* pâte *f* de coing.

marmeleiro [maxme'lejru] *m* cognassier *m*.

marmelo [max'mɛlu] *m* coing *m*.

mármore ['maxmori] *m* marbre *m*.

marquise [max'kizi] *f* véranda *f*.

marreco, ca [ma'xɛku] *adj* bossu(e).

Marrocos [ma'xɔkuʃ] *s* Maroc *m*.

marrom [ma'xõ] (*pl* -ns) *adj* marron.

marroquinaria [maxokina'rja] *f* maroquinerie *f*.

martelar [maxte'la(x)] *vt* marteler.

martelo [max'tɛlu] *m* marteau *m*.

mártir ['maxti(x)] (*pl* -es) *mf* martyr *m*, -e *f*.

marzipã [maxzi'pã] *m* massepain *m*.

mas[1] [maʃ] = **me + as**, ► **me**.

mas[2] [ma(j)ʃ] ◇ *conj* mais. ◇ *m* : **nem mas nem meio mas!** il n'y a pas de mais qui tienne !

mascar [maʃ'ka(x)] *vt* mâcher.

máscara ['maʃkara] *f* masque *m*.

mascarar-se [maʃka'raxsi] *vp* se déguiser.

mascavo [maʃ'kavu] *adj m* ► **açúcar**.

mascote [maʃ'kɔtʃi] *f* mascotte *f*.

masculino, na [maʃku'linu, na] *adj* masculin(e).

masoquista [mazu'kiʃta] *adj* & *mf* masochiste.

massa ['masa] *f* [espaguete, lasanha] pâtes *fpl* ; [de bolo, pão] pâte *f* ; **massa folhada** pâte feuilletée ; **massa para modelar** pâte *f* à modeler ; **em massa** *fig* en masse.

massacre [ma'sakri] *m* massacre *m*.

massagear [masa'ʒea(x)] *vt* masser.

massagem [ma'saʒẽ] (*pl* -ns) *f* massage *m*.

massagista [masa'ʒiʃta] *mf* masseur *m*, -euse *f*.

mastigar [maʃtʃi'ga(x)] *vt* mâcher.

mastro ['maʃtru] *m* mât *m*.

masturbar-se [maʃtux'baxsi] *vp* se masturber.

mata ['mata] *f* bois *m*.

mata-borrão [ˌmatabo'xãw] (*pl* **mata-borrões**) *m* buvard *m*.

matadouro [mata'doru] *m* abattoir *m*.

matar [ma'ta(x)] *vt* [pessoa, animal] tuer ; [sede, fome] couper. ◆ **matar-se** *vp* se tuer ; **matar-se de fazer algo** se démener pour faire qqch ; **matar-se de trabalhar** se tuer au travail.

mata-ratos [ˌmata'xatuʃ] *m inv* mort-aux-rats *f inv*.

mate ['matʃi] ◇ *m* maté *m (sorte de thé)*. ◇ *adj* mat(e).

matemática [mate'matʃika] *f* mathématiques *fpl*.

matéria [ma'tɛrja] *f* matière *f* ; **em matéria de** pour ce qui est de.

material [materi'aw] (*pl* -ais) ◇ *adj* [bens] matériel(elle). ◇ *m* matériel *m* ; **material escolar** fournitures *fpl* scolaires.

matéria-prima [maˌtɛrja'prima] (*pl* **matérias-primas**) *f* matière *f* première.

maternidade [matexni'dadʒi] *f* [hospital] maternité *f*.

matinê [matʃi'ne] *f* matinée *f (de spectacle)*.

matizado, da [mati'zadu, da] *adj* nuancé(e).

mato ['matu] *m* [tipo de vegetação] lande *f* ; [bosque] bois *m*.

matrícula [ma'trikula] *f* [de carro] immatriculation *f* ; [em escola, universidade] inscription *f*.

matrimônio [matri'monju] *m* mariage *m*.

matriz [ma'triʃ] (*pl* -es) *f* [igreja] église *f* paroissiale ; [de foto, tipografia] film *m*.

maturidade [maturi'dadʒi] *f* maturité *f*.

matuto, ta [ma'tutu, ta] *adj* provincial(e).

mau, má ['maw, 'ma] *adj* mauvais(e) ; [malvado] méchant(e) ; **nada mau!** pas mal !

mausoléu [mawzo'lɛu] *m* mausolée *m*.

maus-tratos [mawʃ'tratuʃ] *mpl* mauvais traitements *mpl*.

maxilar [maksi'la(x)] (*pl* -es) *m* maxillaire *m*.

máximo, ma ['masimu, ma] ◇ *adj* [velocidade, pena, pontuação] maximum ; [temperatura] maximal(e). ◇ *m* : **o máximo** le maximum ; **no máximo** tout au plus ; **ao máximo** à fond.

maxi-single [ˌmaksi'sĩŋgew] (*pl* **maxi-singles**) *m* maxi-single *m*.

me [mi] *pron* [complemento direto] me ; [complemento indireto] moi, me ; **dê-me o livro** donne-moi le livre ; **não me fale** ne me parle pas ; [reflexivo] me ; **você me enganou!** tu m'as trompé ! ; **vou-me embora** je m'en vais.

meados ['mjaduʃ] *mpl* : **em meados de dezembro** à la mi-décembre.

mecânica [me'kanika] *f* mécanique *f*, ➤ **mecânico**.

mecânico, ca [me'kaniku, ka] ◇ *adj* mécanique. ◇ *m, f* mécanicien *m*, -enne *f*.

mecanismo [meka'niʒmu] *m* mécanisme *m*.

mecha ['mɛʃa] *f* mèche *f (de bougie)*.

meço ['mɛsu] ➤ **medir**.

medalha [me'daʎa] *f* médaille *f*.

média ['mɛdʒja] *f* **1.** moyenne *f* ; **andar à média de 150 km/h** faire du 150 km/h en moyenne ; **em média** en moyenne ; **ter média de** avoir une moyenne de - **2.** [café] *café au lait servi dans une tasse*.

mediano, na [me'dʒjanu, na] *adj* moyen(enne).

mediante [me'dʒjɑ̃ntʃi] *prep* [a troco de] moyennant ; [consoante] selon.

medicação [medʒika'sɑ̃w] (*pl* -ões) *f* traitement *m*.

medicamento [medʒika'mẽntu] *m* médicament *m*.

medicina [medʒi'sina] *f* médecine *f*.

médico, ca ['mɛdʒiku, ka] *m, f* médecin *m* ; **médico de clínica geral** médecin généraliste.

medida [me'dʒida] *f* mesure *f* ; **sob medida** sur mesure ; **em certa medida** en quelque sorte ; **na medida do possível** dans la mesure du possible ; **à medida que** au fur et à mesure que ; **não ser de meias medidas** ne pas y aller par quatre chemins ; **tomar medidas** prendre des mesures.

medieval [medʒje'vaw] (*pl* -ais) *adj* médiéval(e).

médio, dia ['mɛdʒju, dja] ◇ *adj* moyen(enne). ◇ *m* [dedo] majeur *m*.

medíocre [me'dʒiukri] *adj* médiocre.

medir [me'dʒi(x)] *vt* mesurer ; [temperatura] prendre ; **quanto é que você mede?** combien est-ce que tu mesures ?

meditar [me'dʒita(x)] *vi* méditer ; **meditar sobre algo** méditer sur qqch.

Mediterrâneo [medʒite'xanju] *m* : **o (mar) Mediterrâneo** la (mer) Méditerranée.

medo ['medu] *m* peur *f* ; **ter medo** avoir peur ; **ter medo de** avoir peur de ; **sem medo** sans crainte.

medonho, **nha** [me'doɲu, ɲa] *adj* épouvantable.

medroso, **osa** [me'drozu, ɔza] *adj* peureux(euse).

medula [me'dula] *f* moelle *f*.

medusa [me'duza] *f* méduse *f*.

megabyte [mɛga'bajtʃi] *m* mégaoctet *m*.

meia ['meja] *f* [seis] six.

meia-calça [ˌmeja'kawsa] (*pl* **meias-calças**) *f* collants *mpl (en laine)*.

meia-idade [ˌmejej'dadʒi] *f* : **de meia-idade** d'âge mûr.

meia-luz [ˌmeja'luʃ] (*pl* **meias-luzes**) *f* entre chien et loup *m*.

meia-noite [ˌmeja'nojtʃi] *f* minuit *m*.

meias ['mejaʃ] *fpl* chaussettes *fpl* ; [de mulher] collants *mpl* ; [com ligas] bas *mpl* ; **meias de lycra** collants en Lycra ; **meias soquetes** chaussettes *fpl*.

meigo, **ga** ['mejgu, ga] *adj* [pessoa] doux(douce) ; [animal] affectueux(euse).

meio, **meia** ['meju, 'meja] ◇ *adj* demi-, mi-. ◇ *m* [modo, recurso] moyen *m* ; [social, profissional] milieu *m* ; **meio ambiente** environnement *m* ; **meio cheio** à moitié plein ; **a meias** moitié-moitié ; **estar meio a dormir** dormir à moitié ; **fiz o trabalho a meias com ele** j'ai partagé le travail avec lui ; **meia-entrada** billet *m* demi-tarif ; **meia pensão** demi-pension *f* ; **meio seco** [vinho] demi-sec ; **a meia voz** à mi-voix ; **no meio de** [de duas coisas] entre ; [de várias coisas] parmi ; [de rua, mesa, multidão] au milieu de.

meio-dia [ˌmeju'dʒia] *m* midi *m*.

meios [ˌmejuʃ] *mpl* moyens *mpl*, ressources *fpl*.

mel ['mɛw] *m* miel *m*.

melaço [me'lasu] *m* mélasse *f*.

melado, **da** [me'ladu, da] *adj* poisseux(euse).

melancia [melɑ̃'sia] *f* pastèque *f*.

melancolia [melɑ̃ŋko'lia] *f* mélancolie *f*.

melancólico, **ca** [melɑ̃ŋ'kɔliku, ka] *adj* mélancolique.

melão [me'lɑ̃w] (*pl* -ões) *m* melon *m*.

melhor [me'ʎɔ(x)] (*pl* -es) ◇ *adj* meilleur(e). ◇ *adv* mieux. ◇ *mf* : **o melhor** le mieux ; **o/a melhor** le meilleur/la meilleure ; **ou melhor** ou plutôt ; **tanto melhor!** tant mieux ! ; **estar melhor** aller mieux ; **ser do melhor que há** être ce qu'il y a de mieux ; **cada vez melhor** de mieux en mieux ; **correr pelo melhor** se passer pour le mieux ; **ir desta para melhor** *fam* passer l'arme à gauche ; **quem é que escreve melhor?** qui écrit le mieux ?

melhorar [meʎo'ra(x)] ◇ *vt* [comportamento] améliorer ; [conhecimentos] perfectionner. ◇ *vi* [doente] aller mieux ; [tempo, clima] s'améliorer.

melhores ► **melhor**.

melindrar [melĩn'dra(x)] *vt* offenser.

melindroso, **osa** [melĩn'drozu, ɔza] *adj* [pessoa] susceptible ; [assunto, questão, problema] délicat(e) ; [saúde] fragile.

melodia [melo'dʒia] *f* mélodie *f*.

melodrama [melo'drama] *m* mélodrame *m*.

melodramático, ca [melodra'matʃiku, ka] *adj* mélodramatique.

melões ► **melão**.

melro ['mɛwxu] *m* merle *m*.

membro ['mẽmbru] *m* membre *m*.

memorando [memo'rɑ̃ndu] *m* note *f*.

memória [me'mɔrja] *f* mémoire *f*; **de memória** par cœur.

memorizar [memori'za(x)] *vt* mémoriser.

mencionar [mẽsjo'na(x)] *vt* mentionner.

mendigar [mẽndʃi'ga(x)] *vi* mendier.

mendigo, ga [mẽn'dʃigu, ga] *m, f* mendiant *m*, -e *f*.

meningite [menĩn'ʒitʃi] *f* méningite *f*.

menino, na [me'ninu, na] *m, f* petit garçon *m*, -e fille *f*.

menopausa [meno'pawza] *f* ménopause *f*.

menor [me'nɔ(x)] (*pl* -es) <> *adj* [em tamanho] **plus petit(e)** ; [em número] inférieur(e) ; [mínimo, em importância] moindre. <> *mf* mineur *m*, -e *f* ; **ser menor de idade** être mineur ; **não faço** OU **tenho a menor idéa** je n'en ai pas la moindre idée ; **o/a menor** le plus petit/la plus petite ; [em quantidade] le/la moins ; [em importância] le/la moindre.

menos ['menuʃ] <> *adv* **1.** [ger] moins ; **você está menos gordo** tu es moins gros ; **menos... do que...** moins... que... ; **a menos** de moins ; **deram-me dinheiro a menos** ils m'ont donné de l'argent en moins - **2.** [como superlativo] : **o/a menos** le/la moins ; **o menos interessante/caro** le moins intéressant/cher - **3.** [em locuções] : **a menos que** à moins que ; **ao menos, pelo menos** au moins ; **isso é de menos** c'est le moins grave ; **pouco menos de** un peu moins de. <> *adj inv* **1.** [em comparações] moins de ; **eles têm menos posses** ils ont moins de moyens ; **está menos frio do que ontem** il fait moins froid qu'hier - **2.** [como superlativo] le moins de ; **as que menos bolos comeram** celles qui ont mangé le moins de gâteaux ; **os que menos dinheiro têm** ceux qui ont le moins d'argent. <> *prep* **1.** [exceto] sauf ; **gostaram todos menos ele** ils ont tous aimé, sauf lui ; **tudo menos isso** tout sauf ça - **2.** [indica subtração] moins ; **três menos dois é igual a um** trois moins deux égale un.

menosprezar [menuʃpre'za(x)] *vt* mépriser.

mensageiro, ra [mẽsa'ʒejru, ra] *m, f* messager *m*, -ère *f*.

mensagem [mẽsa'ʒẽ] (*pl* -ns) *f* message *m*.

mensal [mẽ'saw] (*pl* -ais) *adj* mensuel(elle).

mensalidade [mẽnsali'dadʒi] *f* mensualité *f* ; **mensalidade escolar** frais scolaires mensuels.

mensalmente [mẽsaw'mẽntʃi] *adv* par mois.

menstruação [mẽʃtrua'sɑ̃w] *f* menstruation *f*.

mentalidade [mẽntali'dadʒi] *f* mentalité *f*.

mente ['mẽntʃi] *f* esprit *m* ; **ter em mente fazer algo** avoir l'intention de faire qqch.

mentir [mẽn'ti(x)] *vi* mentir.

mentira [mẽn'tira] <> *f* mensonge *m*. <> *interj* c'est faux ! ; **parece mentira!** c'est incroyable !

mentiroso, osa [mẽntʃi'rozu, ɔza] *m, f* menteur *m*, -euse *f*.

mentol [mẽn'tɔw] *m* menthol *m*.

menu [me'nu] *m* menu *m*.

mercado [mex'kadu] *m* marché *m* ;

mercado municipal marché municipal ; **mercado negro** marché noir. ◆ **Mercado** *m* : **o Mercado Único** le Marché unique.

mercadoria [mexkado'ria] *f* marchandise *f*.

mercearia [mexsja'ria] *f* épicerie *f*.

MERCOSUL [mexko'suw] *m* (*abrev de* **Mercado Comum do Sul**) Mercosur *m*, *marché commun d'Amérique du Sud*.

mercúrio [mex'kurju] *m* mercure *m*.

mercurocromo [mexkurɔ'kromu] *m* Mercurochrome® *m*.

merda ['mɛxda] ◇ *f vulg* merde *f*. ◇ *interj vulg* merde !

merecer [mere'se(x)] *vt* mériter.

merecido, **da** [mere'sidu, da] *adj* mérité(e).

merenda [me'rẽnda] *f* goûter *m*.

merengue [me'rẽŋgi] *m* meringue *f*.

mergulhador, **ra** [merguʎa'do(x), ra] (*mpl* -es, *fpl* -s) *m, f* plongeur *m*, -euse *f*.

mergulhar [mergu'ʎa(x)] ◇ *vi* plonger. ◇ *vt* : **mergulhar algo em algo** plonger qqch dans qqch.

mergulho [mex'guʎu] *m* plongeon *m* ; **dar um mergulho** plonger.

meridiano [meri'dʒjanu] *m* méridien *m*.

meridional [meridʒjo'naw] (*pl* -ais) *adj* méridional(e).

mérito ['mɛritu] *m* mérite *m* ; **por mérito próprio** au mérite.

mês ['meʃ] (*pl* **meses**) *m* mois *m* ; **todos os meses** tous les mois ; **(de) mês a mês** tous les mois ; **por mês** par mois.

mesa ['meza] *f* table *f* ; **estar à mesa** être à table.

mesada [me'zada] *f* argent *m* de poche *(du mois)*.

mesa-de-cabeceira [ˌmezadʒikabi'sejra] (*pl* **mesas-de-cabeceira**) *f* table *f* de nuit.

mescla ['mɛʃkla] *f* mélange *m*.

mesclar [meʃ'kla(x)] *vt* mélanger.

meses ► **mês**.

meseta [me'zeta] *f* plateau *m* *(en géographie)*.

mesmo, **ma** ['meʒmu, ma] ◇ *adj* même. ◇ *adv* [até, exatamente] même ; [para enfatizar] tout à fait. ◇ *pron* : **o mesmo/a mesma** le/la même ; **foi ele mesmo que o disse** il l'a dit lui-même ; **esta mesma pessoa** cette personne là ; **isso mesmo!** tout à fait ! ; **valer o mesmo que** valoir autant que ; **mesmo assim** quand même ; **mesmo que** même si ; **mesmo se** même si ; **nem mesmo** même pas ; **nem mesmo ele conseguiu** même lui, il n'a pas réussi ; **ser o mesmo que** revenir à ; **só mesmo** il n'y a que.

mesquinho, **nha** [meʃ'kiɲu, ɲa] *adj* mesquin(e).

mesquita [meʃ'kita] *f* mosquée *f*.

mestiço, **ça** [meʃ'tʃisu, sa] *adj* & *m, f* métis(isse).

mestre ['mɛʃtri] *m* [perito] maître *m* ; EDUC [com mestrado] *diplômé universitaire qui a soutenu un mémoire*.

mestre-de-cerimônias [ˌmɛʃtridʒiseri'monjaʃ] (*pl* **mestres-de-cerimônias**) *m* [em espetáculos] animateur *m* ; [em festa] maître *m* de cérémonie ; [em recepções oficiais] chef *m* du protocole.

mestre-sala [ˌmɛʃtri'sala] (*pl* **mestres-sala**) *m* *personne qui porte le drapeau de l'école de samba à laquelle elle appartient lors du défilé du carnaval*.

meta ['mɛta] *f* [em corrida] ligne *f* d'arrivée ; [objetivo] but *m*.

metabolismo [metabo'liʒmu] *m* métabolisme *m*.

metade [me'tadʒi] *f* moitié *f* ; **metade do preço** moitié prix ; **fazer algo na metade do tempo** mettre moitié moins de temps pour faire qqch ; **fazer as coisas pela metade** faire les choses à moitié.

metáfora [me'tafora] *f* métaphore *f*.

metal [me'taw] (*pl* -ais) *m* métal *m*.

metálico, **ca** [me'taliku, ka] *adj* métallique.

metalurgia [metalux'ʒia] *f* métallurgie *f*.

meteorito [metju'ritu] *m* météorite *m*.

meteoro [me'tjoru] *m* météore *m*.

meteorologia [meteorolo'ʒia] *f* [ciência] météorologie *f* ; [em televisão] météo *f*.

meter [me'te(x)] *vt* mettre ; **meter algo/alguém em algo** mettre qqch/qqn dans qqch ; **meter medo** faire peur ; **meter pena** faire de la peine ; **meter raiva** énerver. ◆ **meter-se** *vp* se mêler de ; **meter-se na vida dos outros** se mêler des affaires des autres ; **meter-se onde não se é chamado** se mêler de ce qui ne nous regarde pas ; **meter-se com alguém** embêter qqn ; **meter-se em algo** [envolver-se em] se lancer dans qqch ; [intrometer-se em] se mêler de qqch.

meticuloso, **osa** [metʃiku'lozu, ɔza] *adj* méticuleux(euse).

metódico, **ca** [me'tɔdʃiku, ka] *adj* [pessoa] méthodique ; [descrição] rigoureux(euse).

método ['mɛtodu] *m* méthode *f* ; **com/sem método** avec/sans méthode.

metralhadora [metraʎa'dora] *f* mitrailleuse *f*.

métrico, **ca** ['mɛtriku, ka] *adj* métrique.

metro ['mɛtru] *m* mètre *m*.

metrô [me'tro] *m* métro *m*.

metropolitano [metropoli'tɑ̃nu, na] *m* métro *m*.

meu, **minha** ['mew, 'miɲa] ◇ *adj* mon(ma). ◇ *pron* : **o meu/a minha** le mien /la mienne ; **isto é meu** c'est à moi ; **um amigo meu** un de mes amis ; **os meus** [a minha família] les miens.

mexer [me'ʃe(x)] ◇ *vt* [corpo] bouger ; CULIN remuer. ◇ *vi* bouger ; **mexer em algo** fouiller dans qqch. ◆ **mexer-se** *vp* [despachar-se] s'activer ; [mover-se] bouger ; **mexa-se!** dépêche-toi !

mexerica [meʃe'rika] *f* clémentine *f*.

mexerico [meʃe'riku] *m* commérages *mpl*.

México ['mɛʃiku] *m* : **o México** le Mexique.

mexido, da [me'ʃidu, da] *adj* [música] entraînant(e) ; [ovo] brouillé(e).

mexilhão [meʃi'ʎɑ̃w] (*pl* -ões) *m* moule *f*.

mg (*abrev de* **miligrama**) mg.

miar ['mja(x)] *vi* miauler.

micro ['mikru] *m* ordinateur *m*.

micróbio [mi'krɔbju] *m* microbe *m*.

microcomputador [mikrokɔmputa'do(x)] *m* micro-ordinateur *m*.

microfone [mikro'foni] *m* micro *m*.

microondas [mikro'õndaʃ] *m inv* micro-ondes *m inv*.

microscópio [mikroʃ'kɔpju] *m* microscope *m*.

migalha [mi'gaʎa] *f* miette *f*.

migração [migra'sɑ̃w] (*pl* -ões) *f* migration *f*.

mijar [mi'ʒa(x)] *vi fam* pisser.

mil ['miw] *num* mille ; **três mil** trois mille ; **mil novecentos e noventa e sete** mille neuf cent quatre-vingt-dix-sept ► **seis**.

milagre [mi'lagri] *m* miracle *m*.

milênio [mi'lenju] *m* millénaire *m*.

mil-folhas [miw'foʎaʃ] *m inv* mille-feuille *m*.

milha ['miʎa] *f* [terrestre] mile *m* ; [marítima] mille *m*.

milhão [mi'ʎɑ̃w] (*pl* -ões) *num* million *m* ; **um milhão de pessoas** un million de personnes ► **seis**.

milhar [mi'ʎa(x)] (*pl* -es) *num* millier *m* ; **um milhar de pessoas** un millier de personnes ► **seis**.

milho ['miʎu] *m* maïs *m* ; **milho doce** maïs doux.

milhões ► **milhão**.

miligrama [mili'grɑ̃ma] *m* milligramme *m*.

mililitro [mili'litru] *m* millilitre *m*.

milímetro [mi'limetru] *m* millimètre *m*.

milionário, **ria** [miljo'narju, rja] *m, f* millionnaire *mf*.

militante [mili'tɑ̃ntʃi] *mf* militant *m*, -e *f*.

milk-shake [mili'tɑ̃ntʃi] *m* milk-shake *m*.

mim ['mĩ] *pron* [complemento direto] moi, me ; **ele não fala para mim** il ne me parle pas ; **a mim, você não mente** moi, tu ne me mens pas ; [reflexivo] moi ; **para mim** d'après moi ; **por mim** quant à moi.

mimado, **da** [mi'madu, da] *adj* gâté(e).

mimar [mi'ma(x)] *vt* [criança] gâter.

mímica ['mimika] *f* [arte] mime *m* ; [expressão] mimique *f*.

mimo ['mimu] *m* câlin *m* ; **fazer mimos a alguém** gâter qqn ; **ser um mimo** être adorable.

mina ['mina] *f* mine *f*.

mindinho [mĩn'dʒiɲu] *m* auriculaire *m*.

mineiro, **ra** [mi'nejru, ra] *m, f* mineur *m*.

mineral [mine'raw] (*pl* -ais) *m* minéral *m*.

minério [mi'nɛrju] *m* minerai *m*.

minha ['miɲa] ► **meu**.

minhoca [mi'ɲɔka] *f* ver *m* de terre.

miniatura [minja'tura] *f* miniature *f* ; **em miniatura** en miniature.

mínimo, **ma** ['minimu, ma] ◇ *adj* [velocidade, pena] minimum ; [temperatura] minimal(e). ◇ *m* : **o mínimo** le minimum ; **não fazer a mínima idéia** ne pas avoir la moindre idée ; **no mínimo** au minimum ; **pôr no mínimo** mettre au minimum.

minissaia [ˌmini'saja] *f* minijupe *f*.

ministério [miniʃ'tɛrju] *m* ministère *m*.

ministro, **tra** [mi'niʃtru, tra] *m, f* ministre *m*.

minoria [mino'ria] *f* minorité *f* ; **estar em minoria** être en minorité.

minúscula [mi'nuʃkula] *f* minuscule *f* ; **em minúsculas** en minuscules.

minúsculo, **la** [mi'nuʃkulu, la] *adj* minuscule.

minuto [mi'nutu] *m* minute *f* ; **só um minuto!** une (petite) minute ! ; **contar os minutos** chronométrer ; *fig* trouver le temps long ; **dentro de poucos minutos** dans quelques minutes ; **em poucos minutos** en quelques minutes.

miolo [mi'olu] *m* mie *f*. ◆ **miolos** *mpl* cervelle *f* ; **derreter os miolos a alguém** *fam* faire tourner qqn en bourrique ; **ter miolos** *fam* en avoir dans le crâne.

míope ['mjupi] *adj* myope.

miopia [mju'pia] *f* myopie *f*.

miosótis [mjɔ'zɔtiʃ] *m inv* myosotis *m*.

miragem [mi'raʒẽ] (*pl* -ns) *f* mirage *m*.

mirante [mi'rɑ̃ntʃi] *m* belvédère *m*.

mirar [mi'ra(x)] *vt* [observar] regarder. ◆ **mirar-se em** *vp* + *prep* [em espelho, água] se regarder.

miscelânea [miʃse'lanja] *f* mélange *m* ; *fig* désordre *m*.

mise-en-plis ['mizẽnpli] *mf* mise *f* en plis ; **fazer uma mise-en-plis** se faire faire une mise en plis.

miserável [mize'ravɛw] (*pl* -eis) *adj* misérable.

miséria [mi'zɛrja] *f* [pobreza] misère *f* ; [desgraça] malheur *m*.

misericórdia [mizeri'kɔrdja] *f* pitié *f* ; **pedir misericórdia** demander miséricorde.

missa ['misa] *f* messe *f*.

missão [mi'sɑ̃w] (*pl* -ões) *f* mission *f*.

míssil ['misiw] (*pl* -eis) *m* missile *m*.

missionário, **ria** [misjo'narju, rja] *m, f* missionnaire *mf*.

missões ► **missão**.

mistério [miʃ'tɛrju] *m* mystère *m*.

misterioso, **osa** [miʃte'rjozu, ɔza] *adj* mystérieux(euse).

misto, **ta** ['miʃtu, ta] *adj* mixte.

mistura [miʃ'tura] *f* mélange *m*.

misturar [miʃtu'ra(x)] *vt* mélanger ; *fig* confondre.

mito ['mitu] *m* mythe *m*.

miúdo, **da** [mi'udu, da] *adj* petit(e). ◆ **miúdos** *mpl* : **miúdos de galinha** abats *mpl* de poulet ; **trocar em miúdos** expliquer en détail.

ml (*abrev de* **mililitro**) ml.

mm (*abrev de* **milímetro**) mm.

mo [mu] = **me** + **o**, ► **me**.

mobília [mo'bilja] *f* meubles *mpl*.

mobiliário [mobi'ljarju] *m* mobilier *m*.

moça ['mosa] *f* fille *f*.

moçambicano, **na** [mosɑ̃mbi'kanu, na] ◇ *adj* mozambicain(e). ◇ *m, f* Mozambicain *m*, -e *f*.

Moçambique [mosɑ̃m'biki] *s* Mozambique *m*.

mocassim [moka'sĩ] (*pl* -ns) *m* mocassin *m*.

mocassins [moka'sĩʃ] *mpl* mocassins *mpl*.

mochila [mo'ʃila] *f* sac *m* à dos.

mocho ['moʃu] *m* hibou *m*.

mocidade [mosi'dadʒi] *f* jeunesse *f*.

moço, **ça** ['mosu, sa] *adj* & *m, f* jeune ; **moço de recados** coursier *m*.

mocotó [moko'tɔ] *m pied de veau*.

moda ['mɔda] *f* mode *f* ; **à moda de** à la (mode de) ; **estar fora de moda** être démodé(e) ; **estar na moda** être à la mode ; **sair de moda** ne plus être à la mode.

modalidade [modali'dadʒi] *f* [de esporte] discipline *f* ; [de pagamento] modalité *f*.

modelo [mo'delu] *m* [fotográfico] mannequin *m* ; [para pintor, de carro] modèle *m* ; [de roupa] patron *m* ; **servir de modelo** servir de modèle ; **tomar por modelo** prendre pour modèle.

modem ['mɔdɛm] *m* modem *m*.

moderado, **da** [mode'radu, da] *adj* modéré(e).

moderar [mode'ra(x)] *vt* modérer.

modernizar [modexni'za(x)] *vt* moderniser.

moderno, **na** [mo'dɛxnu, na] *adj* moderne ; [roupa] à la mode.

modéstia [mo'dɛʃtja] *f* modestie *f* ; **modéstia à parte** sans vouloir me vanter.

modesto, **ta** [mo'dɛʃtu, ta] *adj* modeste.

modificar [modʒifi'ka(x)] *vt* modifier. ◆ **modificar-se** *vp* changer.

modo ['mɔdu] *m* manière *f* ; [de verbo] mode *m* ; **com bons/maus modos** avec de bonnes/de mauvaises manières ; **ter modos** savoir se tenir ; **de certo modo** d'une certaine manière ; **de modo nenhum!** sûrement pas ! ; **de modo que** si bien que ; **de qualquer modo** de toute façon ; **de tal modo que** tellement...que ; **'modo de usar'** 'mode d'emploi'.

módulo ['mɔdulu] *m* module *m*.

moeda ['mwɛda] *f* [de metal] pièce *f* ; [em geral] monnaie *f* ; **moeda estrangeira** monnaie étrangère.

moela ['mwɛla] *f* gésier *m*.

moer ['mwe(x)] *vt* moudre.

mofo ['mofu] *m* moisi *m (odeur)*.

mogno ['mɔgnu] *m* acajou *m*.

moído, da [mw'ido, da] *adj* moulu(e) ; **estar moído** *fam* être crevé ; **ter o corpo moído** être plein de courbatures.

moinho [mw'iɲu] *m* moulin *m* ; **moinho de café** moulin à café ; **moinho de vento** moulin à vent.

mola ['mɔla] *f* [em colchão, sofá] ressort *m*.

molar [mo'la(x)] (*pl* -es) *m* molaire *f*.

moldar [mow'da(x)] *vt* mouler.

moldura [mow'dura] *f* cadre *m*.

mole ['mɔli] *adj* mou(molle).

molécula [mu'lɛkula] *f* molécule *f*.

molestar [moleʃ'ta(x)] *vt* malmener.

molhar [mo'ʎa(x)] *vt* mouiller. ◆ **molhar-se** *vp* se mouiller.

molheira [mo'ʎejra] *f* saucière *f*.

molho[1] ['moʎu] *m* sauce *f* ; **molho de tomate** sauce tomate ; **pôr de molho** [bacalhau] dessaler ; [roupa] faire tremper.

molho[2] ['mɔʎu] *m* [de palha] botte *f* ; [de lenha] fagot *m* ; **molho de chaves** trousseau *m* de clés.

molinete [moli'netʃi] *m* [de vara de pesca] moulinet *m*.

momentaneamente [momẽ,tanja'mẽntʃi] *adv* pendant un moment.

momento [mo'mẽntu] *m* moment *m* ; **um momento!** un moment ! ; **a qualquer momento** à n'importe quel moment, à tout moment ; **até o momento** jusqu'à présent ; **de momento** pour le moment ; **dentro de momentos** dans quelques instants ; **de um momento para o outro** d'un moment à l'autre ; **em dado momento** à un moment donné ; **há momentos** il y a quelques instants ; **neste momento** en ce moment ; **por momentos** par moments ; [momentaneamente] un moment.

monarca [mo'naxka] *mf* monarque *m*.

monarquia [monax'kia] *f* monarchie *f*.

monge ['mõʒi] *m* moine *m*.

monitor, ra [moni'to(x), ra] (*mpl* -es, *fpl* -s) ◇ *m, f* moniteur *m*, -trice *f*. ◇ *m* [de computador] moniteur *m*.

monopólio [mono'pɔlju] *m* [de venda, negócio] monopole *m* ; [jogo] Monopoly® *m*.

monossílabo [mono'silabu] *m* monosyllabe *m*.

monotonia [monoto'nia] *f* monotonie *f*.

monótono, na [mo'nɔtonu, na] *adj* [pessoa] ennuyeux(euse) ; [vida, trabalho] monotone.

monstro ['mõʃtru] *m* monstre *m*.

montagem [mõn'taʒẽ] (*pl* -ns) *f* montage *m*.

montanha [mõn'taɲa] *f* montagne *f*.

montanha-russa [mõn,taɲa'rusa] *f* montagnes *fpl* russes.

montanhismo [mõnta'ɲiʒmu] *m* alpinisme *m*.

montanhoso, osa [mõnta'ɲozu, ɔza] *adj* montagneux(euse).

montante [mõn'tãntʃi] ◇ *m* montant *m*. ◇ *f* amont *m*.

montar [mõn'ta(x)] ◇ *vt* monter. ◇ *vi* faire du cheval ; **montar a cavalo** monter à cheval.

monte ['mõntʃi] *m* mont *m* ; **montes de** *fam* des tas de ; **aos montes** *fam* en pagaille ; **um monte de coisas** *fam* un tas de choses.

monumental [monumẽn'taw] (*pl* -ais) *adj* monumental(e).

monumento [monu'mẽntu] *m* monument *m* ; **monumento comemorativo** monument commémoratif.

moqueca [mo'kɛka] *f mijoté de poisson ou de fruits de mer au lait de coco.*

morada [mo'xada] *f* maison *f*.

moradia [mora'dia] *f* maison *f*.

morador, ra [mora'do(x), ra] (*mpl* -es, *fpl* -s) *m, f* habitant *m*, -e *f*.

moral [mo'raw] (*pl* -ais) ◇ *adj* moral(e). ◇ *m* moral *m*. ◇ *f* morale *f*.

morango [mo'rãŋgu] *m* fraise *f*.

morar [mo'ra(x)] *vi* habiter.

mórbido, da ['mɔxbidu, da] *adj* [pessoa] maladif(ive) ; [história, atmosfera] morbide.

morcego [mox'segu] *m* chauve-souris *f inv*.

morcela [mox'sɛla] *f* boudin *m* noir.

mordaça [mox'dasa] *f* [em pessoa] bâillon *m* ; [em animal] muselière *f*.

morder [mox'de(x)] *vt* mordre ; **morder a língua** se mordre la langue.

mordida [mox'dida] *f* [de inseto] piqûre *f* ; [de cão, gato] morsure *f*.

mordomo [mox'domu] *m* majordome *m*.

moreno, na [mo'renu, na] *adj* [tez] mat(e) ; [pele] bronzé(e) ; [pessoa] brun(e).

morfina [mox'fina] *f* morphine *f*.

moribundo, da [mori'bũndu, da] *adj* moribond(e).

morno, morna ['moxnu, 'mɔrna] *adj* tiède.

morrer [mo'xe(x)] *vi* [pessoa, animal, planta] mourir ; [fogo, luz] s'éteindre ; [motor] être mort(e) ; **estou morrendo de fome** je meurs de faim ; **ser de morrer de rir** *fam* être à mourir de rire.

morro ['moxu] *m* [monte] butte *f* ; [favela] bidonville *m*.

mortadela [moxta'dɛla] *f* mortadelle *f*.

mortal [mox'taw] (*pl* -ais) *adj* & *mf* mortel(elle).

mortalha [mox'taʎa] *f* [de cadáver] linceul *m* ; [papel para cigarro] papier *m* à cigarette.

mortalidade [moxtali'dadʒi] *f* mortalité *f* ; **mortalidade infantil** mortalité infantile.

morte ['mɔxtʃi] *f* mort *f* ; **pensar na morte da bezerra** bayer aux corneilles ; **ser de morte** *fam* avoir un caractère difficile.

mortífero, ra [mox'tʃiferu, ra] *adj* mortel(elle).

morto, ta ['moxtu, ta] ◇ *pp* ► **matar**. ◇ *adj* & *m, f* mort(e) ; **estar morto** être mort ; **estar morto de vontade de fazer algo** mourir d'envie de faire qqch ; **ser morto** être tué ; **estar morto de cansaço/de fome/de sono** être mort de fatigue/de faim/de sommeil.

mosaico [mo'zajku] *m* mosaïque *f*.

mosca ['moʃka] *f* mouche *f* ; **acertar na mosca** mettre dans le mille.

moscatel [moʃka'tɛw] (*pl* -éis) *m* muscat *m*.

mosquiteiro [muʃki'tejru] *m* moustiquaire *f*.

mosquito [moʃ'kitu] *m* moustique *m*.

mostarda [moʃ'taxda] *f* moutarde *f*.

mosteiro [moʃ'tejru] *m* monastère *m*.

mostrador [moʃtra'do(x)] (*pl* -es) *m* cadran *m*.

mostrar [moʃ'tra(x)] *vt* montrer ; [indicar] indiquer ; [provar, demonstrar] faire preuve de ; [exibir] exposer ; **mostrar algo a alguém** montrer qqch à qqn ; **mostrar interesse em fazer algo** être intéressé par qqch ; **mostrar interesse por algo** montrer de l'intérêt pour qqch. ◆ **mostrar-se** *vp* se montrer.

mostruário [moʃ'trwarju] *m* [de vendedor] présentoir *m* ; [de cores] nuancier *m*.

mote ['mɔtʃi] *m* devise *f*.

motel [mo'tɛw] (*pl* -éis) *m* motel *m*.

motim [mo'tʃĩ] (*pl* -ns) *m* [rebelião] émeute *f* ; MIL mutinerie *f*.

motivar [motʃi'va(x)] *vt* [interesse] susciter ; [confusão, mudança] provoquer ; [aluno] motiver.

motivo [mo'tʃivu] *m* motif *m* ; **por motivo de** en raison de ; **por motivo de doença** pour raison de santé ; **sem motivo** sans raison.

moto ['mɔtu] *f* moto *f*.

motocicleta [ˌmotosi'klɛta] *f* motocyclette *f*.

motocross [ˌmoto'krɔʃi] *m* motocross *m*.

motor [mo'to(x)] (*pl* -es) *m* moteur *m* ; **motor de arranque** démarreur *m* ; **motor de busca** moteur de recherche *m*.

motorista [moto'riʃta] *mf* [privado] chauffeur *m* ; [de ônibus] conducteur *m*, -trice *f*.

motoserra [moto'sɛxa] *f* tronçonneuse *f*.

mourisco, ca [mo'riʃku, ka] *adj* mauresque.

mouros ['moruʃ] *mpl* : **os mouros** les Maures *mpl*.

movediço, ça [move'dʒisu, sa] *adj* mouvant(e).

móvel ['mɔvɛw] (*pl* -eis) ◇ *adj* mobile. ◇ *m* [mesa, armário, cama] meuble *m*. ◆ **móveis** *mpl* meubles *mpl*.

mover [mo've(x)] *vt* bouger ; [campanha] lancer. ◆ **mover-se** *vp* bouger.

movimentado, da [movimẽn'tadu, da] *adj* [local, estrada] fréquenté(e) ; [rua] animé(e).

movimento [movi'mẽntu] *m* [gesto] mouvement *m* ; [em rua] animation *f* ; [em estabelecimento] fréquentation *f* ; **o movimento da loja hoje foi excelente** il y a eu beaucoup de monde aujourd'hui au magasin ; **em movimento** en mouvement.

MPB *f* (*abrev de* **Música Popular Brasileira**) *genre musical regroupant toutes les musiques populaires du Brésil.*

muco ['muku] *m* mucus *m*.

mudança [mu'dãsa] *f* [modificação] changement *m* ; [de casa] déménagement *m* ; [de marcha] vitesse *f*.

mudar [mu'da(x)] *vt* & *vi* changer. ◆ **mudar de** *v* + *prep* changer de. ◆ **mudar-se** *vp* déménager ; **mudar de casa** déménager ; **mudar de roupa** se changer ; **mudar-se para** aller habiter à.

mudez [mu'deʒ] *f* mutité *f*.

mudo, da ['mudu, da] *adj* muet(ette) ; **ficar mudo** *fig* rester muet.

muito, ta ['muĩntu, ta] ◇ *adj* beaucoup de. ◇ *pron* & *adv* beaucoup ; **tenho muito sono!** j'ai très sommeil ! ; **muito bem!** très bien ! ; **muito antes** bien avant ; **por muito que** avoir beau ; **por muito que lhe repita, ele não**

compreende j'ai beau le lui répéter, il ne comprend pas ; **quando muito** tout au plus ; **querer muito a alguém** aimer beaucoup qqn.

mula ['mula] *f* mule *f*.

mulato, ta [mu'latu, ta] *adj* & *m, f* mulâtre.

muleta [mu'leta] *f* béquille *f*.

mulher [mu'ʎe(x)] (*pl* -es) *f* femme *f*.

multa ['muwta] *f* amende *f* ; [a um motorista] contravention *f* ; **levar** OU **receber uma multa** avoir une amende ; [um motorista] avoir une contravention.

multar [muw'ta(x)] *vt* condamner à une amende.

multidão [muwti'dɑ̃w] (*pl* -ões) *f* [de pessoas] foule *f* ; [de coisas] multitude *f*.

multinacional [,muwtʃinasju'naw] (*pl* -ais) *f* multinationale *f*.

multiplicar [muwtʃipli'ka(x)] *vt* & *vi* multiplier ; **multiplicar por** multiplier par. ◆ **multiplicar-se** *vp* se multiplier.

múltiplo, pla ['muwtʃiplu, pla] ◇ *adj* multiple. ◇ *m* multiple *m*.

multiprocessamento [muwtʃiprosesa'mẽntu] *m* INFORM multitraitement *m*.

multitarefa [muwtʃitax'efa] *f* INFORM multitâche *f*.

multiusuário, ria [muwtʃiuz'arju, rja] *adj* INFORM multiutilisateur.

múmia ['mumja] *f* momie *f*.

mundial [mũn'dʒjaw] (*pl* -ais) ◇ *adj* mondial(e). ◇ *m* coupe *f* du monde.

mundo ['mũndu] *m* monde *m* ; **não é nada do outro mundo** ça n'a rien d'extraordinaire ; **o outro mundo** l'autre monde ; **por nada deste mundo** pour rien au monde ; **é o fim do mundo** c'est la fin des haricots ; **todo o mundo** tout le monde ; **viver no mundo da lua** être dans la lune.

munição [muni'sɑ̃w] (*pl* -ões) *f* munition *f*.

municipal [munisi'paw] (*pl* -ais) *adj* municipal(e).

município [muni'sipju] *m* municipalité *f*.

munições ► **munição**.

munir [mu'ni(x)] *vt* : **munir alguém de algo** munir qqn de qqch. ◆ **munir-se de** *vp* + *prep* : **munir-se de algo** se munir de qqch.

mural [mu'raw] (*pl* -ais) *m* peinture *f* murale.

muralha [mu'raʎa] *f* muraille *f*.

murchar [mux'ʃa(x)] *vi* se faner.

murcho, cha ['muxʃu, ʃa] *adj* fané(e) ; *fig* mort(e).

murmurar [muxmu'ra(x)] *vt* murmurer.

murmúrio [mux'murju] *m* murmure *m*.

muro ['muru] *m* mur *m (extérieur)*.

murro ['muxu] *m* coup *m* de poing ; **dar um murro em alguém** donner un coup de poing à qqn ; **ele deu um murro na mesa** il a tapé du poing sur la table.

murta ['muxta] *f* myrte *m*.

musa ['muza] *f* muse *f*.

musculação [muʃkula'sɑ̃w] *f* musculation *f*.

músculo ['muʃkulu] *m* muscle *m*.

musculoso, osa [muʃku'lozu, ɔza] *adj* musclé(e).

museu [mu'zew] *m* musée *m*.

musgo ['muʒgu] *m* mousse *f (plante)*.

música ['muzika] *f* musique *f* ; **música de câmara** musique de chambre ; **música clássica** musique classique ; **música folclórica** musique folklorique ; **música ligeira** musique légère ; **música pop** musique pop ; **música sinfônica** musique symphonique.

musical [muzi'kaw] (*pl* -ais) *adj* musical(e).

músico ['muziku, ka] *m* musicien *m*, -enne *f*.

musse ['musi] *f* mousse *f* ; **musse de chocolate** mousse au chocolat.

mútuo, **tua** ['mutwu, twa] *adj* [sentimentos] mutuel(elle) ; [gostos] commun(e) ; **de mútuo acordo** d'un commun accord.

N

N (*abrev de* **Norte**) N.

nº (*abrev de* **número**) nº.

na [na] = **em + a**, ► **em**.

-na [na] *pron* [ela] la ; [você] te.

nabo ['nabu] *m* navet *m* ; *fig* balourd *m*.

nação [na'sɑ̃w] (*pl* -ões) *f* nation *f*.

nacional [nasjo'naw] (*pl* -ais) *adj* national(e).

nacionalidade [nasjonali'dadʒi] *f* nationalité *f*.

nacionalismo [nasjona'liʒmu] *m* nationalisme *m*.

nações [na'sõjʃ] ► **nação**.

nada ['nada] ◇ *pron* rien. ◇ *adv* du tout ; **não gosto nada disto** ça ne me plaît pas du tout ; **de nada!** de rien ! ; **nada de novo** rien de neuf ; **nada disso!** pas question ! ; **não dar por nada** ne pas se rendre compte ; **ou tudo ou nada** tout ou rien ; **antes de mais nada** tout d'abord ; **é uma coisa de nada** ce n'est rien ; **não prestar** OU **servir para nada** ne servir à rien ; **não servir de nada fazer algo** ne servir à rien de faire qqch.

nadador, **ra** [nada'do(x), ra] (*mpl* -es, *fpl* -s) *m, f* nageur *m*, -euse *f*.

nadar [na'da(x)] *vi* nager ; **nadar em** *fig* nager dans.

nádega ['nadega] *f fam* fesse *f*, fessier *m*.

nado ['nadu] *m* [estilo] nage *f* ; **nado borboleta** la nage papillon ; **a nado** à la nage ; **nado de costas** la nage dos ; **nado livre** nage libre.

naipe ['najpi] *m* couleur *f (des cartes à jouer)*.

namorado, **da** [namo'radu, da] *m, f* (petit) copain *m*, petite copine *f*.

não [nɑ̃w] *adv* non ; **não é?** n'est-ce pas ? ; **pois não?** n'est-ce pas ? ; **não só... como também...** non seulement... mais aussi... ; **pelo sim, pelo não** au cas où.

não-fumante [ˌnɑ̃wfu'mɑ̃ntʃi] *m, f* non-fumeur *m*, -euse *f*.

napa ['napa] *f* skaï *m*.

naquela [na'kɛla] = **em + aquela**, ► **em**.

naquele [na'keli] = **em + aquele**, ► **em**.

naquilo [na'kilu] = **em + aquilo**, ► **em**.

narciso [nax'sizu] *m* narcisse *m*.

narcótico [nax'kɔtʃiku] *m* narcotique *m*.

narina [na'rina] *f* narine *f*.

nariz [na'riʃ] (*pl* -es) *m* nez *m* ; **meter o nariz em tudo** fourrer son nez partout ; **torcer o nariz (a algo)** *fig* faire la fine bouche (devant qqch).

narração [naxa'sɑ̃w] (*pl* -ões) *f* [ato] narration *f* ; [conto, história] récit *m*.

narrar [na'xa(x)] *vt* raconter.

narrativa [naxa'tiva] *f* récit *m*.

nas [naʃ] = **em + as,** ➤ **em.**

-nas [naʃ] *pron pl* [elas] les ; [vocês] vous.

nascença [naʃ'sẽsa] *f* naissance *f* ; **de nascença** de naissance.

nascente [naʃ'sẽntʃi] *f* source *f*.

nascer [naʃ'se(x)] ◇ *vi* [pessoa, animal] naître ; [planta] pousser ; [sol] se lever. ◇ *m* lever *m* ; **nascer para ser algo** être fait pour qqch.

nascimento [naʃsi'mẽntu] *m* naissance *f*.

nata ['nata] *f* crème *f*.

natação [nata'sɑ̃w] *f* natation *f*.

natal [na'taw] (*pl* -ais) *adj* natal(e). ◆ **Natal** *m* Noël *m* ; **Feliz Natal!** joyeux Noël !

nativo, **va** [na'tʃivu, va] *adj* & *m, f* natif(ive) ; **nativo de** originaire de.

natural [natu'raw] (*pl* -ais) *adj* naturel(elle) ; **ao natural** au naturel ; **como é natural** naturellement ; **é natural que** c'est normal que ; **nada mais natural que** rien d'étonnant à ce que ; **ser natural de** être né à.

naturalidade [naturali'dadʒi] *f* [simplicidade] naturel *m* ; [origem] origine *f*.

naturalmente [naturaw'mẽntʃi] ◇ *adv* naturellement. ◇ *interj* évidemment !

natureza [natu'reza] *f* nature *f* ; **da mesma natureza** de même nature ; **por natureza** par nature. ◆ **Natureza** *f* : **a Natureza** la nature.

natureza-morta [natu,reza'moxta] *f* nature *f* morte.

nau ['naw] *f* vaisseau *m*.

naufragar [nawfra'ga(x)] *vi* faire naufrage.

naufrágio [naw'fraʒju] *m* naufrage *m*.

náusea ['nawzea] *f* nausée *f* ; **dar náuseas** donner la nausée.

náutico, **ca** ['nawtʃiku, ka] *adj* nautique.

navalha [na'vaʎa] *f* couteau *m*.

nave ['navi] *f* nef *f* ; **nave espacial** vaisseau *m* spatial.

navegação [navega'sɑ̃w] *f* navigation *f*.

navegador, **ra** [navega'do(x)] *m* navigateur *m*, -trice *f*.

navegar [nave'ga(x)] ◇ *vt* piloter. ◇ *vi* naviguer ; **navegar na Internet** naviguer OU surfer sur Internet.

navio [na'viu] *m* navire *m*.

NB (*abrev de* **Note Bem**) NB.

NE (*abrev de* **Nordeste**) N-E.

neblina [ne'blina] *f* brume *f*.

necessário, **ria** [nese'sarju, rja] ◇ *adj* nécessaire. ◇ *m* : **o necessário** le nécessaire ; **é necessário...** il faut... ; **quando necessário** s'il le faut ; **se necessário** si nécessaire.

necessidade [nesesi'dadʒi] *f* besoin *m* ; **de primeira necessidade** de première nécessité ; **sem necessidade** pour rien ; **ter necessidade de fazer algo** avoir besoin de faire qqch ; **fazer uma necessidade** *fam* faire ses besoins.

necessitar [nesesi'ta(x)] *vt* avoir besoin de. ◆ **necessitar de** *v + prep* avoir besoin de.

necrotério [nekro'tɛrju] *m* morgue *f*.

néctar ['nɛkta(x)] (*pl* -es) *m* nectar *m*.

neerlandês, **esa** [nɛrlɑ̃'deʃ, eza] (*mpl* -eses, *fpl* -s) ◇ *adj* néerlandais(e). ◇ *m, f* Néerlandais *m*, -e *f*. ◇ *m* [língua] néerlandais *m*.

nefasto, **ta** [ne'faʃtu, ta] *adj* néfaste.

negar [ne'ga(x)] *vt* nier ; [acesso] refuser. ◆ **negar-se** *vp* : **negar-se algo** se refuser qqch ; **negar-se a fazer algo** se refuser à faire qqch.

negativa [nega'tiva] *f* : **responder com uma negativa** répondre par la négative.

negativo, **va** [nega'tʃivu, va] ◇ *adj* négatif(ive) ; [temperatura] en dessous de zéro. ◇ *m* négatif *m*.

negligência [negli'ʒẽnsja] *f* négligence *f*.

negligente [negli'ʒẽntʃi] *adj* négligent(e).

negociação [negosja'sɑ̃w] (*pl* -ões) *f* négociation *f*.

negociar [negosi'a(x)] ◇ *vt* négocier. ◇ *vi* négocier ; COM faire des affaires.

negócio [ne'gɔsju] *m* affaire *f* ; **fazer negócios com alguém** faire des affaires avec qqn ; **negócio da China** affaire en or.

negro, **gra** ['negru, gra] ◇ *adj* noir(e) ; [nublado, difícil] sombre. ◇ *m, f* Noir *m*, -e *f*.

nela ['nɛla] = **em** + **ela**, ► **em**.

nele ['neli] = **em** + **ele**, ► **em**.

nem [nẽ] ◇ *conj* non plus. ◇ *adv* même pas ; **nem ele sabe** il ne le sait pas non plus ; **ele estava tão doente que nem veio** il était tellement malade qu'il n'est même pas venu ; **nem por isso** pas tellement ; **nem que** même si ; **nem sempre** pas toujours ; **nem tudo está incluído** tout n'est pas compris ; **nem mais!** tout à fait ! ; **nem... nem...** ni... ni... ; **nem um nem outro** ni l'un ni l'autre ; **nem pense!** *fam* tu peux toujours courir !

nenhum, **ma** [ne'ɲũ, ma] (*mpl* -ns, *fpl* -s) *adj* & *pron* aucun(aucune) ; **não tive nenhum problema** je n'ai eu aucun problème ; **não quero nenhuma bebida** je ne veux rien boire ; **nenhum de** aucun de ; **nenhum dos dois** aucun des deux.

neozelandês, **esa** [nɛuzelɑ̃ndeʃ, eza] (*mpl* -eses, *fpl* -s) ◇ *adj* néo-zélandais(e). ◇ *m, f* Néo-Zélandais *m*, -e *f*.

nervo ['nexvu] *m* nerf *m*. ◆ **nervos** *mpl fam* nerfs *mpl*.

nervosismo [nexvo'ziʒmu] *m* nervosité *f*.

nêspera ['neʃpera] *f* nèfle *f*.

nessa ['nɛsa] = **em** + **essa**, ► **em**.

nesse ['nesi] = **em** + **esse**, ► **em**.

nesta ['nɛʃta] = **em** + **esta**, ► **em**.

neste ['neʃtʃi] = **em** + **este**, ► **em**.

net ['netʃi] *f* INFORM le Net *m*.

neto, **ta** ['nɛtu, ta] *m, f* petit-fils *m*, petite-fille *f*.

neurose [new'rɔzi] *f* névrose *f*.

neutralidade [newtrali'dadʒi] *f* neutralité *f*.

neutralizar ['newtrali'za(x)] *vt* neutraliser.

neutro, **tra** ['newtru, tra] *adj* neutre.

nevar [ne'va(x)] *v impess* neiger ; **está nevando** il neige.

neve ['nɛvi] *f* neige *f*.

névoa ['nɛvwa] *f* brume *f*.

nevoeiro [ne'vwejru] *m* brouillard *m*.

newsgroups [nuʃ'grupʃ] forum de discussion *m*.

Nicarágua [nika'ragwa] *f*: **a Nicarágua** le Nicaragua.

nick ['niki] (*abrev de* **nickname**) *m* INFORM pseudonyme *m*.

nicotina [niko'tʃina] *f* nicotine *f*.

ninguém [nĩŋ'gɑ̃j] *pron* personne ; **ninguém sabe** personne ne le sait ; **não há ninguém (em casa)** il n'y a personne (à la maison) ; **não vi ninguém** je n'ai vu personne.

ninho ['niɲu] *m* nid *m*.

níquel ['nikɛw] (*pl* -eis) *m* nickel *m*.

nissei [ni'sej] *mf* Brésilien *m*, -enne *f* de parents japonais.

nisso ['nisu] = **em** + **isso**, ► **em**.

nisto ['niʃtu] = **em + isto**, ► **em.**

nitidez [nitʃi'deʃ] *f* [de imagem, visão] netteté *f* ; [de idéias, raciocínio] clarté *f*.

nítido, **da** ['nitʃidu, da] *adj* [imagem, visão] net(nette) ; [idéia] clair(e).

nitrato [ni'tratu] *m* nitrate *m* ; **nitrato de prata** nitrate d'argent.

nível ['nivɛw] (*pl* -eis) *m* niveau *m* ; [qualidade] gamme *f* ; **ao nível de** au niveau de ; **de alto/baixo nível** haut/bas de gamme ; **nível de vida** niveau de vie.

no [nu] = **em + o**, ► **em.**

-no [nu] *pron* [ele] le ; [você] te.

NO (*abrev de* **Noroeste**) N-O.

nó ['nɔ] *m* nœud *m* ; [em dedo] articulation *f* ; **dar um nó** faire un nœud.

nobre ['nɔbri] *adj* noble.

noção [no'sɐ̃w] (*pl* -ões) *f* notion *f*.

nocivo, **va** [no'sivu, va] *adj* nocif(ive).

noções ► **noção.**

nódoa ['nɔdwa] *f* tache *f*.

nogueira [no'gejra] *f* noyer *m*.

noite ['nojtʃi] *f* nuit *f* ; [início da noite] soir *m* ; **à noite** le soir ; **boa noite!** bonsoir ! ; [antes de ir dormir] bonne nuit ! ; **esta noite** cette nuit ; [no início da noite] ce soir ; **dia e noite** jour et nuit ; **por noite** la nuit ; **uma noite ou outra** de temps en temps ; **da noite para o dia** du jour au lendemain.

noivado [noj'vadu] *m* fiançailles *fpl*.

noivo, **va** ['nojvu, va] *m, f* fiancé *m*, -e *f* ; **estar noivo de alguém** être fiancé à qqn. ◆ **noivos** *mpl* mariés *mpl* ; **eles estão noivos** ils sont fiancés.

nojento, **ta** [no'ʒẽntu, ta] *adj* dégoûtant(e).

nojo ['noʒu] *m* dégoût *m* ; **dar nojo** dégoûter ; **ter** ou **sentir nojo de** être dégoûté par.

nome ['nomi] *m* nom *m* ; **nome de batismo** prénom *m* ; **nome completo** nom et prénoms ; **nome próprio** nom propre ; **em nome de** au nom de.

nomeação [nomja'sɐ̃w] (*pl* -ões) *f* nomination *f*.

nomeadamente [nu,mjada'mẽntʃi] *adv* notamment.

nomear [nomi'a(x)] *vt* nommer ; [para prêmio] sélectionner.

nonagésimo, **ma** [nona'ʒɛzimu, ma] *num* quatre-vingt-dixième, ► **sexto.**

nono, **na** ['nonu, na] *num* neuvième, ► **sexto.**

nora ['nɔra] *f* [familiar] belle-fille *f* ; [para água] noria *f*.

nordeste [nox'dɛʃtʃi] *m* nord-est *m* ; **no nordeste** au nord-est.

nordestino, **na** [nɔxdɛʃ'tʃinu, na] ◇ *adj* du Nord-est. ◇ *m, f* habitant *m* du Nord-est.

norma ['nɔxma] *f* norme *f* ; **por norma** en règle générale.

normal [nox'maw] (*pl* -ais) *adj* normal(e).

normalmente [noxmaw'mẽntʃi] *adv* normalement.

noroeste [no'rwɛʃtʃi] *m* nord-ouest *m* ; **no noroeste** au nord-ouest.

norte ['nɔxtʃi] ◇ *adj* du nord. ◇ *m* nord *m* ; **ao norte** au nord ; **ao norte de** au nord de ; **no norte** au nord.

norte-americano, **na** [,nɔxtʒiameri'kanu, na] ◇ *adj* américain(e). ◇ *m, f* Américain *m*, -e *f*.

Noruega [no'rwɛga] *f* : **a Noruega** la Norvège.

norueguês, **esa** [norwe'geʃ, eza] (*mpl* -eses, *fpl* -s) ◇ *adj* norvégien(enne). ◇ *m, f* Norvégien *m*, -enne *f*. ◇ *m* [língua] norvégien *m*.

nos [1] [noʃ] = **em + os**, ► **em.**

nos [2] [noʃ] *pron pl* nous ; **ele nos pagou** il nous a payés ; **ela nos falou** elle nous a parlé ; **deu-nos muito que fazer** il nous a donné beaucoup de travail ; **ele nos chateou muito** il nous a beaucoup embêtés ; **vamo-nos embora** allons-y ; **odiamo-nos** nous nous détestons ; **nos beijamos** nous nous sommes embrassés ; **assim não nos roubam o carro** ainsi on ne nous volera pas la voiture.

-nos [noʃ] *pron pl* [eles] les ; [vocês] vous.

nós ['nɔʃ] *pron* nous ; **somos nós** c'est nous ; **e nós?** et nous ? ; **nós mesmos** OU **próprios** nous-mêmes ; **para nós** d'après nous ; **por nós** quant à nous.

nosso, **a** ['nosu, a] ◇ *adj* notre. ◇ *pron* : **o nosso/a nossa** le/la nôtre ; **isto é nosso** c'est à nous ; **um amigo nosso** un de nos amis ; **os nossos** [a nossa família] les nôtres.

nostalgia [noʃtaw'ʒia] *f* nostalgie *f*.

nostálgico, **ca** [noʃ'tawʒiku, ka] *adj* nostalgique.

nota ['nɔta] *f* note *f* ; [moeda] billet *m* ; **tomar nota de algo** prendre note de qqch.

notário, **ria** [no'tarju, rja] *m, f* notaire *m*.

notável [no'tavɛw] (*pl* -eis) *adj* notable.

notebook ['notʃibuki] *m* INFORM notebook *m*.

notícia [no'tʃisja] *f* nouvelle *f*. ◆ **notícias** *fpl* informations *fpl*.

noticiário [notʃi'sjarju] *m* journal *m*.

notificar [notʃifi'ka(x)] *vt* notifier.

notório, **ria** [no'tɔrju, rja] *adj* notoire.

noturno, **na** [no'tuxnu, na] *adj* [atividade] de nuit ; [animal] nocturne.

nova ['nɔva] *f* nouvelle *f*.

Nova Iorque *s* New-York.

novamente [ˌnɔva'mẽntʃi] *adv* de nouveau.

novato, **ta** [no'vatu, ta] *m, f* novice *mf*.

Nova Zelândia [ˌnɔvaze'lɑ̃ndʒja] *f* : **a Nova Zelândia** la Nouvelle-Zélande.

nove ['nɔvi] *num* neuf, ► **seis**.

novecentos, **tas** [nɔve'sẽntuʃ, taʃ] *num* neuf cents, ► **seis**.

novela [no'vɛla] *f* [em televisão] feuilleton *m* ; [livro] nouvelle *f*.

novelo [no'velu] *m* pelote *f*.

novembro [no'vẽmbru] *m* novembre *m*, ► **setembro**.

noventa [no'vẽnta] *num* quatre-vingt-dix, ► **seis**.

novidade [novi'dadʒi] *f* nouveauté *f* ; [notícia] nouvelle *f*.

novilho [no'viʎu, ʎa] *m* veau *m*.

novo, **nova** ['novu, 'nɔva] *adj* [jovem] jeune ; [recente] nouveau(elle) ; [não estreado] neuf(ve) ; **novo em folha** tout neuf.

noz ['nɔʃ] (*pl* -es) *f* noix *f*.

noz-moscada [ˌnɔʒmoʃ'kada] *f* noix *f* muscade.

nu, **nua** ['nu, 'nua] *adj* nu(e) ; **nu em pêlo** tout nu.

nublado, **da** [nu'bladu, da] *adj* nuageux(euse).

nuca ['nuka] *f* nuque *f*.

nuclear [nukle'a(x)] (*pl* -es) *adj* nucléaire.

núcleo ['nukliu] *m* noyau *m*.

nudez [nu'deʒ] *f* nudité *f*.

nudista [nu'dʒiʃta] *mf* nudiste *mf*.

nulo, **la** ['nulu, la] *adj* nul(nulle).

num [nũ] = **em** + **um**, ► **em**.

numa ['numa] = **em** + **uma**, ► **em**.

numeral [nume'raw] (*pl* -ais) *m* numéral *m*.

numerar [nume'ra(x)] *vt* numéroter.

numerário [nume'rarju] *m* numéraire *m*.

número ['numeru] *m* numéro *m* ; [de sapatos] pointure *f* ; [peça de vestuário] taille *f* ; [quantidade] nombre *m* ; **número de código** numéro de code ; **número de contribuinte** numéro d'identification fiscale ; **número de passaporte** numéro de passeport ; **número de telefone** numéro de téléphone.

numeroso, **osa** [nume'rozu, ɔza] *adj* nombreux(euse).

numismática [numiʒ'matika] *f* numismatique *f*.

nunca ['nũŋka] *adv* jamais ; **mais do que nunca** plus que jamais ; **nunca mais** plus jamais ; **nunca se sabe** on ne sait jamais ; **nunca na vida** jamais de la vie.

nuns [nũʃ] = **em** + **uns**, ► **em**.

núpcias ['nupsjaʃ] *fpl* noces *fpl*.

nutrição [nutri'sɐ̃w] *f* nutrition *f*.

nutrir [nu'tri(x)] *vt fig* nourrir.

nutritivo, **va** [nutri'tʃivu, va] *adj* nutritif(ive).

nuvem ['nuvẽ] (*pl* -ns) *f* nuage *m*.

NW (*abrev de* **Noroeste**) N-O.

O

o, **a** [u, a] (*mpl* **os**, *fpl* **as**) <> *art def* **1.** [ger] le(la) ; **o hotel** l'hôtel ; **os alunos** les élèves ; **a aluna** l'élève ; **a casa** la maison ; **o amor** l'amour ; **os nervos** les nerfs ; **a vida** la vie ; **o belo** le beau ; **o melhor/pior** le meilleur/pire ; **o possível** le possible ; **o Brasil** le Brésil ; **a Inglaterra** l'Angleterre ; **os Pireneus** les Pyrénnées ; **quebrou o nariz** il s'est cassé le nez ; **tenho os pés frios** j'ai les pieds gelés ; **os ovos estão a 3 euros a dúzia** les œufs sont à 3 euros la douzaine ; **o 21 de abril** le 21 avril - **2.** [com nome de pessoa] : **o Paulo** Paulo ; **a Helena** Helena ; **o Sr. Costa** M. Costa. <> *pron* **1.** [ger] le(la) ; **deixei-a ali** je l'ai laissée là ; **ela o amava muito** elle l'aimait beaucoup ; **não os vi** je ne les ai pas vus ; **o quarto, reservei-o com antecedência** la chambre, je l'ai réservée d'avance ; **os papéis, não consigo achá-los** les papiers, je n'arrive pas à les trouver ; **as minhas botas, você vai estragá-las** mes bottes, tu vas les abîmer - **2.** [você, vocês] te, vous ; **eu o chamei, mas você não ouviu** je t'ai appelé, mais tu n'as pas entendu ; **prazer em vê-los, meninos** je suis ravi de vous voir, les enfants - **3.** [em locuções] : **o/a de** celui/celle de ; **é o carro do Paulo** c'est la voiture de Paulo ; **o dele** le sien ; **a dela** la sienne ; **são os dele** ce sont les siens ; **quero o azul** je veux celui en bleu ; **o/a que vejo** celui/celle que je vois ; **os/as que comeram** ceux/celles qui ont mangé ; **o que é que você está fazendo?** qu'est-ce que tu fais ? ; **o que é que se passa?** qu'est-ce qui se passe ? ; **o quê?** quoi ? ; **era o que eu pensava** c'est bien ce que je pensais.

O (*abrev de* **Oeste**) O.

oásis [ɔ'aziʃ] *m inv* oasis *f*.

oba ['oba] *interj* oh là là !

obedecer [obede'se(x)] *vi* obéir ; **obedecer a** obéir à.

obediente [obe'dʒjẽntʃi] *adj* obéissant(e).

obesidade [obezi'dadʒi] *f* obésité *f*.

obeso, **sa** [o'bezu, za] *adj* obèse.

obg. (*abrev de* **obrigado**) merci.

óbito ['ɔbitu] *m* décès *m*.

obituário [obitw'arju] *m* notice *f* nécrologique.

objeção [obʒe'sɐ̃w] (*pl* -ões) *f* objection *f*.

objetiva [obʒe'tʃiva] *f* objectif *m*.

objetivo, va [obʒe'tʃivu, va] ◇ *adj* objectif(ive). ◇ *m* objectif *m*.

objeto [ob'ʒɛtu] *m* objet *m*.

oboé [o'bwɛ] *m* hautbois *m*.

obra ['ɔbra] *f* œuvre ; **obra de arte** œuvre d'art. ◆ **obras** *fpl* travaux *mpl* ; **'em obras'** 'en travaux'.

obra-prima [ˌɔbra'prima] (*pl* **obras-primas**) *f* chef *m* d'œuvre.

obrar [o'bra(x)] *vi* aller à la selle.

obrigação [obriga'sãw] (*pl* -ões) *f* obligation *f*.

obrigado [obri'gadu, da] *interj* merci ! ; **muito obrigado!** merci beaucoup !

obrigar [obri'ga(x)] *vt* : **obrigar alguém a fazer algo** obliger qqn à faire qqch.

obrigatório, ria [obriga'tɔrju, rja] *adj* obligatoire.

obs. (*abrev de* **observações**) obs.

obsceno, na [obʃ'senu, na] *adj* obscène.

observação [obsexva'sãw] (*pl* -ões) *f* [de pessoa, animal, evento] observation *f* ; [reparo] remarque *f* ; [de lei, regra] respect *m*. ◆ **observações** *fpl* remarques *fpl*.

observador, ra [obsexva'do(x), ra] (*mpl* -es, *fpl* -s) *m, f* observateur *m*, -trice *f*.

observar [obsex'va(x)] *vt* observer ; [dizer] faire remarquer.

observatório [obsexva'tɔrju] *m* observatoire *m*.

obsessão [obse'sãw] (*pl* -ões) *f* obsession *f*.

obsoleto, ta [obso'letu, ta] *adj* obsolète.

obstáculo [obʃ'takulu] *m* obstacle *m*.

obstetra [obʃ'tɛtra] *mf* obstétricien *m*, -enne *f*.

obstinado, da [obʃtʃi'nadu, da] *adj* obstiné(e).

obstrução [obʃtru'sãw] (*pl* -ões) *f* obstruction *f*.

obter [ob'te(x)] *vt* obtenir.

obturação [obtura'sãw] (*pl* -ões) *f* obturation *f*.

obturador [obtura'do(x)] (*pl* -es) *m* obturateur *m*.

óbvio, via ['ɔbvju, vja] *adj* évident(e) ; **como é óbvio** évidemment.

ocasião [oka'zjãw] (*pl* -ões) *f* [momento determinado] fois *f* ; [oportunidade] occasion *f* ; **nessa ocasião** à cette occasion ; **por ocasião de** au moment de.

Oceania [osjã'nia] *f* : **a Oceania** l'Océanie *f*.

oceano [ose'ãno] *m* océan *m*.

ocidental [osidẽn'taw] (*pl* -ais) *adj* occidental(e). ◆ **ocidentais** *mpl* : **os ocidentais** les Occidentaux *mpl*.

ocidente [osi'dẽntʃi] *m* occident *m*. ◆ **Ocidente** *m* : **o Ocidente** l'Occident.

ócio ['ɔsju] *m* loisir *m*.

oco, oca ['oku, 'oka] *adj* creux(creuse).

ocorrência [oko'xẽsja] *f* [acontecimento] événement *m* ; [incidente] incident *m* ; **constatar a ocorrência de fatos estranhos** constater que des choses bizarres se produisent.

ocorrer [oko'xe(x)] *vi* **1.** [ger] arriver - **2.** [acontecimento] survenir - **3.** [ajudar] subvenir, pourvoir (aux besoins).

octogésimo, ma [okto'ʒɛzimu, ma] *num* quatre-vingtième, ➤ **sexto**.

oculista [oku'liʃta] *mf* [médico] occuliste *mf* ; [fabricante] opticien *m*, -enne *f*.

óculos ['ɔkuluʃ] *mpl* lunettes *fpl* ; **óculos de sol** lunettes de soleil.

ocultar [okuw'ta(x)] *vt* cacher. ◆ **ocultar-se** *vp* se cacher.

oculto, **ta** [o'kuwtu, ta] *pp* ► **ocultar**.

ocupação [okupa'sãw] (*pl* -ões) *f* occupation *f*.

ocupado, **da** [oku'padu, da] *adj* occupé(e) ; **'ocupado'** 'occupé'.

ocupar [oku'pa(x)] *vt* occuper ; [tempo, espaço] prendre. ◆ **ocupar-se** *vp* s'occuper ; **ocupar-se fazendo algo** s'occuper en faisant qqch ; **ocupar-se de** s'occuper de.

odiar [o'dʒja(x)] *vt* haïr.

ódio ['ɔdʒju] *m* haine *f*.

odor [o'do(x)] (*pl* -es) *m* odeur *f* ; **odor corporal** odeur corporelle.

oeste ['wɛʃtʃi] *m* ouest *m* ; **a oeste** à l'ouest ; **a oeste de** à l'ouest de ; **no oeste** à l'ouest.

ofegante [ofe'gɑ̃ntʃi] *adj* haletant(e).

ofegar [ofe'ga(x)] *vi* haleter.

ofender [ofẽn'de(x)] *vt* blesser, offenser. ◆ **ofender-se** *vp* se vexer ; **ofender-se com algo** se vexer de qqch.

oferecer [ofere'se(x)] *vt* : **oferecer algo a alguém** offrir qqch à qqn. ◆ **oferecer-se** *vp + prep* : **oferecer-se para fazer algo** se proposer de faire qqch.

oferta [o'fɛxta] *f* offre *f* ; [presente] cadeau *m*.

off-line ['ɔflajni] *adv* INFORM mode autonome/manuel *m*, déconnecté, indisponible.

oficial [ofisi'aw] (*pl* -ais) ◇ *adj* officiel(elle). ◇ *mf* officier *m*.

oficina [ofi'sina] *f* garage *m*.

ofício [o'fisju] *m* [profissão] métier *m* ; [carta oficial] dépêche *f*.

oftalmologista [oftawmolo'ʒiʃta] *mf* ophtalmologiste *mf*.

ofuscar [ofuʃ'ka(x)] *vt* éblouir.

oi ['oj] *interj* salut !

oitavo, **va** [oj'tavu, va] *num* huitième, ► **sexto**.

oitenta [oj'tẽnta] *num* quatre-vingt, ► **seis**.

oito ['ojtu] *num* huit ; **nem oito nem oitenta!** il ne faut pas exagérer ! ► **seis**.

oitocentos, **tas** [ojto'sẽntuʃ, taʃ] *num* huit cents, ► **seis**.

OK [ɔ'kaj] *interj* OK !

olá [o'la] *interj* salut !

olaria [ola'ria] *f* poterie *f*.

oleado [o'ljadu] *m* linoléum *m*.

olear [o'lja(x)] *vt* huiler.

óleo ['ɔlju] *m* huile *f* ; **óleo de bronzear** huile solaire ; **óleo de girassol** huile de tournesol ; **óleo de soja** huile de soja ; **óleo vegetal** huile végétale.

oleoduto [oljo'dutu] *m* oléoduc *m*.

oleoso, **osa** [oli'ozu, ɔza] *adj* gras (grasse).

olfato [ow'fatu] *m* odorat *m*.

olhadela [oʎa'dɛla] *f* coup *m* d'œil ; **dar uma olhadela a algo** jeter un coup d'œil à qqch.

olhar [o'ʎa(x)] ◇ *vt* & *vi* regarder. ◇ *m* regard *m* ; **olhar para** regarder vers ; **olhar por** s'occuper de.

olheiras [o'ʎejraʃ] *fpl* cernes *mpl*.

olho ['oʎu] (*pl* **olhos**) *m* œil *m* ; **olho mágico** œilleton *m* ; **a olho nu** à l'œil nu ; **a olhos vistos** à vue d'œil ; **aos olhos de** aux yeux de ; **cravar os olhos em** fixer les yeux sur ; **custar os olhos da cara** coûter les yeux de la tête ; **não pregar olho** ne pas fermer l'œil *(de la nuit)* ; **ver com bons/maus olhos** voir d'un bon/mauvais œil.

olho-de-sogra [ˌoʎudʒi'sɔgra] (*pl* **olhos-de-sogra**) *m pruneau fourré à la crème fraîche et à la noix de coco.*

olímpico, **ca** [o'lĩmpiku, ka] *adj* olympique.

oliveira [oli'vejra] *f* olivier *m*.

olmo ['owmu] *m* orme *m*.

ombro ['õmbru] *m* épaule *f* ; **encolher os ombros** hausser les épaules.

omelete [ome'lɛtʃi] *f* omelette *f*.

omissão [omi'sɑ̃w] (*pl* -ões) *f* omission *f*.

omitir [omi'ti(x)] *vt* omettre.

omoplata [omo'plata] *f* omoplate *f*.

onça ['õsa] *f* [animal] jaguar *m* ; [medida] once *f*.

onda ['õnda] *f* vague *f* ; [de rádio] onde *f* ; [de cabelo] ondulation *f* ; **onda média** ondes moyennes ; **onda longa/curta** grandes/petites ondes ; **fazer onda** *fam* faire des histoires ; **ir na onda** se faire avoir.

onde ['õndʒi] *adv* où ; **por onde** par où.

ondulado, **da** [õndu'ladu, da] *adj* ondulé(e).

oneroso, **osa** [one'rozu, ɔza] *adj* onéreux(euse).

ONG *f* (*abrev de* **Organização Não Governamental**) ONG *f*.

ônibus ['onibuʃ] *m inv* autobus *m* ; **pegar o ônibus** prendre le bus/le car.

onipotente [ˌɔmnipo'tẽntʃi] *adj* omnipotent(e).

ônix ['oniks] *m* onyx *m*.

on-line ['õnlajni] *adv* INFORM en ligne, connecté.

ontem ['õntẽ] *adv* hier ; **antes de ontem** avant-hier.

ONU ['ɔnu] *f* (*abrev de* **Organização das Nações Unidas**) ONU *f*.

onze ['õzi] *num* onze, ► **seis**.

opaco, **ca** [o'paku, ka] *adj* opaque.

opala [o'pala] *f* opale *f*.

opção [op'sɑ̃w] (*pl* -ões) *f* option *f*.

ópera ['ɔpera] *f* opéra *m*.

operação [opera'sɑ̃w] (*pl* -ões) *f* opération *f*.

operador, **ra** [opera'do(x), ra] (*mpl* -es, *fpl* -s) *m*, *f* : **operador de computadores** *personne qui maîtrise des logiciels informatiques*.

operar [ope'ra(x)] *vt* & *vi* opérer. ◆ **operar-se** *vp* se produire.

operário, **ria** [ope'rarju, rja] *m*, *f* ouvrier *m*, -ère *f*.

opereta [ope'reta] *f* opérette *f*.

opinar [opi'na(x)] ◇ *vt* estimer. ◇ *vi* donner son avis.

opinião [opi'njɑ̃w] (*pl* -ões) *f* opinion *f* ; **na minha opinião** à mon avis ; **na opinião de** selon ; **ser da opinião que** être d'avis que ; **a opinião pública** l'opinion publique.

ópio ['ɔpju] *m* opium *m*.

oponente [opo'nẽntʃi] *mf* opposant *m*, -e *f*.

opor-se [o'poxsi] *vp* s'opposer ; **opor-se a** s'opposer à.

oportunidade [opoxtuni'dadʒi] *f* occasion *f*.

oportuno, **na** [opox'tunu, na] *adj* opportun(e).

oposição [opozi'sɑ̃w] *f* opposition *f* ; **a oposição** l'opposition.

oposto, **osta** [o'poʃtu, ɔʃta] ◇ *adj* opposé(e). ◇ *m* : **o oposto** l'opposé ; **oposto a** opposé à.

opressão [opre'sɑ̃w] (*pl* -ões) *f* oppression *f*.

opressivo, **va** [opre'sivu, va] *adj* [atmosfera] oppressant(e) ; [sistema, regime] oppressif(ive).

opressões ► **opressão**.

oprimir [opri'mi(x)] *vt* opprimer.

optar [op'ta(x)] *vi* opter ; **optar por algo** opter pour qqch ; **optar por fazer algo** choisir de faire qqch.

ora ['ɔra] ◇ *interj* voyons ! ◇ *conj* bon. ◇ *adv* : **por ora** pour l'instant ; **ora essa!** ça alors ! ; **ora sim..., ora não...** un coup oui..., un coup non...

oração [ora'sɑ̃w] (*pl* -ões) *f* prière *f*.

orador, **ra** [ora'do(x), ra] (*mpl* -es, *fpl* -s) *m, f* orateur *m*, -trice *f*.

oral [o'raw] (*pl* -ais) ◇ *adj* oral(e). ◇ *f* oral *m*.

orangotango [orɑ̃ŋgu'tɑ̃ŋgu] *m* orang-outan *m*.

orar [o'ra(x)] *vi* [discursar] faire un discours ; [rezar] prier.

órbita ['ɔxbita] *f* orbite *f*.

orçamento [oxsa'mẽntu] *m* budget *m*.

ordem ['ɔxdẽ] (*pl* -ns) *f* ordre *m* ; **sempre às ordens!** à votre service ! ; **até nova ordem** jusqu'à nouvel ordre ; **de tal ordem que** si important que ; **pôr algo em ordem** mettre qqch en ordre ; **por ordem** par ordre ; **por ordem de alguém** sur ordre de qqn.

ordenado [oxde'nadu] *m* salaire *m*.

ordenhar [oxde'ɲa(x)] *vt* traire.

ordens ► **ordem**.

ordinário, **ria** [oxdʒi'narju, rja] *adj* [grosseiro] vulgaire.

orégano [o'rɛganu] *m* origan *m*.

orelha [o'reʎa] *f* ANAT oreille *f*.

orelheira [ore'ʎejra] *f* oreilles *fpl* de porc.

orfanato [oxfa'natu] *m* orphelinat *m*.

órfão, **ã** ['ɔxfɑ̃w, fɑ̃] *m, f* orphelin *m*, -e *f*.

orfeão [ox'fjɑ̃w] (*pl* -ões) *m* chorale *f*.

orgânico, **ca** [ox'ganiku, ka] *adj* organique.

organismo [oxga'niʒmu] *m* organisme *m*.

organização [oxganiza'sɑ̃w] (*pl* -ões) *f* organisation *f*.

órgão ['ɔxgɑ̃w] *m* organe *m* ; [instrumento musical] orgue *m* ; **órgãos genitais** OU **sexuais** organes génitaux OU sexuels.

orgasmo [ox'gaʒmu] *m* orgasme *m*.

orgia [ox'ʒia] *f* orgie *f*.

orgulhar-se [oxgu'ʎaxsi] ◆ **orgulhar-se de** *vp* + *prep* être fier(ère) de.

orgulho [ox'guʎu] *m* [soberba] orgueil *m* ; [satisfação] fierté *f*.

orientação [orjẽnta'sɑ̃w] (*pl* -ões) *f* orientation *f* ; **orientação escolar** orientation ; **orientação profissional** orientation professionnelle.

oriental [orjẽn'taw] (*pl* -ais) *adj* oriental(e). ◆ **orientais** *mpl* : **os orientais** les Orientaux *mpl*.

orientar [orjẽn'ta(x)] *vt* orienter. ◆ **orientar-se por** *vp* + *prep* suivre.

oriente [o'rjẽntʃi] *m* orient *m*. ◆ **Oriente** *m* : **o Oriente** l'Orient *m*.

orifício [ori'fisju] *m* orifice *m*.

origem [o'riʒẽ] (*pl* -ns) *f* origine *f*.

original [oriʒi'naw] (*pl* -ais) ◇ *adj* original(e) ; [inicial] originel(elle). ◇ *m* original *m*.

originar [oriʒi'na(x)] *vt* être à l'origine de. ◆ **originar-se** *vp* survenir.

oriundo, **da** [ori'ũndu, da] *adj* : **oriundo de** originaire de.

orixá [ori'ʃa] *mf divinité du culte afro-brésilien du candomblé.*

ornamentar [oxnamẽn'ta(x)] *vt* orner.

ornamento [oxna'mẽntu] *m* ornement *m*.

ornitologia [ɔxnitolo'ʒia] *f* ornithologie *f*.

orquestra [ox'kɛʃtra] *f* orchestre *m*.

orquídea [ox'kidʒja] *f* orchidée *f*.

ortografia [oxtogra'fia] *f* orthographe *f*.

ortopedia [oxtope'dʒja] *f* orthopédie *f*.

ortopédico, **ca** [oxto'pɛdʒiku, ka] *adj* orthopédique.

ortopedista [oxtope'dʒiʃta] *mf* orthopédiste *mf*.

orvalho [ox'vaʎu] *m* rosée *f*.

os [uʃ] ▶ **o**.

oscilação [oʃsila'sɐ̃w] (*pl* -ões) *f* oscillation *f*.

oscilar [oʃsi'la(x)] *vi* osciller ; **oscilar entre** osciller entre.

osso ['osu] *m* os *m*.

ostensivamente [oʃtẽˌsiva'mẽntʃi] *adv* ostensiblement.

ostensivo, **va** [oʃtẽn'sivu, va] *adj* ostentatoire.

ostentar [oʃtẽn'ta(x)] *vt* arborer.

ostra ['oʃtra] *f* huitre *f*.

OTAN [o'tɐ̃] *f* (*abrev de* **Organização do Tratado do Atlântico Norte**) OTAN *f* (*Organisation du Traité de l'Atlantique Nord*).

otimismo [otʃi'miʒmu] *m* optimisme *m*.

ótimo, **ma** ['ɔtʃimu, ma] ◇ *adj* très bon(bonne). ◇ *interj* super !

otorrinolaringologista [ˌotoˌxinolaˌrĩŋgolo'ʒiʃta] *mf* oto-rhino-laryngologiste *mf*, ORL *mf*.

ou [o] *conj* ou ; **ou... ou...** ou... ou...

ouço ['osu] ▶ **ouvir**.

ouriço [o'risu] *m* [castanha] bogue *f*.

ouriço-cacheiro [oˌrisuka'ʃejru] (*pl* **ouriços-cacheiros**) *m* hérisson *m*.

ouriço-do-mar [oˌrisudu'ma(x)] (*pl* **ouriços-do-mar**) *m* oursin *m*.

ourives [o'riviʃ] *mf inv* bijoutier *m*, -ère *f*.

ourivesaria [oriveza'ria] *f* orfèvrerie *f*.

ouro ['oru] *m* or *m* ; **de ouro** en or ; **ouro de lei** *or dont le titre est garanti par la loi*. ◆ **ouros** *mpl* carreau *m*.

Ouro Preto [ˌoxu'pretu] *s* Ouro Preto *ville du Minas Gerais, au Brésil.*

ousadia [oza'dʒia] *f* audace *f*.

ousar [o'za(x)] *vt* oser.

outdoor [awt'dɔr] *m* [propaganda] panneau *m* publicitaire ; [cartaz] affiche *f*.

outono [o'tonu] *m* automne *m*.

outro, **tra** ['otru, tra] *adj* & *pron* un autre(une autre) ; **dê-me outro** donne-m'en un autre ; **o outro/a outra** l'autre ; **outro dia** un autre jour ; **no outro dia** [no dia seguinte] le lendemain ; [relativo a dia passado] l'autre jour ; **um ou outro** l'un ou l'autre ; **um após o outro** l'un après l'autre.

outubro [o'tubru] *m* octobre *m*, ▶ **setembro**.

ouve ['ovi] ▶ **ouvir**.

ouvido [o'vidu] *m* oreille *f* ; **dar ouvidos a alguém** écouter qqn ; **ser duro de ouvido** être dur d'oreille ; **ser todo ouvidos** être tout ouïe ; **ter bom ouvido** avoir l'ouïe fine ; **tocar de ouvido** jouer d'oreille.

ouvinte [o'vĩntʃi] *mf* auditeur *m*, -trice *f*.

ouvir [o'vi(x)] *vt* & *vi* entendre ; **estar ouvindo** écouter.

ovação [ova'sɐ̃w] (*pl* -ões) *f* ovation *f*.

oval [o'vaw] (*pl* -ais) *adj* oval(e).

ovário [o'varju] *m* ovaire *m*.

ovelha [o'veʎa] *f* brebis *f* ; **ovelha negra** brebis galeuse.

OVNI ['ɔvni] *m* (*abrev de* **Objecto Voador Não Identificado**) OVNI *m*.

ovo ['ovu] (*pl* **ovos**) *m* œuf *m* ; **ovo cozido** œuf dur ; **ovo estrelado** œuf sur le plat ; **ovos mexidos** œufs brouillés ; **ovos de Páscoa** œufs de Pâques ; **ovo poché** œuf poché.

óvulo ['ɔvulu] *m* ovule *m*.

oxigênio [oksi'ʒenju] *m* oxygène *m*.

ozônio [o'zonju] *m* ozone *m*.

P

p. (*abrev de* **página**) p.

pá ['pa] *f* pelle *f*.

pacato, **ta** [pa'katu, ta] *adj* [pessoa] calme ; [lugar] paisible.

paciência [pasi'ẽsja] *f* patience *f* ; **perder a paciência** perdre patience ; **ter paciência** être patient.

paciente [pasi'ẽntʃi] *adj* & *mf* patient(e).

pacífico, **ca** [pa'sifiku, ka] *adj* pacifique. ◆ **Pacífico** *m* : **o Pacífico** le Pacifique.

pacifista [pasi'fiʃta] *mf* pacifiste *mf*.

paço ['pasu] *m* palais *m*.

paçoca [pa'sɔka] *f* [prato] *mélange de viande et de farine de manioc en friture* ; [doce] *gâteau à base de cacahouète pilée*.

pacote [pa'kɔtʃi] *m* paquet *m* ; [em turismo] forfait *m* ; **pacote de açúcar** paquet de sucre.

padaria [pada'ria] *f* boulangerie *f*.

padecer [pade'se(x)] ◆ **padecer de** *v + prep* souffrir de.

padeiro, **ra** [pa'dejru, ra] *m, f* boulanger *m*, -ère *f*.

padrão [pa'drɑ̃w] (*pl* -ões) *m* [de produto] norme *f* ; [de tecido] patron *m*.

padrasto [pa'draʃtu] *m* beau-père *m*.

padre ['padri] *m* prêtre *m*.

padrinho [pa'driɲu] *m* parrain *m*.

padrões [pa'drõjʃ] ➤ **padrão**.

pães ['pɑ̃jʃ] ➤ **pão**.

pág. (*abrev de* **página**) p.

pagamento [paga'mẽntu] *m* paiement *m* ; **pagamento em dinheiro/numerário** paiement en espèces/numéraire ; **pagamento em prestações** ou **a crédito** paiement à crédit ; **pagamento à vista** paiement comptant.

pagar [pa'ga(x)] *vt* payer. ◆ **pagar a** *v + prep* : **pagar algo a alguém** payer qqch à qqn ; **pagar por** payer pour.

página ['paʒina] *f* page *f* ; **páginas amarelas** pages jaunes ; **página web** page web ; **a páginas tantas** à un moment donné.

pago, **ga** ['pagu, ga] *pp* ➤ **pagar**.

pagode [pa'gɔdʒi] *m une variante de la samba, née à Rio, qui utilise une petite guitare à quatre cordes (cavaquinho) et le banjo, et dont les paroles des chansons sont pour la plupart en argot et au ton très populaire.*

págs. (*abrev de* **páginas**) pp.

pai ['paj] *m* père *m*. ◆ **pais** *mpl* parents *mpl*.

pai-de-santo [,pajdʒi'sɑ̃ntu] (*pl* **pais-de-santo**) *m prêtre du culte afro-brésilien du candomblé.*

painel [paj'nɛw] (*pl* -éis) *m* tableau *m* ; [de veículo] tableau *m* de bord ; **painel solar** panneau *m* solaire.

paio ['paju] *m* saucisson *m*.

pais ['pajʃ] ➤ **pai**.

país [pa'iʃ] (*pl* -es) *m* pays *m*.

paisagem [pi'zaʒẽj] (*pl* -ns) *f* paysage *m*.

País de Gales [pa,iʒdʒi'galiʃ] *m* : **o País de Gales** le pays de Galles.

países ► **país**.

paixão [paj'ʃɑ̃w] (*pl* -ões) *f* passion *f*.

pajé [pa'ʒɛ] *m chef spirituel indien à la fois prêtre, guérisseur, prophète et sorcier*.

palacete [pala'setʃi] *m* petit palais *m*.

palácio [pa'lasju] *m* palais *m* ; **Palácio da Justiça** Palais de Justice.

paladar [pala'da(x)] (*pl* -es) *m* [sabor] goût *m*.

palafita [pala'fita] *f* maison *f* sur pilotis.

palavra [pa'lavra] ◇ *f* [vocábulo] mot *m* ; [promessa] parole *f*. ◇ *interj* je te le jure ! ; **dar a palavra a alguém** donner la parole à qqn ; **não ser de meias palavras** ne pas mâcher ses mots ; **palavras cruzadas** mots *mpl* croisés.

palavrão [pala'vrɑ̃w] (*pl* -ões) *m* gros mot *m*.

palavrões ► **palavrão**.

palco ['pawku] *m* scène *f*.

palerma [pa'lɛxma] *mf* abruti *m*, -e *f*.

palestra [pa'lɛʃtra] *f* discours *m*.

paleta [pa'leta] *f* palette *f*.

paletó [pale'tɔ] *m* veste *f*.

palha ['paʎa] *f* paille *f*.

palhaço [pa'ʎasu] *m* clown *m*.

palhinha [pa'ʎiɲa] *f* [palha] brin *m* de paille.

pálido, da ['palidu, da] *adj* pâle.

paliteiro [pali'tejru] *m* porte-cure-dents *m*.

palito [pa'litu] *m* cure-dents *m inv*.

palma ['pawma] *f* paume *f*. ◆ **palmas** *fpl* applaudissements *mpl* ; **bater palmas** applaudir ; **uma salva de palmas** une salve d'applaudissements.

palmeira [paw'mejra] *f* palmier *m*.

palmito [paw'mitu] *m* cœur *m* de palmier.

palmo ['pawmu] *m* empan *m* ; **palmo a palmo** peu à peu.

palmtop ['pawmitopi] (*pl* **palmtops**) *m* INFORM ordinateur de poche *m*, palm *m*.

PALOPS ['palopʃ] *mpl* (*abrev de* **Países Africanos de Língua Oficial Portuguesa**) *pays africains dont la langue officielle est le portugais*.

palpável [paw'pavɛw] (*pl* -eis) *adj* palpable.

pálpebra ['pawpebra] *f* paupière *f*.

palpitação [pawpita'sɑ̃w] (*pl* -ões) *f* palpitation *f*.

palpitar [pawpi'ta(x)] *vi* palpiter.

palpite [paw'pitʃi] *m* intuition *f*.

paludismo [palu'dʒiʒmu] *m* paludisme *m*.

pamonha [pa'moɲa] *f gâteau de maïs au lait de coco cuit dans des feuilles de maïs*.

panado, da [pa'nadu, da] *adj* pané(e).

Panamá [pana'ma] *m* : **o Panamá** le Panama.

pancada [pɑ̃ŋ'kada] *f* coup *m* ; **pancada de água** averse *f* ; **às três pancadas** à la va-vite.

pâncreas ['pɑ̃ŋkrjaʃ] *m inv* pancréas *m*.

panda ['pɑ̃nda] *m* panda *m*.

pandeiro [pɑ̃n'dejru] *m* tambourin *m*.

pandemônio [pɑ̃nde'monju] *m* cohue *f*.

pane ['pɑ̃ni] *f* panne *f*.

panela [pa'nɛla] *f* casserole *f* ; **panela de pressão** Cocote-Minute® *f*.

panfleto [pɑ̃'fletu] *m* tract *m*.

pânico ['pãniku] *m* panique *f* ; **entrar em pânico** paniquer.

pano ['pãnu] *m* [de cozinha] torchon *m* ; [para o pó] chiffon *m* ; [em teatro] rideau *m* ; **pano de fundo** toile *f* de fond.

panorama [pano'rama] *m* panorama *m*.

panqueca [pãŋ'kɛka] *f* crêpe *m*.

pantanal [pãnta'naw] (*pl* -ais) *m* marécages *mpl*. ◆ **Pantanal** *m* : **o Pantanal** *zone marécageuse du Mato Grosso, au Brésil*.

pântano ['pãntanu] *m* marécage *m*.

pantera [pãn'tɛra] *f* panthère *f*.

pantomima [pãnto'mima] *f* pantomime *f*.

pantufas [pãn'tufaʃ] *fpl* pantoufles *fpl*.

pão ['pãw] (*pl* **pães**) *m* pain *m* ; **pão de centeio** pain de seigle ; **pão de forma** pain de mie ; **pão integral** pain complet ; **pão de leite** pain au lait ; **o Pão de Açúcar** le Pain de Sucre.

pão-de-ló [ˌpãwdʒi'lɔ] (*pl* **pães-de-ló**) *m* quatre-quarts *m inv*.

papa ['papa] ◇ *f* bouillie *f*. ◇ *m* pape *m*.

papagaio [papa'gaju] *m* [ave] perroquet *m* ; [brinquedo] cerf-volant *m*.

papel [pa'pɛw] (*pl* -éis) *m* papier *m* ; **papel A4** papier (format) A4 ; **papel (de) alumínio** papier aluminium ; **papel de carta** papier à lettres ; **papel canson** papier canson ; **papel de embrulho** papier kraft ; **papel higiênico** papier hygiénique ; **papel de máquina** papier machine ; **papel de parede** papier peint ; **papel reciclado** papier recyclé ; **papel vegetal** papier-calque.

papelão [pape'lãw] *m* carton *m*.

papelaria [papela'ria] *f* papeterie *f*.

papel-carbono [paˌpɛwkax'bonu] *m* papier *m* carbone.

papo ['papu] *m* [de ave] jabot *m* ; [conversa] conversation *f* ; **levar** ou **bater um papo** discuter ; **papos-de-anjo** *petits gâteaux recouverts de sucre*.

papo-furado [ˌpapufu'radu] *m fam* bobards *mpl*.

papoula [pa'pola] *f* coquelicot *m*, pavot *m*.

paquerar [pake'ra(x)] *vt* & *vi* draguer.

paquete [pa'ketʃi] *m* paquebot *m*.

par ['pa(x)] (*pl* -es) ◇ *adj* pair(e). ◇ *m* [de sapatos, calças, luvas, meias] paire *f* ; [casal] couple *m* ; **aberto de par em par** grand ouvert ; **estar a par de algo** être au courant de qqch ; **a par** ensemble ; **a par e passo** de très près ; **ao par** par deux.

para ['para] *prep* **1.** [ger] pour ; **esta água não é boa para beber** cette eau n'est pas potable ; **isto é para comer esta noite** ceci est à manger ce soir ; **para que serve isto?** à quoi ça sert ? ; **um telefonema para o senhor** on vous demande au téléphone ; **cheguei mais cedo para arranjar lugar** je suis arrivé plus tôt pour trouver une place ; **era só para agradar você** c'était seulement pour te faire plaisir ; **é caro demais para as minhas posses** c'est trop cher pour moi ; **para o que come, está magro** pour ce qu'il mange, il est maigre ; **para ele, você está errado** pour lui, tu as tort ; **para mim, está muito bom** pour moi, c'est très bon - **2.** [indica direção] : **ele apontou para cima** il a pointé son doigt vers le haut ; **ele seguiu para o aeroporto** il a continué vers l'aéroport ; **vá para casa** va à la maison ; **olhei para ele** je l'ai regardé ; **chegue-se para o lado** mets-toi sur le côté - **3.** [relativo a tempo] : **para amanhã** pour demain ; **de uma hora para a outra** d'une heure à l'autre ; **estará pronto para a semana/o ano** ce sera prêt la semaine/ l'année prochaine ; **são quinze para as três** il est trois heures moins le quart

- **4.** [exprime a iminência] **: estar para fazer algo** être sur le point de faire qqch ; **o trem está para sair** le train est sur le point de partir ; **a comida está para ser servida** le repas est prêt ; **ele está para chegar** il est sur le point d'arriver - **5.** [em locuções] **: para com** envers ; **para mais de** plus de ; **para que** pour que ; **é para já!** tout de suite !

parabéns [para'bẽʃ] <> *mpl* félicitations *fpl*. <> *interj* félicitations ! ; **dar os parabéns a alguém** féliciter qqn ; **estar de parabéns** mériter les félicitations.

parabólica [para'bɔlika] *f* antenne *f* parabolique.

pára-brisa [ˌpara'briza] (*pl* **pára-brisas**) *m* pare-brise *m*.

pára-choque [ˌpara'ʃɔki] *m* pare-chocs *m inv*.

parada [pa'rada] *f* [de jogo] mise *f* ; [militar] parade *f* ; [de ônibus] arrêt *m* de bus.

paradeiro [para'dejru] *m* **: não sei do paradeiro dele** j'ignore où il se trouve.

parado, **da** [pa'radu, da] *adj* [imóvel] arrêté(e) ; [sem vida] mort(e).

paradoxo [para'dɔksu] *m* paradoxe *m*.

parafina [para'fina] *f* paraffine *f*.

parafrasear [parafra'zja(x)] *vt* paraphraser.

parafuso [para'fuzu] *m* vis *f*.

parágrafo [pa'ragrafu] *m* paragraphe *m*.

Paraguai [para'gwaj] *m* **: o Paraguai** le Paraguay.

paraíso [para'izu] *m* paradis *m*.

pára-lama [ˌpara'lãma] *m* garde-boue *m inv*.

paralelo, **la** [para'lɛlu, la] <> *adj* parallèle. <> *m* parallèle *m* ; **sem paralelo** sans pareil.

paralisar [parali'za(x)] *vt* paralyser.

paralisia [parali'zia] *f* paralysie *f*.

paralítico, **ca** [para'litiku, ka] *m, f* paralysé *m*, -e *f*, paralytique *mf*.

paranóico, **ca** [para'nɔiku, ka] *m, f* paranoïaque *mf*.

parapeito [para'pejtu] *m* rebord *m* de fenêtre.

parapente [para'pẽntʃi] *m* parapente *m*.

pára-quedas [ˌpara'kɛdaʃ] *m inv* parachute *m*.

pára-quedista [ˌparake'dʒiʃta] *mf* parachutiste *mf*.

parar [pa'ra(x)] <> *vt* arrêter. <> *vi* s'arrêter ; **'pare, olhe, escute'** 'un train peut en cacher un autre' ; **parar de fazer algo** arrêter de faire qqch ; **ir parar em** aller atterrir à ; **sem parar** sans arrêt.

pára-raios [ˌpara'xajuʃ] *m inv* paratonnerre *m*.

parasita [para'zita] *m* parasite *m*.

parceiro, **ra** [pax'sejru, ra] *m, f* partenaire *mf* ; [em negócio] associé *m*, -e *f*.

parcela [pax'sɛla] *f* [de soma] nombre *m* ; [fragmento] parcelle *f*.

parceria [paxse'ria] *f* partenariat *m*.

parcial [par'sjaw] (*pl* -ais) *adj* [não completo] partiel(elle) ; [faccioso] partial(e).

pardal [pax'daw] (*pl* -ais) *m* moineau *m*.

pardo, **da** ['paxdu, da] *adj* gris(e).

parecer [pare'se(x)] <> *m* avis *m*. <> *vi* ressembler à. <> *v impess* **: parece que** on dirait que ; **ao que parece** à ce qu'il paraît ; **parece-me que** il me semble que ; **o que te parece?** qu'en penses-tu ? ; **parecer-se com** ressembler à ; **parecer-se com alguém** ressembler à qqn.

parecido, **da** [pare'sidu, da] *adj* ressemblant(e).

paredão [pare'dɐ̃w] (*pl* -ões) *m* grand mur *m*.

parede [pa'redʒi] *f* mur *m*.

paredões ► **paredão**.

parente, **ta** [pa'rẽntʃi, ta] *m, f* parent *m*, -e *f* ; **parente próximo** proche parent.

parêntese [pa'rẽntezi] *m* parenthèse *f*.

pares ► **par**.

pargo ['pargu] *m* pagre *m*.

parir [pa'ri(x)] *vt* & *vi* mettre bas.

parlamentar [paxlamẽn'ta(x)] (*pl* -es) ◇ *adj* parlementaire. ◇ *mf* parlementaire *mf*.

parlamento [paxla'mẽntu] *m* parlement *m*.

paróquia [pa'rɔkja] *f* paroisse *f*.

parque ['paxki] *m* parc *m* ; **parque de diversões** parc d'attractions ; **parque industrial** parc industriel ; **parque nacional** parc national ; **parque natural** parc naturel.

parquímetro [pax'kimetru] *m* parcmètre *m*.

parte ['paxtʃi] *f* partie *f* ; [fração, quinhão] part *f* ; **dar parte de** informer de ; **fazer parte de** faire partie de ; **pôr de parte** délaisser ; **tomar parte de** prendre part à ; **noutra parte** ailleurs ; **por toda a parte** partout ; **da parte de** de la part de ; **de parte a parte** des deux côtés ; **em parte** en partie.

parteira [pax'tejra] *f* sage-femme *f*.

participação [paxtʃisipa'sɐ̃w] (*pl* -ões) *f* participation *f* ; [comunicado, aviso] faire-part *m*.

participante [paxtʃisi'pɐ̃ntʃi] *mf* participant *m*, -e *f*.

participar [paxtʃisi'pa(x)] *vt* : **participar algo a alguém** [informar] faire part de qqch à qqn ; [comunicar] informer qqn de qqch ; **participar de algo** participer à qqch.

particípio [paxtʃi'sipju] *m* participe *m* ; **particípio passado/presente** participe passé/présent.

particular [paxtʃiku'la(x)] (*pl* -es) *adj* [individual] particulier(ère) ; [privado] privé(e).

partida [pax'tʃida] *f* [saída] départ *m* ; [em esporte] partie *f* ; [brincadeira] tour *m* ; **estou de partida** je vais partir.

partidário, **ria** [parti'darju, rja] *m, f* partisan *m*.

partido, **da** [pax'tʃidu, da] ◇ *adj* cassé(e). ◇ *m* parti *m* ; **partido (político)** parti (politique).

partilhar [paxtʃi'ʎa(x)] *vt* partager.

partir [pax'tʃi(x)] ◇ *vt* [quebrar] casser. ◇ *vi* partir ; **partir de** partir de ; **partir para** partir pour ; **a partir de** à partir de. ◆ **partir-se** *vp* se casser.

parto ['paxtu] *m* accouchement *m*.

parvo, **va** ['parvu, va] *m, f* imbécile *mf*.

Páscoa ['paʃkwa] *f* Pâques *f* ; **Páscoa feliz!** joyeuses Pâques !

pasmado, **da** [paʒ'madu, da] *adj* ébahi(e).

passa ['pasa] *f* raisin *m* sec.

passadeira [pasa'dejra] *f* [tapete] tapis *m*.

passado, **da** [pa'sadu, da] ◇ *adj* [tempo, época *etc.*] passé(e) ; [ano, mês] dernier(ère). ◇ *m* passé *m* ; **mal/bem passado** saignant/bien cuit.

passageiro, **ra** [pasa'ʒejru, ra] *adj* & *m, f* passager(ère).

passagem [pa'saʒẽ] (*pl* -ns) *f* passage *m* ; [de avião, trem] billet *m* ; **passagem de ano** nouvel an *m* ; **passagem de ida** aller *m* ; **passagem de ida e volta**

aller-retour *m* ; **passagem de nível** passage à niveau ; **passagem subterrânea** passage souterrain.

passaporte [pasa'pɔrtʃi] *m* passeport *m*.

passar [pa'sa(x)] ◇ *vt* **1.** [ger] passer ; **passar algo pela água** passer qqch sous l'eau ; **ele passou a mão pelo pêlo do cão** il a passé la main sur le poil du chien ; **ela passou o creme bronzeador nos braços** elle a passé de la crème solaire sur ses bras ; **passe tudo pelo coador** tu passes tout à la passoire ; **você me passa o sal?** tu me passes le sel ? ; **passei um ano em Portugal** j'ai passé un an au Portugal ; **deixar passar** laisser passer - **2.** [a ferro] : **passar algo (a ferro), passar (a ferro) algo** repasser qqch ; **já passou a roupa?** as-tu déjà repassé le linge ? - **3.** [mudar] : **passar algo para o outro lado** mettre qqch de l'autre côté - **4.** [ultrapassar] dépasser - **5.** [em escola, universidade] réussir. ◇ *vi* **1.** [ger] passer ; **o (ônibus) 7 não passa por aqui** le 7 ne passe pas par ici ; **já passam dez minutos da hora** il a déjà dix minutes de retard ; **o tempo passa muito depressa** le temps passe très vite ; **o verão já passou** l'été est déjà fini ; **a dor já passou** la douleur est passée ; **ele passou para a segunda série** il est passé en CE1 ; **passe para a primeira** passe en première ; **passar a** passer à ; **passemos a outra coisa** passons à autre chose - **2.** [em locuções] : **passar bem/mal** aller bien/mal ; **passar bem/mal a noite** passer une bonne/mauvaise nuit ; **como tem passado?** comment allez-vous ? ; **passar (bem) sem** se passer de ; **passe bem!** bonne continuation ! ; **não passar de** n'être que ; **não passar sem** ne pas se passer de ; **o que passou, passou** ce qui est fait est fait. ◆ **passar-se** *vp* [acontecer] se passer ; **o que é que se passa?** qu'est-ce qui se passe? ◆ **passar por** *v + prep* [ser considerado como] passer pour ; *fig* [atravessar] passer par ; **fazer-se passar por** se faire passer pour.

passarela [pasa'rɛla] *f* [de rua, estrada] passerelle *f* ; [para desfile de moda] podium *m*.

pássaro ['pasaru] *m* oiseau *m*.

passatempo [ˌpasa'tẽmpu] *m* passe-temps *m inv*.

passe ['pasi] *m* ≃ carte *f* orange.

passear [pa'sja(x)] ◇ *vt* promener. ◇ *vi* se promener.

passeata [pa'sjata] *f* [passeio] balade *f* ; [marcha de protesto] manifestation *f*.

passeio [pa'seju] *m* [em rua] trottoir *m* ; [caminhada] promenade *f*.

passional [pasjo'naw] (*pl* -ais) *adj* passionnel(elle).

passista [pa'siʃta] *mf danseur d'une école de samba*.

passível [pa'sivɛw] (*pl* -eis) *adj* : **passível de** passible de.

passivo, va [pa'sivu, va] ◇ *adj* passif(ive). ◇ *m* passif *m*.

passo ['pasu] *m* pas *m* ; [de obra literária] passage *m* ; **ceder o passo a alguém** laisser passer qqn ; **dar o primeiro passo** faire le premier pas ; **a dois passos (de)** à deux pas (de) ; **a passo** au pas ; **ao passo que** tandis que ; **passo a passo** pas à pas.

password ['paʃwodʒi] mot de passe *m*.

pasta ['paʃta] *f* [bolsa] serviette *f* ; [de executivo] mallette *f* ; [escolar] cartable *m* ; [capa para papéis] chemise *f* ; [de ministro] portefeuille *m* ; [massa] pâte *f* ; **pasta de dentes** dentifrice *m*.

pastar [paʃ'ta(x)] *vi* paître.

pastel [paʃ'tɛw] (*pl* -éis) *m pâtisserie salée ou sucrée, faite de pâte à base de farine, œufs, eau-de-vie, pliée en deux et* *fourrée de viande hachée, fromage, pommes, etc., frite ou cuite au four.*

pastelaria [paʃtela'ria] *f magasin où l'on fabrique et où l'on vend des pastéis.*

pasteurizado, da [paʃteuri'zadu, da] *adj* pasteurisé(e).

pastilha [paʃ'tiʎa] *f* pastille *f* ; **pastilha para a garganta** pastille pour la gorge ; **pastilha para a tosse** pastille pour la toux.

pasto ['paʃtu] *m* herbe *f*.

pastor, ra [paʃ'to(x), ra] (*mpl* -es, *fpl* -s) ◇ *m, f* berger *m*, -ère *f*. ◇ *m* pasteur *m*.

pata ['pata] *f* patte *f*.

patamar [pata'ma(x)] (*pl* -es) *m* palier *m*.

patê [pa'te] *m* pâté *m*.

patente [pa'tẽntʃi] ◇ *adj* [visível] patent(e). ◇ *f* [de máquina, invento] brevet *m* ; [de militar] grade *m*.

paternal [patex'naw] (*pl* -ais) *adj* paternel(elle).

pateta [pa'tɛta] *mf* niais *m*, -e *f*.

patético, ca [pa'tɛtiku, ka] *adj* pathétique.

patife [pa'tʃifi] *m* fripouille *f*.

patim [pa'tʃ] (*pl* -ns) *m* patin *m*.

patinação [patʃina'sɑ̃w] *f* patinage *m* ; **patinação artística** patinage artistique ; **patinação no gelo** patin *m* à glace.

patinar [patʃi'na(x)] *vi* patiner.

patinete [patʃi'netʃi] *m* [de criança] trottinette *f*.

patins ► **patim**.

pátio ['patʃju] *m* cour *f*.

pato ['patu] *m* canard *m*.

patologia [patolo'ʒja] *f* pathologie *f*.

patológico, ca [pato'lɔʒiku, ka] *adj* pathologique.

patrão, troa [pa'trɑ̃w, troa] (*mpl* -ões, *fpl* -s) *m, f* patron *m*, -onne *f*.

pátria ['patria] *f* patrie *f*.

patrimônio [patri'monju] *m* patrimoine *m*.

patriota [patri'ɔta] *mf* patriote *m*.

patroa [pa'troa] ► **patrão**.

patrocinador, ra [patrosina'do(x), ra] (*mpl* -es, *fpl* -s) *m, f* sponsor *m*.

patrocinar [patrosi'na(x)] *vt* sponsoriser.

patrões [pa'trõjʃ] ► **patrão**.

patrulha [pa'truʎa] *f* patrouille *f*.

pau ['paw] *m* bâton *m*. ◆ **paus** *mpl* [naipe de cartas] trèfle *m* ; *fam* [reais] réaux *mpl*, ≃ balles *fpl*.

paulista [paw'liʃta] *mf* Pauliste *mf*.

pausa ['pawza] *f* pause *f*.

pauta ['pawta] *f* [de música] portée *f*.

pavão [pa'vɑ̃w] (*pl* -ões) *m* paon *m*.

pavê [pa've] *m* ≃ charlotte *f* au chocolat.

pavilhão [pavi'ʎɑ̃w] (*pl* -ões) *m* pavillon *m*.

pavimentar [pavimẽn'ta(x)] *vt* paver.

pavimento [pavi'mẽntu] *m* [de estrada, rua] revêtement *m* ; [andar de edifício] étage *m*.

pavões [pa'võjʃ] ► **pavão**.

pavor [pa'vo(x)] *m* épouvante *f* ; **ter pavor de** être terrifié par.

paz ['paʃ] (*pl* -es) *f* paix *f* ; **deixar alguém/algo em paz** laisser qqn/qqch tranquille ; **fazer as pazes** faire la paix ; **que descanse em paz** qu'il repose en paix.

PC *m* (*abrev de* **Personal Computer**) PC *m*.

Pça. (*abrev de* **praça**) pl.

PDA *m* PDA *m*.

pé ['pɛ] *m* pied *m* ; [em vinho] dépôt *m* ; **andar na ponta dos pés** marcher sur la pointe des pieds ; **pôr-se em pé** se lever ; **ter/não ter pé** avoir/ne pas avoir pied ; **pé de porco** pied de porc ; **a pé** à pied ; **ao pé de** près de ; **em** ou **de pé** debout ; **em pé de igualdade** à égalité.

peão ['pjɐ̃w] (*pl* -ões) *m* [em xadrez] pion *m*.

peça ['pɛsa] *f* pièce *f*.

pecado [pe'kadu] *m* péché *m*.

pechincha [pe'ʃĩʃa] *f* (bonne) affaire *f*.

peço ['pɛsu] ▶ **pedir**.

peculiar [pekuli'a(x)] (*pl* -es) *adj* spécial(e).

pedaço [pe'dasu] *m* morceau *m* ; [de tempo] bout *m*.

pedágio [pe'daʒju] *m* péage *m*.

pedal [pe'daw] (*pl* -ais) *m* pédale *f*.

pede ['pɛdʒi] ▶ **pedir**.

pé-de-cabra [ˌpɛdʒi'kabra] (*pl* **pés-de-cabra**) *m* pied-de-biche *m*.

pé-de-moleque [ˌpɛdʒimu'lɛki] (*pl* **pés-de-moleque**) *m sorte de nougat avec des cacahouètes entières*.

pedestal [pedeʃ'taw] (*pl* -ais) *m* piédestal *m*.

pedestre [pe'dɛʃtri] ◇ *m* piéton *m*. ◇ *adj* piéton(onne).

pediatra [pe'dʒjatra] *mf* pédiatre *mf*.

pediatria [pedʒja'trja] *f* pédiatrie *f*.

pedicure [pedʒi'kuri] *mf* pédicure *m*.

pedido [pe'dʒidu] *m* [solicitação] demande *f* ; [em restaurante] commande *f* ; **a pedido de alguém** à la demande de qqn.

pedinte [pe'dʒĩntʃi] *mf* mendiant *m*, -e *f*.

pedir [pe'dʒi(x)] ◇ *vt* [em restaurante, bar] commander ; [preço] demander. ◇ *vi* mendier ; **pedir algo a alguém** demander qqch à qqn ; **pedir a alguém que faça algo** demander à qqn de faire qqch ; **pedir algo emprestado (a alguém)** emprunter qqch (à qqn).

pedra ['pɛdra] *f* [calhau] pierre *f* ; [de dominó] domino *m* ; [em rim, bexiga, fígado] calcul *m* ; [lápide] pierre *f* tombale ; [granizo] grêlon *m* ; [de isqueiro] pierre *f* ; **pedra (preciosa)** pierre (précieuse).

pedra-pomes [ˌpɛdra'pɔmeʃ] (*pl* **pedras-pomes**) *f* pierre *f* ponce.

pedra-sabão [ˌpɛdrasa'bɐ̃w] (*pl* **pedras-sabão**) *f* pierre-savon *f*.

pedreiro [pe'drejru] *m* maçon *m*.

pegada [pe'gada] *f* trace *f* de pas.

pegado, **da** [pe'gadu, da] *adj* [colado] collé(e) ; [contíguo] attenant(e).

pegajoso, **osa** [pega'ʒozu, ɔza] *adj* collant(e).

pegar [pe'ga(x)] ◇ *vt* [hábito, mania, doença] prendre (une habitude), attraper (une maladie) ; [apanhar, objeto] ramasser ; [transporte público] prendre. ◇ *vi* [motor] démarrer ; [idéia] saisir ; [moda] suivre ; [planta] croître ; **o carro não quer pegar** la voiture ne marche pas ; **pegar algo** attraper qqch ; **pegar fogo em algo** mettre le feu à qqch ; **pegar no sono** s'endormir. ◆ **pegar-se** *vp* se coller, s'attacher.

peito ['pejtu] *m* [seio] sein *m* ; [zona do tronco] poitrine *f* ; [de camisa, blusa] devant *m*.

peitoril [pejto'riw] (*pl* -is) *m* rebord *m* *(de fenêtre)*.

peixada [pej'ʃada] *f* ragout *m* de poisson.

peixaria [pejʃa'ria] *f* poissonnerie *f*.

peixe ['pejʃi] *m* poisson *m* ; **peixe congelado** poisson surgelé. ◆ **Peixes** *m inv* Poissons *mpl*.

peixe-agulha [ˌpejʃe'guʎa] *m* aiguille *f* de mer.

peixe-espada [ˌpejʃeʃ'pada] *m* coutelas *m (poisson)* ; [prateado] sabre *m* d'argent *(poisson)*.

pejorativo, va [peʒora'tʃivu, va] *adj* péjoratif(ive).

pela ['pela] = **por + a,** ▶ **por**.

pelado, da [pe'ladu, da] *adj fam* [nu] tout nu(toute nue).

pele ['pɛli] *f* peau *f* ; [couro] cuir *m*.

pelica [pe'lika] *f* chevreau *m (cuir)*.

pelicano [peli'kanu] *m* pélican *m*.

película [pe'likula] *f* pellicule *f (film)*.

pelo ['pelu] = **por + o,** ▶ **por**.

pêlo ['pelu] *m* poil *m*.

Pelourinho [pelo'riɲu] *m* : **o Pelourinho (de Salvador)** *le Pilori de Salvador*.

pelúcia [pe'lusja] *m* peluche *f*.

peludo, da [pe'ludu, da] *adj* poilu(e).

pélvis ['pɛwviʃ] *m inv* & *f inv* bassin *m*.

pena ['pena] *f* [de ave, escrever] plume *f* ; [dó, castigo] peine *f* ; **que pena!** quel dommage ! ; **cumprir pena** purger une peine ; **dar pena** faire de la peine ; **ter pena de alguém** avoir pitié de qqn ; **ter pena de fazer algo** regretter de faire qqch ; **valer a pena** valoir la peine ; **pena capital** peine capitale ; **pena de morte** peine de mort.

penalidade [penali'dadʒi] *f* pénalité *f*.

pênalti ['penawtʃi] *m* penalty *m*.

penca ['pẽnka] *f fam* [nariz] pif *m*.

pendente [pẽn'dẽntʃi] ◇ *adj* pendant(e). ◇ *m* pendentif *m*.

pendurar [pẽndu'ra(x)] *vt* accrocher ; **pendurar algo em algo** accrocher qqch à qqch. ◆ **pendurar-se em** *vp + prep* se pendre à.

penduricalho [pẽnduri'kaʎu] *m* breloque *f*, pendeloque *f*.

penedo [pe'nedu] *m* rocher *m*.

peneira [pe'nejra] *f* tamis *m*.

penetrante [pene'trɑ̃ntʃi] *adj fig* pénétrant(e).

penetrar [pene'tra(x)] ◆ **penetrar em** *v + prep* pénétrer dans.

penhasco [pe'ɲaʃku] *m* rocher *m*.

penicilina [pɛnisi'lina] *f* pénicilline *f*.

penico [pe'niku] *m* pot *m* de chambre.

península [pe'nĩsula] *f* péninsule *f*.

pênis ['peniʃ] *m inv* pénis *m*.

penitência [peni'tẽsja] *f* pénitence *f*.

penitenciária [penitẽ'sjarja] *f* prison *f*.

penoso, osa [pe'nozu, ɔza] *adj* pénible.

pensamento [pẽsa'mẽntu] *m* pensée *f*.

pensão [pẽ'sɑ̃w] (*pl* -ões) *f* pension *f* ; **pensão alimentícia** pension alimentaire ; **pensão completa** pension complète ; **pensão residencial** pension de famille.

pensar [pẽ'sa(x)] *vt* & *vi* penser ; **pensar em** penser à ; **pensar que** penser que ; **nem pensar!** pas question !

pensionista [pẽsjo'niʃta] *mf* retraité *m*, -e *f*.

pensões ▶ **pensão**.

pente ['pẽntʃi] *m* peigne *m*.

penteado [pẽntʃi'adu] *m* coiffure *f*.

Pentecostes [pẽnte'kɔʃtiʃ] *m* Pentecôte *f*.

penugem [pe'nuʒẽ] *f* duvet *m*.

penúltimo, ma [pe'nuwtʃimu, ma] *adj* avant-dernier(ère).

penumbra [pe'nũmbra] *f* pénombre *f*.

penúria [pe'nurja] *f* misère *f*.

peões ['pjõjʃ] ▶ **peão**.

pepino [pe'pinu] *m* concombre *m*.

pequeno, na [pe'kenu, na] *adj* petit(e).

pêra ['pera] *f* poire *f* ; [barba] bouc *m*.

perante [pe'rɑ̃ntʃi] *prep* devant.

perceber [pexse'be(x)] *vt* comprendre.

percentagem [pexsẽn'taʒẽ] (*pl* -ns) *f* pourcentage *m*.

percevejo [pexse'veʒu] *m* punaise *f* *(animal)*.

perco [pexku] ► **perder**.

percorrer [pexko'xe(x)] *vt* parcourir ; **percorrer algo com os olhos** parcourir qqch des yeux.

percurso [pex'kuxsu] *m* parcours *m*.

percussão [pexku'sɑ̃w] *f* percussion *f*.

perda ['pexda] *f* perte *f*.

perdão [pex'dɑ̃w] ◇ *m* pardon *m*. ◇ *interj* pardon ! ; **pedir perdão** demander pardon.

perde [pɛxdʒi] ► **perder**.

perder [pex'de(x)] ◇ *vt* perdre ; [trem, ônibus] rater. ◇ *vi* [em competição] perdre ; **perder a cabeça** perdre la tête ; **perder os sentidos** perdre connaissance ; **perder alguém de vista** perdre qqn de vue. ◆ **perder-se** *vp* se perdre.

perdição [pexdʒi'sɑ̃w] *f* [ruína] perte *f* ; [desonra] perdition *f*.

perdido, **da** [pex'dʒidu, da] *adj* perdu(e) ; **'perdidos e achados'** 'objets trouvés' ; **ser perdido por** *fam* être fou de.

perdiz [pex'dʒiʃ] (*pl* -es) *f* perdrix *f*.

perdoar [pex'dwa(x)] *vt* pardonner.

perdurar [pexdu'ra(x)] *vi* perdurer.

perecível [pere'sivɛw] (*pl* -eis) *adj* périssable.

peregrinação [peregrina'sɑ̃w] (*pl* -ões) *f* pèlerinage *m*.

peregrino, **na** [pere'grinu, na] *m, f* pèlerin *m*.

pereira [pe'rejra] *f* poirier *m*.

peremptório, **ria** [perẽnp'tɔrju, rja] *adj* péremptoire.

perene [pe'rɛni] *adj* [perpétuo] perpétuel(elle) ; [folhagem] persistant(e).

perfeição [pexfej'sɑ̃w] *f* perfection *f*.

perfeitamente [pex,fejta'mẽntʃi] ◇ *adv* parfaitement. ◇ *interj* parfaitement !

perfeito, **ta** [pex'fejtu, ta] *adj* parfait(e).

pérfido, **da** ['pɛxfidu, da] *adj* perfide.

perfil [pex'fiw] (*pl* -is) *m* profil *m* ; **de perfil** de profil.

perfumaria [pexfuma'ria] *f* parfumerie *f*.

perfume [pex'fumi] *m* parfum *m*.

perfurar [pexfu'ra(x)] *vt* perforer.

pergaminho [pexga'miɲu] *m* parchemin *m*.

pergunta [pex'gũnta] *f* question *f*.

perguntar [pexgũn'ta(x)] ◇ *vt* demander. ◇ *vi* : **perguntar por alguém** demander qqn ; [informar-se] demander des nouvelles de qqn ; **perguntar sobre algo** s'informer de qqch ; **perguntar algo a alguém** demander qqch à qqn.

perícia [pe'risja] *f* [exame] maîtrise *f* ; [destreza] adresse *f*, habileté *f*.

periferia [perife'ria] *f* périphérie *f*.

perigo [pe'rigu] *m* danger *m* ; **'perigo de incêndio'** 'risque d'incendie' ; **'perigo de morte'** 'danger de mort' ; **'perigo de queda de materiais'** 'risque de chute de matériaux'.

perigoso, **osa** [peri'gozu, ɔza] *adj* dangereux(euse).

perímetro [pe'rimetru] *m* périmètre *m*.

periódico, **ca** [pe'rjɔdiku, ka] *adj* périodique.

período [pe'riudu] *m* [espaço de tempo] période *f* ; [de ano escolar] semestre *m* ; *fam* [menstruação] règles *fpl* ; **'período de funcionamento'** 'heures d'ouverture'.

periquito [peri'kitu] *m* perruche *f*.

perito, **ta** [pe'ritu, ta] ◇ *m, f* expert *m*. ◇ *adj* expert(e) ; **ser perito em algo** être expert en qqch.

permanecer [pexmane'se(x)] *vi* rester. ◆ **permanecer em** *v + prep* rester à. ◆ **permanecer por** *v + prep* rester à.

permanência [pexma'nẽsja] *f* [estadia] séjour *m* ; [de problema, situação] permanence *f*.

permanente [pexma'nẽntʃi] ◇ *adj* permanent(e). ◇ *f* permanente *f*.

permissão [pexmi'sɑ̃w] *f* permission *f* ; **pedir permissão para fazer algo** demander la permission de faire qqch.

permitir [pexmi'ti(x)] *vt* permettre.

perna ['pɛxna] *f* [de pessoa] jambe *f* ; [de animal, ave] patte *f* ; CULIN [de cordeiro] gigot *m* ; [de cadeira, mesa] pied *m* ; [de letra] jambage *m*.

pernil [pex'niw] (*pl* -is) *m* jambonneau *m* ; **esticar o pernil** *fig* passer l'arme à gauche.

pernilongo [pexni'lõŋgu] *m* [mosquito] moustique *m*.

pernis ▶ **pernil**.

pernoite [per'noitʃi] *m* : **'pernoite com café-da-manhã'** 'nuit avec petit-déjeuner compris'.

pérola ['pɛrola] *f* perle *f*.

perpendicular [pexpẽndʒiku'la(x)] (*pl* -es) *adj* perpendiculaire.

perpetrar [pexpe'tra(x)] *vt* perpétrer.

perpetuar [pexpetw'a(x)] *vt* perpétuer. ◆ **perpetuar-se** *vp* se perpétuer.

perplexidade [pexpleksi'dadʒi] *f* perplexité *f*.

perplexo, **xa** [pex'plɛksu, ksa] *adj* perplexe.

perseguição [pexsegi'sɑ̃w] (*pl* -ões) *f* persécution *f* ; [de polícia] poursuite *f*.

perseguir [pexse'gi(x)] *vt* poursuivre.

perseverante [pexseve'rɑ̃ntʃi] *adj* persévérant(e).

perseverar [pexseve'ra(x)] *vi* persévérer.

persiana [pex'sjana] *f* volet *m* roulant.

persistente [pexsiʃ'tẽntʃi] *adj* [perseverante] persévérant(e) ; [duradouro] persistant(e).

personagem [pexso'naʒẽ] (*pl* -ns) *m* & *f* personnage *m*.

personalidade [pexsonali'dadʃi] *f* personnalité *f*.

perspectiva [pexʃpɛ'tʃiva] *f* perspective *f*.

perspicácia [pexʃpi'kasja] *f* perspicacité *f*.

perspicaz [pexʃpi'kaʃ] (*pl* -es) *adj* perspicace.

persuadir [pexswa'di(x)] *vt* : **persuadir alguém de algo** persuader qqn de qqch ; **persuadir alguém a fazer algo** persuader qqn de faire qqch. ◆ **persuadir-se** *vp* se persuader.

persuasão [pexswa'zɑ̃w] *f* persuasion *f*.

persuasivo, **va** [pexswa'zivu, va] *adj* persuasif(ive).

pertencente [pextẽ'sẽntʃi] *adj* : **pertencente a** [que pertence a] appartenant à ; [relativo a] relevant de.

pertencer [pextẽ'se(x)] ◆ **pertencer a** *v + prep* [ser propriedade de] appartenir à ; [clube, partido] faire partie de.

perto ['pɛxtu] *adj* & *adv* près ; **perto**

de [relativo a tempo] vers ; [relativo a espaço] près de ; [relativo a quantidade] environ ; **ao** OU **de perto** de près.

perturbar [pextux'ba(x)] *vt* perturber.

peru [pe'ru] *m* dindon *m* ; CULIN dinde *f*.

Peru [pe'ru] *m* : **o Peru** le Pérou.

peruca [pe'ruka] *f* perruque *f*.

perverso, sa [pex'vɛrsu, sa] *adj* pervers(e) *(cruel)*.

perverter [pexver'te(x)] *vt* pervertir.

pervertido, da [pexvex'tʃidu, da] *adj* pervers(e) *(malade)*.

pesadelo [peza'delu] *m* cauchemar *m*.

pesado, da [pe'zadu, da] *adj* lourd(e) ; [trabalho] dur(e).

pêsames ['pezamiʃ] *mpl* condoléances *fpl* ; **os meus pêsames** toutes mes condoléances.

pesar [pe'za(x)] *vt* & *vi* peser.

pesca ['pɛʃka] *f* pêche *f* ; **pesca à linha** pêche à la ligne.

pescada [peʃ'kada] *f* colin *m*.

pescadinha [peʃka'diɲa] *f* merlu *m*.

pescador, ra [peʃka'do(x), ra] (*mpl* -es, *fpl* -s) *m, f* pêcheur *m*.

pescar [peʃ'ka(x)] *vt* & *vi* pêcher.

pescoço [peʃ'kosu] *m* cou *m*.

peso ['pezu] *m* poids *m* ; **peso bruto** poids brut ; **peso líquido** poids net.

pesquisa [peʃ'kiza] *f* recherche *f*.

pêssego ['pesegu] *m* pêche *f*.

pessegueiro [pese'gejru] *m* pêcher *m*.

pessimista [pɛsi'miʃta] *mf* pessimiste *mf*.

péssimo, ma ['pɛsimu, ma] *adj* très mauvais(e).

pessoa [pe'soa] *f* personne *f* ; **em pessoa** en personne.

pessoal [pe'swaw] (*pl* -ais) ◇ *adj* personnel(elle). ◇ *m* personnel *m*.

pestana [peʃ'tana] *f* cil *m*.

pestanejar [peʃtane'ʒa(x)] *vi* cligner des yeux.

peste ['pɛʃtʃi] *f* peste *f*.

pesticida [pɛʃtʃi'sida] *m* pesticide *m*.

pétala ['pɛtala] *f* pétale *m*.

peteca [pe'tɛka] *f* volant *m (de badminton)*.

petição [petʃi'sɑ̃w] (*pl* -ões) *f* pétition *f*.

petinga [pe'tĩŋga] *f* sardine *f*.

petiscar [petʃiʃ'ka(x)] ◇ *vt* goûter. ◇ *vi* grignoter ; **quem não arrisca não petisca** qui ne tente rien n'a rien.

petisco [pe'tʃiʃku] *m* [iguaria] délice *m* ; [acepipe] amuse-gueule *m*.

petit-pois [petʃi'pwa] *mpl* petits pois *mpl*.

petrificar [petrifi'ka(x)] *vt* pétrifier.

petroleiro [petro'lejru] *m* pétrolier *m*.

petróleo [pe'trɔlju] *m* pétrole *m*.

petulância [petu'lɑ̃nsja] *f* [insolência] effronterie *f* ; [vaidade] arrogance *f*.

petulante [petu'lɑ̃ntʃi] *adj* [insolente] effronté(e) ; [vaidoso] arrogant(e).

pia ['pia] *f* évier *m* ; **pia batismal** fonts *mpl* baptismaux.

piada ['pjada] *f* plaisanterie *f*.

pianista [pja'niʃta] *mf* pianiste *mf*.

piano [pi'ɑ̃nu] *m* piano *m*.

pião ['pjɑ̃w] (*pl* -ões) *m* toupie *f*.

piar ['pja(x)] *vi* piailler.

picada [pi'kada] *f* [de ave] coup *m* de bec ; [de inseto] piqûre *f*.

picadinho [pika'dʒiɲu] *m plat de viande hachée.*

picado, da [pi'kadu, da] ◇ *adj* [carne, cebola, salsa] haché(e) ; [furado] percé(e). ◇ *m* [guisado] *hachis de viande ou de poisson.*

picanha [pi'kaɲa] *f* rumsteck *m*.

picante [pi'kɑ̃ntʃi] *adj* [apimentado] piquant(e) ; *fig* [malicioso] grivois(e).

pica-pau [ˌpika'paw] (*pl* **pica-paus**) *m* pivert *m*.

picar [pi'ka(x)] ◇ *vt* [com alfinete, agulha] piquer ; [carne, cebola] hacher ; *fam* [provocar] lancer des piques à. ◇ *vi* [peixe] mordre. ◆ **picar-se** *vp* se piquer ; *fam* se piquer *(se droguer)*.

picareta [pika'reta] *f* pioche *f*.

picles ['pikleʃ] *m inv* pickles *mpl*.

pico ['piku] *m* [montanha] pic *m* ; [espinho] piquant *m*.

picolé [piko'lɛ] *m* bâtonnet *m* de glace.

picotado, da [piko'tadu, da] ◇ *adj* prédécoupé(e). ◇ *m* pointillé *m*.

picotar [piko'ta(x)] *vt* picoter, poinçonner *(un ticket)*.

piedade [pje'dadʒi] *f* pitié *f* ; **ter piedade de alguém** avoir pitié de qqn.

pifar [pi'fa(x)] ◇ *vt fam* [roubar] piquer. ◇ *vi fam* [estragar-se] péter.

pigmento [pig'mẽntu] *m* pigment *m*.

pijama [pi'ʒama] *m* pyjama *m*.

pilantra [pi'lɑ̃ntra] *mf* crapule *f*.

pilar [pi'la(x)] (*pl* -es) *m* pilier *m*.

pilha ['piʎa] *f* pile *f* ; **uma pilha de nervos** une boule de nerfs ; **pilhas de** *fam* des tas de.

pilhar [pi'ʎa(x)] *vt* piller.

pilotar [pilo'ta(x)] *vt* piloter.

piloto [pi'lotu] *m* pilote *m*.

pílula ['pilula] *f* pilule *f*.

pimenta [pi'mẽnta] *f* poivre *m*.

pimenta-do-reino [piˌmẽntadu'xejnu] *f* poivre *m*.

pimentão [pimẽn'tɑ̃w] *m* poivron *m*.

pimentão-doce [pimẽntɑ̃w'dosi] *m* piment *m* doux.

pinça ['pĩsa] *f* pince *f*.

píncaro ['pĩŋkaru] *m* [de montanha] sommet *m*.

pincel [pĩ'sɛw] (*pl* -éis) *m* pinceau *m*.

pinga ['pĩŋga] *f* [gota] goutte *f* ; *fam* [aguardente] gnôle *f*.

pingado, da [pĩŋ'gadu, da] *adj* [café] au lait ; [arroz] aux haricots.

pingar [pĩŋ'ga(x)] *vi* goutter.

pingente [pĩ'ʒẽntʃi] *m* pendentif *m*.

pingo ['pĩŋgu] *m* [gota] goutte *f*.

pingue-pongue [ˌpĩŋgi'põŋgi] *m* ping-pong *m*.

pingüim [pĩŋ'gwĩ] (*pl* -ns) *m* pingouin *m*.

pinha ['piɲa] *f* pomme *f* de pin.

pinhal [pi'ɲaw] (*pl* -ais) *m* pinède *f*.

pinhão [pi'ɲɑ̃w] (*pl* -ões) *m* pignon *m*.

pinheiro [pi'ɲejru] *m* pin *m*.

pinho ['piɲu] *m* pin *m (bois)*.

pinhões ► **pinhão**.

pinta ['pĩnta] *f* [mancha] tache *f* ; *fam* [aparência] air *m* ; **ter pinta de** *fam* avoir l'air de.

pintado, da [pĩn'tadu, da] *adj* peint(e) ; **'pintado de fresco'** 'peinture fraîche' ; **'pintado à mão'** 'peint à la main'.

pintar [pĩn'ta(x)] ◇ *vt* [quadro, parede] peindre ; [olhos, rosto] se maquiller ; [desenho, boneco] colorier. ◇ *vi* [artista, pintor] peindre ; [criança] colorier ; *fam* [problema, oportunidade] se présenter ; *fam* [pessoa] se pointer. ◆ **pintar-se** *vp* se maquiller.

pintarroxo [pĩnta'xoʃu] *m* rouge-gorge *m*.

pintassilgo [pĩnta'siwgu] *m* chardonneret *m*.

pinto ['pĩntu] *m* poussin *m*.

pintor, ra [pĩn'to(x), ra] (*mpl* -es, *fpl* -s) *m, f* peintre *m*.

pintura [pĩn'tura] *f* [arte] peinture *f* ; [quadro] tableau *m*.

piões ['pjõjʃ] ► **pião**.

piolho ['pjoʎu] *m* pou *m*.

pior ['pjɔ(x)] (*pl* -es) ◇ *adj* pire. ◇ *adv* plus mal. ◇ *m* : **o pior** le pire ; **o/a pior** le/la pire ; **ser do pior que há** être ce qu'il y a de pire ; **cada vez pior** de pire en pire.

piorar [pjo'ra(x)] ◇ *vi* [doente, situação] empirer ; [clima, tempo] se détériorer. ◇ *vt* aggraver.

piores ► **pior**.

pipa ['pipa] *f* [de vinho] tonneau *m* ; [papagaio de papel] cerf-volant *m*.

pipoca [pi'pɔka] *f* pop corn *m*.

pipoqueiro, **ra** [pipo'keiru, ra] *m, f* vendeur *m*, -euse *f* de pop-corn.

piquenique [ˌpike'niki] *m* pique-nique *m*.

pirâmide [pi'ramidʒi] *f* pyramide *f*.

piranha [pi'raɲa] *f* piranha *f*.

pirão [pi'rãw] *m* bouillie *f* de manioc.

pirata [pi'rata] *m* pirate *m*.

piratear [pira'tea(x)] *vt* pirater ; **piratear um programa** pirater un programme.

Pireneus [pire'newʃ] *mpl* : **os Pireneus** les Pyrénées *fpl*.

pires ['piriʃ] *m inv* soucoupe *f*.

pirex® ['pirɛks] *m* Pyrex® *m*.

pirilampo [piri'lɑ̃mpu] *m* ver *m* luisant.

pirueta [pi'rweta] *f* pirouette *f*.

pirulito [piru'litu] *m* sucette *f*.

pisar [pi'za(x)] *vt* [com pé] marcher sur ; [contundir] meurtrir.

pisca-pisca [ˌpiʃka'piʃka] (*pl* **pisca-piscas**) *m* clignotant *m*.

piscar [piʃ'ka(x)] ◇ *vt* cligner. ◇ *vi* clignoter.

piscina [piʃ'sina] *f* piscine *f* ; **piscina ao ar livre** piscine découverte ; **piscina coberta** piscine couverte.

piso ['pizu] *m* chaussée *f* ; **piso escorregadio** chaussée glissante ; **piso irregular** chaussée déformée.

pista ['piʃta] *f* piste *f* ; **pista de rodagem** = **faixa de rodagem**, ► **faixa**.

pistache [piʃ'taʃi] *m* pistache *f*.

pistola [piʃ'tɔla] *f* pistolet *m*.

pistom [piʃ'tõ] (*pl* -ões) *m* piston *m*.

pitada [pi'tada] *f* pincée *f*.

pitanga [pi'tɑ̃ŋga] *f* cerise *f* de Cayenne.

pitoresco, **ca** [pito'reʃku, ka] *adj* pittoresque.

pivete [pi'vɛtʃi] *m* [criança atrevida] vaurien *m*.

pixel [pik'sew] *m* pixel *m*.

pixote [pi'ʃɔtʃi] *m* gosse *m*.

pizza ['piza] *f* pizza *f* ; **pizza de aliche** pizza aux anchois.

pizzaria [piza'ria] *f* pizzeria *f*.

placa ['plaka] *f* **1.** [ger] plaque *f* - **2.** [lâmina] lame *f* - **3.** [aviso] panneau *m* ; **placa de sinalização** panneau de signalisation *m* - **4.** [de automóvel] plaque *f* ; **placa fria** fausse plaque - **5.** INFORM carte *f* ; **placa de vídeo** carte vidéo *f* - **6.** [na pele] plaques (dermatologie) *fpl*.

plágio ['plaʒju] *m* plagiat *m*.

planador [plana'do(x)] (*pl* -es) *m* planeur *m*.

planalto [pla'nawtu] *m* plateau *m*.

planejamento [planeʒa'mẽntu] *m* planning *m* ; **planejamento familiar** planning familial.

planejar [plane'ʒa(x)] *vt* planifier ; **planejar fazer algo** projeter de faire qqch.

planeta [pla'neta] *m* planète *f*.

planetário [plane'tarju] *m* planétarium *m*.

planície [pla'nisji] *f* plaine *f*.

plano, **na** ['planu, na] ◇ *adj* plat(e). ◇ *m* plan *m*.

planta ['plɑ̃nta] *f* plante *f* ; [de cidade, casa] plan *m*.

plantão [plɑ̃n'tɑ̃w] *m* garde *f* ; **estar de plantão** être de garde.

plantar [plɑ̃n'ta(x)] *vt* planter.

plástica ['plaʃtʃika] *f* chirurgie *f* esthétique.

plástico ['plaʃtiku] *m* plastique *m*.

plastilina [plaʃtʃi'lina] *f* pâte *f* à modeler.

plataforma [plata'fɔxma] *f* [estrado] plate-forme *f* ; [de estação de trem, metrô] quai *m*.

plátano ['platanu] *m* platane *m*.

platéia [pla'tɛja] *f* parterre *m*.

platina [pla'tʃina] *f* platine *m*.

platinados [plati'naduʃ] *mpl* vis *fpl* platinées.

plausível [plaw'zivɛw] (*pl* -eis) *adj* [possível] probable ; [crível] plausible.

plebiscito [plebiʃ'situ] *m* référendum *m*.

plenamente [ˌplena'mẽntʃi] *adv* totalement.

pleno, **na** ['plenu, na] *adj* total(e) ; **pleno de** plein de ; **em pleno dia** en plein jour ; **em pleno Inverno** en plein hiver.

plug-in ['plugĩn] *m* INFORM branché.

plural [plu'raw] (*pl* -ais) *m* pluriel *m*.

plutônio [plu'tonju] *m* plutonium *m*.

pneu ['pnew] *m* pneu *m* ; **pneu sobressalente** roue *f* de secours.

pneumonia [pnewmo'nia] *f* pneumonie *f*.

pó ['pɔ] *m* [poeira] poussière *f* ; [substância pulverizada] poudre *f*.

pobre ['pɔbri] *adj* & *mf* pauvre.

pobreza [po'breza] *f* pauvreté *f*.

poça ['posa] *f* flaque *f*.

poção [po'sɑ̃w] (*pl* -ões) *f* potion *f*.

pocilga [po'siwga] *f* porcherie *f*.

poço ['posu] *m* puits *m*.

poções ► **poção**.

podar [po'da(x)] *vt* tailler.

pode [pɔdʒi] ► **poder**.

pôde [podʒi] ► **poder**.

pó-de-arroz [ˌpɔdʒja'xoʃ] *m* poudre *f* de riz.

poder [po'de(x)] (*pl* -es) ◇ *m* pouvoir ; **o poder** le pouvoir ; **estar no poder** être au pouvoir ; **poder de compra** pouvoir d'achat ; **está em meu poder** il est en mon pouvoir ; **ter em seu poder algo** avoir qqch en sa possession. ◇ *v aux* : **poder fazer algo** pouvoir faire qqch ; **você podia tê-lo feito antes** tu aurais pu le faire avant ; **posso ajudar?** je peux vous aider ? ; **posso fazê-lo** je peux le faire ; **não posso mais!** je n'en peux plus ! ; **não posso fazer nada!** je ne peux rien faire ! ; **posso fumar?** je peux fumer ? ; **não pode estacionar aqui** vous ne pouvez pas stationner ici ; **não pude sair ontem** je n'ai pas pu sortir hier ; **não podemos abandoná-lo** nous ne pouvons pas l'abandonner ; **você pode fazer várias coisas** tu peux faire plusieurs choses ; **você podia ter vindo de trem** tu aurais pu venir en train ; **não pode ser!** ce n'est pas possible ! ; **você podia ter-nos avisado!** tu aurais pu nous prévenir ! ; **pudera!** évidemment ! ◇ *v impess* [ser possível] : **pode ser que chova** il se peut qu'il pleuve ; **pode não ser verdade** il se peut que ce ne soit pas vrai ; **pode acontecer a qualquer um** ça peut arriver à n'importe qui. ◆ **poder com** *v* + *prep* [suportar] supporter ; [rival, adversário] venir à bout de ; **você não pode com tanto peso** tu ne peux pas porter ça.

poderoso, **osa** [pode'rozu, ɔza] *adj* puissant(e).

podre ['podri] *adj* pourri(e).

põe ['põi] ► **pôr**.

poeira ['pwejra] *f* poussière *f*.

poema ['pwema] *m* poème *m*.

poesia [pwe'zia] *f* poésie *f*.

poeta ['pwɛta] *m* poète *m*.

poetisa ['pwɛtiza] *f* poétesse *f*.

pois ['pojʃ] ◇ *conj* [porque] car ; [então] alors. ◇ *interj* : **pois sim!** soit ! ; **pois não?** oui ? ; **pois bem** bon.

polegar [pole'ga(x)] (*pl* -es) *m* pouce *m*.

polêmica [po'lemika] *f* polémique *f*.

pólen ['pɔlɛn] *m* pollen *m*.

polícia [po'lisja] ◇ *f* police *f*. ◇ *mf* policier *m*.

policial [polisi'aw] (*pl* -ais) *mf* policier *m*.

policiamento [polisja'mẽntu] *m* surveillance *f*, vigilance *f*.

polido, **da** [po'lidu, da] *adj* poli(e).

poliestireno [poljeʃtʃi'renu] *m* polystyrène *m*.

polir [po'li(x)] *vt* polir.

politécnico, **ca** [poli'tɛkniku, ka] *adj* d'enseignement technique supérieur.

política [po'litʃika] *f* politique *f* ; **política externa** politique extérieure.

político, **ca** [po'litʃiku, ka] ◇ *m, f* homme *m* politique. ◇ *adj* politique.

pólo ['pɔlu] *m* pôle *m* ; [esporte] polo *m* ; **pólo aquático** water-polo *m*.

Polônia [po'lonja] *f* Pologne *f*.

polpa ['powpa] *f* pulpe *f*.

poltrona [pow'trona] *f* fauteuil *m*.

poluição [polwi'sɐ̃w] *f* pollution *f*.

poluído, **da** [pu'lwidu, da] *adj* pollué(e).

poluir [polw'i(x)] *vt* polluer.

polvo ['powvu] *m* poulpe *m*.

pólvora ['pɔwvura] *f* poudre *f*.

pomada [po'mada] *f* pommade *f* ; **pomada antisséptica** pommade antiseptique.

pomar [po'ma(x)] (*pl* -es) *m* verger *m*.

pombo, **ba** ['põmbu, ba] *m, f* pigeon *m*, colombe *f* ; **pomba da paz** colombe de la paix.

pomo-de-adão [,pomudʒa'dɐ̃w] (*pl* **pomos-de-adão**) *m* pomme *f* d'Adam.

pomposo, **osa** [põm'pozu, ɔza] *adj* pompeux(euse).

ponderação [põndera'sɐ̃w] *f* pondération *f*.

ponderado, **da** [põnde'radu, da] *adj* pondéré(e).

ponderar [põnde'ra(x)] *vt* pondérer.

pônei ['ponei] *m* poney *m*.

ponho ['poɲu] ► **pôr**.

ponta ['põnta] *f* bout *m* ; [de vara, lápis] pointe *f* ; [de superfície] extrémité *f* ; **ter algo na ponta da língua** avoir qqch sur le bout de la langue.

pontada [põn'tada] *f* point *m* de côté.

pontapé [põnta'pɛ] *m* coup *m* de pied ; **pontapé livre** coup *m* franc ; **pontapé de saída** coup *m* d'envoi.

pontaria [põnta'ria] *f* : **fazer pontaria** viser ; **ter pontaria** bien viser.

ponte ['põntʃi] *f* pont *m*.

ponteiro [põn'tejru] *m* [de relógio] aiguille *f*.

pontiagudo, **da** [põntʃja'gudu, da] *adj* pointu(e).

ponto ['põntu] *m* point *m* ; [parada de transporte coletivo] arrêt *m* ; [de açúcar] caramélisation *f* ; **às 9 em ponto** à neuf heures pile ; **estar a ponto de fazer algo** être sur le point de faire qqch ; **até certo ponto** dans une certaine mesure ; **ponto por ponto** point par point ; **dois-pontos** deux points ; **ponto cardeal** point cardinal ; **ponto de encontro** point de rencontre ; **ponto de exclama-**

ção point d'exclamation ; **ponto final** point final ; **ponto de interrogação** point d'interrogation ; **ponto morto** point mort ; **ponto negro** point noir ; **ponto de ônibus** arrêt d'autobus ; **ponto de partida** point de départ ; **ponto de táxi** station *f* de taxi ; **ponto de vista** point de vue.

ponto-e-vírgula [ˌpontwiˈvixgula] *m* point-virgule *m*.

pontuação [põntwaˈsɐ̃w] (*pl* -ões) *f* [em gramática] ponctuation *f* ; [em competição] nombre *m* de points ; [em teste, exame] barème *m*.

pontual [põnˈtwaw] (*pl* -ais) *adj* [pessoa] ponctuel(elle) ; [trem, ônibus] à l'heure.

pontuar [põnˈtwa(x)] ◇ *vt* [texto] ponctuer ; [exame, teste] noter. ◇ *vi* noter.

POP (*abrev de* **Post Office Protocol**) *m* POP.

popa [ˈpopa] *f* poupe *f*.

popeline [popeˈlinu] *f* popeline *f*.

população [populaˈsɐ̃w] *f* population *f*.

popular [popuˈla(x)] (*pl* -es) *adj* populaire.

pôquer [ˈpoke(x)] *m* poker *m*.

por [po(x)] *prep* **1.** [indica causa] à cause de ; **foi por sua causa** c'était à cause de toi ; **por falta de meios** faute de moyens ; **por hábito/rotina** par habitude/routine ; **ele partiu por não ser forte** il est parti parce qu'il n'était pas assez fort - **2.** [indica meio, modo, agente] par ; **foi feito por mim** ça a été fait par moi ; **por correio/avião/fax** par courrier/avion/fax ; **por escrito** par écrit - **3.** [relativo a lugar] par ; **entramos no Brasil por Salvador** nous sommes entrés au Brésil par Salvador ; **ele está por aí** il est par là ; **por onde você vai?** par où passes-tu ? ; **vamos por aqui** passons par ici - **4.** [indica objetivo] pour ; **lutar por algo** lutter pour qqch - **5.** [relativo a tempo] pour ; **ele partiu por duas semanas** il est parti pour deux semaines ; **partiu pela manhã** il est parti le matin - **6.** [relativo a troca] contre ; **troquei o carro velho por um novo** j'ai échangé la vieille voiture contre une neuve ; [relativo a preço] pour ; **paguei por este casaco apenas 30 euros** je n'ai payé que 30 euros pour cette veste - **7.** [indica distribuição] **: são 150 euros por dia/mês** ça fait 150 euros par jour/mois ; **por pessoa** par personne ; **por cento** pour cent ; **por hora** à l'heure - **8.** [em locuções] **: por que (é que)...?** pourquoi (est-ce que)... ? ; **por mim, tudo bem!** pour ma part, c'est d'accord !

pôr [ˈpo(x)] ◇ *vt* mettre ; [defeitos] trouver ; [suj: ave] pondre. ◇ *vi* pondre. ◇ *m* **: o pôr-do-sol** le coucher du soleil ; **pôr algo em funcionamento** mettre qqch en marche ; **pôr algo mais baixo/alto** baisser/monter le son de qqch ; **pôr algo em algo** mettre qqch dans qqch ; **pôr a mesa** mettre la table. ◆ **pôr-se** *vp* [ficar] se mettre ; [sol] se coucher ; **pôr-se a fazer algo** se mettre à faire qqch ; **pôr-se de pé** se mettre debout.

porca [ˈpɔxka] *f* [peça] écrou *m* ; [animal] truie *f*.

porção [poxˈsɐ̃w] (*pl* -ões) *f* portion *f*.

porcaria [poxkaˈria] ◇ *f* [sujidade] saleté *f* ; [algo malfeito] cochonnerie *f* ; [algo sem valor] camelote *f*. ◇ *interj* **: que porcaria!** mince !

porcelana [poxseˈlana] *f* porcelaine *f*.

porco [ˈpoxku] *m* [animal] cochon *m* ; [carne] porc *m*.

porções [poxˈsõjʃ] ► **porção**.

porco-espinho [ˌpoxkwiʃˈpiɲu] (*pl* **porcos-espinhos**) *m* porc-épic *m*.

porém [poˈrẽj] *conj* cependant.

pormenor [poxme'nɔ(x)] (*pl* -es) *m* détail *m* ; **em pormenor** en détail.

pornografia [poxnogra'fja] *f* pornographie *f*.

poro ['pɔru] *m* pore *m*.

porque ['poxki] *conj* parce que, car.

porquinho-da-índia [pox,kiɲuda-'ĩndʒja] (*pl* **porquinhos-da-índia**) *m* cochon *m* d'Inde.

porra ['poxa] *interj* mince alors !

porta ['pɔxta] *f* [de casa, armário *etc.*] porte *f* ; [de carro] portière *f* ; **porta automática** porte automatique ; **porta com controle remoto** porte à ouverture automatique ; **porta corrediça** porte coulissante ; **porta giratória** porte à tambour ; **porta paralela** INFORM port *m* parallèle ; **porta serial** INFORM port série.

porta-aviões [,pɔxta'vjõiʃ] *m inv* porte-avions *m inv*.

porta-bagagem [,pɔxtaba'gaʒã] (*pl* **porta-bagagens**) *m* porte-bagages *m inv*.

porta-bandeira [,pɔxtabãn'dejra] (*pl* **porta-bandeiras**) *mf* porte-drapeau *m*.

porta-chaves [,pɔxta'ʃaveʃ] *m inv* porte-clés *m inv*.

portador, ra [poxta'do(x), ra] (*mpl* -es, *fpl* -s) *m, f* porteur *m* ; **ao portador** au porteur.

porta-jóias [,pɔxta'ʒɔjaʃ] *m inv* coffret *m* à bijoux.

portal [pox'taw] (*pl* -ais) *m* **1.** [pórtico] portique *m* - **2.** INFORM portail *m*.

porta-lápis [,pɔxta'lapiʃ] *m inv* trousse *f*.

porta-luvas [,pɔxta'luvaʃ] *m inv* boîte *f* à gants.

porta-malas [,pɔxta'malaʃ] *m inv* porte-bagages *f*.

porta-moedas [,pɔxta'mwɛdaʃ] *m inv* porte-monnaie *m inv*.

portanto [pox'tãntu] *conj* donc.

portão [pox'tãw] (*pl* -ões) *m* portail *m*.

portaria [poxta'ria] *f* [de edifício] accueil *m* ; [diploma legal] arrêté *m*.

portátil [pox'tatʃiw] (*pl* -eis) *adj* portable.

porta-voz [,pɔxta'vɔjʃ] (*pl* **porta-vozes**) *mf* porte-parole *m inv*.

porte ['pɔrtʃi] *m* port *m* ; **'porte pago'** 'port payé'.

porteiro, ra [pox'tejru, ra] *m, f* [de edifício] gardien *m*, -enne *f* ; [de hotel] portier *m*.

pórtico ['pɔxtʃiku] *m* [em edifício] porche *m*.

porto ['poxtu] *m* port *m*. ◆ **Porto** *m* : **o Porto** Porto.

portões [pox'tõjʃ] ► **portão.**

portuense [pox'twẽsʃi] ◇ *adj* de Porto. ◇ *mf* habitant *m*, -e *f* de Porto.

Portugal [poxtu'gal] *s* Portugal *m*.

português, esa [poxtu'geʃ, eza] (*mpl* -eses, *fpl* -s) ◇ *adj* portugais(e). ◇ *m, f* Portugais *m*, -e *f*. ◇ *m* [língua] portugais *m* ; **à portuguesa** *à la portugaise*.

porventura [poxvẽn'tura] *adv* par hasard ; **se porventura** si par hasard.

pôs ['pojʃ] ► **pôr.**

posar [po'za(x)] *vi* poser.

posição [pozi'sãw] (*pl* -ões) *f* position *f* ; [em emprego] poste *m*.

positivo, va [pozi'tʃivu, va] ◇ *adj* positif(ive). ◇ *m* positif *m*.

posologia [pozolo'ʒia] *f* posologie *f*.

posse ['pɔsi] *f* possession *f* ; **estar em posse de** être en possession de. ◆ **posses** *fpl* : **ter posses** avoir de la fortune.

possessão [pose'sãw] (*pl* -ões) *f* possession *f*.

possessivo, va [pose'sivu, va] *adj* possessif(ive).

possessões ► **possessão.**

possibilidade [posibili'dadʒi] *f* possibilité *f*.

possibilitar [posibili'ta(x)] *vt* rendre possible.

possível [po'sivɛw] (*pl* -eis) ◇ *adj* possible. ◇ *m* : **fazer o possível (por fazer algo)** faire son possible (pour faire qqch) ; **não é possível!** c'est pas vrai ! ; **logo que possível** dès que possible ; **o mais cedo possível** le plus tôt possible ; **o máximo possível** le plus possible ; **se possível** si possible.

posso ['pɔsu] ► **poder.**

possuir [posw'i(x)] *vt* posséder.

posta ['pɔʃta] *f* tranche *f*.

postal [poʃ'taw] (*pl* -ais) *m* carte *f* postale ; **postal ilustrado** carte postale illustrée.

posta-restante [ˌpɔʃtaxeʃ'tɑ̃ntʃi] (*pl* **postas-restantes**) *f* poste *f* restante.

poste ['pɔʃtʃi] *m* poteau *m*.

pôster ['poʃte(x)] (*pl* -es) *m* poster *m*.

posteridade [poʃteri'dadʒi] *f* postérité *f*.

posterior [poʃte'rjo(x)] (*pl* -es) *adj* postérieur(e).

posteriormente [puʃterjor'mẽntʃi] *adv* [mais tarde] postérieurement.

postiço, ça [poʃ'tʃisu, sa] *adj* faux(fausse).

postigo [poʃ'tʃigu] *m* judas *m* *(de porte)*.

posto ['poʃtu] *m* poste *m* ; [de saúde] centre *m* ; **posto de gasolina** station-service *f* ; **posto médico** infirmerie *f*.

póstumo, ma ['pɔʃtumu, ma] *adj* posthume.

postura [poʃ'tura] *f* position *f*.

potável [po'tavɛw] *adj* ► **água.**

pote ['pɔtʃi] *m* pot *m*.

potência [pu'tẽsja] *f* puissance *f*.

potencial [potẽn'sjaw] (*pl* -ais) ◇ *adj* potentiel(elle). ◇ *m* potentiel *m*.

potente [po'tẽntʃi] *adj* puissant(e).

potro ['potru] *m* poulain *m*.

pouco, ca ['poku, ka] ◇ *adj* peu de. ◇ *adv* & *pron* peu. ◇ *m* : **um pouco** un peu ; **um pouco de** un peu de ; **um pouco mais de** un peu plus de ; **custar pouco** ne pas coûter cher ; **custar pouco a fazer** être facile à faire ; **ficar a poucos passos de** être à quelques pas de ; **pouco amável/inteligente** peu aimable/intelligent ; **daí a pouco** peu après ; **daqui a pouco** sous peu ; **falta pouco para** c'est bientôt ; **há pouco** il y a peu de temps ; **pouco a pouco** peu à peu ; **por pouco** de peu ; **fazer pouco de** se moquer de.

poupa ['popa] *f* houpe *f*.

poupança [po'pɑ̃sa] *f* épargne *f*.

poupar [po'pa(x)] ◇ *vt* économiser ; [dinheiro] épargner ; [esforço] ménager. ◇ *vi* économiser.

pouquinho [po'kiɲu] *m* petit peu *m* ; **só um pouquinho** juste un petit peu ; **um pouquinho de** un petit peu de.

pousada [po'zada] *f* auberge *f* ; **pousada da juventude** auberge de jeunesse.

pousar [po'za(x)] ◇ *vt* poser. ◇ *vi* [avião] atterrir ; [ave] se poser.

povo ['povu] *m* peuple *m*.

povoação [povwa'sɑ̃w] (*pl* -ões) *f* hameau *m*.

povoar [po'vwa(x)] *vt* peupler.

p.p. (*abrev de* **páginas**) pp.

praça ['prasa] *f* place *f* ; [mercado] marché *m* ; **praça de touros** arènes *fpl*.

prado ['pradu] *m* pré *m*.

praga ['praga] *f* [doença] épidémie *f* ; [de insetos] invasion *f* ; [palavrão] juron *m* ; [maldição] sort *m*.

pragmático, **ca** [prag'matʃiku, ka] *adj* pragmatique.

praia ['praja] *f* plage *f* ; **praia de nudistas** plage de nudistes.

prancha ['prɐ̃ʃa] *f* planche *f* ; **prancha de saltos** plongeoir *m* ; **prancha de surf** surf *m*.

pranto ['prɐ̃ntu] *m* chagrin *m*.

prata ['prata] *f* argent *m* ; **de** OU **em prata** en argent.

prateado, **da** [pra'tʃjadu, da] *adj* argenté(e).

prateleira [prate'lejra] *f* étagère *f*.

prática ['pratʃika] *f* pratique *f* ; **na prática** en OU dans la pratique ; **pôr algo em prática** mettre qqch en pratique ; **ter prática** avoir de l'expérience.

praticante [pratʃi'kɐ̃ntʃi] ◇ *adj* pratiquant(e). ◇ *mf* : **é um praticante de judô** il pratique le judo.

praticar [pratʃi'ka(x)] ◇ *vt* pratiquer. ◇ *vi* s'exercer.

praticável [pratʃi'kavɛw] (*pl* -eis) *adj* [ação] réalisable ; [estrada] praticable.

prático, **ca** ['pratʃiku, ka] *adj* pratique.

prato ['pratu] *m* [louça] assiette *f* ; [refeição] plat *m* ; **prato de sopa** [utensílio] assiette à soupe ; [comida] soupe *f* ; **prato fundo** assiette creuse ; **prato raso** assiette plate ; **prato da casa** spécialité de la maison ; **prato do dia** plat du jour ; **pôr tudo em pratos limpos** tirer les choses au clair. ◆ **pratos** *mpl* MÚS cymbales *fpl*.

praxe ['praʃi] *f* [costume] coutume *f* ; [acadêmica] traditions *fpl* ; **ser de praxe** être d'usage.

prazer [pra'ze(x)] (*pl* -es) *m* plaisir *m* ; **muito prazer!** enchanté ! ; **prazer em conhecê-lo!** enchanté de faire votre connaissance ! ; **o prazer é (todo) meu!** moi de même ! ; **com prazer** avec plaisir ; **por prazer** pour le plaisir.

prazo ['prazu] *m* délai *m* ; **prazo de validade** date limite de validité ; **a curto/longo/médio prazo** à court/long/moyen terme.

precário, **ria** [pre'karju, rja] *adj* précaire.

precaução [prekaw'sɐ̃w] (*pl* -ões) *f* précaution *f* ; **por precaução** par précaution.

precaver-se [preka'vexsi] *vp* se prémunir ; **precaver-se contra** se prémunir contre.

precavido, **da** [preka'vidu, da] *adj* prévoyant(e).

prece ['prɛsi] *f* prière *f*.

precedência [prese'dẽsja] *f* avance *f* ; **ter precedência sobre** précéder.

preceder [prese'de(x)] *vt* précéder.

precioso, **osa** [pre'sjozu, ɔza] *adj* précieux(euse).

precipício [presi'pisju] *m* précipice *m*.

precipitação [presipita'sɐ̃w] (*pl* -ões) *f* [pressa] précipitation *f* ; [chuva] précipitations *fpl*.

precipitar-se [presepi'taxsi] *vp* se précipiter.

precisamente [preˌsiza'mẽntʃi] *adv* précisément.

precisão [presi'zɐ̃w] *f* précision *f* ; **com precisão** avec précision.

precisar [presi'za(x)] *vt* préciser ; **precisar fazer algo** avoir besoin de faire qqch. ◆ **precisar de** *v + prep* avoir besoin de.

preciso, **sa** [pre'sizu, za] *adj* précis(e) ; **ser preciso** être précis ; **é preciso fazer algo** il faut faire qqch.

preço ['presu] *m* prix *m* ; **preço de**

ocasião prix promotionnel ; **preço reduzido** prix réduit ; **a preço de saldo** soldé.

precoce [pre'kɔsi] *adj* [criança] précoce ; [decisão] prématuré(e).

preconcebido, da [prɛkõnse'bidu, da] *adj* préconçu(e).

preconceito [prekõ'sejtu] *m* préjugé *m*.

precursor, ra [prekux'so(x), ra] (*mpl* -es, *fpl* -s) ◇ *m, f* précurseur *m*. ◇ *adj* précurseur.

predador, ra [preda'do(x), ra] (*mpl* -es, *fpl* -s) *adj* prédateur(trice).

predecessor, ra [predese'so(x), ra] (*mpl* -es, *fpl* -s) *m, f* prédécesseur *m*.

predileção [predʒile'sɑ̃w] (*pl* -ões) *f* prédilection *f* ; **ter predileção por** avoir une prédilection pour.

predileções ► **predileção**.

predileto, ta [predʒi'lɛtu, ta] *adj* préféré(e).

prédio ['prɛdʒju] *m* bâtiment *m* ; **prédio de apartamentos** immeuble *m*.

predominante [predomi'nɑ̃ntʃi] *adj* prédominant(e).

predominar [predomi'na(x)] *vi* prédominer.

preencher [priẽ'ʃe(x)] *vt* remplir.

pré-fabricado, da [ˌprɛfabri'kadu, da] *adj* préfabriqué(e).

prefácio [pre'fasju] *m* préface *f*.

prefeito, ta [pre'fejtu, ta] *m, f* maire *m*.

prefeitura [prefej'tura] *f* mairie *f*.

preferência [prefe'rẽsja] *f* préférence *f* ; **dar preferência a** donner la préférence à ; **ter preferência por** préférer ; **de preferência** de préférence.

preferido, da [prefe'ridu, da] *adj* préféré(e).

preferir [prefe'ri(x)] *vt* préférer ; **preferir fazer algo** préférer faire qqch ; **preferir que** préférer que.

prefixo [pre'fiksu] *m* préfixe *m*.

prega ['prɛga] *f* pli *m*.

pregador [prega'do(x)] *m* [de roupa] pince *f* à linge.

pregar[1] [pre'ga(x)] *vt* [prego] clouer ; [botões] coudre.

pregar[2] [pre'ga(x)] *vt* prêcher.

prego ['prɛgu] *m* clou *m*.

preguiça [pre'gisa] *f* paresse *f*.

pré-histórico, ca [prɛiʃ'tɔriku, ka] *adj* préhistorique.

prejudicar [preʒudʒi'ka(x)] *vt* [pessoa] porter préjudice à ; [carreira, relação, saúde] nuire à.

prejudicial [preʒudʒi'sjaw] (*pl* -ais) *adj* : **prejudicial para** nuisible.

prejuízo [pre'ʒwizu] *m* [dano] dégât *m* ; [em negócio] préjudice *m* ; **em prejuízo de** au détriment de ; **sem prejuízo de** sans préjudice de.

prematuro, ra [prema'turu, ra] *adj* prématuré(e).

premiado, da [premi'adu, da] *adj* primé(e).

premiar [premi'a(x)] *vt* primer.

prêmio ['premju] *m* prix *m* ; [em seguros] prime *f* ; **grande prêmio** [em Fórmula 1] grand prix.

premonição [premuni'sɑ̃w] (*pl* -ões) *f* prémonition *f*.

pré-natal [ˌprɛna'taw] (*pl* -ais) *adj* pour femme enceinte.

prenda ['prẽnda] *f* cadeau *m*.

prendado, da [prẽn'dadu, da] *adj* qui a toutes les qualités.

prender [prẽn'de(x)] *vt* [pessoa] arrêter ; [meter na prisão] emprisonner ; [atar] attacher. ◆ **prender-se** *vp* se prendre.

prenome [pre'nɔmi] *m* prénom *m*.

prenunciar [prenũsi'a(x)] *vt* (laisser) présager.

preocupação [preokupa'sɑ̃w] (*pl* -ões) *f* souci *m*.

preocupado, **da** [prioku'padu, da] *adj* préoccupé(e).

preocupar [preoku'pa(x)] *vt* préoccuper. ◆ **preocupar-se** *vp* se faire du souci ; **preocupar-se com** se préoccuper de.

preparação [prepara'sɑ̃w] (*pl* -ões) *f* préparation *f*.

preparado, **da** [prepa'radu, da] ◇ *adj* prêt(e). ◇ *m* préparation *f*.

preparar [prepa'ra(x)] *vt* préparer. ◆ **preparar-se** *vp* se préparer ; **preparar-se para algo** se préparer à qqch.

preposição [prepozi'sɑ̃w] (*pl* -ões) *f* préposition *f*.

prepotente [prepo'tẽntʃi] *adj* autoritaire.

presença [prezẽsj'a(x)] *f* présence *f* ; **na presença de** en présence de ; **presença de espírito** présence d'esprit.

presenciar [prezẽ'sja(x)] *vt* [acontecimento] assister à ; [crime] être témoin de.

presente [pre'zẽntʃi] ◇ *adj* présent(e). ◇ *m* [prenda] cadeau *m* ; GRAM présent *m*.

preservação [prezexva'sɑ̃w] (*pl* -ões) *f* préservation *f*.

preservar [prezex'va(x)] *vt* préserver.

preservativo [prezexva'tʃivu] *m* préservatif *m*.

presidência [prezi'dẽsja] *f* présidence *f*.

presidente [prezi'dẽntʃi] *mf* [de associação] président *m* ; [de empresa] P-DG *m* ; **Presidente da República** président de la République.

presidir [prezi'dʒi(x)] *vi* : **presidir a algo** présider à qqch.

presilha [pre'ziʎa] *f* passant *m* (*de ceinture*).

preso, **sa** ['prezu, za] ◇ *pp* ➤ **prender**. ◇ *adj* [atado] attaché(e) ; [capturado] prisonnier(ère) ; [que não se move] coincé(e). ◇ *m, f* prisonnier *m*, -ère *f*.

pressa ['prɛsa] *f* hâte *f* ; **estar com pressa** être pressé ; **estar sem pressa** ne pas être pressé ; **ter pressa** être pressé ; **às pressas** en vitesse.

presságio [pre'saʒju] *m* présage *m*.

pressão [pre'sɑ̃w] (*pl* -ões) *f* pression *f* ; **pressão arterial alta/baixa** hypertension *f* /hypotension *f* ; **pressão atmosférica** pression atmosphérique ; **pressão dos pneus** pression des pneus ; **estar sob pressão** être sous pression.

pressentimento [presẽntʃi'mẽntu] *m* pressentiment *m*.

pressentir [presẽn'tʃi(x)] *vt* pressentir.

pressionar [presjo'na(x)] *vt* [botão] presser ; [pessoa] faire pression sur.

pressões [pre'sõjʃ] ➤ **pressão**.

pressupor [presu'po(x)] *vt* présupposer.

prestação [preʃta'sɑ̃w] (*pl* -ões) *f* [de serviço] prestation *f* ; [de pagamento] versement *m* ; **pagar em prestações** payer à crédit.

prestar [preʃ'ta(x)] ◇ *vt* [ajuda] donner ; [serviço, contas] rendre ; [atenção] prêter. ◇ *vi* servir ; **não prestar para nada** ne servir à rien ; **não prestar** [comida] ne pas être bon. ◆ **prestar-se a** *vp + prep* se prêter à.

prestativo, **va** [preʃta'tʃivu, va] *adj* serviable.

prestes ['prɛʃtiʃ] *adj* : **estar prestes a fazer algo** être sur le point de faire qqch.

prestidigitador, **ra** [preʃtʃidʒiʒita'do(x), ra] (*mpl* -es, *fpl* -s) *m, f* prestidigitateur *m*, -trice *f*.

prestígio [preʃ'tiʒju] *m* prestige *m*.

presumir [prezu'mi(x)] *vt* présumer.

presunçoso, **osa** [prezũ'sozu, ɔza] *adj* présomptueux(euse).

presunto [pre'zũntu] *m* jambon *m*.

prêt-à-porter [preɛtapox'te] *m inv* [vestuário] prêt-à-porter *m*.

pretender [pretẽn'de(x)] *vt* avoir l'intention de ; **pretender fazer algo** avoir l'intention de faire qqch.

pretensão [pretẽn'sɑ̃w] (*pl* -ões) *f* souhait *m*. ◆ **pretensões** *fpl* prétention *f*.

pretérito [pre'tɛritu] *m* passé *m* ; **pretérito perfeito** [simples] passé simple ; **pretérito imperfeito** [simples] imparfait *m*.

pretexto [pre'teʃtu] *m* prétexte *m* ; **sob pretexto algum** sous aucun prétexte ; **a** OU **com o pretexto de** sous prétexte de.

preto, **ta** ['pretu, ta] ◇ *adj* [cor] noir(e) ; *pej* [de raça negra] nègre. ◇ *m* noir *m*. ◇ *m, f pej* nègre *m*, négresse *f* ; **pôr o preto no branco** mettre noir sur blanc.

prevalecer [prevale'se(x)] *vi* prévaloir.

prevenção [prevẽ'sɑ̃w] (*pl* -ões) *f* [de doença, acidente] prévention *f* ; [aviso] avertissement *m* ; **por prevenção** à titre préventif.

prevenido, **da** [preve'nidu, da] *adj* prévoyant(e) ; **estar prevenido** être prévoyant.

prevenir [preve'ni(x)] *vt* prévenir ; **prevenir alguém de algo** prévenir qqn de qqch.

preventivo, **va** [prevẽn'tʃivu, va] *adj* préventif(ive).

prever [pre've(x)] *vt* prévoir.

previamente [ˌprɛvja'mẽntʃi] *adv* préalablement.

previdência [previ'dẽnsja] *f* : **a Previdência Social** la sécurité sociale.

prévio, **via** ['prɛvju, vja] *adj* préalable.

previsão [previ'zɑ̃w] (*pl* -ões) *f* [de futuro] prédiction *f* ; [conjectura] prévision *f* ; **previsão do tempo** prévision du temps.

previsível [previ'zivɛw] (*pl* -eis) *adj* prévisible.

previsões ► **previsão**.

previsto, **ta** [pre'viʃtu, ta] *adj* prévu(e) ; **como previsto** comme prévu.

prezado, **da** [pre'zadu, da] *adj* cher(chère) ; **prezado...** [em carta] cher...

prima ► **primo**.

primário, **ria** [pri'marju, rja] *adj* primaire.

primavera [prima'vɛra] *f* [estação] printemps *m* ; [flor] primevère *f*.

primeira [pri'mejra] *f* première *f*, ► **primeiro**.

primeiro, **ra** [pri'mejru, ra] ◇ *adj* & *num* premier(ère) ; [chegar] en premier. ◇ *adv* d'abord. ◇ *m, f* : **o primeiro/a primeira da turma** le premier/la première de la classe ; **de primeira** du premier coup ; **à primeira vista** à première vue ; **de primeira** de premier ordre ; **em primeiro lugar** d'abord ; **primeiros socorros** premiers secours ; **primeiro que tudo** avant tout ► **sexto**.

primeiro-ministro, **primeira-ministra** [priˌmejrumi'niʃtru, priˌmejrami'niʃtra] (*mpl* **primeiros-ministros**, *fpl* **primeiras-ministras**) *m, f* Premier Ministre *m*.

primitivo, **va** [primi'tʃivu, va] *adj* primitif(ive).

primo, **ma** ['primu, ma] *m, f* cousin *m*, -e *f*.

primogênito, **ta** [primo'ʒenitu, ta] *m, f* aîné *m*, -e *f*.

princesa [prĩ'seza] *f* princesse *f*.

principal [prĩsi'paw] (*pl* -ais) *adj* principal(e).

principalmente [prĩsipaw'mẽntʃi] *adv* principalement.

príncipe ['prĩsipi] *m* prince *m*.

principiante [prĩsipi'ɐ̃ntʃi] *mf* débutant *m*, -e *f*.

principiar [prĩsipi'a(x)] ◇ *vt* commencer. ◇ *vi* débuter.

princípio [prĩ'sipju] *m* début *m* ; [moral] principe *m* ; **partir do princípio** partir du principe ; **a princípio** au début ; **desde o princípio** depuis le début ; **em princípio** en principe ; **por princípio** par principe.

prioridade [priori'dadʒi] *f* priorité *f* ; **prioridade de passagem** priorité.

prisão [prizɐ̃w] (*pl* -ões) *f* [ato] emprisonnement *m* ; [local] prison *f* ; **prisão de ventre** constipation *f*.

privação [priva'sɐ̃w] (*pl* -ões) *f* privation *f*. ◆ **privações** *fpl* privations *fpl*.

privacidade [privasi'dadʒi] *f* vie *f* privée.

privações ► **privação**.

privada [pri'vada] *f* toilettes *mpl*.

privado, **da** [pri'vadu, da] *adj* privé(e).

privar [pri'va(x)] *vt* : **privar alguém de algo** priver qqn de qqch. ◆ **privar-se de** *vp* + *prep* : **privar-se de algo** se priver de qqch.

privativo, **va** [priva'tʃivu, va] *adj* privatif(ive).

privilegiado, **da** [privileʒj'adu, da] *adj* privilégié(é).

privilegiar [privileʒi'a(x)] *vt* privilégier.

privilégio [privi'lɛʒju] *m* privilège *m*.

proa ['proa] *f* proue *f*.

probabilidade [probabili'dadʒi] *f* probabilité *f*.

problema [pro'blema] *m* problème *m* ; **ter problemas com** avoir des problèmes avec.

procedente [prose'dẽntʃi] *adj* : **procedente de** en provenance de.

proceder [prose'de(x)] *vi* procéder ; **proceder com** procéder avec.

processador [prosesa'do(x)] (*pl* -es) *m* : **processador de texto** traitement *m* de texte.

processamento [prosesa'mẽntu] *m* traitement *m*.

processar [prose'sa(x)] *vt* JUR faire un procès à ; INFORM traiter.

processo [pro'sɛsu] *m* [sistema] processus *m* ; [método] procédé *m* ; JUR procès *m*.

procissão [prosi'sɐ̃w] (*pl* -ões) *f* procession *f*.

proclamar [prokla'ma(x)] *vt* proclamer.

procura [pro'kura] *f* [busca] recherche *f* ; COM demande *f* ; **andar à procura de** chercher.

procurador, **ra** [prokura'do(x), ra] (*mpl* -es, *fpl* -s) *m, f* fondé *m* de pouvoir ; **procurador da República** procureur *m* de la République.

procurar [prɔku'ra(x)] *vt* chercher ; **procurar fazer algo** s'efforcer de faire qqch.

prodígio [pro'dʒiʒju] *m* prodige *m*.

produção [prudu'sɐ̃w] (*pl* -ões) *f* production *f*.

produtividade [produtʃivi'dadʒi] *f* productivité *f*.

produtivo, va [produ'tʃivu, va] *adj* productif(ive).

produto [pro'dutu] *m* produit *m* ; **produto alimentar** produit alimentaire ; **produto de limpeza** produit ménager ; **produto natural** produit naturel.

produtor, ra [produ'to(x), ra] (*mpl* -es, *fpl* -s) *m, f* producteur *m*, -trice *f*.

produzir [produ'zi(x)] *vt* produire.

proeminente [proimi'nẽntʃi] *adj* [saliente] proéminent(e) ; [figura] éminent(e) ; [aspecto] important(e) ; [papel] de premier plan.

proeza [pro'eza] *f* prouesse *f*.

profanar [profa'na(x)] *vt* profaner.

profecia [profe'sia] *f* prophétie *f*.

proferir [profe'ri(x)] *vt* proférer ; [sentença] rendre.

professor, ra [profe'so(x), ra] (*mpl* -es, *fpl* -s) *m, f* professeur *m*.

profeta [pro'fɛta] *m* prophète *m*.

profetisa [profe'tʃiza] *f* prophétesse *f*.

profilático, ca [profi'latiku, ka] *adj* prophylactique.

profissão [profi'sɑ̃w] (*pl* -ões) *f* profession *f*.

profissional [profisjo'naw] (*pl* -ais) *adj* & *mf* professionnel(elle).

profissões ► **profissão**.

profundidade [profũndʒi'dadʒi] *f* profondeur *f* ; **ter três metros de profundidade** avoir trois mètres de profondeur.

profundo, da [pro'fũndu, da] *adj* profond(e).

prognóstico [prog'nɔʃtʃiku] *m* pronostic *m*.

programa [pro'grama] *m* programme *m* ; [de televisão, rádio] émission *f*.

programação [programa'sɑ̃w] (*pl* -ões) *f* [em televisão, rádio] programme *m* ; INFORM programmation *f*.

progredir [progre'di(x)] *vi* progresser ; **progredir em** progresser en.

progresso [pro'grɛsu] *m* progrès *m* ; **fazer progressos** faire des progrès.

proibição [proibi'sɑ̃w] (*pl* -ões) *f* interdiction *f*.

proibido, da [proi'bidu, da] *adj* interdit(e) ; **'proibida a entrada'** 'entrée interdite' ; **'é proibido afixar anúncios'** 'défense d'afficher' ; **'proibido estacionar'** 'stationnement interdit' ; **'proibido fumar'** 'interdit de fumer' ; **'proibido para menores de 18'** 'interdit aux moins de 18 ans'.

proibir [proi'bi(x)] *vt* interdire ; **proibir alguém de fazer algo** interdire OU défendre à qqn de faire qqch.

projeção [proʒe'sɑ̃w] (*pl* -ões) *f* projection *f*.

projeções ► **projeção**.

projétil [pro'ʒɛtʃiw] (*pl* -teis) *m* projectile *m*.

projeto [pro'ʒɛtu] *m* projet *m*.

projetor [proʒe'to(x)] (*pl* -es) *m* projecteur *m*.

proliferar [prolife'ra(x)] *vi* proliférer.

prólogo ['prɔlogu] *m* prologue *m*.

prolongado, da [prolõŋ'gadu, da] *adj* prolongé(e).

prolongar [prolõŋ'ga(x)] *vt* prolonger. ◆ **prolongar-se** *vp* se prolonger.

promessa [pro'mɛsa] *f* promesse *f*.

prometer [prome'te(x)] *vt* promettre ; **prometer algo a alguém** promettre qqch à qqn ; **prometer fazer algo** promettre de faire qqch ; **prometer que** promettre que.

promíscuo, cua [pro'miʃkwu, kwa] *adj* aux mœurs légères.

promissor, **ra** [promi'so(x), ra] (*mpl* -es, *fpl* -s) *adj* [pessoa] qui promet ; [futuro] prometteur(euse).

promoção [promo'sɑ̃w] (*pl* -ões) *f* promotion *f* ; **em promoção** en promotion.

promontório [promõn'tɔrju] *m* promontoire *m*.

promover [promo've(x)] *vt* promouvoir.

pronome [pro'nomi] *m* pronom *m*.

prontidão [prõntʃi'dɑ̃w] *f* : **estar de prontidão** être sur ses gardes.

pronto, **ta** ['prõntu, ta] ◇ *adj* prêt(e). ◇ *interj* ça y est ! ; **estar pronto** être prêt ; **estar pronto para fazer algo** être prêt à faire qqch ; **pronto, pronto!** bon!, bon !

pronto-socorro [ˌprõntuso'koxu] *m* ≃ SAMU *m*.

pronúncia [pro'nũsja] *f* prononciation *f*.

pronunciar [pronũsi'a(x)] *vt* prononcer. ◆ **pronunciar-se** *vp* se prononcer.

propaganda [propa'gɑ̃nda] *f* [de produto] publicité *f* ; POL propagande *f*.

propensão [propẽn'sɑ̃w] (*pl* -ões) *f* propension *f*.

propina [pro'pina] *f* gratification *f*.

propor [pro'po(x)] *vt* proposer.

proporção [propor'sɑ̃w] (*pl* -ões) *f* proportion *f* ; **em proporção** en proportion. ◆ **proporções** *fpl* proportions *fpl*.

proporcional [propoxsjo'naw] (*pl* -ais) *adj* proportionnel(elle) ; **proporcional a** proportionnel à.

propósito [pro'pɔzitu] *m* propos *m* ; **com o propósito de** dans le but de ; **a propósito** à propos ; **de propósito** exprès.

propriedade [proprie'dadʒi] *f* propriété *f* ; **'propriedade privada'** 'propriété privée'.

proprietário, **ria** [proprie'tarju, rja] *m*, *f* propriétaire *mf*.

próprio, **pria** ['prɔpriu, pria] ◇ *adj* [carro, casa] personnel(elle) ; [hora, momento] bon(bonne) ; [característico] propre. ◇ *m*, *f* : **em presença do próprio** en présence de l'intéressé ; **próprio para** adapté à ; **eu próprio** moi-même ; **o próprio presidente** le président lui-même ; **é o próprio** c'est lui-même.

prosa ['prɔza] *f* prose *f*.

prospecto [proʃ'pɛ(k)tu] *m* prospectus *m*.

prosperar [proʃpe'ra(x)] *vi* prospérer.

prosperidade [proʃperi'dadʒi] *f* prospérité *f*.

prosseguir [prose'gi(x)] ◇ *vt* poursuivre. ◇ *vi* continuer ; **prosseguir com algo** poursuivre qqch.

prostituta [proʃtʃi'tuta] *f* prostituée *f*.

protagonista [protago'niʃta] *mf* [em filme, livro] héros *m*, héroïne *f* ; [em acontecimento] protagoniste *mf*.

proteção [prote'sɑ̃w] (*pl* -ões) *f* protection *f*.

proteções ► **proteção**.

proteger [prote'ʒe(x)] *vt* protéger.

proteína [protɛ'ina] *f* protéine *f*.

prótese ['prɔtezi] *f* prothèse *f* ; **prótese dentária** prothèse dentaire.

protestante [proteʃ'tɑ̃ntʃi] *adj* & *mf* protestant(e).

protestar [proteʃ'ta(x)] *vi* protester ; **protestar contra** protester contre.

protesto [pro'tɛʃtu] *m* protestation *f*.

protetor, **ra** [prote'to(x), ra] (*mpl* -es,

fpl -s) <> *m, f* protecteur *m*, -trice *f*. <> *m* [de sapato] fer *m* ; **protetor (solar)** crème *f* solaire.

protocolo [proto'kɔlu] *m* **1.** [ger] protocole *m* ; **quebrar o protocolo** rompre le protocole - **2.** [registro] inscription *f* - **3.** [recibo] enregistrement *m* - **4.** [setor] consignation *f* - **5.** INFORM protocole *m*.

protuberância [protube'rɑ̃nsja] *f* protubérance *f*.

prova ['prɔva] *f* preuve *f* ; **prova final** examen *m* de fin d'année ; **à prova de** à l'épreuve de ; **dar provas de** faire preuve de ; **pôr à prova** mettre à l'épreuve ; **prestar provas** passer des examens.

provar [pro'va(x)] *vt* [fato] prouver ; [comida] goûter ; [roupa] essayer.

provável [pro'vavɛw] (*pl* -eis) *adj* probable ; **pouco provável** peu probable.

provedor, ra [prove'do(x), ra] *m* fournisseur *m* ; **provedor de acesso** INFORM fournisseur d'accès à Internet *m*, FAI.

proveito [pro'vejtu] *m* profit *m* ; **bom proveito!** bon appétit ! ; **em proveito de** au profit de ; **tirar proveito de algo** tirer profit de qqch.

proveniente [provenj'ẽntʃi] *adj* : **proveniente de** provenant de.

provérbio [pro'vɛrbju] *m* proverbe *m*.

prover-se [pro'vexsi] ◆ **prover-se de** *vp + prep* [abastecer-se de] s'approvisionner en ; [munir-se de] se munir de.

proveta [pro'veta] *f* éprouvette *f*.

providência [provi'dẽsja] *f* disposition *f* ; **tomar providências** prendre des dispositions.

providenciar [providẽsj'a(x)] <> *vt* pourvoir. <> *vi* : **providenciar para que** prendre des dispositions pour que.

província [pro'vĩsja] *f* province *f*.

provisório, ria [provi'zɔrju, rja] *adj* provisoire.

provocador, ra [provoka'do(x), ra] (*mpl* -es, *fpl* -s) *adj* provocateur(trice).

provocante [provo'kɑ̃ntʃi] *adj* provocant(e).

provocar [provo'ka(x)] *vt* provoquer.

provolone [provo'loni] *m* provolone *m (fromage italien au lait de vache)*.

proximidade [prosimi'dadʒi] *f* proximité *f*. ◆ **proximidades** *fpl* : **nas proximidades de** près de.

próximo, ma ['prɔsimu, ma] <> *adj* [em espaço, tempo, intimidade] proche ; [seguinte] prochain(e). <> *pron* : **o próximo/a próxima** le prochain/la prochaine ; **até à próxima!** à la prochaine ! ; **nos próximos dias/meses** les jours/les mois prochains ; **próximo de** proche de.

proxy ['proʃi] (*pl* **proxies**) *m* INFORM serveur proxy *m*.

prudência [pru'dẽsja] *f* prudence *f*.

prudente [pru'dẽntʃi] *adj* prudent(e).

prurido [pru'ridu] *m* démangeaison *f*.

P.S. (*abrev de* **Post Scriptum**) PS *m*.

pseudônimo [psew'donimu] *m* pseudonyme *m*.

psicanálise [psika'nalizi] *f* psychanalyse *f*.

psicanalista [psikana'liʃta] *mf* psychanalyste *mf*.

psicologia [psikolo'ʒia] *f* psychologie *f*.

psicológico, ca [psiko'lɔʒiku, ka] *adj* psychologique.

psicólogo, ga [psi'kɔlogu, ga] *m, f* psychologue *mf*.

psiquiatra [psi'kjatra] *mf* psychiatre *mf*.

psiu [psiw] *interj* chut !

puberdade [puber'dadʒi] *f* puberté *f*.

publicação [publika'sɑ̃w] (*pl* -ões) *f* publication *f*.

publicar [publi'ka(x)] *vt* publier.

publicidade [publisi'dadʒi] *f* publicité *f*.

público, **ca** ['publiku, ka] ◇ *adj* public(ique). ◇ *m* public *m* ; **o público em geral** le grand public ; **tornar público algo** rendre qqch public ; **em público** en public.

pude ['pudʒi] ▶ **poder**.

pudim [pu'dʒĩ] (*pl* -ns) *m* flan *m* ; **pudim de leite** *pouding au lait concentré*.

puf ['pufi] *interj* pff !

pugilismo [puʒi'liʒmu] *m* boxe *f*.

puído, **da** ['pwidu, da] *adj* usé(e).

pular [pu'la(x)] *vt* & *vi* sauter.

pulga ['puwga] *f* puce *f*.

pulmão [puw'mɑ̃w] (*pl* -ões) *m* poumon *m*.

pulo ['pulu] *m* saut *m* ; **dar pulos** sauter ; **dar um pulo a** OU **até** faire un saut à.

pulôver [pu'lovɛ(x)] (*pl* -es) *m* pullover *m*.

pulsação [puwsa'sɑ̃w] (*pl* -ões) *f* pulsation *f*.

pulseira [puw'sejra] *f* bracelet *m*.

pulso ['puwsu] *m* pouls *m* ; [punho] poignet *m* ; **medir** OU **tomar o pulso de alguém** prendre le pouls à qqn ; [de chamada telefônica] unité *f*.

pulverizar [puwveri'za(x)] *vt* pulvériser.

punha ['puɲa] ▶ **pôr**.

punhado [pu'ɲadu] *m* : **um punhado de** une poignée de.

punhal [pu'ɲaw] (*pl* -ais) *m* poignard *m*.

punho ['puɲu] *m* poignet *m* ; [mão fechada] poing *m* ; [de arma, faca] manche *m*.

punição [puni'sɑ̃w] (*pl* -ões) *f* punition *f*.

punir [pu'ni(x)] *vt* punir.

pupila [pu'pila] *f* pupille *f*.

purê [pu're] *m* purée *f* ; **purê (de batata)** purée (de pommes de terre).

pureza [pu'reza] *f* pureté *f*.

purgante [pux'gɑ̃ntʃi] *m* purgatif *m*.

purificador, **ra** [purifika'do(x), ra] (*mpl* -es, *fpl* -s) ◇ *adj* purificateur(trice). ◇ *m* : **purificador de ar** désodorisant *m*.

purificar [purifi'ka(x)] *vt* purifier.

puritano, **na** [puri'tanu, na] *adj* puritain(e).

puro, **ra** ['puru, ra] *adj* pur(e) ; **pura lã** pure laine ; **a pura verdade** la pure vérité ; **pura e simplesmente** purement et simplement.

puro-sangue [ˌpuru'sɑ̃ŋgi] *m inv* pursang *m inv*.

púrpura ['puxpura] *f* [tecido] pourpre *f* ; [cor] pourpre *m*.

pus¹ ['puʃ, 'puʃ] *m* pus *m*.

pus² ['puʃ] ▶ **pôr**.

puta ['puta] *f vulg* putain *f*.

puxador [puʃa'do(x)] (*pl* -es) *m* poignée *f* ; **puxador de samba-enredo** *chanteur qui rappelle aux danseurs de son école de samba les paroles de la samba-thème chantée tout au long du carnaval*.

puxão [pu'ʃɑ̃w] (*pl* -ões) *m* : **dar um puxão a algo** tirer qqch.

puxar [pu'ʃa(x)] ◇ *vt* [cabelo, cordel] tirer ; [banco, cadeira] prendre. ◇ *vi* : **puxar de algo** sortir qqch ; **'puxe'** 'tirez' ; **puxar o saco de alguém** *fam* lêcher les bottes à qqn.

puxões [pu'ʃõjʃ] ▶ **puxão**.

Q

q.b. (*abrev de* **quanto baste**) suffisamment.

Q.I. *m* (*abrev de* **quociente de inteligência**) QI *m*.

quadra ['kwadra] *f* [em poesia] quatrain *m* ; **quadra de jogos** aire *f* de jeux ; **quadra de tênis/squash** terrain *m* de tennis/squash.

quadrado, **da** [kwa'dradu, da] ◇ *adj* carré(e). ◇ *m* carré *m*.

quadragésimo, **ma** [kwadra'ʒɛzimu, ma] *num* quarantième, ► **sexto**.

quadril [kwa'driw] (*pl* -is) *m* hanche *f*.

quadro ['kwadru] *m* tableau *m*.

quadro-negro [ˌkwadru'negru] (*pl* **quadros-negros**) *m* tableau *m (à l'école)*.

quaisquer ► **qualquer**.

qual [kwaw] (*pl* -ais) ◇ *adj* quel(quelle). ◇ *conj fml* [como] comme. ◇ *interj* comment ? ◇ *pron* [em interrogativa] quel(quelle) ; **o/a qual** [sujeito] lequel(laquelle) ; **comprou um carro, o qual é muito rápido** il a acheté une voiture qui va très vite ; **é o livro do qual lhe falei** [complemento] c'est le livre dont je t'ai parlé ; **o amigo com o qual falava** l'ami auquel je parlais ; **cada qual** chacun(chacune) ; **cada qual por si** chacun pour soi ; **qual deles?** lequel ? ; **qual nada!** mais non !

qualidade [kwali'dadʒi] *f* qualité *f* ; [espécie] type *m* ; **na qualidade de** en qualité de, en tant que.

qualificação [kwalifika'sɑ̃w] (*pl* -ões) *f* qualification *f*.

qualificado, **da** [kwalifi'kadu, da] *adj* qualifié(e).

qualquer [kwaw'kɛ(x)] (*pl* **quaisquer**) ◇ *adj* n'importe quel(n'importe quelle). ◇ *pron* n'importe lequel(n'importe laquelle) ; **está em qualquer lugar** c'est quelque part ; **qualquer um deles** n'importe lequel d'entre eux ; **qualquer um** OU **pessoa** n'importe qui ; **a qualquer momento** n'importe quand.

quando ['kwɑ̃ndu] ◇ *adv* quand. ◇ *conj* [no momento, época em que] quand ; [apesar de que] alors que ; [ao passo que] tandis que ; **de quando em quando** de temps en temps ; **desde quando** depuis quand ; **quando quer que** quand ; **quando mais não seja** au moins ; **quando muito** tout au plus.

quanta ► **quanto**.

quantia [kwɑ̃n'tʃia] *f* montant *m*.

quantidade [kwɑ̃ntʃi'dadʒi] *f* quantité *f* ; **em quantidade** en quantité.

quanto, **ta** ['kwɑ̃ntu, ta] ◇ *adj* **1.** [em interrogativas] combien de ; **quanto tempo temos?** combien de temps avons-nous ? ; **quanto tempo temos de esperar?** combien de temps devons-nous attendre ? ; **quantas vezes você veio aqui?** combien de fois es-tu venu ici ? - **2.** [em exclamações] que de ; **quanto dinheiro!** que d'argent ! ; **quantos erros!** que d'erreurs ! - **3.** [compara quantidades] : **tanto... quanto...** autant... que... - **4.** [em locuções] : **uns quantos/umas quantas** quelques. ◇ *pron* **1.** [em interrogativas] combien ; **quanto custam?** combien coûtent-ils ? ; **quanto quer?** combien veux-tu ? ; **quantos quer?** combien en veux-tu ? - **2.** [relativo a pessoas] : **agradeceu a todos quantos o ajudaram** il a remercié tous ceux qui l'ont aidé - **3.** [tudo o que] tout ce que ; **coma quanto/quantos você quiser** mange tout ce/tous ceux que tu veux ; **tudo**

quanto ele disse é verdade tout ce qu'il a dit est vrai - **4.** [compara quantidades] : **quanto mais se tem, mais se quer** plus on en a, plus on en veut - **5.** [em locuções] : **quanto a** quant à ; **o quanto antes** dès que possible ; **quantos mais melhor** plus on est, mieux c'est ; **quanto mais não seja** au moins ; **uns quantos** quelques-uns.

quarenta [kwa'rẽnta] *num* quarante, ► **seis.**

quarentena [kwarẽn'tena] *f* quarantaine *f*.

Quaresma [kwa'rɛʒma] *f* carême *m*.

quarta ['kwarta] ◇ *f* quatrième *f*. ◇ *num* ► **quarto.**

quarta-feira [ˌkwaxta'fejra] (*pl* **quartas-feiras**) *f* mercredi *m*, ► **sexta-feira.**

quarteirão [kwaxtej'rɑ̃w] (*pl* -ões) *m* [quantidade] quart *m* d'un cent ; [área] pâté *m* de maison.

quartel [kwax'tɛw] (*pl* -éis) *m* caserne *f*.

quarteto [kwax'tetu] *m* [em música] quatuor *m* ; [de jazz] quartette *m*.

quarto, ta ['kwaxtu, ta] ◇ *num* quatrième. ◇ *m* [divisão de casa] chambre *f* ; [parte] quart *m* ; **'quarto para alugar'** 'chambre à louer' ; **quarto de casal** chambre double ; **quarto com duas camas** chambre à deux lits ; **quarto de hora** quart d'heure ; **quarto de quilo** demie-livre *f* ► **sexto.**

quartzo ['kwaxtsu] *m* quartz *m*.

quase ['kwazi] *adv* presque ; **quase nada** presque rien ; **quase nunca** presque jamais ; **quase quase** presque ; **ele quase que caía** il a failli tomber ; **quase sempre** presque toujours.

quatro ['kwatru] *num* quatre, ► **seis.**

quatrocentos, tas [ˌkwatro'sẽntuʃ, taʃ] *num* quatre cents, ► **seis.**

que [ki] ◇ *adj inv* quel(quelle) ; **que dia é hoje?** quel jour sommes-nous ? ; **que horas são?** quelle heure est-il ? ; **mas que belo dia!** mais quelle belle journée ! ; **que fome!** quelle faim ! ; **que maravilha!** quelle merveille ! ; **que bonito!** que c'est beau ! ◇ *pron* **1.** [ger] que ; **que é isso?** qu'est-ce que c'est que ça ? ; **que você quer?** que veux-tu ? ; **que vai comer?** que vas-tu manger ? ; **que diz a isto?** qu'est-ce que tu en dis ? ; **o bolo que comi era ótimo** le gâteau que j'ai mangé était très bon ; **o homem que conheci** l'homme que j'ai connu - **2.** [uso relativo: sujeito] qui ; **o homem que corre** l'homme qui court. ◇ *conj* **1.** [ger] que ; **confessou que me tinha enganado** il a avoué qu'il m'avait trompé ; **pediu-me tanto que acabei por lhe dar** il me l'a tellement demandé que j'ai fini par le lui donner ; **há horas que estou à espera** ça fait des heures que j'attends ; **há muito que não vou lá** ça fait longtemps que je n'y vais pas ; **espero que você se divirta** j'espère que tu t'amuses ; **quero que você o faça** je veux que tu le fasses ; **que seja feliz!** tous mes vœux de bonheur ! - **2.** [em comparações] : **(do) que** que ; **é mais caro (do) que o outro** c'est plus cher que l'autre - **3.** [exprime causa] : **leve o guarda-chuva que está chovendo** prends ton parapluie, il pleut ; **vá depressa que está atrasado** fais vite, tu es en retard - **4.** [em locuções] : **que nem** comme.

quê ['ke] ◇ *interj* quoi ! ◇ *pron* [interrogativo] quoi. ◇ *m* [algo] : **um quê** quelque chose ; **um quê de** un soupçon de ; **um não sei quê** quelque chose ; **sem quê nem para quê** sans raison ; **não tem de quê!** il n'y a pas de quoi !

quebra-cabeça [ˌkɛbraka'besa] *m* casse-tête *m inv*.

quebrado, **da** [ke'bradu, da] *adj* cassé(e).

quebra-mar [ˌkɛbra'ma(x)] (*pl* **quebra-mares**) *m* brise-lames *m inv*.

quebra-nozes [ˌkɛbra'nɔziʃ] *m inv* casse-noix *m inv*.

quebrar [ke'bra(x)] *vt* casser ; **'quebrar em caso de emergência'** 'briser en cas d'urgence' ; **quebrar a cara** *fig* casser la figure. ◆ **quebrar-se** *vp* se casser.

queda ['kɛda] *f* chute *f* ; **ter queda para** *fig* avoir le sens de.

queijo ['kejʒu] *m* fromage *m* ; **queijo curado** fromage affiné ; **queijo de cabra** fromage de chèvre ; **queijo estepe** fromage au lait de vache légèrement piquant ; **queijo fresco** fromage frais ; **queijo meia-cura** fromage semi-affiné ; **queijo de ovelha** fromage de brebis ; **queijo prato** fromage à pâte cuite ; **queijo ralado** fromage râpé.

queijo-de-minas [ˌkejʒudʒi'minaʃ] *m* *fromage maigre typique du Brésil*.

queimado, **da** [kej'madu, da] *adj* brûlé(e) ; [pelo sol] bronzé(e).

queimadura [kejma'dura] *f* brûlure *f* ; **queimadura solar** coup *m* de soleil.

queimar [kej'ma(x)] *vt* brûler ; [pele] bronzer. ◆ **queimar-se** *vp* se brûler ; [com sol] bronzer.

queima-roupa [ˌkejma'xopa] *f* : **à queima-roupa** à bout portant.

queixa ['kejʃa] *f* plainte *f* ; **apresentar queixa** déposer une plainte ; **fazer queixa de alguém a alguém** se plaindre de qqn à qqn.

queixar-se [kej'ʃaxsi] *vp* se plaindre ; **queixar-se a alguém** se plaindre à qqn ; **queixar-se de** se plaindre de.

queixo ['kejʃu] *m* menton *m* ; **bater o queixo** claquer des dents.

queixoso, **osa** [kej'ʃozu, ɔza] *m, f* plaignant *m*, -e *f*.

quem ['kẽj] *pron* qui ; **quem diria!** qui l'aurait dit ! ; **quem é?** qui est-ce ? ; **quem fala?** qui est à l'appareil ? ; **quem me dera...** si seulement... ; **quem quer que** quiconque ; **seja quem for** qui que ce soit.

quentão [kẽn'tɑ̃w] *m* *eau-de-vie de canne à sucre, servie chaude avec de la cannelle et du gingembre, notamment pendant les fêtes de juin*.

quente ['kẽntʃi] *adj* chaud(e).

quentinha [kẽn'tʃiɲa] *f* snack *m* *(emballage alimentaire conservant la chaleur)*.

quentões ► **quentão**.

queque ['kɛki] *m* cake *m*.

quer [kɛ(x)] *conj* : **quer... quer...** que... que... ; **quem quer que seja** qui que ce soit ; **onde quer que seja** où que ce soit ; **o que quer que seja** quoi que ce soit.

querer [ke're(x)] *vt* vouloir ; **como quiser!** comme tu voudras! ; **por favor, queria...** s'il vous plaît, je voudrais... ; **sem querer** sans le faire exprès ; **querer muito a alguém** aimer beaucoup qqn ; **querer bem a alguém** aimer bien qqn ; **querer mal a alguém** en vouloir à qqn ; **querer dizer** vouloir dire. ◆ **querer-se** *vp* s'aimer ; **querer-se muito** s'adorer.

querido, **da** [ke'ridu, da] *adj* chéri(e) ; [em carta] cher(chère).

quermesse [kex'mɛsi] *f* kermesse *f*.

querosene [kɛro'zɛni] *m* kérozène *m*.

questão [keʃ'tɑ̃w] (*pl* -ões) *f* question *f* ; [conflito] histoire *f* ; **há questão de 2 minutos** il y a tout juste 2 minutes ; **fazer questão de (fazer algo)** tenir (à faire qqch) ; **pôr algo em questão** mettre qqch en question ; **ser uma questão de** être question de ; **em questão** en question.

quiabo [kj'abu] *m* gombo *m (plante potagère tropicale)*.

quibe ['kibi] *m boulette de blé concassé, viande hachée crue, épices, noix de pin, oignons*.

quiçá [ki'sa] *adv* peut-être.

quieto, **ta** [kj'ɛtu, ta] *adj* tranquille ; **ficar quieto** ne pas bouger.

quietude [kje'tudʒi] *f* quiétude *f*.

quilate [ki'latʃi] *m* carat *m*.

quilo ['kilu] *m* kilo *m* ; **ao quilo** au kilo.

quilometragem [kilome'traʒẽ] (*pl* -ns) *f* kilométrage *m*.

quilômetro [ki'lometru] *m* kilomètre *m*.

química ['kimika] *f* chimie *f*, ► **químico**.

químico, **ca** ['kimiku, ka] *m, f* chimiste *mf*.

quindim [kĩn'dʒĩ] (*pl* -ns) *m gâteau à la noix de coco*.

quinhão [ki'ɲɑ̃w] (*pl* -ões) *m* part *f*.

quinhentos, **tas** [ki'ɲẽntuʃ, taʃ] *num* cinq cents, ► **seis**.

quinhões [ki'ɲõjʃ] ► **quinhão**.

qüinquagésimo, **ma** [kwiŋkwa'ʒɛzimu, ma] *num* cinquantième, ► **sexto**.

quinquilharias [kĩŋkiʎa'riaʃ] *fpl* quincaillerie *f*.

quinta ['kĩnta] ◇ *f* ferme *f*. ◇ *num* ► **quinto**.

quinta-feira [ˌkĩnta'fejra] (*pl* **quintas-feiras**) *f* jeudi *m*, ► **sexta-feira**.

quintal [kĩn'taw] (*pl* -ais) *m* [terreno] jardin *m* potager.

quinteto [kĩn'tetu] *m* quintette *m* ; [de jazz] quintet *m*.

quinto, **ta** ['kĩntu, ta] *num* cinquième, ► **sexto**.

quinze ['kĩzi] *num* quinze ; **quinze dias** quinze jours.

quinzena [kĩ'zena] *f* quinzaine *f*.

quiosque ['kjɔʃki] *m* kiosque *m*.

quis ['kiʃ] ► **querer**.

quisto ['kiʃtu] *m* kyste *m*.

quitanda [ki'tɑ̃nda] *f* épicerie *f*.

quite ['kitʃi] *adj* : **estar quite (com alguém)** être quitte (avec qqn).

quitinete ['kitʃinetʃi] *f* kitchenette *f*.

quociente [kwo'sjẽntʃi] *m* quotient *m*.

quota ['kwɔta] *f* [parte] quota *m* ; [de clube] cotisation *f*.

R

R. (*abrev de* **rua**) R.

rã ['xɑ̃] *f* grenouille *f*.

rabada [xa'bada] *f* queue de poisson *f*, culotte *f* de bœuf, selle *f* de mouton *(boucherie)*.

rabanada [xaba'nada] *f* pain perdu *m (dessert)*, coup de queue *m (bousculade)* ; **rabanada de vento** rafale de vent.

rabanete [xaba'netʃi] *m* radis *m*.

rabeca [xa'bɛka] *f* rebec *m*.

rabino, **na** [xa'binu] ◇ *adj* espiègle. ◇ *m* rabbin *m*.

rabiscar [xabiʃ'ka(x)] *vt* & *vi* griffonner.

rabisco [xa'biʃku] *m* griffonnage *m*.

rabo ['xabu] *m* queue *f* ; *fam* derrière *m*.

rabo-de-cavalo [ˌxabudʒika'valu] *m* catogan *m*.

rabugento, **ta** [xabu'ʒẽntu, ta] *adj* bougon(onne).

raça ['xasa] *f* race *f* ; **de raça** de race.

ração [xa'sɑ̃w] (*pl* -ões) *f* ration *f*.

rachadura [xaʃa'dura] *f* fente *f* ; [em parede, muro] fissure *f*.

rachar [xa'ʃa(x)] *vt* couper.

raciocínio [xasjo'sinju] *m* raisonnement *m*.

racional [xasjo'naw] (*pl* -ais) *adj* rationnel(elle).

racismo [xa'siʒmu] *m* racisme *m*.

rações ► **ração**.

radar [xa'da(x)] (*pl* -es) *m* radar *m*.

radiação [xadʒja'sɑ̃w] (*pl* -ões) *f* radiation *f*.

radiador [xadʒja'do(x)] (*pl* -es) *m* radiateur *m*.

radiante [xadʒj'ɑ̃ntʃi] *adj* radieux(euse).

radical [xadʒi'kaw] (*pl* -ais) *adj* radical(e).

rádio ['xadʒju] ◇ *m* [telefonia] radio *f*. ◇ *f* [emissora] radio *f*.

radioativo, **va** [ˌxadʒjoa'tʃivu, va] *adj* radioactif(ive).

rádio-despertador [ˌxadʒjodjiʃpexta'do(x)] (*pl* **rádio-despertadores**) *m* radio-réveil *m*.

radiodifusão [xadʒodʒifu'zɑ̃w] *f* radiodifusion *f*.

radiografia [ˌxadʒjogra'fia] *f* radiographie *f*.

rádio-relógio [ˌxadʒjoxe'lɔʒju] (*pl* **rádio-relógios**) *m* radio-réveil *m*.

radiotáxi [ˌxadʒjo'taksi] *m* radio-taxi *m*.

ráfia ['xafja] *f* raphia *m*.

rafting ['xaftĩŋ] *m* rafting *m*.

raia ['xaja] *f* raie *f (poisson)*.

rainha [xa'iɲa] *f* reine *f*.

raio ['xaju] *m* rayon *m* ; [relâmpago] foudre *f* ; **raios X** rayons X.

raiva ['xajva] *f* rage *f* ; **ter raiva de alguém** haïr qqn.

raivoso, **osa** [xaj'vozu, ɔza] *adj* enragé(e).

raiz [xa'iʃ] (*pl* -es) *f* **1.** [ger] racine *f* ; **cortar o mal pela raiz** *fig* couper le mal à la racine ; **criar raízes** *fig* prendre racine, s'enraciner ; **raiz quadrada** racine carrée *f* - **2.** [origem] les racines *fpl*, origines *fpl*.

rajada [xa'ʒada] *f* rafale *f*.

ralador [xala'do(x)] (*pl* -es) *m* râpe *f*.

ralar [xa'la(x)] *vt* râper. ◆ **ralar-se** *vp fig* s'en faire ; **não me ralo com isso** je ne m'en fais pas.

ralé [xa'lɛ] *f* engeance *f*.

ralhar [xa'ʎa(x)] *vi* râler ; **ralhar com alguém** gronder qqn.

rali [xa'li] *m* rallye *m*.

ralo, **la** ['xalu, la] ◇ *adj* [café] léger(ère) ; [sopa] liquide. ◇ *m* [de banheira, lavatório] bonde *f* ; **ter o cabelo ralo** ne pas avoir beaucoup de cheveux.

RAM (*abrev de* **Random Access Memory**) *f* RAM *f*.

rama ['xɑ̃ma] *f* branche *f*.

ramalhete [xama'ʎetʃi] *m* bouquet *m*.

ramificar [xamifi'ka(x)] *vt* développer. ◆ **ramificar-se** *vp* se développer.

ramo ['xamu] *m* branche *f* ; **mudar de ramo** se reconvertir.

rampa ['xɑ̃mpa] *f* rampe *f*.

rancho ['xɑ¨nʃu] *m* [de pessoas] tas *m* ; **rancho folclórico** groupe *m* folklorique.

ranço ['xɑ̃nsu] *m* rance *m*.

rancor [xɑ̃ŋ'ko(x)] (*pl* -es) *m* rancœur *f*.

rancoroso, **osa** [xãŋko'rozu, ɔza] *adj* rancunier(ère).

rançoso, **osa** [xã'sozu, ɔza] *adj* rance.

ranhura [xa'ɲura] *f* [em madeira, parede] rainure *f* ; [em telefone público] fente *f (pour insérer la monnaie)*.

rapar [xa'pa(x)] *vt* raser ; [raspar] racler.

rapaz [xa'paʒ] (*pl* -es) *m* garçon *m*.

rapé [xa'pɛ] *m* tabac *m* à priser.

rapidez [xapi'deʃ] *f* rapidité *f*.

rápido, **da** ['xapidu, da] ◇ *adj* rapide. ◇ *m* rapide *m*. ◇ *adv* vite.

raposa [xa'poza] *f* renard *m*.

rapsódia [xap'sɔdʒja] *f* rapsodie *f*.

raptar [xap'ta(x)] *vt* enlever.

rapto ['xaptu] *m* enlèvement *m*.

raquete [xa'kɛtʃi] *f* raquette *f*.

raquítico, **ca** [xa'kitʃiku, ka] *adj* & *m, f* rachitique.

raramente [ˌxara'mẽntʃi] *adv* rarement.

rarefeito, **ta** [xare'fejtu, ta] *adj* raréfié(e).

raridade [xari'dadʒi] *f* rareté *f*.

raro, **ra** ['xaru, ra] *adj* rare ; [pouco espesso] liquide ; **raras vezes** rarement.

rascunhar [xaʃku'ɲa(x)] *vt* griffonner.

rascunho [xaʃ'kuɲu] *m* brouillon *m*.

rasgado, **da** [xaʒ'gadu, da] *adj* [tecido, folha] déchiré(e) ; [sorriso] grand(e).

rasgão [xaʒ'gãw] (*pl* -ões) *m* [em tecido, folha] déchirure *f* ; [em pele] entaille *f*.

rasgar [xaʒ'ga(x)] *vt* déchirer. ◆ **rasgar-se** *vp* se déchirer.

rasgões [xaʒ'gõjʃ] ► **rasgão**.

raso, **sa** ['xazu, za] *adj* plat(e) ; [cheio até a borda] ras(e) ; [superfície] plan(e).

raspa ['xaʃpa] *f* zeste *m*.

raspar [xaʃ'pa(x)] *vt* râper.

rasteira [xaʃ'tejra] *f* croche-pied *m* ; **passar uma rasteira em alguém** faire un croche-pied à qqn.

rasteiro, **ra** [xaʃ'tejru, ra] *adj* rampant(e).

rastejante [xaʃte'ʒãntʃi] *adj* rampant(e).

rastejar [xaʃte'ʒa(x)] *vi* ramper.

rastro ['xaʃtru] *m* trace *f*.

ratazana [xata'zana] *f* rat *m*.

raticida [xati'sida] *m inv* mort-aux-rats *f inv*.

rato ['xatu] *m* souris *f*.

ravina [xa'vina] *f* ravin *m*.

razão [xa'zãw] (*pl* -ões) *f* raison *f* ; **dar razão a alguém** donner raison à qqn ; **não ter razão de ser** n'avoir aucune raison d'être ; **ter razão** avoir raison ; **com razão** à raison ; **sem razão** sans raison.

razoável [xa'zwavew] (*pl* -eis) *adj* raisonnable.

ré ['xɛ] *f* poupe *f*, ► **réu**.

reabastecer [xjabaʃte'se(x)] *vt* réapprovisionner ; **reabastecer de gasolina** faire le plein. ◆ **reabastecer-se** *vp* se réapprovisionner.

reação [xea'sãw] (*pl* -ões) *f* réaction *f*.

reacionário, **ria** [xeasjo'narju, rja] *adj* réactionnaire.

reações ► **reação**.

reagir [xea'ʒi(x)] *vi* réagir ; **reagir a algo** réagir à qqch.

real ['xeaw] (*pl* -ais) ◇ *adj* [verdadeiro] réel(elle) ; [relativo a rei, realeza] royal(e). ◇ *m* réal *m*.

realçar [xeaw'sa(x)] *vt* [cor, traço] rehausser ; [fato, idéia] souligner.

realejo [xea'lejʒu] *m* orgue *m* de Barbarie.

realeza [xea'leza] *f* royauté *f*.

realidade [xeali'dadʒi] *f* réalité *f* ; **na realidade** en réalité ; **realidade virtual** réalité virtuelle.

realista [xea'liʃta] *mf* réaliste *mf*.

realização [xealiza'sɑ̃w] (*pl* -ões) *f* réalisation *f*.

realizador, **ra** [xealiza'do(x), ra] (*mpl* -es, *fpl* -s) *m, f* réalisateur *m*, -trice *f*.

realizar [xeali'za(x)] *vt* réaliser. ◆ **realizar-se** *vp* [espetáculo] avoir lieu ; [sonho, desejo] se réaliser.

realmente [xeaw'mẽntʃi] *adv* réellement ; **ele é realmente estúpido!** il est vraiment bête !

reanimar [xeani'ma(x)] *vt* MED réanimer ; [depois de desmaio] ranimer.

reatar [xea'ta(x)] *vt* [conversa] reprendre ; [amizade] renouer.

reaver [xea've(x)] *vt* récupérer.

reavivar [xeavi'va(x)] *vt* [memória] rafraîchir ; [fogo] raviver.

rebaixar [xebaj'ʃa(x)] *vt* rabaisser. ◆ **rebaixar-se** *vp* se rabaisser.

rebanho [xe'baɲu] *m* troupeau *m*.

rebelde [xe'bɛwdʒi] *mf* rebelle *mf*.

rebelião [xebelj'ɑ̃w] *f* rébellion *f*.

rebentar [xebẽn'ta(x)] ◇ *vi* [bomba] sauter ; [balão] éclater. ◇ *vt* faire sauter ; **rebentar com algo** détruire qqch.

rebocador [xeboka'do(x)] (*pl* -es) *m* remorqueur *m*.

rebocar [xebo'ka(x)] *vt* remorquer.

rebolar [xebo'la(x)] *vi* rouler.

rebuliço [xebu'lisu] *m* pagaille *f*.

recado [xe'kadu] *m* message *m* ; **dar um recado a alguém** transmettre un message à qqn ; **deixar recado** laisser un message.

recaída [xeka'ida] *f* rechute *f* ; **ter uma recaída** faire une rechute.

recair [xeka'i(x)] *vi* : **recair em algo** retomber dans qqch ; **recair sobre** retomber sur.

recanto [xe'kɑ̃ntu] *m* recoin *m*.

recapitular [xekapitu'la(x)] *vt* récapituler ; [aula] réviser.

recatado, **da** [xeka'tadu, da] *adj* discret(ète).

recauchutar [xekawʃu'ta(x)] *vt* rechaper.

recear [xese'a(x)] *vt* craindre.

receber [xese'be(x)] *vt* & *vi* recevoir.

receio [xe'seju] *m* crainte *f*.

receita [xe'sejta] *f* recette *f* ; [de médico] ordonnance *f*.

receitar [xesej'ta(x)] *vt* prescrire.

recém-casado, **da** [xe,sẽka'zadu, da] *m, f* jeune marié *m*, -e *f*.

recém-chegado, **da** [xe,sẽʃe'gadu, da] *adj* qui vient d'arriver.

recém-nascido, **da** [xe,sẽnaʃ'sidu, da] *adj* & *m, f* nouveau-né(e).

recente [xe'sẽntʃi] *adj* récent(e).

receoso, **osa** [xese'ozu, ɔza] *adj* craintif(ive).

recepção [xesep'sɑ̃w] (*pl* -ões) *f* réception *f*.

recepcionista [xesepsjo'niʃta] *mf* réceptionniste *mf*.

recepções ► **recepção**.

receptivo, **va** [xesep'tʃivu, va] *adj* réceptif(ive) ; **mostrar-se receptivo a** se montrer réceptif à.

receptor [xesep'to(x)] (*pl* -es) *m* récepteur *m*.

recessão [xese'sɑ̃w] (*pl* -ões) *f* récession *f*.

recheado, **da** [xe'ʃjadu, da] *adj* [bolo, bombom] fourré(e) ; [peru] farci(e).

rechear [xe'ʃja(x)] *vt* [bolo] fourrer ; [peru] farcir.

recheio [xe'ʃeju] *m* [de bolo, pastel] garniture *f* ; [de peru, vegetal *etc.*] farce *f*.

rechonchudo, da [xeʃõn'ʃudu, da] *adj* potelé(e).

recibo [xe'sibu] *m* reçu *m*.

reciclagem [xesi'klaʒẽ] *f* recyclage *m*.

reciclar [xesi'kla(x)] *vt* recycler.

reciclável [xesi'klavɛw] (*pl* -eis) *adj* recyclable.

recife [xe'sifi] *m* récif *m*.

recinto [xe'sĩntu] *m* enceinte *f*.

recipiente [xesipj'ẽntʃi] *m* récipient *m*.

recíproco, ca [xe'siproku, ka] *adj* réciproque.

recital [xesi'taw] (*pl* -ais) *m* récital *m*.

recitar [xesi'ta(x)] ◇ *vt* réciter. ◇ *vi* réciter un poème.

reclamação [xeklama'sɑ̃w] (*pl* -ões) *f* réclamation *f*.

reclamar [xekla'ma(x)] *vi* faire une réclamation.

reclame [xeklɑ̃mi] *m* publicité *f*.

recobrar [xeko'bra(x)] *vt* [forças] reprendre ; [razão] recouvrer.

recolha [xe'koʎa] *f* récolte *f*.

recolher [xeko'ʎe(x)] *vt* ramasser ; [informações, dados, dinheiro] recueillir ; [abrigar] rentrer.

recolhimento [xekoʎi'mẽntu] *m* recueillement *m*.

recomeçar [xekome'sa(x)] *vt* recommencer.

recomendação [xekomẽnda'sɑ̃w] (*pl* -ões) *f* recommandation *f*. ◆ **recomendações** *fpl* : **recomendações à sua mãe!** mes respects à votre mère !

recomendar [xekomẽn'da(x)] *vt* recommander *(conseiller)*.

recomendável [xekomẽn'davɛw] (*pl* -eis) *adj* conseillé(e) ; **pouco recomendável** déconseillé.

recompensa [xekõm'pẽsa] *f* récompense *f*.

recompor [xekõm'po(x)] *vt* arranger. ◆ **recompor-se** *vp* se remettre.

reconciliação [xekõsilja'sɑ̃w] (*pl* -ões) *f* réconciliation *f*.

reconhecer [xekoɲe'se(x)] *vt* reconnaître ; [documento, assinatura] certifier.

reconhecimento [xekoɲesi'mẽntu] *m* reconnaissance *f* ; [de documento, assinatura] certification *f*.

reconstituir [xekõʃti'twi(x)] *vt* reconstituer.

recordação [xekorda'sɑ̃w] (*pl* -ões) *f* souvenir *m*.

recordar [xekor'da(x)] *vt* rappeler. ◆ **recordar-se** *vp* se rappeler, se souvenir ; **recordar-se de algo** se rappeler qqch, se souvenir de qqch.

recorrer [xeko'xe(x)] *vi* faire appel ; **recorrer a** avoir recours à.

recortar [xekor'ta(x)] *vt* découper.

recreio [xe'krɛju] *m* [tempo] récréation *f* ; [local] cour *f* de récréation.

recriar [xekri'a(x)] *vt* reconstituer.

recriminar [xekrimi'na(x)] *vt* reprocher.

recruta [xe'kruta] ◇ *m* appelé *m*. ◇ *f* classes *fpl*.

recuar [xe'kwa(x)] *vt* & *vi* reculer.

recuperação [xekupera'sɑ̃w] *f* récupération *f*.

recuperar [xekupe'ra(x)] *vt* récupérer. ◆ **recuperar-se** *vp* [de choque] se remettre ; [de doença] récupérer.

recurso [xe'kuxsu] *m* JUR appel *m* ; [meio] moyen *m* ; **em último recurso** en dernier recours. ◆ **recursos** *mpl* ressources *fpl*.

recusa [xe'kuza] *f* refus *m*.

redator, **ra** [xeda'to(x), ra] (*mpl* -es, *fpl* -s) *m, f* rédacteur *m*, -trice *f*.

rede ['xedʒi] *f* réseau *m* ; [de pesca, cabelo] filet *m* ; [de vedação] grillage *m* ; [para dormir] hamac *m* ; **rede de estradas** réseau routier.

rédea ['xɛdʒja] *f* rêne *f*.

redigir [xedi'ʒi(x)] *vt* rédiger.

redobrar [xedo'bra(x)] *vt* [esforço, atenção] redoubler.

redondamente [xe,dõnda'mẽntʃi] *adv* [enganar-se] carrément.

redondo, **da** [xe'dõndu, da] *adj* rond(e).

redor [xe'dɔ(x)] *m* : **em** OU **ao redor (de)** autour (de).

redução [xedu'sɑ̃w] (*pl* -ões) *f* réduction *f*.

redundância [xedũn'dɑ̃nsja] *f* redondance *f*.

reduzido, **da** [xedu'zidu, da] *adj* réduit(e).

reduzir [xedu'zi(x)] *vt* réduire.

reembolsar [xjẽmbow'sa(x)] *vt* rembourser.

reembolso [xjẽm'bowsu] *m* remboursement *m*.

reencontro [xjẽŋ'kõntru] *m* retrouvailles *fpl*.

refazer [xefa'ze(x)] *vt* refaire. ◆ **refazer-se** *vp* [de susto, acidente] se remettre ; [recuperar forças] récupérer.

refeição [xefej'sɑ̃w] (*pl* -ões) *f* repas *m* ; **às refeições** pendant les repas ; **refeição ligeira** repas léger.

refeitório [xefej'tɔrju] *m* réfectoire *m*.

refém [xe'fẽ] (*pl* -ns) *mf* otage *m*.

referência [xefe'rẽsja] *f* référence *f* ; **fazer referência a** faire référence à. ◆ **referências** *fpl* références *fpl*.

referendo [xefe'rẽndu] *m* référendum *m*.

referente [xefe'rẽntʃi] *adj* : **referente a** concernant.

referir [xefe'ri(x)] *vt* faire référence à. ◆ **referir-se a** *vp* + *prep* se référer à ; **no que se refere a** en ce qui concerne.

refinado, **da** [xefi'nadu, da] *adj* raffiné(e).

refinaria [xefina'ria] *f* raffinerie *f*.

refletir [xefle'tʃi(x)] ◇ *vt* réfléchir, refléter. ◇ *vi* réfléchir ; **refletir sobre algo** réfléchir à qqch. ◆ **refletir-se em** *vp* + *prep* se refléter dans.

refletor [xefle'to(x)] (*pl* -es) *m* catadioptre *m*.

reflexão [xeflek'sɑ̃w] (*pl* -ões) *f* réflexion *f*.

reflexo [xe'flɛksu] *m* reflet *m* ; [reação] réflexe *m*.

reflexões ► **reflexão**.

refogado, **da** [xefo'gadu, da] ◇ *adj* mijoté(e). ◇ *m* [molho] *sauce à l'oignon et à la tomate* ; [guisado] ragoût *m*.

refogar [xefo'ga(x)] *vt* faire mijoter ; [cebola] faire revenir.

reforçado, **da** [xefor'sadu, da] *adj* [esforço, energia] accru(e) ; [objeto, substância] renforcé(e).

reforçar [xefox'sa(x)] *vt* renforcer.

reforma [xe'fɔxma] *f* [de pessoa] retraite *f* ; [de sistema] réforme *f* ; [de casa, edifício] rénovation *f*.

reformado, **da** [xefox'madu, da] *m, f* retraité *m*, -e *f*.

refrão [xe'frɑ̃w] (*pl* -ões) *m* refrain *m*.

refratário, **ria** [xefra'tarju, rja] *adj* réfractaire.

refrear [xefri'a(x)] *vt* refréner. ◆ **refrear-se** *vp* se refréner.

refrescante [xefreʃ'kɑ̃ntʃi] *adj* rafraîchissant(e).

refrescar [xefreʃ'ka(x)] *vt* rafraîchir ; **refrescar as idéias** reprendre ses esprits ; **refrescar a memória de alguém** rafraîchir les idées à qqn. ◆ **refrescar-se** *vp* se rafraîchir.

refresco [xe'freʃku] *m* rafraîchissement *m (boisson)*.

refrigerante [xefriʒe'rãntʃi] *m* boisson *f* non alcoolisée.

refrões [xe'frõjʃ] ► **refrão**.

refugiado, da [xefuʒj'adu, da] *m, f* réfugié *m*, -e *f*.

refugiar-se [xefuʒj'axsi] ◆ **refugiar-se em** *vp + prep* [asilar-se em] se réfugier à ; [abrigar-se, esconder-se em] se réfugier dans.

refúgio [xe'fuʒju] *m* refuge *m*.

refugo [xe'fugu] *m* rebut *m*.

refutar [xefu'ta(x)] *vt* réfuter.

rega ['xɛga] *f* arrosage *m*.

regaço [xe'gasu] *m* giron *m*.

regador [xega'do(x)] (*pl* -es) *m* arrosoir *m*.

regalia [xega'lia] *f* privilège *m*, faveur *f*.

regar [xe'ga(x)] *vt* arroser.

regata [xe'gata] *f* régate *f*.

regenerar-se [xeʒene'raxsi] *vp* s'améliorer.

reger [xe'ʒe(x)] *vt* [orquestra, banda] diriger.

região [xe'ʒjãw] (*pl* -ões) *f* région *f* ; **região demarcada** ≃ vin *m* de pays.

regime [xe'ʒimi] *m* régime *m*.

regiões [xe'ʒjõjʃ] ► **região**.

regional [xeʒjo'naw] (*pl* -ais) *adj* régional(e).

registrado, da [xeʒiʃ'tradu, da] *adj* recommandé(e).

registrar [xeʒiʃ'tra(x)] *vt* enregistrer ; [escrever] noter ; [criança, morte, casamento] déclarer ; [carta, encomenda] envoyer en recommandé.

registro [xe'ʒiʃtru] *m* registre *m* ; [de nascimento, casamento, morte] déclaration *f* ; [repartição] bureau *m* ; [de carta, encomenda] envoi *m* en recommandé ; **Registro Civil** bureau *m* de l'état civil ; **Registro de Imóveis** ≃ conservation *f* des hypothèques.

regra ['xɛgra] *f* règle *f* ; **não fugir à regra** ne pas échapper à la règle ; **regra geral** en règle générale ; **em regra** en règle générale ; **por regra** par principe.

regressar [xegre'sa(x)] *vi* rentrer ; **regressar a** rentrer à.

regresso [xe'grɛsu] *m* retour *m* ; **estar de regresso** être de retour.

régua ['xɛgwa] *f* règle *f (pour mesurer)*.

regulamento [xegula'mẽntu] *m* règlement *m*.

regular [xegu'la(x)] (*pl* -es) ◇ *adj* régulier(ère) ; [tamanho, qualidade] moyen(enne) ; [habitual] habituel(elle). ◇ *vt* [regulamentar] réglementer ; [mecanismo] régler.

rei ['xej] *m* roi *m*.

reinado [xej'nadu] *m* règne *m*.

reinar [xej'na(x)] *vi* régner ; *fam* blaguer.

Reino Unido [ˌxejnu'nidu] *m* : **o Reino Unido** le Royaume-Uni.

reivindicação [xejvĩndʒika'sãw] (*pl* -ões) *f* revendication *f*.

reivindicar [xejvĩndi'ka(x)] *vt* revendiquer.

rejeição [xeʒej'sãw] (*pl* -ões) *f* rejet *m*.

rejeitar [xeʒej'ta(x)] *vt* rejeter.

relação [xela'sãw] (*pl* -ões) *f* relation *f*, rapport *m* ; **com** OU **em relação a** en ce qui concerne. ◆ **relações** *fpl* relations *fpl* sexuelles ; **ter relações com alguém** fréquenter qqn ; **relações públicas** relations *fpl* publiques.

relâmpago [xe'lɑ̃mpagu] *m* éclair *m*.

relatar [xela'ta(x)] *vt* [acontecimento] raconter.

relativo, va [xela'tʃivu, va] *adj* relatif(ive) ; **relativo a** concernant.

relatório [xela'tɔrju] *m* rapport *m*.

relaxado, da [xela'ʃadu, da] *adj* détendu(e).

relaxante [xela'ʃɑ̃ntʃi] ◇ *adj* relaxant(e). ◇ *m* tranquillisant *m*.

relaxar [xela'ʃa(x)] *vt* décontracter. ◆ **relaxar-se** *vp* se détendre.

relembrar [xelẽm'bra(x)] *vt* rappeler ; **relembrar-se de algo** se rappeler qqch.

relevo [xe'levu] *m* relief *m* ; [realce] importance *f* ; **dar relevo a algo** mettre qqch en relief.

religião [xeliʒj'ɑ̃w] (*pl* -ões) *f* religion *f*.

relíquia [xe'likja] *f* [coisa preciosa] relique *f*.

relógio [xe'lɔʒju] *m* [de parede] horloge *f* ; [de mesa] pendule *f* ; [de pulso] montre *f* ; **relógio de cuco** coucou *m* ; **relógio de sol** cadran *m* solaire.

relojoaria [xeluʒwa'rja] *f* horlogerie *f*.

relutância [xelu'tɑ̃sja] *f* [reticência] réticence *f* ; [oposição] résistance *f*.

reluzente [xelu'zẽntʃi] *adj* reluisant(e).

relva ['xɛwva] *f* gazon *m*.

relvado [xɛw'vadu] *m* pelouse *f*.

remar [xe'ma(x)] *vi* ramer.

rematar [xema'ta(x)] *vt* conclure.

remediar [xeme'dʒja(x)] *vt* remédier à.

remédio [xe'mɛdʒju] *m* médicament *m* ; **não ter remédio** *fig* ne pas avoir de solution.

remendar [xemẽn'da(x)] *vt* [pneu] réparer ; [peça de vestuário] raccommoder ; [com remendo] rapiécer.

remendo [xe'mẽndu] *m* [em pneu] Rustine® *f* ; [de peça de vestuário] pièce *f*.

remessa [xe'mɛsa] *f* envoi *m*.

remetente [xeme'tẽntʃi] *mf* expéditeur *m*, -trice *f*.

remeter [xeme'te(x)] *vt* [expedir] envoyer ; [dirigir] adresser ; [fazer referência a] renvoyer.

remexer [xeme'ʃe(x)] *vt* fouiller dans.

remo ['xemu] *m* rame *f*.

remoção [xemo'sɑ̃w] (*pl* -ões) *f* retrait *m* ; [de feridos] transport *m* ; [de lixo] enlèvement *m* ; **remoção de manchas** détachage *m*.

remorso [xe'mɔxsu] *m* remords *m*.

remoto [xe'mɔtu] *adj* lointain(e).

remover [xemo've(x)] *vt* [lixo] enlever ; [feridos] transporter ; [quisto, pedra] retirer ; [obstáculo] surmonter ; **remover manchas** détacher.

remuneração [xemunera'sɑ̃w] (*pl* -ões) *f* [salário] rémunération *f* ; [pagamento] récompense *f*.

renascer [xenaʃ'se(x)] *vi* renaître.

Renascimento [xenaʃsi'mẽntu] *m* : **o Renascimento** la Renaissance.

renda ['xẽnda] *f* [de casa, apartamento] loyer *m* ; [crochê] crochet *m* ; [de vestido, blusa *etc.*] dentelle *f* ; [rendimento] revenu *m* ; **fazer renda** faire du crochet ; **renda nacional** revenus *mpl* de l'État.

renegar [xene'ga(x)] *vt* renier.

renovação [xenova'sɑ̃w] (*pl* -ões) *f* [substituição] renouvellement *m* ; [reforma] rénovation *f*.

renovar [xeno'va(x)] *vt* [consertar] rénover ; [substituir] renouveler ; [fortalecer] se renouveler.

rentabilidade [xẽntabili'dadʒi] *f* rentabilité *f*.

rentável [xẽn'tavɛw] (*pl* -eis) *adj* [lucrativo] rentable.

renúncia [xe'nũsja] *f* [rejeição] renoncement *m* ; [a cargo, pretensão] renonciation *f*.

renunciar [xenũ'sja(x)] *vt* renoncer à.

reparação [xepara'sɑ̃w] (*pl* -ões) *f* réparation *f*.

reparar [xepa'ra(x)] *vt* réparer. ◆ **reparar em** *v* + *prep* remarquer.

repartição [xepaxtʃi'sɑ̃w] (*pl* -ões) *f* répartition *f* ; [local] service *m*.

repartir [xepax'tʃi(x)] *vt* répartir ; **repartir algo com alguém** partager qqch avec qqn ; **repartir algo em algo** répartir qqch en qqch.

repelente [xepe'lẽntʃi] ◇ *adj* repoussant(e). ◇ *m* : **repelente (de insetos)** anti-moustiques *m inv*.

repente [xe'pẽntʃi] *m* accès *m* ; **de repente** soudain.

repentino, na [xepẽn'tʃinu, na] *adj* soudain(e) ; [momentâneo] bref(brève).

repercussão [xepexku'sɑ̃w] (*pl* -ões) *f* répercussion *f*.

repertório [xepex'tɔrju] *m* répertoire *m*.

repetição [xepetʃi'sɑ̃w] (*pl* -ões) *f* répétition *f*.

repetidamente [xepe,tʃida'mẽntʃi] *adv* à plusieurs reprises.

repetido, da [xepe'tʃidu, da] *adj* répété(e).

repetir [xepe'tʃi(x)] *vt* répéter ; [ano escolar, disciplina] redoubler ; [prato, refeição] reprendre de. ◆ **repetir-se** *vp* se répéter.

replay [xi'plej] *m* reprise *f* d'une séquence.

replicar [xepli'ka(x)] *vt* : **replicar que** répliquer que.

repolho [xe'poʎu] *m* chou *m* pommé.

repor [xe'po(x)] *vt* [verdade] rétablir ; [dinheiro] restituer ; **repor algo no lugar** remettre qqch en place.

reportagem [xepox'taʒẽ] (*pl* -ns) *f* reportage *m*.

repórter [xe'pɔxtɛ(x)] (*pl* -es) *mf* reporter *m*.

reposteiro [xepuʃ'tejru] *m* rideau *m*.

repousar [xepo'za(x)] *vt* & *vi* se reposer.

repreender [xepriẽn'de(x)] *vt* rappeler à l'ordre.

represa [xe'preza] *f* écluse *f*.

represália [xepre'zalja] *f* représailles *fpl*.

representação [xeprezẽnta'sɑ̃w] (*pl* -ões) *f* représentation *f*.

representante [xeprezẽn'tɑ̃ntʃi] *mf* représentant *m*, -e *f* ; **representante oficial** représentant officiel.

representar [xeprezẽn'ta(x)] ◇ *vt* représenter ; [espetáculo] jouer. ◇ *vi* jouer.

repressão [xepre'sɑ̃w] (*pl* -ões) *f* répression *f*.

reprimir [xepri'mi(x)] *vt* réprimer.

reprise [xe'prizi] *f* reprise *f*.

reprodução [xeprodu'sɑ̃w] (*pl* -ões) *f* reproduction *f*.

reproduzir [xeprodu'zi(x)] *vt* [evento] restituer ; [quadro, escultura] reproduire. ◆ **reproduzir-se** *vp* se reproduire.

reprovar [xepro'va(x)] *vt* [atitude, comportamento] réprouver ; [lei, projeto] rejeter ; [aluno] refuser.

réptil ['xɛptiw] (*pl* -teis) *m* reptile *m*.

república [xe'publika] *f* [sistema político] république *f* ; [de estudantes] résidence *f*.

repudiar [xepudʒj'a(x)] *vt* rejeter.

repugnância [xepug'nɑ̃sja] *f* répugnance *f*.

repugnante [xepug'nɑ̃ntʃi] *adj* [asqueroso] répugnant(e) ; [indigno] odieux(euse).

repulsa [xe'puwsa] *f* répulsion *f*.

repulsivo [xepuw'sivu, va] *adj* repoussant(e).

reputação [xeputa'sɑ̃w] (*pl* -ões) *f* réputation *f*.

requeijão [xekej'ʒɑ̃w] (*pl* -ões) *m* fromage *m* frais.

requerer [xeke're(x)] *vt* [precisar de] requérir ; [por requerimento] solliciter.

requerimento [xekeri'mẽntu] *m* requête *f*.

requintado, **da** [xekĩn'tadu, da] *adj* raffiné(e).

requinte [xe'kĩntʃi] *m* raffinement *m*.

requisito [xeki'zitu] *m* condition *f* requise.

rescindir [xeʃsĩn'di(x)] *vt* [contrato] résilier.

resenha [xe'zeɲa] *f* compte *m* rendu ; **fazer uma resenha de algo** passer qqch en revue.

reserva [xe'zɛxva] *f* réserve *f* ; [de quarto, lugar, passagem] réservation *f* ; [de vinho] millésime *m* ; **reserva de caça** réserve de chasse ; **reserva natural** réserve naturelle.

reservado, **da** [xezex'vadu, da] *adj* réservé(e) ; [íntimo] tranquille.

reservar [xezex'va(x)] *vt* réserver.

resfriado [xeʃfri'adu] *m* rhume *m*.

resgate [xeʒ'gatʃi] *m* rançon *f*.

resguardar [xeʒgwax'da(x)] *vt* protéger. ◆ **resguardar-se** *vp* se protéger.

residência [xezi'dẽsja] *f* [particular] résidence *f* ; [acadêmica] ≃ résidence *f* universitaire.

residencial [xezidẽn'sjaw] (*pl* -ais) *adj* résidentiel(ielle).

residir [xezi'dʒi(x)] ◆ **residir em** *v* + *prep* [morar em] résider à OU em ; [consistir em] résider dans.

resíduo [xe'zidwu] *m* résidu *m*.

resignação [xezigna'sɑ̃w] *f* [paciência] résignation *f*.

resignar-se [xezig'naxsi] *vp* se résigner.

resina [xe'zina] *f* résine *f*.

resistência [xeziʃ'tẽsja] *f* résistance *f*.

resistente [xeziʃ'tẽntʃi] *adj* résistant(e).

resistir [xeziʃ'tʒi(x)] *vi* résister ; **resistir a algo** résister à qqch.

resmungar [xeʒmũŋ'ga(x)] *vt* & *vi* marmonner.

resolução [xezolu'sɑ̃w] (*pl* -ões) *f* résolution *f*.

resolver [xezow've(x)] *vt* résoudre ; **resolver fazer algo** résoudre de faire qqch. ◆ **resolver-se** *vp* : **resolver-se a** se résoudre à.

respectivo, **va** [xeʃpek'tivu, va] *adj* respectif(ive).

respeitar [xeʃpej'ta(x)] *vt* respecter. ◆ **respeitar a** *v* + *prep* : **no que respeita a** en ce qui concerne.

respeitável [xeʃpej'tavɛw] (*pl* -eis) *adj* respectable.

respeito [xeʃ'pejtu] *m* respect *m* ; **tudo o que diz respeito a** tout ce qui concerne ; **ter respeito por** avoir du respect pour ; **a respeito de** OU **com respeito a** en ce qui concerne, au sujet de.

respetivo, **va** [xeʃpe'tʃivu, va] *adj* respectif(ive).

respiração [xeʃpira'sɑ̃w] *f* respiration *f*.

respirar [xeʃpi'ra(x)] *vt* & *vi* respirer.

resplandecente [xeʃplɑ̃nde'sẽntʃi] *adj* resplendissant(e).

responder [xeʃpõn'de(x)] ◇ *vt* répondre. ◇ *vi* répondre ; [ir a tribunal] comparaître ; **responder a** répondre à ; **responder torto** répondre avec insolence. ◆ **responder por** *v + prep* répondre de.

responsabilidade [xeʃpõsabili'dadʒi] *f* responsabilité *f* ; **responsabilidade civil** responsabilité civile.

responsabilizar [xeʃpõsabili'za(x)] *vt* : **responsabilizar alguém/algo por algo** rendre qqn/qqch responsable de qqch. ◆ **responsabilizar-se por** *vp + prep* assumer la responsabilité de.

responsável [xeʃpõ'savɛw] (*pl* -eis) *adj* & *mf* responsable ; **responsável por** responsable de.

resposta [xeʃ'pɔʃta] *f* réponse *f*.

resquício [xeʃ'kisju] *m* fond *m*.

ressabiado, da [xesa'bjadu, da] *adj* [desconfiado] méfiant(e) ; [ressentido] déçu(e).

ressaca [xe'saka] *f* [de bebedeira] gueule *f* de bois.

ressaltar [xesaw'ta(x)] ◇ *vt* faire ressortir. ◇ *vi* ressortir.

ressentimento [xesẽntʃi'mẽntu] *m* ressentiment *m*.

ressentir-se [xesẽn'tixsi] *vp* se vexer ; **ressentir-se de algo** se ressentir de qqch.

ressurgimento [xesurʒi'mẽntu] *m* résurgence *f*.

ressuscitar [xesuʃsi'ta(x)] *vt* & *vi* ressusciter.

restabelecer [xeʃtabele'se(x)] *vt* rétablir. ◆ **restabelecer-se** *vp* [recuperar saúde] se rétablir ; [de susto] se remettre.

restar [xeʃ'ta(x)] *vi* rester.

restauração [xeʃtawra'sɑ̃w] (*pl* -ões) *f* [de edifício] restauration *f* ; [de forças, energia] reprise *f*.

restaurante [xeʃtaw'rɑ̃ntʃi] *m* restaurant *m* ; **restaurante panorâmico** restaurant panoramique.

restaurar [xeʃtaw'ra(x)] *vt* [edifício, regime político] restaurer ; [ordem] rétablir.

restinga [xeʃ'tĩŋga] *f* banc *m* de sable.

restituir [xeʃtʃi'twi(x)] *vt* restituer.

resto ['xɛʃtu] *m* reste *m*. ◆ **restos** *mpl* restes *mpl* ; **restos mortais** dépouille *f* mortelle.

resultado [xezuw'tadu] *m* résultat *m*.

resultar [xezuw'ta(x)] *vi* resulter ; **resultar de algo** venir de qqch ; **resultar em algo** aboutir à qqch.

resumir [xezu'mi(x)] *vt* résumer. ◆ **resumir-se a** *vp + prep* se résumer à.

resumo [xe'zumu] *m* résumé *m* ; **em resumo** en résumé.

reta ['xɛta] *f* [linha] droite *f* ; [em estrada] ligne *f* droite.

retaguarda [ˌxɛta'gwarda] *f* arrière *m* ; **na retaguarda** à l'arrière.

retalho [xe'taʎu] *m* coupon *m*.

retaliação [xetalja'sɑ̃w] (*pl* -ões) *f* riposte *f*.

retaliar [xeta'lja(x)] ◇ *vt* faire payer. ◇ *vi* riposter.

retângulo [xe'tɑ̃ŋgulu] *m* rectangle *m*.

retardar [xetax'da(x)] *vt* retarder.

reter [xe'te(x)] *vt* retenir ; [suspeito, criminoso] arrêter.

reticente [xetʃi'sẽntʃi] *adj* réticent(e).

retina [xe'tʃina] *f* rétine *f*.

retirada [xetʃi'rada] *f* [debandada] débandade *f* ; MIL retraite *f*.

retirar [xetʃi'ra(x)] *vt* retirer. ◆ **retirar-se** *vp* se retirer ; **retirar-se de algo** se retirer de qqch.

reto, **ta** ['xɛtu, ta] ◇ *adj* droit(e). ◇ *m* rectum *m*.

retorcido, **da** [xetox'sidu, da] *adj* tordu(e).

retórica [xɛ'tɔrika] *f* rhétorique *f*.

retornar [xetox'na(x)] *vi* revenir ; **retornar a** retourner à.

retraído, **da** [xetra'idu, da] *adj* réservé(e).

retrato [xe'tratu] *m* [fotografia] photographie *f* ; [pintura, desenho] portrait *m*.

retribuir [xetri'bwi(x)] *vt* rendre.

retroceder [xetrose'de(x)] *vi* reculer.

retrógrado, **da** [xe'trogradu, da] *adj* rétrograde.

retrovisor [xetrovi'zo(x)] (*pl* -es) *m* rétroviseur *m*.

réu, **ré** ['xɛu, 'xɛ] *m, f* accusé *m*, -e *f*.

reumatismo [xewma'tʃiʒmu] *m* rhumatisme *m*.

reunião [xju'njɑ̃w] (*pl* -ões) *f* réunion *f*.

reunir [xju'ni(x)] *vt* réunir. ◆ **reunir-se** *vp* se réunir.

réveillon [xevɛ'jõ] *m* réveillon *m*.

revelação [xevela'sɑ̃w] (*pl* -ões) *f* révélation *f* ; [de fotografia] développement *m*.

revelar [xeve'la(x)] *vt* révéler ; [fotografia] développer. ◆ **revelar-se** *vp* se révéler.

revendedor, **ra** [xevẽnde'do(x), ra] (*mpl* -es, *fpl* -s) *m, f* revendeur *m*, -euse *f*.

rever [xe've(x)] *vt* revoir.

reverso [xe'vɛrsu] *m* revers *m*.

revés [xe'vɛʃ] (*pl* -eses) *m* revers *m*.

revestir [xeveʃ'ti(x)] *vt* recouvrir.

revezar-se [xeve'zaxsi] *vp* se relayer.

revirado, **da** [xevi'radu, da] *adj* retourné(e) ; [casa, gaveta] sens dessus dessous.

reviravolta [xe,vira'vɔwta] *f* [com carro, moto] demi-tour *m* ; [pirueta] tour *m* ; *fig* [em situação] revirement *m*.

revisão [xevi'zɑ̃w] (*pl* -ões) *f* révision *f*.

revisor, **ra** [xevi'zo(x), ra] (*mpl* -es, *fpl* -s) *m, f* [de texto, provas tipográficas] réviseur *m*, -euse *f*.

revista [xe'viʃta] *f* revue *f* ; **revista feminina** magazine *m* féminin ; **revista em quadrinhos** bande *f* dessinée.

revolta [xe'vɔwta] *f* révolte *f*.

revoltar-se [xevow'taxsi] *vp* se révolter ; **revoltar-se com algo** se révolter contre qqch.

revolução [xevolu'sɑ̃w] (*pl* -ões) *f* révolution *f*.

revolver [xevow've(x)] *vt* remuer.

revólver [xe'vɔwve(x)] (*pl* -es) *m* revolver *m*.

rezar [xe'za(x)] ◇ *vi* prier. ◇ *vt* [missa, oração] dire.

ri ['xi] ► **rir**.

ria ['xja] *f* ria *f*.

riacho ['xjaʃu] *m* ruisseau *m*.

ribeira [xi'bejra] *f* rivière *f*.

ribeirão [xibej'rɑ̃w] (*pl* -ões) *m* ruisseau *m*.

ribeirinho, **nha** [xibej'riɲu, ɲa] *adj* de rivière.

ribeiro [xi'bejra] *m* = **ribeira**.

ribeirões ► **ribeirão**.

rico, **ca** ['xiku, ka] *adj* riche ; **rico em** riche en.

ricota [xi'kɔta] *f* ricotta *f*.

ridicularizar [xidʒikulari'za(x)] *vt* ridiculiser.

ridículo, **la** [xi'dʒikulu, la] ◇ *adj* ridicule. ◇ *m* ridicule *m*.

rido ['xidu] *pp* ► **rir**.

rifa ['xifa] *f* [sorteio] tombola *f* ; [bilhete] billet *m* de tombola.

rigidez [xiʒi'deʒ] *f* rigidité *f* ; [de músculos] raideur *f*.

rigor [xi'go(x)] (*pl* -es) *m* rigueur *f*.

rijo, **ja** ['xiʒu, ʒa] *adj* dur(e) ; [forte] vigoureux(euse) ; [material] rigide.

rim ['xĩ] (*pl* -ns) *m* rein *m*. ◆ **rins** *mpl* reins *mpl*.

rima ['xima] *f* [de verso] rime *f* ; [de papéis, revistas] pile *f*. ◆ **rimas** *fpl* vers *mpl*.

rímel® ['ximɛw] (*pl* -eis) *m* mascara *m*.

ringue ['xĩŋgi] *m* ring *m*.

rinoceronte [xinose'rõntʃi] *m* rhinocéros *m*.

rinque ['xĩŋki] *m* patinoire *f*.

rins [xĩnʃ] ► **rim**.

rio ['xju] *m* [que deságua no mar] fleuve *m* ; [que deságua em rio] rivière *f* ; **rio abaixo/acima** en aval/amont.

rio ['xju] ► **rir**.

Rio de Janeiro [ˌxjudʒiʒa'nejru] *m* : **o Rio de Janeiro** Rio de Janeiro.

riqueza [xi'keza] *f* richesse *f*.

rir ['xi(x)] *vi* rire ; **desatar a rir** éclater de rire ; **rir a bandeiras despregadas** rire à gorge déployée.

ris ['xiʃ] ► **rir**.

risada [xi'zada] *f* éclat *m* de rire.

risca ['xiʃka] *f* rayure *f* ; [em cabelo] raie *f* ; **risca no meio/de lado** raie au milieu/sur le côté ; **à risca** à la lettre.

riscar [xiʃ'ka(x)] *vt* [frase, folha] barrer ; [parede, carro, móvel] rayer.

risco ['xiʃku] *m* [traço] trait *m* ; [perigo] risque *m* ; **correr o risco de** courir le risque de ; **pôr em risco** mettre en danger ; [projeto] compromettre ; **risco de vida** danger *m* de mort.

riso ['xizu] *m* rire *m* ; **riso amarelo** rire jaune.

risoto [xi'zotu] *m* risotto *m*.

ríspido, **da** ['xiʃpidu, da] *adj* revêche.

rissole ['xisoli] *m* *beignet à la viande ou au poisson*.

ritmo ['xitʒimu] *m* rythme *m*.

ritual [xi'twaw] (*pl* -ais) *m* rituel *m*.

riu ['xiu] ► **rir**.

rival [xi'vaw] (*pl* -ais) *mf* rival *m*, -e *f*.

rivalidade [xivali'dadʒi] *f* rivalité *f*.

robalo [xu'balu] *m* bar *m*.

robô [rɔ'bo] *m* robot *m*.

robusto, **ta** [xo'buʃtu, ta] *adj* robuste.

roça ['xɔsa] *f* champ *m*.

rocambole [xokãn'bɔli] *m* *gâteau roulé salé ou sucré*.

roçar [xu'sa(x)] *vt* effleurer.

rocha ['xɔʃa] *f* roche *f*.

rochedo [xo'ʃedu] *m* rocher *m*.

rock ['xɔki] *m* rock *m*.

roda ['xɔda] *f* [de carro, bicicleta] roue *f* ; [de saia, vestido] ampleur *f* ; [de pessoas] ronde *f* ; **à roda de** environ.

rodada [xo'dada] *f* [de bebidas] tournée *f*.

rodagem [xo'daʒẽ] *f* ► **faixa**.

roda-gigante [xɔdaʒi'gãntʃi] (*pl* **rodas-gigantes**) *f* Grande roue *f*.

rodapé [xoda'pɛ] *m* tour de lit *m*, soubassement *m*, plinthe *f* *(bricolage)* ; **nota de rodapé** note en pied de page *f*.

rodar [xo'da(x)] ◇ *vt* faire tourner. ◇ *vi* tourner.

rodear [xode'a(x)] *vt* entourer. ◆ **rodear-se de** *vp* + *prep* s'entourer de.

rodela [xo'dɛla] *f* rondelle *f*.

rodízio [xo'dʒizju] *m* *restaurant où les grillades sont servies à volonté*.

rododendro [xodo'dʒẽndru] *m* rhododendron *m*.

rodopiar [xodo'pjar] *vi* tournoyer.

rodovia [xodo'via] *f* autoroute *f* ; **rodovia com pedágio** autoroute à péage.

rodoviária [xodovj'arja] *f* gare *f* routière.

roer ['xwe(x)] *vt* [com dentes] ronger ; [com atrito] user.

rola ['xola] *f* tourterelle *f*.

rolar [xo'la(x)] *vi* rouler ; **rolar no chão** se rouler par terre ; **rolar de rir** se tordre de rire ; **rolar na lama** se rouler dans la boue.

roleta [xo'leta] *f* roulette *f* ; **roleta-russa** roulette russe.

rolha ['xoʎa] *f* bouchon *m* ; **rolha de cortiça** bouchon en liège.

rolo ['xolu] *m* [fotográfico] pellicule *f* ; [de cabelo] bigoudi *m* ; [de pintar] rouleau *m* ; **rolo de massa** rouleau à pâtisserie.

ROM (*abrev de* **Read Only Memory**) *f* ROM *f*.

romã [xo'mã] *f* grenade *f (fruit)*.

romance [xo'mãsi] *m* roman *m* ; **romance cor-de-rosa** roman à l'eau de rose ; **romance policial** roman policier.

romântico, ca [xo'mãntʃiku, ka] *adj* romantique.

romaria [xoma'ria] *f* pèlerinage *m*.

rombo ['xõnbu] *m prop* & *fig* trou *m*, enfoncement *m*, perte *f*, détournement (de fonds), dommage *(dégâts)*.

romper [xõm'pe(x)] *vt* trouer. ◆ **romper-se** *vp* se déchirer. ◆ **romper com** *v + prep* rompre avec.

ronda ['xõnda] *f* ronde *f* ; **fazer a ronda** faire la ronde.

rosa ['xɔza] *f* rose *f* ; **a vida não é um mar de rosas** tout n'est pas rose.

rosário [xo'zarju] *m* rosaire *m*.

rosbife [xoʒ'bifi] *m* rosbif *m*.

rosca ['xoʃka] *f* [de garrafa, tampa, parafuso] filet *m* ; CULIN *brioche en forme de couronne*.

rosé [xo'zɛ] *m* rosé *m*.

roseira [xo'zejra] *f* rosier *m*.

rosmaninho [xoʒma'niɲu] *m* romarin *m*.

rosnar [xoʒ'na(x)] *vi* grogner.

rosto ['xoʃtu] *m* visage *m*.

rota ['xɔta] *f* route *f*.

rotativo, va [xota'tivu, va] *adj* rotatif(ive).

roteador, ra [rotea'do(x), ra] *m* INFORM routeur *m*.

roteiro [xo'tejru] *m* circuit *m* ; [de filme] scénario *m*.

rotina [xo'tʃina] *f* routine *f*.

roto, ta ['xotu, ta] ◇ *pp* ➤ **romper**. ◇ *adj* [sapato, roupa] troué(e) ; [cano] percé(e).

rótula ['xɔtula] *f* rotule *f*.

rotular [xotu'la(x)] *vt* étiqueter.

rótulo ['xɔtulu] *m* étiquette *f*.

rotunda [xo'tũnda] *f* rond-point *m*.

roubar [xo'ba(x)] *vt* & *vi* voler ; **roubar algo a alguém** voler qqch à qqn.

roubo ['xobu] *m* vol *m*.

rouco, ca ['xoku, ka] *adj* rauque ; **estar rouco** être enroué.

roupa ['xopa] *f* [vestuário] vêtement *m* ; [de cama] linge *m* ; **roupa íntima** sous-vêtements *mpl*.

roupão [xo'pãw] (*pl* -ões) *m* robe *f* de chambre.

rouxinol [xoʃi'nɔw] (*pl* -óis) *m* rossignol *m*.

roxo, xa ['xoʃu, ʃa] *adj* violet(ette).

rua ['xua] ◇ *f* rue *f*. ◇ *interj* dehors ! ; **rua abaixo/acima** en descendant/en montant la rue.

rubéola [xu'bɛula] *f* rubéole *f*.

rubi [xu'bi] *m* rubis *m*.

rubor [xu'bo(x)] (*pl* -es) *m* rougeur *f*.

ruborizar-se [xubori'zaxsi] *vp* rougir.

rubrica [xu'brika] *f* signature *f*.

ruço, **ça** ['xusu, sa] *adj* gris(e).

rúcula ['xukula] *f* roquette *f (salade)*.

rude ['xudʒi] *adj* grossier(ère).

ruela ['xwɛla] *f* ruelle *f*.

ruga ['xuga] *f* [em pele] ride *f* ; [em tecido] pli *m*.

rugby ['xugbi] *m* rugby *m*.

rugido [xu'ʒidu] *m* rugissement *m*.

rugir [xu'ʒi(x)] *vi* rugir.

ruído ['xwidu] *m* bruit *m*.

ruim ['xuĩ] (*pl* -ns) *adj* mauvais(e).

ruínas ['xwinaʃ] *fpl* ruines *fpl*.

ruins [xu'ĩnʃ] ► **ruim**.

ruivo, **va** ['xuivu, va] *adj* roux(rousse).

rum ['xũ] *m* rhum *m*.

rumar [xu'ma(x)] ◆ **rumar a** *v + prep* mettre le cap sur.

rumba ['xũmba] *f* rumba *f*.

rumo ['xumu] *m* [direção] direction *f* ; [de coisas] tournure *f*.

rumor [xu'mo(x)] (*pl* -es) *m* [boato] rumeur *f*.

ruptura [xup'tura] *f* rupture *f*.

rural [xu'raw] (*pl* -ais) *adj* rural(e).

rush ['xɑ̃ʃi] *m* heure *f* de pointe.

Rússia ['xusja] *f* : **a Rússia** la Russie.

russo, **a** ['xusu, sa] ◇ *adj* russe. ◇ *m, f* Russe *mf*. ◇ *m* [língua] russe *m*.

rústico, **ca** ['xuʃtʃiku, ka] *adj* rustique.

S

S.A. (*abrev de* **Sociedade Anónima**) SA *f*.

sábado ['sabadu] *m* samedi *m*, ► **sexta-feira**.

sabão [sa'bɑ̃w] (*pl* -ões) *m* savon *m*.

sabedoria [sabedo'ria] *f* savoir *m*.

saber [sa'be(x)] ◇ *m* savoir *m*. ◇ *vt* & *vi* savoir ; **saber fazer algo** savoir faire qqch ; **fazer saber** faire savoir ; **não quero saber** je ne veux pas le savoir ; **não saber nada** ne rien savoir ; **sem saber** sans le savoir ; **saber a** avoir un goût de ; **saber bem/mal** avoir bon/mauvais goût. ◆ **saber de** *v + prep* [entender de] s'y connaître en ; [ter conhecimento de] connaître ; **vir a saber de algo** apprendre qqch.

sabiá [sa'bja] *f* grive *f*.

sabões [sa'bõjʃ] ► **sabão**.

sabonete [sabo'netʃi] *m* savonnette *f*.

saboneteira [sabone'tʃejra] *f* porte-savon *m*.

sabor [sa'bo(x)] (*pl* -es) *m* [gosto] goût *m*.

saborear [saborj'a(x)] *vt* savourer ; [provar] déguster.

sabores ► **sabor**.

sabotagem [sabo'taʒẽ] (*pl* -ns) *f* sabotage *m*.

sabotar [sabo'ta(x)] *vt* saboter.

sabugueiro [sabu'gejru] *m* sureau *m*.

saca ['saka] *f* sac *m*.

sacar [sa'ka(x)] *vt fam* piger.

sacarina [saka'rina] *f* saccharine *f*.

saca-rolhas [ˌsaka'xoʎaʃ] *m inv* tire-bouchon *m*.

sacarose [saka'rɔzi] *f* saccharose *m.*

sacerdote [sasex'dɔtʃi] *m* prêtre *m.*

sachê [sa'ʃe] *m* sachet *m.*

sacho ['saʃu] *m* sarcloir *m.*

saciar [sasj'a(x)] *vt* [fome] assouvir ; [sede] étancher. ◆ **saciar-se** *vp* se rassasier.

saco ['saku] *m* sac *m* ; **saco de dormir** sac de couchage ; **saco de lixo** sac poubelle ; **saco de plástico** sac en plastique ; **saco de viagem** sac de voyage.

sacola [sa'kɔla] *f* sac *m.*

sacramento [sakra'mẽntu] *m* sacrement *m.* ◆ **sacramentos** *mpl* sacrements *mpl.*

sacrificar [sakrifi'ka(x)] *vt* sacrifier. ◆ **sacrificar-se** *vp* : **sacrificar-se por alguém** se sacrifier pour qqn.

sacrilégio [sakri'lɛʒju] *m* sacrilège *m.*

sacristia [sakriʃ'tʃia] *f* sacristie *f.*

sacro, **cra** ['sakru, kra] *adj* sacré(e).

sacudir [saku'dʒi(x)] *vt* secouer ; [rabo, cabeça] remuer.

sádico, **ca** ['sadʒiku, ka] *m, f* sadique *mf.*

sadio, **dia** [sa'dʒiu, dʒia] *adj* sain(e).

saem ['sajẽ] ► **sair.**

safio [sa'fju] *m* congre *m.*

safira [sa'fira] *f* saphir *m.*

Sagitário [saʒi'tarju] *m* Sagittaire *m.*

sagrado, **da** [sa'gradu, da] *adj* sacré(e).

saguão [sa'gwɑ̃w] (*pl* -ões) *m* cour *f.*

sai ['saj] ► **sair.**

saí [sa'i] ► **sair.**

saia ['saja] *f* jupe *f.*

saia-calça [ˌsaja'kawsa] (*pl* **saias-calças**) *f* jupe-culotte *f.*

saída [sa'ida] *f* [de lugar] sortie *f* ; [de ônibus, trem] départ *m* ; [de problema, situação] issue *f* ; [profissional] débouché *m* ; **'saída de emergência'** 'sortie de secours', 'issue de secours' ; **dar uma saída** sortir ; **estar de saída** être sur le point de partir ; **ter saída** se vendre bien.

saio ['saju] ► **sair.**

sair [sa'i(x)] *vi* sortir ; [partir] partir ; [custar] revenir ; **sair de** sortir de. ◆ **sair-se** *vp* : **sair-se bem/mal** bien/mal s'en sortir.

saiu [sa'iu] ► **sair.**

sal ['saw] (*pl* **sais**) *m* sel *m* ; **sem sal** sans sel ; **sal comum** OU **marinho** sel de mer ; **sal de fruta** bicarbonate *m* ; **sal grosso** gros sel. ◆ **sais** *mpl* [de cheirar, banho] sels *mpl.*

sala ['sala] *f* [de casa] salon *m* ; [qualquer divisão] salle *f* ; **sala de bingo** salle de bingo ; **sala de espera** salle d'attente ; **sala de estar** salon ; **sala de jantar** salle à manger ; **sala de jogos** salle de jeux.

salada [sa'lada] *f* salade *f* ; **salada de alface** salade verte ; **salada de frutas** salade de fruits ; **salada mista** salade mixte ; **salada russa** salade russe ; **salada de tomate** salade de tomates.

saladeira [sala'dʒejra] *f* saladier *m.*

salamandra [sala'mɑ̃ndra] *f* salamandre *f.*

salame [sa'lami] *m sorte de saucisson.*

salão [sa'lɑ̃w] (*pl* -ões) *m* salon *m* ; [de bailes] salle *f* ; **salão de beleza** salon de beauté ; **salão de chá** salon de thé ; **salão de festas** salle des fêtes.

salário [sa'larju] *m* salaire *m* ; **salário mínimo** salaire minimum.

salário-família [saˌlarjufa'milja] (*pl* **salários-família**) *m* allocations *fpl* familiales.

saldar [saw'da(x)] *vt* solder.

saldo ['sawdu] *m* solde *m* ; **em saldo** en solde. ◆ **saldos** *mpl* soldes *mpl.*

salgadinhos [sawga'dʒiɲuʃ] *mpl petits gâteaux salés, olives, chorizo etc. servis en apéritif.*

salgado, da [saw'gadu, da] *adj* salé(e).

salgueiro [saw'gejru] *m* saule *m*.

salientar [saljẽn'ta(x)] *vt* souligner. ◆ **salientar-se** *vp* ressortir.

saliente [sa'ljẽntʃi] *adj* saillant(e).

saliva [sa'liva] *f* salive *f*.

salmão [saw'mɑ̃w] *m* saumon *m* ; **salmão de fumado** saumon fumé.

salmonela [sawmo'nɛla] *f* salmonelle *f*.

salmonete [sawmo'netʃi] *m* rouget *m*.

salmoura [saw'mora] *f* saumure *f*.

salões [sa'lõjʃ] ► **salão**.

salpicão [sawpi'kɑ̃w] (*pl* -ões) *m* [prato] *plat froid à base de poulet, de porc et de jambon coupés en fines lamelles macérées dans la sauce.*

salpicar [sawpi'ka(x)] *vt* [com água] éclabousser ; [com açúcar] saupoudrer.

salpicar [sawpi'ka(x)] *vt* [com água] éclabousser ; [com açúcar] saupoudrer.

salpicões *f* ► **salpicão**.

salsa ['sawsa] *f* persil *m* ; **salsa picada** une persillade.

salsicha [saw'siʃa] *f* saucisse *f*.

salsicharia [sawsiʃa'ria] *f* charcuterie *f*.

saltar [saw'ta(x)] *vt* & *vi* sauter ; **saltar à vista** OU **aos olhos** sauter aux yeux.

salteado, da [sawte'adu, da] *adj* [interpolado] dans le désordre ; CULIN sauté(e).

salto ['sawtu] *m* saut *m* ; [de calçado] talon *m* ; **dar um salto a** faire un saut à ; **salto alto** talon haut ; **salto baixo** OU **raso** talon plat ; **salto em altura** saut en hauteur ; **salto em distância** saut en longueur ; **salto mortal** saut périlleux ; **salto com vara** saut à la perche.

salutar [salu'ta(x)] (*pl* -es) *adj* salutaire.

salva ['sawva] *f* [planta] sauge *f* ; [bandeja] plateau *m* ; **salva de palmas** salve *f* d'applaudissements.

salvação [sawva'sɑ̃w] *f* salut *m*.

salvaguardar [ˌsawvagwax'da(x)] *vt* sauvegarder.

salvamento [sawva'mẽntu] *m* sauvetage *m*.

salvar [saw'va(x)] *vt* INFORM : **salvar um arquivo** sauvegarder un fichier.

salvar [saw'va(x)] *vt* sauver. ◆ **salvar-se** *vp* [escapar] s'échapper.

salvar [saw'va(x)] *vt* sauver ; **salvar as aparências** sauver les apparences. ◆ **salvar-se** *vp* : **salvar-se de** réchapper de.

salva-vidas [ˌsawva'vidaʃ] *m inv* canot *m* de sauvetage.

salvo, va ['sawvu, va] ◇ *pp* ► **salvar**. ◇ *adj* sauf(sauve). ◇ *prep* sauf ; **estar a salvo** être en sûreté ; **pôr-se a salvo** se sauver ; **salvo erro** sauf erreur ; **salvo se** sauf si.

samba ['sɑ̃mba] *m* samba *f*.

samba-canção [ˌsɑ̃nbakɑ̃n'sɑ̃w] (*pl* **sambas-canções**) *m* [tipo de samba] *samba lente et sentimentale* ; *fam* [cueca] caleçon *m*.

sambar [sɑ̃n'ba(x)] *vi* danser la samba.

sambista [sɑ̃n'biʃta] *mf* danseur *m*, -euse *f* de samba.

sambódromo [sɑ̃n'bɔdromu] *m enceinte dans laquelle défilent les écoles de samba pendant le carnaval au Brésil.*

sanatório [sana'tɔrju] *m* sanatorium *m*.

sanção [sɑ̃'sɑ̃w] (*pl* -ões) *f* sanction *f*.

sandália [sɐ̃n'dalja] *f* sandale *f*.

sanduíche [sɐ̃ndw'iʃi] *f inv* sandwich *m*.

sanfona [sɐ̃'fona] *f* accordéon *m*.

sangrar [sɐ̃ŋ'gra(x)] *vi* saigner.

sangria [sɐ̃ŋ'gria] *f* sangria *f*.

sangue ['sɐ̃ŋgi] *m* sang *m*.

sangue-frio [ˌsɐ̃ŋgi'friu] *m* sang-froid *m*.

sanguessuga [ˌsɐ̃ŋgi'suga] *f* sangsue *f*.

sanguíneo [sɐ̃ŋ'gwinju] *adj m* ► **vaso**.

sanidade [sani'dadʒi] *f* [higiene] hygiène *f* ; [mental] santé *f*.

sanitário, ria [sani'tarju, rja] ◇ *adj* sanitaire. ◇ *m* toilettes *fpl*, wc *mpl*.

santo, ta ['sɐ̃ntu, ta] *m, f* saint *m*, -e *f* ; **o Santo Padre** le Saint-Père.

santuário [sɐ̃ntw'arju] *m* sanctuaire *m*.

são[1] ['sɐ̃w] ► **ser**.

são[2], **sã** ['sɐ̃w, 'sɐ̃] *adj* sain(e) ; **são e salvo** sain et sauf.

São [sɐ̃w] *m* = **Santo**.

São Paulo [ˌsɐ̃w'pawlu] *s* São Paulo.

São Tomé e Príncipe [sɐ̃wtoˌmɛi'prĩsipi] *s* São Tomé et Príncipe.

sapataria [sapata'ria] *f* magasin *m* de chaussures.

sapateado [sapa'tʒjadu] *m* claquettes *fpl*.

sapateira [sapa'tejra] *f* tourteau *m*, ► **sapateiro**.

sapateiro, ra [sapa'tejru, ra] *m, f* cordonnier *m*.

sapatilhas [sapa'tiʎaʃ] *fpl* [de bailarinos] chaussons *mpl*.

sapato [sa'patu] *m* chaussure *f* ; **sapatos de salto alto** chaussures à talon.

sapê [sa'pe] *m* ≃ chaume *m*.

sapo ['sapu] *m* crapaud *m*.

saque ['saki] *m* [de dinheiro] traite *f* ; DESP défaite *f* ; [roubo] pillage *m*.

saquinho [sa'kiɲu] *m* : **saquinho de chá** sachet *m* de thé.

sarampo [sa'rɐ̃mpu] *m* rougeole *f*.

sarapatel [sarapa'tɛw] (*pl* -éis) *m plat à base de sang et de foie de porc, tomates, piments, oignon*.

sarar [sa'ra(x)] *vt* & *vi* guérir.

sarcasmo [sax'kaʒmu] *m* sarcasme *m*.

sarda ['saxda] *f* tâche *f* de rousseur.

sardinha [sax'dʒiɲa] *f* [peixe] sardine *f* ; [jogo] *jeu qui consiste à taper sur les mains de son adversaire avant qu'il ne les retire* ; **sardinha assada** sardine grillée.

sargento [sax'ʒẽntu] *m* sergent *m*.

sarja ['saxʒa] *f* serge *m*.

sarjeta [sax'ʒeta] *f* caniveau *m*.

SARL (*abrev de* **Sociedade Anônima de Responsabilidade Limitada**) SARL *f*.

sarro ['saxu] *m* tartre *m*.

satélite [sa'tɛlitʃi] *m* satellite *m*.

sátira ['satʃira] *f* satire *f*.

satisfação [satʃiʃfa'sɐ̃w] (*pl* -ões) *f* [contentamento] satisfaction *f* ; **não dar satisfações a ninguém** ne rendre de comptes à personne ; **pedir satisfações a alguém** demander des comptes à qqn.

satisfatório, ria [satʃiʃfa'tɔrju, rja] *adj* satisfaisant(e).

satisfazer [satʃiʃfa'ze(x)] *vt* & *vi* satisfaire. ◆ **satisfazer-se com** *vp + prep* se satisfaire de.

satisfeito, ta [satʃiʃ'fejtu, ta] *adj* satisfait(e) ; **dar-se por satisfeito** s'estimer heureux.

saudação [sawda'sɐ̃w] (*pl* -ões) *f* salutation *f*.

saudade [saw'dadʒi] *f* vague *m* à

l'âme ; **tenho saudades da família** la famille me manque ; **deixar saudades** regretter ; **matar saudades** se rattraper ; **morro de saudades da comida da minha mãe** la cuisine de ma mère me manque terriblement.

saudar [saw'da(x)] *vt* saluer.

saudável [saw'davɛw] (*pl* -eis) *adj* sain(e).

saúde [sa'udʒi] <> *f* santé *f*. <> *interj* tchin(-tchin) !

sauna ['sawna] *f* sauna *m*.

saveiro [sa'vejru] *m* bateau *m* de pêche.

sável ['savɛw] *m* alose *f (poisson)*.

saxofone [sakso'fɔni] *m* saxophone *m*.

scanner [iʃka'ne(x)] (*pl* **scanners**) *m* INFORM scanner *m*.

scooter ['skutɛ(x)] (*pl* -es) *f* scooter *m*.

script [iʃkriptʃi] (*pl* **scripts**) *m* INFORM script *m*.

s.d. (*abrev de* **sem data**) sans date.

se [si] <> *pron* **1.** [uso reflexivo referindo-se a ele, ela, eles, elas] se ; [você] te ; [vocês] vous ; **ele não se enganou** il ne s'est pas trompé ; **eles se perderam** ils se sont perdus ; **vocês se perderam** vous vous êtes perdus - **2.** [uso recíproco referindo-se a eles, elas] se ; [vocês] vous ; **amam-se** ils s'aiment ; **escrevem-se regularmente** ils s'écrivent régulièrement - **3.** [com sujeito indeterminado] on ; **vive-se melhor no campo** on vit mieux à la campagne ; **'aluga-se quarto'** 'chambre à louer'. <> *conj* **1.** [ger] si ; **se tiver tempo, escrevo** si j'ai du temps, j'écrirai ; **se está com fome, coma alguma coisa** si tu as faim, mange qqch ; **se um é feio, o outro ainda é pior** si l'un est affreux, l'autre est encore pire ; **que tal se tirássemos umas férias?** et si nous prenions des vacances ? ; **se pelo menos não chovesse** si au moins il ne pleuvait pas ; **avisem-me se vierem** prévenez-moi si vous venez ; **perguntei-lhe se gostou** je lui ai demandé si ça lui a plu - **2.** [em locuções] **: se bem que** bien que.

sé ['sɛ] *f* cathédrale *f*.

sebe ['sɛbi] *f* haie *f* ; **sebe viva** haie vive.

sebento, **ta** [se'bẽntu, ta] *adj* crasseux(euse).

sebo ['sebu] *m* sébum *m*.

seca ['seka] *f* sécheresse *f*.

secador [seka'do(x)] (*pl* -es) *m* [de cabelo] sèche-cheveux *m inv*.

seção [se'sɑ̃w] (*pl* -ões) *f* [repartição pública] service *m* ; [de loja] rayon *m* ; **a seção de perdidos e achados** les objets trouvés.

secar [se'ka(x)] <> *vt* faire sécher. <> *vi* sécher ; [rio, poço, lago] assécher ; **vou secar o cabelo** je vais me sécher les cheveux.

seco, **ca** ['seku, ka] <> *pp* ► **secar**. <> *adj* sec(sèche).

secretaria [sekreta'ria] *f* secrétariat *m* ; **secretaria de Estado** secrétariat d'État.

secretária [sekre'tarja] *f* bureau *m* ; **secretária eletrônica** répondeur *m* automatique ► **secretário**.

secretário, **ria** [sekre'tarju, rja] *m*, *f* secrétaire *mf* ; **secretário de Estado** secrétaire d'État.

secreto, **ta** [se'krɛtu, ta] *adj* secret(ète).

sectário, **ria** [sɛk'tarju, rja] *adj* sectaire.

secular [seku'la(x)] (*pl* -es) *adj* séculaire.

século ['sɛkulu] *m* siècle *m*.

secundário, **ria** [sekũn'darju, rja] *adj* secondaire.

seda ['seda] *f* soie *f*.

sedativo [seda'tʃivu] *m* sédatif *m*.

sede[1] ['sɛdʒi] *f* [de empresa] siège *m* social ; [de organização] siège *m*.

sede[2] ['sedʒi] *f* soif *f* ; **matar a sede** étancher sa soif ; **ter sede de** avoir soif de.

sedimento [sedʒi'mẽntu] *m* sédiment *m*.

sedoso, osa [se'dozu, ɔza] *adj* soyeux(euse).

sedução [sedu'sɑ̃w] (*pl* -ões) *f* séduction *f*.

sedutor, ra [sedu'to(x), ra] (*mpl* -es, *fpl* -s) *adj* séduisant(e).

seduzir [sedu'zi(x)] *vt* séduire.

segmento [sɛg'mẽntu] *m* segment *m*.

segredo [se'gredu] *m* secret *m*.

segregar [segre'ga(x)] *vt* [pôr de lado] mettre à l'écart, isoler ; [secreção] sécréter. ◆ **segregar-se** *vp* s'isoler.

seguida [se'gida] *f* : **em seguida** ensuite.

seguidamente [se,gida'mẽntʃi] *adv* [sem interrupção] d'affilée ; [em seguida] ensuite.

seguido, da [se'gidu, da] *adj* suivi(e) ; **seguido de** suivi de.

seguinte [se'gĩntʃi] ◇ *adj* suivant(e). ◇ *mf* : **o/a seguinte** le suivant/la suivante ; **o dia seguinte** le lendemain ; **o mês seguinte** le mois d'après.

seguir [se'gi(x)] ◇ *vt* suivre ; [carreira, profissão] faire. ◇ *vi* continuer ; **seguir com algo para a frente** mener qqch à bien ; **seguir para** continuer vers ; **siga pela esquerda/direita** prends à gauche/à droite ; **a seguir** ensuite.

segunda [se'gũnda] *f* deuxième *f* (*vitesse*).

segunda-feira [se,gũnda'fejra] (*pl* **segundas-feiras**) *f* lundi *m*, ➤ **sexta-feira**.

segundo, da [se'gũndu, da] ◇ *num* second(e). ◇ *m* seconde *f*. ◇ *prep* d'après. ◇ *adv* deuxièmement ; **de segunda mão** d'occasion, ➤ **sexto**.

seguramente [se,gura'mẽntʃi] *adv* sûrement.

segurança [segu'rɑ̃sa] *f* sécurité *f* ; [certeza] assurance *f* ; **com segurança** avec assurance ; **em segurança** en sécurité.

segurar [segu'ra(x)] *vt* [coisa] tenir ; [pessoa] retenir.

seguridade [se,guri'dadʒi] *f* : **a Seguridade Social** la sécurité sociale.

seguro, ra [se'guru, ra] ◇ *adj* [sem riscos, firme] sûr(e) ; [preso] attaché(e) ; [a salvo] en sûreté ; [garantido] assuré(e). ◇ *m* assurance *f* ; **estar seguro** [estar a salvo] être en sécurité ; [ter certeza] être sûr ; **pôr no seguro** assurer ; **ser seguro de si** être sûr de soi ; **seguro contra terceiros** assurance au tiers ; **seguro contra todos os riscos** assurance tous risques ; **seguro de viagem** assurance voyage ; **seguro de vida** assurance vie.

seguro-saúde [se,gurusa'udʒi] (*pl* **seguros-saúde**) *m* assurance *f* maladie.

sei ['sej] ➤ **saber**.

seio ['saju] *m* sein *m*.

seis ['sejʃ] ◇ *adj num, pron num* & *m* six ; [dia] le six. ◇ *mpl* six. ◇ *fpl* : **às seis** à six heures ; **ele tem seis anos** il a six ans ; **eles eram seis** ils étaient six ; **são seis horas** il est six heures ; **seis de janeiro** le six janvier ; **página seis** page six ; **trinta e seis** trente-six ; **o seis de copas** le six de cœur ; **de seis em seis dias** tous les six jours ; **empataram em seis a seis** (ils ont fait) six partout ; **seis a zero** six à zéro.

seiscentos, tas [sejʃ'sẽntuʃ, taʃ] *num* six cents, ➤ **seis**.

seita ['sejta] *f* secte *f*.

seiva ['sejva] *f* sève *f*.

seixo ['sejʃu] *m* caillou *m*.

sela ['sɛla] *f* selle *f*.

selar [se'la(x)] *vt* seller ; [carta, subscrito] cacheter.

seleção [sele'sãw] *f* [escolha] sélection *f* ; [em esporte] équipe *f* nationale.

selecionar [selesjo'na(x)] *vt* sélectionner.

seleto, ta [se'lɛtu, ta] *adj* chic *(inv)*.

self-service [sɛwf'sɛrvis] (*pl* **self-services**) *m* self-service *m*.

selim [se'lĩ] (*pl* -ns) *m* selle *f*.

selo ['selu] *m* timbre *m* ; **selo de garantia** label *m* (de qualité).

selva ['sɛwva] *f* jungle *f*.

selvagem [sɛw'vaʒẽ] (*pl* -ns) *adj* & *mf* sauvage.

sem [sẽ] *prep* sans ; **estar sem água/gasolina** ne plus avoir d'eau/d'essence ; **estar sem fazer nada** ne rien avoir à faire ; **sem que** sans que ; **sem mais nem menos** comme ça, sans raison.

semáforo [se'maforu] *m* feu rouge *m*.

semana [se'mana] *f* semaine *f* ; **de semana em semana** de semaine en semaine ; **por semana** par semaine, hebdomadaire. ◆ **Semana Santa** *f* la Semaine Sainte.

semanada [sema'nada] *f* argent *m* de poche.

semanal [sema'naw] (*pl* -ais) *adj* hebdomadaire.

semblante [sẽn'blãntʃi] *m* air *m* *(apparence)*.

semear [se'mja(x)] *vt* semer.

semelhança [seme'ʎãsa] *f* ressemblance *f* ; **à semelhança de** de la même manière que.

semelhante [seme'ʎãntʃi] *adj* semblable ; **semelhante a** semblable à.

sêmen ['semɛn] *m* sperme *m*.

semente [se'mẽntʃi] *f* graine *f*, semence *f*.

semestral [semeʃ'traw] (*pl* -ais) *adj* semestriel(elle).

semestre [se'mɛʃtri] *m* semestre *m*.

seminário [semi'narju] *m* séminaire *m*.

sêmola ['semola] *f* semoule *f*.

semolina [semo'lina] *f* farine *f* de semoule.

sempre ['sẽmpri] *adv* [o tempo todo] toujours ; [afinal] finalement ; **o mesmo de sempre** comme d'habitude ; **como sempre** comme toujours ; **para sempre** pour toujours ; **sempre que** chaque fois que.

sempre-viva [ˌsẽmpri'viva] (*pl* **sempre-vivas**) *f* immortelle *f*.

sem-teto [sẽn'tɛtu] *mf inv* sans-abri *mf inv*.

sem-vergonha [sãjvex'goɲa] *mf inv* sans-gêne *mf inv*.

sena ['sena] *f* six *m* *(de carreau, trèfle, pique, cœur)*.

senado [se'nadu] *m* sénat *m*.

senão [se'nãw] *conj* sinon.

senha ['seɲa] *f* ticket *m* ; **senha de saída** contremarque *f*.

senhor, ra [se'ɲo(x), ra] (*mpl* -es, *fpl* -s) *m, f* monsieur *m*, madame *f* ; **'senhoras'** 'dames'.

senhorio, ria [seɲo'riu, ria] *m, f* propriétaire *mf*.

senil [se'niw] (*pl* -is) *adj* sénile.

sensação [sẽsa'sãw] (*pl* -ões) *f* sensation *f* ; **causar sensação** faire sensation.

sensacional [sẽsasjo'naw] (*pl* -ais) *adj* sensationnel(elle).

sensações ► **sensação**.

sensato, ta [sẽ'satu, ta] *adj* sensé(e).

sensível [sẽ'sivɛw] (*pl* -eis) *adj* sensible.

senso ['sẽsu] *m* sens *m* ; **bom senso** bon sens ; **senso comum** sens commun ; **senso prático** sens pratique.

sensual [sẽ'swaw] (*pl* -ais) *adj* sensuel(elle).

sentado, **da** [sẽn'tadu, da] *adj* assis(e).

sentar-se [sẽn'taxsi] *vp* s'asseoir.

sentença [sẽn'tẽsa] *f* sentence *f*.

sentido, **da** [sẽn'tʃidu, da] ◇ *adj* [melindrado] vexé(e) ; [magoado] blessé(e). ◇ *m* sens *m* ; **fazer sentido** avoir un sens ; **em certo sentido** dans un sens ; **sentido proibido** sens interdit ; **sentido único** sens unique.

sentimental [sẽntʃimẽn'taw] (*pl* -ais) *adj* sentimental(e).

sentimento [sẽntʃi'mẽntu] *m* sentiment *m* ; **os meus sentimentos!** toutes mes condoléances !

sentinela [sẽntʃi'nɛla] *mf* sentinelle *f* ; **estar de sentinela** faire le guet.

sentir [sẽn'tʃi(x)] *vt* : **sinto frio** j'ai froid ; **sentir raiva** être en colère ; **sinto muito!** je suis désolé ! ; **sinto falta dele** il me manque ; **sentir vontade de fazer algo** avoir envie de faire qqch. ◆ **sentir-se** *vp* se sentir ; **sinto-me mal** je me sens mal.

separação [separa'sɑ̃w] (*pl* -ões) *f* séparation *f*.

separado, **da** [sepa'radu, da] *adj* séparé(e) ; **em separado** séparément.

separar [sepa'ra(x)] *vt* séparer. ◆ **separar-se** *vp* se séparer.

septuagésimo, **ma** [sɛptwa'ʒɛzimu, ma] *num* soixante-dixième, ➤ **sexto**.

sepultar [sepuw'ta(x)] *vt* enterrer.

sepultura [sepuw'tura] *f* [cova] sépulture *f* ; [túmulo] tombe *f*.

seqüência [se'kwẽsja] *f* suite *f*.

sequer [se'kɛ(x)] *adv* : **nem sequer** même pas ; **ele nem sequer protestou** il n'a même pas protesté.

seqüestrador, **ra** [sekweʃtra'do(x), ra] (*mpl* -res, *fpl* -s) *mf* ravisseur *m*, -euse *f*.

seqüestrar [sekweʃ'tra(x)] *vt* [raptar] enlever ; [fechar] séquestrer.

seqüestro [se'kwɛʃtru] *m* séquestre *m*.

sequóia [se'kwɔja] *f* séquoia *m*.

ser ['se(x)] (*pl* -es) ◇ *m* [criatura] être *m* ; **o ser humano** l'être humain. ◇ *vi* **1.** [ger] être ; **é demasiado longo** c'est trop long ; **são bonitos** ils sont beaux ; **sou médico** je suis médecin ; **ele é do Brasil** il est du Brésil ; **é no Porto** c'est à Porto ; **sou brasileira** je suis brésilienne ; **quanto é?** c'est combien ? ; **são sessenta euros** soixante euros ; **hoje é sexta** aujourd'hui, on est vendredi ; **que horas são?** quelle heure est-il ? ; **são seis horas** il est six heures ; **é do Paulo** c'est à Paulo ; **este carro é seu?** cette voiture est à toi ? ; **os livros eram meus** les livres étaient à moi - **2.** [em locuções] : **a não ser que** à moins que ; **que foi?** qu'y a-t-il ? ; **ou seja** c'est-à-dire ; **será que... ?** est-ce que... ? ◇ *v aux* être ; **foi visto à saída do cinema** il a été vu à la sortie du cinéma. ◇ *v impess* être ; **é de dia/noite** il fait jour/nuit ; **é tarde/cedo** il est tard/tôt ; **é difícil de dizer** c'est difficile à dire ; **é fácil de ver** c'est facile à voir. ◆ **ser de** *v + prep* [matéria] être en ; [ser adepto de] être pour. ◆ **ser para** *v + prep* [servir para, ser adequado para] servir à ; **isto não é para comer agora** ce n'est pas pour manger maintenant.

serão [se'rɑ̃w] (*pl* -ões) *m* veillée *f* ; **fazer serão** veiller.

sereia [se'reja] *f* sirène *f*.

serenar [sere'na(x)] ◇ *vt* apaiser. ◇ *vi* s'apaiser ; [vento] se calmer.

serenata [sere'nata] *f* sérénade *f*.

seres = ser.

seresta [se'rɛʃta] *f* = **serenata**.

seriado [se'rjadu] *m* série *f* télévisée.

série ['sɛrji] *f* série *f* ; [de bilhetes de metrô] carnet *m* ; **uma série de** une série de.

seriedade [serje'dadʒi] *f* sérieux *m*.

seringa [se'rĩŋga] *f* seringue *f*.

seringueira [serĩŋ'gejra] *f* hévéa *m*.

sério, **ria** ['sɛrju, rja] ◇ *adj* sérieux(euse). ◇ *adv* : **a sério?** sérieusement ? ; **a sério!** sérieusement ! ; **levar** OU **tomar a sério** prendre au sérieux.

sermão [sex'mɑ̃w] (*pl* -ões) *m* sermon *m*.

serões ► **serão**.

serpente [sex'pẽntʃi] *f* serpent *m*.

serpentina [serpẽn'tʃina] *f* serpentin *m*.

serra ['sɛxa] *f* [instrumento] scie *f* ; [em geografia] montagne *f*.

serralheiro [sexa'ʎejru] *m* serrurier *m*.

serrar [se'xa(x)] *vt* scier.

sertanejo, **ja** [sextanejʒu, ʒa] *adj* du sertão.

sertão [sex'tɑ̃w] *m* sertão *m*.

servente [sex'vẽntʃi] *m* apprenti *m* maçon.

serventia [sexvẽn'tʃia] *f* [préstimo] utilité *f* ; [de casa, edifício, terreno] chemin *m* d'accès.

serviço [sex'visu] *m* service *m* ; [trabalho] travail *m* ; **'fora de serviço'** 'hors service' ; **'serviço incluído'** 'service compris' ; **serviço cívico** service civil ; **os serviços** les services *(secteur tertiaire)*.

servidor, **ra** [sex'vido(x), ra] *mf* [funcionário] fonctionnaire *m* ; **servidor público** fonctionnaire public *m*.

servidor [sex'vido(x)] *m* INFORM serveur *m*.

servil [sex'viw] (*pl* -is) *adj* servile.

servir [sex'vi(x)] ◇ *vt* servir. ◇ *vi* servir ; [roupa, calçado] aller ; **em que posso servi-lo?** en quoi puis-je vous être utile ? ; **servir de algo** servir de qqch. ◆ **servir-se** *vp* se servir. ◆ **servir-se de** *vp* + *prep* se servir de.

servis ► **servil**.

sessão [se'sɑ̃w] (*pl* -ões) *f* séance *f* ; [de debate político, científico] session *f*.

sessenta [se'sẽnta] *num* soixante, ► **seis**.

sessões [se'sõjʃ] ► **sessão**.

sesta ['sɛʃta] *f* sieste *f*.

seta ['sɛta] *f* flèche *f*.

sete ['sɛtʃi] *num* sept, ► **seis**.

setecentos, **tas** [sɛte'sẽntuʃ, taʃ] *num* sept cents, ► **seis**.

setembro [se'tẽmbru] *m* septembre *m* ; **durante o mês de setembro** au mois de septembre ; **em setembro** en septembre ; **em meados de setembro** à la mi-septembre ; **este mês de setembro** le mois de septembre ; **em setembro passado** en septembre dernier ; **no próximo mês de setembro** en septembre prochain ; **no princípio/final de setembro** début/fin septembre ; **o primeiro de setembro** le 1er septembre.

setenta [se'tẽnta] *num* soixante-dix, ► **seis**.

sétimo, **ma** ['sɛtʃimu, ma] *num* septième, ► **sexto**.

setor [se'to(x)] (*pl* -es) *m* [ramo de atividade] secteur *m* ; [seção de empresa] service *m*.

seu, **sua** ['sew, 'sua] ◇ *adj* **1.** [dele, dela, de coisa, animal] son(sa) - **2.** [do senhor, da senhora] leur - **3.** [de você] ton(ta). <> *pron* : **o seu/a sua** [dele, dela] le sien(la sienne) ; [de você] le tien(la tienne) ; [do senhor, da senhora] le vôtre(la vôtre) ; [deles, delas] le leur(la leur) ; **isto é seu?** [dele] c'est à lui ? ; [dela] c'est à elle ? ; [deles, delas] c'est à eux/à elles ? ; [de você] c'est à toi ? ; [do senhor, da senhora] c'est à vous ? ; **um amigo seu** [dele, dela] un de ses amis ; [deles, delas] un de leurs amis ; [de você] un de tes amis ; [do senhor, da senhora] un de vos amis ; **os seus** [a família de cada um] les siens. <> *m, f* **1.** *pej* [forma de tratamento] espèce *f* de ; **seu estúpido!** espèce d'imbécile ! ; **seus irresponsáveis!** bande d'irresponsables ! - **2.** [com malícia] : **seu malandrinho!** petit vaurien ! ; **sua danadinha!** petite coquine !

severidade [severi'dadʒi] *f* sévérité *f.*

severo, **ra** [se'vɛru, ra] *adj* sévère.

sexagésimo, **ma** [sɛksa'ʒɛzimu, ma] *num* soixantième, ► **sexto**.

sexo ['sɛksu] *m* sexe *m.*

sexta-feira [ˌsejʃta'fejra] (*pl* **sextas-feiras**) *f* vendredi *m* ; **às sextas-feiras** les vendredis ; **até sexta-feira** à vendredi ! ; **ela vem sexta-feira** elle vient vendredi ; **esta sexta-feira** [próxima] ce vendredi-ci, vendredi prochain ; [passada] vendredi précédent ; **hoje é sexta-feira** aujourd'hui nous sommes vendredi ; **todas as sextas-feiras** tous les vendredis ; **sexta-feira de manhã/à tarde/à noite** vendredi matin/après-midi/soir ; **sexta-feira 13 de junho** vendredi 13 juin ; **sexta-feira passada** vendredi dernier ; **sexta-feira que vem** vendredi prochain. ◆ **Sexta-Feira Santa** *f* vendredi saint.

sexto, **ta** ['sejʃtu, ta] <> *adj num* & *pron* sixième. <> *m* sixième *m.* <> *m, f* : **o sexto/a sexta** le/la sixième ; **chegar em sexto** arriver sixième ; **capítulo sexto** chapitre six ; **em sexto lugar** en sixième ; **no sexto dia** le sixième jour ; **a sexta parte** le sixième.

sexual [sɛk'swaw] (*pl* -ais) *adj* sexuel(elle).

sexualidade [sekswali'dadʒi] *f* sexualité *f.*

sexy ['sɛksi] *adj* sexy.

shareware [ʃari'wari] (*pl* -sharewares) *m* INFORM logiciel contributif *m.*

shopping ['ʃɔpĩŋ] *m* centre *m* commercial.

short ['ʃɔxtʃi] *m* short *m.*

show ['ʃow] *m* spectacle *m.*

si ['si] *pron* [ele, coisa, animal] lui ; [ela] elle ; [eles, elas] eux(elles) ; [impessoal] soi ; **falar para si** parler tout seul ; **estar fora de si** être hors de soi ; **voltar a si** revenir à soi ; **cheio de si** imbu de sa personne ; **em si** en soi ; **entre si** entre eux/elles ; **para si** pour lui/elle/eux/elles ; **por si só** [sem ajuda] tout seul (toute seule) ; [isoladamente] en soi ; **si mesmo** OU **próprio** lui-même ; **si mesma** elle-même ; **si mesmos** eux-mêmes.

siderurgia [si'derur'ʒia] *f* sidérurgie *f.*

sido ['sidu] *pp* ► **ser**.

sidra ['sidra] *f* cidre *m.*

sífilis ['sifiliʃ] *f* syphilis *f.*

sigilo [si'ʒilu] *m* secret *m.*

sigla ['sigla] *f* sigle *m.*

significado [signifi'kadu] *m* signification *f.*

significar [signifi'ka(x)] *vt* signifier.

significativo, **va** [signifika'tʃivu, va] *adj* significatif(ive) ; [quantidade] important(e).

signo ['signu] *m* signe *m.*

sigo ['sigu] ► **seguir**.

sílaba ['silaba] *f* syllabe *f.*

silenciar [silẽ'sja(x)] *vt* [pessoa] faire taire ; [detalhe, assunto] **passer sous silence.**

silêncio [si'lẽsju] ◇ *m* silence *m.* ◇ *interj* silence !

silencioso, osa [silẽ'sjozu, ɔza] *adj* silencieux(euse).

silhueta [si'ʎweta] *f* silhouette *f.*

silicone [sili'kɔni] *m* silicone *m.*

silvestre [siw'vɛʃtri] *adj* sauvage.

sim ['sĩ] *adv* oui ; **penso que sim** oui, je pense ; **pelo sim, pelo não** au cas où.

símbolo ['sĩmbolu] *m* symbole *m.*

simetria [sime'tria] *f* symétrie *f.*

similar [simi'la(x)] (*pl* -es) *adj* similaire.

simpatia [sĩmpa'tʃia] *f* sympathie *f.*

simpático, ca [sĩm'patʃiku, ka] *adj* sympathique.

simpatizante [sĩmpatʃi'zɐ̃ntʃi] *adj* sympathisant(e).

simpatizar [sĩmpatʃi'za(x)] ◆ **simpatizar com** *v + prep* trouver sympathique.

simples ['sĩmpleʃ] *adj inv* simple ; [bebida] nature.

simplicidade [sĩmplisi'dadʒi] *f* simplicité *f.*

simplificar [sĩmplifi'ka(x)] *vt* simplifier.

simular [simu'la(x)] *vt* simuler.

simultaneamente [simuw,tanja'mẽntʃi] *adv* simultanément.

simultâneo, nea [simuw'tanju, nja] *adj* simultané(e) ; **em simultâneo** en simultané.

sinagoga [sina'gɔga] *f* synagogue *f.*

sinal [si'naw] (*pl* -ais) *m* [símbolo, marca] signe *m* ; [indicação] signal *m* ; [em pele] grain *m* de beauté ; [dinheiro] acompte *m* ; [de trânsito] panneau *m* ; **dar sinal de si** reprendre connaissance ; [dar notícias] donner signe de vie ; **em sinal de** en signe de ; **nem sinal** aucune nouvelle ; **sinal de alarme** signal d'alarme ; **dar sinal de ocupado** sonner occupé.

sinalização [sinaliza'sɐ̃w] *f* signalisation *f.*

sinceridade [sĩseri'dadʒi] *f* sincérité *f.*

sincero, ra [sĩ'sɛru, ra] *adj* sincère.

sindicato [sĩndʒi'katu] *m* syndicat *m.*

síndico ['sĩndʒiku, ka] *m* syndic *m.*

síndrome ['sĩdromi] *f* syndrome *m.*

sinfonia [sĩfo'nia] *f* symphonie *f.*

sinfônica [sĩ'fonika] *adj f* ▶ **música.**

singelo, la [sĩ'ʒɛlu, la] *adj* simple *(modeste).*

singular [sĩŋgu'la(x)] (*pl* -es) ◇ *adj* [único] particulier(ère) ; [extraordinário] singulier(ère) ; GRAM singulier. ◇ *m* singulier *m.*

sino ['sinu] *m* cloche *f.*

sinônimo [si'nonimu] *m* synonyme *m.*

sintaxe [sĩn'tasi] *f* syntaxe *f.*

síntese ['sĩntezi] *f* [resumo] synthèse *f.*

sintético, ca [sĩn'tɛtiku, ka] *adj* synthétique.

sintoma [sĩn'toma] *m* symptôme *m.*

sintonizar [sĩntoni'za(x)] *vt* syntoniser.

sinuca [si'nuka] *f* snooker *m*, billard *m* américain.

sinuoso, osa [si'nwozu, ɔza] *adj* sinueux(euse).

sirene [si'rɛni] *f* sirène *f (alarme).*

siri [si'ri] *m* petit crabe *m.*

sirvo ['sixvu] ▶ **servir.**

sísmico ['siʒmiku, ka] *adj m* ▶ **abalo.**

siso ['sizu] *m* sagesse *f.*

sistema [siʃ'tema] *m* système *m* ;

sistema métrico système métrique ; **sistema nervoso** système nerveux ; **por sistema** par principe.

sistemático, **ca** [siʃte'matʃiku, ka] *adj* systématique.

sisudo, **da** [si'zudu, da] *adj* sérieux(euse).

site ['sajtʃji] (*pl* **sites**) *m* INFORM site *m*.

sítio ['sitʃju] *m* **1.** [propriedade] propriété agricole *f* - **2.** MIL siège *m* ; **estado de sítio** état de siège *m* ; **em estado de sítio** en état de siège.

situação [sitwa'sɐ̃w] (*pl* -ões) *f* situation *f*.

situado, **da** [si'twadu, da] *adj* : **bem/mal situado** bien/mal situé ; **situado em** situé dans ; **situado em Lisboa** situé à Lisbonne ; **situado ao norte/oeste** situé au nord/à l'ouest.

situar [si'twa(x)] *vt* situer. ◆ **situar-se** *vp* se situer.

s/l = **sobreloja**.

slide [iʒ'lajdʒi] *m* diapositive *f*.

slogan [iʒ'logɐ̃n] *m* slogan *m*.

smoking ['smokĩŋ] *m* smoking *m*.

snack-bar [snɛk'ba(x)] (*pl* **snack-bares**) *m* snack-bar *m*.

snooker ['snukɛ(x)] *m* snooker *m*, billard *m* américain.

SO (*abrev de* **Sudoeste**) S-O.

só ['sɔ] ◇ *adj* seul(e). ◇ *adv* seulement ; **é só pedir!** il suffit de demander ! ; **um só** un seul ; **a sós** en tête à tête ; **não só... como também...** non seulement... mais aussi... ; **só que** seulement.

soalho ['swaʎu] *m* plancher *m*.

soar ['swa(x)] *vt* & *vi* sonner ; **soar bem/mal** sonner juste/faux.

sob ['sobi] *prep* sous.

sobe ['sɔbi] ► **subir**.

soberania [sobera'nia] *f* souveraineté *f*.

soberano, **na** [sobe'ranu, na] *adj* souverain(e).

soberbo, **ba** [su'bexbu, ba] *adj* [suntuoso] superbe.

sobrado [so'bradu] *m* [soalho] plancher *m*.

sobrancelha [sobrɐ̃'seʎa] *f* sourcil *m*.

sobrar [so'bra(x)] *vi* rester.

sobre ['sobri] *prep* [em cima de, acerca de] sur ; [por cima de] **au-dessus de**.

sobreaviso [sobrea'vizu] *m* : **estar** OU **ficar de sobreaviso** être sur le qui-vive.

sobrecarga [sobre'kaxga] *f* surcharge *f*.

sobrecarregar [sobrekaxe'ga(x)] *vt* : **sobrecarregar alguém com algo** surcharger qqn de qqch.

sobreloja [sobre'lɔʒa] *f* entresol *m*.

sobremesa [sobre'meza] *f* dessert *m*.

sobrenatural [ˌsobrenatu'raw] (*pl* -ais) *adj* surnaturel(elle).

sobrenome [sobri'nomi] *m* nom *m* de famille.

sobrepor [sobre'po(x)] *vt* : **sobrepor algo a algo** superposer qqch à qqch ; *fig* [preferir] faire passer qqch avant qqch. ◆ **sobrepor-se** *vp* se superposer.

sobrescrito [sobreʃ'kritu] *m* enveloppe *f*.

sobressair [sobresa'i(x)] *vi* ressortir.

sobressaltar [sobresaw'ta(x)] *vt* faire peur. ◆ **sobressaltar-se** *vp* sursauter.

sobressalto [sobre'sawtu] *m* [susto] sursaut *m* ; [inquietação] inquiétude *f*.

sobretaxa [ˌsobre'taʃa] *f* surtaxe *f*.

sobretudo [sobre'tudu] ◇ *m* pardessus *m*. ◇ *adv* surtout.

sobrevivência [sobrevi'vẽsja] *f* survie *f* ; [de tradição] survivance *f*.

sobrevivente [sobrevi'vẽntʃi] *mf* survivant *m*, -e *f*.

sobreviver [sobrevi've(x)] *vi* survivre.

sobriedade [sobrie'dadʒi] *f* sobriété *f*.

sobrinho, **nha** [so'briɲu, ɲa] *m, f* neveu *m*, nièce *f*.

sóbrio, **bria** ['sɔbriu, bria] *adj* sobre.

social [so'sjaw] (*pl* -ais) *adj* social(e).

socialismo [sosja'liʒmu] *m* socialisme *m*.

socialista [sosja'liʃta] *adj* & *mf* socialiste.

sociedade [sosje'dadʒi] *f* société *f*.

sócio, **cia** ['sɔsju, sja] *m, f* associé *m*, -e *f*.

sociologia [sosjolo'ʒia] *f* sociologie *f*.

sociólogo, **ga** [so'sjɔlogu, ga] *m, f* sociologue *mf*.

soco ['soku] *m* coup *m* de poing.

socorrer [soko'xe(x)] *vt* secourir. ◆ **socorrer-se de** *vp* + *prep* [recorrer a] recourir à.

socorrismo [soko'xiʒmu] *m* secourisme *m*.

socorro [so'koxu] ◇ *m* secours *m*. ◇ *interj* au secours ! ; **pedir socorro** appeler à l'aide.

soda ['sɔda] *f* [bicarbonato de sódio] soude *f* ; [bebida] soda *m*.

sofá [so'fa] *m* canapé *m*.

sofá-cama [soˌfa'kama] *m* canapé-lit *m*.

sofisticado, **da** [sofiʃtʃi'kadu, da] *adj* sophistiqué(e).

sofrer [so'fre(x)] ◇ *vt* [acidente] être victime de ; [revés] essuyer ; [abalo, susto, decepção] avoir ; [perda, humilhação] subir. ◇ *vi* souffrir.

sofrimento [sofri'mẽntu] *m* souffrance *f*.

software [sɔf'twɛri] *m* logiciel *m*.

sogro, **sogra** [sogru, sɔgra] *m, f* beau-père *m*, belle-mère *f*.

soirée [swa're] *f* soirée *f*.

sóis [sɔjʃ] ➤ **sol**.

soja ['sɔʒa] *f* soja *m*.

sol ['sɔw] (*pl* **sóis**) *m* [astro] soleil *m*.

sola ['sɔla] *f* semelle *f*.

solar [so'la(x)] (*pl* -es) ◇ *adj* solaire. ◇ *m* manoir *m*.

soldado [sow'dadu] *m* soldat *m*.

soleira [so'lejra] *f* seuil *m*.

solene [so'leni] *adj* solennel(elle).

soletrar [sole'tra(x)] *vt* épeler.

solha ['soʎa] *f* limande *f*.

solicitar [solisi'ta(x)] *vt* solliciter.

solícito, **ta** [so'lisitu, ta] *adj* prévenant(e).

solidão [soli'dɑ̃w] *f* solitude *f*.

solidariedade [solidarje'dadʒi] *f* solidarité *f*.

solidário, **ria** [soli'darju, rja] *adj* solidaire ; **ser solidário com** être solidaire de.

sólido, **da** ['sɔlidu, da] *adj* solide.

solista [so'liʃta] *mf* soliste *mf*.

solitário, **ria** [soli'tarju, rja] ◇ *adj* solitaire. ◇ *m* [para flores] soliflore *m* ; [jóia] solitaire *m*.

solo ['sɔlu] *m* sol *m* ; MÚS solo *m*.

soltar [sow'ta(x)] *vt* [desprender, desatar] détacher ; [grito, gargalhada] pousser ; [de prisão] relâcher ; [de gaiola] lâcher. ◆ **soltar-se** *vp* se détacher.

solteiro, **ra** [sow'tejru, ra] *adj* célibataire.

solto, **ta** ['sowtu, ta] ◇ *pp* ➤ **soltar**. ◇ *adj* [livre] détaché(e) ; [animal] en liberté ; [sozinho] à l'unité.

solução [solu'sɑ̃w] (*pl* -ões) *f* solution *f*.

soluçar [solu'sa(x)] *vi* [ter soluços] avoir le hoquet ; [chorar] sangloter.

solucionar [solusjo'na(x)] *vt* [problema] résoudre.

soluço [su'lusu] *m* [contração] hoquet *m* ; [choro] sanglot *m*.

soluções ► **solução**.

solúvel [so'luvɛw] (*pl* -eis) *adj* soluble.

som ['sõ] (*pl* -ns) *m* son *m* ; **ao som de** au son de.

soma ['soma] *f* somme *f*.

somar [so'ma(x)] *vt* additionner.

sombra ['sõmbra] *f* [de pessoa, árvore] ombre *f* ; [cosmético] ombre *f* (à paupières) ; **à** OU **na sombra** à l'ombre ; **sem sombra de dúvida** sans l'ombre d'un doute.

sombrio, **bria** [sõm'briu, 'bria] *adj* sombre.

somente [sɔ'mẽntʃi] *adv* seulement.

sonâmbulo, **la** [so'nãmbulu, la] *m, f* somnambule *mf*.

sonda ['sõnda] *f* MED sonde *f* ; **sonda espacial** sonde spatiale.

sondagem [sõn'daʒẽ] (*pl* -ns) *f* sondage *m*.

soneca [so'nɛka] *f* somme *m*.

soneto [so'netu] *m* sonnet *m*.

sonhador, **ra** [soɲa'do(x), ra] (*mpl* -es, *fpl* -s) *m, f* rêveur *m*, -euse *f*.

sonhar [so'ɲa(x)] *vi* rêver ; **sonhar acordado** rêver debout ; **sonhar com** rêver de.

sonho ['soɲu] *m* rêve *m* ; **de sonho** de rêve. ◆ **sonhos** *mpl* ≃ pets-de-nonne *mpl*.

sonífero [so'niferu] *m* somnifère *m*.

sono ['sonu] *m* sommeil *m* ; **estar caindo de sono** tomber de sommeil ; **pegar no sono** s'endormir ; **ter sono** avoir sommeil ; **sono pesado** sommeil profond.

sonolento, **ta** [sono'lẽntu, ta] *adj* somnolent(e).

sonoro, **ra** [so'nɔru, ra] *adj* sonore.

sons [sõʃ] ► **som**.

sonso, **sa** ['sõsu, sa] *adj* sournois(e).

sopa ['sopa] *f* soupe *f* ; **sopa de hortaliça** OU **de legumes** *soupe de légumes* ; **sopa de frutos do mar** *velouté de fruits de mer*.

soporífero [sopo'riferu, ra] *m* soporifique *m*.

soprar [so'pra(x)] *vt* & *vi* souffler.

soquete [so'kɛtʃi] *m* douille *f*.

sórdido, **da** ['sɔrdʒidu, da] *adj* sordide.

soro ['soru] *m* MED sérum *m* ; [de leite] petit-lait *m* ; **soro fisiológico** sérum physiologique.

soronegativo, **va** [soronega'tʃivu, va] *adj* séronégatif(tive).

soropositivo, **va** [soropozi'tʃivu, va] *adj* séropositif(tive).

sorridente [soxi'dẽntʃi] *adj* souriant(e).

sorrir [so'xi(x)] *vi* sourire.

sorriso [so'xizu] *m* sourire *m*.

sorte ['sɔxtʃi] *f* [acaso, destino] sort *m* ; [fortuna] chance *f* ; [em tourada] feinte *f* ; **boa sorte!** bonne chance ! ; **dar sorte** porter chance ; **estar com sorte** avoir de la chance ; **ter sorte** avoir de la chance ; **tirar a sorte** gagner ; **a sorte grande** le gros lot ; **à sorte** au sort ; **com sorte** avec de la chance ; **por sorte** par chance.

sortear [sox'tea(x)] *vt* tirer au sort.

sorteio [sox'teju] *m* tirage *m* au sort.

sortido, **da** [sox'tʃidu, da] ◇ *adj* assorti(e). ◇ *m* assortiment *m*.

sortudo, **da** [sox'tudu, da] *m, f fam* veinard *m*, -e *f*.

sorvete [sox'vetʃi] *m* glace *f*.

sorveteria [soxvete'ria] *f* : **ir à sorveteria** aller chez le marchand de glaces.

SOS *m* (*abrev de* **Save our Souls**) SOS *m*.

sósia ['sɔzja] *mf* sosie *m*.

sossegado, **da** [sose'gadu, da] *adj* calme.

sossego [so'segu] *m* calme *m* ; **deixar em sossego** laisser tranquille.

sótão ['sɔtɑ̃w] *m* grenier *m*.

sotaque [so'taki] *m* accent *m*.

sotavento [sota'vẽntu] *m* côté *m* sous le vent.

soterrar [sote'xa(x)] *vt* ensevelir.

sou ['so] ▶ **ser**.

soube ['sobi] ▶ **saber**.

sova ['sɔva] *f* : **dar uma sova** rouer de coups.

sovaco [so'vaku] *m* aisselle *f*.

sovina [so'vina] *adj* pingre.

sozinho, **nha** [sɔ'ziɲu, ɲa] *adj* [sem companhia, ajuda] seul(e) ; [falar, rir] tout seul(toute seule).

spam ['ijpɑ̃m] (*pl* **spams**) *m* INFORM spam *m*, *Québec* pourriel *m*.

spray [iʃ'prej] *m* spray *m*.

squash ['skwaʃ] *m* squash *m*.

Sr. (*abrev de* **senhor**) M.

Sra. (*abrev de* **senhora**) Mme.

sua ▶ **seu**.

suar [sw'a(x)] *vi* suer.

suástica ['swaʃtʃika] *f* croix *f* gammée.

suave [sw'avi] *adj* doux(douce) ; [vento, sabor, cheiro, dor] léger(ère) ; [voz] suave.

suavidade [swavi'dadʒi] *f* douceur *f*.

suavizar [swavi'za(x)] ◇ *vt* [pele, sabor] adoucir ; [dor] soulager. ◇ *vi* [vento, chuva] se calmer.

subalimentação [subalimẽnta'sɑ̃w] *f* sous-alimentation *f*.

subalimentado, **da** [subalimẽn'tadu, da] *adj* sous-alimenté(e).

subalterno, **na** [subaw'tɛxnu, na] *adj* & *m, f* subalterne.

subconsciente [subkõʃ'sjẽntʃi] *m* subconscient *m*.

subdesenvolvido, **da** [subdezẽvow'vidu, da] *adj* sous-développé(e).

subdesenvolvimento [subdezẽvowvi'mẽntu] *m* sous-développement *m*.

subentendido, **da** [subẽntẽn'dʒidu, da] ◇ *adj* sous-entendu(e). ◇ *m* sous-entendu *m*.

subida [su'bida] *f* montée *f* ; [de preços] hausse *f*.

subir [su'bi(x)] ◇ *vt* **1.** [galgar] grimper - **2.** [ir para cima, percorrer] monter - **3.** [escalar] escalader, gravir - **4.** [aumentar] augmenter - **5.** [ascender] remonter - **6.** [voz] hausser. ◇ *vi* **1.** [ger] monter ; **subir a/até** grimper jusqu'à ; **subir em** [árvore] grimper ; [telhado, cadeira] grimper à ; **subir por** monter par ; **subir à cabeça** *fig* porter/monter à la tête - **2.** [ascender - balão, neblina, fumaça] monter ; [- elevador, teleférico] monter ; [- em ônibus] prendre *(le bus)* - **3.** [socialmente] ascension sociale *f* ; **subir a** aller jusqu'à ; **subir na vida** évoluer dans la vie - **4.** [aumentar] augmenter.

súbito, **ta** ['subitu, ta] *adj* subit(e) ; **de súbito** subitement.

subjetivo, **va** [subʒɛ'tʒivu, va] *adj* subjectif(ive).

subjugar [subʒu'ga(x)] *vt* subjuguer ; [inimigo] dominer. ◆ **subjugar-se a** *vp + prep* se soumettre à.

subjuntivo [subʒon'tʃivu] *m* subjonctif *m*.

sublime [su'blimi] *adj* sublime.

sublinhar [subli'ɲa(x)] *vt* souligner.

sublocar [sublo'ka(x)] *vt* sous-louer.

submarino [subma'rinu] *m* sous-marin *m*.

submergir [submex'ʒi(x)] *vt* submerger.

submeter [subme'te(x)] *vt* : **submeter algo/alguém a** soumettre qqch/qqn à. ◆ **submeter-se a** *vp* + *prep* se soumettre à.

submisso, **a** [sub'misu, a] *adj* soumis(e).

subnutrido, **da** [subnu'tridu, da] *adj* sous-alimenté(e).

subornar [subox'na(x)] *vt* soudoyer.

suborno [su'boxnu] *m* [de testemunhas] subornation *f* ; [de outras pessoas] captation *f*.

subsídio [sub'sidju] *m* subvention *f* ; [de desemprego] allocation *f*.

subsistência [subsiʃ'tẽsja] *f* subsistance *f*.

subsistir [subsiʃ'ti(x)] *vi* subsister.

subsolo [sub'sɔlu] *m* sous-sol *m*.

substância [subʃ'tɑ̃sja] *f* substance *f*.

substantivo [subʃtɑ̃n'tʒivu] *m* substantif *m*.

substituir [subʃtʃi'twi(x)] *vt* remplacer.

substituto, **ta** [subʃtʃi'tutu, ta] *m, f* remplaçant *m*, -e *f*.

subterrâneo, **nea** [subte'xanju, nja] *adj* souterrain(e).

subtrair [subtra'i(x)] *vt* soustraire.

suburbano, **na** [subux'banu, na] *adj* de banlieue.

subúrbio [su'buxbju] *m* banlieue *f*.

subversivo, **va** [subvex'sivu, va] *adj* subversif(ive).

sucata [su'kata] *f* ferraille *f*.

sucção [suk'sɑ̃w] *f* succion *f*.

suceder [suse'de(x)] *vi* arriver. ◆ **suceder-se** *vp* se succéder. ◆ **suceder a** *v* + *prep* [em cargo] succéder à.

sucedido, **da** [suse'dʒidu, da] ◇ *adj* survenu(e). ◇ *m* : **o sucedido** ce qui s'est passé ; **ser bem/mal sucedido** bien/mal se passer.

sucessão [suse'sɑ̃w] (*pl* -ões) *f* [de acontecimentos] suite *f* ; [em cargo] succession *f*.

sucessivo, **va** [suse'sivu, va] *adj* successif(ive).

sucesso [su'sɛsu] *m* succès *m* ; **fazer sucesso** avoir du succès.

sucessões ► **sucessão**.

sucinto, **ta** [su'sĩntu, ta] *adj* succinct(e).

suco ['suku] *m* jus *m*.

suculento, **ta** [suku'lẽntu, ta] *adj* succulent(e).

sucumbir [sukũm'bi(x)] *vi* [morrer] succomber ; [desmoronar] céder ; **sucumbir a** [ceder] succomber à.

sucursal [sukux'saw] (*pl* -ais) *f* succursale *f*.

sudeste [su'dɛʃtʃi] *m* sud-est *m* ; **no sudeste** dans le sud-est.

súdito, **ta** ['sudʒitu, ta] *m, f* sujet *m*.

sudoeste [su'dwɛʃtʃi] *m* sud-ouest *m* ; **no sudoeste** dans le sud-ouest.

sueca ['swɛka] *f* ≃ belote *f*, ► **sueco**.

Suécia ['swɛsja] *f* : **a Suécia** la Suède.

sueco, **ca** ['swɛku, ka] ◇ *adj* suédois(e). ◇ *m, f* Suédois *m*, -e *f*. ◇ *m* [língua] suédois *m*.

suéter ['swɛte(x)] (*pl* -es) *m* & *f* pull *m*.

suficiente [sufi'sjẽntʃi] ◇ *adj* suffisant(e). ◇ *m* mention *f* passable ; **tenho água suficiente** j'ai assez d'eau.

sufixo [su'fiksu] *m* suffixe *m*.

suflê [su'fle] *m* soufflé *m*.

sufocante [sufo'kãntʃi] *adj* suffocant(e).

sufocar [sufo'ka(x)] *vt* & *vi* suffoquer.

sugar [su'ga(x)] *vt* sucer.

sugerir [suʒe'ri(x)] *vt* suggérer.

sugestão [suʒeʃ'tãw] (*pl* -ões) *f* suggestion *f*.

sugestivo, **va** [suʒeʃ'tʃivu, va] *adj* suggestif(ive).

sugestões ▶ **sugestão**.

Suíça ['swisa] *f* : **a Suíça** la Suisse.

suíças ['swisaʃ] *fpl* favoris *mpl*, pattes *fpl*.

suicidar-se [swisi'daxsi] *vp* se suicider.

suicídio [swi'sidʒju] *m* suicide *m*.

suíço, **ça** ['swisu, sa] ◇ *adj* suisse. ◇ *m*, *f* Suisse *mf*.

suíte ['switʃi] *f* suite *f*.

sujar [su'ʒa(x)] *vt* salir. ◆ **sujar-se** *vp* se salir.

sujeitar [suʒej'ta(x)] *vt* : **sujeitar algo/alguém a algo** soumettre qqch/qqn à qqch. ◆ **sujeitar-se a** *vp* + *prep* se soumettre à.

sujeito, **ta** [su'ʒejtu, ta] ◇ *m*, *f fam* type *m*, bonne femme *f*. ◇ *m* sujet *m* ; **'sujeito a guincho'** 'passible d'enlèvement' ; **sujeito a** sujet à ; **se continuar assim, está sujeito a levar uma bofetada** si tu continues comme ça, tu vas recevoir une gifle.

sujo, **ja** ['suʒu, ʒa] *adj* sale ; [negócio] malhonnête.

sul ['suw] *m* sud *m* ; **ao sul** au sud ; **ao sul de** au sud de ; **no sul** dans le sud.

sulfamida [suwfa'mida] *f* sulfamide *m*.

suma ['suma] *f* : **em suma** en somme.

sumário, **ria** [su'marju, rja] ◇ *adj* sommaire. ◇ *m* sommaire *m*.

sumo ['sumu, ma] *m* jus *m*.

sundae ['sãndej] *m* coupe *f* glacée.

sunga ['sũŋga] *f* slip *m* de bain.

suor [sw'ɔ(x)] (*pl* -es) *m* sueur *f* ; **suores frios** sueurs froides.

superar [supe'ra(x)] *vt* [obstáculo, dificuldade] surmonter ; [inimigo, rival] surpasser.

superficial [supexfisj'aw] (*pl* -ais) *adj* superficiel(elle).

superfície [supex'fisji] *f* surface *f* ; [extensão] superficie *f* ; **à superfície** à la surface.

supérfluo, **flua** [su'pɛxflu, fla] *adj* superflu(e).

superior [supe'rjo(x)] (*pl* -es) ◇ *adj* supérieur(e). ◇ *m* supérieur *m* ; **piso** OU **andar superior** étage du dessus ; **mostrar-se superior** se donner des airs.

superioridade [superjori'dadʒi] *f* supériorité *f*.

superlativo [supexla'tʃivu] *m* superlatif *m*.

superlotado, **da** [ˌsupɛxlo'tadu, da] *adj* [sala] comble ; [metrô] bondé(e).

supermercado [ˌsupɛxmex'kadu] *m* supermarché *m*.

superstição [supexʃtʃi'sãw] (*pl* -ões) *f* superstition *f*.

supersticioso, **osa** [superʃti'sjozu, ɔza] *adj* superstitieux(euse).

superstições ▶ **superstição**.

supervisão [ˌsupexvi'zãw] *f* supervision *f*.

supervisionar [supexvizjo'na(x)] *vt* [pessoa] diriger ; [trabalho] superviser.

suplemento [suple'mẽntu] *m* supplément *m*.

suplente [su'plẽntʃi] ◇ *adj* [pessoa] suppléant(e). ◇ *mf* remplaçant *m*, -e *f*.

súplica ['suplika] *f* supplication *f*.

suplicar [supli'ka(x)] *vt* supplier ; **suplicar a alguém que faça algo** supplier qqn de faire qqch.

suplício [su'plisju] *m* supplice *m*.

supor [su'po(x)] *vt* supposer. ◆ **supor-se** *vp* s'imaginer.

suportar [supox'ta(x)] *vt* supporter.

suporte [su'pɔxtʃi] *m* support *m*.

suposição [supozi'sãw] (*pl* -ões) *f* supposition *f*.

supositório [supozi'tɔrju] *m* suppositoire *m*.

suposto, osta [su'poʃtu, ɔʃta] *adj* [hipotético] supposé(e) ; [alegado] présumé(e) ; [falso] prétendu(e) ; **é suposto (que)** on suppose (que).

supremo, ma [su'premu, ma] *adj* suprême. ◆ **Supremo** *m* : **o Supremo (Tribunal de Justiça)** ≃ la Cour de cassation.

supressão [supre'sãw] (*pl* -ões) *f* suppression *f*.

suprimir [supri'mi(x)] *vt* supprimer.

surdez [sux'deʒ] *f* surdité *f*.

surdina [sux'dʒina] *f* : **em surdina** en sourdine.

surdo, da ['suxdu, da] ◇ *adj* sourd(e). ◇ *m, f* sourd *m*, -e *f* ; **fazer-se de surdo** faire la sourde oreille.

surfar [sux'fa(x)] *vi* surfer.

surfe ['suxfi] *m* surf *m* ; **fazer surfe** faire du surf.

surfista [sux'fiʃta] *mf* surfeur *m*, -euse *f*.

surgir [sux'ʒi(x)] *vi* surgir.

surpreendente [surpriẽn'dẽntʃi] *adj* surprenant(e).

surpreender [surpriẽn'de(x)] *vt* surprendre. ◆ **surpreender-se** *vp* être surpris(e).

surpresa [sur'preza] *f* surprise *f* ; **fazer uma surpresa a alguém** faire une surprise à qqn ; **de surpresa** par surprise.

surpreso, sa [sur'prezu, za] *adj* surpris(e).

surra ['suxa] *f* raclée *f*, rossée *f* ; **dar uma surra em alguém** *fam* filer une raclée à qqn ; **levar uma surra de alguém** *fam* se prendre une raclée.

surtir [sur'ti(x)] *vt* produire, obtenir ; **surtir efeito** l'effet désiré *m*.

surto ['surtu] *m* éclosion *f*.

suscetível [suʃse'tivɛw] (*pl* -eis) *adj* susceptible ; **suscetível de** susceptible de.

suscitar [suʃsi'ta(x)] *vt* susciter.

suspeita [suʃ'pejta] *f* soupçon *m* ; **lançar suspeitas sobre alguém** faire peser des soupçons sur qqn ► **suspeito**.

suspeito, ta [suʃ'pejtu, ta] *adj* & *m, f* suspect(e).

suspender [suʃpẽn'de(x)] *vt* suspendre ; [aluno, trabalhador] renvoyer.

suspensão [suʃpẽ'sãw] (*pl* -ões) *f* [de veículo] suspension *f* ; [de escola] renvoi *m*.

suspense [suʃ'pẽsi] *m* suspense *m*.

suspensões ► **suspensão**.

suspensórios [suʃpẽn'sɔrjuʃ] *mpl* bretelles *fpl*.

suspirar [suʃpi'ra(x)] *vi* soupirer ; **suspirar por** se languir de.

suspiro [suʃ'piru] *m* [de cansaço, prazer] soupir *m* ; [doce] meringue *f*.

sussurrar [susu'xa(x)] *vt* & *vi* chuchoter.

sussurro [su'suxu] *m* chuchotement *m*.

sustentar [suʃtẽn'ta(x)] *vt* soutenir ; [manter] entretenir ; [alimentar] nourrir.

suster [suʃ'te(x)] *vt* retenir.

susto ['suʃtu] *m* peur *f* ; **levar um susto** avoir peur ; **pregar um susto em alguém** faire peur à qqn.

sutiã [su'tʃjã] *m* soutien-gorge *m*.

sutil [su'tʃiw] (*pl* -is) *adj* subtil(e).

SW (*abrev de* **Sudoeste**) S-O.

T

ta [ta] = **te + a**, ► **te**.

-ta ► **te**.

tabacaria [tabaka'ria] *f* bureau *m* de tabac.

tabaco [ta'baku] *m* tabac *m*.

tabela [ta'bɛla] *f* tableau *m* ; [de horários] panneau *m* horaire ; [de preços] tarif *m*.

taberna [ta'bɛxna] *f* bistrot *m*.

tablete [ta'blɛtʃi] *m* & *f* : **tablete (de chocolate)** tablette *f* (de chocolat).

tabu [ta'bu] ◇ *adj* tabou(e). ◇ *m* tabou *m*.

tábua ['tabwa] *f* planche *f* ; **tábua de passar roupa** planche à repasser.

tabuleiro [tabu'lejru] *m* [para comida] plateau *m* ; [de damas] damier *m* ; [de xadrez] échiquier *m* ; [de ponte] tablier *m*.

tabuleta [tabu'leta] *f* [em porta] plaque *f* ; [em estabelecimento] enseigne *f* ; [em estrada] panneau *m*.

TAC *m* (*abrev de* **Tomografia Axial Computadorizada**) scanner *m*.

taça ['tasa] *f* coupe *f*.

tacada [ta'kada] *f* coup *m*.

tacho ['taʃu] *m* casserole *f*.

taco ['taku] *m* [de bilhar] queue *f* ; [de golfe] club *m* ; [de chão] latte *f*.

tacões ► **tacão**.

tagarela [taga'rɛla] *adj* & *mf* bavard(e).

tainha [ta'iɲa] *f* mulet *m (poisson)*.

tal ['taw] (*pl* **tais**) ◇ *adj* tel(telle). ◇ *pron* : **o/a tal** celui-là /celle-là ; **que tal?** alors ? ; **um tal senhor...** un certain OU dénommé... ; **que tal um passeio?** que dirais-tu d'une promenade ? ; **na rua tal** dans telle rue ; **como tal** alors ; **para tal** pour cela ; **tal coisa** une chose pareille ; **tal como** comme ; **tal e qual** comme.

tala ['tala] *f* attelle *f*.

talão [ta'lɑ̃w] (*pl* -ões) *m* talon *m* ; **talão de cheques** carnet *m* de chèques.

talco ['tawku] *m* talc *m*.

talento [ta'lẽntu] *m* talent *m*.

talhar [ta'ʎa(x)] *vt* tailler. ◆ **talhar-se** *vp* cailler.

talharim [taʎa'rĩ] (*pl* -ns) *m* tagliatelle *f*.

talher [ta'ʎɛ(x)] (*pl* -es) *m* couverts *mpl*.

talho ['taʎu] *m* taille *f*.

talo ['talu] *m* [de flor] tige *f* ; [de legume] trognon *m*.

talões ► **talão**.

talvez [taw'veʒ] *adv* peut-être ; **talvez sim, talvez não** peut-être bien que oui, peut-être bien que non.

tamanco [ta'mɑ̃ŋku] *m* sabot *m*.

tamanho, nha [ta'maɲu, ɲa] ◇ *adj* pareil(eille). ◇ *m* taille *f*.

tamanho-família [ta,mɑ̃ɲufa'milja] *adj inv* familial(e).

tâmara ['tamara] *f* datte *f*.

tamarindo [tama'rĩndu] *m* [árvore] tamarinier *m* ; [fruto] tamarin *m*.

também [tãm'bẽ] *adv* aussi ; **eu também não gosto disso** je n'aime pas ça non plus.

tambor [tãm'bo(x)] (*pl* -es) *m* tambour *m*.

tamboril [tãmbo'riw] (*pl* -is) *m* [peixe] baudroie *f* ; MÚS tambourin *m*.

tamborim [tãmbo'rĩ] (*pl* -ns) *m* tambourin *m*.

tamboris ► **tamboril**.

Tâmisa ['tãmiza] *m* : **o Tâmisa** la Tamise.

tampa ['tãmpa] *f* couvercle *m*.

tampão [tãm'pãw] (*pl* -ões) *m* tampon *m*.

tampo ['tãmpu] *m* [de mesa] plateau *m* ; [de vaso sanitário] abattant *m*.

tampões ► **tampão**.

tampouco ['tãmpoku] *adv* non plus.

tanga ['tãŋga] *f* string *m*.

tangerina [tãʒe'rina] *f* clémentine *f*.

tanque ['tãŋki] *m* réservoir *m* ; [para lavar roupa] lavoir *m* ; [para peixes] bassin *m* ; [veículo militar] tank *m* ; **tanque de gasolina** réservoir *m*.

tanto, **ta** ['tãntu, ta] <> *adj* **1.** [exprime grande quantidade] tant de ; **tanto dinheiro** tant d'argent ; **tanta gente** tant de monde ; **esperei tanto tempo** j'ai attendu si longtemps ; **tanto... que...** tellement... que... - **2.** [indica quantidade indeterminada] tant ; **de tantos em tantos dias** tous les tels jours ; **tantos outros** tant d'autres ; **é tanto por dia** c'est tant par jour ; **são umas tantas vezes ao dia** ce sera tant de fois par jour - **3.** [em comparações] : **tanto... como...** autant de... que... ; **eles têm tanta sorte como você** ils ont autant de chance que toi ; **tanto um como o outro** l'un comme l'autre. <> *adv* **1.** [exprime grande quantidade] autant, tant ; **quero-te tanto** je t'aime tant ; **não quero tanto** je n'en veux pas autant - **2.** [em comparações] autant que ; **ele sabe tanto como eu** il sait autant que moi - **3.** [em locuções] : **é um tanto caro** c'est un peu cher ; **de tanto fazer algo** à force de faire qqch ; **tanto faz!** c'est du pareil au même ! ; **tanto pior/melhor** tant pis/tant mieux ; **tanto quanto** autant que ; **um tanto** un peu ; **um tanto quanto** un tant soit peu ; **tanto que** tant et si bien que ; **comi tanto que fiquei mal-disposto** j'ai tellement mangé que je me suis trouvé mal. <> *pron* **1.** [indica grande quantidade] autant ; **ele não tem tantos** il n'en a pas autant - **2.** [indica igual quantidade] autant ; **havia muita gente ali, aqui não era tanta** là-bas, il y avait du monde, ici il n'y en avait pas autant - **3.** [indica quantidade indeterminada] : **quero pêssegos, uns tantos verdes e uns tantos maduros** je veux des pêches, quelques vertes et quelques mûres ; **uns tantos aqui, uns tantos ali** quelques-uns ici, quelques-uns là-bas ; **a tantos do mês passado** le tant du mois dernier ; **suponhamos que vêm tantos** supposons qu'il en vienne tant - **4.** [em locuções] : **às tantas** tout d'un coup ; **às tantas da noite** tard dans la nuit ; **para tanto** pour cela.

tão [tãw] *adv* si ; **tão... como...** aussi... que... ; **tão... que...** si... que...

tapa ['tapa] *m* claque *f*.

tapar [ta'pa(x)] *vt* couvrir ; [garrafa, frasco, caixa] fermer ; [buraco] boucher ; [boca, ouvidos, nariz] se boucher.

tapeçaria [tapesa'ria] *f* tapisserie *f*.

tapete [ta'petʃi] *m* tapis *m*.

tardar [tax'da(x)] *vi* tarder ; **tardar a** OU **em fazer algo** tarder à faire qqch ; **não tardar** ne pas tarder ; **o mais tardar** au plus tard.

tarde ['taxdʒi] <> *f* [até o crepúsculo] après-midi *f m* ; [depois do crepúsculo] soir *m*. ◇ *adv* tard ; **à tarde** l'après-midi ; **boa tarde!** [até o crepúsculo] bonjour ! ; [depois do crepúsculo] bonsoir ! ; **fazer-se tarde** se faire tard ; **ser tarde** être tard ; **mais tarde** plus tard ; **nunca é tarde demais** il n'est jamais trop tard.

tardinha [tax'dʒiɲa] *f* tombée *f* du jour.

tardio, dia [tax'dʒiu, 'dʒia] *adj* tardif(ive).

tarefa [ta'rɛfa] *f* tâche *f*.

tarifa [ta'rifa] *f* tarif *m*.

tartaruga [tarta'ruga] *f* tortue *f*.

tática ['tatʃika] *f* tactique *f*.

tático, ca ['tatʃiku, ka] *adj* tactique.

tato ['tatu] *m* [sentido] toucher *m* ; *fig* [cuidado, habilidade] tact *m* ; **ter tato** *fig* avoir du tact.

tatuagem [ta'twaʒẽ] (*pl* -ns) *f* tatouage *m*.

tauromaquia [tawroma'kja] *f* tauromachie *f*.

taxa ['taʃa] *f* [imposto] taxe *f* ; [percentagem] taux *m* ; **taxa de câmbio** taux de change ; **taxa de juros** taux d'intérêt.

tax-free [taks'fri] *adj inv* détaxé.

táxi ['taksi] *m* taxi *m*.

taxímetro [tak'simetru] *m* compteur *m (de taxi)*.

tchau ['tʃaw] *interj* tchao !

te [tʃi] *pron* te ; **lembra-te!** rappelle-toi ! ; **os óculos? já te dei ou não?** les lunettes ? je te les ai déjà données ou pas ?

tear [te'a(x)] (*pl* -es) *m* métier *m* à tisser.

teatral [tea'traw] (*pl* -ais) *adj* théâtral(e).

teatro ['teatru] *m* théâtre *m* ; **teatro de fantoches** théâtre de marionnettes, guignol *m* ; **teatro de variedades** music-hall *m*.

tecelagem [tese'laʒẽ] (*pl* -ns) *f* tissage *m*.

tecer [te'se(x)] *vt* tisser.

tecido [te'sidu] *m* tissu *m*.

tecla ['tɛkla] *f* touche *f*.

teclado [tɛ'kladu] *m* clavier *m*.

teclar [te'kla(x)] ◇ *vt* pianoter sur le clavier. ◇ *vi* INFORM : **teclar (com alguém)** chatter, papoter ; **você quer teclar ?** veux-tu chatter ?

técnica ['tɛknika] *f* technique *f*, ► **técnico**.

técnico, ca ['tɛkniku, ka] ◇ *adj* technique. ◇ *m, f* technicien *m*, -enne *f*.

tecnologia [tɛknolo'ʒia] *f* technologie *f* ; **Tecnologias da Informação** technologies *fpl* de l'information.

tecnológico, ca [tɛkno'lɔʒiku, ka] *adj* technologique.

teco-teco [ˌtɛku'tɛku] *m* avion *m* monomoteur.

tédio ['tɛdʒju] *m* ennui *m*.

teia ['teja] *f* [de aranha] toile *f*.

teimar [tej'ma(x)] *vi* s'entêter ; **teimar em** s'entêter à.

teimosia [tejmo'zia] *f* entêtement *m*.

teimoso, osa [tej'mozu, ɔza] *adj* têtu(e).

Tejo ['tɛʒu] *m* : **o (rio) Tejo** le Tage.

tel. [tel] (*abrev de* **telefone**) tel.

tela ['tɛla] *f* toile *f*.

telecomandado, da [telekomɑ̃n'dadu, da] *adj* télécommandé(e).

telecomunicações [telekomunika'sõjʃ] *fpl* télécoms *fpl*.

teleconferência [telekõferẽsja] *f* TELECOM téléconference *f*.

teleférico [tele'fɛriku] *m* téléphérique *m*.

telefonar [telefo'na(x)] *vi* téléphoner ; **telefonar para alguém** téléphoner à qqn ; **telefonar para o Brasil** téléphoner au Brésil.

telefone [tele'fɔni] *m* téléphone *m* ; **telefone celular** téléphone mobile ; **telefone público** téléphone public.

telefonema [telefo'nema] *m* coup *m* de téléphone ; **fazer um telefonema** passer un coup de téléphone.

telefônico, **ca** [tele'foniku, ka] *adj* téléphonique.

telefonista [telefo'niʃta] *mf* standardiste *mf*.

telegrafar [telegra'fa(x)] *vt* télégraphier.

telegrama [tele'grama] *m* télégramme *m* ; **telegrama fonado** télégramme téléphoné.

telejornal [ˌtɛlɛʒox'naw] (*pl* -ais) *m* journal *m* télévisé.

telenovela [ˌtɛlɛno'vɛla] *f* feuilleton *m* télévisé.

teleobjetiva [ˌtɛlɛobʒɛ'tʃiva] *f* téléobjectif *m*.

telepatia [telepa'tʃia] *f* télépathie *f*.

telescópio [teleʃ'kɔpju] *m* télescope *m*.

telesqui [ˌteleʃ'ki] *m* téléski *m*.

televisão [televi'zãw] (*pl* -ões) *f* télévision *f* ; **televisão em cores** télévision couleur ; **televisão em preto-e-branco** télévision noir et blanc ; **televisão a cabo** télévision par câble ; **televisão por satélite** télévision par satellite.

televisor [televi'zo(x)] (*pl* -es) *m* téléviseur *m*.

telex [tɛ'lɛks] (*pl* -es) *m* télex *m inv*.

telha ['teʎa] *f* tuile *f*.

telhado [te'ʎadu] *m* toit *m*.

telnet [tel'netji] (*pl* **telnets**) *f* INFORM telnet *m*.

tem ['tẽ] ► **ter**.

têm ['tẽ] ► **ter**.

tema ['tema] *m* [de poesia, texto] thème *m* ; [de discussão] sujet *m*.

temer [te'me(x)] *vt* craindre ; **temer que** craindre que.

temido, **da** [te'midu, da] *adj* redouté(e).

temível [te'mivɛw] (*pl* -eis) *adj* redoutable.

temor [te'mo(x)] (*pl* -es) *m* crainte *f*.

temperado, **da** [tẽmpe'radu, da] *adj* [comida] assaisonné(e) ; [clima] tempéré(e).

temperamento [tẽmpera'mẽntu] *m* tempérament *m*.

temperar [tẽmpe'ra(x)] *vt* assaisonner.

temperatura [tẽmpera'tura] *f* température *f*.

tempero [tẽm'peru] *m* assaisonnement *m*.

tempestade [tẽmpeʃ'tadʒi] *f* tempête *f* ; **fazer uma tempestade num copo de água** faire une montagne de qqch.

templo ['tẽmplu] *m* temple *m*.

tempo ['tẽmpu] *m* temps *m* ; **chegar a tempo de** arriver à temps pour ; **ganhar tempo** gagner du temps ; **não ter tempo para** ne pas avoir le temps de ; **passar o tempo a fazer algo** passer son temps à faire qqch ; **por tempo indefinido** OU **indeterminado** pour une durée indéterminée ; **poupar tempo** gagner du temps ; **recuperar o tempo perdido** rattraper le temps perdu ; **é tempo de** il est temps de ; **em tempo integral** à plein temps ; **tempos livres** loisirs *mpl* ; **antes do tempo** avant terme ; **ao mesmo tempo** en même temps ; **dentro de pouco tempo** dans peu de temps ; **de tempos em tempos** de temps en temps ; **nos últimos tempos** ces derniers temps ; **por algum tempo** pendant un certain temps ; **no tempo que...** depuis le temps que...

têmpora ['tẽmpora] *f* tempe *f*.

temporada [tẽmpo'rada] *f* saison *f* ; **passar uma temporada em** passer quelque temps à.

temporal [tẽmpo'raw] (*pl* -ais) *m* tempête *f*.

temporário, ria [tẽmpu'rarju, rja] *adj* temporaire.

tencionar [tẽsjo'na(x)] *vt* : **tencionar fazer algo** avoir l'intention de faire qqch.

tenda ['tẽnda] *f* [para acampar] tente *f* ; [em mercado] étal *m*.

tendão [tẽn'dɐ̃w] (*pl* -ões) *m* tendon *m*.

tendência [tẽn'dẽsja] *f* tendance *f* ; **ter tendência para** avoir tendance à.

tendões ► **tendão.**

tenente [te'nẽntʃi] *mf* lieutenant *m*.

tenho ['teɲu] ► **ter.**

tênis ['teniʃ] ◇ *m inv* tennis *m* ; **tênis de mesa** tennis de table. ◇ *mpl* [sapatos] tennis *mpl*.

tenro, ra ['tẽxu, xa] *adj* tendre ; **de tenra idade** en bas âge.

tensão [tẽ'sɐ̃w] (*pl* -ões) *f* tension *f* ; **tensão arterial alta/baixa** hypertension *f* /hypotension *f* artérielle.

tenso, sa ['tẽsu, sa] *adj* tendu(e).

tensões ► **tensão.**

tentação [tẽnta'sɐ̃w] (*pl* -ões) *f* tentation *f*.

tentáculo [tẽn'takulu] *m* tentacule *f*.

tentador, ra [tẽnta'do(x), ra] (*mpl* -es, *fpl* -s) *adj* [comida, objeto] tentant(e) ; [pessoa] tentateur(trice).

tentar [tẽn'ta(x)] ◇ *vt* tenter. ◇ *vi* essayer ; **tentar fazer algo** essayer de faire qqch.

tentativa [tẽnta'tiva] *f* tentative *f* ; **à primeira tentativa** du premier coup ; **na tentativa de fazer algo** dans le but de faire qqch.

tênue ['tenwi] *adj* [cheiro, sabor] léger(ère) ; [cor] pâle.

teologia [teolo'ʒia] *f* théologie *f*.

teor ['teo(x)] *m* [de álcool, gordura *etc.*] teneur *f* ; [de conversa, filme, livro] sujet *m*.

teoria [teo'ria] *f* théorie *f* ; **em teoria** en théorie.

teoricamente [ˌtjɔrika'mẽntʃi] *adv* théoriquement.

tépido, da ['tɛpidu, da] *adj* tiède.

ter ['te(x)] ◇ *vt* **1.** [ger] avoir ; **a casa tem dois quartos** la maison a deux chambres ; **ela tem os olhos verdes** elle a les yeux verts ; **tenho muito dinheiro** j'ai beaucoup d'argent ; **ter saúde/juízo** être en bonne santé/être prudent ; **a sala tem quatro metros de largura** la salle a quatre mètres de large ; **quantos anos você tem?** quel âge as-tu ? ; **tenho dez anos** j'ai dix ans ; **tenho dor de dentes/cabeça** j'ai mal aux dents/à la tête ; **tenho febre** j'ai de la fièvre ; **ter sarampo/varicela** avoir la rougeole/la varicelle ; **tenho frio/calor** j'ai froid/chaud ; **tenho sede/fome** j'ai soif/faim ; **tenho medo** j'ai peur ; **ter amor/ódio a alguém** avoir de l'amour/de la haine pour qqn ; **ter carinho/afeição por alguém** avoir de la tendresse/de l'affection pour qqn ; **esta caixa apenas tem três bolos** il n'y a que trois gâteaux dans cette boîte ; **esta garrafa tem um litro de água** il y a un litre d'eau dans cette bouteille ; **eles têm muitos problemas econômicos** ils ont beaucoup de problèmes financiers ; **tivemos uma grande discussão** nous avons eu une grande discussion ; **não tenho aulas hoje** je n'ai pas cours aujourd'hui ; **tenho um encontro** j'ai un rendez-vous ; **ele tinha uma reunião, mas não foi** il avait une réunion, mais il n'y est pas allé ; **tenho certeza que está certo** je suis certain que c'est bien ; **tenho a impressão que vai chover** j'ai l'impression qu'il va pleuvoir ; **pode ter certeza que vou** tu peux être sûr que j'y vais ; **tem alguém à porta** il y a qqn à la porte ; **ela teve uma menina** elle a eu une petite fille - **2.** [para desejar] : **tenha umas boas férias!** bonnes vacances ! ; **tenham um bom dia!** bonne journée ! - **3.** [em locuções] : **ir ter a** [desembocar] aller à ; **ir ter com alguém** aller rejoindre qqn. <> *v aux* **1.** [haver] avoir ; **eles tinham partido o vidro** ils avaient brisé la vitre ; **tinha alugado a casa** il avait loué la maison ; **tinha chovido e a estrada estava molhada** il avait plu et la route était mouillée - **2.** [exprime obrigação] devoir ; **ter de** ou **que fazer algo** devoir faire qqch ; **temos que estar lá às oito** nous devons y être à huit heures ; **tenho muito que fazer** j'ai beaucoup à faire.

terabyte [tera'baijtʃi] (*pl* **terabytes**) *m* téraoctet *m*.

terapeuta [tera'pewta] *mf* thérapeute *mf*.

terapêutico, **ca** [tera'pewtʃiku, ka] *adj* thérapeutique.

terapia [tera'pia] *f* thérapie *f*.

terça-feira [ˌtexsa'fejra] (*pl* **terças-feiras**) *f* mardi *m* ; **Terça-feira de Carnaval** mardi gras ► **sexta-feira**.

terceira [tex'sejra] *f* troisième *f* (vitesse).

terceiro, **ra** [tex'sejru, ra] *num* troisième ; **a terceira idade** le troisième âge ► **sexto**.

terço ['texsu] *m* [parte] tiers *m* ; [rosário] chapelet *m* ; **rezar o terço** dire le chapelet.

terçol [tex'sɔw] (*pl* -óis) *m* orgelet *m* *(médical)*, *fam* compère loriot *m*.

terebintina [terebĩn'tina] *f* térébenthine *f*.

termas ['tɛxmaʃ] *fpl* thermes *mpl*.

térmico, **ca** [tex'miku, ka] *adj* thermique ; **garrafa térmica** une thermos.

terminal [texmi'naw] (*pl* -ais) <> *adj* terminal(e). <> *m* [de transportes] terminus *m* ; INFORM terminal *m* ; **terminal rodoviário** gare *f* routière ; **terminal ferroviário** gare *f* ferroviaire ; **terminal aéreo** aérogare *f*.

terminar [texmi'na(x)] *vt* & *vi* terminer ; **terminar por fazer algo** finir par faire qqch ; **terminar em algo** se terminer en qqch.

termo ['texmu] *m* terme *m* ; **pôr termo a** mettre un terme à.

termômetro [ter'mometru] *m* thermomètre *m*.

termostato [tɛxmoʃ'tatu] *m* thermostat *m*.

terno, **na** ['tɛxnu, na] *adj* tendre.

ternura [tex'nura] *f* tendresse *f*.

terra ['tɛxa] *f* terre *f*, pays *m* ; [localidade] endroit *m* ; **a Terra** la Terre ; **terra a terra** terre à terre ; **cair por terra** tomber à l'eau ; **ficar em terra** rater *(son train, son avion, etc)* ; **por terra** par voie terrestre.

terraço [te'xasu] *m* terrasse *f*.

terreiro [te'xejru] *m* terrain *m*.

terremoto [texe'mɔtu] *m* tremblement *m* de terre.

terreno, **na** [te'xenu, na] <> *adj* terrestre. <> *m* terrain *m*.

térreo, **ea** ['tɛxju, ja] *adj* [andar, piso] au rez-de-chaussée ; [casa] de plain-pied.

terrestre [te'xɛʃtri] <> *adj* terrestre. <> *mf* terrien *m*, -enne *f*.

terrina [te'xina] *f* soupière *f*.

território [texi'tɔrju] *m* territoire *m*.

terrível [te'xivɛw] (*pl* -eis) *adj* terrible.

terror [te'xo(x)] (*pl* -es) *m* terreur *f*.

tese ['tɛzi] *f* thèse *f*.

tesoura [te'zora] *f* ciseaux *mpl* ; **tesoura de unhas** ciseaux à ongles.

tesouro [te'zoru] *m* trésor *m*.

testa ['tɛʃta] *f* front *m*.

testamento [teʃta'mẽntu] *m* testament *m*.

testar [teʃ'ta(x)] *vt* [experimentar] essayer ; [pôr à prova] tester.

teste ['tɛʃtʃi] *m* [de máquina, carro] essai *m* ; [de gravidez, seleção] test *m* ; EDUC contrôle *m* ; **teste de dosagem alcoólica** Alcotest® *m*.

testemunha [teʃte'muɲa] *f* témoin *m* ; **testemunha ocular** témoin oculaire.

testemunho [teʃte'muɲu] *m* JUR témoignage *m* ; DESP témoin *m*.

testículo [teʃ'tʃikulu] *m* testicule *m*.

tétano ['tɛtanu] *m* tétanos *m*.

teto ['tɛtu] *m* plafond *m*.

tétrico, **ca** ['tɛtriku, ka] *adj* lugubre.

teu, **tua** ['tew, 'tua] <> *adj* ton(ta). <> *pron* : **o teu/a tua** le tien/la tienne ; **isto é teu** c'est à toi ; **um amigo teu** un de tes amis ; **os teus** [a tua família] les tiens.

teve ['tevi] ► **ter**.

têxtil ['tejʃtʃiw] (*pl* -teis) *m* textile *m*.

texto ['tejʃtu] *m* texte *m*.

textura [tejʃ'tura] *f* texture *f*.

texugo [te'ʃugu] *m* blaireau *m* (*animal*).

tez ['teʃ] *f* teint *m*.

ti ['tʃi] *pron* toi ; **ti mesmo** OU **próprio** toi-même.

tia ['tʃia] ► **tio**.

tigela [tʃi'ʒɛla] *f* bol *m* ; **de meia-tigela** *fig* minable.

tigelada [tiʒe'lada] *f* [de sopa, doce *etc.*] bol *m*.

tigre ['tʃigri] *m* tigre *m*.

tijolo [tʃi'ʒolu] *m* brique *f*.

til ['tiw] (*pl* **tis**) *m* tilde *m*.

tília ['tilja] *f* tilleul *m*.

time ['tʃimi] *m* équipe *f*.

timidez [tʃimi'deʃ] *f* timidité *f*.

tímido, **da** ['tʃimidu, da] *adj* timide.

timoneiro [tʃimo'nejru, ra] *m* [em barco] timonier *m* ; [em expedição] capitaine *m*.

Timor [ti'mo(x)] *s* Timor *m*.

tímpano ['tʃimpanu] *m* tympan *m*.

tina ['tʃina] *f* baquet *m*.

tingido, **da** [tʃĩ'ʒidu, da] *adj* déteint(e).

tingir [tʃĩ'ʒi(x)] *vt* teindre.

tinha ['tʃiɲa] ► **ter**.

tinir [tʃi'ni(x)] *vi* [sino, campainha] tinter ; [ouvidos] bourdonner.

tinta ['tʃĩnta] *f* [para escrever] encre *f* ; [para pintar] peinture *f* ; [para tingir] teinture *f* ; **'tinta fresca'** 'peinture fraîche'.

tinteiro [tʃĩn'tejru] *m* encrier *m*.

tinto ['tʃĩntu] *adj m* ► **vinho**.

tintura [tʃĩn'tura] *f* : **tintura de iodo** teinture *f* d'iode.

tinturaria [tʃĩntura'ria] *f* teinturerie *f*.

tio, **tia** ['tʃiu, 'tʃia] *m, f* oncle *m*, tante *f*.

típico, **ca** ['tʃipiku, ka] *adj* typique ; **ser típico de** être typique de.

tipo, **pa** ['tʃipu, pa] <> *m, f fam* [pessoa] type *m*, bonne femme *f*. <> *m* type *m*.

tipografia [tʃipogra'fia] *f* imprimerie *f*.

changer de. ◆ **trocar-se** *vp* se changer ; **trocar dinheiro** faire de la monnaie.

troco ['troku] *m* monnaie *f* ; *fig* [resposta] réponse *f* ; **dar o troco** [responder] relever ; **a troco de** en échange de.

troféu [tro'fɛu] *m* trophée *m*.

tromba ['trõmba] *f* [de elefante] trompe *f* ; [de água] trombe *f*.

trombadinha [trõnba'dʒiɲa] *mf* pickpocket *m*.

trombeta [trõn'beta] *f* clairon *m*.

trombone [trõm'bɔni] *m* trombone *m* ; **trombone de varas** trombone à coulisse.

trompa ['trõnpa] *f* cor *m*.

trompete [trõm'pɛtʃi] *m* trompette *f*.

tronco ['trõŋku] *m* tronc *m*.

trono ['tronu] *m* trône *m*.

tropa ['trɔpa] *f* armée *f*.

tropeçar [trope'sa(x)] *vi* trébucher ; **tropeçar em algo** trébucher sur qqch.

tropical [tropi'kaw] (*pl* -ais) *adj* tropical(e).

tropicalismo [trɔpikaliʒmu] *m mouvement culturel brésilien*.

trópico ['trɔpiku] *m* tropique *m*.

trotar [tro'ta(x)] *vi* trotter.

trouxa ['troʃa] *f* balluchon *m*.

trouxe ['trosi] ► **trazer**.

trovão [tro'vɐ̃w] (*pl* -ões) *m* tonnerre *m*.

trovejar [trove'ʒa(x)] *v impess* : **está trovejando** il tonne.

trovoada [trovw'ada] *f* orage *m*.

trovões ► **trovão**.

trucidar [trusi'da(x)] *vt* massacrer.

trufas ['trufaʃ] *fpl* truffes *fpl*.

trunfo ['trũfu] *m* atout *m*.

truque ['truki] *m* tour *m*.

truta ['truta] *f* truite *f*.

T-shirt [ti'ʃertʃi] *f* tee-shirt *m*.

tu ['tu] *pron fam* tu ; **tu mesmo** OU **próprio** toi-même.

tua ['tua] ► **teu**.

tuba ['tuba] *f* tuba *m*.

tubarão [tuba'rɐ̃w] (*pl* -ões) *m* requin *m*.

tuberculose [tubɛxku'lɔzi] *f* tuberculose *f*.

tubo ['tubu] *m* [cano] tuyau *m* ; [de comprimidos] tube *m* ; **tubo de ensaio** tube à essai.

tudo ['tudu] *pron inv* tout ; **estar por tudo** être prêt à tout ; **antes de tudo** avant tout ; **apesar de tudo** malgré tout ; **por tudo e por nada** pour un oui ou pour un non ; **dar tudo por tudo** donner le tout pour le tout.

tulipa [tu'lipa] *f* tulipe *f*.

tumba ['tũmba] *f* tombe *f*.

tumor [tu'mo(x)] (*pl* -es) *m* tumeur *f* ; **tumor maligno/benigno** tumeur maligne/bénigne.

túmulo ['tumulu] *m* tombeau *m*.

tumulto [tu'muwtu] *m* [alvoroço] tumulte *m* ; [revolta] trouble *m*.

túnel ['tunɛw] (*pl* -eis) *m* tunnel *m*.

túnica ['tunika] *f* tunique *f*.

turbina [tux'bina] *f* turbine *f*.

turbulência [turbu'lẽnsja] *f* [em vôo] turbulences *fpl*.

turco, ca ['tuxku, ka] ◇ *adj* turc(turque). ◇ *m, f* Turc *m*, Turque *f*. ◇ *m* [língua] turc *m*.

turfe ['tuxfi] *m* [hipódromo] hippodrome *m* ; [hipismo] courses *fpl* hippiques.

turismo [tu'riʒmu] *m* tourisme *m*.

turista [tu'riʃta] *mf* touriste *mf*.

turístico, ca [tu'riʃtʃiku, ka] *adj* [local, cardápio] touristique ; [classe] loisirs.

turma ['tuxma] *f* [em escola] classe *f* ; *fam* [amigos] bande *f* (de copains).

turnê ['tuxnɛ] *f* tournée *f*.

turno ['tuxnu] *m* équipe *f* ; **trabalhar por turnos** faire un roulement ; **por seu turno** à son tour.

turquesa [tux'keza] *f* turquoise *f*.

Turquia [tux'kia] *f* : **a Turquia** la Turquie.

tutano [tu'tɐ̃nu] *m* moelle *f*.

tutela [tu'tɛla] *f* tutelle *f*.

tutor, ra [tu'to(x), ra] (*mpl* -es, *fpl* -s) *m, f* tuteur *m*, -trice *f*.

tutu [tu'tu] *m* : **tutu à mineira** *pâte de haricots épaissie à la farine de manioc mélangée à de la viande de porc.*

TV [te' ve] *f* (*abrev de* **televisão**) TV.

tweed ['twidʒi] *m* tweed *m*.

U

UE *f* (*abrev de* **União Européia**) UE *f*.

UEM *f* (*abrev de* **União Econômica e Monetária**) union économique monétaire.

uísque ['wiski] *m* whisky *m*.

uivar [ui'va(x)] *vi* hurler *(chien)*.

úlcera ['uwsera] *f* ulcère *m*.

ultimamente [ˌuwtʃima'mẽntʃi] *adv* dernièrement.

ultimato [uwtʃi'matu] *m* ultimatum *m*.

último, ma ['uwtʃimu, ma] ◇ *adj* dernier(ère). ◇ *m, f* : **o último/a última** le dernier/la dernière ; **por último** enfin.

ultraleve [ˌuwtra'lɛvi] *m* ULM *m*.

ultramar [ˌuwtra'ma(x)] *m* : **o ultramar** les pays *mpl* d'outre-mer.

ultramarino, na [ˌuwtrama'rinu, na] *adj* d'outre-mer.

ultrapassado, da [ˌuwtrapa'sadu, da] *adj* dépassé(e).

ultrapassagem [ˌuwtrapa'saʒẽ] (*pl* -ns) *f* dépassement *m*.

ultrapassar [ˌuwtrapa'sa(x)] *vt* dépasser ; [carro] doubler.

ultravioleta [ˌuwtravjo'leta] *adj inv* ultraviolet(ette).

um, uma [ũ, 'uma] (*mpl* **uns**, *fpl* -s) ◇ *art indef* un(une) ; **um homem** un homme ; **uma mulher** une femme ; **uma mala** une valise. ◇ *adj* **1.** [ger] un(une) ; **um dia voltarei** un jour, je reviendrai ; **comprei uns livros** j'ai acheté quelques livres ; **vou tirar uns dias de férias** je pars quelques jours en vacances ; **um destes dias** un de ces jours ; **trinta e um dias** trente et un jours ; **um litro/metro/quilo** un litre/mètre/kilo - **2.** [aproximadamente] environ ; **estavam lá umas cinqüenta pessoas** il y avait environ cinquante personnes ; **esperei uns dez minutos** j'ai attendu une dizaine de minutes - **3.** [para enfatizar] un/une de ces ; **aqui está um frio/calor!** il fait un de ces froids/une de ces chaleurs ! ; **estou com uma sede!** j'ai une de ces soifs ! ◇ *pron* [indefinido] un(une) ; **só não gosto de um/de uma** il n'y en a qu'un/qu'une que je n'aime pas ; **dê-me um** donne-m'en un ; **quero mais uma** j'en veux encore une ; **um a um, um por um** un à un, un par un ; **um deles** l'un d'entre eux ; **uns e outros** les uns et les autres ► **seis**.

umbanda [ũn'bɐ̃nda] *f culte afro-brésilien dérivé du candomblé.*

umbigo [ũm'bigu] *m* nombril *m*.

être valable ; **vale mais...** il vaut mieux... ; **a valer** vraiment ; **para valer** pour de bon. ◆ **valer-se de** *vp + prep* se servir de.

valeta [va'leta] *f* [de estrada] fossé *m* ; [de rua] caniveau *m*.

valete [va'lɛtʃi] *m* valet *m*.

valeu [va'lew] ► **valer**.

valho ['vaʎu] ► **valer**.

validade [vali'dadʒi] *f* validité *f*.

validar [vali'da(x)] *vt* [bilhete] valider.

válido, da ['validu, da] *adj* valable ; **válido até...** valable jusqu'à...

valioso, osa [valj'ozu, ɔza] *adj* : **ser valioso** avoir de la valeur.

valor [va'lo(x)] (*pl* -es) *m* valeur *f* ; [em exame, teste] point *m* ; **dar valor a** apprécier. ◆ **valores** *mpl* [bens, ações *etc.*] valeurs *fpl* ; [de sociedade] titres *mpl*.

valsa ['vawsa] *f* valse *f*.

válvula ['vawvula] *f* [de coração] valvule *f* ; [de motor] soupape *f* ; **válvula de segurança** soupape de sécurité.

vampiro [vãm'piru] *m* vampire *m*.

vandalismo [vãnda'liʒmu] *m* vandalisme *m*.

vândalo, la ['vãndalu, la] *m, f* vandale *mf*.

vangloriar-se [vãŋglo'rjaxsi] *vp* se vanter ; **vangloriar-se de** se vanter de.

vanguarda [vãŋ'gwaxda] *f* avant-garde *f* ; **estar na vanguarda de** être en tête de.

vantagem [vãn'taʒẽ] (*pl* -ns) *f* avantage *m* ; **que vantagem você tira disso?** qu'est-ce que tu y gagnes ?

vantajoso, osa [vãnta'ʒozu, ɔza] *adj* [útil] bénéfique ; [lucrativo] avantageux(euse) ; **não é vantajoso para mim** ça ne m'arrange pas.

vão[1] ['vãw] ► **ir**.

vão[2], **vã** ['vãw, vã] ◇ *adj* vain(e). ◇ *m* : **vão de escadas** dessous *m* d'escalier ; **em vão** en vain.

vapor [va'po(x)] (*pl* -es) *m* [de líquido] vapeur *f* ; [tóxico] émanation *f*.

vaporizador [vaporiza'do(x)] (*pl* -es) *m* vaporisateur *m*.

vara ['vara] *f* [pau] bâton *m* ; **vara de pescar** canne *f* à pêche.

varal [va'raw] (*pl* -ais) *m* étendoir *f* (à linge).

varanda [va'rãnda] *f* balcon *m*.

varejeira [vare'ʒejra] *f* mouche *f* bleue.

varejo [va'reʒu] *m* vente *f* au détail.

variação [varja'sãw] (*pl* -ões) *f* [alteração] variation *f* ; [de preços] différence *f*.

variado, da [va'rjadu, da] *adj* varié(e).

variar [va'rja(x)] *vt* & *vi* varier ; **para variar** pour changer.

varicela [vari'sɛla] *f* varicelle *f*.

variedade [varje'dadʒi] *f* variété *f*.

varinha [va'riɲa] *f* : **varinha de condão** baguette *f* magique.

varíola [va'riola] *f* variole *f*.

vários, rias ['varjuʃ, rjaʃ] *adj pl* plusieurs.

variz [va'riʃ] (*pl* -es) *f* varice *f*.

varredor, ra [vaxe'do(x), ra] (*mpl* -es, *fpl* -s) *m, f* balayeur *m*, -euse *f*.

varrer [va'xe(x)] *vt* balayer ; **varrer algo da memória** chasser qqch de sa mémoire.

vascular [vaʃku'la(x)] (*pl* -es) *adj* vasculaire.

vasculhar [vaʃku'ʎa(x)] *vt* : **vasculhar (em)** fouiller (dans).

vaselina [vaze'lina] *f* vaseline *f*.

vasilha [va'ziʎa] *f* pot *m*.

vaso ['vazu] *m* [para plantas] pot *m* (de

fleurs) ; [jarra] cruche *f* ; ANAT vaisseau *m* ; **vaso sanitário** cuvette *f* des W-C ; **vaso sanguíneo** vaisseau sanguin.

vassoura [va'sora] *f* balai *m*.

vasto, ta ['vaʃtu, ta] *adj* vaste.

vatapá [vata'pa] *m crevettes pilées et morceaux de poisson cuits dans de l'huile de palme et du lait de coco.*

Vaticano [vati'kanu] *m* : **o Vaticano** le Vatican.

vazio, zia [va'ziu, 'zia] ◇ *adj* vide. ◇ *m* vide *m* ; **vazio de** [sentido] vide de ; [interesse] sans.

Vd. (*abrev de* **vide**) voir.

vê ['ve] ▶ **ver.**

veado ['vjadu] *m* cerf *m*.

vedado, da [ve'dadu, da] *adj* [edifício] fermé(e) ; [campo, local] clôturé(e) ; [recipiente] étanche ; [interdito] interdit(e).

vedar [ve'da(x)] *vt* [edifício] fermer ; [local] clôturer ; [buraco] boucher ; [recipiente] fermer hermétiquement ; [acesso, passagem] interdire.

vêem ['veẽ] ▶ **ver.**

vegetação [veʒeta'sɑ̃w] *f* végétation *f*.

vegetal [veʒe'taw] (*pl* -ais) *m* végétal *m*.

vegetariano, na [veʒeta'rjanu, na] *adj* & *m, f* végétarien(enne).

veia ['veja] *f* veine *f*.

veículo [ve'ikulu] *m* véhicule *m* ; **'veículo longo'** 'véhicule long'.

veio ['veju] ▶ **ver.**

vejo ['veʒu] ▶ **ver.**

vela ['vɛla] *f* bougie *f* ; [de barco] voile *f*.

veleiro [ve'lejru] *m* voilier *m*.

velejar [vele'ʒa(x)] *vi* naviguer.

velhice [vɛ'ʎisi] *f* vieillesse *f*.

velho, lha ['vɛʎu, ʎa] *adj* & *m, f* vieux(vieille).

velocidade [velosi'dadʒi] *f* vitesse *f*.

velocímetro [velo'simetru] *m* compteur *m* de vitesse.

velocípede [velo'sipedʒi] *m* cycle *m*.

velório [ve'lɔrju] *m* veillée *f* funèbre.

veloz [ve'lɔʃ] (*pl* -es) *adj* rapide.

veludo [ve'ludu] *m* velours *m*.

vem ['vɑ̃j] ▶ **vir.**

vêm ['vajɑ̃j] ▶ **vir.**

vencedor, ra [vẽse'do(x), ra] (*mpl* -es, *fpl* -s) ◇ *m, f* vainqueur *m*. ◇ *adj* gagnant(e).

vencer [vẽ'se(x)] ◇ *vt* [adversário] vaincre ; [corrida, competição] remporter ; *fig* [obstáculo, timidez, problema] surmonter. ◇ *vi* [em competição] gagner ; [prazo de pagamento] arriver à échéance ; [contrato, documento] expirer ; **deixar-se vencer por** céder à.

vencido, da [vẽ'sidu, da] *adj* vaincu(e) ; **dar-se por vencido** s'avouer vaincu.

vencimento [vẽsi'mẽntu] *m* [ordenado] salaire *m* ; [de prazo de pagamento] échéance *f* ; **não dar vencimento a** ne pas suivre le rythme.

venda ['vẽnda] *f* [de mercadorias] vente *f* ; [mercearia] épicerie *f* ; [para olhos] bandeau *m* ; **pôr à venda** mettre en vente ; **venda pelo correio** vente par correspondance ; **venda por atacado/no varejo** vente en gros/au détail ; **venda pelo telefone** télévente *f*.

vendaval [vẽnda'vaw] (*pl* -ais) *m* vent *m* violent.

vendedor, ra [vẽnde'do(x), ra] (*mpl* -es, *fpl* -s) *m, f* vendeur *m*, -euse *f*.

vender [vẽn'de(x)] *vt* vendre. ◆ **vender-se** *vp* : **'vende-se'** 'à vendre' ; **vender à prestação** vendre à crédit ; **vender à vista** vendre au comptant.

veneno [ve'nenu] *m* poison *m*.

venenoso, osa [vene'nozu, ɔza] *adj* [cogumelo] vénéneux(euse) ; [serpente] venimeux(euse).

venéreo, rea [ve'nɛrju, rja] *adj* vénérien(enne).

venezianas [vene'zjanaʃ] *fpl* persiennes *fpl*.

Venezuela [vene'zwɛla] *f* : **a Venezuela** le Venezuela.

venho ['veɲu] ➤ **vir.**

vênia ['venja] *f* révérence *f*.

vens ['vɑ̃jʃ] ➤ **vir.**

ventania [vẽnta'nia] *f* gros vent *m*.

ventar [vẽn'ta(x)] *vi* venter.

ventilação [vẽntʃila'sɑ̃w] *f* ventilation *f* ; [saída] aération *f*.

ventilador [vẽntʃila'do(x)] (*pl* -es) *m* ventilateur *m*.

ventilar [vẽntʃi'la(x)] *vt* ventiler.

vento ['vẽntu] *m* vent *m*.

ventoinha [vẽn'twiɲa] *f* [de ventilação] ventilateur *m*.

ventre ['vẽntri] *m* ventre *m*.

ventrículo [vẽn'trikulu] *m* ventricule *m*.

ventríloquo, qua [vẽn'trilokwu, kwa] *m, f* ventriloque *mf*.

ver ['ve(x)] ◇ *vt* voir ; [televisão, filme] regarder. ◇ *vi* voir. ◇ *m* : **a meu ver** à mon avis ; **até mais ver!** à la prochaine ! ; **vamos ver** on verra bien ; **estar vendo** voir ; **não estou vendo o que você quer dizer** je ne vois pas ce que tu veux dire ; **deixe-me ver...** fais-moi voir... ; **fazer ver a alguém que...** faire comprendre à qqn que... ; **não ter nada a ver com** n'avoir rien à voir avec.

veracidade [verasi'dadʒi] *f* véracité *f*.

veraneio [vera'neju] *m* villégiature *f* ; **cidade de veraneio** ville estivale *f*.

veranista [vera'niʃta] *mf* estivant *m*, -e *f*.

verão [ve'rɑ̃w] (*pl* -ões) *m* été *m*.

verba ['vɛxba] *f* montant *m*, somme *f*.

verbal [vex'baw] (*pl* -ais) *adj* verbal(e).

verbo ['vɛxbu] *m* verbe *m*.

verdade [vex'dadʒi] *f* vérité *f* ; **dizer a verdade** dire la vérité ; **a verdade é que** à vrai dire ; **na verdade** à vrai dire.

verdadeiro, ra [vexda'dejru, ra] *adj* [verídico] vrai(e) ; [genuíno] véritable.

verde ['vexdʒi] ◇ *adj* vert(e). ◇ *m* vert *m*.

verdura [vex'dura] *f* [vegetação] verdure *f* ; [hortaliça] légumes *mpl* verts.

vereda [ve'reda] *f* sentier *m*.

veredicto [vere'dʒiktu] *m* verdict *m*.

verga ['vexga] *f* osier *m*.

vergonha [vex'goɲa] *f* [timidez] timidité *f* ; [desonra] honte *f* ; **ter vergonha** avoir honte ; [ser tímido] être gêné ; **ter vergonha de alguém** avoir honte de qqn ; **não ter vergonha na cara** être sans gêne.

verificação [verifika'sɑ̃w] (*pl* -ões) *f* vérification *f*.

verificar [verifi'ka(x)] *vt* vérifier ; [constatar] constater. ◆ **verificar-se** *vp* [realizar-se] arriver ; [acontecer] y avoir ; **verificou-se um acidente** il y a eu un accident.

verme ['vɛxmi] *m* ver *m*.

vermelho, lha [vex'meʎu, ʎa] ◇ *adj* rouge. ◇ *m* rouge *m*.

vermute [vex'mutʃi] *m* vermouth *m*.

verniz [vex'niʃ] (*pl* -es) *m* [para madeira] vernis *m* ; [para unhas] vernis *m* à ongles.

verões [ve'rõjʃ] ➤ **verão.**

verossímil [vero'simiw] (*pl* -meis) *adj* vraisemblable.

verruga [ve'xuga] *f* verrue *f*.

versão [vex'sɑ̃w] (*pl* -ões) *f* [de história, acontecimento] version *f*.

versátil [vex'satʃiw] (*pl* -teis) *adj* polyvalent(e).

verso ['vɛxsu] *m* [de poema] vers *m* ; [de folha de papel] verso *m*.

versões [vex'sõjʃ] ► **versão**.

vértebra ['vɛxtebra] *f* vertèbre *f*.

vertical [vextʃi'kaw] (*pl* -ais) ◇ *adj* vertical(e). ◇ *f* verticale *f* ; **na vertical** à la verticale.

vértice ['vɛxtʃisi] *m* [de ângulo] sommet *m*.

vertigem [vex'tʃiʒẽ] (*pl* -ns) *f* vertige *m*.

vesgo, **ga** ['veʒgu, ga] *adj* : **ser vesgo** loucher.

vesícula [ve'zikula] *f* : **vesícula (biliar)** vésicule *f* (biliaire).

vespa ['veʃpa] *f* [inseto] guêpe *f* ; [motociclo] scooter *m*.

véspera ['vɛʃpera] *f* veille *f* ; **na véspera** la veille ; **em vésperas de** à la veille de.

vestiário [veʃ'tʃjarju] *m* vestiaire *m*.

vestibular [veʃtʃibu'la(x)] *m concours d'entrée en faculté*.

vestíbulo [veʃ'tʃibulu] *m* hall *m*.

vestido, **da** [veʃ'tʃidu, da] ◇ *adj* habillé(e). ◇ *m* robe *f* ; **vestido de** habillé en.

vestígio [veʃ'tʃiʒju] *m* trace *f*.

vestir [veʃ'tʃi(x)] *vt* [boneco, bebê, criança] habiller ; [roupa] porter ; [enfiar] mettre. ◆ **vestir-se** *vp* s'habiller ; **vestir-se de** s'habiller en.

vestuário [veʃ'twarju] *m* vêtement *m*.

veterano, **na** [vete'ranu, na] *m*, *f* vétéran *m*.

veterinário, **ria** [veteri'narju, rja] *m*, *f* vétérinaire *mf*.

véu ['vɛu] *m* voile *m*.

V.Exª (*abrev de* **Vossa Excelência**) Cher Monsieur/Chère Madame *(formule de politesse à l'écrit)*.

V.Exª (*abrev de* **Vossa Excelência**) Monsieur, Madame *(formule de politesse)*.

vexame [vɛ'ʃami] *m* honte *f*.

vez ['veʃ] (*pl* -es) *f* [ocasião] fois *f* ; [turno] tour *m* ; **perder a vez** passer son tour ; **às vezes** parfois ; **alguma vez você há de aprender** tu finiras par apprendre ; **de uma só vez** en même temps ; [beber] d'un trait ; **de vez** une fois pour toutes ; **de vez em quando** de temps en temps ; **mais de uma vez** plusieurs fois ; **muitas vezes** souvent ; **em vez de** au lieu de ; [de pessoa] à la place de ; **outra vez** encore ; **por vezes** parfois ; **poucas vezes** rarement ; **era uma vez...** il était une fois...

vi ['vi] ► **ver**.

via ['via] *f* voie *f* ; [documento] copie *f* ; **a Via Láctea** la Voie Lactée ; **via férrea** voie *f* ferrée ; **por via aérea** par avion ; **por via das dúvidas** au cas où ; **por via de regra** normalement ; **por via nasal** par voie nasale ; **por via oral** par voie orale ; **segunda via** duplicata *m* ; **via pública** voie publique ; **via rápida** [em auto-estrada] file *f* de gauche ; [estrada] voie express.

viaduto [via'dutu] *m* viaduc *m*.

viagem ['vjaʒẽ] (*pl* -ns) *f* voyage *m* ; **boa viagem!** bon voyage ! ; **viagem de negócios** voyage d'affaires.

viajante [vja'ʒɑ̃ntʃi] *mf* voyageur *m*, -euse *f*.

viajar [vja'ʒa(x)] *vi* voyager ; **viajar de** voyager en ; **viajar pela França/pelo Japão** voyager en France/au Japon.

viatura [vja'tura] *f* véhicule *m*.

viável ['vjavɛw] (*pl* -eis) *adj* [transitável] praticable ; [exequível] faisable.

víbora ['vibora] *f* vipère *f*.

vibração [vibra'sɐ̃w] (*pl* -ões) *f* vibration *f*.

vibrar [vi'bra(x)] *vi* vibrer.

viciado, da [vi'sjadu, da] *adj* dépendant(e).

viciar [vi'sja(x)] *vt* [adulterar] falsifier ; [comunicar vício] corrompre. ◆ **viciar-se em** *vp* + *prep* être dépendant(e).

vício ['visju] *m* vice *m*.

vida ['vida] *f* vie *f* ; **ganhar a vida** gagner sa vie ; **perder a vida** perdre la vie ; **tirar a vida a alguém** tuer qqn.

videira [vi'dejra] *f* vigne *f*.

vídeo ['vidʒju] *m* [aparelho] magnétoscope *m* ; [filme] film *m* vidéo.

videocassete [ˌvidʒjuka'sɛtʃi] *f* cassette *f* vidéo.

videoclipe [ˌvidʒju'klipi] *m* vidéo-clip *m*.

videoclube [ˌvidʒjo'klubi] *m* vidéo-club *m*.

videoconferência ['vidʒjukõnʃe-'rẽnsja] *f* TELECOM vidéoconférence *f*.

videodisco [ˌvidʒju'diʃku] *m* vidéodisque *m*.

videogame [ˌvidʒjo'gejmi] *m* jeu *m* vidéo.

vidro ['vidru] *m* [substância] verre *m* ; [vidraça] carreau *m* ; [de carro] vitre *f*.

vidrões ► **vidrão**.

viela ['vjɛla] *f* ruelle *f*.

vieste [vi'ɛʃtʃi] ► **vir**.

viga ['viga] *f* poutre *f*.

vigário [vi'garju] *m* vicaire *m*.

vigésimo, ma [vi'ʒɛzimu, ma] *num* vingtième, ► **sexto**.

vigia [vi'ʒia] ◇ *f* [vigilância] surveillance *f* ; [janela] hublot *m*. ◇ *mf* vigile *m*.

vigilância [viʒi'lɐ̃sja] *f* [guarda] surveillance *f* ; [atenção] vigilance *f*.

vigor [vi'go(x)] *m* vigueur *f* ; **em vigor** en vigueur.

vil ['viw] (*pl* **vis**) *adj* [infame] abominable ; [desprezível] ignoble.

vila ['vila] *f* [povoação] petite ville *f* ; [habitação] villa *f*.

vilarejo [vila'reʒu] *m* hameau *m*.

vim ['vĩ] ► **vir**.

vime ['vimi] *m* osier *m*.

vinagre [vi'nagri] *m* vinaigre *m*.

vinagrete [vina'grɛtʃi] *f* vinaigrette *f*.

vinco ['vĩŋku] *m* pli *m*.

vínculo ['viŋkulu] *m* lien *m* ; **vínculo empregatício** contrat de travail *m*.

vinda ['vĩnda] *f* [regresso] retour *m* ; [chegada] venue *f* ; **à vinda** au retour.

vindima [vĩn'dʒima] *f* vendange *f*.

vindo, da ['vĩndu, da] *pp* ► **vir**.

vingança [vĩŋ'gɐ̃sa] *f* vengeance *f*.

vingar [vĩŋ'ga(x)] ◇ *vt* venger. ◇ *vi* [planta] pousser. ◆ **vingar-se** *vp* se venger ; **vingar-se de** se venger de.

vingativo, va [vĩŋga'tʃivu, va] *adj* rancunier(ère).

vinha[1] ['viɲa] *f* vigne *f*.

vinha[2] ['viɲa] ► **vir**.

vinha-d'alhos [ˌviɲa'daʎuʃ] *f* marinade *f*.

vinheta [vi'ɲeta] *f* vignette *f*.

vinho ['viɲu] *m* vin *m* ; **vinho branco/tinto** vin blanc/rouge ; **vinho da casa** vin de la maison ; **vinho espumante** OU **espumoso** vin mousseux ; **vinho a martelo** vin frelaté ; **vinho de mesa** vin de table ; **vinho moscatel** muscat *m* ; **vinho do Porto** porto *m* ; **vinho rosé** vin rosé ; **vinho verde** *vin blanc ou rouge légèrement pétillant fait alors que le raisin n'a pas atteint sa maturité*.

vinicultor, ra [ˌvinikuw'to(x), ra] (*mpl* -es, *fpl* -s) *m, f* viticulteur *m*, -trice *f*.

vinil [vi'niw] *m* vinyle *m*.

vintage [vĩn'tajdʒi] *m* millésime *m*.

vinte ['vĩntʃi] *num* vingt, ► **seis**.

viola ['vjɔla] *f* guitare *f*.

violação [vjola'sɑ̃w] (*pl* -ões) *f* violation *f* ; [estupro] viol *m*.

violão [vjo'lɑ̃w] (*pl* -ões) *m* guitare *f*.

violar [vjo'la(x)] *vt* violer.

violência [vjo'lẽsja] *f* violence *f*.

violento, ta [vjo'lẽntu, ta] *adj* violent(e).

violeta [vjo'leta] ◇ *f* violette *f*. ◇ *adj inv* violet(ette).

violino [vjo'linu] *m* violon *m*.

violões ► **violão**.

violoncelo [vjolõn'sɛlu] *m* violoncelle *m*.

vir ['vi(x)] *vi* **1.** [ger] venir ; **veio ver-me** il est venu me voir ; **venho amanhã** je viendrai demain ; **vir de** venir de ; **venho agora mesmo de lá** j'en viens à l'instant même - **2.** [chegar] arriver ; **veio atrasado/adiantado** il est arrivé en retard/en avance ; **veio no trem das onze** il est arrivé par le train de onze heures - **3.** [surgir] arriver, venir ; **o carro veio não sei de onde** la voiture est arrivée de je ne sais où ; **veio-me uma idéia** il m'est venu une idée - **4.** [a seguir no tempo] : **na semana que vem** la semaine prochaine ; **no ano/mês que vem** l'année prochaine/le mois prochain - **5.** [estar] être ; **vem escrito em português** c'est écrit en portugais ; **vinha embalado** c'était emballé - **6.** [regressar] revenir ; **ele vem amanhã** il revient demain ; **hoje, venho mais tarde** aujourd'hui, je rentre plus tard ; **venho de férias na próxima semana** je reviens de vacances la semaine prochaine - **7.** [em locuções] : **que vem a ser isto?** qu'est-ce que c'est que ça ? ; **vir a ser** devenir ; **vir abaixo** s'écrouler ; **vir ao mundo** venir au monde ; **vir a saber (de algo)** apprendre (qqch) ; **vir sobre** [arremeter contra] venir sur ; **vir a tempo de** arriver à temps pour.

virado, da [vi'radu, da] ◇ *adj* retourné(e) ; [casa] orienté(e). ◇ *m* : **virado à paulista** *plat de São Paulo à base de haricots et de viande de porc* ; **virado para** tourné vers.

vira-lata [ˌvira'lata] (*pl* **vira-latas**) *m* bâtard *m (chien)*.

virar [vi'ra(x)] ◇ *vt* renverser ; [cabeça] tourner ; [objeto] retourner ; [transformar-se em] devenir. ◇ *vi* [mudar de direção] tourner ; [mudar] changer ; **virar à direita/esquerda** tourner à droite/gauche ; **virar o carro** faire demi-tour. ◆ **virar-se** *vp* se retourner ; **virar-se contra alguém** se retourner contre qqn ; **virar-se para** se tourner vers.

virgem ['vixʒẽ] (*pl* -ns) ◇ *f* vierge *f*. ◇ *adj* vierge. ◆ **Virgem** *f* Vierge *f*.

vírgula ['vixgula] *f* virgule *f*.

viril [vi'riw] (*pl* -is) *adj* viril(e).

virilha [vi'riʎa] *f* aine *f*.

viris ► **viril**.

virose [vi'rɔzi] *f* maladie *f* virale.

virtual [vix'twaw] (*pl* -ais) *adj* virtuel(elle).

virtude [vix'tudʒi] *f* vertu *f* ; **em virtude de** en vertu de.

vírus ['viruʃ] *m inv* virus *m*.

vis [viʃ] ► **vil**.

visão [vi'zɑ̃w] (*pl* -ões) *f* [capacidade de ver] vue *f* ; [ilusão] vision *f*.

visar [vi'za(x)] *vt* viser ; [ter em vista] avoir l'intention de.

vísceras ['viʃseraʃ] *fpl* viscères *fpl*.

viscoso, **osa** [viʃ'kozu, ɔza] *adj* visqueux(euse).

viseira [vi'zejra] *f* visière *f*.

visibilidade [vizibili'dadʒi] *f* visibilité *f*.

visita [vi'zita] *f* visite *f* ; **fazer uma visita a alguém** rendre visite à qqn.

visitante [vizi'tãntʃi] *mf* visiteur *m*, -euse *f*.

visitar [vizi'ta(x)] *vt* [pessoa] rendre visite à ; [local, país] visiter.

visível [vi'zivɛw] (*pl* -eis) *adj* visible.

vislumbrar [viʒlũm'bra(x)] *vt* apercevoir.

visões [vi'zõjʃ] ► **visão**.

visor [vi'zo(x)] (*pl* -es) *m* viseur *m*.

vista ['viʃta] *f* vue *f* ; [olho] œil *m* ; **até a vista!** au revoir ! ; **dar na vista** se faire remarquer ; **ter algo em vista** avoir qqch en vue.

visto, **ta** ['viʃtu, ta] ◇ *pp* ► **ver**. ◇ *adj* vu(e). ◇ *m* visa *m* ; **bem visto!** bien vu ! ; **pelo visto** apparemment ; **visto que** vu que.

vistoso, **osa** [viʃ'tozu, ɔza] *adj* voyant(e).

visual [vi'zwaw] (*pl* -ais) *adj* visuel(elle).

vital [vi'taw] (*pl* -ais) *adj* vital(e).

vitamina [vita'mina] *f* vitamine *f*.

vitela [vi'tɛla] *f* [animal] génisse *f* ; [carne] veau *m*.

vítima ['vitʃima] *f* victime *f*.

vitória [vi'tɔrja] *f* victoire *f*.

vitória-régia [vi,tɔrja'xɛʒja] (*pl* **vitórias-régias**) *f* nénuphar *m* géant.

vitral [vi'traw] (*pl* -ais) *m* vitrail *m*.

vitrina [vi'trina] *f* vitrine *f*.

viu ['viu] ► **ver**.

viúvo, **va** ['vjuvu, va] *m, f* veuf *m*, veuve *f*.

vivacidade [vivasi'dadʒi] *f* vivacité *f*.

viveiro [vi'vejru] *m* [de plantas] pépinière *f* ; [de trutas] vivier *m*.

vivência [vi'vẽnsja] *f* expérience *f*.

vivenda [vi'vẽnda] *f* maison *f (individuelle)*.

viver [vi've(x)] ◇ *vi* [ter vida] vivre ; [habitar] habiter. ◇ *vt* vivre ; **viver com alguém** vivre avec qqn ; **viver de algo** vivre de qqch ; **viver em** vivre à.

víveres ['viveriʃ] *mpl* vivres *mpl*.

vivo, **va** ['vivu, va] *adj* vif(vive) ; [com vida] vivant(e) ; **ao vivo** live.

vizinhança [vizi'ɲãsa] *f* voisinage *m*.

vizinho, **nha** [vi'ziɲu, ɲa] *adj* & *m, f* voisin(e).

voar ['vwa(x)] *vi* voler.

vocabulário [vokabu'larju] *m* vocabulaire *m*.

vocação [voka'sãw] (*pl* -ões) *f* vocation *f* ; **ter vocação para** avoir la vocation de.

vocalista [voka'liʃta] *mf* chanteur *m*, -euse *f* (d'un groupe).

você [vo'se] *pron* tu. ◆ **vocês** *pron pl* vous.

voga ['vɔga] *f* : **estar em voga** être en vogue.

vogal [vo'gaw] (*pl* -ais) ◇ *f* voyelle *f*. ◇ *mf* membre *m*.

volante [vo'lãntʃi] *m* volant *m (de véhicule)*.

volátil [vo'latʃiw] (*pl* -teis) *adj* volatil(e) ; *fig* versatile.

vôlei ['volei] *m* volley-ball *m*.

voleibol [,volei'bɔw] *m* volley-ball *m*.

volta ['vɔwta] *f* tour *m* ; [regresso] retour *m* ; [mudança] tournant *m* ; **dar uma volta** faire un tour ; **dar a volta em**

algo faire le tour de qqch ; **estar de volta** être de retour ; **volta e meia** *fig* sans arrêt ; **a toda a volta** tout autour ; **por volta de** vers.

voltagem [vow'taʒẽ] *f* voltage *m*.

voltar [vow'ta(x)] ◇ *vt* retourner ; [cabeça, olhos, costas] tourner. ◇ *vi* [regressar] revenir ; [ir de novo] retourner ; **voltar a fazer algo** refaire qqch ; **voltar a chover** recommencer à pleuvoir ; **voltar atrás** [retroceder] revenir sur ses pas ; [no tempo] revenir en arrière ; **voltar para** revenir à ; **voltar para casa** rentrer à la maison. ◆ **voltar-se** *vp* se retourner ; **voltar-se para** se tourner vers.

volume [vo'lumi] *m* volume *m* ; [embrulho] paquet *m*.

voluntário, ria [volũn'tarju, rja] *m, f* volontaire *mf*.

volúpia [vo'lupja] *f* volupté *f*.

vomitado [vomi'tadu] *m* vomi *m*.

vomitar [vomi'ta(x)] *vt* & *vi* vomir ; **sentir vontade de vomitar** avoir envie de vomir.

vômito ['vomitu] *m* [contração] vomissement *m*.

vontade [võn'tadʒi] *f* [desejo] envie *f* ; [determinação] volonté *f* ; **pôr-se à vontade** se mettre à l'aise ; **ter vontade de fazer algo** avoir envie de faire qqch ; **fazer as vontades a alguém** faire les quatre volontés de qqn ; **com vontade ou sem ela** que tu le veuilles ou non ; **contra a vontade** à contre cœur ; **de livre vontade** de plein gré.

vôo ['vou] *m* vol *m* ; **vôo charter** vol charter ; **vôo direto** vol direct ; **vôo doméstico** vol intérieur ; **vôo fretado** vol affrété ; **vôo livre** vol libre.

voraz [vo'raʃ] (*pl* -es) *adj* vorace.

vos [vuʃ] *pron* [vocês] vous.

vós ['vɔʃ] *pron fml* vous ; **vós mesmos** OU **próprios** vous-mêmes.

votação [vota'sãw] (*pl* -ões) *f* [ato] vote *m* ; [resultado] scrutin *m* ; **por votação secreta** à bulletin secret.

votar [vo'ta(x)] *vi* voter ; **votar em alguém** voter pour qqn.

voto ['vɔtu] *m* [eleição] vote *m* ; [resultado] voix *f*. ◆ **votos** *mpl* : **votos de** tous mes vœux de bonheur ; **fazer votos que** souhaiter que.

vou ['vo] ► **ir**.

voz ['vɔʃ] (*pl* -es) *f* voix *f* ; **ter voz ativa em algo** avoir son mot à dire sur qqch ; **em voz alta/baixa** à voix haute/basse.

vulcão [vuw'kãw] (*pl* -ões) *m* volcan *m*.

vulgar [vuw'ga(x)] (*pl* -es) *adj* [freqüente] courant(e) ; [comum] banal(e) ; [grosseiro] vulgaire.

vulgaridade [vuwgari'dadʒi] *f* [banalidade] banalité *f* ; [grosseria] vulgarité *f*.

vulnerável [vuwne'ravɛw] (*pl* -eis) *adj* vulnérable.

vulto ['vuwtu] *m* [figura indistinta] silhouette *f* ; [pessoa importante] figure *f*.

W

walkie-talkie [ˌwɔki'tɔki] (*pl* **walkie-talkies**) *m* talkie-walkie *m*.

WC *m* (*abrev de* **water closet**) W-C *m*.

web [web] *f* le Web.

webcam ['uɛbikã] (*pl* **webcams**) *f* INFORM webcam *f*.

webmail ['uɛbimejo] (*pl* **webmails**) *m* INFORM webmail *m*.

webmaster ['uɛbimaʃte(x)] (*pl* **webmasters**) *mf* INFORM webmaster *m*.

website ['uɛbisitʃi] *m* INFORM website *m*.

windsurfe [wĩnd'suxfi] *m* windsurf® *m*, planche à voile *f* ; **fazer windsurfe** faire du windsurf.

windsurfista [wĩndsux'fiʃta] *mf* windsurfeur *m*, -euse *f*.

WWW (*abrev de* **World Wide Web**) *f* WWW *m*.

X

xadrez [ʃa'dreʃ] *m* [jogo] échecs *mpl* ; *fam* [cadeia] taule *f* ; [saia, tecido] à carreaux.

xale ['ʃali] *m* châle *m*.

xampu [ʃãm'pu] *m* shampoing *m*.

xarope [ʃa'rɔpi] *m* sirop *m* ; **xarope para a tosse** sirop pour la toux.

xenofobia [ʃenofo'bia] *f* xénophobie *f*.

xenófobo, **ba** [ʃe'nɔfobu, ba] *m, f* xénophobe *mf*.

xeque-mate [ˌʃɛki'matʃi] (*pl* **xeque-mates**) *m* échec *m* et mat.

xerez [ʃe'reʃ] *m* xérès *m*.

xerocar [ʃero'ka(x)] *vt* photocopier.

xerox® ['ʃɛrɔks] *m inv* [fotocópia] photocopie *f* ; [máquina] photocopieuse *f*.

xícara ['ʃikara] *f* tasse *f*.

xicrinha [ʃi'kriɲa] *f* petite tasse *f*.

xilofone [ʃilo'foni] *m* xylophone *m*.

xilografia [ʃilɔgra'fia] *f* xylographie *f*.

xingar [ʃĩŋ'ga(x)] *vt* insulter.

xinxim [ʃĩn'ʃĩ] (*pl* -ns) *m poulet à l'huile de palme et à la noix de cajou pilée.*

xisto ['ʃiʃtu] *m* schiste *m*.

xixi [ʃi'ʃi] *m fam* pipi *m* ; **fazer xixi** *fam* faire pipi.

Z

zagueiro [za'geiru] *m* [em futebol] arrière *m*.

Zaire ['zajri] *m* : **o Zaire** le Zaïre.

zanga ['zãŋga] *f* brouille *f*.

zangado, **da** [zãŋ'gadu, da] *adj* fâché(e).

zangão ['zãŋgãw] (*pl* -ões) *m* bourdon *m*.

zangar [zãŋ'ga(x)] *vt* énerver. ◆ **zangar-se** *vp* se fâcher.

zangões [zãŋ'gõjʃ] ► **zangão**.

zarpar [zax'pa(x)] *vi* lever l'ancre.

zebra ['zebra] *f* zèbre *m*.

zelador, **ra** [zela'do(x), ra] (*pl* -es, *fpl* -s) *m, f* [de edifício] concierge *mf*.

zelar [ze'la(x)] ◆ **zelar por** *v + prep* veiller à.

zelo ['zelu] *m* [dedicação] soin *m* ; [com pessoa] égard *m*.

zeloso, **osa** [ze'lozu, ɔza] *adj* appliqué(e).

zero ['zɛru] *num* zéro ; **partir do zero** recommencer à zéro ; **ser um zero à**

esquerda *fam* être nul ; **está seis graus abaixo de zero** il fait moins six ► **seis**.

ziguezague [ˌzigi'zagi] *m* zigzag *m* ; **andar aos ziguezagues** zigzaguer.

zinco ['zĩŋku] *m* zinc *m*.

zipar [zi'pa(x)] *vt* INFORM zipper.

zíper ['zipe(x)] (*pl* -es) *m* fermeture *f* Éclair®.

Zodíaco [zo'dʒiaku] *m* zodiaque *m*.

zoeira ['zwejra] *f* bourdonnement *m*.

zombar [zõm'ba(x)] *vi* se moquer ; **zombar de** se moquer de.

zona ['zona] *f* zone *f* ; MED zona *m* ; **zona comercial** zone commerçante.

zonzo, za ['zõzu, za] *adj* étourdi(e).

zôo ['zou] *m* zoo *m*.

zoologia [zolo'ʒia] *f* zoologie *f*.

zoológico [zo'lɔʒiku, ka] *adj m* ► **jardim**.

zumbido [zũm'bidu] *m* bourdonnement *m*.

zumbir [zũm'bi(x)] *vi* bourdonner.

zunzum [zũn'zũ] (*pl* -ns) *m fig* cancan *m*.

zurrar [zu'xa(x)] *vi* braire.

O Dicionário Larousse Francês-Português/Português-Francês Míni
foi impresso em São Paulo/SP, pela RR Donnelley Moore
para a Larousse do Brasil em dezembro de 2006.